MATHS T^{le}

SPÉCIALITÉ

Auteurs

Delphine ARNAUD

Jérémy COUTEAU

Thibault FOURNET-FAYAS

Muriel GOARIN

Hélène GRINGOZ

François GUIADER

Marie HASCOËT

Didier KRIEGER

Christine LADEIRA

Laura MAGANA

Paul MILAN

Eric VERTUEL

Frédéric WEYERMANN

Les auteurs et les éditions MAGNARD remercient vivement :

Les relectrices et relecteurs du manuel pour leurs remarques et leurs suggestions.

L'ensemble des enseignant•e•s pour leur participation aux études menées sur ce manuel.

MAGNARD

Sommaire

Tous les pictos pour se repérer dans le manuel

Algo Pour tester un programme avec un ordinateur ou une calculatrice

Algo ✐ Pour compléter un programme ou se référer à son utilisation.

🐍 Pour la programmation en langage **Python**.

TICE Utilisation de logiciels (tableur, GeoGebra, géométrie dynamique…)

Calculatrice autorisée 🖩 Calculatrice non autorisée ▨

Pour faire le lien entre les maths et les autres disciplines

Histoire des sciences **Histoire des maths**
SVT **Physique** **Chimie** **SES** **EPS**

Pour faire le lien entre les maths et les filières de l'enseignement supérieur

(MPSI) (Économie) (Sciences)
(PCSI) (Médical) (Droit)

Algèbre et géométrie

■ Combinatoire et dénombrement

	Dans le manuel
	11

Contenus
– Principe additif : nombre d'éléments d'une réunion d'ensembles deux à deux disjoints.
– Principe multiplicatif : nombre d'éléments d'un produit cartésien. Nombre de k-uplets (ou k-listes) d'un ensemble à n éléments.
– Nombre des parties d'un ensemble à n éléments. Lien avec les n-uplets de $\{0 , 1\}$, les mots de longueur n sur un alphabet à deux éléments, les chemins dans un arbre, les issues dans une succession de n épreuves de Bernoulli.
– Nombre des k-uplets d'éléments distincts d'un ensemble à n éléments. Définition de $n!$ Nombre de permutations d'un ensemble fini à n éléments.
– Combinaisons de k éléments d'un ensemble à n éléments : parties à k éléments de l'ensemble. Représentation en termes de mots ou de chemins.
– Pour $0 \leqslant k \leqslant n$, formules : $\dbinom{n}{k} = \dfrac{n(n-1)\ldots(n-k+1)}{k!} = \dfrac{n!}{(n-k)!k!}$
– Explicitation pour $k = 0, 1, 2$. Symétrie. Relation et triangle de Pascal.

Capacités attendues
– Dans le cadre d'un problème de dénombrement, utiliser une représentation adaptée (ensembles, arbres, tableaux, diagrammes) et reconnaître les objets à dénombrer.
– Effectuer des dénombrements simples dans des situations issues de divers domaines scientifiques (informatique, génétique, théorie des jeux, probabilités, etc.).

Démonstrations
– Démonstration par dénombrement de la relation : $\displaystyle\sum_{k=0}^{n}\dbinom{n}{k} = 2^n$.
– Démonstrations de la relation de Pascal (par le calcul, par une méthode combinatoire).

Méthode **2** **7**

Méthode **3** **4** **5** **6** **8**

Cours 3
Apprendre
à démontrer

■ Manipulation des vecteurs, des droites et des plans de l'espace

	Dans le manuel
	9

Contenus
– Vecteurs de l'espace. Translations.
– Combinaisons linéaires de vecteurs de l'espace.
– Droites de l'espace. Vecteurs directeurs d'une droite. Vecteurs colinéaires.
– Caractérisation d'une droite par un point et un vecteur directeur.
– Plans de l'espace. Direction d'un plan de l'espace.
– Caractérisation d'un plan de l'espace par un point et un couple de vecteurs non colinéaires.
– Bases et repères de l'espace. Décomposition d'un vecteur sur une base.

Capacités attendues
– Représenter des combinaisons linéaires de vecteurs donnés.
– Exploiter une figure pour exprimer un vecteur comme combinaison linéaire de vecteurs.
– Décrire la position relative de deux droites, d'une droite et d'un plan, de deux plans.
– Lire sur une figure si deux vecteurs d'un plan, trois vecteurs de l'espace, forment une base.
– Lire sur une figure la décomposition d'un vecteur dans une base.
– Étudier géométriquement des problèmes simples de configurations dans l'espace (alignement, colinéarité, parallélisme, coplanarité).

Méthode **1**

Méthode **5**

Méthode **3** **10**

Méthode **6**

9 Méthode **4** **9**
10 Méthode **6** **7**

■ Orthogonalité et distances dans l'espace

	Dans le manuel
	10

Contenus
– Produit scalaire de deux vecteurs de l'espace. Bilinéarité, symétrie.
– Orthogonalité de deux vecteurs. Caractérisation par le produit scalaire.
– Base orthonormée, repère orthonormé.
– Coordonnées d'un vecteur dans une base orthonormée. Expressions du produit scalaire et de la norme. Expression de la distance entre deux points.
– Développement de $\left\|\vec{u} + \vec{v}\right\|^2$, formules de polarisation.
– Orthogonalité de deux droites, d'un plan et d'une droite.
– Vecteur normal à un plan. Étant donnés un point A et un vecteur non nul $\vec{n}$, plan passant par A et normal à $\vec{n}$.
– Projeté orthogonal d'un point sur une droite, sur un plan.

Capacités attendues
– Utiliser le produit scalaire pour démontrer une orthogonalité, pour calculer un angle, une longueur dans l'espace.
– Utiliser la projection orthogonale pour déterminer la distance d'un point à une droite ou à un plan.
– Résoudre des problèmes impliquant des grandeurs et mesures : longueur, angle, aire, volume.
– Étudier des problèmes de configuration dans l'espace : orthogonalité de deux droites, d'une droite et d'un plan ; lieux géométriques simples, par exemple plan médiateur de deux points.

Démonstration
– Le projeté orthogonal d'un point M sur un plan $\mathcal{P}$ est le point de $\mathcal{P}$ le plus proche de M.

Méthode **1** Méthode **2**

Méthode **4**

Méthode **5**

Méthode **6** Méthode **7**

Apprendre
à démontrer

Algèbre et géométrie

▪ Représentations paramétriques et équations cartésiennes	Dans le manuel

Contenus
– Représentation paramétrique d'une droite.
– Équation cartésienne d'un plan.

Capacités attendues
– Déterminer une représentation paramétrique d'une droite. Reconnaître une droite donnée par une représentation paramétrique.
– Déterminer l'équation cartésienne d'un plan dont on connaît un vecteur normal et un point. Reconnaître un plan donné par une équation cartésienne et préciser un vecteur normal à ce plan.
– Déterminer les coordonnées du projeté orthogonal d'un point sur un plan donné par une équation cartésienne, ou sur une droite donnée par un point et un vecteur directeur.
– Dans un cadre géométrique repéré, traduire par un système d'équations linéaires des problèmes de types suivants : décider si trois vecteurs forment une base, déterminer les coordonnées d'un vecteur dans une base, étudier une configuration dans l'espace (alignement, colinéarité, parallélisme, coplanarité, intersection et orthogonalité de droites ou de plans), etc. Dans des cas simples, résoudre le système obtenu et interpréter géométriquement les solutions.

Démonstration
– Équation cartésienne du plan normal au vecteur $\vec{n}$ et passant par le point A.

Analyse

▪ Suites	Dans le manuel

Contenus
– La suite (u_n) tend vers $+\infty$ si tout intervalle de la forme $[A\,;+\infty[$ contient toutes les valeurs u_n à partir d'un certain rang. Cas des suites croissantes non majorées. Suite tendant vers $-\infty$.
– La suite (u_n) converge vers le nombre réel ℓ si tout intervalle ouvert contenant ℓ contient toutes les valeurs u_n à partir d'un certain rang.
– Limites et comparaison. Théorèmes des gendarmes.
– Opérations sur les limites.
– Comportement d'une suite géométrique (q^n) où q est un nombre réel.
– Théorème admis : toute suite croissante majorée (ou décroissante minorée) converge.

Capacités attendues
– Établir la convergence d'une suite, ou sa divergence vers $+\infty$ ou $-\infty$.

– Raisonner par récurrence pour établir une propriété d'une suite.
– Étudier des phénomènes d'évolution modélisables par une suite.

Démonstrations
– Toute suite croissante non majorée tend vers $+\infty$.

– Limite de (q^n), après démonstration par récurrence de l'inégalité de Bernoulli.
– Divergence vers $+\infty$ d'une suite minorée par une suite divergeant vers $+\infty$.
– Limite en $+\infty$ et en $-\infty$ de la fonction exponentielle.

Exemples d'algorithme
– Recherche de seuils.
– Recherche de valeurs approchées de π, e, $\sqrt{2}$, $\dfrac{1+\sqrt{5}}{2}$, $\ln(2)$, etc.

Apprendre à démontrer
Cours 5
Cours 4

• Limites des fonctions	Dans le manuel

Contenus
– Limite finie ou infinie d'une fonction en $+\infty$, en $-\infty$, en un point. Asymptote parallèle à un axe de coordonnées.
– Limites faisant intervenir les fonctions de référence étudiées en classe de première : puissances entières, racine carrée, fonction exponentielle.
– Limites et comparaison.
– Opérations sur les limites.

Capacités attendues
– Déterminer dans des cas simples la limite d'une suite ou d'une fonction en un point, en $\pm\infty$, en utilisant les limites usuelles, les croissances comparées, les opérations sur les limites, des majorations, minorations ou encadrements, la factorisation du terme prépondérant dans une somme.
– Faire le lien entre l'existence d'une asymptote parallèle à un axe et celle de la limite correspondante.

Démonstration
– Croissance comparée de $x \mapsto x^n$ et exp en $+\infty$.

Apprendre à démontrer

Analyse

▪ Compléments sur la dérivation

Dans le manuel

Contenus

– Composée de deux fonctions, notation $v \circ u$. Relation $(v \circ u)' = (v' \circ u) \times u'$ pour la dérivée de la composée de deux fonctions dérivables.
– Dérivée seconde d'une fonction.
– Fonction convexe sur un intervalle : définition par la position relative de la courbe représentative et des sécantes. Pour une fonction deux fois dérivable, équivalence admise avec la position par rapport aux tangentes, la croissance de f', la positivité de f''.
– Point d'inflexion.

Capacités attendues

– Calculer la dérivée d'une fonction donnée par une formule simple mettant en jeu opérations algébriques et composition.
– Calculer la fonction dérivée, déterminer les limites et étudier les variations d'une fonction construite simplement à partir des fonctions de référence.
– Démontrer des inégalités en utilisant la convexité d'une fonction.
– Esquisser l'allure de la courbe représentative d'une fonction f à partir de la donnée de tableaux de variations de f, de f' ou de f''.
– Lire sur une représentation graphique de f, de f' ou de f'' les intervalles où f est convexe, concave, et les points d'inflexion. Dans le cadre de la résolution de problème, étudier et utiliser la convexité d'une fonction.

Démonstration

– Si f'' est positive, alors la courbe représentative de f est au-dessus de ses tangentes.

▪ Continuité des fonctions d'une variable réelle

Dans le manuel

Contenus

– Fonction continue en un point (définition par les limites), sur un intervalle. Toute fonction dérivable est continue.
– Image d'une suite convergente par une fonction continue.
– Théorème des valeurs intermédiaires. Cas des fonctions continues strictement monotones.

Capacités attendues

– Étudier les solutions d'une équation du type $f(x) = k$: existence, unicité, encadrement.
– Pour une fonction continue f d'un intervalle dans lui-même, étudier une suite définie par une relation de récurrence $u_{n+1} = f(u_n)$.

▪ Fonction logarithme

Dans le manuel

Contenus

– Fonction logarithme népérien, notée ln, construite comme réciproque de la fonction exponentielle.
– Propriétés algébriques du logarithme.
– Fonction dérivée du logarithme, variations.
– Limites en 0 et en $+\infty$, courbe représentative. Lien entre les courbes représentatives des fonctions logarithme népérien et exponentielle.
– Croissance comparée du logarithme népérien et de $x \mapsto x^n$ en 0 et en $+\infty$.

Capacités attendues

– Utiliser l'équation fonctionnelle de l'exponentielle ou du logarithme pour transformer une écriture, résoudre une équation, une inéquation.
– Dans le cadre d'une résolution de problème, utiliser les propriétés des fonctions exponentielle et logarithme.

Démonstration

– Calcul de la fonction dérivée de la fonction logarithme népérien, la dérivabilité étant admise.
– Limite en 0 de $x \mapsto x \ln(x)$..

▪ Fonctions sinus et cosinus

Dans le manuel

Contenus

– Fonctions trigonométriques sinus et cosinus : dérivées, variations, courbes représentatives.

Capacités attendues

– Résoudre une équation du type $\cos(x) = a$, une inéquation de la forme $\cos(x) \leq a$ sur $[-\pi ; \pi]$.
– Dans le cadre de la résolution de problème, notamment géométrique, étudier une fonction simple définie à partir de fonctions trigonométriques, pour déterminer des variations, un optimum.

Programme

Analyse

▪ Primitives, équations différentielles

Contenus

– Équation différentielle $y' = f$. Notion de primitive d'une fonction continue sur un intervalle. Deux primitives d'une même fonction continue sur un intervalle diffèrent d'une constante.

– Primitives des fonctions de référence : $x \mapsto x^n$ pour $n \in \mathbb{Z}$, $x \mapsto \dfrac{1}{\sqrt{x}}$, exponentielle, sinus, cosinus.

– Équation différentielle $y' = ay$, où a est un nombre réel ; allure des courbes. Équation différentielle $y' = ay + b$.

Capacités attendues

– Calculer une primitive en utilisant les primitives de référence et les fonctions de la forme $(v' \circ u) \times u'$.

– Pour une équation différentielle $y' = ay + b$ $(a \neq 0)$: déterminer une solution particulière constante ; utiliser cette solution pour déterminer toutes les solutions.

– Pour une équation différentielle $y' = ay + f$: à partir de la donnée d'une solution particulière, déterminer toutes les solutions.

Démonstrations

– Deux primitives d'une même fonction continue sur un intervalle diffèrent d'une constante.

– Résolution de l'équation différentielle $y' = ay$ où a est un nombre réel.

7

Méthode 1 Méthode 2 Méthode 3
Méthode 4 Méthode 7
Méthode 5 Méthode 6

Méthode 8

Cours 2
Apprendre
à démontrer

▪ Calcul intégral

Contenus

– Définition de l'intégrale d'une fonction continue positive définie sur un segment $[a , b]$, comme aire sous la courbe représentative de f. Notation $\int_a^b f(x)\mathrm{d}x$.

– Théorème : si f est une fonction continue positive sur $[a , b]$, alors la fonction F_a définie sur $[a , b]$ par $F_a(x) = \int_a^x f(t)\mathrm{d}t$ est la primitive de f qui s'annule en a.

– Sous les hypothèses du théorème, relation $\int_a^b f(x)\mathrm{d}x = F(b) - F(a)$ où F est une primitive quelconque de f. Notation $\left[F(x)\right]_a^b$.

– Théorème : toute fonction continue sur un intervalle admet des primitives.

– Définition par les primitives de $\int_a^b f(x)\mathrm{d}x$ lorsque f est une fonction continue de signe quelconque sur un intervalle contenant a et b.

– Linéarité, positivité et intégration des inégalités. Relation de Chasles.

– Valeur moyenne d'une fonction.

– Intégration par parties.

Capacités attendues

– Estimer graphiquement ou encadrer une intégrale, une valeur moyenne.

– Calculer une intégrale à l'aide d'une primitive, à l'aide d'une intégration par parties.

– Majorer (minorer) une intégrale à partir d'une majoration (minoration) d'une fonction par une autre fonction.

– Calculer l'aire entre deux courbes.

– Étudier une suite d'intégrales, vérifiant éventuellement une relation de récurrence.

– Interpréter une intégrale, une valeur moyenne dans un contexte issu d'une autre discipline.

Démonstrations

– Pour une fonction positive croissante f sur $[a , b]$, la fonction $x \mapsto \int_a^x f(t)\mathrm{d}t$ est une primitive de f. Pour toute primitive F de f, relation $\int_a^b f(x)\mathrm{d}x = F(b) - F(a)$.

– Intégration par parties.

8

Méthode 1 Méthode 2
Méthode 3 Méthode 4
Méthode 5 Méthode 6
Méthode 7 Méthode 8
Méthode 9
Méthode 10

Apprendre
à démontrer
Cours 2

Probabilités

▪ Succession d'épreuves indépendantes, schéma de Bernoulli

Dans le manuel

Contenus
- Modèle de la succession d'épreuves indépendantes : la probabilité d'une issue $(x_1, ..., x_n)$ est égale au produit des probabilités des composantes x_i. Représentation par un produit cartésien, par un arbre.
- Épreuve de Bernoulli, loi de Bernoulli.
- Schéma de Bernoulli : répétition de n épreuves de Bernoulli indépendantes.
- Loi binomiale $\mathcal{B}(n, p)$: loi du nombre de succès. Expression à l'aide des coefficients binomiaux.

12

Capacités attendues
- Modéliser une situation par une succession d'épreuves indépendantes, ou une succession de deux ou trois épreuves quelconques. Représenter la situation par un arbre. Calculer une probabilité en utilisant l'indépendance, des probabilités conditionnelles, la formule des probabilités totales.
- Modéliser une situation par un schéma de Bernoulli, par une loi binomiale.
- Utiliser l'expression de la loi binomiale pour résoudre un problème de seuil, de comparaison, d'optimisation relatif à des probabilités de nombre de succès.
- Dans le cadre d'une résolution de problème modélisé par une variable binomiale X, calculer numériquement une probabilité du type $P(X = k)$, $P(X \leqslant k)$, $P(k \leqslant X \leqslant k')$, en s'aidant au besoin d'un algorithme ; chercher un intervalle I pour lequel la probabilité $P(X \in I)$ est inférieure à une valeur donnée α, ou supérieure à $1 - \alpha$.

Démonstration
- Expression de la probabilité de k succès dans le schéma de Bernoulli.

Apprendre à démontrer

▪ Sommes de variables aléatoires

Dans le manuel

Contenus
- Somme de deux variables aléatoires. Linéarité de l'espérance : $E(X + Y) = E(X) + E(Y)$ et $E(aX) = aE(X)$.
- Dans le cadre de la succession d'épreuves indépendantes, exemples de variables indépendantes X, Y et relation d'additivité $V(X + Y) = V(X) + V(Y)$. Relation $V(aX) = a^2V(X)$.
- Application à l'espérance, la variance et l'écart-type de la loi binomiale.
- Échantillon de taille n d'une loi de probabilité : liste $(X_1, ..., X_n)$ de variables indépendantes identiques suivant cette loi. Espérance, variance, écart-type de la somme $S_n = X_1 + ... + X_n$ et de la moyenne $M_n = S_n/n$.

13

Capacités attendues
- Représenter une variable comme somme de variables aléatoires plus simples.
- Calculer l'espérance d'une variable aléatoire, notamment en utilisant la propriété de linéarité.
- Calculer la variance d'une variable aléatoire, notamment en l'exprimant comme somme de variables aléatoires indépendantes.

Démonstrations
- Espérance et variance de la loi binomiale.

Apprendre à démontrer

▪ Concentration, loi des grands nombres

Dans le manuel

Contenus
- Inégalité de Bienaymé-Tchebychev. Pour une variable aléatoire X d'espérance μ et de variance V, et quel que soit le réel strictement positif δ : $P(|X - \mu| \geqslant \delta) \leqslant \dfrac{V(x)}{\delta^2}$
- Inégalité de concentration. Si M_n est la variable aléatoire moyenne d'un échantillon de taille n d'une variable aléatoire d'espérance μ et de variance V, alors pour tout $\delta > 0$, $P(|M_n - \mu| \geqslant \delta) \leqslant \dfrac{V}{n\delta^2}$.
- Loi des grands nombres.

13

Capacité attendue
- Appliquer l'inégalité de Bienaymé-Tchebychev pour définir une taille d'échantillon, en fonction de la précision et du risque choisi.

Analyse

Archimède de Syracuse
(287-212 av. J.-C.)

Au IIIe siècle avant J-C, Archimède s'intéresse à différents problèmes de mesures : longueur du cercle (problème de rectification), quadrature de la parabole, cubature des solides. Au cours des Xe et XIe siècles, Ibn al-Haytham énonce les lois de la démarche scientifique et calcule le volume d'un paraboloïde.

↪ **Dicomaths** p. 460

Bonaventure Cavalieri
(1598-1647)

Au XVIIe siècle, Cavalieri invente la méthode de calcul d'aire et de volume portant son nom (ou méthode des indivisibles déjà énoncée par Liu-Hui en 263 pour le calcul du volume d'un cylindre) et très utilisée par la suite par Roberval, Torricelli et Pascal.

↪ **Dicomaths** p. 461

Grégoire de St Vincent
(1584-1667)

En 1647, Saint-Vincent utilise la méthode d'exhaustion pour résoudre le problème de la quadrature du cercle. À la même époque Fermat, Huygens, Pascal et Barrow montrent que les problèmes des aires et des tangentes sont inverses l'un de l'autre et font le lien entre calcul intégral et dérivation.

↪ **Dicomaths** p. 464

Mon parcours au lycée

Dans les classes précédentes
• J'ai étudié des fonctions de référence (polynomiales, homographiques, exponentielles et trigonométriques), le concept de dérivée et ses applications quant aux variations d'une fonction.

En Terminale générale
• Je vais étudier le raisonnement par récurrence et approfondir mes connaissances sur les fonctions : limites, continuité, compléments sur la dérivation, la convexité.
• Je vais découvrir la fonction logarithme népérien, le lien entre primitives et intégrales et je vais apprendre à résoudre des équations différentielles.

**Gottfried Leibniz
(1646-1716)**

**Joseph Louis Lagrange
(1736-1813)**

**Augustin Louis Cauchy
(1789-1857)**

Au début du XVIIIᵉ siècle, la querelle entre Newton et Leibniz concernant la découverte du calcul infinitésimal fait rage.
Au milieu du XVIIIᵉ siècle, Clairaut trouve les solutions de certaines équations différentielles, ces résultats seront généralisés par la suite par Lagrange.
↳ **Dicomaths** p. 462

En 1797, Lagrange publie sa *Théorie des fonctions analytiques* dans laquelle il présente le calcul des variations d'Euler et les ajouts effectués par Legendre et lui-même.
↳ **Dicomaths** p. 462

En 1821, Cauchy définit, dans son *Cours d'Analyse*, la notion de limite et propose un cadre plus rigoureux du calcul différentiel. Le théorème de Cauchy-Lipschitz énonce les conditions pour obtenir existence et unicité de solution à la donnée d'une équation différentielle et de conditions initiales.
↳ **Dicomaths** p. 461

Domaines professionnels

✓ Un·e **économiste** utilisera la convexité afin de déterminer le moment où il y a accélération d'une production. Il résoudra également des équations différentielles pour étudier la loi de l'offre et de la demande concernant un produit.

✓ Un·e **concepteur·trice de manèges à sensations fortes** utilisera dérivation et convexité pour prévoir la vitesse et l'accélération de la cabine en différents endroits du parcours.

✓ Un·e **conseiller·ère bancaire** utilisera les suites numériques pour calculer les intérêts d'un prêt, d'une épargne.

✓ Un·e **chercheur·se en météorologie** utilisera les équations différentielles pour prévoir le temps sur un certain nombre de jours.

✓ Un·e **épidémiologiste** résoudra des équations différentielles ou étudiera certaines suites numériques afin de déterminer l'évolution de certaines maladies.

1

Suites et récurrence

Achille se lance dans une course avec une tortue.
Comme il court plus vite que la tortue,
Achille décide de lui laisser de l'avance.

Achille rattrapera-t-il la tortue ? ↪ TP 2 p. 45

▶ **VIDÉO**
**Un paradoxe de Zenon :
Achille et la tortue**
lienmini.fr/maths-s01-01

Pour prendre un bon départ

⊙ **EXOS**
Prérequis
lienmini.fr/maths-s01-02

Les rendez-vous
Sésamath

1 Calculer les termes d'une suite définie par une formule explicite

Soit (u_n) la suite définie pour tout $n \in \mathbb{N}$ par $u_n = 3^n - 1$.
Calculer u_0 et u_5.

2 Calculer les termes d'une suite définie par une relation de récurrence

Soit (v_n) la suite définie par $v_0 = 3$ et pour tout $n \in \mathbb{N}$, $v_{n+1} = 2v_n - 1$.
Calculer les quatre premiers termes de la suite (v_n).

3 Représenter graphiquement une suite

1. Soit (u_n) la suite définie pour tout $n \in \mathbb{N}$ par $u_n = 3n - 2$.
Représenter graphiquement les cinq premiers termes de la suite (u_n).

2. On a représenté graphiquement ci-contre une fonction g et la droite d'équation $y = x$. Soit (v_n) la suite définie par $v_0 = -3$ et $v_{n+1} = g(v_n)$.
Déterminer la valeur des cinq premiers termes de la suite (v_n).

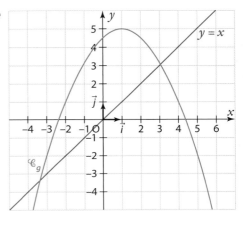

4 Étudier les variations d'une suite

Étudier les variations des suites suivantes.
a) (u_n) est la suite définie pour tout $n \in \mathbb{N}$ par $u_n = n^2 - 8$.
b) (v_n) est la suite définie pour tout $n \in \mathbb{N}$ par $v_n = \dfrac{2^n}{3^{n-1}}$.

5 Modéliser avec une suite

Un lycée a 1 500 élèves inscrits le 1er septembre 2020.
Chaque année, 30 % des anciens élèves ne se réinscrivent pas et il y a 500 nouveaux élèves.
1. Combien y aura-t-il d'élèves inscrits au lycée le 1er septembre 2021 ?
2. Modéliser la situation à l'aide d'une suite.

6 Utiliser les suites arithmétiques et géométriques

1. Soit (u_n) la suite définie par $u_0 = 5$ et pour tout $n \in \mathbb{N}$, $u_{n+1} = u_n - 3$.
a) Déterminer la nature de la suite (u_n), puis donner l'expression de u_n en fonction de n.
b) Calculer u_{10}.
2. Soit (v_n) la suite définie par $v_1 = 3$ et pour tout $n \in \mathbb{N}$, $v_{n+1} = 2v_n$.
a) Déterminer la nature de la suite (v_n), puis donner l'expression de v_n en fonction de n.
b) Calculer v_{10}.

Activités

1 Introduire le raisonnement par récurrence

Un service de vidéos à la demande avec abonnement dispose de 2 000 films en 2020.
Chaque année, il retire de la plateforme 10 % de ses anciens films, et rajoute 200 nouveaux films.

1. Déterminer le nombre de films sur la plateforme en 2021 et en 2022.

2. Le service de vidéos à la demande fait de la publicité pour dire que le nombre de films sur la plateforme sera toujours constant. Peut-on croire cette publicité ?

3. On note u_n le nombre de films à la disposition des clients en 2020 + n.

a) Donner la valeur de u_0 et u_1.

b) Exprimer u_{n+1} en fonction de u_n pour tout entier naturel n.

c) Conjecturer l'expression de u_n en fonction de n.

4. On veut démontrer le résultat de la question précédente.
Pour tout $n \in \mathbb{N}$, on note P_n la propriété « $u_n = 2\,000$ ».

a) Écrire la propriété P_0 et déterminer si elle est vraie. On dit alors que la propriété est **initialisée**.

b) Soit $n \in \mathbb{N}$. On suppose que la propriété P_n est vraie, c'est-à-dire que $u_n = 2\,000$.
Démontrer que la propriété P_{n+1} est vraie, c'est-à-dire que $u_{n+1} = 2\,000$.
On dit alors que la propriété est **héréditaire.**

c)

> Si une propriété est **initialisée** pour $n = 0$ et qu'elle est **héréditaire** pour tout $n \in \mathbb{N}$, alors le principe de récurrence nous dit que la propriété est **vraie** pour tout $n \in \mathbb{N}$.

Nous avons donc démontré que pour tout entier naturel n, $u_n = 2\,000$.
En déduire le nombre de films à la disposition des clients en 2050.

↳ Cours 1 p. 16

2 Introduire la définition de limite d'une suite

A ▶ Étude de la suite (u_n) définie pour tout $n \in \mathbb{N}$ par $u_n = n^2$

1. Calculer u_0, u_{10} et u_{100}. Conjecturer la limite de la suite (u_n) quand n tend vers $+\infty$.

◖**Remarque** On dit que la suite (u_n) tend $+\infty$ quand n tend vers $+\infty$, si pour tout réel $A > 0$, l'intervalle $]A\,;+\infty[$ contient tous les termes de la suite à partir d'un certain rang.

2. Déterminer la valeur d'un entier N tel que, pour tout entier $n \geqslant N$:

a) $u_n > 100$ **b)** $u_n > 1\,000$ **c)** $u_n > A$ avec A un réel strictement positif.

B ▶ Étude de la suite (v_n) définie pour tout $n \in \mathbb{N}^*$ par $v_n = 1 + \dfrac{1}{n}$

1. Calculer v_1, v_{10} et v_{100}.

2. Conjecturer la limite de la suite (v_n) quand n tend vers $+\infty$.

◖**Remarque** On dit que la suite (v_n) tend un réel ℓ quand n tend vers $+\infty$, si tout intervalle ouvert contenant ℓ contient tous les termes de la suite à partir d'un certain rang.

3. Déterminer la valeur d'un entier N tel que pour tout entier $n \geqslant N$:

a) $v_n \in]0{,}9\,;1{,}1[$ **b)** $v_n \in]0{,}99\,;1{,}01[$ **c)** $v_n \in]1 - 10^{-k}\,;1 + 10^{-k}[$ avec $k \in \mathbb{N}$.

↳ Cours 2 p. 18

20 min

3 Découvrir des propriétés sur les limites

A ▶ Théorème de comparaison

On considère la suite (u_n) définie par $u_n = n$.

Soit (v_n) une suite telle que pour tout $n \in \mathbb{N}$, $v_n \geqslant u_n$.

On a représenté graphiquement ci-contre la suite (u_n) en bleu et la suite (v_n) en rouge.

1. Donner la limite de la suite (u_n) quand n tend vers $+\infty$.

2. Conjecturer la limite de la suite (v_n).

B ▶ Théorème des gendarmes

Soit (w_n) la suite définie pour tout entier $n \geqslant 1$ par $w_n = \dfrac{(-1)^n}{n}$.

On veut étudier le comportement de la suite (w_n) quand n tend vers $+\infty$.

1. Calculer les cinq premiers termes de la suite (w_n).

2. En donnant un encadrement de $(-1)^n$, montrer que pour tout entier $n \geqslant 1$, $-\dfrac{1}{n} \leqslant w_n \leqslant \dfrac{1}{n}$.

3. Représenter sur un même graphique les suites $\left(-\dfrac{1}{n}\right)$, $\left(\dfrac{1}{n}\right)$ et (w_n).

4. Donner la limite des suites $\left(-\dfrac{1}{n}\right)$ et $\left(\dfrac{1}{n}\right)$ quand n tend vers $+\infty$.

5. À l'aide du graphique, conjecturer la limite de la suite (w_n) quand n tend vers $+\infty$.

↪ **Cours 4** p. 22

25 min

4 Étudier des suites monotones

1. Julie affirme qu'une suite strictement croissante tend vers $+\infty$.

Maxime lui répond qu'elle a tort et qu'il peut lui donner un contre-exemple.

Qui a raison ?

Justifier.

2. Soit (u_n) la suite définie pour tout $n \in \mathbb{N}^*$ par $u_n = 4 - \dfrac{1}{n}$.

a) Montrer que la suite (u_n) est strictement croissante.

b) Montrer que pour tout $n \in \mathbb{N}^*$, $u_n < 4$.

c) Calculer u_1, u_{10} et u_{100}, puis conjecturer, si elle existe, la limite de la suite (u_n).

3. Soit (v_n) la suite définie pour tout $n \in \mathbb{N}$ par $v_n = n^2$.

a) Montrer que la suite (v_n) est strictement croissante.

b) Soit $A > 0$. Déterminer le plus petit entier n_0 tel que pour tout entier $n \geqslant n_0$, $v_n > A$.

▶**Remarque** La suite (v_n) n'est donc pas majorée.

c) Déterminer la limite de la suite (v_n).

4. Soit (w_n) la suite définie pour tout $n \in \mathbb{N}$ par $w_n = -1 + 0{,}5^n$

a) Montrer que la suite (w_n) est strictement décroissante.

b) Montrer que pour tout $n \in \mathbb{N}$, $w_n > -1$.

c) Calculer w_0, w_{10} et w_{100} puis conjecturer, si elle existe, la limite de la suite (w_n).

↪ **Cours 5** p. 24

1 Raisonnement par récurrence

Théorème Principe du raisonnement par récurrence

Soit $P(n)$ une propriété dépendant d'un entier naturel n. On suppose que :

① $P(0)$ est vraie.

② Pour tout entier naturel n fixé, si $P(n)$ est vraie, alors $P(n + 1)$ est vraie.

Alors pour tout entier naturel n, $P(n)$ est vraie.

Théorème Principe du raisonnement par récurrence à partir d'un certain rang

Soit $n_0 \in \mathbb{N}$ et $P(n)$ une propriété définie pour $n \geqslant n_0$. On suppose que :

① $P(n_0)$ est vraie.

② Pour tout entier naturel $n \geqslant n_0$ fixé, si $P(n)$ est vraie, alors $P(n + 1)$ est vraie.

Alors pour tout entier naturel $n \geqslant n_0$, $P(n)$ est vraie.

▶**Remarque** Pour démontrer par récurrence qu'une propriété $P(n)$ est vraie pour tout entier naturel $n \geqslant n_0$, on procède en trois étapes.

Étape ① **Initialisation** On vérifie que la propriété est vraie pour $n = n_0$.

Étape ② **Hérédité** Soit n un entier naturel tel que $n \geqslant n_0$.
On suppose que la propriété $P(n)$ est vraie (hypothèse de récurrence) et on démontre que $P(n + 1)$ est vraie.

Étape ③ **Conclusion** On conclut que $P(n)$ est vraie pour tout entier naturel $n \geqslant n_0$

● **Exemple**

Pour tout $n \in \mathbb{N}$, on considère la propriété $P(n)$: « $3^n = 5 + 2n$ »

- La propriété $P(0)$ est « $3^0 = 5 + 2 \times 0$ »
  Ici $3^0 = 1$ et $5 + 2 \times 0 = 5$. Donc $P(0)$ est fausse.

- La propriété $P(n + 1)$ est « $3^{n+1} = 5 + 2(n + 1)$ »

Propriété Inégalité de Bernoulli

Pour tout réel a strictement positif et pour tout entier naturel n : $(1 + a)^n \geqslant 1 + na$

● **Démonstration**

Soit a un réel strictement positif.

Pour tout $n \in \mathbb{N}$, on considère la propriété : « $(1 + a)^n \geqslant 1 + na$ ».

Étape ① **Initialisation**

Pour $n = 0$, $(1 + a)^0 = 1$ et $1 + 0 \times a = 1$. Donc $(1 + a)^0 \geqslant 1 + 0 \times a$.

Donc la propriété est vraie pour $n = 0$.

Étape ② **Hérédité**

Soit $n \in \mathbb{N}$. Supposons que $P(n)$ est vraie, c'est-à-dire $(1 + a)^n \geqslant 1 + na$.

Montrons que $P(n + 1)$ est vraie, c'est-à-dire $(1 + a)^{n+1} \geqslant 1 + (n + 1)a$

$(1 + a)^{n+1} = (1 + a) \times (1 + a)^n$. Donc $(1 + a)^{n+1} \geqslant (1 + a) \times (1 + na)$ car $1 + a \geqslant 0$.

$(1 + a)^{n+1} \geqslant 1 + na + a + na^2$ soit $(1 + a)^{n+1} \geqslant 1 + (n + 1)a + na^2$

Or $na^2 \geqslant 0$. Donc $(1 + a)^{n+1} \geqslant 1 + (n + 1)a$

Donc $P(n + 1)$ est vraie.

Étape ③ **Conclusion**

On conclut que pour tout $n \in \mathbb{N}$, $P(n)$ est vraie. Donc pour tout $n \in \mathbb{N}$, $(1 + a)^n \geqslant 1 + na$

▶ **VIDÉO**
Démonstration
lienmini.fr/maths-s01-03

● EXOS
Méthodes
lienmini.fr/maths-s01-04

Les rendez-vous
Sésamath

Exercices (résolus)

Méthode 1 — Démontrer une propriété par récurrence

Énoncé

Pour tout $n \in \mathbb{N}^*$, notons $S_n = 1 + 2 + \ldots + n$. Montrer par récurrence que pour tout $n \in \mathbb{N}^*$, $S_n = \dfrac{n(n+1)}{2}$.

Solution

Pour tout $n \in \mathbb{N}^*$, on considère la propriété $P(n)$: « $S_n = \dfrac{n(n+1)}{2}$ ». **1** **2**

Étape ① Initialisation Pour $n = 1$, on a $S_1 = 1$ et $\dfrac{1 \times (1+1)}{2} = 1$.

Donc $S_1 = \dfrac{1 \times (1+1)}{2}$. Donc la propriété est vraie pour $n = 1$.

Étape ② Hérédité Soit $n \in \mathbb{N}^*$. Supposons que $P(n)$ est vraie, c'est-à-dire $S_n = \dfrac{n(n+1)}{2}$.

Montrons que $P(n+1)$ est vraie, c'est-à-dire $S_{n+1} = \dfrac{(n+1)(n+2)}{2}$

$S_{n+1} = S_n + (n+1) = \dfrac{n \times (n+1)}{2} + n + 1 = \dfrac{n \times (n+1) + (n+1) \times 2}{2} = \dfrac{(n+1) \times (n+2)}{2}$ **3**

Donc $P(n+1)$ est vraie.

Étape ③ Conclusion On conclut que pour tout $n \in \mathbb{N}^*$, $P(n)$ est vraie. Donc pour tout $n \in \mathbb{N}^*$, $S_n = \dfrac{n(n+1)}{2}$.

Conseils & Méthodes

1 Il faut tout d'abord identifier la propriété à démontrer par récurrence.

2 Une démonstration par récurrence se fait en trois étapes : initialisation, hérédité, puis conclusion.

3 On utilise l'hypothèse de récurrence.

À vous de jouer !

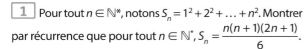

1 Pour tout $n \in \mathbb{N}^*$, notons $S_n = 1^2 + 2^2 + \ldots + n^2$. Montrer par récurrence que pour tout $n \in \mathbb{N}^*$, $S_n = \dfrac{n(n+1)(2n+1)}{6}$.

2 Pour tout $n \in \mathbb{N}^*$, notons $S_n = 1^3 + 2^3 + \ldots + n^3$. Montrer par récurrence que pour tout $n \in \mathbb{N}^*$, $S_n = \dfrac{n^2(n+1)^2}{4}$.

⤷ Exercices 37 à 40 p. 30

Méthode 2 — Utiliser la récurrence avec les suites

Énoncé

Soit (u_n) la suite définie par $u_0 = 2$ et pour tout $n \in \mathbb{N}$, $u_{n+1} = 2u_n - 6$.
Montrer par récurrence que la suite (u_n) est strictement décroissante.

Solution

Pour tout $n \in \mathbb{N}$, notons $P(n)$ la propriété « $u_{n+1} < u_n$ » **1** **2**

Étape ① Initialisation Pour $n = 0$, $u_0 = 2$ et $u_1 = 2 \times 2 - 6 = -2$. Donc $u_1 < u_0$.
Donc la propriété est vraie pour $n = 0$.

Étape ② Hérédité Soit $n \in \mathbb{N}$. Supposons que $P(n)$ est vraie, c'est-à-dire $u_{n+1} < u_n$. Montrons que $P(n+1)$ est vraie, c'est-à-dire $u_{n+2} < u_{n+1}$

$u_{n+1} < u_n$ **3** Donc $2u_{n+1} < 2u_n$. D'où $2u_{n+1} - 6 < 2u_n - 6$. Donc $u_{n+2} < u_{n+1}$
Donc $P(n+1)$ est vraie.

Étape ③ Conclusion On conclut que pour tout $n \in \mathbb{N}$, $P(n)$ est vraie.
Donc pour tout $n \in \mathbb{N}$, $u_{n+1} < u_n$. Donc la suite (u_n) est strictement décroissante.

Conseils & Méthodes

1 Une suite strictement décroissante est une suite telle que pour tout entier naturel n, $u_{n+1} < u_n$.

2 Une démonstration par récurrence se fait en trois étapes : initialisation, hérédité, puis conclusion.

3 On utilise l'hypothèse de récurrence.

À vous de jouer !

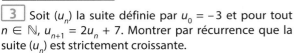

3 Soit (u_n) la suite définie par $u_0 = -3$ et pour tout $n \in \mathbb{N}$, $u_{n+1} = 2u_n + 7$. Montrer par récurrence que la suite (u_n) est strictement croissante.

4 Soit (u_n) la suite définie par $u_0 = 10$ et pour tout $n \in \mathbb{N}$, $u_{n+1} = \sqrt{3u_n + 7}$. Montrer par récurrence que la suite (u_n) est strictement décroissante.

⤷ Exercices 41 à 45 p. 30

2 Limite d'une suite

Définition Suite divergeant vers l'infini

• On dit que la suite (u_n) tend vers $+\infty$ quand n tend vers $+\infty$, si pour tout réel $A > 0$, l'intervalle $]A\,;+\infty[$ contient tous les termes de la suite à partir d'un certain rang.

On dit que (u_n) **diverge** et on note $\lim\limits_{n\to+\infty} u_n = +\infty$.

• On dit que la suite (u_n) tend vers $-\infty$ quand n tend vers $+\infty$, si pour tout réel $A > 0$, l'intervalle $]-\infty\,;-A[$ contient tous les termes de la suite à partir d'un certain rang.

On dit que (u_n) **diverge** et on note $\lim\limits_{n\to+\infty} u_n = -\infty$.

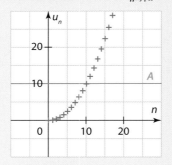

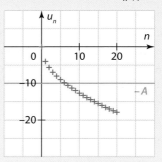

• **Exemple**

Soit (u_n) la suite définie par $u_n = n^2$

Pour tout réel $A > 0$, $u_n > A \Leftrightarrow n^2 > A$

$$\Leftrightarrow n > \sqrt{A} \text{ car } A > 0$$

Donc l'intervalle $]A\,;+\infty[$ contient tous les termes de la suite à partir du rang n_0, avec $n_0 = E(\sqrt{A}) + 1$ où $E(x)$ désigne la partie entière de x, c'est-à-dire le plus grand entier inférieur ou égal à x.

Donc la suite (u_n) tend vers $+\infty$.

Définition Suite convergeant vers un nombre réel

On dit que la suite (u_n) tend vers un réel ℓ quand n tend vers $+\infty$, si tout intervalle ouvert contenant ℓ contient tous les termes de la suite à partir d'un certain rang.

On dit que (u_n) **converge** et on note $\lim\limits_{n\to+\infty} u_n = \ell$.

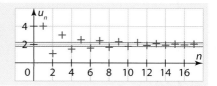

▶ **Remarque** Tout intervalle ouvert contenant ℓ contient un intervalle ouvert centré en ℓ, c'est-à-dire de la forme $]\ell - \varepsilon\,;\ell + \varepsilon[$, avec ε un réel strictement positif.

On peut donc réécrire la définition : $\lim\limits_{n\to+\infty} u_n = \ell$ si et seulement si pour tout $\varepsilon > 0$, l'intervalle $]\ell - \varepsilon\,;\ell + \varepsilon[$ contient tous les termes de la suite à partir d'un certain rang.

Théorème Unicité de la limite

Lorsqu'elle existe, la limite est unique.

▶ **Remarque** Une suite qui ne converge pas, diverge. Elle peut soit diverger vers $+\infty$ ou $-\infty$, soit n'avoir pas de limite.

Par exemple, la suite (u_n) définie par $u_n = (-1)^n$ n'a pas de limite et prend alternativement les valeurs -1 et 1.

EXOS
Méthodes
lienmini.fr/maths-s01-04

Les rendez-vous
Sésamath

Exercices (résolus)

Méthode 3 — Déterminer une limite et un seuil en utilisant la définition Algo

Énoncé

1. Soit (u_n) la suite définie par $u_n = 3n + 2$.

a) Pour tout réel $A > 0$, déterminer le plus petit entier naturel n_0 tel que pour tout entier $n \geqslant n_0$, $u_n > A$.

b) En déduire la limite de la suite (u_n).

2. Soit (v_n) la suite définie par $v_n = 3 - \dfrac{1}{n}$.

a) Pour tous réels positifs a et b, déterminer le plus petit entier naturel n_0 tel que, pour tout entier $n \geqslant n_0$, $3 - a < v_n < 3 + b$.

b) En déduire la limite de la suite (v_n).

3. Soit (w_n) la suite définie par $w_0 = 3$ et pour tout $n \in \mathbb{N}$, $w_{n+1} = 2w_n + 1$.

a) À l'aide de la calculatrice, conjecturer la limite de la suite (w_n).

b) Écrire un programme en **Python**, permettant de déterminer le plus petit entier naturel n tel que $w_n > 1\,000$.

c) À l'aide de la calculatrice, déterminer la valeur de cet entier.

Solution

1. a) Pour tout réel $A > 0$, $u_n > A \Leftrightarrow 3n + 2 > A \Leftrightarrow n > \dfrac{A-2}{3}$

Posons $n_0 = E\left(\dfrac{A-2}{3}\right) + 1$ **1** Pour tout entier naturel $n \geqslant n_0$, on a $u_n > A$.

b) D'après la question précédente, on en déduit que $\lim\limits_{n \to +\infty} u_n = +\infty$.

2. a) Pour tous réels positifs a et b, $3 - a < v_n < 3 + b$

$\Leftrightarrow 3 - a < 3 - \dfrac{1}{n} < 3 + b \Leftrightarrow -a < -\dfrac{1}{n} < b \Leftrightarrow a > \dfrac{1}{n} > -b \Leftrightarrow \dfrac{1}{a} < n$ **2**

car la fonction inverse est strictement décroissante sur $]0\,;+\infty[$ et $\dfrac{1}{n} > 0$

Posons $n_0 = E\left(\dfrac{1}{a}\right) + 1$ **1** Pour tout entier naturel $n \geqslant n_0$, on a $3 - a < v_n < 3 + b$

b) D'après la question précédente, on en déduit que $\lim\limits_{n \to +\infty} v_n = 3$.

3. a) À l'aide du mode `Suite` de la calculatrice, on peut calculer les premiers termes.

On a $w_{10} = 4\,095$ et $w_{20} = 4\,194\,303$.

On conjecture que $\lim\limits_{n \to +\infty} w_n = +\infty$. **3**

b) On obtient le programme ci-contre. **4**

c) On a $w_7 = 511$ et $w_8 = 1\,023$. Donc $n_0 = 8$.

```
n = 0
w = 3
while w <= 1000:
    n = n+1
    w = 2*w+1
print (n)
```

Conseils & Méthodes

1 $E(x)$ est la partie entière de x. C'est le plus grand entier inférieur où égal à x.

2 Dans une inégalité, si on multiplie tous les membres par un nombre négatif, on inverse l'ordre.

3 Il faut regarder le tableau de valeurs de la suite (w_n) sur la calculatrice.

4 On veut connaître le plus petit entier n tel que $w_n > 1\,000$. Il faut donc faire tourner le programme tant que $w_n \leqslant 1\,000$.

À vous de jouer !

5 Soit (u_n) la suite définie par $u_n = n^2 - 4$.

1. Pour tout réel $A > 0$, déterminer le plus petit entier naturel n_0 tel que pour tout entier $n \geqslant n_0$, $u_n > A$.

2. En déduire la limite de la suite (u_n).

6 Soit (u_n) la suite définie par $u_0 = -1$ pour tout $n \in \mathbb{N}$, par $u_{n+1} = 3u_n + 1$.

1. Conjecturer la limite de la suite (u_n).

2. Écrire un programme en **Python** donnant le plus petit entier naturel n tel que $u_n < -10\,000$.

3. À l'aide de la calculatrice, déterminer cet entier.

7 Soit (v_n) la suite définie par $v_n = 5 + \dfrac{1}{n}$.

1. Pour tous réels positifs a et b, déterminer le plus petit entier naturel n_0 tel que pour tout entier $n \geqslant n_0$, $5 - a < v_n < 5 + b$.

2. En déduire la limite de la suite (v_n).

8 Soit (v_n) la suite définie par $v_0 = -1$ pour tout $n \in \mathbb{N}$, par $v_{n+1} = 2v_n + 7$.

1. Conjecturer la limite de la suite (v_n).

2. Écrire un programme en **Python** donnant le plus petit entier naturel n tel que $v_n > 10\,000$.

3. À l'aide de la calculatrice, déterminer cet entier.

➜ Exercices 46 à 53 p. 30

Cours

3 Propriétés des limites

Propriété Limite des suites de référence

Les suites $(\sqrt{n})$, (n) et (n^k) avec $k \in \mathbb{N}^*$ tendent vers $+\infty$ quand n tend vers $+\infty$.

Les suites $\left(\dfrac{1}{\sqrt{n}}\right)$, $\left(\dfrac{1}{n}\right)$ et $\left(\dfrac{1}{n^k}\right)$ avec $k \in \mathbb{N}^*$ tendent vers 0 quand n tend vers $+\infty$.

Propriété Limites d'une somme et d'un produit

Soit (u_n) et (v_n) deux suites, et ℓ et ℓ' deux réels.

(u_n) a pour limite	(v_n) a pour limite	$(u_n + v_n)$ a pour limite	$(u_n \times v_n)$ a pour limite
ℓ	ℓ'	$\ell + \ell'$	$\ell \times \ell'$
ℓ	$+\infty$	$+\infty$	$+\infty$ si $\ell > 0$ $-\infty$ si $\ell < 0$ **indéterminée** si $\ell = 0$
ℓ	$-\infty$	$-\infty$	$-\infty$ si $\ell > 0$ $+\infty$ si $\ell < 0$ **indéterminée** si $\ell = 0$
$+\infty$	$+\infty$	$+\infty$	$+\infty$
$+\infty$	$-\infty$	**indéterminée**	$-\infty$
$-\infty$	$-\infty$	$-\infty$	$+\infty$
$-\infty$	$+\infty$	**indéterminée**	$-\infty$

Propriété Limite d'un quotient

Soit (u_n) et (v_n) deux suites, et ℓ et ℓ' deux réels.

(u_n) a pour limite	(v_n) a pour limite	$\left(\dfrac{u_n}{v_n}\right)$ a pour limite
ℓ	$\ell' \neq 0$	$\dfrac{\ell}{\ell'}$
ℓ	$+\infty$ ou $-\infty$	0
$\ell \neq 0$	0^+	$+\infty$ si $\ell > 0$ $-\infty$ si $\ell < 0$
$\ell \neq 0$	0^-	$-\infty$ si $\ell > 0$ $+\infty$ si $\ell < 0$
$+\infty$	ℓ'	$+\infty$ si $\ell' > 0$ ou $\ell' = 0^+$ $-\infty$ si $\ell' < 0$ ou $\ell' = 0^-$
$-\infty$	ℓ'	$-\infty$ si $\ell' > 0$ ou $\ell' = 0^+$ $+\infty$ si $\ell' < 0$ ou $\ell' = 0^-$
$\pm\infty$	$\pm\infty$	**indéterminée**
0	0	**indéterminée**

▶ **Remarques**

Dans les deux tableaux précédents :

① **indéterminée** signifie que c'est une forme indéterminée, et qu'il n'y a pas de propriété pour déterminer la limite.

② $\displaystyle\lim_{n \to +\infty} v_n = 0^+$ (resp. 0^-) signifie que $\displaystyle\lim_{n \to +\infty} v_n = 0$ et que $v_n > 0$ (resp. $v_n < 0$) à partir d'un certain rang.

● **Exemples**

① Soit (u_n) la suite définie par $u_n = n + \dfrac{1}{n}$.

$\displaystyle\lim_{n \to +\infty} n = +\infty$ et $\displaystyle\lim_{n \to +\infty} \dfrac{1}{n} = 0$. Donc $\displaystyle\lim_{n \to +\infty} u_n = +\infty$

② Soit (u_n) la suite définie par $u_n = n \times \sqrt{n}$.

$\displaystyle\lim_{n \to +\infty} n = +\infty$ et $\displaystyle\lim_{n \to +\infty} \sqrt{n} = +\infty$. Donc $\displaystyle\lim_{n \to +\infty} u_n = +\infty$.

③ Soit (u_n) la suite définie par $u_n = \dfrac{1}{n^2 + n}$.

$\displaystyle\lim_{n \to +\infty} 1 = 1$ et $\displaystyle\lim_{n \to +\infty} n^2 + n = +\infty$. Donc $\displaystyle\lim_{n \to +\infty} u_n = 0$

● EXOS
Méthodes
lienmini.fr/maths-s01-04
Les rendez-vous **Sésamath**

Exercices résolus

Méthode 4 — Déterminer la limite d'une suite en utilisant les opérations

Énoncé

Déterminer la limite des suites suivantes quand n tend vers $+\infty$.

a) (u_n) définie par $u_n = n^2 + \dfrac{1}{n}$ **b)** (v_n) définie par $v_n = -5\sqrt{n} - n^3$ **c)** (w_n) définie par $w_n = \dfrac{2}{3n+5}$

Solution

a) $\lim\limits_{n \to +\infty} n^2 = +\infty$ et $\lim\limits_{n \to +\infty} \dfrac{1}{n} = 0$ donc $\lim\limits_{n \to +\infty} u_n = +\infty$ (par somme) **1**

b) $\lim\limits_{n \to +\infty} \sqrt{n} = +\infty$ et $\lim\limits_{n \to +\infty} -5 = -5$ donc $\lim\limits_{n \to +\infty} -5\sqrt{n} = -\infty$ (par produit) **2**

$\lim\limits_{n \to +\infty} n^3 = +\infty$ donc $\lim\limits_{n \to +\infty} -n^3 = -\infty$ et donc $\lim\limits_{n \to +\infty} v_n = -\infty$ (par somme) **1**

c) $\lim\limits_{n \to +\infty} 2 = 2$, $\lim\limits_{n \to +\infty} n = +\infty$, $\lim\limits_{n \to +\infty} 3 = 3$ et $\lim\limits_{n \to +\infty} 5 = 5$

Donc $\lim\limits_{n \to +\infty} 3n + 5 = +\infty$ (par produit et somme) **1** **2**

et donc $\lim\limits_{n \to +\infty} w_n = 0$ (par quotient) **3**

Conseils & Méthodes

Pour déterminer la limite d'une suite en utilisant les propriétés sur les opérations, on essaye de décomposer la suite comme :

1 somme de suites de référence.

2 produit de suites de référence.

3 quotient de suites de référence.

À vous de jouer !

9 Déterminer la limite des suites suivantes quand n tend vers $+\infty$.
a) $u_n = n^2 + n - 5$ **b)** $v_n = n^2\sqrt{n} + 2$ **c)** $w_n = -\dfrac{1}{2n-5}$

10 Déterminer les limites suivantes.
a) $\lim\limits_{n \to +\infty} \dfrac{1}{n^2} - 10$ **b)** $\lim\limits_{n \to +\infty} \dfrac{1}{\sqrt{n}} \times \dfrac{1}{n}$ **c)** $\lim\limits_{n \to +\infty} \dfrac{3}{1 + \dfrac{1}{n}}$

↳ Exercices 54 à 57 p. 31

Méthode 5 — Lever une forme indéterminée

Énoncé

Déterminer la limite des suites suivantes quand n tend vers $+\infty$.

a) (u_n) définie par $u_n = n^2 - n$.   **b)** (v_n) définie par $v_n = \dfrac{4n^2}{n+1}$.

Solution

a) $\lim\limits_{n \to +\infty} n^2 = +\infty$ et $\lim\limits_{n \to +\infty} n = +\infty$. Donc on obtient une forme indéterminée du type « $+\infty - \infty$ ». Or pour tout $n \in \mathbb{N}$, $u_n = n \times (n-1)$ **1**

$\lim\limits_{n \to +\infty} n = +\infty$ et $\lim\limits_{n \to +\infty} n - 1 = +\infty$ donc $\lim\limits_{n \to +\infty} u_n = +\infty$ (par produit)

b) $\lim\limits_{n \to +\infty} n^2 = +\infty$, donc $\lim\limits_{n \to +\infty} 4n^2 = +\infty$ (par produit)

$\lim\limits_{n \to +\infty} n + 1 = +\infty$ donc on obtient une forme indéterminée « $\dfrac{+\infty}{+\infty}$ »

Pour tout $n \in \mathbb{N}$, $v_n = \dfrac{n^2 \times 4}{n \times \left(1 + \dfrac{1}{n}\right)}$ **2** donc $v_n = \dfrac{n \times 4}{1 + \dfrac{1}{n}}$

$\lim\limits_{n \to +\infty} n = +\infty$, donc $\lim\limits_{n \to +\infty} n \times 4 = +\infty$ et $\lim\limits_{n \to +\infty} \dfrac{1}{n} = 0$, donc $\lim\limits_{n \to +\infty} 1 + \dfrac{1}{n} = 1$ donc $\lim\limits_{n \to +\infty} v_n = +\infty$ (par quotient)

Conseils & Méthodes

1 Pour lever une indéterminée, on peut factoriser ou développer.

2 Pour lever une indéterminée dans un quotient, on factorise le numérateur et le dénominateur par le terme de plus haut degré.

À vous de jouer !

11 Pour chaque suite suivante, montrer que l'on a une forme indéterminée et lever la forme indéterminée à l'aide d'une factorisation.
a) $u_n = -n^3 + 2n^2$ **b)** $v_n = n^2 - 3n + 1$

12 Déterminer la limite des suites suivantes.
a) $u_n = \dfrac{3n+1}{5n-2}$ **b)** $v_n = \dfrac{2n}{1-n^2}$

↳ Exercices 58 à 62 p. 31

4 Limite et comparaison

Théorème Théorème de comparaison

Soit (u_n) et (v_n) deux suites. On suppose qu'il existe un entier n_0, tel que pour tout $n \geqslant n_0$, $u_n \leqslant v_n$.

- Si $\lim\limits_{n \to +\infty} u_n = +\infty$ alors $\lim\limits_{n \to +\infty} v_n = +\infty$
- Si $\lim\limits_{n \to +\infty} v_n = -\infty$ alors $\lim\limits_{n \to +\infty} u_n = -\infty$

● **Exemples** Sur les schémas suivants, on a représenté (u_n) en bleu et (v_n) en rouge avec $u_n \leqslant v_n$.

① Les suites (u_n) et (v_n) tendent vers $+\infty$.

② Les suites (u_n) et (v_n) tendent vers $-\infty$.

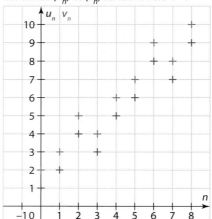

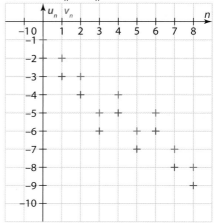

● **Démonstration**

Démontrons la première propriété. Soit $A > 0$.

Comme $\lim\limits_{n \to +\infty} u_n = +\infty$, il existe un entier p tel que pour tout $n \geqslant p$, $u_n > A$.

Or il existe un entier n_0, tel que pour tout $n \geqslant n_0$, $u_n \leqslant v_n$.

Donc pour tout entier n tel que $n \geqslant p$ et $n \geqslant n_0$, $v_n \geqslant u_n > A$

Posons $q = \max(p, n_0)$. Pour tout entier $n \geqslant q$, $v_n > A$.

Donc par définition, $\lim\limits_{n \to +\infty} v_n = +\infty$.

▶ VIDÉO
Démonstration
lienmini.fr/maths-s01-05

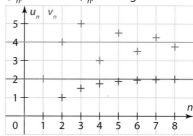
ØLJEN
Les maths en finesse

Théorème Théorème des gendarmes

Soit (u_n), (v_n) et (w_n) trois suites, et ℓ un réel.

On suppose que :

- il existe un entier naturel n_0,

tel que pour tout entier $n \geqslant n_0$, $v_n \leqslant u_n \leqslant w_n$

- $\lim\limits_{n \to +\infty} v_n = \lim\limits_{n \to +\infty} w_n = \ell$

Alors la suite (u_n) converge et $\lim\limits_{n \to +\infty} u_n = \ell$

Propriété Inégalités et limites

Soit (u_n) et (v_n) deux suites convergentes.

On suppose qu'il existe un entier naturel n_0,

tel que pour tout entier $n \geqslant n_0$,

$$u_n \leqslant v_n.$$

Alors $\lim\limits_{n \to +\infty} u_n \leqslant \lim\limits_{n \to +\infty} v_n$

● **Exemple** Sur le schéma suivant, on a représenté (u_n) en bleu, (v_n) en rouge et (w_n) en vert.

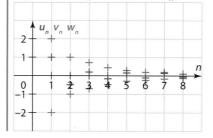

● **Exemple** Sur le schéma suivant, on a représenté (u_n) en bleu et (v_n) en rouge.

● EXOS
Méthodes
lienmini.fr/maths-s01-04

Les rendez-vous
Sésamath

Exercices résolus

Méthode 6 — Utiliser le théorème de comparaison

Énoncé

1. Soit (u_n) la suite définie sur $\mathbb{N}$ par $u_n = n + 2 \times \sin(n)$.

a) Montrer que pour tout $n \in \mathbb{N}$, $u_n \geqslant n - 2$

b) En déduire la limite de la suite (u_n).

2. Soit v_n la suite définie par $v_n = -n^2 - n + (-1)^n$.
Déterminer la limite de la suite (v_n).

Solution

1. a) Pour tout $n \in \mathbb{N}$, $-1 \leqslant \sin(n) \leqslant 1$ **1** Donc $-2 \leqslant 2 \times \sin(n) \leqslant 2$.

Donc $n - 2 \leqslant n + 2 \times \sin(n) \leqslant n + 2$. Pour tout $n \in \mathbb{N}$, $u_n \geqslant n - 2$

b) $\lim\limits_{n \to +\infty} n - 2 = +\infty$. **2**

D'après le théorème de comparaison, $\lim\limits_{n \to +\infty} u_n = +\infty$.

2. $-1 \leqslant (-1)^n \leqslant 1$ **3**

Donc $-n^2 - n - 1 \leqslant -n^2 - n + (-1)^n \leqslant -n^2 - n + 1$.

Donc $v_n \leqslant -n^2 - n + 1$ **4**

Or $\lim\limits_{n \to +\infty} n^2 = +\infty$. $\lim\limits_{n \to +\infty} n = +\infty$ et $\lim\limits_{n \to +\infty} 1 = 1$.

Donc $\lim\limits_{n \to +\infty} -n^2 - n + 1 = -\infty$

D'après le théorème de comparaison, $\lim\limits_{n \to +\infty} v_n = -\infty$.

Conseils & Méthodes

1 Pour tout réel x, $-1 \leqslant \sin(x) \leqslant 1$ et $-1 \leqslant \cos(x) \leqslant 1$.

2 On ne peut pas déterminer directement la limite de la suite (u_n) en utilisant les propriétés des opérations car la suite $(\sin(n))$ n'a pas de limite.

3 On ne peut pas déterminer directement la limite de la suite (v_n) en utilisant les propriétés des opérations car la suite $((-1)^n)$ n'a pas de limite.

4 Après avoir encadré v_n, on détermine la limite des deux suites de l'encadrement pour choisir quelle inégalité sera utilisée.

À vous de jouer !

13 Soit (u_n) la suite définie sur $\mathbb{N}$ par $u_n = n^2 - 5 \times (-1)^n$.

1. Montrer que pour tout $n \in \mathbb{N}$, $u_n \geqslant n^2 - 5$.

2. En déduire la limite de la suite (u_n).

14 Soit (v_n) la suite définie sur $\mathbb{N}$ par $v_n = -\sqrt{n} - \cos(2n)$.

1. Montrer que pour tout $n \in \mathbb{N}$, $v_n \leqslant -\sqrt{n} + 1$.

2. En déduire la limite de la suite (v_n).

↳ Exercices 63 à 65 p. 31

Méthode 7 — Utiliser le théorème des gendarmes

Énoncé

Soit (u_n) la suite définie sur $\mathbb{N}^*$ par $u_n = 3 + \dfrac{(-1)^n}{n}$.

Déterminer la limite de la suite (u_n).

Solution

Pour tout $n \in \mathbb{N}^*$, $-1 \leqslant (-1)^n \leqslant 1$ **1**

Donc $-\dfrac{1}{n} \leqslant \dfrac{(-1)^n}{n} \leqslant \dfrac{1}{n}$. Donc $3 - \dfrac{1}{n} \leqslant u_n \leqslant 3 + \dfrac{1}{n}$. Or $\lim\limits_{n \to +\infty} \dfrac{1}{n} = 0$ **2**

Donc $\lim\limits_{n \to +\infty} 3 - \dfrac{1}{n} = \lim\limits_{n \to +\infty} 3 + \dfrac{1}{n} = 3$

D'après le théorème des gendarmes, $\lim\limits_{n \to +\infty} u_n = 3$.

Conseils & Méthodes

1 On ne peut pas déterminer directement la limite de la suite (u_n) en utilisant les propriétés des opérations car la suite $((-1)^n)$ n'a pas de limite.
On essaye donc d'abord d'encadrer la suite (u_n).

2 On détermine ensuite la limite des deux suites de l'encadrement.

À vous de jouer !

15 Soit (u_n) la suite définie sur $\mathbb{N}^*$ par $u_n = -5 + \dfrac{\sin(n)}{n}$.
Déterminer la limite de la suite (u_n).

16 Soit (v_n) la suite définie sur $\mathbb{N}^*$ par $v_n = 42 - \dfrac{5 \times (-1)^n}{\sqrt{n}}$.
Déterminer la limite de la suite (v_n).

↳ Exercices 66 à 70 p. 31

5 Suites géométriques et suites monotones

Propriété Limite d'une suite géométrique

Soit q un réel.

- Si $q > 1$, alors $\lim\limits_{n \to +\infty} q^n = +\infty$
- Si $-1 < q < 1$, alors $\lim\limits_{n \to +\infty} q^n = 0$
- Si $q = 1$, alors $\lim\limits_{n \to +\infty} q^n = 1$
- Si $q \leqslant -1$, alors la suite (q^n) n'a pas de limite.

Exemple $-1 < \dfrac{1}{2} < 1$, donc $\lim\limits_{n \to +\infty} \left(\dfrac{1}{2}\right)^n = 0$

Démonstration

Si $q > 1$	Si $0 < q < 1$	Si $-1 < q < 0$
Posons $q = 1 + h$ avec $h > 0$. D'après l'inégalité de Bernoulli, $(1+h)^n \geqslant 1 + nh$. Or $\lim\limits_{n \to +\infty} 1 + nh = +\infty$. Donc d'après le théorème de comparaison, $\lim\limits_{n \to +\infty} (1 + h)^n = +\infty$. Donc $\lim\limits_{n \to +\infty} q^n = +\infty$.	Posons $p = \dfrac{1}{q}$. $\dfrac{1}{q} > 1$, donc $p > 1$. Donc $\lim\limits_{n \to +\infty} p^n = +\infty$. Or $q = \dfrac{1}{p}$, soit $q^n = \dfrac{1}{p^n}$. Donc $\lim\limits_{n \to +\infty} q^n = 0$.	Posons $s = -q$. On a $0 < s < 1$. Donc $\lim\limits_{n \to +\infty} s^n = 0$. Or $q = -s$. Donc $q^n = (-s)^n = (-1)^n s^n$. Donc $-s^n \leqslant q^n \leqslant s^n$. $\lim\limits_{n \to +\infty} -s^n = \lim\limits_{n \to +\infty} s^n = 0$ Donc d'après le théorème des gendarmes, $\lim\limits_{n \to +\infty} q^n = 0$

▶ VIDÉO
Démonstration
lienmini.fr/maths-s01-06

Définition Suite majorée, minorée, bornée

Soit (u_n) une suite définie à partir du rang k.
- **On dit que (u_n) est majorée s'il existe un réel M tel que pour tout entier $n \geqslant k$, $u_n \leqslant M$.**
- **On dit que (u_n) est minorée s'il existe un réel m tel que pour tout entier $n \geqslant k$, $u_n \geqslant m$.**
- **On dit que (u_n) est bornée si (u_n) est majorée et minorée.**

Propriétés Convergence d'une suite monotone

① **Toute suite croissante majorée converge.**
② **Toute suite croissante non majorée diverge vers $+\infty$.**
③ **Toute suite décroissante minorée converge.**
④ **Toute suite décroissante non minorée diverge vers $-\infty$.**

Démonstration

Démontrons la propriété ②. Soit $A > 0$.

Comme (u_n) n'est pas majorée, il existe un entier naturel p tel que $u_p > A$.

Or (u_n) est croissante, donc pour tout entier $n \geqslant p$, $u_n \geqslant u_p$.

Donc pour tout entier $n \geqslant p$, $u_n > A$.

Donc par définition, $\lim\limits_{n \to +\infty} u_n = +\infty$.

▶ VIDÉO
Démonstration
lienmini.fr/maths-s01-07

▶ Remarque Les réciproques des propriétés précédentes sont fausses.
Par exemple la suite (u_n) définie par $u_n = n^2 + (-1)^n$ diverge vers $+\infty$ mais elle n'est pas croissante.

EXOS
Méthodes
lienmini.fr/maths-s01-04

Les rendez-vous
Sésamath

Exercices résolus

Méthode 8 — Déterminer la limite d'une suite géométrique

Énoncé

1. Déterminer la limite de la suite géométrique (u_n) de raison 2 et de premier terme $u_0 = -4$.

2. Déterminer la limite de la suite (v_n) définie pour tout $n \in \mathbb{N}$ par $v_n = -5 \times \left(\dfrac{1}{3}\right)^n$.

Solution

1. Pour tout $n \in \mathbb{N}$, $u_n = u_0 \times q^n$. **[1]** Donc $u_n = -4 \times 2^n$.

$2 > 1$, donc $\lim\limits_{n \to +\infty} 2^n = +\infty$ et $-4 < 0$, donc $\lim\limits_{n \to +\infty} -4 \times 2^n = -\infty$. **[2]** Donc $\lim\limits_{n \to +\infty} u_n = -\infty$.

2. $-1 < \dfrac{1}{3} < 1$, donc $\lim\limits_{n \to +\infty} \left(\dfrac{1}{3}\right)^n = 0$. Donc $\lim\limits_{n \to +\infty} -5 \times \left(\dfrac{1}{3}\right)^n = 0$. **[2]** Donc $\lim\limits_{n \to +\infty} v_n = 0$.

Conseils & Méthodes

[1] Si (u_n) est une suite géométrique de raison q. Alors pour tous entiers n et p, on a :
$u_n = u_0 \times q^n$ et $u_n = u_p \times q^{n-p}$

[2] On applique la propriété sur les opérations des limites.

À vous de jouer !

17 Déterminer la limite de la suite (u_n) définie par :

a) $u_n = \dfrac{3}{4^n}$.　　**b)** $u_n = \dfrac{10 \times 7^n}{-2}$.

18 Déterminer la limite de la suite géométrique (u_n) dans chaque cas suivant.
a) (u_n) de raison 5 et de premier terme $u_0 = 3$.
b) (u_n) de raison 0,2 et de premier terme $u_0 = 7$.

→ Exercices 71 à 78 p. 32
→ Exercices 71 à 78 p. 32

Méthode 9 — Utiliser le théorème de convergence des suites monotones

Énoncé

Soit (u_n) la suite définie pour tout $n \in \mathbb{N}$, par $u_n = \dfrac{n-1}{n+4}$.

1. Montrer que (u_n) est majorée par 1.　　**2.** Montrer que (u_n) est croissante.　　**3.** En déduire que (u_n) converge.

Solution

1. Pour tout $n \in \mathbb{N}$, $u_n - 1 = \dfrac{n-1}{n+4} - 1 = \dfrac{n-1-(n+4)}{n+4} = \dfrac{-5}{n+4}$ **[1]**

Donc $u_n - 1 < 0$ Donc $u_n < 1$. Donc (u_n) est majorée par 1.

2. Pour tout $n \in \mathbb{N}$,

$u_{n+1} - u_n = \dfrac{n}{n+5} - \dfrac{n-1}{n+4} = \dfrac{n(n+4) - (n-1)(n+5)}{(n+4)(n+5)}$ **[2]**

$= \dfrac{n^2 + 4n - (n^2 + 5n - n - 5)}{(n+4)(n+5)} = \dfrac{5}{(n+4)(n+5)}$.

Donc $u_{n+1} - u_n > 0$. Donc (u_n) est strictement croissante.

3. La suite (u_n) est strictement croissante et majorée par 1. Donc (u_n) converge. **[3]**

Conseils & Méthodes

[1] (u_n) majorée par 1 signifie que pour tout $n \in \mathbb{N}$, $u_n \leqslant 1$.

On montre que $u_n - 1 \leqslant 0$.

[2] Pour étudier les variations, on peut étudier le signe de $u_{n+1} - u_n$:
• si $u_{n+1} - u_n \geqslant 0$ ou $u_{n+1} \geqslant u_n$, alors la suite est croissante.
• si $u_{n+1} - u_n \leqslant 0$ ou $u_{n+1} \leqslant u_n$, alors la suite est décroissante.

[3] Toute suite croissante majorée converge.

À vous de jouer !

19 Soit (u_n) la suite définie pour tout $n \in \mathbb{N}$, par $u_n = \dfrac{2n-2}{n+4}$.

1. Montrer que (u_n) est majorée par 2.
2. Étudier les variations de la suite (u_n).
3. En déduire que la suite (u_n) converge.

20 Soit (v_n) la suite définie pour tout $n \in \mathbb{N}$, par $v_n = n^2 + 4$.
1. Montrer que (v_n) est minorée par 4.
2. Étudier les variations de la suite (v_n).
3. Peut-on appliquer le théorème de convergence des suites monotones ?

→ Exercices 79 à 85 p. 32

Exercices (résolus)

EXOS
Méthodes
lienmini.fr/maths-s01-04

Les rendez-vous
Sésamath

Méthode
10 Étudier la convergence d'une suite

→ **Cours 1** p. 16, **2** p. 18, **3** p. 20, **4** p. 22

Énoncé

Soit (u_n) la suite définie par $u_0 = 0$ et pour tout $n \in \mathbb{N}$, $u_{n+1} = u_n + 2n + 1$.

1. Étudier les variations de la suite (u_n).

2. Montrer que pour tout $n \in \mathbb{N}$, $u_n \geqslant n$

3. En déduire la limite de la suite (u_n).

4. Calculer les premiers termes de la suite (u_n), puis conjecturer l'expression de u_n en fonction de n.

5. Démontrer la conjecture de la question 4.

Solution

1. Pour tout $n \in \mathbb{N}$, $u_{n+1} - u_n = 2n + 1$ **1**

Donc $u_{n+1} - u_n > 0$

Donc la suite (u_n) est strictement croissante.

2. Montrons par récurrence que pour tout $n \in \mathbb{N}$, $u_n \geqslant n$.

Pour tout $n \in \mathbb{N}$, notons $P(n)$ la propriété «$u_n \geqslant n$».

Étape ① Initialisation Pour $n = 0$, $u_0 = 0$, donc $u_0 \geqslant 0$.

Donc la propriété est vraie pour $n = 0$.

Étape ② Hérédité Soit $n \in \mathbb{N}$. Supposons que $P(n)$ est vraie, c'est-à-dire $u_n \geqslant n$.

Montrons que $P(n + 1)$ est vraie, c'est-à-dire $u_{n+1} \geqslant n + 1$.

On a $u_{n+1} = u_n + 2n + 1$ donc $u_{n+1} \geqslant n + 2n + 1$ **2** donc $u_{n+1} \geqslant n + 1$ car $2n \geqslant 0$.

Donc $P(n + 1)$ est vraie.

Étape ③ Conclusion On conclut que pour tout $n \in \mathbb{N}$, $P(n)$ est vraie.

Donc pour tout $n \in \mathbb{N}$, $u_n \geqslant n$.

3. $\lim\limits_{n \to +\infty} n = +\infty$. D'après le théorème de comparaison, $\lim\limits_{n \to +\infty} u_n = +\infty$. **3**

4. $u_0 = 0$, $u_1 = u_0 + 2 \times 0 + 1 = 1$, $u_2 = u_1 + 2 \times 1 + 1 = 4$ et $u_3 = u_2 + 2 \times 2 + 1 = 9$. On conjecture que $u_n = n^2$.

5. Montrons par récurrence que pour tout $n \in \mathbb{N}$, $u_n = n^2$.

Pour tout $n \in \mathbb{N}$, notons $P(n)$ la propriété «$u_n = n^2$».

Étape ① Initialisation Pour $n = 0$, $u_0 = 0$, donc $u_0 = 0^2$.

Donc la propriété est vraie pour $n = 0$.

Étape ② Hérédité Soit $n \in \mathbb{N}$. Supposons que $P(n)$ est vraie, c'est-à-dire $u_n = n^2$.

Montrons que $P(n + 1)$ est vraie, c'est-à-dire $u_{n+1} = (n + 1)^2$.

$u_{n+1} = u_n + 2n + 1$ donc $u_{n+1} = n^2 + 2n + 1$ **2** Donc $u_{n+1} = (n + 1)^2$ **4**

Donc $P(n + 1)$ est vraie.

Étape ③ Conclusion On conclut que pour tout $n \in \mathbb{N}$, $P(n)$ est vraie. Donc pour tout $n \in \mathbb{N}$, $u_n = n^2$.

Conseils & Méthodes

1 Pour étudier les variations d'une suite, on peut étudier le signe de $u_{n+1} - u_n$.

Si $u_{n+1} - u_n \geqslant 0$ ou $u_{n+1} \geqslant u_n$, alors la suite est croissante.

Si $u_{n+1} - u_n \leqslant 0$ ou $u_{n+1} \leqslant u_n$, alors la suite est décroissante.

2 On utilise l'hypothèse de récurrence.

3 Si $u_n \leqslant v_n$ et $\lim\limits_{n \to +\infty} u_n = +\infty$, alors $\lim\limits_{n \to +\infty} v_n = +\infty$.

4 On utilise l'identité remarquable :
$(a + b)^2 = a^2 + 2ab + b^2$

À vous de jouer !

21 Soit (u_n) la suite définie par $u_0 = 4$ et pour tout $n \in \mathbb{N}$, $u_{n+1} = u_n + 2n + 5$.

1. Étudier les variations de la suite (u_n).

2. Montrer que pour tout $n \in \mathbb{N}$, $u_n \geqslant n + 1$

3. En déduire la limite de la suite (u_n).

4. Calculer les premiers termes de la suite (u_n), puis conjecturer l'expression de u_n en fonction de n.

5. Démontrer la conjecture de la question précédente.

22 Soit (u_n) la suite définie par $u_0 = 0$ et pour tout $n \in \mathbb{N}$, $u_{n+1} = \sqrt{u_n^2 + 1}$.

1. Montrer que pour tout $n \in \mathbb{N}$, $u_n \geqslant \sqrt{n}$

2. En déduire la limite de la suite (u_n).

3. Calculer les premiers termes de la suite (u_n), puis conjecturer l'expression de u_n en fonction de n.

4. Démontrer la conjecture de la question précédente.

→ **Exercices 95 à 113** p. 33

● EXOS
Méthodes
lienmini.fr/maths-s01-04
Les rendez-vous
Sésamath

Exercices résolus

Méthode 11 Étudier des phénomènes d'évolution

➥ Cours 1 p. 16, 2 p. 18, 3 p. 20, 4 p. 22, 5 p. 24

Énoncé

Le 1er janvier 2020, il y a 200 poissons dans un aquarium. Chaque année, 15 % des poissons meurent, et on ajoute 45 nouveaux poissons en fin d'année. On note u_n le nombre de poissons dans l'aquarium le 1er janvier 2020 + n.

1. Déterminer le nombre de poissons dans l'aquarium en 2021.

2. Justifier que pour tout $n \in \mathbb{N}$, $u_{n+1} = 0{,}85u_n + 45$

3. On admet que pour tout $n \in \mathbb{N}$, $u_n \leqslant u_{n+1} \leqslant 300$
(on peut démontrer cette relation par récurrence).
Montrer que la suite (u_n) est convergente et préciser sa limite.

4. Soit (v_n) la suite définie pour tout $n \in \mathbb{N}$ par $v_n = u_n - 300$.

a) Montrer que la suite (v_n) est géométrique. On précisera sa raison et son premier terme.

b) En déduire l'expression de v_n en fonction de n, puis celle de u_n en fonction de n.

c) A l'aide de la question b), déterminer la limite de la suite (u_n). Le résultat est-il cohérent avec la question 3 ?

5. Interpréter dans le contexte les variations et la limite de la suite (u_n).

Solution

1. $200 \times \left(1 - \dfrac{15}{100}\right) + 45 = 215$. **1** En 2021, il y aura 215 poissons dans l'aquarium.

2. Chaque année 15 % des poissons meurent et on ajoute 45 nouveaux poissons en fin d'année. Donc pour tout $n \in \mathbb{N}$, $u_{n+1} = \left(1 - \dfrac{15}{100}\right)u_n + 45 = 0{,}85 \times u_n + 45$ **1**

3. La suite (u_n) est croissante et majorée par 300. Donc la suite (u_n) est convergente.
Soit ℓ sa limite. $\lim\limits_{n \to +\infty} u_{n+1} = 0{,}85 \times \lim\limits_{n \to +\infty} u_n + 45$. Donc $\ell = 0{,}85 \times \ell + 45$.

D'où $0{,}15\ell = 45$. Donc $\ell = \dfrac{45}{0{,}15} = 300$.

4. a) Pour tout $n \in \mathbb{N}$, $v_{n+1} = u_{n+1} - 300 = 0{,}85u_n + 45 - 300 = 0{,}85u_n - 255$
$= 0{,}85 \times (u_n - 300) = 0{,}85v_n$ **2**

Donc (v_n) est une suite géométrique de raison $q = 0{,}85$ et de premier terme $v_0 = u_0 - 300 = 200 - 300 = -100$.

b) Pour tout $n \in \mathbb{N}$, $v_n = v_0 \times q^n$. Donc $v_n = -100 \times 0{,}85^n$. Or $v_n = u_n - 300$.
Donc $u_n = v_n + 300$. Donc $u_n = -100 \times 0{,}85^n + 300$.

c) $-1 < 0{,}85 < 1$, donc $\lim\limits_{n \to +\infty} 0{,}85^n = 0$ **3** Donc $\lim\limits_{n \to +\infty} -100 \times 0{,}85^n + 300 = 300$.
Donc $\lim\limits_{n \to +\infty} u_n = 300$. C'est cohérent avec la question 3.

5. La suite (u_n) est croissante et a pour limite 300. Le nombre de poissons dans l'aquarium augmentera et tendra vers 300.

Conseils & Méthodes

1 15 % des poissons meurent. Cela correspond à une diminution de 15 %. On rappelle que :
• augmenter un nombre de t %, c'est le multiplier par $1 + \dfrac{t}{100}$
• diminuer un nombre de t %, c'est le multiplier par $1 - \dfrac{t}{100}$

2 Pour montrer que la suite (v_n) est géométrique, il faut montrer que pour tout $n \in \mathbb{N}$, $v_{n+1} = q \times v_n$ avec q un réel fixé.
Pour cela, il faut utiliser les relations de l'énoncé.

3 Si $-1 < q < 1$, alors $\lim\limits_{n \to +\infty} q_n = 0$.

À vous de jouer !

23 Un nouveau magazine arrive sur le marché en 2020. La première année (en 2020), 500 personnes s'abonnent. Puis, on prévoit que chaque année, 80 % des abonnés renouvelleront leur abonnement et 200 nouvelles personnes s'abonneront.
On note u_n le nombre d'abonnés en 2020 + n.
1. Donner la valeur de u_0 et u_1.
2. Justifier que pour tout $n \in \mathbb{N}$, $u_{n+1} = 0{,}8u_n + 200$.
3. Montrer par récurrence que pour tout $n \in \mathbb{N}$, $u_n \leqslant u_{n+1} \leqslant 1\,000$.
4. En déduire que la suite (u_n) est convergente et préciser sa limite.

24 Nathalie place 1 000 euros sur un compte épargne le 1er janvier 2020. Chaque année, la banque lui prélève 10 € en juin mais en décembre, elle lui verse 2 % de la somme disponible sur le compte. On note u_n la somme sur le compte en janvier 2020 + n. On a $u_0 = 1000$.
1. Calculer u_1.
2. Justifier que pour tout $n \in \mathbb{N}$, $u_{n+1} = 1{,}02u_n - 10{,}2$
3. Soit (v_n) la suite définie par $v_n = u_n - 510$.
a) Montrer que la suite (v_n) est géométrique.
On précisera sa raison et son premier terme.
b) En déduire l'expression de v_n en fonction de n, puis celle de u_n en fonction de n.
c) Déterminer la limite de la suite (u_n).

➥ Exercices 121 à 126 p. 36

Exercices apprendre à démontrer

ØLJEN
Les maths en finesse

La propriété à démontrer

Toute suite croissante non majorée diverge vers $+\infty$.

◐ On utilisera les définitions de suite croissante, de suite majorée et de suite divergeant vers l'infini.

▶ Comprendre avant de rédiger

- Une suite a pour limite $+\infty$ si pour tout réel $A > 0$, l'intervalle $]A\,;+\infty[$ contient tous les termes de la suite à partir d'un certain rang.

Pour montrer qu'une suite a pour limite $+\infty$, il faut donc montrer que pour tout réel $A > 0$, il existe un rang p tel que pour tout entier $n \geqslant p$, on a $u_n > A$.

- Représentons graphiquement une suite croissante et non majorée.
- Graphiquement, on conjecture que la limite de la suite est $+\infty$.

Par exemple :
- si $A = 6$, on peut choisir $p = 5$,
- si $A = 8$, on peut choisir $p = 8$.

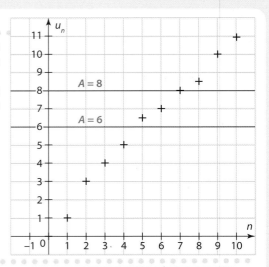

▶ Rédiger

La démonstration rédigée

Étape ❶

A est un réel strictement positif quelconque. → Soit $A > 0$.

Étape ❷

On utilise les hypothèses de la propriété : la suite (u_n) n'est pas majorée.

> **Attention !** Ne pas confondre majorée et minorée.

D'après la définition, une suite est majorée s'il existe un réel M tel que pour tout $n \in \mathbb{N}$, $u_n \leqslant M$.

> Il faut écrire la négation de la définition.

→ La suite (u_n) n'est pas majorée.
Donc pour tout réel M, il existe un entier naturel p, tel que $u_p > M$.
Donc il existe un entier naturel p tel que $u_p > A$.

Étape ❸

On utilise la deuxième hypothèse de la propriété : la suite (u_n) est croissante. D'après la définition, une suite est croissante si pour tout entier naturel n, $u_n \leqslant u_{n+1}$.

→ Or (u_n) est croissante.
Donc pour tout entier $n \geqslant p$, $u_n \geqslant u_p$.

Étape ❹

On conclut en utilisant les deux résultats trouvés.

> Si $a < b < c$, alors $a < c$.

→ Donc pour tout entier $n \geqslant p$,
$u_n \geqslant u_p > A$
D'où $u_n > A$

Étape ❺

$u_n > A$ signifie que u_n appartient à l'intervalle $]A\,;+\infty[$

→ Donc par définition, $\lim\limits_{n \to +\infty} u_n = +\infty$.

▶ Pour s'entraîner

Démontrer la propriété suivante en utilisant la même démarche.

Toute suite décroissante non minorée diverge vers $-\infty$.

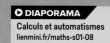
▶ DIAPORAMA
Calculs et automatismes
lienmini.fr/maths-s01-08

Exercices **calculs et automatismes**

25 Calculer les termes d'une suite

1. Soit (u_n) la suite définie pour tout $n \in \mathbb{N}$ par $u_n = 3n - 5$.
a) Calculer u_0.
b) Calculer u_{10}.

2. Soit (v_n) la suite définie par $v_0 = 3$ et pour tout $n \in \mathbb{N}$, $v_{n+1} = 2v_n - 1$.
Donner la valeur des trois premiers termes de la suite (v_n).

26 Calculer les termes d'une suite géométrique

Soit (u_n) une suite géométrique de raison 2 et de premier terme $u_0 = 3$.
a) Calculer u_1.
b) Calculer u_4.

27 Calculer les termes d'une suite arithmétique

Soit (u_n) une suite arithmétique de raison -5 et de premier terme $u_1 = 4$.
a) Calculer u_2.
b) Calculer u_{11}.

28 Déterminer la raison d'une suite géométrique

Soit (u_n) une suite géométrique de raison $q > 0$, telle que $u_4 = 3$ et $u_6 = 48$.
Déterminer la valeur de q.

29 Déterminer la raison d'une suite arithmétique

Soit (u_n) une suite arithmétique de raison r telle que $u_4 = 3$ et $u_7 = 18$.
Déterminer la valeur de r.

30 Donner des exemples de suites

a) Donner un exemple de suite ayant pour limite $+\infty$.
b) Donner un exemple de suite ayant pour limite -2.
c) Donner un exemple de suite ayant pour limite $-\infty$.
d) Donner un exemple de suite n'ayant pas de limite.

31 Limite de suites

Choisir la (les) bonne(s) réponse(s).

1. La suite (u_n) définie par $u_n = n^2 + n$ a pour limite
  a $+\infty$ **b** $-\infty$ **c** 0 **d** 2

2. La suite (u_n) définie par $u_n = \dfrac{1}{5 + \sqrt{n}}$ a pour limite
  a $+\infty$ **b** $-\infty$ **c** 0 **d** $\dfrac{1}{5}$

3. La suite (u_n) définie par $u_n = -n + \dfrac{1}{n}$ a pour limite
  a $+\infty$ **b** $-\infty$ **c** 0 **d** -1

32 Limite de suites géométriques

Les affirmations suivantes sont-elles vraies ou fausses ?

	V	F
a) La suite géométrique de raison 10 et de premier terme -1 a pour limite $+\infty$.	☐	☐
b) La suite géométrique de raison 2 et de premier terme 1 a pour limite $+\infty$.	☐	☐
c) La suite géométrique de raison $\dfrac{1}{2}$ et de premier terme 2 a pour limite 2.	☐	☐
d) La suite géométrique de raison 0,25 et de premier terme -1 a pour limite 0.	☐	☐

33 Lecture graphique (1)

Soit (u_n) la suite définie par $u_0 = 3$ et pour tout $n \in \mathbb{N}$, $u_{n+1} = f(u_n)$ avec f la fonction représentée ci-contre.
a) Donner la valeur des quatre premiers termes de la suite (u_n).
b) Que peut-on dire de la limite de la suite (u_n) quand n tend vers $+\infty$?

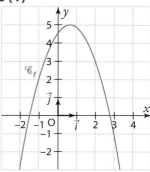

34 Lecture graphique (2)

Soit (u_n) la suite définie par $u_0 = 9$ et pour tout $n \in \mathbb{N}$, $u_{n+1} = f(u_n)$. On a représenté ci-dessous la fonction f et la droite d'équation $y = x$.

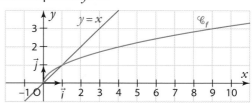

Choisir la (les) bonne(s) réponse(s).

1. u_1 est égal à :
  a 0 **b** 1 **c** 3 **d** 9

2. La suite (u_n) :
  a semble avoir comme limite 0.
  b semble avoir comme limite 1.
  c semble avoir comme limite $+\infty$.
  d n'a pas de limite.

35 Méthode pour déterminer l'expression d'une suite

Soit (u_n) la suite définie par $u_0 = 4$ et pour tout $n \in \mathbb{N}$, $u_{n+1} = \dfrac{u_n}{4}$. Comment faire pour déterminer l'expression de u_n en fonction de n ?

36 Méthode pour démontrer une propriété par récurrence

Comment faire pour démontrer une propriété par récurrence ?

Démontrer par récurrence

 1 et **2** p. 17

37 On admet que pour tous réels a et b, $|a \times b| = |a| \times |b|$.

Montrer par récurrence que pour tout réel x et pour tout $n \in \mathbb{N}$, $|x^n| = |x|^n$.

38 Jason affirme que pour tout $n \in \mathbb{N}$, $n^2 > 2n$.
1. Jason a-t-il raison ?
Justifier.
2. Pour tout $n \in \mathbb{N}$, notons $P(n)$ la propriété « $n^2 > 2n$ ».
a) Soit $n \in \mathbb{N}^*$. En supposant que $P(n)$ est vraie, montrer que $P(n+1)$ est vraie.
b) $P(0)$ est-elle vraie ?
c) Déterminer le plus petit entier naturel n_0 tel que $P(n_0)$ soit vraie.
d) Conclure en corrigeant l'affirmation de Jason.

39 Soit f une fonction définie sur $\mathbb{R}$ telle que pour tout réel x, $f(2x) = f(x)$.
Montrer que pour tout réel x et pour tout $n \in \mathbb{N}$, $f(2^n \times x) = f(x)$.

40 Montrer par récurrence que pour tout $n \in \mathbb{N}$, 4 divise $5^n - 1$.

41 Soit (u_n) la suite définie par $u_0 = 5$ et pour tout $n \in \mathbb{N}$, $u_{n+1} = 3u_n + 6$.
Montrer que pour tout $n \in \mathbb{N}$, $u_n > 0$.

42 Soit (u_n) la suite définie par $u_0 = 10$ et pour tout $n \in \mathbb{N}$, $u_{n+1} = \sqrt{u_n + 5}$.
Montrer par récurrence que pour tout $n \in \mathbb{N}$, $2{,}5 \leqslant u_{n+1} \leqslant u_n \leqslant 10$.

43 Soit (u_n) la suite définie par $u_0 = 9$ et pour tout $n \in \mathbb{N}$, $u_{n+1} = \sqrt{u_n}$.
1. Montrer par récurrence que (u_n) est strictement décroissante.
2. Montrer que pour tout $n \in \mathbb{N}$, $0 \leqslant u_n \leqslant 9$.

44 Soit (u_n) la suite définie par $u_0 = 0$ et pour tout $n \in \mathbb{N}$, $u_{n+1} = u_n + n$.
1. Calculer les premiers termes de la suite (u_n) et conjecturer une formule explicite pour u_n.
2. Démontrer la conjecture de la question précédente.

45 Soit (v_n) la suite définie par $v_0 = 1$ et pour tout $n \in \mathbb{N}$, $v_{n+1} = \dfrac{v_n}{v_n + 1}$.
1. Calculer les premiers termes de la suite (v_n) et conjecturer une formule explicite pour v_n.
2. Démontrer la conjecture de la question précédente.

Limite d'une suite

 3 p. 19

46 Soit (u_n) la suite définie pour tout $n \in \mathbb{N}$ par $u_n = -n^2 + 5$.
1. Pour tout réel $A > 0$, déterminer le plus petit entier naturel n_0, tel que pour tout entier $n \geqslant n_0$, $u_n < -A$.
2. En déduire la limite de la suite (u_n).

47 Soit (u_n) la suite définie pour tout $n \in \mathbb{N}$ par $u_n = \dfrac{1}{n^2}$.
1. Pour tout réel $\varepsilon > 0$, déterminer le plus petit entier naturel n_0, tel que pour tout entier $n \geqslant n_0$, $-\varepsilon < u_n < \varepsilon$.
2. En déduire la limite de la suite (u_n).

48 Soit (u_n) la suite définie pour tout $n \in \mathbb{N}$ par $u_n = 20$.
En utilisant la définition, démontrer que la suite (u_n) converge et déterminer sa limite.

49 Soit (v_n) la suite définie, pour tout $n \in \mathbb{N}$, par $v_n = -n^2 + 5$.
1. Conjecturer la limite de la suite (v_n).
2. À l'aide de la calculatrice, déterminer le plus petit entier naturel n tel que :
a) $v_n < -10$ **b)** $v_n < -100$ **c)** $v_n < -1\,000$

50 Soit (u_n) la suite définie, pour tout $n \in \mathbb{N}$, par $u_n = n^3 - 4$.
1. Conjecturer la limite de la suite (u_n).
2. À l'aide la calculatrice, déterminer le plus petit entier naturel n tel que :
a) $u_n > 100$ **b)** $u_n > 1\,000$ **c)** $u_n > 10\,000$

51 Soit (u_n) la suite définie, pour tout $n \in \mathbb{N}$, par $u_n = 2 + 0{,}7^n$.
1. Conjecturer la limite de la suite (u_n).
2. Justifier que pour tout $n \in \mathbb{N}$, $u_n > 2$.
3. On admet que la suite (u_n) est strictement décroissante. À l'aide la calculatrice, déterminer le plus petit entier naturel n tel que :
a) $u_n < 2{,}1$ **b)** $u_n < 2{,}01$ **c)** $u_n < 2{,}001$

52 Soit (u_n) la suite définie par $u_0 = 2$ et pour tout $n \in \mathbb{N}$, $u_{n+1} = 3u_n$.
1. À l'aide de la calculatrice, conjecturer la limite de la suite (u_n).
2. On veut déterminer le plus petit entier naturel n, tel que $u_n > 1000$.
a) Recopier et compléter le programme en **Python** suivant pour qu'il réponde au problème.

```
n = 0
u = 0
while …:
        u = …
        n = …
print (…)
```

b) Déterminer cet entier à l'aide de la calculatrice.

53 Soit (v_n) la suite définie pour tout $n \in \mathbb{N}$,

$v_n = \dfrac{1}{2n+1}$.

1. À l'aide de la calculatrice, conjecturer la limite de la suite (v_n).

2. On veut déterminer le plus petit entier naturel n, tel que $v_n < 0{,}001$.

a) Recopier et compléter le programme en **Python** ci-contre pour qu'il réponde au problème.

b) Déterminer cet entier à l'aide de la calculatrice.

```
n = 0
v = …
while …:
        n = …
        v = …
print (…)
```

Opérations sur les limites

54 En utilisant les règles des opérations sur les limites, déterminer la limite des suites suivantes.

a) (u_n) définie par $u_n = n^2 + 2n - 4$.

b) (v_n) définie par $v_n = -n^3 + 5$.

c) (w_n) définie par $w_n = \dfrac{5}{3+\sqrt{n}}$.

d) (a_n) définie par $a_n = n \times \sqrt{n}$.

55 Déterminer la limite des suites suivantes.

a) (u_n) définie par $u_n = 2n - 1$.

b) (v_n) définie par $v_n = -3 + \dfrac{5}{n+4}$.

56 Déterminer la limite des suites suivantes.

a) (u_n) définie par $u_n = \left(n + \dfrac{1}{n}\right) \times \left(\dfrac{1}{n^4} - 5\right)$.

b) (v_n) définie par $v_n = \dfrac{3+n}{2+\dfrac{1}{n}}$.

57 Déterminer la limite des suites suivantes.

a) (u_n) définie par $u_n = (2 - n^2) \times \left(\dfrac{1}{\sqrt{n}} - 2\right)$.

b) (v_n) définie par $v_n = \dfrac{n^2 + n}{4}$.

58 En factorisant dans un premier temps, déterminer la limite des suites suivantes.

a) (u_n) définie par $u_n = n^2 - 2n$.

b) (v_n) définie par $v_n = n - n^3$.

59 Déterminer la limite des suites suivantes.

a) (u_n) définie par $u_n = 3n - n^3 + 2$.

b) (v_n) définie par $v_n = \dfrac{n-5}{2n+4}$.

60 Déterminer la limite des suites suivantes.

a) (u_n) définie par $u_n = n + 3n^2 - n^3$.

b) (v_n) définie par $v_n = \dfrac{n^3 + 2}{2n^2 - 1}$.

61 Déterminer la limite des suites suivantes.

a) (u_n) définie par $u_n = \dfrac{n^2 + 2n}{n+1}$.

b) (v_n) définie par $v_n = \dfrac{3n + \sqrt{n}}{2n+3}$.

62 Soit (u_n) la suite définie, pour tout $n \geqslant 1$, par

$u_n = \dfrac{1}{n} \times (n^2 - 2)$.

1. Peut-on déterminer la limite de la suite (u_n) en utilisant les propriétés des opérations sur les limites ?

2. En développant, déterminer la limite de la suite (u_n).

Limite et comparaison

63 Soit (u_n) la suite définie, pour tout $n \in \mathbb{N}$, par $u_n = \sqrt{3n + 1}$.

1. Montrer que pour tout $n \in \mathbb{N}, u_n > \sqrt{n}$

2. En déduire la limite de la suite (u_n).

64 Soit (u_n) la suite définie, pour tout $n \in \mathbb{N}$, par $u_n = -n - \sin(n)$.

1. Montrer que pour tout $n \in \mathbb{N}, u_n \leqslant -n + 1$.

2. En déduire la limite de la suite (u_n).

65 Soit (u_n) la suite définie, pour tout $n \in \mathbb{N}$, par $u_n = (n + 1)^2 + (-1)^n \times n$.

1. Montrer que pour tout $n \in \mathbb{N}, u_n \geqslant n^2$.

2. En déduire la limite de la suite (u_n).

66 Soit (u_n) une suite telle que, pour tout $n \in \mathbb{N}$,

$2 - \dfrac{1}{n} \leqslant u_n \leqslant 2 + \dfrac{4}{n+1}$.

En utilisant le théorème des gendarmes, déterminer la limite de la suite (u_n).

67 Soit (u_n) une suite telle que, pour tout $n \in \mathbb{N}^*$,

$-3 - \dfrac{1}{\sqrt{n}} \leqslant u_n \leqslant -3 + \dfrac{1}{n^2 + 1}$.

Déterminer la limite de la suite (u_n).

68 Soit (v_n) la suite définie, pour tout $n \in \mathbb{N}^*$, par

$v_n = -5 + \dfrac{\cos(n)}{n^2}$.

Déterminer la limite de la suite (v_n).

69 Soit (w_n) la suite définie, pour tout $n \in \mathbb{N}^*$, par

$w_n = 4 + \dfrac{(-1)^n}{\sqrt{n}}$.

Déterminer la limite de la suite (w_n).

70 Soit (u_n) la suite définie, pour tout $n \in \mathbb{N}^*$, par

$u_n = 42 - \dfrac{\sin(n)}{n^5}$.

Déterminer la limite de la suite (u_n).

Exercices d'application

Suites géométriques p. 25

71 Pour chaque suite suivante, déterminer sa limite.
a) (u_n) est la suite géométrique de raison 4 et de premier terme $u_0 = 2$.
b) (v_n) est la suite géométrique de raison 4 et de premier terme $v_0 = -3$.
c) (w_n) est la suite définie par $w_0 = 2$ et pour tout $n \in \mathbb{N}$, $w_{n+1} = \dfrac{w_n}{3}$.

72 Pour chaque suite ci-dessous, déterminer sa limite quand n tend vers $+\infty$.
a) (u_n) est la suite géométrique de raison 0,6 et de premier terme $u_1 = -2$.
b) (v_n) est la suite définie pour tout $n \in \mathbb{N}$ par $v_n = -4 \times 3^n$.

73 Soit (a_n) la suite définie par $a_0 = -1$ et pour tout $n \in \mathbb{N}$, $a_{n+1} = a_n + 0{,}5a_n$.
1. Déterminer la nature de la suite (a_n) en justifiant.
2. Déterminer la limite de la suite (a_n).

74 **1.** Soit (u_n) la suite définie pour tout $n \in \mathbb{N}$, $u_n = e^n$.
a) Déterminer la nature de la suite (u_n) en justifiant.
b) Déterminer la limite de la suite (u_n).
2. Soit (v_n) la suite définie pour tout $n \in \mathbb{N}$ par $v_n = e^{-n}$.
a) Montrer que l'on peut écrire v_n sous la forme q^n avec q un réel à déterminer.
b) En déduire la limite de la suite (v_n).

75 Soit (u_n) la suite définie par $u_n = 2^n - 0{,}5^n$.
Déterminer la limite de la suite (u_n).

76 Soit (u_n) la suite définie par $u_n = 3^n - 2^n$.
En factorisant par 3^n, déterminer la limite de la suite (u_n).

77 Soit (v_n) la suite définie par $v_n = 2^n - 5^n$.
En factorisant par 2^n, déterminer la limite de la suite (v_n).

78 Selma travaille dans une entreprise.
En 2020, elle gagne 1 500 € nets.
Chaque année, son employeur prévoit d'augmenter son salaire de 2 %.

On note u_n le salaire de Selma en 2020 + n.
1. Donner la valeur de u_0.
2. Déterminer l'expression de u_n en fonction de n en justifiant.
3. Déterminer la limite de la suite (u_n).

Convergence des suites monotones p. 25

79 Soit (u_n) la suite définie par $u_n = 1 + \dfrac{1}{n}$.
1. Montrer que la suite (u_n) est strictement décroissante.
2. Montrer que la suite (u_n) est minorée par 1.
3. En déduire que la suite (u_n) est convergente, sans utiliser les propriétés sur les opérations des limites.

80 Soit (v_n) la suite définie par $v_n = 1 - \dfrac{1}{n^2}$.
1. Montrer que la suite (v_n) est strictement croissante.
2. Montrer que la suite (v_n) est majorée par 1.
3. En déduire que la suite (v_n) est convergente sans utiliser les propriétés sur les opérations des limites.

81 Les affirmations suivantes sont-elles vraies ou fausses ?
Pour montrer qu'une propriété est fausse, on donnera un contre-exemple.

	V	F
1. Une suite strictement croissante a pour limite $+\infty$.	☐	☐
2. Une suite strictement décroissante a pour limite $-\infty$.	☐	☐
3. Une suite bornée converge.	☐	☐
4. Une suite croissante majorée par 5 converge vers 5.	☐	☐

82 Soit (u_n) la suite définie pour tout $n \in \mathbb{N}$, par $u_n = \dfrac{-2n+1}{n+3}$.
1. Étudier les variations de la suite (u_n).
2. Montrer que (u_n) est minorée par -2.
3. En déduire que la suite (u_n) est convergente.

83 Soit (v_n) la suite définie pour tout $n \in \mathbb{N}$, par $v_n = \dfrac{6n+3}{n+1}$.
1. Étudier les variations de la suite (v_n).
2. Montrer que (v_n) est majorée par 6.
3. En déduire que la suite (v_n) est convergente.

84 Soit (u_n) la suite définie par $u_0 = 1{,}5$ et pour tout $n \in \mathbb{N}$, $u_{n+1} = 0{,}5u_n + 1$.
On admet que pour tout $n \in \mathbb{N}$, $1 < u_n < 2$.
1. Étudier les variations de la suite (u_n).
2. En déduire que la suite (u_n) est convergente.

85 Soit (v_n) la suite définie par $v_0 = 3$ et pour tout $n \in \mathbb{N}$, $v_{n+1} = 0{,}75v_n + 1$.
On admet que $2 < v_n < 4$.
1. Étudier les variations de la suite (v_n).
2. En déduire que la suite (v_n) est convergente.

Démontrer par récurrence

86 Soit f la fonction définie par $f(x) = x^n$ avec $n \in \mathbb{N}^*$. Montrer par récurrence que $f'(x) = n \times x^{n-1}$.

87 Montrer par récurrence que pour tout $n \in \mathbb{N}$,
$$(-1)^n = \begin{cases} 1 \text{ si } n \text{ est pair} \\ -1 \text{ si } n \text{ est impair} \end{cases}$$

88 Soit (u_n) la suite définie par $u_1 = \dfrac{1}{3}$ et, pour tout $n \in \mathbb{N}^*$, par $u_{n+1} = \dfrac{u_n + 1}{4}$. Conjecturer l'expression de u_n pour tout $n \in \mathbb{N}^*$ et la démontrer.

89 Soit (u_n) la suite définie par $u_4 = 2$ et pour tout entier $n \geqslant 4$, $u_{n+1} = 2u_n + 1$.
Montrer par récurrence que pour tout entier $n \geqslant 4$, $u_n = 3 \times 2^{n-4} - 1$.

90 Soit (v_n) une suite géométrique de premier terme v_p (avec $p \in \mathbb{N}$) et de raison q.
Démontrer par récurrence que pour tout entier naturel $n \geqslant p$, $v_n = v_p \times q^{n-p}$.

91 Soit a un entier tel que $a \neq 1$.
Démontrer par récurrence, que pour tout $n \in \mathbb{N}^*$, $a^n - 1$ est divisible par $a - 1$.

92 Soit q un réel tel que $q \neq 1$.
Démontrer par récurrence que pour tout $n \in \mathbb{N}$,
$$1 + q + q^2 + \dots + q^n = \dfrac{1 - q^{n+1}}{1 - q}.$$

93 Soit (u_n) une suite arithmétique.
Démontrer par récurrence que pour tout $n \in \mathbb{N}$,
$$u_0 + u_1 + u_2 + \dots + u_n = (n + 1) \times \dfrac{u_0 + u_n}{2}$$

94 **1.** Dresser le tableau de signes de $2x^2 - (x + 1)^2$
2. Démontrer par récurrence que pour tout entier $n \geqslant 4$, on a $2^n \geqslant n^2$.

Limite d'une suite

 p. 26

95 On s'intéresse à l'évolution de la population d'un village. En 2019, il y a 100 habitants dans le village. Chaque année, la population augmente de 10 % par rapport à l'année précédente.
1. Déterminer le nombre d'habitants en 2020 et 2021.
2. On note v_n le nombre d'habitants en $2019 + n$.
a) Donner la valeur de v_0, v_1 et v_2.
b) À l'aide de la calculatrice, calculer les valeurs de v_{20}, v_{30}, v_{40} et v_{50}.
c) Conjecturer la limite de la suite (v_n).
3. Que peut-on penser de cette évolution ?

96 On s'intéresse au nombre d'abonnés d'une plateforme de streaming de musique en France.

En 2020, 30 000 personnes sont abonnées à la plateforme.
Chaque année, 90 % des abonnés se réabonnent, et il y a 10 000 nouveaux abonnés.
1. Déterminer le nombre d'abonnés en 2021 et en 2022.
2. On note u_n le nombre d'abonnés en milliers en $2020 + n$.
a) Donner la valeur de u_0, u_1 et u_2.
b) À l'aide de la calculatrice, calculer les valeurs de u_{20}, u_{30}, u_{40} et u_{50}.
c) Conjecturer la limite de la suite (u_n).

97 En utilisant la méthode de votre choix, déterminer la limite des suites suivantes.
a) (u_n) est définie par $u_n = n^3 + n^2 - 4$
b) (v_n) est définie par $v_n = n^3 - n^2 - 4$
c) (w_n) est définie par $w_n = \dfrac{n^3}{n^2 - 4}$
d) (a_n) est définie par $a_n = n^3 + \dfrac{\cos(n)}{n^2 - 4}$

98 Soit (u_n) et (v_n) deux suites telles que pour tout $n \in \mathbb{N}$, $v_n = \dfrac{1}{u_n}$. **Les affirmations suivantes sont-elles vraies ou fausses ? Justifier.**

	V	F
1. Si (u_n) converge, alors (v_n) converge.	☐	☐
2. Si (u_n) diverge, alors (v_n) converge vers 0.	☐	☐

99 **Les affirmations suivantes sont-elles vraies ou fausses ? Justifier.**

	V	F
1. Soit (u_n) une suite telle que pour tout entier $n \geqslant 1$, $-1 - \dfrac{1}{n} \leqslant u_n \leqslant 1 + \dfrac{1}{n}$ Alors (u_n) converge.	☐	☐
2. Soit (v_n) une suite telle que pour tout entier naturel $n \geqslant 1$, $n^2 - 1 \leqslant n^2 \times v_n \leqslant n^2 + n$ Alors (v_n) converge.	☐	☐

100 Soit (u_n) la suite définie pour tout $n \in \mathbb{N}$ par $u_n = \sqrt{n + 1} - \sqrt{n}$.
1. Peut-on déterminer la limite de la suite (u_n) en utilisant les propriétés des opérations sur les limites ?
2. Montrer que pour tout $n \in \mathbb{N}$, $u_n = \dfrac{1}{\sqrt{n + 1} + \sqrt{n}}$.
3. Soit (v_n) la suite définie par $v_n = \sqrt{n + 1}$.
a) Montrer que $v_n > \sqrt{n}$.
b) En déduire la limite de la suite (v_n).
4. En déduire la limite de la suite (u_n).

101 On considère une suite (u_n) définie sur $\mathbb{N}$ dont aucun terme n'est nul.

Soit (v_n) la suite définie sur $\mathbb{N}$ par $v_n = \dfrac{-2}{u_n}$.

Les affirmations suivantes sont-elles vraies ou fausses ? Dans tous les cas donner une démonstration de la réponse choisie. En cas de réponse fausse démontrer avec un contre-exemple.

	V	F
a) Si (u_n) est convergente, alors (v_n) est convergente.	☐	☐
b) Si (u_n) est minorée par 2, alors (v_n) est minorée par -1.	☐	☐
c) Si (u_n) est décroissante, alors (v_n) est croissante.	☐	☐
d) Si (u_n) est divergente, alors (v_n) converge vers 0.	☐	☐

D'après Bac S

102 Dans cet exercice, nous allons utiliser la série de Leibniz pour approximer π.
On considère la suite (u_n) définie par $u_n = \dfrac{(-1)^n}{2n+1}$.

On note S_n la somme des n premiers termes de (u_n).
On admet que (S_n) converge vers $\dfrac{\pi}{4}$, mais la convergence est très lente.

Recopier et compléter le programme en **Python** ci-contre pour qu'il calcule et affiche S_{100}, puis qu'il affiche $4 \times S_{100}$.

```
S = 0
u = 0
for i in range (…):
    u = …
    S = …
print (…)
print (…)
```

Représentation graphique et limite

103 Soit (u_n) la suite définie par $u_0 = 10$ et pour tout $n \in \mathbb{N}$, $u_{n+1} = \sqrt{u_n + 2}$.
1. Tracer la fonction f définie par $f(x) = \sqrt{x+2}$
dans un repère orthonormé.
2. Représenter graphiquement les quatre premiers termes de la suite.
3. Conjecturer les variations de la suite (u_n) et la limite de la suite (u_n).

104 Soit (u_n) la suite définie par $u_0 = 4$ et pour tout $n \in \mathbb{N}$, $u_{n+1} = u_n - 1$.
1. Représenter graphiquement les cinq premiers termes de la suite.
2. Conjecturer les variations de la suite (u_n) et la limite de la suite (u_n).

105 Soit (u_n) la suite définie par $u_0 = 3$ et pour tout $n \in \mathbb{N}$, $u_{n+1} = f(u_n)$ avec f la fonction dont la représentation graphique est ci-contre en bleu.

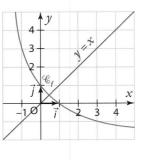

1. Donner la valeur des quatre premiers termes de la suite (u_n).
2. Que peut-on dire sur les variations de la suite (u_n) et sur la limite de la suite (u_n) ?

Étude de suites

106 Soit (u_n) la suite définie pour tout $n \in \mathbb{N}$ par $u_0 = 2$ et pour tout $n \in \mathbb{N}$, $u_{n+1} = \sqrt{u_n + 1}$
1. Montrer par récurrence que pour tout $n \in \mathbb{N}$, $1 \leq u_{n+1} \leq u_n$.
2. En déduire que la suite (u_n) est convergente.

107 Soit (u_n) la suite définie pour tout $n \in \mathbb{N}$ par :
$$u_n = \frac{2^n}{3^{n+1}}$$
1. Montrer par récurrence que pour tout $n \in \mathbb{N}$, $u_n > 0$.
2. Étudier les variations de la suite (u_n).
3. En déduire que la suite (u_n) est convergente.
4. Écrire u_n sous la forme $a \times q^n$ avec a et q deux réels.
5. En déduire la limite de la suite (u_n).

108 Soit (u_n) la suite définie par $u_0 = 0{,}5$ et, pour tout $n \in \mathbb{N}$, par $u_{n+1} = f(u_n)$ avec f la fonction définie sur $\mathbb{R}$ par $f(x) = -x^2 + 2x$.
1. Étudier les variations de la fonction f.
2. Montrer par récurrence que pour tout $n \in \mathbb{N}$, $0 \leq u_n < u_{n+1} \leq 1$.
3. En déduire que la suite (u_n) est convergente.
4. On admet que $\ell = f(\ell)$.
Déterminer la limite de la suite (u_n).

109 Soit (u_n) la suite définie par $u_0 = -3$ et pour tout $n \in \mathbb{N}$ par $u_{n+1} = \dfrac{9}{6 - u_n}$.

Soit (v_n) la suite définie par $v_n = \dfrac{1}{u_n - 3}$.

1. Démontrer que la suite (v_n) est arithmétique de raison $-\dfrac{1}{3}$.
2. En déduire l'expression de v_n puis de u_n en fonction de n.
3. Déterminer la limite de la suite (u_n).

D'après Bac S

110 Soit f la fonction définie sur $[0 ; 4]$ par $f(x) = \dfrac{2+3x}{4+x}$.

Soit (u_n) la suite définie par $u_0 = 3$ et pour tout $n \in \mathbb{N}$, $u_{n+1} = f(u_n)$.

On admet que la suite est bien définie.

1. Calculer u_1.

2. Montrer que la fonction f est croissante sur $[0 ; 4]$.

3. Montrer que pour tout $n \in \mathbb{N}$,
$1 \leqslant u_{n+1} \leqslant u_n \leqslant 3$.

4. a) Montrer que la suite (u_n) est convergente.

b) On admet que $\ell = f(\ell)$.
En déduire la valeur de ℓ.

D'après Bac S 2019

111 On considère deux suites : Algo
• la suite (u_n) définie par $u_0 = 1$ et pour tout $n \in \mathbb{N}$, par
$u_{n+1} = 2u_n - n + 3$.
• la suite (v_n) définie pour tout $n \in \mathbb{N}$, par $v_n = 2^n$.

A ▶ Étude de la suite (u_n)

1. Démontrer par récurrence que pour tout $n \in \mathbb{N}$,
$u_n = 3 \times 2^n + n - 2$.

2. Déterminer la limite de la suite (u_n).

3. On veut déterminer le rang du premier terme de la suite supérieur à 1 million.

a) Recopier et compléter le programme en **Python**
suivant pour qu'il réponde au problème.

```
u = …
n = 0
while …:
        n = …
        u = …
print (…)
```

b) Donner la valeur du rang correspondant.

B ▶ Étude de la suite $\left(\dfrac{u_n}{v_n}\right)$

1. Montrer que la suite $\left(\dfrac{u_n}{v_n}\right)$ est décroissante à partir du rang 3.

2. On admet que pour tout entier $n \geqslant 4$, on a $0 < \dfrac{n}{2^n} \leqslant \dfrac{1}{n}$.

Déterminer la limite de $\left(\dfrac{u_n}{v_n}\right)$.

D'après Bac S 2017

112 Soit (u_n) la suite définie par $u_0 = -3$ Algo
et pour tout $n \in \mathbb{N}$, $u_{n+1} = 2u_n + 4$.

1. Donner la valeur des quatre premiers termes de la suite (u_n).

2. Recopier et compléter le programme en **Python**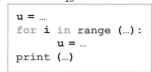
suivant, afin qu'il calcule u_{20}.

```
u = …
for i in range (…):
        u = …
print (…)
```

3. À l'aide de la calculatrice, donner la valeur de u_{20}.

113 Soit (u_n) la suite définie par $u_0 = 1$ et   TICE
pour tout $n \in \mathbb{N}$, $u_{n+1} = \dfrac{u_n}{u_n + 8}$.

A ▶ Conjecture

On veut calculer les premières valeurs de la suite à l'aide d'un tableur.

	A	B
1	n	u_n
2	0	1
3	1	
4	2	

1. Quelle formule faut-il rentrer dans la cellule B3 pour obtenir par recopie vers le bas les termes de la suite (u_n) ?

2. À l'aide du tableau de valeurs de la calculatrice, conjecturer les variations et la limite de la suite (u_n).

3. Écrire un programme en **Python** permettant de calculer u_{30}.

B ▶ Étude générale

1. Démontrer par récurrence que pour tout $n \in \mathbb{N}$, $u_n > 0$.

2. Étudier les variations de la suite (u_n).

3. La suite (u_n) est-elle convergente ?
Justifier.

C ▶ Expression du terme général

Soit (v_n) la suite définie pour tout $n \in \mathbb{N}$ par $v_n = 1 + \dfrac{7}{u_n}$.

1. Montrer que la suite (v_n) est une suite géométrique de raison 8 dont on précisera le premier terme.

2. Justifier que pour tout $n \in \mathbb{N}$, $u_n = \dfrac{7}{8^{n+1} - 1}$.

3. Déterminer la limite de la suite (u_n).

4. Justifier qu'il existe un entier naturel n_0 tel que pour tout $n \geqslant n_0$, $u_n < 10^{-18}$, et déterminer la valeur de n_0.

D'après Bac S 2018

Suite géométrique et somme

114 Déterminer la limite des suites suivantes :

a) (u_n) est la suite définie par $u_n = 5^n - 0{,}2^n$.

b) (v_n) est la suite définie par $v_n = 6^n - 7^n$.

c) (w_n) est la suite définie par $w_n = 9^n - 8^n$.

115 Soit (u_n) une suite géométrique de raison $\dfrac{1}{4}$ et de premier terme $u_0 = 5$.

1. Déterminer la limite de la suite (u_n).

2. Déterminer l'expression de la somme des n premiers termes de la suite (u_n) en fonction de n et sa limite quand n tend vers $+\infty$.

116 Soit (u_n) la suite géométrique de raison $\dfrac{1}{5}$ et de premier terme $u_1 = 4$.

Soit S_n la somme des n premiers termes de la suite (u_n).

1. Déterminer l'expression de S_n en fonction de n.

2. Déterminer la limite S_n quand n tend vers $+\infty$.

117 Soit (u_n) la suite géométrique de raison $\frac{1}{3}$ et de premier terme $u_0 = 9$.

1. Exprimer les sommes suivantes en fonction de n.

a) $S_1 = u_0 + u_1 + u_2 + \ldots + u_n$

b) $S_2 = u_0 + u_1 + u_2 + \ldots + u_{n+1}$

2. Déterminer la limite de S_1 quand n tend vers $+\infty$.

118 Soit (u_n) la suite géométrique de raison $\frac{1}{2}$ et de premier terme $u_0 = -10$.

1. Calculer une valeur approchée de la somme des 25 premiers termes de la suite (u_n).

2. On note S_n la somme des n premiers termes de la suite (u_n).

a) Donner l'expression de S_n en fonction de n.

b) Déterminer la limite de S_n quand n tend vers $+\infty$.

119 Soit S_n la somme définie pour tout $n \in \mathbb{N}$ par
$S_n = 1 + 5 + 5^2 + 5^3 + \ldots + 5^n$

1. Exprimer S_n en fonction de n.

2. Déterminer limite de S_n quand n tend vers $+\infty$ en justifiant.

120 On considère un carré de côté 3 cm.
À chaque étape, on construit un carré dont le côté mesure la moitié du côté du carré de l'étape précédente.

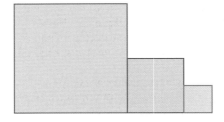

On note $\mathcal{A}_n$ l'aire du n-ième carré.

1. Donner la valeur de $\mathcal{A}_1$ et $\mathcal{A}_2$.

2. Exprimer $\mathcal{A}_{n+1}$ en fonction de $\mathcal{A}_n$ et en déduire la nature de la suite $(\mathcal{A}_n)$.

3. Déterminer l'expression de $\mathcal{A}_n$ en fonction de n.

4. Déterminer l'expression de l'aire formée par l'ensemble des n premiers carrés, en fonction de n.

5. En déduire l'aire de la figure formée par l'ensemble des carrés si on continue indéfiniment cette construction.

Étudier des phénomènes d'évolution

 Méthode **11** p. 27

121 Une ville contient 15 000 habitants en 2019. Le maire prévoit que chaque année, 10 % des habitants quitteront la ville, et 1 000 nouveaux habitants s'installeront.

1. Déterminer le nombre d'habitants en 2020.

2. Modéliser le nombre d'habitants en 2019 + n à l'aide d'une suite (u_n).

3. Montrer par récurrence que pour tout $n \in \mathbb{N}$,
$u_n = 5000 \times 0{,}9^n + 10\,000$.

4. Déterminer la limite de la suite (u_n) et interpréter dans le contexte.

122 On s'intéresse à l'évolution d'une population de tigres dans une réserve en naturelle. En 2019, il y a 100 tigres. Puis chaque année, 10 % de la population de tigres meurt et il y a 5 nouveaux tigres qui sont ajoutés à la réserve. On note u_n le nombre de tigres en 2019 + n.

1. Déterminer le nombre de tigres dans la réserve en 2020.

2. Donner la valeur de u_0 et justifier que pour tout $n \in \mathbb{N}$, $u_{n+1} = 0{,}9u_n + 5$.

3. a) Montrer par récurrence que pour tout $n \in \mathbb{N}$, $50 \leq u_{n+1} \leq u_n$.

b) En déduire que la suite (u_n) est convergente.

4. Soit (v_n) la suite définie par $v_n = u_n - 50$.

a) Montrer que la suite (v_n) est géométrique.

b) Déterminer l'expression de v_n en fonction de n, puis celle de u_n en fonction de n.

c) En déduire la limite de la suite (u_n).

d) Interpréter dans le contexte les variations et la limite de la suite (u_n).

123 Au 1er janvier 2018, Hajer dispose d'un capital de 16 000 €. **Algo**
Le 1er juillet de chaque année, elle prélève 15 % du capital disponible pour préparer ses vacances.

A ▶ On note u_n le montant du capital de Hajer disponible le 1er janvier 2018 + n. On a $u_0 = 16\,000$.

1. Calculer u_1 et u_2.

2. Déterminer l'expression de u_n en fonction de n.

3. Déterminer la limite de la suite (u_n) et interpréter le résultat.

4. On souhaite déterminer le nombre d'années à partir duquel le capital de Hajer devient inférieur ou égal à 2 000 €.

a) Recopier et compléter le programme en **Python** ci-contre pour qu'il réponde au problème.

b) Quelle est la valeur numérique contenue par la variable n à la fin de l'exécution de ce programme ?

```
u = 0
n = 0
while …:
    n = …
    u = …
```

B ▶ Hajer décide finalement d'ajouter à son capital disponible 300 € chaque 1er décembre.
On note v_n la valeur du capital le 1er janvier 2018 + n. On a $v_0 = 16\,000$.

1. Justifier que pour tout entier naturel n, $v_{n+1} = 0{,}85v_n + 300$.

2. Montrer par récurrence que pour tout $n \in \mathbb{N}$, $v_n = 14\,000 \times 0{,}85^n + 2000$.

3. Déterminer la limite de la suite (v_n).

D'après Bac ES 2018

124 Un site Internet propose à ses abonnés [Algo ✎] des films à télécharger. Lors de son ouverture, 500 films sont proposés et chaque mois, le nombre de films proposés aux abonnés augmente de 6 %.

A ▶ On note u_n le nombre de films proposés n mois après l'ouverture du site. On a $u_0 = 500$.
1. Calculer u_1 et u_2 (on arrondira à l'unité).
2. Exprimer u_n en fonction de n.
3. Déterminer la limite de la suite (u_n).

B ▶ On souhaite déterminer à partir de combien de mois le site aura doublé le nombre de films proposés par rapport au nombre de films proposés à l'ouverture.
1. Recopier et compléter le programme en **Python** 🐍 ci-contre pour qu'il réponde au problème.

```
u = 500
n = 0
while …:
        n = …
        u = …
print (…)
```

2. Donner la valeur affichée à la fin de l'exécution de ce programme, puis interpréter cette valeur.

C ▶ En raison d'une offre de bienvenue, le nombre d'abonnés au lancement est 15 000. Sur la base des premiers mois, on estime que le nombre des clients abonnés au site évolue suivant la règle suivante : chaque mois, 10 % des clients se désabonnent et 2 500 nouveaux abonnés sont enregistrés. On note v_n l'estimation du nombre d'abonnés n mois après l'ouverture, on a ainsi $v_0 = 15\,000$.
1. Justifier que, pour tout entier naturel n, on a $v_{n+1} = 0{,}9 \times v_n + 2\,500$.
2. Soit (w_n) la suite définie sur $\mathbb{N}$ par $w_n = v_n - 25\,000$.
a) Montrer que (w_n) est une suite géométrique.
b) Déterminer l'expression de w_n puis de v_n en fonction de n.
3. Peut-on prévoir, à l'aide de ce modèle, une stabilisation du nombre d'abonnés sur le long terme ? Si oui, à combien d'abonnés ? Justifier.

D'après Bac ES 2016

125 Dans un pays, deux fournisseurs [Algo] 🖩 d'électricité ont le monopole du marché : *Electic* et *Energo*. On s'intéresse à la répartition des parts de marché de ces deux fournisseurs. En 2020, *Electic* a 55 % des parts du marché. Chaque année, on prévoit que *Electic* perde 5 % de ses clients, mais qu'il récupère 15 % des clients de *Energo*. On note a_n le pourcentage de parts de marché de *Electic* et b_n celui de *Energo* en 2020 + n. On a $a_0 = 0{,}55$.

1. Déterminer la valeur de $a_n + b_n$ pour tout $n \in \mathbb{N}$.
2. Justifier que pour tout $n \in \mathbb{N}$, $a_{n+1} = 0{,}95a_n + 0{,}15b_n$.
3. En déduire que $a_{n+1} = 0{,}8a_n + 0{,}15$.
4. On veut déterminer le pourcentage des parts de marché de *Electic* en 2030.
a) Compléter le programme en **Python** 🐍 ci-contre pour qu'il réponde au problème.

```
a = …
for i in range (…):
        a = …
print (…)
```

b) Déterminer le pourcentage à l'aide de la calculatrice.
5. a) Montrer par récurrence que pour tout $n \in \mathbb{N}$, $a_n \leqslant a_{n+1} \leqslant 0{,}75$.
b) En déduire que la suite (a_n) est convergente, et déterminer sa limite.
c) Interpréter les variations et la limite de la suite (a_n) avec le contexte.

126 Un groupe de presse édite un magazine 🖩 qu'il propose en abonnement. Jusqu'en 2010, ce magazine était proposé uniquement sous forme papier. Depuis 2011, les abonnés du magazine ont le choix entre la version numérique et la version papier.
Une étude a montré que, chaque année, certains abonnés changent d'avis : 10 % des abonnés à la version papier passent à la version numérique et 6 % des abonnés à la version numérique passent à la version papier. On admet que le nombre global d'abonnés reste constant dans le temps.
On note a_n la proportion d'abonnés ayant choisi la version papier en 2010 + n et b_n la proportion d'abonnés ayant choisi la version numérique en 2010 + n.
1. Justifier que $a_0 = 1$, $b_0 = 0$ et pour tout $n \in \mathbb{N}$, $a_{n+1} = 0{,}9a_n + 0{,}06b_n$.
2. En déduire que pour tout $n \in \mathbb{N}$, $a_{n+1} = 0{,}84a_n + 0{,}06$.
3. Soit (c_n) la suite définie par $c_n = a_n - 0{,}375$.
a) Montrer que la suite (c_n) est géométrique.
b) En déduire l'expression de c_n en fonction de n.
c) En déduire les expressions de a_n et b_n en fonction de n.
d) En déduire la limite de la suite (a_n).
4. À l'aide de la calculatrice, déterminer à partir de quelle année la proportion d'abonnés à la version papier devient inférieure à la proportion d'abonnés à la version numérique.

D'après BAC 2016

Travailler le Grand Oral

127 Présenter le travail suivant.
1. Trouver un exemple de situation pouvant être modélisé par une suite.
2. Étudier la suite en utilisant un tableur, la calculatrice, les propriétés du cours… On pourra, par exemple, étudier les variations, la limite,…
3. Interpréter les résultats dans le contexte (valeur de certains termes, limite, …)

128 Soit (u_n) une suite.
Présenter à l'oral différentes méthodes pour déterminer la limite de la suite (u_n).
On expliquera le principe de chaque méthode.

129 Présenter la démonstration de l'inégalité de Bernoulli en l'expliquant.

Exercices (bilan)

130 Démontrer par récurrence

Démontrer par récurrence que pour tout entier naturel n,
$1 + 3 + 5 + 7 + \ldots + (2n + 1) = (n + 1)^2$

131 Déterminer la limite d'une suite

Déterminer la limite des suites suivantes.

a) (u_n) est la suite définie par $u_n = \dfrac{n^2 + 3n - 8}{2n^3 + 5n^2 - 1}$.

b) (v_n) est la suite définie par $v_n = \sqrt{n} + (-1)^n$.

c) (w_n) est définie par $w_n = 25 + \dfrac{\cos(n)}{n}$.

d) (a_n) est définie par $a_n = n^2 \times 2^n$.

e) (b_n) est définie par $b_n = 3^n - 4^n$.

132 Étudier la convergence d'une suite

Soit (u_n) la suite définie par $u_0 = 0{,}5$ et pour tout $n \in \mathbb{N}$,
$u_{n+1} = u_n \times (1 - u_n)$

1. Montrer par récurrence que pour tout $n \in \mathbb{N}$, $0 < u_n < 1$.
2. Montrer que la suite (u_n) est décroissante.
3. La suite (u_n) est-elle convergente ?

133 Étude de l'évolution d'une population de singes   SVT

Une biologiste désire étudier l'évolution de la population de singes sur une île.
En 2020, elle estime qu'il y a 1 000 singes sur l'île.

A ▶ Premier modèle
La biologiste suppose que la population de singes augmente de 4 % chaque année.
On note u_n le nombre de singes en milliers sur l'île en 2020 + n.
1. Donner la valeur de u_0 et calculer u_1.
2. Déterminer la nature de la suite (u_n), puis exprimer u_n en fonction de n.
3. Déterminer la limite de la suite (u_n).
4. Que peut-on penser de ce modèle ?

B ▶ Second modèle
La biologiste suppose que la population de singes est finalement modélisée par une suite (v_n) définie par $v_0 = 1$
et pour tout $n \in \mathbb{N}$, $v_{n+1} = -\dfrac{1}{40}v_n^2 + 1{,}1v_n$.

1. Soit f la fonction définie sur $\mathbb{R}$ par $f(x) = -\dfrac{1}{40}x^2 + 1{,}1x$.

Justifier que f est strictement croissante sur $[0 ; 10]$
2. a) Démontrer par récurrence que pour tout entier naturel n, $0 \leqslant v_n \leqslant 4$.
b) Montrer que la suite (v_n) est croissante.
c) En déduire la convergence de la suite (v_n).
d) Soit ℓ la limite de la suite (v_n). On admet que $\ell = f(\ell)$. Déterminer la valeur de ℓ.
3. On souhaite déterminer le nombre d'années au bout duquel la population de singes dépassera les 3 000 individus. Recopier et compléter le programme ci-contre en **Python** pour qu'il réponde au problème.

```
n = 0
v = 1
while …:
    v = …
    n = …
print (…)
```

D'après Bac S 2017

134 Évolution du nombre d'arbres dans une forêt   Algo

On s'intéresse au nombre d'arbres dans une forêt.

En 2020, il y a 2 500 arbres dans la forêt. Mais on prévoit que chaque année, 10% des arbres soient coupés et 100 arbres soient replantés.
On note u_n le nombre d'arbres en 2020 + n.
1. Donner la valeur de u_0 et calculer u_1.
2. Justifier que pour tout $n \in \mathbb{N}$, $u_{n+1} = 0{,}9u_n + 100$.
3. a) Recopier et compléter ce programme en **Python**

```
u = 2500
for i in range (…):
    u = …
print (u)
```

pour qu'il déterminer le nombre d'arbres en 2050 dans la forêt.
b) À l'aide de la calculatrice, déterminer le nombre d'arbres en 2050 dans la forêt.
4. a) Montrer par récurrence que pour tout $n \in \mathbb{N}$, $1\,000 \leqslant u_{n+1} \leqslant u_n$.
b) En déduire que la suite (u_n) est convergente.
5. Soit (v_n) la suite définie pour tout $n \in \mathbb{N}$ par $v_n = u_n - 1\,000$.
a) Montrer que la suite (v_n) est géométrique.
On précisera sa raison et son premier terme.
b) En déduire l'expression de v_n, puis celle de u_n en fonction de n.
c) Déterminer la limite de la suite (u_n) et interpréter dans le contexte.

Récurrence

Pour démontrer une propriété $P(n)$ pour tout entier naturel $n \geqslant n_0$:

- **Étape ① Initialisation** On vérifie que $P(n_0)$ est vraie.
- **Étape ② Hérédité** Soit $n \in \mathbb{N}$, avec $n \geqslant n_0$.

On suppose $P(n)$ vraie et on montre que $P(n + 1)$ est vraie.

- **Étape ③ Conclusion** On conclut que $P(n)$ est vraie pour tout entier naturel $n \geqslant n_0$.

Limites

- (u_n) a pour limite $+\infty$ si pour tout réel $A > 0$, l'intervalle $]A\,;+\infty[$ contient tous les termes de la suite à partir d'un certain rang.
- (u_n) a pour limite $-\infty$ si pour tout réel $A > 0$, l'intervalle $]-\infty\,;-A[$ contient tous les termes de la suite à partir d'un certain rang.
- (u_n) a pour limite un réel ℓ si tout intervalle ouvert contenant ℓ contient tous les termes de la suite à partir d'un certain rang.

Théorème de comparaison

- Si $u_n \leqslant v_n$ et $\lim\limits_{n\to+\infty} u_n = +\infty$ alors $\lim\limits_{n\to+\infty} v_n = +\infty$.
- Si $u_n \leqslant v_n$ et $\lim\limits_{n\to+\infty} v_n = -\infty$ alors $\lim\limits_{n\to+\infty} u_n = -\infty$.

Théorème des gendarmes

Si $v_n \leqslant u_n \leqslant w_n$ et $\lim\limits_{n\to+\infty} v_n = \lim\limits_{n\to+\infty} w_n = \ell$ avec ℓ un réel,

alors $\lim\limits_{n\to+\infty} u_n = \ell$.

Suites de références

- (n), $(\sqrt{n})$, (n^k) avec $k \in \mathbb{N}^*$, tendent vers $+\infty$.
- $\left(\dfrac{1}{n}\right), \left(\dfrac{1}{\sqrt{n}}\right), \left(\dfrac{1}{n^k}\right)$ avec $k \in \mathbb{N}^*$, tendent vers 0.

Formes indéterminées

- $+\infty - \infty$
- $0 \times \infty$
- $\dfrac{0}{0}$
- $\dfrac{\infty}{\infty}$

Inégalités et limites

Si $u_n \leqslant v_n$ et (u_n) et (v_n) convergent,

alors $\lim\limits_{n\to+\infty} u_n \leqslant \lim\limits_{n\to+\infty} v_n$

Suites géométriques

- Si $q > 1$, alors $\lim\limits_{n\to+\infty} q^n = +\infty$
- Si $-1 < q < 1$, alors $\lim\limits_{n\to+\infty} q^n = 0$
- Si $q = 1$, alors $\lim\limits_{n\to+\infty} q^n = 1$
- Si $q \leqslant -1$, alors la suite (q^n) n'a pas de limite

Convergence des suites monotones

- Toute suite croissante majorée converge.
- Toute suite croissante non majorée diverge vers $+\infty$.
- Toute suite décroissante minorée converge.
- Toute suite décroissante non minorée diverge vers $-\infty$.

Je dois être capable de...

Je dois être capable de...		Parcours d'exercices
▶ Démontrer une propriété par récurrence	Méthode **1** Méthode **2** →	1, 2, 3, 4, 37, 38, 41, 42
▶ Comprendre et utiliser la définition de limite d'une suite	Méthode **3** →	5, 6, 7, 8, 46, 47, 49, 50
▶ Déterminer la limite d'une suite en utilisant les opérations sur les limites ou en levant une forme indéterminée	Méthode **4** Méthode **5** →	9, 10, 11, 12, 54, 55, 58, 59
▶ Déterminer la limite d'une suite en utilisant le théorème de comparaison ou le théorème des gendarmes	Méthode **6** , Méthode **7** →	13, 14, 15, 16, 63, 64, 66, 67
▶ Déterminer la limite d'une suite géométrique	Méthode **8** →	17, 18, 71, 72
▶ Étudier la convergence d'une suite monotone	Méthode **9** →	19, 20, 79, 80
▶ Étudier la convergence d'une suite	Méthode **10** →	21, 22, 95, 96
▶ Étudier des phénomènes d'évolution	Méthode **11** →	23, 24, 121, 122

> ❯ EXOS
> QCM interactifs
> lienmini.fr/maths-s01-09

QCM   Pour les exercices suivants, choisir la (les) bonne(s) réponse(s).

	A	B	C	D
135 Pour tout entier naturel n, on considère la propriété $P(n)$: « $n^3 > 3n$ ».	$P(0)$ est vraie	$P(1)$ est vraie	$P(2)$ est vraie	$P(n)$ est vraie pour tout entier $n \geqslant 2$
136 La suite (u_n) définie par $u_n = n + 5n^2$:	a pour limite $+\infty$	a pour limite 0	a pour limite $-\infty$	n'a pas de limite
137 La suite (v_n) définie par $v_n = n - 5n^2$:	a pour limite $+\infty$	a pour limite 0	a pour limite $-\infty$	n'a pas de limite
138 La suite (w_n) définie par $w_n = n - 5\sin(n)$:	a pour limite $+\infty$	a pour limite 0	a pour limite $-\infty$	n'a pas de limite
139 La suite (a_n) définie telle que pour tout $n \in \mathbb{N}$, $\dfrac{1}{2n+1} < a_n < \dfrac{3n+1}{n^2+2}$	a pour limite $+\infty$.	a pour limite 0.	a pour limite $-\infty$.	n'a pas de limite.
140 La suite géométrique (b_n) de premier terme $b_0 = -3$ et de raison $\dfrac{1}{4}$	a pour limite $+\infty$	a pour limite 0	a pour limite $-\infty$	n'a pas de limite
141 La suite (c_n) définie par $c_n = 5^n - 7^n$:	a pour limite $+\infty$	a pour limite 0	a pour limite $-\infty$	n'a pas de limite
142 La suite (u_n) définie pour tout $n \in \mathbb{N}$ par $u_n = \dfrac{3n+2}{n+1}$ est :	croissante	décroissante	majorée par 3	minorée par 3

143 **Récurrence**

1. Démontrer par récurrence que, pour tout $n \in \mathbb{N}$, 2 divise $3^n - 1$.

2. Soit (u_n) la suite définie par $u_0 = 4$ et, pour tout $n \in \mathbb{N}$, $u_{n+1} = 2u_n - 1$.

Montrer par récurrence que pour tout $n \in \mathbb{N}$, $u_n = 3 \times 2^n + 1$  p. 17

144 **Limite d'une suite**

Déterminer les limites des suites suivantes.

a) (u_n) définie par $u_n = (2n + n^2) \times \sqrt{n}$.

b) (v_n) définie par $v_n = \dfrac{3n^2 + 5}{2n^2 - 4}$.

c) (w_n) définie par $w_n = n^2 + (-1)^n$.

d) (a_n) définie par $a_n = 3 + \dfrac{\cos(3n + 1)}{n^3}$.

e) (b_n), qui est la suite géométrique de raison $\dfrac{1}{4}$ et de premier terme $b_0 = 10$.

f) (c_n) définie par $c_n = -4 \times 2^n$.

 et p. 21 et p. 23 p. 25

145 **Compte en banque** Algo

Aissatou dépose 5 000 € sur un compte en banque le 1er janvier 2019.

Chaque mois, elle dépense le quart de ce qu'elle a sur son compte. De plus, le dernier jour de chaque mois, elle dépose 2 000 € supplémentaires sur le compte.

On note u_n la somme sur le compte le 1er jour du mois, n mois après janvier 2019.

1. Donner la valeur de u_1 et u_2.

2. Justifier que pour tout $n \in \mathbb{N}$, $u_{n+1} = 0{,}75u_n + 2\,000$

3. On souhaite connaître la somme sur le compte le 1er janvier 2020.

a) Compléter le programme en **Python** suivant pour qu'il réponde à la question.

```
u = …
for i in range (…):
        u = …
print (…)
```

b) À l'aide de la calculatrice, déterminer la somme sur le compte le 1er janvier 2020.

4. a) Montrer que pour tout $n \in \mathbb{N}$, $u_n \leqslant u_{n+1} \leqslant 8\,000$.

b) En déduire que la suite (u_n) est convergente.

5. Soit (v_n) la suite définie par $v_n = u_n - 8\,000$.

a) Montrer que la suite (v_n) est géométrique.

b) Déterminer l'expression de v_n puis celle de u_n en fonction de n.

6. Déterminer la limite de la suite (u_n) et interpréter dans le contexte. **11** p. 27

146 **Évolution d'une population de tortues** Algo

On s'intéresse à une population de tortues vivant sur une île.

A ▶ Au début de l'année 2000, on comptait 300 tortues. Une étude a permis de modéliser ce nombre de tortues par la suite (u_n) définie par $\begin{cases} u_0 = 0{,}3 \\ u_{n+1} = 0{,}9u_n(1 - u_n) \end{cases}$

où pour tout entier naturel n, u_n modélise le nombre de tortues, en milliers, au début de l'année $2000 + n$.

1. Déterminer le nombre de tortues au début de l'année 2001 puis de l'année 2002.

2. On admet que, pour tout entier naturel n, $u_n \in [0\,;1]$ et $1 - u_n \in [0\,;1]$.

a) Montrer que, pour tout entier naturel n, $0 \leqslant u_{n+1} \leqslant 0{,}9u_n$.

b) Montrer que, pour tout entier naturel n, $0 \leqslant u_n \leqslant 0{,}3 \times 0{,}9^n$.

c) Déterminer la limite de la suite (u_n). Que peut-on en conclure sur l'avenir de cette population de tortues ?

3. Des études permettent d'affirmer que, si le nombre de tortues à une date donnée est inférieur au seuil critique de 30 individus, alors l'espèce est menacée d'extinction.

Recopier et compléter le programme en **Python** ci-contre afin qu'il détermine la dernière année avant laquelle il reste au moins 30 tortues.

```
u = 0.3
n = 0
while …:
        …
        …
print (…)
```

B ▶ Au début de l'année 2010, il ne reste que 32 tortues. Afin d'assurer la pérennité de l'espèce, des actions sont menées pour améliorer la fécondité des tortues. L'évolution de la population est alors modifiée et le nombre de tortues peut être modélisé par la suite (v_n) définie par :

$$\begin{cases} v_{10} = 0{,}032 \\ v_{n+1} = 1{,}06v_n(1 - v_n) \end{cases}$$

où pour tout entier naturel $n > 10$, v_n modélise le nombre de tortues, en milliers, au début de l'année $2000 + n$.

1. Calculer le nombre de tortues au début de l'année 2011 puis de l'année 2012.

2. On admet que, dans ce modèle, la suite (v_n) est croissante et convergente. On appelle ℓ sa limite. Montrer que ℓ vérifie $\ell = 1{,}06\ell(1 - \ell)$.

3. La population de tortues est-elle encore en voie d'extinction ? p. 19 **11** p. 27

D'après Bac 2017

Exercices (vers le supérieur)

147 Somme par récurrence — Démo

Montrer par récurrence que pour tout entier naturel n tel que $n \geqslant 1$, on a $1 + 2 + \dots + n = \dfrac{n \times (n+1)}{2}$

D'après Concours ADVANCE

148 Abonnement sportif

Le service commercial d'une société possédant plusieurs salles de sport dans une grande ville a constaté que l'évolution du nombre d'abonnés était définie de la manière suivante.

- Chaque année, la société accueille 400 nouveaux abonnés.
- Chaque année, 40 % des abonnements de l'année précédente ne sont pas renouvelés.

En 2010 cette société comptait 1 500 abonnés.
La suite (a_n) modélise le nombre d'abonnés pour l'année $2010 + n$. On définit la suite (v_n) par $v_n = a_n - 1000$.

Choisir la (les) bonne(s) réponse(s).

a $a_1 = 1\ 300$
b $a_{n+1} = 0{,}6 \times a_n + 400$.
c La suite (v_n) est une suite géométrique de raison $q = 0{,}4$.
d $a_n = 500 \times 0{,}6^{n-1} + 1\ 000$.

D'après Concours FESIC

149 Vrai-Faux (1)

L'affirmation suivante est-elle vraie ou fausse ? V F

Si une suite est croissante et admet une limite finie alors elle est nécessairement bornée. ☐ ☐

D'après Concours FESIC

150 Somme télescopique

Soit (u_n) la suite définie pour tout $n \in \mathbb{N}^*$ par :

$$u_n = \frac{1}{n \times (n+1)}$$

1. Déterminer la limite de la suite (u_n).

2. Montrer que pour tout $n \in \mathbb{N}^*$, $u_n = \dfrac{1}{n} - \dfrac{1}{n+1}$

3. À l'aide de la question précédente, calculer, pour tout $n \in \mathbb{N}^*$, la somme $S_n = u_1 + u_2 + u_3 + \dots + u_n$.

4. Déterminer la limite de S_n quand n tend vers $+\infty$.

151 Vrai-Faux (2)

Les affirmations suivantes sont-elles vraies ou fausses ? Justifier. V F

1. Toute suite qui tend vers $+\infty$ est croissante. ☐ ☐

2. On considère la suite (u_n) définie sur $\mathbb{N}$ ☐ ☐
par $u_0 = 0$ et pour tout entier naturel n, $u_{n+1} = 3u_n - 2n + 3$.
Pour tout entier naturel n, $u_n = 3^n + n - 1$.

D'après Sciences Po

152 Suites adjacentes

> On dit que deux suites (u_n) et (v_n) sont **adjacentes** si et seulement si (u_n) est croissante, (v_n) est décroissante et $\lim\limits_{n \to +\infty} (v_n - u_n) = 0$.

Soient (u_n) et (v_n) deux suites adjacentes.
On admet que pour tout $n \in \mathbb{N}$, $u_n \leqslant v_n$.
1. Montrer que (u_n) et (v_n) sont convergentes, et montrer qu'elles ont la même limite, que l'on notera ℓ.
2. Montrer que pour tout $n \in \mathbb{N}$, $u_n \leqslant \ell \leqslant v_n$
3. Soient (u_n) et (v_n) deux suites définies sur $\mathbb{N}^*$ par

$$u_n = 1 + \frac{1}{1!} + \frac{1}{2!} + \frac{1}{3!} + \dots + \frac{1}{n!} \text{ et } v_n = u_n + \frac{1}{n \times n!}.$$

> **Coup de pouce** On rappelle que pour tout $n \in \mathbb{N}^*$, $n! = 1 \times 2 \times 3 \times \dots \times n$ et $0! = 1$

a) Montrer que les suites (u_n) et (v_n) sont adjacentes.
b) En déduire qu'elles sont convergentes.
c) On admet que $\lim\limits_{n \to +\infty} u_n = \text{e}$.
En prenant $n = 10$, déterminer un encadrement de e.

153 Suites vérifiant une relation de récurrence d'ordre 2

Soit (u_n) la suite définie par $u_0 = 1$, $u_1 = 2$ et pour tout $n \in \mathbb{N}$, $u_{n+2} = au_{n+1} + bu_n$.

A ▶ Dans cette partie, on suppose que $a = 4{,}5$ et $b = -2$.
1. Calculer la valeur de u_2.
2. Résoudre l'équation $x^2 = ax + b$.
On notera x_1 et x_2 les deux solutions de l'équation.
3. On admet que pour tout $n \in \mathbb{N}$,
$u_n = \lambda \times x_1^{\,n} + \mu \times x_2^{\,n}$.
a) Déterminer les valeurs de λ et μ.
b) Déterminer la limite de la suite (u_n)

B ▶ Dans cette partie, on suppose que $a = 10$ et $b = -25$.
1. Calculer la valeur de u_2.
2. Résoudre l'équation $x^2 = ax + b$.
On notera x_0 l'unique solution de l'équation.
3. On admet que pour tout $n \in \mathbb{N}$,
$u_n = \lambda \times x_0^{\,n} + \mu \times n \times x_0^{\,n}$.
a) Déterminer les valeurs de λ et de μ.
b) Déterminer la limite de la suite (u_n)

154 Clefs oubliées

Anton oublie souvent ses clefs.

On note, pour tout $n \geqslant 1$, C_n l'événement : « Anton oublie ses clefs le jour n ». On note c_n la probabilité de C_n. Si le jour n, Anton oublie ses clefs, alors la probabilité qu'il les oublie le jour suivant est de 0,5. Si le jour n, Anton n'oublie pas ses clefs, alors la probabilité qu'il les oublie le jour suivant est de 0,3. Soit la suite (v_n) définie pour tout $n \geqslant 1$ par $8c_n = 8v_n + 3$.

Les affirmations suivantes sont-elles vraies ou fausses ?

V F

1. $c_1 = 0,1$ si et seulement si $c_2 = 0,32$. ☐ ☐
2. Pour tout $n \geqslant 1$, $c_{n+1} = 0,3c_n + 0,2$. ☐ ☐
3. (v_n) est une suite géométrique de raison 0,2. ☐ ☐
4. La limite de la suite (c_n) est 0,375. ☐ ☐

D'après ACCES

155 Limites de deux suites

On considère les deux suites (u_n) et (v_n) définies pour tout $n \in \mathbb{N}$ par $(u_n) \begin{cases} u_0 = 5 \\ u_{n+1} = \dfrac{3u_n + v_n}{4} \end{cases}$ et $(v_n) \begin{cases} v_0 = 15 \\ v_{n+1} = \dfrac{u_n + 5v_n}{6} \end{cases}$

(u_n) converge vers $\ell_1 \in \mathbb{R}$ et (v_n) converge vers $\ell_2 \in \mathbb{R}$.

Choisir la (les) bonne(s) réponse(s).

a $\ell_1 = \ell_2$ **b** $\ell_1 < \ell_2$ **c** $\ell_1 > \ell_2$
d On ne dispose pas assez d'informations pour comparer ℓ_1 et ℓ_2.

D'après Concours AVENIR

156 Vrai-Faux (3)

Les affirmations suivantes sont-elles vraies ou fausses ? Justifier.

V F

1. Soit $(u_n)_{n \in \mathbb{N}^*}$ et $(v_n)_{n \in \mathbb{N}^*}$ deux suites réelles définies par $u_n = 2 + (2 + 2^2 + ... + 2^n) = 2 + \displaystyle\sum_{k=1}^{n} 2^k$ ☐ ☐
et $v_n = u_n - 1$.
Une seule des deux suites est géométrique.

2. Soit $(u_n)_{n \in \mathbb{N}}$ une suite réelle telle qu'il existe ☐ ☐
un réel ℓ tel que $\displaystyle\lim_{n \to +\infty} nu_n = \ell$ alors $\displaystyle\lim_{n \to +\infty} u_n = 0$

3. La suite (u_n) est définie par $u_0 = 1$ ☐ ☐
et pour tout entier naturel, $u_{n+1} = 10u_n - 9n - 8$.
Pour tout entier naturel n, $u_n = n + 1$.

D'après Sciences Po

157 Vrai-Faux (4)

Soit (u_n) définie par $u_0 > 0$ et pour tout $n \in \mathbb{N}$, $u_{n+1} = u_n e^{-u_n}$.

Les affirmations suivantes sont-elles vraies ou fausses ?

V F

1. (u_n) est une suite géométrique. ☐ ☐
2. (u_n) est croissante. ☐ ☐
3. Pour tout $n \in \mathbb{N}$, $\dfrac{u_{n+1}}{u_n} \leqslant 1$. ☐ ☐
4. $\displaystyle\lim_{n \to +\infty} u_n = 1$. ☐ ☐
5. $\displaystyle\lim_{n \to +\infty} u_n = 0$. ☐ ☐

D'après Concours ADVANCE

158 Convergence de la méthode de Héron   Algo

Soit (u_n) la suite définie par $u_0 = 5$ et pour tout $n \in \mathbb{N}$, $u_{n+1} = f(u_n)$ avec f la fonction définie par $f(x) = \dfrac{1}{2}\left(x + \dfrac{2}{x}\right)$.

1. Étudier le sens de variation de f.
2. Montrer que pour tout $n \in \mathbb{N}$, $\sqrt{2} \leqslant u_{n+1} \leqslant u_n$.
3. En déduire que la suite (u_n) est convergente.
4. Soit ℓ la limite de la suite (u_n).
En admettant que $\ell = f(\ell)$, déterminer la valeur de ℓ.

5. Compléter le programme en **Python** ci-contre pour qu'il calcule u_{100}.

```
u = …
for i in range (…):
    u = …
print (…)
```

159 Récurrence forte

Le principe de récurrence forte est le suivant.

> Soit $P(n)$ une propriété dépendant d'un entier naturel n. On suppose que :
> • $P(0)$ et $P(1)$ sont vraies.
> • Pour un entier naturel $n \geqslant 1$ fixé, $P(n-1)$ et $P(n)$ vraies impliquent $P(n+1)$ vraie.
> Alors $P(n)$ est vraie pour tout $n \in \mathbb{N}$.

Soit (u_n) la suite définie par $u_0 = 1$, $u_1 = 3$ et pour tout $n \geqslant 1$, $u_{n+1} = 2u_n - u_{n-1}$.

Conjecturer l'expression de u_n en fonction de n et démontrer la conjecture.

160 Rationalité d'un nombre

Montrer que 0,1212121212… est un nombre rationnel.

161 Unicité de la limite

Soit (u_n) une suite convergente.
En raisonnant par l'absurde, démontrer l'unicité de la limite.

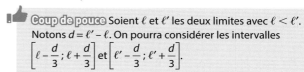

Coup de pouce Soient ℓ et ℓ' les deux limites avec $\ell < \ell'$.
Notons $d = \ell' - \ell$. On pourra considérer les intervalles $\left[\ell - \dfrac{d}{3} ; \ell + \dfrac{d}{3}\right]$ et $\left[\ell' - \dfrac{d}{3} ; \ell' + \dfrac{d}{3}\right]$.

Travaux pratiques

1 Application de la méthode de Newton

La méthode de Newton est une méthode permettant de trouver des valeurs approchées des solutions d'une équation de la forme $f(x) = 0$.
Pour cela :
• on choisit une valeur approchée de la solution x_0.
• puis on définit une suite (x_n) où x_{n+1} est l'abscisse du point d'intersection entre l'axe des abscisses et la tangente à la courbe représentative de f au point d'abscisse x_n.

A ▶ Étude d'un exemple

Soit f la fonction définie sur $\mathbb{R}$ par $f(x) = x^2 - 2$.
On choisit $x_0 = 3$.

1. Ouvrir **GeoGebra** et représenter graphiquement la fonction f.

2. Tracer la tangente à la courbe au point d'abscisse x_0.

 Coup de pouce On utilisera le menu **Tangentes** de **GeoGebra**.

3. Soit x_1 l'abscisse du point d'intersection de cette tangente et de l'axe des abscisses.
Représenter graphiquement le nombre x_1.

4. Tracer la tangente à la courbe au point d'abscisse x_1.

5. x_2 est l'abscisse du point d'intersection de cette tangente et de l'axe des abscisses.
Représenter graphiquement le nombre x_2.

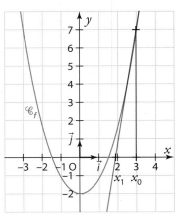

B ▶ Calcul des premiers termes

Soit f la fonction définie sur $\mathbb{R}$ par $f(x) = x^2 - 2$.
1. Quelle sont les solutions de l'équation $f(x) = 0$?

2. Rappeler la formule de l'équation de la tangente au point d'abscisse x_n.

3. Justifier que $x_{n+1} = \dfrac{x_n^2 + 2}{2x_n} = \dfrac{1}{2}\left(x_n + \dfrac{2}{x_n}\right)$

▶**Remarque** On reconnait la relation de récurrence de l'exercice **158** sur la convergence de la méthode de Héron.
4. En déduire la valeur de x_1 et x_2.
5. Compléter le programme en **Python** suivant afin qu'il calcule x_{10}.

```
x = …
for i in range (…):
    x = …
print (…)
```

6. Donner une valeur approchée de x_{10}.

C ▶ Étude d'un deuxième exemple

Soit f la fonction définie sur $\mathbb{R}$ par $f(x) = x^2 - x - 1$.
1. Résoudre $f(x) = 0$.

2. On choisit $x_0 = 2$.
Sur **GeoGebra**, représenter graphiquement les nombres x_0, x_1, x_2.

3. Rappeler la formule de l'équation de la tangente au point d'abscisse x_n.

4. En déduire l'expression de x_{n+1} en fonction de x_n.

5. En déduire la valeur de x_1 et x_2.

6. Écrire un programme en **Python** permettant de calculer une valeur approchée de x_{10}.

2 Paradoxe de Zénon

Voici l'énoncé du paradoxe de Zénon :

> Un jour, Achille a disputé une course avec une tortue.
> Comme Achille était réputé pour être un coureur très rapide,
> il avait accordé à la tortue une longueur d'avance.
> Bien qu'Achille court plus vite que la tortue, Zénon affirme qu'Achille
> ne pourra jamais rattraper la tortue.

On suppose qu'Achille a laissé une avance de 900 mètres à la tortue et qu'Achille court à une vitesse dix fois supérieure à celle de la tortue.
On note A_n la position de Achille à l'étape n et T_n celle de la tortue.
Étape ⓪ : Achille est au départ de la course et la tortue est à 900 mètres .
Étape ① : Achille arrive à la position à 900 mètres et la tortue est arrivée à une position T_1.
Étape ② : Achille arrive à la position T_1 et la tortue est arrivée à une position T_2.
Et ainsi de suite.

▶ **VIDÉO**
Un paradoxe de Zenon :
Achille et la tortue
lienmini.fr/maths-s01-01

A ▶ Étude à l'aide d'un tableur
1. Ouvrir un tableur et recopier le tableau suivant.

	A	B	C	D
1	n	A_n	T_n	$T_n - A_n$
2	0			
3	1			
4	2			

1. Remplir la colonne A avec des valeurs de n allant de 0 à 20.
2. Quelle est la valeur à mettre dans la cellule B2 ? dans la cellule C2 ?
3. Quelle est la formule à rentrer dans la cellule D2 ?
4. Lorsque Achille parcourt k mètres, combien de mètres parcourt la tortue ?
5. En déduire les formules à rentrer dans les cellules B3 et C3.
6. Par recopie vers le bas, compléter les colonnes B, C et D.
7. Conjecturer la limite des suites (A_n), (T_n) et $(T_n - A_n)$.

B ▶ Étude théorique
Pour tout entier naturel n, on note u_n la distance parcourue par la tortue entre l'étape n et l'étape $n + 1$.
v_n la distance parcourue par Achille entre l'étape n et l'étape $n + 1$.

1. Justifier que pour tout entier naturel $n \geqslant 1$, $v_n = u_{n-1}$ et $u_n = \dfrac{v_n}{10}$
2. En déduire que (u_n) est une suite géométrique dont on précisera la raison et le premier terme.
3. Déterminer l'expression de u_n en fonction de n puis celle de v_n en fonction de n.
4. En déduire l'expression de T_n, puis celle de A_n en fonction de n.
5. En déduire l'expression de $T_n - A_n$ et son signe.
6. Démontrer les conjectures sur les limites faites dans la partie A.
7. Achille dépassera-t-il la tortue ?

C ▶ Deuxième modélisation
On suppose toujours qu'Achille a laissé une avance de 900 mètres à la tortue, qu'Achille court à une vitesse de 10 m · s⁻¹ et que la tortue court à une vitesse de 1 m · s⁻¹.
On note maintenant A_n la position d'Achille et T_n celle de la tortue par rapport à la ligne de départ, n secondes après le début de la course.
Achille dépassera-t-il la tortue ?

Travaux pratiques

3 Modèle de Malthus

C'est en 1798, dans la première édition de son *Essai sur le principe de population*, que le Révérend Thomas Robert Malthus (1766-1834) a formulé son « principe de population » : « Si elle n'est pas freinée, la population s'accroît en progression géométrique. Les subsistances ne s'accroissent qu'en progression arithmétique. »

A ▶ Cas général

On considère une population dont la différence entre le taux de natalité et le taux de mortalité est constante égale à r exprimé sous forme décimale (r est appelé taux de croissance).

On note P_n le nombre d'individus de la population à l'année n.

De plus, on note a_n le nombre d'individus que l'on peut nourrir avec les subsistances disponibles l'année n.

1. Exprimer P_{n+1} en fonction de P_n

2. Exprimer P_n en fonction de n et P_0.

3. On suppose que (a_n) est une suite arithmétique de raison s. Déterminer l'expression de a_n en fonction de a_0 et s.

4. Selon les valeurs de r, déterminer les variations de P_n et sa limite.

5. Selon les valeurs de s, déterminer les variations de a_n et sa limite.

B ▶ Étude de cas

On s'intéresse à la population d'un pays.

On suppose qu'en 1 800, il y avait 5 millions d'habitants, et que la population augmente chaque année de 1 %.

En 1800, les subsistances peuvent nourrir 10 millions d'habitants, et chaque année, grâce au progrès de la technologie, elles peuvent nourrir 100 000 personnes de plus.

La question que l'on se pose est la suivante : est-ce qu'il y aura toujours assez de subsistances pour toute la population ?

On note P_n la population en millions d'habitants en 1 800 + n et a_n le nombre d'individus, en millions, pouvant être nourris par les subsistances en 1 800 + n.

1. Ouvrir un tableur et recopier le tableau suivant.

	A	B	C
1	Année	P_n	a_n
2	1800		
3	1801		
4	1802		

2. a) Compléter la colonne A pour qu'elle contienne toutes les années de 1800 à 2000.

b) Quelle valeur faut-il rentrer dans la cellule B2 ? Et la cellule C2 ?

c) Quelle formule faut-il rentrer dans la cellule B3 pour obtenir par recopie vers le bas tous les termes de la suite (P_n) dans la colonne B ?

d) Quelle formule faut-il rentrer dans la cellule C3 pour obtenir par recopie vers le bas tous les termes de la suite (a_n) dans la colonne C ?

e) Compléter les colonnes B et C.

3. À l'aide de la fonction « nuage de points » représenter graphiquement P_n et a_n en fonction de l'année (1800 + n).

4. À l'aide du tableur, déterminer au bout de combien d'années la population aura doublé.

5. À l'aide du tableur, déterminer en quelle année la situation devient problématique.

6. Écrire un programme en **Python** 🐍 permettant de déterminer l'année où la situation devient problématique.

7. Que peut-on penser de ce modèle ?

4 Modèle de Verhulst

Pierre François Verhulst (1804-1849) vers 1840, reprend les travaux de Malthus en introduisant dans les équations l'interaction des populations avec leur environnement.

A ► Comprendre l'équation logistique

On considère une population P et on note P_n le nombre d'individus de la population à l'année n.
Dans ce modèle, la différence entre taux de natalité et le taux de mortalité est une fonction affine de la population $P_n \mapsto r - b P_n$ avec r et b deux réels positifs.

1. On note K la constante $\dfrac{r}{b}$. Montrer que $r - bP_n = r\left(1 - \dfrac{P_n}{K}\right)$.

2. Déterminer $\lim\limits_{P_n \to 0}(r - bP_n)$. La constante r est appelé taux de croissance intrinsèque.

3. Déterminer $\lim\limits_{P_n \to K}(r - bP_n)$. La constante K est appelée capacité biotique, ou capacité d'accueil.

4. Établir que $P_{n+1} - P_n = rP_n\left(1 - \dfrac{P_n}{K}\right)$. La suite (P_n) est appelée suite logistique.

B ► Exemple de suites

1. a) Préparer un tableur comme ci-contre où les cases bleues sont renseignées par l'utilisateur et les cases roses calculent les termes de la suite.

b) Quelle formule entrer dans la cellule D2 pour afficher la valeur renseignée par l'utilisateur en B3 ?

c) Quelle formule entrer dans la cellule D3 pour obtenir par recopie vers le bas tous les termes de la suite (P_n) dans la colonne D ?

d) Compléter la colonne D.

	A	B	C	D
1	$K =$		n	P_n
2	$r =$		0	
3	$P_0 =$		1	
4			2	

2. À l'aide du tableur, calculer les termes de ces trois suites, puis décrire leur comportement.

a) $K = 15$, $r = 0,6$ et $P_0 = 20$.   **b)** $K = 15$, $r = 1,9$ et $P_0 = 14$.   **c)** $K = 15$, $r = 2,4$ et $P_0 = 12$.

C ► Évolution de la population d'éléphants

À la fin du XIXᵉ siècle, la population des éléphants est en voie d'extinction et un parc naturel entre l'Afrique du Sud et le Mozambique est créé : le parc Kruger. Le tableau ci-dessous indique les effectifs observés.

Année	1905	1923	1930	1939	1945	1950	1960	1970	1980	1990	2000
Effectifs observés	10	13	29	450	980	3010	5800	6500	7400	7200	7310

1. On décide de modéliser le nombre d'éléphants en 1905 + n par une suite (P_n) en utilisant le modèle de Verhulst.
On choisit $K = 7500$, $r = 0,15$, et $P_0 = 10$.

a) À l'aide de la calculatrice ou d'un tableur, recopier et compléter le tableau ci-contre.

b) À l'aide d'un tableur ou d'un logiciel de géométrie, représenter sur un même

Année	1905	1923	1930	1939	1945	1950	1960	1970	1980	1990	2000
Effectifs théoriques											

graphique les effectifs observés et les effectifs théoriques en fonction de l'année.

c) Que peut-on penser de ce modèle ?

2

Limites de fonctions

▶ VIDÉO WEB

**Maquette virtuelle
de la gare de Liège**
lienmini.fr/maths-s02-01

La gare des Guillemins de Liège (Belgique) a été inaugurée
en 2009. Elle est l'œuvre de l'architecte espagnol Santiago
Calatrava. Le choix du blanc et l'absence de façade accentuent
l'impression de légèreté de cette œuvre. La forme ressemble
à celle d'un coquillage ou d'une vague, mais on peut aussi
y apercevoir des courbes harmonieusement disposées
qui semblent converger vers une même limite.
**D'autres courbes représentatives de fonctions
partagent-elles cette propriété ?
Comment les reconnaître ?**
↳ Activité 1 p. 50

1 Calculer des limites

Calculer les limites suivantes.

a) $\lim\limits_{n\to+\infty} \dfrac{1}{n}$

b) $\lim\limits_{n\to+\infty} e^{-n}$

c) $\lim\limits_{n\to+\infty} n^2 + n$

d) $\lim\limits_{n\to+\infty} \dfrac{1}{n} + e^{-n}$

e) $\lim\limits_{n\to+\infty} (e^n + 1)\left(1 - \sqrt{n}\right)$

f) $\lim\limits_{n\to+\infty} -3n^3 - n$

2 Étudier les variations de fonctions

On considère les fonctions $f : x \mapsto x^3 + 3x^2 - 9x + 1$,

$g : x \mapsto \dfrac{3x - 2}{4x - 1}$ et $h : x \mapsto xe^x$.

1. Déterminer l'expression de f' et en déduire les variations de f sur son ensemble de définition.

2. Faire de même pour g et h.

3. Tracer une allure de la courbe représentative de ces deux fonctions dans un repère.

3 Manipuler des expressions algébriques

1. Développer et réduire les expressions suivantes.

a) $(2x + 1)(-3x^2 + 4x - 2)$

b) $e^{2x}\left(e^{3x} + e^{2-x} + \dfrac{1}{e^{3x}}\right)$

c) $\left(e^{2x} + \sqrt{2x - 1}\right)^2$

2. Factoriser les expressions suivantes.

a) $8x^3 + 6x^2 - 12x$

b) $e^{6x} - 4e^{4x} + e^{9x}$

c) $e^{2x} - 49x^2$

3. Pour chaque quotient, simplifier le dénominateur en multipliant par la quantité indiquée.

a) $\dfrac{2 - x}{\sqrt{x} - 4}$ (Multiplier par $(\sqrt{x} + 4)$).

b) $\dfrac{\sqrt{x}}{\sqrt{2x + 1} - \sqrt{3}}$ (Multiplier par $(\sqrt{2x + 1} + \sqrt{3})$).

4 Encadrer des fonctions

1. Étudier la position relative de la courbe de $f : x \mapsto x^2 - 2x + 4$ et de la droite d d'équation $y = 2x + 1$

2. a) Justifier que, pour tout $x \geqslant 0$, $\dfrac{2x + 3}{3x + 4} \geqslant 0$.

b) Montrer que $\dfrac{2x + 3}{3x + 4} \leqslant 1$ pour tout $x \geqslant 0$.

3. Dans chaque cas, encadrer la fonction f par deux autres fonctions pour tout réel x.

a) $f : x \mapsto x + \cos(x)$

b) $f : \mapsto x \sin(x)$

c) $f : x \mapsto \dfrac{\cos^2(x)}{x^2 + 1}$

Activités

1   Découvrir la notion d'asymptotes et de limites de fonctions

On considère les fonctions $f : x \mapsto \dfrac{1}{x}$, $g : x \mapsto \dfrac{\sin(5x)}{x} + 10$ et $h : x \mapsto \sqrt{x}$.

Coup de pouce Pour tracer la courbe représentative de h, écrire $h(x) = \text{sqrt}(x)$ dans la barre de saisie.

A ▶ Observations graphiques

1. Ouvrir le logiciel **Geogebra** et tracer les courbes représentatives de f, g et h.

2. À l'aide de l'outil réduction, dézoomer jusqu'aux marques – 200 et 200 en abscisses.

a) À quoi ressemblent les courbes représentatives des fonctions f et g à leurs extrémités ? (Les faire afficher séparément.)

b) Peut-on affirmer la même chose pour la courbe de h?

Lorsque x tend vers l'infini, les courbes représentatives des fonctions f et g se rapprochent de plus en plus d'une droite parallèle à l'axe des abscisses.

On dit dans ce cas que les courbes représentatives des fonctions f et g possèdent une **asymptote horizontale**.

3. Relever graphiquement l'équation de chaque asymptote observée.

B ▶ Observations numériques

1. Ouvrir le tableur de **GeoGebra**.

a) Dans la colonne A, écrire la liste de nombres 10, 20, 30, …, 300.

b) Écrire dans la colonne B les images de ces nombres par la fonction f.

c) De même, calculer les images par g et par h respectivement dans les colonnes C et D.

2. Parmi les trois fonctions précédentes, on dit que certaines ont une **limite finie** et que d'autres ont une **limite infinie**.

Quelle(s) fonction(s) semble(nt) avoir une limite infinie en $+\infty$? une limite finie ? (Préciser la valeur de la limite dans ce cas.)

↪ **Cours 1** p. 52

---

2   Découvrir la notion de limite en un point

On reprend les fonctions $f : x \mapsto \dfrac{1}{x}$ et $g : x \mapsto \dfrac{\sin(5x)}{x} + 10$ de l'activité précédente.

1. Ces fonctions semblent-elle définies en 0 ? Justifier.

2. Ouvrir la partie tableur de **Geogebra**. On peut approcher 0 de deux manières différentes :
• en décroissant à partir d'un nombre positif (« depuis la droite »).
• en croissant à partir d'un nombre négatif (« depuis la gauche »).

3. Nous allons commencer par approcher 0 « depuis la gauche ».

a) Entre A1 et A31 écrire la liste des nombres – 0,3 ; – 0,29 ; – 0,28 ; … ; – 0,01 ; 0.

b) Dans les colonnes B et C, faire calculer les images des nombres de la colonne A respectivement par f et g.

c) Comment semblent se comporter les images par f lorsque l'on se rapproche de 0 « depuis la gauche » ? Que dire des images par g ?

4. Approchons maintenant 0 « depuis la droite ».

a) Entre A31 et A61 écrire la liste des nombres 0 ; 0,01 ; 0,02 ; … ; 0,29 ; 0,3.

b) En procédant de la même manière, observer le comportement des images par f et g lorsque l'on se rapproche de 0 « depuis la droite ». Est-ce le même comportement que précédemment ?

↪ **Cours 2** p. 54

3 Effectuer des opérations sur les limites

On considère les fonctions $f : x \mapsto \dfrac{1}{x^2}$, $g : x \mapsto \dfrac{1}{x}$, $h : x \mapsto x$ et $k : x \mapsto x^2$.

1. Préciser les limites de f, g, h et k en 0 et en $+\infty$.

2. Conjecturer les limites de sommes suivantes à l'aide de la question précédente et vérifier, le cas échéant, avec la calculatrice ou **GeoGebra**.

a) $\lim\limits_{x \to 0} f(x) + h(x)$ **b)** $\lim\limits_{x \to -\infty} g(x) + k(x)$ **c)** $\lim\limits_{x \to +\infty} k(x) + h(x)$ **d)** $\lim\limits_{x \to -\infty} h(x) + k(x)$

e) $\lim\limits_{x \to 0} f(x) + g(x)$ **f)** $\lim\limits_{x \to -\infty} f(x) + h(x)$ **g)** $\lim\limits_{x \to +\infty} f(x) + h(x)$ **h)** $\lim\limits_{x \to +\infty} f(x) + g(x)$

3. Conjecturer les limites des produits suivants à l'aide de la question précédente et vérifier, le cas échéant, avec la calculatrice ou **GeoGebra**.

a) $\lim\limits_{x \to +\infty} f(x) \times h(x)$ **b)** $\lim\limits_{x \to -\infty} f(x) \times k(x)$ **c)** $\lim\limits_{x \to 0} g(x) \times k(x)$ **d)** $\lim\limits_{x \to +\infty} f(x) \times k(x)$

e) $\lim\limits_{x \to -\infty} k(x) \times h(x)$ **f)** $\lim\limits_{x \to -\infty} g(x) \times h(x)$ **g)** $\lim\limits_{x \to 0} f(x) \times h(x)$ **h)** $\lim\limits_{x \to +\infty} g(x) \times k(x)$

➥ Cours 4 p. 56

---

4 Déterminer des limites de fonctions rationnelles

On considère la fonction $f : x \mapsto \dfrac{2x^3 - x^2 + 2x - 3}{x^2 + 4}$.

1. Vérifier que le calcul de $\lim\limits_{x \to +\infty} f(x)$ conduit à une forme dite indéterminée.

 Coup de pouce Factoriser le numérateur par x^3 et le dénominateur par x^2.

2. Déterminer $\lim\limits_{x \to +\infty} \left(2 - \dfrac{1}{x} + \dfrac{2}{x^2} - \dfrac{3}{x^3} \right)$ puis $\lim\limits_{x \to +\infty} \left(1 + \dfrac{4}{x^2} \right)$. En déduire $\lim\limits_{x \to +\infty} f(x)$.

➥ Cours 4 p. 56

---

5 Encadrer et comparer des fonctions

On considère les fonctions $f : x \mapsto x + 10 + 10\sin(x)$ et $g : x \mapsto \dfrac{\sin(10x)}{x}$.

A ▶ Utilisation des outils acquis et des observations graphiques

1. Peut-on déterminer $\lim\limits_{x \to +\infty} f(x)$ et $\lim\limits_{x \to +\infty} g(x)$ à partir d'opérations sur les limites ?

2. Ouvrir le logiciel **GeoGebra** et y tracer les courbes représentatives des fonctions f et g.
Quelles conjectures peut-on émettre quant à leur comportement en $+\infty$?

B ▶ Démonstration algébrique

1. À l'aide d'un encadrement de $\sin(x)$, montrer les affirmations suivantes.

a) $f(x) \geqslant x$ pour tout réel x. **b)** $-\dfrac{1}{x} \leqslant g(x) \leqslant \dfrac{1}{x}$ pour tout réel x non nul.

2. Déterminer les limites suivantes.

a) $\lim\limits_{x \to +\infty} x$ **b)** $\lim\limits_{x \to +\infty} \dfrac{1}{x}$ **c)** $\lim\limits_{x \to +\infty} \left(-\dfrac{1}{x} \right)$.

3. Que peut-on en déduire concernant $\lim\limits_{x \to +\infty} f(x)$ et $\lim\limits_{x \to +\infty} g(x)$? Vérifier graphiquement.

➥ Cours 5 p. 58

1 Limite d'une fonction en l'infini

Soit f une fonction définie sur un intervalle de la forme $[b\,;+\infty]$
(b pouvant ne pas être compris et pouvant être $-\infty$).

Définition Limite infinie

On dit que $f(x)$ tend vers $+\infty$ quand x tend vers $+\infty$ et on note $\lim\limits_{x\to+\infty} f(x)=+\infty$,

lorsque tout intervalle de la forme $]A\,;+\infty[$ contient $f(x)$ pour x assez grand.

C'est-à-dire que pour tout réel A il existe un réel m tel que si $x>m$ alors $f(x)>A$.

• **Exemple**

Soit $f : x \longmapsto \sqrt{x}$ définie sur $[0\,;+\infty[$.

f est strictement croissante sur $[0\,;+\infty[$ donc si $A=100$ alors,

pour $x>10\,000$ on a $\sqrt{x}>\sqrt{10\,000}$ soit $\sqrt{x}>100$.

Ce raisonnement peut se poursuivre quelle que soit la valeur de A
donc $\lim\limits_{x\to+\infty} f(x)=+\infty$.

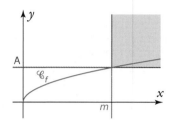

Définition Limite finie en l'infini

On dit que $f(x)$ tend vers , quand x tend vers $+\infty$ et on note $\lim\limits_{x\to+\infty} f(x)=\ell$,

lorsque tout intervalle ouvert contenant , contient $f(x)$ pour x assez grand.
C'est-à-dire que pour tout intervalle ouvert I contenant x, il existe un réel m
tel que si $x>m$ alors $f(x)\in$ I.

▶**Remarque** On définit de la même manière qu'en $+\infty$ mais avec des réels x négatifs et f définie sur un
intervalle de la forme $]-\infty\,;b]$ la limite d'une fonction f en $-\infty$.

• **Exemple**

On souhaite étudier le comportement de $f(x)=\dfrac{1}{x}$ en $+\infty$.

Si on considère l'intervalle $]-0{,}01\,;0{,}01[$ alors on constate que,

pour $x>100$ on a $-0{,}01<\dfrac{1}{x}<0{,}01$.

On montre que, quel que soit l'intervalle I ouvert contenant 0,
on peut trouver une valeur de m assez grande telle que I contient
toutes les valeurs de $f(x)$ pour $x>m$.

Donc $\lim\limits_{x\to+\infty} f(x)=0$.

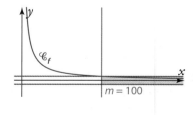

Définition Asymptote horizontale

Si $\lim\limits_{x\to+\infty} f(x)=\ell$ ou $\lim\limits_{x\to-\infty} f(x)=\ell$ alors on dit que la droite d'équation $y=\ell$,

est une **asymptote horizontale** à la courbe représentative de la fonction f.

• **Exemple**

La courbe représentative de la fonction inverse admet donc la droite d'équation $y=0$ comme asymptote
horizontale en $+\infty$ (et en $-\infty$).

C'est-à-dire que la courbe se rapproche de la droite pour x assez grand positif (et négatif), comme on le
constate sur la figure précédente.

● EXOS
Méthodes
lienmini.fr/maths-s02-03

Les rendez-vous
Sésamath

Exercices résolus

Méthode 1 Déterminer une limite en l'infini

Énoncé

On considère les fonctions f et g dont les courbes représentatives, nommées respectivement $\mathcal{C}_f$ et $\mathcal{C}_g$, sont tracées dans le repère ci-contre.

1. Déterminer graphiquement à partir de quelle valeur de x on a :

a) $f(x) > 1$ **b)** $f(x) > 10$

2. Déterminer graphiquement à partir de quelle valeur de x on a :

a) $g(x) \in]0 ; 2[$ **b)** $g(x) \in]-1,4 ; 1,4[$

3. À l'aide d'un tableur, on a dressé le tableau de valeurs suivant.
a) Que peut-on conjecturer quant à la limite de f en $+\infty$?
b) Que peut-on conjecturer quant à la limite de g en $+\infty$?

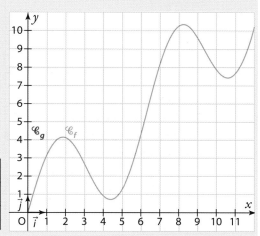

x	1	10	100	1 000	10 000	10 0000	1 000 000
$f(x)$	3,12	7,88	149,19	2391,12	378 56,52	600 000,11	9509358,10
$g(x)$	2,00	1,32	1,10	1,03	1,01	1,00	1,00

Solution

1. a) Sur le graphique, on peut observer que les points de la courbe de f ont une ordonnée supérieure à 1 lorsque leur abscisse est supérieure à environ 4,8.
On peut donc estimer graphiquement que $f(x) > 1$ pour tout $x > 4,8$.

b) Sur le graphique, on peut observer que les points de la courbe de f ont une ordonnée supérieure à 10 lorsque leur abscisse est supérieure à environ 12. On peut donc estimer graphiquement que $f(x) > 10$ pour tout $x > 12$.

2. a) Sur le graphique, on peut observer que les points de la courbe de g ont une ordonnée comprise strictement entre 0 et 2 lorsque leur abscisse est supérieure à environ 1.
Nous pouvons donc estimer graphiquement que $g(x) \in]0 ; 2[$ pour tout $x > 1$.

b) Sur le graphique, on peut observer que les points de la courbe de g ont une ordonnée comprise strictement entre $-1,4$ et $1,4$ lorsque leur abscisse est supérieure à environ 6.
Nous pouvons donc estimer graphiquement que $g(x) \in]-1,4 ; 1,4[$ pour tout $x > 6$.

3. On peut conjecturer à l'aide du tableau de valeurs que $\lim\limits_{} f(x) = +\infty$ et que $\lim\limits_{} g(x) = 1$.

> **Conseils & Méthodes**
>
> **1** Si N est un point de la courbe de f, alors son ordonnée est l'image par f de son abscisse.
>
> **2** Il s'agit ici de relever à partir de quand tous les points de la courbe sont au-dessus de l'ordonnée 1, pas de déterminer le premier point de la courbe ayant une ordonnée supérieure à 1.

À vous de jouer !

1 Soit $f : x \mapsto -x^2$, définie pour tout réel x
et $g : x \mapsto 1 + \dfrac{3}{2x}$ définie pour tout réel $x \neq 0$.

1. Tracer les courbes représentatives des fonctions f et g entre les abscisses -10 et 10.

2. Relever graphiquement à partir de quelle valeur de x on a :
a) $f(x) < -10$. **b)** $g(x) \in]0,5 ; 1,5[$.

3. Conjecturer les limites de f et g en $+\infty$ et en $-\infty$.

2 Soit $f : x \mapsto -(x-3)^2$, définie pour tout réel x
et $g : x \mapsto -2 + \dfrac{1}{2x}$ définie pour tout réel $x \neq 0$.

1. Tracer les courbes représentatives des fonction f et g entre les abscisses 0 et 10.

2. Relever graphiquement à partir de quelle valeur de x on a :
a) $f(x) < -10$. **b)** $g(x) \in]-2 ; 0[$.

3. Conjecturer les limites de f et g en $+\infty$ et en $-\infty$.

➜ Exercices 33 à 35 p. 64

2 Limite d'une fonction en une valeur réelle

Soit f une fonction définie sur un ensemble $\mathcal{D}$ ($\mathcal{D}$ est un intervalle ou une réunion d'intervalles) et a un réel appartenant à $\mathcal{D}$ ou étant une borne de $\mathcal{D}$.

Définition Limite infinie

On dit que $f(x)$ tend vers $+\infty$ quand x tend vers a et on note $\lim\limits_{x\to a} f(x) = +\infty$, **lorsque tout intervalle de la forme $]A\,;+\infty[$ contient $f(x)$ pour x suffisamment proche de a dans $\mathcal{D}$. C'est-à-dire que pour tout réel A il existe un intervalle ouvert I contenant a tel que si $x \in \mathcal{D} \cap I$ alors $f(x) > A$.**

▶ **Remarque** On définit de la même manière que $f(x)$ tend vers $-\infty$ quand x tend vers a, quand tout intervalle de la forme $]-\infty\,; a[$ contient $f(x)$ pour x assez proche de a.

Définition Limite finie ou infinie à gauche ou à droite

• **On dit que f admet une limite à gauche de a et on note $\lim\limits_{\substack{x\to a \\ x<a}} f(x)$ lorsque f admet une limite** quand x tend vers a avec $x < a$.

• **On dit que f admet une limite à droite de a et on note $\lim\limits_{\substack{x\to a \\ x>a}} f(x)$ lorsque f admet une limite** quand x tend vers a avec $x > a$.

▶ **Remarques**

① On écrit aussi $\lim\limits_{x\to a^-} f(x)$ pour la limite à gauche et $\lim\limits_{x\to a^+} f(x)$ pour la limite à droite.

② Les limites à droite et à gauche peuvent être différentes ou égales.

③ Dans le cas où f est définie en a et où les limites à droite et à gauche sont égales alors la limite (tout court) est $f(a)$ et dans le cas où f n'est pas définie en a et où les limites à droite et gauche sont égales, la limite existe et est égale à la limite à droite et à gauche.

• **Exemple** On étudie la fonction inverse quand x tend vers zéro.

Si $A = 100$ alors, pour $0 < x < 0,01$, on a $\dfrac{1}{x} > 100$. On en déduit que

pour x proche de zéro et positif, on a $\lim\limits_{\substack{x\to 0 \\ x>0}} f(x) = +\infty$.

De même si $A = -100$ alors, pour $-0,01 < x < 0$, on a $\dfrac{1}{x} < -100$.

On en déduit que pour x proche de zéro et négatif, on a $\lim\limits_{\substack{x\to 0 \\ x<0}} f(x) = -\infty$.

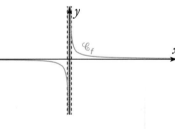

Définition Limite finie

Une fonction f admet une limite ℓ quand x tend vers un réel a lorsque $f(x)$ est aussi proche de ℓ que voulu, pourvu que x soit suffisamment proche de a.

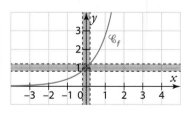

• **Exemple** Pour la fonction exponentielle on a $\lim\limits_{x\to 0} e^x = 1$.

Définition Asymptote verticale

Si la limite à gauche ou/et à droite de $f(x)$ quand x tend vers a est infinie alors on dit que la droite d'équation $x = a$ est une asymptote verticale à la courbe représentative de la fonction f.

• **Exemple** La courbe représentative de la fonction inverse admet une asymptote verticale d'équation $x = 0$. C'est-à-dire que la courbe se rapproche de la droite pour x assez proche de la valeur 0 comme on le voit sur la courbe de la fonction inverse.

EXOS
Méthodes
lienmini.fr/maths-s02-03

Les rendez-vous
Sésamath

Exercices résolus

Méthode 2 — Conjecturer une limite en un réel

Énoncé

On considère la fonction : $x \longmapsto \dfrac{1 - e^{-x}}{x}$.

Conjecturer à l'aide des données la limite de f en 0.

Solution

Le graphique semble indiquer que la fonction f tend vers 1 en 0. **1**

Les tables de valeurs confirment cette conjecture : pour tout intervalle aussi petit soit-il contenant 1, on peut se trouver assez proche de 0 pour que les images par la fonction soient dans l'intervalle. **2**

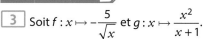

NORMAL FLOTT AU APP SUR + POUR ΔT	
X	Y1
-0.5	1.2974
-0.4	1.2296
-0.3	1.1662
-0.2	1.107
-0.1	1.0517
0	ERREUR
0.1	0.9516
0.2	0.9063
0.3	0.8639
0.4	0.8242
0.5	0.7869

X=0.5

NORMAL FLOTT AU APP SUR + POUR ΔT	
X	Y1
-0.005	1.0025
-0.004	1.002
-0.003	1.0015
-0.002	1.001
-0.001	1.0005
0	ERREUR
0.001	0.9995
0.002	0.999
0.003	0.9985
0.004	0.998
0.005	0.9975

X= -0.005

Conseils & Méthodes

1 Savoir utiliser le mode tableur de sa calculatrice

2 Au besoin savoir modifier le pas ou l'intervalle d'étude.

À vous de jouer !

3 Soit $f : x \longmapsto -\dfrac{5}{\sqrt{x}}$ et $g : x \longmapsto \dfrac{x^2}{x+1}$.

À l'aide de la calculatrice, émettre une conjecture sur la limite de f en 0 sur $]0 ; +\infty[$ et celle de g en -1 sur $]-1 ; +\infty[$.

4 Soit $f : x \longmapsto \dfrac{3}{x^2}$ et $g : x \longmapsto \dfrac{-2x^2 - 5x + 1}{1 - 2x}$.

À l'aide de la calculatrice, émettre une conjecture sur la limite de f en 0 sur $]-\infty ; 0[\cup]0 ; +\infty[$ et celle de g en $\dfrac{1}{2}$ sur $]-\infty ; 0,5[\cup]0,5 ; +\infty[$.

↪ Exercices 36 à 38 p. 64

Méthode 3 — Conjecturer la présence d'asymptotes

Énoncé

On considère la fonction f définie sur $]-\infty ; 1[\cup]1 ; +\infty[$ par $f(x) = \dfrac{2}{x-1}$.

On donne sa représentation graphique ci-contre.

1. Conjecturer les limites de f : **a)** en $-\infty$ et en $+\infty$. **b)** à droite et à gauche de 1.

2. En déduire une conjecture quant à l'existence d'éventuelles asymptotes.

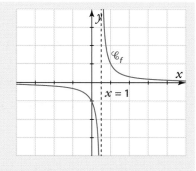

Solution

1. a) Lorsque x tend vers $+\infty$, les images semblent se rapprocher de 0. Ainsi on peut conjecturer que $\lim\limits_{x \to +\infty} f(x) = 0$.

De même on peut conjecturer que $\lim\limits_{x \to -\infty} f(x) = 0$.

b) Lorsque x tend vers 1 par valeurs supérieures, les images semblent augmenter indéfiniment. Ainsi on peut conjecturer que $\lim\limits_{\substack{x \to 1 \\ x > 1}} f(x) = +\infty$.

De même on peut conjecturer que $\lim\limits_{\substack{x \to 1 \\ x < 1}} f(x) = -\infty$.

2. On conjecture une asymptote horizontale d'équation $y = 0$ et une asymptote verticale d'équation $x = 1$.

Conseils & Méthodes

1 Savoir utiliser le mode graphique de la calculatrice.

2 Au besoin, savoir modifier la fenêtre pour mieux voir la courbe

À vous de jouer !

5 Soit $f : x \longmapsto \dfrac{1}{x-2}$.

En traçant la courbe de f à la calculatrice, conjecturer la présence ou non d'asymptotes.

6 Soit $f : x \longmapsto \dfrac{2}{\sqrt{x}}$.

En traçant la courbe de f à la calculatrice, conjecturer la présence ou non d'asymptotes.

↪ Exercices 39 à 41 p. 64

3 Limite des fonctions de référence

Propriétés Limite des fonctions de référence

Fonction inverse	• $\lim\limits_{x \to +\infty} \dfrac{1}{x} = 0$	• $\lim\limits_{x \to -\infty} \dfrac{1}{x} = 0$	• $\lim\limits_{\substack{x<0 \\ x\to 0}} \dfrac{1}{x} = -\infty$	• $\lim\limits_{\substack{x>0 \\ x\to 0}} \dfrac{1}{x} = +\infty$
Fonction puissance	• Pour tout entier naturel n : $\lim\limits_{x \to +\infty} x^n = +\infty$		• Si n est pair : $\lim\limits_{x \to -\infty} x^n = +\infty$	• Si n est impair : $\lim\limits_{x \to -\infty} x^n = -\infty$
Fonction exponentielle	• $\lim\limits_{x \to +\infty} e^x = +\infty$	• $\lim\limits_{x \to -\infty} e^x = 0$	• $\lim\limits_{x \to +\infty} e^{-x} = 0$	• $\lim\limits_{x \to -\infty} e^{-x} = +\infty$
Fonction racine carrée et racine carrée inverse	• $\lim\limits_{x \to +\infty} \sqrt{x} = +\infty$	• $\lim\limits_{\substack{x\to 0 \\ x>0}} \sqrt{x} = 0$	• $\lim\limits_{x \to +\infty} \dfrac{1}{\sqrt{x}} = 0$	• $\lim\limits_{\substack{x\to 0 \\ x>0}} \dfrac{1}{\sqrt{x}} = +\infty$

4 Opérations sur les limites

Soit f et g deux fonctions, on note α une valeur réelle a ou a^+ ou a^- ou $-\infty$ ou $+\infty$.

Propriété Limites d'une somme et d'un produit

$\lim\limits_{x\to\alpha} f(x)$	$\lim\limits_{x\to\alpha} g(x)$	$\lim\limits_{x\to\alpha} f(x)+g(x)$	$\lim\limits_{x\to\alpha} f(x)\times g(x)$
ℓ	ℓ'	$\ell + \ell'$	$\ell \times \ell'$
$\ell \neq 0$	$\pm\infty$	$\pm\infty$	$\pm\infty$ **Règle des signes**
0	$\pm\infty$	$\pm\infty$	**indéterminée**
$+\infty$	$+\infty$	$+\infty$	$+\infty$
$-\infty$	$-\infty$	$-\infty$	$+\infty$
$+\infty$	$-\infty$	**indéterminée**	$-\infty$

Propriété Limite d'un quotient

$\lim\limits_{x\to\alpha} f(x)$	$\lim\limits_{x\to\alpha} g(x)$	$\lim\limits_{x\to\alpha} \dfrac{f(x)}{g(x)}$
ℓ	$\ell' \neq 0$	$\dfrac{\ell}{\ell'}$
ℓ	$\pm\infty$	0
ℓ	0	$\pm\infty$
$\pm\infty$	$\ell' \neq 0$	$\pm\infty$ **Règle des signes**
0	0	**indéterminée**
$\pm\infty$	$\pm\infty$	**indéterminée**

● Exemple

On considère la fonction f définie par $f(x) = x^2 + e^x$.

On a $\lim\limits_{x \to -\infty} x^2 = +\infty$ et $\lim\limits_{x \to -\infty} e^x = 0$ donc par somme de limites : $\lim\limits_{x \to -\infty} f(x) = +\infty$

▶Remarque

Une forme indéterminée ne veut pas dire qu'il n'y a pas de limite mais que la forme de l'expression ne permet pas de déterminer sa limite de manière certaine.

● EXOS
Méthodes
lienmini.fr/maths-s02-03
Les rendez-vous Sésamath

Exercices (résolus)

Méthode 4 · Déterminer des limites à l'aide des opérations sur les limites

Énoncé

Déterminer, si elles existent, les limites suivantes.

a) $\lim\limits_{x\to-\infty} x+e^x$ **b)** $\lim\limits_{x\to+\infty} (2x+1)e^x$ **c)** $\lim\limits_{x\to-\infty} \dfrac{e^x}{x^2+4}$ **d)** $\lim\limits_{x\to+\infty} \dfrac{1}{e^x x^3}$

Solution

a) $\lim\limits_{x\to-\infty} x=-\infty$ et $\lim\limits_{x\to-\infty} e^x=0$ par somme, $\lim\limits_{x\to-\infty} x+e^x=-\infty$

b) $\lim\limits_{x\to+\infty} x=+\infty$ donc $\lim\limits_{x\to+\infty} 2x+1=+\infty$ et $\lim\limits_{x\to+\infty} e^x=+\infty$ donc, par produit,

$\lim\limits_{x\to+\infty} (2x+1)e^x=+\infty$

c) $\lim\limits_{x\to-\infty} e^x=0$ et $\lim\limits_{x\to-\infty} x^2=+\infty$ donc $\lim\limits_{x\to-\infty} x^2+4=+\infty$ donc, par quotient,

$\lim\limits_{x\to-\infty} \dfrac{e^x}{x^2+4}=0.$

d) $\lim\limits_{x\to+\infty} e^x=+\infty$ et $\lim\limits_{x\to+\infty} x^3=+\infty$ donc, par produit, $\lim\limits_{x\to+\infty} e^x x^3=+\infty$ donc par quotient, $\lim\limits_{x\to+\infty} \dfrac{1}{e^x x^3}=0^+.$

Conseils & Méthodes

1 Réaliser les opérations sans rédiger au brouillon afin de repérer rapidement les éventuelles formes indéterminées.

2 Il est important de reconnaître les fonctions de référence dans les expressions données.

À vous de jouer !

7 Déterminer les limites suivantes.

a) $\lim\limits_{x\to-\infty} x^2-3x+1$ **b)** $\lim\limits_{x\to+\infty} \dfrac{\frac{-3}{x}+1}{\sqrt{x}}$ **c)** $\lim\limits_{\substack{x\to 0 \\ x>0}} \dfrac{1+x}{2x}$

d) $\lim\limits_{x\to+\infty} \sqrt{x-1}+x^2$ **e)** $\lim\limits_{x\to1} \dfrac{-2}{(x-1)^2}$ **f)** $\lim\limits_{x\to-\infty} -x^2+5x-\dfrac{2}{x}$

8 Déterminer les limites suivantes.

a) $\lim\limits_{x\to-\infty} \dfrac{-x^2-3}{-2e^x}$ **b)** $\lim\limits_{x\to+\infty} \dfrac{e^{-x}-3}{-4e^x}$ **c)** $\lim\limits_{x\to2^+} \dfrac{\sqrt{x}-3}{8-4x}$

d) $\lim\limits_{x\to1^-} \dfrac{-3}{(x-1)^2}+\sqrt{1-x}$ **e)** $\lim\limits_{x\to+\infty} -3e^x$ **f)** $\lim\limits_{x\to0} \sqrt{x}e^x$

9 Recopier et compléter les phrases suivantes.

1. Calculer $\lim\limits_{x\to-\infty} f(x)\times g(x)$ dans les deux cas suivants.

a) si $\lim\limits_{x\to-\infty} f(x)=-\infty$ et $\lim\limits_{x\to-\infty} g(x)=+\infty$

b) si $\lim\limits_{x\to-\infty} f(x)=-\infty$ et $\lim\limits_{x\to-\infty} g(x)=-2$

2. Calculer $\lim\limits_{x\to+\infty} \dfrac{f(x)}{g(x)}$ dans les deux cas suivants.

a) si $\lim\limits_{x\to+\infty} f(x)=0$ et $\lim\limits_{x\to+\infty} g(x)=+\infty$

b) si $\lim\limits_{x\to+\infty} f(x)=-\infty$ et $\lim\limits_{x\to+\infty} g(x)=0$

10 Déterminer les limites des fonctions suivantes en chacune des valeurs demandées.

1. $f(x)=2x+1+\dfrac{1}{x^2}$:

a) en 0^+ **b)** en 0^-
c) en $+\infty$ **d)** en $-\infty$

2. $g(x)=(4-x^2)(5x-2)$:
a) en $+\infty$ **b)** en $-\infty$

3. $h(x)=5-x^2+\dfrac{3}{1-x^2}$:

a) en 1^+ **b)** en 1^- **c)** en -1^+
d) en -1^- **e)** en $+\infty$ **f)** en $-\infty$

4. $k(x)=\dfrac{x-3}{(x-2)^2}$:

a) en 2^+ **b)** en 2^-
c) en $+\infty$ **d)** en $-\infty$

11 Dans chacun des cas suivants, donner deux fonctions f et g vérifiant les conditions suivantes.

a) $\lim\limits_{x\to+\infty} f(x)=+\infty$, $\lim\limits_{x\to+\infty} g(x)=-\infty$ et $\lim\limits_{x\to+\infty} f(x)+g(x)=+\infty$

b) $\lim\limits_{x\to-\infty} f(x)=+\infty$, $\lim\limits_{x\to-\infty} g(x)=0$ et $\lim\limits_{x\to-\infty} f(x)\times g(x)=+\infty$

c) $\lim\limits_{x\to2} f(x)=0$, $\lim\limits_{x\to2} g(x)=0$ et $\lim\limits_{x\to2} \dfrac{f(x)}{g(x)}=1$

d) $\lim\limits_{x\to0} f(x)=-\infty$, $\lim\limits_{x\to0} g(x)=-\infty$ et $\lim\limits_{x\to0} \dfrac{f(x)}{g(x)}=+\infty$

➙ Exercices 42 à 46 p. 65

5 Théorème de comparaison

On note α une valeur de I ou une borne (finie ou infinie) de I.

Théorème Théorème de comparaison

On considère deux fonctions f et g.

• Si $\lim\limits_{x\to\alpha} f(x) = +\infty$ et s'il existe un réel A tel que, pour $x \geqslant A$, $f(x) \leqslant g(x)$, alors $\lim\limits_{x\to\alpha} g(x) = +\infty$.

• Si $\lim\limits_{x\to\alpha} f(x) = -\infty$ et s'il existe un réel A tel que, pour $x \geqslant A$, $f(x) \geqslant g(x)$, alors $\lim\limits_{x\to\alpha} g(x) = -\infty$.

Exemple On considère f la fonction définie par $f(x) = x + \sin(x)$.

On a l'inégalité $f(x) < x + 1$.

Or $\lim\limits_{x\to -\infty} x + 1 = -\infty$ donc on en déduit $\lim\limits_{x\to -\infty} f(x) = -\infty$.

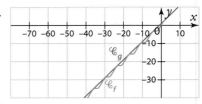

Corollaire Croissance comparée

Pour tout entier naturel n, on a : $\lim\limits_{x\to +\infty} \dfrac{e^x}{x^n} = +\infty$.

Démonstration

▶ **VIDÉO**
Démonstration
lienmini.fr/maths-s02-04

↳ **Apprendre à démontrer** p. 62

Théorème Théorème d'encadrement (ou des « gendarmes »)

Soit f, g, et h trois fonctions définies sur un intervalle I telles que pour tout $x \in$ I, $f(x) \leqslant g(x) \leqslant h(x)$. Si, pour un réel l, on a $\lim\limits_{x\to\alpha} f(x) = \ell$ et $\lim\limits_{x\to\alpha} h(x) = \ell$, alors $\lim\limits_{x\to\alpha} g(x) = \ell$.

▶ **Remarque** Contrairement au théorème de comparaison, ici les limites sont finies et non infinies.

Exemple On considère f la fonction définie par $f(x) = \dfrac{\cos(x)}{x}$.

Pour $x > 0$, on a $-1 \leqslant \cos(x) \leqslant 1$. Ainsi $-\dfrac{1}{x} \leqslant f(x) \leqslant \dfrac{1}{x}$

et $\lim\limits_{x\to +\infty}\left(-\dfrac{1}{x}\right) = \lim\limits_{x\to 0}\dfrac{1}{x} = 0$ d'où $\lim\limits_{x\to +\infty} f(x) = 0$.

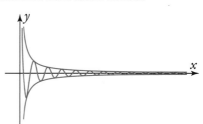

6 Limites et fonction composée

Théorème Composition de limites

Chacune des lettres a, b et c désigne soit un réel<, soit $+\infty$, soit $-\infty$ et deux fonctions f et g.

Si $\lim\limits_{x\to a} f(x) = b$ et $\lim\limits_{X\to b} g(X) = c$ alors $\lim\limits_{x\to a} g(f(x)) = c$.

Exemple On détermine la limite de la fonction $x \mapsto e^{\frac{1}{x}}$ en $+\infty$.

On a $\lim\limits_{x\to +\infty}\dfrac{1}{x} = 0$ et $\lim\limits_{X\to 0} e^X = 1$ d'où, par composition de limites, $\lim\limits_{x\to +\infty} e^{\frac{1}{x}} = 1$.

EXOS
Méthodes
lienmini.fr/maths-s02-03
Les rendez-vous
Sésamath

Exercices résolus

Méthode 5 Utiliser les théorèmes d'encadrement et de comparaison

Énoncé

Déterminer les limites suivantes. **a)** $\lim\limits_{x \to +\infty} e^x(2 + \sin(x))$ **b)** $\lim\limits_{x \to +\infty} \dfrac{3 + \cos(x)}{x^2}$

Solution

a) Pour tout $x > 0$:

$-1 \leqslant \sin(x) \leqslant 1$, donc $1 \leqslant 2 + \sin(x) \leqslant 3$.

De plus, $e^x > 0$, donc $e^x \leqslant e^x(2 + \sin(x)) \leqslant 3e^x$. **1**

En particulier, pour tout $x > 0$: $e^x \leqslant e^x(2 + \sin(x))$. Or $\lim\limits_{x \to +\infty} e^x = +\infty$.

Donc, d'après le théorème de comparaison, $\lim\limits_{x \to +\infty} e^x(2 + \sin(x)) = +\infty$.

b) Pour tout $x < 0$:

$-1 \leqslant \cos(x) \leqslant 1$ donc $2 \leqslant 3 + \cos(x) + 1 \leqslant 4$

et donc $\dfrac{2}{x^2} \geqslant \dfrac{3 + \cos(x)}{x^2} \geqslant \dfrac{4}{x^2}$. **2**

Or $\lim\limits_{x \to +\infty} \dfrac{1}{x^2} = 0$ donc d'après le théorème d'encadrement, $\lim\limits_{x \to +\infty} \dfrac{3 + \cos(x)}{x^2} = 0$.

Conseils & Méthodes

1 Commencer par encadrer la fonction car on ne sait pas à l'avance quelles inégalités vont servir. Lorsque l'on sait, on conserve seulement les inégalités utiles.

2 À la suite on déduit lequel des deux théorèmes on va utiliser.

À vous de jouer !

12 Déterminer les limites suivantes.

a) $\lim\limits_{x \to +\infty} e^x + 2\sin(x)$ **b)** $\lim\limits_{x \to -\infty} e^x \cos(x)$

c) $\lim\limits_{x \to +\infty} \dfrac{1 + 3\cos(x)}{(x + 1)^2}$ **d)** $\lim\limits_{x \to -\infty} \dfrac{\sin(x)}{x}$

13 Déterminer les limites suivantes.

a) $\lim\limits_{x \to +\infty} \cos(x) - \sqrt{x}$ **b)** $\lim\limits_{x \to -\infty} \dfrac{-2\sin(x) + 5}{2e^x}$

c) $\lim\limits_{x \to +\infty} \dfrac{3 + \cos(x)}{\sqrt{x}}$ **d)** $\lim\limits_{x \to -\infty} \dfrac{\sin^2(x)}{x + 3}$

➥ Exercices 47 à 51 p. 65

Méthode 6 Utiliser les compositions de fonctions

Énoncé

Déterminer les limites suivantes. **a)** $\lim\limits_{x \to +\infty} e^{1-x}$ **b)** $\lim\limits_{\substack{x \to 0 \\ x < 0}} e^{\frac{1}{x}}$

Solution

a) $\lim\limits_{x \to +\infty} 1 - x = -\infty$ et $\lim\limits_{X \to -\infty} e^X = 0$ donc, par composition de limites,

$\lim\limits_{x \to +\infty} e^{1-x} = 0$ **1**

b) $\lim\limits_{x \to 0^-} \dfrac{1}{x} = -\infty$ et $\lim\limits_{X \to -\infty} e^X = 0$ donc, par composition de limites, $\lim\limits_{x \to 0^-} e^{\frac{1}{x}} = 0$

Conseils & Méthodes

1 On remarque au brouillon que

$\lim\limits_{x \to +\infty} 1 - x = -\infty$.

Donc on cherche la limite de l'exponentielle de quelque chose qui tend vers $-\infty$, ce qui donne 0.

À vous de jouer !

14 Déterminer les limites suivantes.

a) $\lim\limits_{x \to -\infty} \sqrt{2 - x}$ **b)** $\lim\limits_{\substack{x \to -1 \\ x > -1}} e^{\sqrt{x+1}}$

15 Déterminer les limites suivantes.

a) $\lim\limits_{x \to -\infty} \sqrt{1 + e^x}$ **b)** $\lim\limits_{\substack{x \to 1 \\ x > 1}} e^{\frac{1}{x-1}}$

➥ Exercices 52 à 56 p. 66

Exercices (résolus)

Méthode 7 — Lever une forme indéterminée par une factorisation

Énoncé

On considère les fonctions $f : x \mapsto 3x^3 - 2x^2 + x + 5$ et $g : x \mapsto \dfrac{x^2 - 2}{x - 1}$

1. Calculer les limites suivantes.

a) $\displaystyle\lim_{x \to -\infty} f(x)$ **b)** $\displaystyle\lim_{x \to +\infty} f(x)$

2. Calculer les limites suivantes.

a) $\displaystyle\lim_{x \to -\infty} g(x)$ **b)** $\displaystyle\lim_{x \to +\infty} g(x)$

Solution

1. a) $f(x) = 3x^3\left(\dfrac{3x^3}{3x^3} - \dfrac{2x^2}{3x^3} + \dfrac{x}{3x^3} + \dfrac{5}{3x^3}\right) = 3x^3\left(1 - \dfrac{2}{3x} + \dfrac{1}{3x^2} + \dfrac{5}{3x^3}\right)$ **3**

Alors comme $\displaystyle\lim_{x \to -\infty} \dfrac{2}{3x} = \lim_{x \to -\infty} \dfrac{1}{3x^2} = \lim_{x \to -\infty} \dfrac{5}{3x^3} = 0$ par somme de limites

on obtient : $\displaystyle\lim_{x \to -\infty} 1 - \dfrac{2}{3x} + \dfrac{1}{3x^2} + \dfrac{5}{3x^3} = 1$, de plus $\displaystyle\lim_{x \to -\infty} 3x^3 = -\infty$

Donc, par produit de limites, $\displaystyle\lim_{x \to -\infty} f(x) = -\infty$

b) De même $\displaystyle\lim_{x \to +\infty} 1 - \dfrac{2}{3x} + \dfrac{1}{3x^2} + \dfrac{5}{3x^3} = 1$ et $\displaystyle\lim_{x \to +\infty} 3x^3 = +\infty$ **1 2**

Donc, par produit de limites, $\displaystyle\lim_{x \to +\infty} f(x) = +\infty$

2. a) $g(x) = \dfrac{x^2\left(1 - \dfrac{2}{x^2}\right)}{x\left(1 - \dfrac{1}{x}\right)}$ **1 2** $= \dfrac{x\left(1 - \dfrac{2}{x^2}\right)}{1 - \dfrac{1}{x}}$ **3** alors comme $\displaystyle\lim_{x \to -\infty} 1 - \dfrac{2}{x^2} = \lim_{x \to -\infty} 1 - \dfrac{1}{x} = 1$ par quotient de limites on a :

$\displaystyle\lim_{x \to -\infty} \dfrac{1 - \dfrac{2}{x^2}}{1 - \dfrac{1}{x}} = 1$, de plus $\displaystyle\lim_{x \to -\infty} x = -\infty$ donc par produit de limites, $\displaystyle\lim_{x \to -\infty} g(x) = -\infty$

b) De même **1 2**, $\displaystyle\lim_{x \to +\infty} \dfrac{1 - \dfrac{2}{x^2}}{1 - \dfrac{1}{x}} = 1$, de plus $\displaystyle\lim_{x \to +\infty} x = +\infty$ donc par produit de limites, $\displaystyle\lim_{x \to +\infty} g(x) = +\infty$.

Conseils & Méthodes

1 On remarque une forme indéterminée « $\dfrac{\infty}{\infty}$ » ou « $\infty - \infty$ »

2 Il faut factoriser le terme de plus haut degré. Dans le cas d'une fraction on factorise au numérateur et dénominateur.

3 Il faut simplifier le plus possible l'écriture obtenue.

À vous de jouer !

16 Déterminer les limites suivantes.

a) $\displaystyle\lim_{x \to -\infty} (2x^5 + x^2)$ **b)** $\displaystyle\lim_{x \to +\infty} \dfrac{2x - 1}{3x + 2}$

c) $\displaystyle\lim_{x \to +\infty} -3x^2 + 5x$ **d)** $\displaystyle\lim_{x \to -\infty} \dfrac{x - 1}{x^2 + 3}$

17 Déterminer les limites suivantes.

a) $\displaystyle\lim_{x \to +\infty} \left(x^4 - x^5 + \dfrac{1}{x}\right)$ **b)** $\displaystyle\lim_{x \to -\infty} \dfrac{1 - 3x^2}{x - 4x^3}$

c) $\displaystyle\lim_{x \to -\infty} -3x^3 + x - 1$ **d)** $\displaystyle\lim_{x \to +\infty} \dfrac{x^2 + 3x - 1}{2 - x}$

18 On considère la fonction f définie par $f(x) = 3x^2 - 2x + 1$.

1. Vérifier qu'en $-\infty$ la limite n'est pas une forme indéterminée.

2. Vérifier qu'en $+\infty$ la limite est une forme indéterminée.

3. Factoriser et simplifier $f(x)$ et déterminer la limite $+\infty$.

19 On considère la fonction f définie sur $]-\infty\,;-1[\,\cup\,]-1\,;+\infty[$ par $f(x) = \dfrac{x^2 + 3x}{x + 1}$.

1. Justifier qu'en l'infini la limite est une forme indéterminée.

2. Factoriser et simplifier $f(x)$ et déterminer les limites en $-\infty$ et en $+\infty$.

↪ Exercices 57 à 61 p. 61

EXOS
Méthodes
lienmini.fr/maths-s02-03
Les rendez-vous Sésamath

● EXOS
Méthodes
lienmini.fr/maths-s02-03
Les rendez-vous Sésamath

Exercices résolus

Méthode
8 Lever une forme indéterminée en multipliant par le conjugué

Énoncé

On souhaite déterminer $\lim\limits_{x \to +\infty} \left(\sqrt{x+3} - \sqrt{x+2}\right)$.

1. Montrer que $\sqrt{x+3} - \sqrt{x+2} = \dfrac{1}{\sqrt{x+3} + \sqrt{x+2}}$ **pour tout réel** $x > -2$.

2. En déduire $\lim\limits_{x \to +\infty} \left(\sqrt{x+3} - \sqrt{x+2}\right)$.

Solution

1. $\sqrt{x+3} - \sqrt{x+2} = \dfrac{(\sqrt{x+3} - \sqrt{x+2})(\sqrt{x+3} + \sqrt{x+2})}{\sqrt{x+3} + \sqrt{x+2}}$ **1** $= \dfrac{\sqrt{x+3}^2 - \sqrt{x+2}^2}{\sqrt{x+3} + \sqrt{x+2}}$ **2**

$= \dfrac{(x+3) - (x+2)}{\sqrt{x+3} + \sqrt{x+2}} = \dfrac{1}{\sqrt{x+3} + \sqrt{x+2}}$

2. $\lim\limits_{x \to +\infty} x+3 = +\infty$ et $\lim\limits_{X \to +\infty} \sqrt{X} = +\infty$ donc par composition de limites, $\lim\limits_{x \to +\infty} \sqrt{x+3} = +\infty$

De même, $\lim\limits_{x \to +\infty} x+2 = +\infty$ et $\lim\limits_{X \to +\infty} \sqrt{X} = +\infty$ donc par composition de limites,

$\lim\limits_{x \to +\infty} \sqrt{x+2} = +\infty$.

Donc, par somme, $\lim\limits_{x \to +\infty} \sqrt{x+3} + \sqrt{x+2} = +\infty$.

et par inverse, $\lim\limits_{x \to +\infty} \dfrac{1}{\sqrt{x+3} + \sqrt{x+2}} = 0$.

Or, d'après la question **1.**, $\sqrt{x+3} - \sqrt{x+2} = \dfrac{1}{\sqrt{x+3} + \sqrt{x+2}}$ donc $\lim\limits_{x \to +\infty} \left(\sqrt{x+3} - \sqrt{x+2}\right) = 0$.

Conseils & Méthodes

1 Pour faire apparaître le dénominateur voulu, multiplier et diviser l'expression par ce dénominateur.

2 En multipliant $\left(\sqrt{x+3} - \sqrt{x+2}\right)$ par $\left(\sqrt{x+3} + \sqrt{x+2}\right)$ faire apparaître une identité remarquable simplifiant les deux racines carrées. On appelle cette opération une multiplication par le conjugué.

À vous de jouer !

20 Déterminer les limites suivantes.

a) $\lim\limits_{x \to +\infty} \left(\sqrt{x+1} - \sqrt{x}\right)$

b) $\lim\limits_{x \to +\infty} \left(\sqrt{x^2-1} - \sqrt{x^2-6}\right)$

c) $\lim\limits_{x \to -\infty} \left(\sqrt{1-x} - \sqrt{x^2+1}\right)$

d) $\lim\limits_{x \to -\infty} \left(\sqrt{-3-x} - \sqrt{4-x}\right)$

21 Déterminer les limites suivantes.

a) $\lim\limits_{x \to -\infty} \left(\sqrt{3-x} - \sqrt{10-x}\right)$

b) $\lim\limits_{x \to +\infty} \left(\sqrt{x^2+x+3} - \sqrt{x^2+x+6}\right)$

c) $\lim\limits_{x \to +\infty} \left(\sqrt{x-4} - \sqrt{3+x^2}\right)$

d) $\lim\limits_{x \to -\infty} \left(\sqrt{2-x} - \sqrt{2+x^2}\right)$

22 On considère la fonction f définie sur $]-\infty \,;\, 1]$ par $f(x) = \sqrt{2-x} - \sqrt{1-x}$.

1. Justifier que la forme est indéterminée en moins l'infini.
2. Multiplier par l'expression conjuguée pour simplifier l'écriture de $f(x)$.
3. En déduire la limite cherchée.

23 On considère les fonctions f, g et h définies par $f(x) = \sqrt{x} - \sqrt{x^2+1}$, $g(x) = \sqrt{x^2+3} - \sqrt{5+x}$ et $h(x) = \sqrt{x^2+x} - \sqrt{-2+x}$.

1. Déterminer lesquelles de ces fonctions ont une limite indéterminée en $+\infty$.
2. À l'aide des expressions conjuguées, simplifier les écritures de ces trois fonctions.
3. En déduire les limites en $+\infty$ pour chacune de ces fonctions.

➔ Exercice 62 p. 66

Exercices (apprendre à démontrer)

● VIDÉO
Démonstration
lienmini.fr/maths-s02-04

La propriété à démontrer

Démontrer que pour les fonctions x^n et e^x on a, pour tout entier naturel n :

$$\lim_{x \to +\infty} \frac{e^x}{x^n} = +\infty$$

On utilisera un changement de variable et le théorème de comparaison sur les limites.

▶ Comprendre avant de rédiger

Il faut savoir traduire une limite à l'infini et remarquer que la limite cherchée est une forme indéterminée « $\frac{\infty}{\infty}$ ».

▶ Rédiger

La démonstration rédigée

Étape ①

On connait une inégalité de comparaison entre les fonctions x et e^x

→ Pour tout réel X on sait que $X < e^X$.

Étape ②

On cherche à faire un changement de variable en posant pour un entier naturel n et un réel $x > 0$:

→ On pose $X = \dfrac{x}{n+1}$ l'inégalité précédente devient

$$\frac{x}{n+1} < e^{\frac{x}{n+1}}.$$

Étape ③

On va utiliser la croissance de la fonction $t \mapsto t^{n+1}$ pour transformer l'inégalité sur l'intervalle $[0 ; +\infty[$

→ La fonction $t \mapsto t^{n+1}$ est croissante sur $[0 ; +\infty[$.

On peut donc écrire que :

$$\left(\frac{x}{n+1}\right)^{n+1} < \left(e^{\frac{x}{n+1}}\right)^{n+1}$$

c'est-à-dire que : $\dfrac{x^{n+1}}{(n+1)^{n+1}} < e^x$

ou encore : $\dfrac{x}{(n+1)^{n+1}} < \dfrac{e^x}{x^n}$.

Étape ④

On utilise le théorème de comparaison des limites pour conclure.

→ On connait la limite de x à l'infini ce qui donne que :

$$\lim_{x \to \infty} x = +\infty \text{ et}$$

$$\lim_{x \to +\infty} \frac{x}{(n+1)^{n+1}} = +\infty \text{ comme } \frac{x}{(n+1)^{n+1}} < \frac{e^x}{x^n}$$

on en déduit par comparaison que :

$$\lim_{x \to +\infty} \frac{e^x}{x^n} = +\infty.$$

▶ Pour s'entraîner

Démontrer la propriété suivante en utilisant la même démarche.

Soit deux fonctions f et g telles que $\displaystyle\lim_{x \to -\infty} f(x) = +\infty$ et, pour tout , $g(x) \geqslant f(x)$.

Démontrer que $\displaystyle\lim_{x \to -\infty} g(x) = +\infty$.

◉ DIAPORAMA
Calculs et automatismes
lienmini.fr/maths-s02-05

Exercices calculs et automatismes

24 Lecture graphique

Soit une fonction f dont une courbe représentative $\mathscr{C}_f$ est tracée ci-dessous.

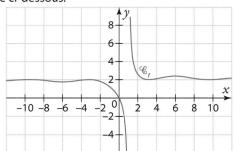

Choisir la (les) bonne(s) réponse(s).

1. $\mathscr{C}_f$ admet une asymptote verticale d'équation :

a $x = 1$ 　　b $x = 0,5$ 　　c $y = 0$ 　　d $y = 1$

2. $\mathscr{C}_f$ admet une asymptote horizontale d'équation :

a $x = 0$ 　　b $x = 0,5$ 　　c $y = 0$ 　　d $y = 2$

25 Opérations sur les limites

Choisir la (les) bonne(s) réponse(s).

1. La limite est égale à 0 pour :

a $\lim\limits_{x \to +\infty} x^2 + x$ 　　b $\lim\limits_{x \to 0} 2x^2 - \dfrac{1}{2}$

c $\lim\limits_{x \to -\infty} \dfrac{1}{x} - \dfrac{1}{x^2}$ 　　d $\lim\limits_{x \to +\infty} \dfrac{-2}{x^4}$

2. La limite est égale à $+\infty$ pour :

a $\lim\limits_{\substack{x \to 0 \\ x > 0}} \dfrac{1}{x} + \dfrac{1}{x^2}$ 　　b $\lim\limits_{x \to +\infty} x^3\sqrt{x}$

c $\lim\limits_{\substack{x \to 0 \\ x > 0}} \dfrac{2x - 7}{x^3}$ 　　d $\lim\limits_{x \to -\infty} \dfrac{e^x}{1 - 5x}$

26 Limites diverses

Les affirmations suivantes sont-elles vraies ou fausses ?	V	F
1. $\lim\limits_{\substack{x \to 0 \\ x < 0}} \dfrac{1}{x^2} = -\infty$	☐	☐
2. $\lim\limits_{x \to +\infty} x^4 - 1 = \lim\limits_{x \to -\infty} x^4 - 1$	☐	☐
3. $\lim\limits_{x \to -\infty} \dfrac{e^x}{1 - 3x} = -\infty$	☐	☐
4. $\lim\limits_{\substack{x \to 0 \\ x < 0}} \dfrac{1}{1 - 2x^3} = \lim\limits_{\substack{x \to 0 \\ x > 0}} \dfrac{1}{1 - 2x^3}$	☐	☐

27 Formes indéterminées

Retrouver les formes indéterminées parmi les propositions suivantes.

a) $\lim\limits_{x \to -\infty} x\,e^x$ **b)** $\lim\limits_{\substack{x > 0 \\ x \to 0}} \dfrac{e^x}{\sqrt{x}}$ **c)** $\lim\limits_{x \to -\infty} x^2 - x^3$ **d)** $\lim\limits_{x \to 1} \dfrac{1 - x^2}{x - 1}$

28 Inégalités

Choisir la (les) bonne(s) réponse(s).

1. Pour $x > 0$, on a :

a $\dfrac{\cos(x)}{x} < 1$ 　　b $-\dfrac{1}{x} < \dfrac{\cos(x)}{x} < \dfrac{1}{x}$

c $-\dfrac{1}{x} \leqslant \dfrac{\cos(x)}{x} \leqslant \dfrac{1}{x}$ 　　d $0 \leqslant \dfrac{\cos(x)}{x} \leqslant \dfrac{1}{x}$

2. Pour tout réel x, on a :

a $0 \leqslant \dfrac{\cos^2(x)}{e^x} \leqslant 1$ 　　b $0 \leqslant \dfrac{\cos^2(x)}{e^x} < e^{-x}$

c $-\dfrac{1}{e^x} \leqslant \dfrac{\cos^2(x)}{e^x} < \dfrac{1}{e^x}$ 　　d $\dfrac{1}{e^{-x}} \leqslant \dfrac{\cos(x)}{x} \leqslant \dfrac{1}{e^x}$

3. Pour x tel que $0 < x < 1$, on a :

a $\dfrac{\sin(x)}{x^3} \geqslant 0$ 　　b $\dfrac{\sin(x)}{x^3} \leqslant 1$

c $-\dfrac{1}{x} \leqslant \dfrac{\sin(x)}{x^3} \leqslant \dfrac{1}{x}$ 　　d $-\dfrac{1}{x^3} \leqslant \dfrac{\sin(x)}{x^3} \leqslant \dfrac{1}{x^3}$

29 Encadrement

Choisir la (les) bonne(s) réponses.

On a encadré la fonction f, déterminer si possible la limite demandée.

1. $-\dfrac{1}{x} \leqslant f(x) \leqslant \dfrac{1}{x}$, $\lim\limits_{x \to +\infty} f(x)$ est égale à :

a 0 　　b 1
c $+\infty$ 　　d On ne peut pas déterminer cette limite.

2. $f(x) \leqslant \sqrt{x}$, $\lim\limits_{x \to +\infty} f(x)$ est égale à :

a 0 　　b 1
c $+\infty$ 　　d On ne peut pas déterminer cette limite.

3. $1 - x \leqslant f(x) \leqslant e^x$, $\lim\limits_{x \to 0} f(x)$ est égale à :

a 0 　　b 1
c $+\infty$ 　　d On ne peut pas déterminer cette limite.

30 Comparaison

Choisir la (les) bonne(s) réponses.

1. $f(x) \leqslant e^x$, $\lim\limits_{x \to -\infty} f(x)$ est égale à :

a 0 　　b 1
c $-\infty$ 　　d On ne peut pas déterminer cette limite.

2. $f(x) \geqslant x^3$, $\lim\limits_{x \to -\infty} f(x)$ est égale à :

a 0 　　b 1

c $-\infty$ 　　d On ne peut pas déterminer cette limite.

3. $f(x) \leqslant -e^x$, $\lim\limits_{x \to +\infty} f(x)$ est égale à :

a 0 　　b 1

c $-\infty$ 　　d On ne peut pas déterminer cette limite.

Courbe représentative

31 On considère une fonction f admettant le tableau de variations suivant.

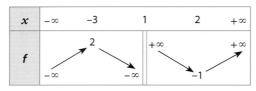

Tracer une allure de la courbe représentative de f.

32 On considère la fonction f admettant le tableau de variations suivant.

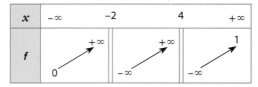

Tracer une allure de la courbe représentative de f.

Limites à l'infini
Méthode **1** p. 53

33 Soit la fonction $f : x \mapsto 1 + x^2$ définie sur $\mathbb{R}$.
On a tracé sa courbe représentative sur une calculatrice. Conjecturer ses limites en $+\infty$ et en $-\infty$.

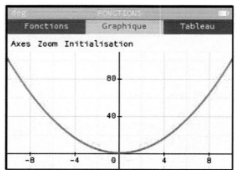

34 Soit $f : x \mapsto 4 - \dfrac{1}{x+2}$ définie sur $]-\infty\,;-2[\,\cup\,]-2\,;+\infty[$.
On a tracé la courbe de cette fonction sur une calculatrice.

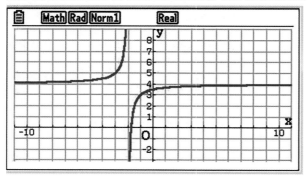

Conjecturer ses limites en $+\infty$ et en $-\infty$.

35 À l'aide d'une calculatrice ou d'un logiciel, conjecturer la valeur des limites suivantes. TICE

a) $\displaystyle\lim_{x \to +\infty} (x^2 - 2x)$ **b)** $\displaystyle\lim_{x \to -\infty} \left(\dfrac{2x+1}{3x-2}\right)$

c) $\displaystyle\lim_{x \to -\infty} \left(\dfrac{\sin(x^3)}{x}\right)$ **d)** $\displaystyle\lim_{x \to +\infty} \left(\dfrac{x^6 e^x}{5}\right)$

Limites en une valeur réelle
Méthode **2** p. 55

36 Soit $f : x \mapsto \dfrac{1}{\sqrt{x+2}}$ définie sur $]-2\,;+\infty[$.

On a tracé sa courbe représentative sur une calculatrice.

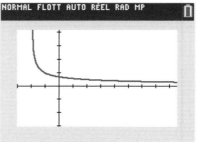

Conjecturer sa limite quand x tend vers -2.

37 La fonction inverse admet-elle une limite quand x tend vers 0 ?

38 Avec une calculatrice ou un logiciel, conjecturer la valeur des limites suivantes. TICE

a) $\displaystyle\lim_{\substack{x \to 0 \\ x < 0}} \left(-\dfrac{2}{x}\right)$ **b)** $\displaystyle\lim_{\substack{x \to 1 \\ x > 1}} \left(\dfrac{x^2 - 1}{x - 1}\right)$

c) $\displaystyle\lim_{\substack{x \to 3 \\ x < 3}} \left(\dfrac{e^x}{x}\right)$ **d)** $\displaystyle\lim_{\substack{x \to 0 \\ x < 0}} \left(x \cos\left(\dfrac{1}{x}\right)\right)$

Déterminer des asymptotes
Méthode **3** p. 55

39 Pour chaque courbe, déterminer si elle semble posséder une ou plusieurs asymptotes et, le cas échéant, déterminer son équation.

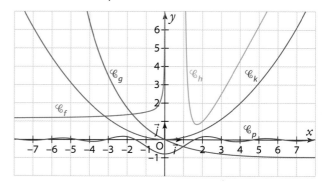

40 Déterminer graphiquement :
a) les limites à droite et à gauche de f quand x tend vers 3 et − 3.
b) les limites quand x tend vers 0, vers $+\infty$ et vers $-\infty$.

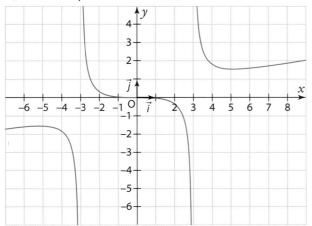

41 On considère une fonction f admettant le tableau de variations suivant.

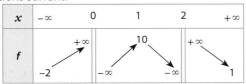

Préciser l'équation des éventuelles asymptotes horizontales et verticales à la courbe $\mathscr{C}_f$.

Opérations sur les limites p. 57

42 En utilisant les règles opératoires, calculer les limites suivantes.

a) $\displaystyle\lim_{x\to-\infty} \frac{2}{x}+1$ **b)** $\displaystyle\lim_{x\to+\infty} x^2+2x+1$

c) $\displaystyle\lim_{x\to+\infty} 2x\sqrt{x}+1$ **d)** $\displaystyle\lim_{x\to+\infty} \frac{-2}{1-\sqrt{x}}$

43 En utilisant les règles opératoires, calculer les limites suivantes.

a) $\displaystyle\lim_{x\to+\infty} \frac{1}{x^2}+\frac{1}{x}$ **b)** $\displaystyle\lim_{x\to-\infty} x^2-2$

c) $\displaystyle\lim_{x\to+\infty} x^3 e^x$ **d)** $\displaystyle\lim_{x\to+\infty} \frac{x^2+3}{\frac{1}{x}-2}$

44 **1.** Déterminer les limites en $-\infty$ et $+\infty$ des fonctions suivantes.

a) $f : x \mapsto x^2 + \dfrac{1}{e^x}$ **b)** $g : x \mapsto -x(2x-1)$

c) $h : x \mapsto \dfrac{-1}{x-1}$ **d)** $k : x \mapsto \dfrac{e^{-x}+1}{e^x-1}$

2. En déduire les asymptotes éventuelles des courbes représentatives de f, g, h et k.

Opérations sur les limites en une valeur p. 57

45 En utilisant les règles opératoires, calculer les limites suivantes.

a) $\displaystyle\lim_{x\to 0^+} \frac{1}{x}+\frac{1}{x^2}-1$ **b)** $\displaystyle\lim_{x\to 1^-} \frac{2x-1}{x+3}$ **c)** $\displaystyle\lim_{x\to 2} x^3 e^x$ **d)** $\displaystyle\lim_{x\to 2^-} \frac{x^2+3}{x-2}$

46 Étudier les limites à gauche et à droite quand x tend vers a des fonctions suivantes.

a) $f : x \mapsto \dfrac{1}{x-1}$ avec $a=1$. **b)** $g : x \mapsto \dfrac{-1}{2-x}$ avec $a=2$.

c) $h : x \mapsto \dfrac{-1}{(x+1)^2}$ avec $a=-1$. **d)** $k : x \mapsto \dfrac{e^{-x}}{e^x-1}$ avec $a=0$.

Comparaison de fonctions p. 59

47 Dans chaque cas, déterminer s'il est possible de trouver la limite demandée et la donner le cas échéant.

a) $\displaystyle\lim_{x\to+\infty} f(x)$ avec $f(x) \geqslant x$ pour $x > 1$.

b) $\displaystyle\lim_{x\to+\infty} f(x)$ avec $e^{-x} \leqslant f(x) \leqslant \dfrac{1}{x}$ pour $x > 1$.

c) $\displaystyle\lim_{x\to-\infty} f(x)$ avec $f(x) \leqslant \dfrac{1}{x}$ pour $x < 1$.

d) $\displaystyle\lim_{x\to 0^+} f(x)$ avec $1+x \leqslant f(x) \leqslant e^x$ pour $x \geqslant 0,01$.

48 **1.** Minorer les fonctions suivantes par une fonction qui tend vers $+\infty$ en $+\infty$.

a) $f : x \mapsto 2x + \sin(x)$ **b)** $g : x \mapsto \dfrac{x^2+\cos(x)}{x+1}$

2. En déduire leur limite en $+\infty$.

49 **1.** Minorer les fonctions suivantes sur $\left]0 ; \dfrac{\pi}{2}\right[$ par une fonction qui tend vers $+\infty$ en 0^+.

a) $f : x \mapsto \dfrac{1+\sin^2(x)}{x}$ **b)** $g : x \mapsto \dfrac{1}{x\cos(x)}$

2. En déduire leur limite à droite en 0.

3. En majorant f et g sur $\left]-\dfrac{\pi}{2} ; 0\right[$ par une fonction qui tend vers $-\infty$ quand x tend vers 0^-, donner la limite de ces fonctions quand x tend vers 0^-.

50 **1.** Encadrer les expressions suivantes par deux autres expressions dans l'intervalle souhaité.

a) $\dfrac{\cos(x)}{x+1}$ pour $x \in \,]0 ; +\infty[$

b) $\dfrac{x+\sin^2(x)}{x}$ pour $x \in \,]-\infty ; 0[$

c) $\dfrac{\sin(x)+\cos(x)}{x^2}$ pour $x \in \,]0 ; +\infty[$

2. En déduire leur limite en $+\infty$.

Exercices d'application

Croissances comparées

Méthode **5** p. 59

51 Déterminer les limites suivantes.

a) $\lim\limits_{x \to +\infty} x^4 e^{-x}$

b) $\lim\limits_{x \to +\infty} \dfrac{2x^5}{e^x}$

c) $\lim\limits_{x \to +\infty} e^{-x}(x^2 + 2x - 5)$

d) $\lim\limits_{x \to +\infty} \dfrac{x^3 - 2}{e^x}$

Composition de limites

Méthode **6** p. 59

52 **1.** Dans chaque cas, déterminer u et v tels que $f(x) = v(u(x))$.

a) $f : x \mapsto \sqrt{2x^2 + 3}$

b) $f : x \mapsto e^{-2x-1}$

c) $f : x \mapsto \cos\left(\dfrac{1}{x}\right)$

d) $f : x \mapsto \sqrt{e^{-x}}$

2. En déduire, dans chaque cas, la limite de f en $-\infty$ et $+\infty$.

53 Déterminer la limite en a des fonctions suivantes.

a) $f : x \mapsto \sqrt{3x^2 + 5x + 1}$ pour $a = +\infty$.

b) $g : x \mapsto e^{-2x^2 + 5}$ pour $a = -\infty$.

c) $h : x \mapsto e^{\frac{1}{x}}$ pour $a = 0^+$ puis pour $a = 0^-$.

d) $k : x \mapsto e^{\frac{-2}{x-3}}$ pour $a = 3^+$ puis pour $a = 3^-$.

54 Déterminer la limite en a des fonctions suivantes.

a) $f : x \mapsto e^{\frac{1}{x}-1} + 2$ pour $a = +\infty$.

b) $g : x \mapsto \dfrac{-2}{\sqrt{1 - 2x}}$ pour $a = -\infty$.

c) $h : x \mapsto 3x^3 + \sqrt{\dfrac{5x+1}{x-1}}$ pour $a = 1^+$.

d) $k : x \mapsto e^{-2x - \sqrt{\frac{1}{x}}}$ pour $a = 0^+$.

55 **1.** Exprimer la suite (u_n) sous la forme $u_n = f(v_n)$ pour tout entier n.

a) $u_n = e^{-3n-1}$

b) $u_n = \sqrt{\dfrac{1}{4 + n^2}}$

2. En déduire, dans chaque cas, la limite de (u_n)

56 Déterminer la limite des suites suivantes.

a) $u_n = e^{-3n+2}$

b) $v_n = \sin\left(\dfrac{1}{n}\right)$

c) $w_n = \sqrt{\dfrac{1}{3n-2}}$

d) $t_n = e^{\frac{1}{n+2}}$

Formes indéterminées

Méthode **7** p. 60   Méthode **8** p. 61

57 On considère la fonction f définie sur $]-\infty \,; 1[\cup]1 \,; +\infty[$ par $f(x) = \dfrac{x^2 - 3x + 2}{(1 - x)^2}$.

1. Justifier que la limite est une forme indéterminée quand x tend vers 1.

2. Factoriser $x^2 - 3x + 2$ et simplifier $f(x)$

3. En déduire les limites à gauche et à droite quand x tend vers 1.

58 On considère la fonction f définie sur $]-\infty \,; 2[\cup]2 \,; +\infty[$ par $f(x) = \dfrac{-3x^2 + 5x + 2}{x - 2}$.

1. Justifier que la limite est une forme indéterminée quand x tend vers 2.

2. Factoriser $-3x^2 + 5x + 2$ et simplifier $f(x)$

3. En déduire les limites à gauche et à droite quand x tend vers 2.

59 On considère la fonction f définie sur $]-\infty \,; -3[\cup]-3 \,; +\infty[$ par $f(x) = \dfrac{-x^2 - x + 6}{(x + 3)^2}$.

1. Justifier que la limite est une forme indéterminée quand x tend vers -3.

2. Factoriser $-x^2 - x + 6$ et simplifier $f(x)$

3. En déduire les limites à gauche et à droite quand x tend vers -3.

60 On considère les fonctions f, g et h définies par $f(x) = -x^2 + 4x - 5$, $g(x) = x^3 - x^2 + 3x - 1$ et $h(x) = 2x - 4x^4 + 1$.

1. Déterminer lesquelles de ces fonctions ont une limite indéterminée en $-\infty$.

2. Déterminer lesquelles de ces fonctions ont une limite indéterminée en $+\infty$.

3. Factoriser les expressions de ces trois fonctions.

4. En déduire les deux limites en $+\infty$ et en $-\infty$ pour chacune de ces fonctions.

61 On considère les fonctions f, g et h définies par $f(x) = \dfrac{x - 4}{x^2 + 3}$, $g(x) = \dfrac{x^2 + 5}{3 - x}$ et $h(x) = \dfrac{2 + x - x^2}{3 + x^2}$.

1. Déterminer lesquelles de ces fonctions ont une limite indéterminée en $-\infty$.

2. Déterminer lesquelles de ces fonctions ont une limite indéterminée en $+\infty$

3. Factoriser et simplifier les expressions de ces trois fonctions.

4. En déduire les deux limites en $-\infty$ et $+\infty$ pour chacune de ces fonctions.

62 On considère la fonction f définie sur $[4 \,; +\infty[$ par $f(x) = \sqrt{x + 3} - \sqrt{x - 4}$.

1. Justifier que la forme est indéterminée en plus l'infini.

2. Multiplier par l'expression conjuguée pour simplifier l'écriture de $f(x)$.

3. En déduire la limite cherchée.

Utiliser la définition de limite

63 Soit $f : x \mapsto 3 - x$ définie sur $\mathbb{R}$. **TICE** 🖩

1. À l'aide de la calculatrice ou d'un logiciel, conjecturer la limite de f en $-\infty$ et $+\infty$.

2. Démontrer ces conjectures à l'aide de la définition de la limite en l'infini.

Démo

64 En utilisant les définitions du cours, démontrer les propositions suivantes.

a) $\lim\limits_{x \to +\infty} 2x + 3 = +\infty$ **b)** $\lim\limits_{x \to +\infty} 1 + \dfrac{1}{x} = 1$

c) $\lim\limits_{x \to -\infty} x^2 + 1 = +\infty$ **d)** $\lim\limits_{x \to -\infty} \dfrac{1}{x^2} - 2 = -2$

65 Démontrer, en utilisant les définitions que :

$\lim\limits_{x \to +\infty} \sqrt{x^2 - 1} = +\infty$ et $\lim\limits_{x \to -\infty} \sqrt{x^2 - 1} = +\infty$.

66 Étudier l'existence des limites en $+\infty$ et en $-\infty$ de $f : x \mapsto e^x \cos(x)$. On explicitera l'asymptote à la courbe représentative de f en $-\infty$.

67 Soit $f : x \mapsto \dfrac{1}{1 - 2x}$ définie sur $\mathbb{R}$. **TICE** 🖩

1. À l'aide de la calculatrice ou d'un logiciel, conjecturer la limite de f à droite et à gauche quand x tend vers $\dfrac{1}{2}$.

2. Démontrer ces conjectures à l'aide de la définition de la limite à droite et à gauche en une valeur.

Démo

68 En utilisant les définitions du cours, démontrer les propositions suivantes.

a) $\lim\limits_{\substack{x \to 1 \\ x < 1}} \dfrac{1}{x - 1} = -\infty$ **b)** $\lim\limits_{\substack{x \to 0 \\ x > 0}} \sqrt{x} = 0$

c) $\lim\limits_{\substack{x \to -2 \\ x < -2}} \dfrac{1}{(x + 2)^2} = +\infty$ **d)** $\lim\limits_{\substack{x \to 1 \\ x > 1}} \dfrac{-2}{(x - 1)^2} = -\infty$

Opérations sur les limites

69 Déterminer les limites en $-\infty$ et $+\infty$ des fonctions ci-dessous. Préciser l'équation des éventuelles asymptotes.

a) $f : x \mapsto 2x^3 + 3x - \dfrac{1}{x}$

b) $g : x \mapsto (e^{2x} - 1)(1 - e^x) + \dfrac{1}{x}$

c) $h : x \mapsto \dfrac{-2}{x^3 + 2x} + \sqrt{x^2}$

d) $k : x \mapsto \dfrac{1}{2\sqrt{x^2 + 1} - 1} + e^x$

70 On considère la fonction $f : x \mapsto \dfrac{1}{e^x + e^{-x}}$.

1. Vérifier que la fonction f est paire sur $\mathbb{R}$.

2. Donner la limite de f en $+\infty$.

3. En déduire la limite en $-\infty$.

71 Déterminer les limites en $-\infty$ et $+\infty$ des fonctions ci-dessous. Préciser l'équation des éventuelles asymptotes.

a) $f : x \mapsto 4x^7 + 3x^5 - x$

b) $g : x \mapsto 3x^2 + 6x - \dfrac{1}{3 - x}$

c) $h : x \mapsto \dfrac{4 + 6e^x}{(2 - 3e^{-2x})}$

d) $k : x \mapsto \dfrac{(e^x + 1)x}{\dfrac{1}{x} + \dfrac{1}{x^2}}$

72 Déterminer les limites à droite et à gauche en a des fonctions suivantes. Préciser l'équation des éventuelles asymptotes et si la limite en a existe.

a) $f : x \mapsto \dfrac{-3}{6 + 3x}$ pour $a = 1$.

b) $g : x \mapsto (2x - 1)e^{-x}$ pour $a = 0$.

c) $h : x \mapsto \dfrac{x^3 + 8}{x + 2}$ pour $a = -2$.

d) $k : x \mapsto \dfrac{x + 1}{x^2 - 1}$ pour $a = -1$.

73 Déterminer la limite en $+\infty$ de la fonction $f : x \mapsto 1 + e^{-x} - 2e^{-2x}$.
Que peut-on en déduire pour la courbe représentative de f?

74 Déterminer les limites de la fonction $f : x \mapsto e^{2x} - (x + 1)e^x$ en $+\infty$ et en $-\infty$.

75 Déterminer les limites de la fonction $g : x \mapsto \dfrac{e^x - e^{-x}}{2}$ en $+\infty$ et en $-\infty$.

76 Déterminer les limites à droite et à gauche en a des fonctions suivantes. Préciser l'équation des éventuelles asymptotes et si la limite en a existe.

a) $f : x \mapsto \dfrac{(x + 5)(x - 1)}{x^2 + 3x - 4}$ pour $a = -4$.

b) $g : x \mapsto \dfrac{(\sqrt{x} - 2)e^x}{4 - x}$ pour $a = 4$.

c) $h : x \mapsto \dfrac{x^2}{(x - 1)^2}$ pour $a = 1$.

d) $k : x \mapsto \dfrac{xe^x}{x - \sqrt{x}}$ pour $a = 1$.

77 Associer à chaque fonction sa courbe représentative en justifiant.

$f : x \mapsto \dfrac{1}{x} - \dfrac{1}{4}$ $g : x \mapsto \dfrac{5}{2}e^{-x}$

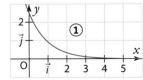
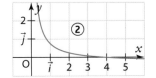

Exercices (d'entraînement)

Formes indéterminées

78 **1.** Factoriser les expressions suivantes par le terme de plus haut degré ou par l'exponentielle ayant la puissance de plus haut degré, si nécessaire.

a) $x^4 - 5x^3 + x - 1$ **b)** $-5x^4 + 3x^3 - x$

c) $e^{2x} - e^x$ **d)** $e^{4x} + e^{2x+1} - e^x - 3$

2. En déduire leur limite en $+\infty$ et $-\infty$.

79 **1.** Factoriser le numérateur et le dénominateur par le terme de plus haut degré, puis simplifier la fraction, si nécessaire.

a) $\dfrac{2x - 1}{3x + 2}$ **b)** $\dfrac{x^2 - 3x - 2}{-2 - 3x}$

c) $\dfrac{4 - 3x + x^3}{3 - x^2 + 4x}$ **d)** $\dfrac{e^{3x} - e^x + 1}{e^x - 2e^{4x}}$

2. En déduire leur limite en $+\infty$ et $-\infty$.

80 Calculer les limites en $-\infty$ et en $+\infty$ des fonctions suivantes. En cas d'indétermination, la lever par une transformation algébrique.

a) $f : x \mapsto x^2 - 2x + 3$ **b)** $g : x \mapsto x^4 + 4x^3 - 2x$

c) $h : x \mapsto \dfrac{2x^2 + 1}{1 - x}$ **d)** $k : x \mapsto \dfrac{e^{2x} + e^x - 1}{e^x - 3e^{2x}}$

81 **1.** Factoriser le numérateur et le dénominateur, puis simplifier le plus possible la fraction.

a) $\dfrac{x^2 - 2x + 1}{x - 1}$ **b)** $\dfrac{x^2 - 2x + 1}{2x^2 - 6x + 4}$

2. En déduire leur limite à droite et à gauche en 1.

82 Calculer les limites à droite et à gauche en a des fonctions suivantes, en cas d'indétermination, la lever par une factorisation.

a) $f : x \mapsto \dfrac{2x + 1}{x - 1}$ pour $a = 1$.

b) $g : x \mapsto \dfrac{x^2 - 4x + 4}{x^2 - 3x + 2}$ pour $a = 2$.

c) $h : x \mapsto \dfrac{x^2 + 2x - 3}{x + 3}$ pour $a = -3$.

d) $k : x \mapsto \dfrac{x - 1}{\sqrt{x} - 1}$ pour $a = 1$ (uniquement à droite).

83 Déterminer les limites aux bornes de son ensemble de définition de la fonction $f : x \mapsto \dfrac{x^2 + 1}{2 - x}$.

84 Déterminer les limites aux bornes de son ensemble de définition de la fonction $f : x \mapsto \dfrac{1}{x}(1 - \sqrt{x})$.

85 On considère la fonction $f : x \mapsto \dfrac{x}{\sqrt{x^2 - 1}}$.

1. Donner le plus grand ensemble de définition possible de f.
2. Déterminer $\lim\limits_{x \to 1^+} f(x)$ et $\lim\limits_{x \to +\infty} f(x)$.
3. Que peut-on dire quant à d'éventuelles asymptotes ?

86 **1.** On considère une fonction f dont on a tracé la courbe représentative sur une calculatrice.

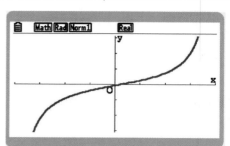

Quelles semblent être les limites de f en $-\infty$ et en $+\infty$?

2. On a $f : x \mapsto \dfrac{1 - 5x}{x^2 - 16}$.

Déterminer $\lim\limits_{x \to -\infty} f(x)$ et $\lim\limits_{x \to +\infty} f(x)$.

3. Comment expliquer le constat fait à la question **1.** ?

87 Soit la fonction $f : x \mapsto \dfrac{1}{\sqrt{x + 1} - \sqrt{x}}$

1. Déterminer $\lim\limits_{x \to 0^+} f(x)$.

2. En multipliant par le conjugué du dénominateur, déterminer $\lim\limits_{x \to +\infty} f(x)$.

88 Déterminer les limites suivantes.

a) $\lim\limits_{x \to +\infty} \sqrt{x^2 + 1} - x$ **b)** $\lim\limits_{x \to +\infty} \sqrt{\dfrac{x^2 + 1}{x}} - x$

89 Associer à chaque fonction sa courbe représentative en justifiant.

$f : x \mapsto \dfrac{1}{x^2 - x - 6}$ $g : x \mapsto \dfrac{x + 2}{x^2 - x - 6}$

$h : x \mapsto \dfrac{1}{(x - 3)(x + 2)^2}$ $k : x \mapsto \dfrac{-2}{(x + 2)(x - 3)}$

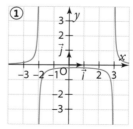

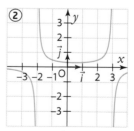

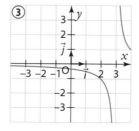

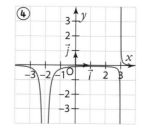

Comparaison

90 Déterminer par comparaison les limites suivantes.

a) $\lim\limits_{x \to +\infty} (x + \sin x)$ **b)** $\lim\limits_{x \to +\infty} (x^2 + 2x \cos x + 1)$

c) $\lim\limits_{\substack{x<1 \\ x \to 1}} \left(\dfrac{x^3 + \sin(x)}{x-1} \right)$ **d)** $\lim\limits_{x \to -\infty} \left(\dfrac{x^3 + 2}{(x + \cos x)^2} \right)$

91 Démontrer que, pour tout $x > 0$,

$0 \leqslant \sqrt{x+1} - \sqrt{x} \leqslant \dfrac{1}{2\sqrt{x}}$. En déduire $\lim\limits_{x \to +\infty} \left(\sqrt{x+1} - \sqrt{x} \right)$.

92 On définit sur $\mathbb{R}$ la fonction f par $f(x) = \dfrac{E\left(x + \dfrac{1}{2} \right)}{x}$.

On admet que $x - 1 \leqslant E(x) \leqslant x$ pour tout réel x.

1. Établir l'encadrement $1 - \dfrac{1}{2x} \leqslant f(x) \leqslant 1 + \dfrac{1}{2x}$.

2. En déduire la limite de f en $+\infty$.

Croissances comparées

93 Associer à chaque fonction sa courbe représentative.

1. $f : x \longmapsto \dfrac{x}{x^2 - 9}$ **2.** $g : x \longmapsto \dfrac{90e^x}{20x + 60}$

3. $h : x \longmapsto \dfrac{0,5x^3 - 2}{x^2 - 9}$ **4.** $k : x \longmapsto \dfrac{1 - 6x}{x + 3}$

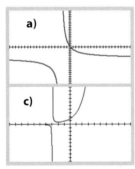

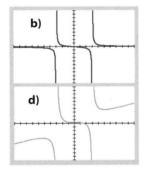

a) b) c) d)

94 Déterminer les limites de ces fonction en $-\infty$ et en $+\infty$.

a) $f : x \longmapsto \dfrac{e^x}{x}$

b) $g : x \longmapsto e^x + x$

c) $h : x \longmapsto e^{2x} - xe^x + 1$

d) $k : x \longmapsto x^4 - 2xe^x + e^2$

Composition de limites

95 Déterminer les limites des fonctions suivantes en a.

a) $f : x \longmapsto \sqrt{3x^2 + 3x - 6}$ pour $a = -\infty$ et pour $a = +\infty$.

b) $g : x \longmapsto e^{-\frac{1}{(x-2)}}$ pour $a = 2$ à droite et à gauche.

c) $h : x \longmapsto \sin \left(\dfrac{3\pi x - 2\pi + 1}{1 - 6x} \right)$ pour $a = -\infty$ et pour $a = +\infty$.

d) $k : x \longmapsto e^{\frac{1}{x}} + \dfrac{1}{x}$ pour $a = 0$ à droite et à gauche.

96 Pour $x \in \mathbb{R}$, on a $f(x) = \sqrt{x}e^{1-x}$. Vérifier que, si $x > 0$, on a $\dfrac{\sqrt{x}}{1-x}(1-x)e^{1-x}$. En déduire la limite de f en $+\infty$.

Étude de fonctions

97 On considère la fonction $f : x \longmapsto \dfrac{-4x - 9}{-3x - 7}$.

1. Déterminer l'ensemble de définition de f.
2. Donner l'expression de $f'(x)$. En déduire les variations de f.
3. Déterminer les limites de f aux bornes de son ensemble de définition.
4. Tracer le tableau de variations de f.

98 Dresser le tableau de variations complet de la fonction $f : x \longmapsto (x + 1)e^{-x}$ sur $\mathbb{R}$.

99 On considère la fonction $f : x \longmapsto \dfrac{x - 2}{2x + 8}$.

1. Montrer que $\mathscr{C}_f$ possède deux asymptotes : une d'équation $y = \dfrac{1}{2}$ et une d'équation $x = -4$.

2. Étudier la position relative de $\mathscr{C}_f$ par rapport à son asymptote horizontale.

100 On considère la fonction $f : x \longmapsto \dfrac{2x}{x^2 - 4}$ définie sur $]-\infty \,; -2[\,\cup]-2\,; 2[\,\cup]2\,; +\infty[$.

1. Montrer que f possède une asymptote horizontale et préciser son équation.
2. Calculer les limites à droite et à gauche de f en 2. La courbe de f possède-t-elle une asymptote verticale ? Si oui, préciser son équation.
3. La courbe de f possède-t-elle une autre asymptote verticale ? Justifier.
4. Dresser le tableau de variations de f.
5. En déduire une allure de la courbe de f.

Travailler le Grand Oral

101 Présenter une démonstration de la règle d'additivité des limites : si $\lim\limits_{x \to +\infty} f(x) = \ell$ et $\lim\limits_{x \to +\infty} g(x) = \ell'$ alors $\lim\limits_{x \to +\infty} (f(x) + g(x)) = \ell + \ell'$.

102 **1.** Faire une présentation sur la règle de l'Hôpital en précisant les conditions d'utilisation.
2. Donner des exemples résolus avec et sans cette règle.

103 Calcul de limite

Soit f la fonction définie sur l'intervalle $[0 ; +\infty[$ par $f(x) = xe^{-x^2}$.

1. Déterminer la limite de la fonction f en $+\infty$.

2. Montrer que f admet un maximum en $\dfrac{\sqrt{2}}{2}$ et calculer ce maximum.

D'après Bac S, Pondichéry, 2009.

104 Suite de fonctions

Soit n un entier naturel.

On note f_n la fonction définie sur l'ensemble des réels par :

$$f_n(x) = \dfrac{e^{-nx}}{1 + e^{-x}}$$

On note $\mathscr{C}_n$ la courbe représentative de f_n dans un repère orthogonal $(O, \vec{i}, \vec{j})$.

Les courbes $\mathscr{C}_0$, $\mathscr{C}_1$, $\mathscr{C}_2$ et $\mathscr{C}_3$ sont représentées ci-dessous.

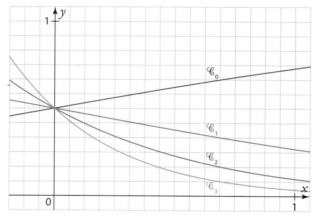

1. Démontrer que pour tout entier naturel n, les courbes $\mathscr{C}_n$ ont un point A en commun dont on précisera ses coordonnées.

2. On étudie la fonction f_0.
a) Étudier le sens de variation de f_0.
b) Préciser les limites de f_0 en $-\infty$ et $+\infty$.
Interpréter graphiquement ces limites.
c) Dresser le tableau de variation de f_0 sur $\mathbb{R}$

3. On étudie la fonction f_1.
a) Démontrer que $f_0(x) = f_1(-x)$ pour tout nombre réel x.
b) En déduire les limites de f_1 en $-\infty$ et $+\infty$, ainsi que son sens de variation.
c) Donner une interprétation géométrique de la question

3. a) pour les courbes $\mathscr{C}_0$ et $\mathscr{C}_1$.

4. On étudie la fonction f_n pour $n \geqslant 2$.
a) Vérifier que pour tout entier naturel $n \geqslant 2$ et pour tout nombre réel x, on a :

$$f_n(x) = \dfrac{1}{e^{nx} + e^{(n-1)x}}$$

b) Étudier les limites de f_n en $-\infty$ et $+\infty$.
c) Calculer la dérivée $f_n'(x)$ et dresser le tableau de variation de la fonction f_n sur $\mathbb{R}$

D'après Bac S, Centres étrangers, 2009.

105 Évolution d'une proportion

La proportion d'individus qui possèdent un certain type d'équipement dans une population est modélisée par la fonction p définie sur $[0 ; +\infty[$ par $p(x) = \dfrac{1}{1 + e^{-0,2x}}$

Le réel x représente le temps écoulé, en année, depuis le 1er janvier 2000. Le nombre $p(x)$ modélise la proportion d'individus équipés après x années.

1. Quel est, pour ce modèle, la proportion d'individus équipés au 1er janvier 2010 ? On en donnera une valeur arrondie au centième.

2. a) Déterminer le sens de variation de la fonction p sur $[0 ; +\infty[$.
b) Calculer la limite de la fonction p en $+\infty$.
c) Interpréter cette limite dans le contexte de l'exercice.

D'après Bac S, Antilles Guyane, 2019

106 Taux d'alcoolémie `Algo`

Dans le cadre d'une étude visant à limiter la consommation d'alcool, on étudie la concentration d'alcool dans le sang d'un étudiant de corpulence moyenne. La concentration C d'alcool dans son sang est modélisée en fonction du temps t, exprimé en heure, par la fonction f définie sur $[0 ; +\infty[$ par $f(t) = 2te^{-t}$.

1. Étudier les variations de f sur l'intervalle $[0 ; +\infty[$.
2. À quel instant la concentration d'alcool dans le sang de de l'étudiant est-elle maximale ? Quelle est alors sa valeur ? Arrondir à 10^{-2} près.

3. Rappeler la limite de $\dfrac{e^t}{t}$ lorsque f tend vers $+\infty$ et en déduire celle que $f(t)$ en $+\infty$.
Interpréter le résultat dans le contexte de l'exercice.

4. La concentration minimale d'alcool détectable dans le sang est estimée à 5×10^{-3} $g \cdot L^{-1}$.
a) Justifier qu'il existe un instant T à partir duquel la concentration d'alcool dans le sang n'est plus détectable.
b) On donne l'algorithme en langage naturel suivant où f est la fonction définie par $f(t) = 2te^{-t}$.

```
t←3,
p←0,25
C←0,21
Tant que C>5×10⁻³ faire :
      t←t+p
      C←f(t)
Fin Tant que
Afficher t
```

Recopier et compléter le tableau suivant en exécutant cet algorithme. Arrondir les valeurs à 10^{-2} près.

	Initialisation	Étape 1	Étape 2
p	0,25		
t	3,5		
C	0,21		

Que représente la valeur affichée par cet algorithme ?

D'après Bac S Polynésie 10 juin 2016

Limites des fonctions de référence

- **Fonction inverse**
  - $\lim\limits_{x\to+\infty} \dfrac{1}{x}=0$
  - $\lim\limits_{x\to-\infty} \dfrac{1}{x}=0$
  - $\lim\limits_{\substack{x<0 \\ x\to0}} \dfrac{1}{x}=-\infty$

- **Fonction puissance**
  - pour tout entier n, $\lim\limits_{x\to+\infty} x^n=+\infty$
  - si n est pair, $\lim\limits_{x\to-\infty} x^n=+\infty$

  et si n est impair $\lim\limits_{x\to-\infty} x^n=-\infty$

- **Fonction exponentielle**
  - $\lim\limits_{x\to+\infty} e^x=+\infty$
  - $\lim\limits_{x\to-\infty} e^x=0$

- **Fonction racine carrée**
  - $\lim\limits_{x\to+\infty} \sqrt{x}=+\infty$
  - $\lim\limits_{x\to0^+} \sqrt{x}=0$

Opérations sur les limites

Somme

$\lim\limits_{x\to\alpha} f(x)$	ℓ	$+\infty$	$+\infty$	$+\infty$	$-\infty$	$-\infty$
$\lim\limits_{x\to\alpha} g(x)$	ℓ'	ℓ'	$+\infty$	$-\infty$	ℓ'	$-\infty$
$\lim\limits_{x\to\alpha} (f(x)+g(x))$	$\ell+\ell'$	$+\infty$	$+\infty$	indéterminée « $\infty-\infty$ »	$-\infty$	$-\infty$

Produit

$\lim\limits_{x\to\alpha} f(x)$	ℓ	$\pm\infty$	$\pm\infty$	$\pm\infty$
$\lim\limits_{x\to\alpha} g(x)$	ℓ'	$\ell'\neq0$	$\pm\infty$	0
$\lim\limits_{x\to\alpha} (f(x)\times g(x))$	$\ell\times\ell'$	$\pm\infty$ règle des signes	$\pm\infty$ règle des signes	indéterminée « $0\times\infty$ »

Quotient

$\lim\limits_{x\to a} f(x)$	ℓ	ℓ	ℓ	$\pm\infty$	0	$\pm\infty$
$\lim\limits_{x\to a} g(x)$	$\ell'\neq0$	$\pm\infty$	0	ℓ'	0	$\pm\infty$
$\lim\limits_{x\to a} \dfrac{f(x)}{g(x)}$	$\dfrac{\ell}{\ell'}$	0	$\pm\infty$ règle des signes	$\pm\infty$ règle des signes	indéterminée « $\dfrac{0}{0}$ »	indéterminée « $\dfrac{\infty}{\infty}$ »

Lever une forme indéterminée

- Factoriser par le terme de plus haut degré.
- Multiplier par le conjugué.
- Utiliser le théorème d'encadrement ou de comparaison
- Utiliser les croissances comparées

Je dois être capable de...

Parcours d'exercices

▶ Déterminer une limite en l'infini — Méthode **1** → 1, 2, 33, 34

▶ Déterminer une limite en un réel — Méthode **2** → 3, 4, 36, 38

▶ Conjecturer la présence d'asymptotes — Méthode **3** → 5, 6, 39, 40

▶ Déterminer une limite à l'aide des opérations sur les limites — Méthode **4** → 7, 8, 42, 43, 45

▶ Utiliser les théorèmes d'encadrement et de comparaison — Méthode **5** → 12, 13, 47, 48, 51

▶ Déterminer une limite en utilisant la composée de fonctions. — Méthode **6** → 14, 15, 52, 53

▶ Lever une indétermination — Méthode **7** Méthode **8** → 16, 17, 20, 21, 57, 58, 62

▶ EXOS
QCM interactifs
lienmini.fr/maths-s02-06

QCM Pour les exercices suivants, choisir la bonne réponse.

	A	**B**	**C**	**D**
107 $\lim\limits_{x\to+\infty}\left(\dfrac{1}{x}+x^2\right)$ est égale à :	$-\infty$	0	1	$+\infty$
108 $\lim\limits_{x\to1^+}\dfrac{1-2x}{1-x}$ est égale à :	$-\infty$	0	1	$+\infty$
109 $\lim\limits_{x\to-\infty}x^3\mathrm{e}^x$ est égale à :	$-\infty$	0	1	$+\infty$
110 La courbe de $f : x \mapsto 2 - \dfrac{3}{\sqrt{x}}$ admet une asymptote d'équation :	$x=0$	$y=0$	$x=2$	$y=2$
111 $\lim\limits_{x\to-\infty}(3x^4+2x^3-1)$ est égale à :	$-\infty$	0	1	$+\infty$
112 $\lim\limits_{x\to+\infty}\dfrac{2x-6}{1+2x}$ est égale à :	$-\infty$	0	1	$+\infty$
113 $\lim\limits_{x\to+\infty}\dfrac{\sin(x)+1}{x^2}$ est égale à :	$-\infty$	0	1	$+\infty$
114 $\lim\limits_{x\to0^-}\mathrm{e}^{-\frac{1}{x}}$ est égale à :	$-\infty$	0	1	$+\infty$
115 $\lim\limits_{x\to+\infty}\left(1+\sqrt{\dfrac{2+x}{x^3-1}}\right)$ est égale à :	$-\infty$	0	1	$+\infty$

116 **Observations graphiques**

Soit f une fonction admettant la représentation graphique ci-contre.

Choisir la (les) bonne(s) réponse(s).

1. On peut conjecturer que :

a $\lim\limits_{x \to +\infty} f(x) = +\infty$

b $\lim\limits_{x \to +\infty} f(x) = -\infty$

c $\lim\limits_{x \to +\infty} f(x) = 0$

d $\lim\limits_{x \to +\infty} f(x) = 1$

2. On peut conjecturer que :

a $\lim\limits_{\substack{x \to 0 \\ x > 0}} f(x) = -\infty$

b $\lim\limits_{\substack{x \to 0 \\ x > 0}} f(x) = +\infty$

c $\lim\limits_{\substack{x \to 0 \\ x < 0}} f(x) = +\infty$

d $\lim\limits_{x \to 0} f(x) = +\infty$

3. f semble admettre :

a une asymptote. **b** deux asymptotes.

c trois asymptotes. **d** quatre asymptotes. Méthode **1** p. 53

117 **Courbe représentative**

Soit la fonction $f : x \mapsto \dfrac{x-1}{x^2 + 5x + 6}$.

Choisir la (les) bonne(s) réponse(s).

1. La courbe représentant la fonction f :

a n'admet pas d'asymptote horizontale

b admet une asymptote horizontale d'équation $y = 0$.

c admet une asymptote horizontale d'équation $y = -1$.

d admet une asymptote horizontale d'équation $y = 1$.

2. La courbe représentant la fonction f :

a n'admet pas d'asymptote verticale

b admet exactement une asymptote verticale d'équation $x = 2$.

c admet exactement une asymptote verticale d'équation $x = -3$.

d admet exactement deux asymptotes verticales

d'équations respectives $x = -3$ et $x = -2$. Méthode **8** p. 61

118 **Opérations sur les limites**

Calculer les limites suivantes.

a) $\lim\limits_{x \to +\infty} \left(e^x + x + \dfrac{1}{x} \right)$

b) $\lim\limits_{x \to -\infty} (x^3 + 2x^2 - 3)$

c) $\lim\limits_{x \to +\infty} \dfrac{1}{2x + 1}$

d) $\lim\limits_{x \to +\infty} \dfrac{5 - 2x}{2x + 1}$ Méthode **4** p. 57

119 **Comparaison de fonctions**

Calculer les limites suivantes.

a) $\lim\limits_{x \to +\infty} (x + \sin x)$

b) $\lim\limits_{\substack{x \to 0 \\ x > 0}} (x \cos x)$ Méthode **5** p. 59

120 **Limites et croissances comparées**

Choisir la (les) bonne(s) réponse(s).

1. $\lim\limits_{x \to +\infty} \dfrac{e^x}{x^2}$ est égale à :

a $-\infty$ **b** $+\infty$ **c** 0 **d** 1

2. $\lim\limits_{x \to -\infty} \dfrac{e^x}{x^5}$ est égale à :

a $-\infty$ **b** $+\infty$ **c** 0 **d** 1

3. $\lim\limits_{x \to +\infty} (x^2 - 3x + 1)e^{-x}$ est égale à :

a $-\infty$ **b** $+\infty$ **c** 0 **d** 1 Méthode **5** p. 59

121 **Composition de limites**

Choisir la (les) bonne(s) réponse(s).

1. $\lim\limits_{\substack{x \to -2 \\ x > -2}} \sqrt{\dfrac{1}{x + 2}}$ est égale à :

a $-\infty$ **b** $+\infty$ **c** 0 **d** 1

2. $\lim\limits_{\substack{x \to 0 \\ x < 0}} e^{-\frac{1}{x}}$ est égale à :

a $-\infty$ **b** $+\infty$ **c** 0 **d** 1 Méthode **6** p. 59

3. $\lim\limits_{x \to +\infty} e^{-\sqrt{2x+1}}$ est égale à :

a $-\infty$ **b** $+\infty$ **c** 0 **d** 1 Méthode **7** p. 60

122 Calcul de limites

Calculer les limites en 0 suivantes.

a) $f : x \longmapsto \dfrac{\sqrt{x+2} - \sqrt{2-x}}{x}$

b) $g : x \longmapsto \dfrac{\sqrt{1+x^n} - \sqrt{1-x^n}}{x}$ pour n entier naturel

c) $h : x \longmapsto \dfrac{\sqrt{x^2 + x + 1} - 1}{x}$

d) $k : x \longmapsto \dfrac{\sqrt{x^2 + 1} - \sqrt{x^2 + x + 1}}{x}$

123 Contres-exemples

Justifier que chacune des propositions suivantes est fausse en exhibant un contre-exemple.

1. Soit f une fonction définie sur $\mathbb{R}$ telle que $\displaystyle\lim_{x \to -\infty} f(x) = -\infty$ et $\displaystyle\lim_{x \to +\infty} f(x) = +\infty$.
Alors f est croissante sur $\mathbb{R}$.

2. Soit f une fonction strictement croissante sur $\mathbb{R}$, alors $\displaystyle\lim_{x \to +\infty} f(x) = +\infty$.

3. Soit f une fonction définie sur $\mathbb{R}$ telle que $\displaystyle\lim_{x \to -\infty} f(x) = +\infty$ et $\displaystyle\lim_{x \to +\infty} f(x) = +\infty$.
Alors f est positive sur $\mathbb{R}$.

124 Utiliser les définitions

On considère la fonction f définie pour tout réel $x \in \,]-\infty\,;-2[\cup]-2\,;+\infty[$ par :

$$f(x) = \dfrac{x^2 + 3x + 1}{x + 2}.$$

A ▶ Préliminaires

1. Soit $M > 0$, calculer le discriminant de l'équation $x^2 + (3 - M)x + 1 - 2M = 0$ et justifier qu'il est positif.

2. On cherche à montrer avec la définition que $\displaystyle\lim_{x \to +\infty} \dfrac{-1}{x + 2} = 0$.

a) Soit $\varepsilon > 0$. Justifier pourquoi, si $x > 0$, on a l'équivalence $\dfrac{-1}{x + 2} \in \,]-\varepsilon\,;\varepsilon[\Leftrightarrow -\varepsilon < \dfrac{-1}{x + 2} < 0$.

b) Résoudre alors cette inéquation et en déduire le résultat.

B ▶ Démonstrations

1. Démontrer que la droite d'équation $y = x + 1$ est asymptote oblique à la courbe représentative de f en $+\infty$.

2. Soit $M > 0$.

a) Résoudre l'équation $f(x) > M$.

b) En déduire de par la définition que $\displaystyle\lim_{\substack{x \to -2 \\ x < -2}} f(x) = +\infty$.

3. Soit $m < 0$.

a) Résoudre l'équation $f(x) < m$.

b) En déduire de par la définition que $\displaystyle\lim_{\substack{x > -2 \\ x \to -2}} f(x) = -\infty$.

125 Asymptotes paramétrées

Soit la fonction $f : x \longmapsto \dfrac{ax^2 - (3a + 1)x + 2}{x - 1}$.

Soit $\mathscr{C}_f$ sa courbe représentative.

1. Pour quelle(s) valeur(s) de a a-t-on $\displaystyle\lim_{x \to +\infty} f(x) = -\infty$?

2. Pour quelle(s) valeur(s) de a $\mathscr{C}_f$ admet-elle une asymptote horizontale ?

3. Pour quelle(s) valeur(s) de a $\mathscr{C}_f$ admet-elle une asymptote verticale ?

Pour les exercices 126 à 130 on précise la définition suivante : une droite d'équation $y = mx + p$ est une asymptote oblique à la courbe de f en $+\infty$ si et seulement si $\displaystyle\lim_{x \to +\infty} (f(x) - (mx + p)) = 0$.

126 Asymptote oblique (1)

On considère la fonction $f : x \longmapsto \dfrac{x^2 + x - 6}{2x - 2}$.

Déterminer l'existence de trois réels a, b et c tels que $f(x) = ax + b + \dfrac{c}{2x - 2}$. En déduire l'existence d'une asymptote oblique dont on précisera une équation.

127 Asymptote oblique (2)

On considère la fonction $f : x \longmapsto \dfrac{x^2 - 2x + 2}{2x}$.

1. a) Déterminer l'ensemble de définition de f.

b) Dresser le tableau de variations de f en précisant les limites aux bornes de son ensemble de définition.

c) Déterminer les éventuelles asymptotes horizontales et verticales de la courbe de f.

2. Soit d la droite d'équation $y = \dfrac{x}{2} - 1$.

a) Déterminer $\displaystyle\lim_{x \to +\infty}\left(f(x) - \left(\dfrac{x}{2} - 1\right)\right)$ et $\displaystyle\lim_{x \to -\infty}\left(f(x) - \left(\dfrac{x}{2} - 1\right)\right)$.

b) On vient de montrer que d est une asymptote oblique à la courbe $\mathscr{C}_f$ de f.
Étudier la position relative de $\mathscr{C}_f$ et de d.

3. À l'aide des asymptotes et du tableau de variations, tracer une allure de $\mathscr{C}_f$.

128 Asymptote oblique (3)

On définit la fonction $f : x \longmapsto \dfrac{-x^2 + 2x + 5}{2x + 2}$.

1. Étudier l'existence d'une asymptote verticale à la courbe de f.

2. Montrer que la droite d'équation $y = -\dfrac{1}{2}x + \dfrac{3}{2}$ est une asymptote oblique à la courbe de f.

3. Déterminer le point d'intersection des deux asymptotes et montrer qu'il s'agit d'un centre de symétrie de la courbe.

129 Branches infinies (1)

Soit les fonctions $f : x \mapsto \sqrt{x}$ et $g : x \mapsto x^2$.

1. Déterminer les limites en $+\infty$ de f et g.

Ces deux fonctions ayant la même limite infinie en $+\infty$, nous allons les différencier par leur vitesse de croissance.

2. Montrer les résultats suivants.

a) $\lim\limits_{x \to +\infty} \dfrac{f(x)}{x} = 0$

b) $\lim\limits_{x \to +\infty} \dfrac{g(x)}{x} = +\infty$

Étant donné ces résultats on peut affirmer que, en $+\infty$:
- f croît moins vite que la fonction $x \mapsto x$, on dit que la courbe de f admet une branche parabolique d'axe (Ox).
- g croît plus vite que la fonction $x \mapsto x$, on dit que la courbe de g admet une branche parabolique d'axe (Oy).

On peut retrouver les mêmes résultats en $-\infty$.

3. Déterminer les éventuelles asymptotes et branches paraboliques en $-\infty$ et $+\infty$ des fonctions suivantes.

a) $f : x \mapsto \dfrac{2x^3 - 3x}{x+1}$

b) $g : x \mapsto \dfrac{x\sqrt{x} + x - 4}{x+2}$

c) $h : x \mapsto \dfrac{e^x + 1}{x^2}$

d) $k : x \mapsto \sqrt{|x|} + \sin(x)$

130 Branches infinies (2)

Soit $f : x \mapsto \dfrac{2x^2 + x}{x+1}$ et $g : x \mapsto \dfrac{x^2 + x\sqrt{x}}{x+1}$.

1. a) Montrer que $\lim\limits_{x \to +\infty} f(x) = +\infty$ et $\lim\limits_{x \to +\infty} g(x) = +\infty$.

b) Montrer que $\dfrac{f(x)}{x}$ et $\dfrac{g(x)}{x}$ tendent, lorsque x tend vers $+\infty$, vers un réel que l'on notera a.

c) En $+\infty$, les courbes de f et g admettent-elle une branche parabolique d'axe (Oy) ? d'axe (Ox) ?

Dans le cas où $\lim\limits_{x \to +\infty} \dfrac{f(x)}{x} = a$ (a réel), la vitesse de croissance de f est identique à la fonction $x \mapsto ax$, il est donc possible que f admette une asymptote oblique d'équation $y = ax + b$.

2. Soit d une droite d'équation $y = ax + b$. Supposons que d soit une asymptote oblique à la courbe de f en $+\infty$.

a) Alors, que vaut a dans chaque cas ?

b) Montrer que $f(x) - (ax + b) = \dfrac{-(1+b)x - b}{x+1}$ pour tout réel x.

c) Déduire de ce qui précède que la courbe de f admet une asymptote oblique et préciser son équation.

3. En appliquant le même raisonnement que pour la question **2.**, montrer que la courbe de g n'admet pas d'asymptote oblique.

On dit que la courbe de g admet une branche parabolique d'axe $y = ax$.

4. Calculer $\lim\limits_{x \to +\infty} (f(x) - ax)$ et $\lim\limits_{x \to +\infty} (g(x) - ax)$.

Que retrouve-t-on pour f ?

131 Fonction paire

Soit $f : \mathbb{R} \to \mathbb{R}$ une fonction paire qui admet une limite finie ℓ en $+\infty$. Démontrer que f admet la limite ℓ en $-\infty$.

132 Utilisation de la dérivée

1. On souhaite déterminer $\lim\limits_{x \to 0} \dfrac{\sqrt{9-x} - 3}{x}$.

Soit $f : x \mapsto \sqrt{9 - x}$.

a) Calculer $\dfrac{f(0+x) - f(0)}{x}$.

b) En déduire $\lim\limits_{x \to 0} \dfrac{\sqrt{9-x} - 3}{x}$. Vérifier par le calcul.

c) Que rappelle la formule $\lim\limits_{x \to 0} \dfrac{f(0+x) - f(0)}{x}$?

2. Par le même raisonnement, déterminer :

a) $\lim\limits_{x \to 0} \dfrac{\sqrt{2x+1} - 1}{x}$

b) $\lim\limits_{x \to 1} \dfrac{e^{x-1} - e}{x-1}$

133 Règle de l'Hôpital

La règle de l'Hôpital est une propriété permettant de lever certaines indéterminations.

Son énoncé est le suivant.

> Soit f et g définies et dérivables sur un intervalle contenant un réel a et telles que $\lim\limits_{\substack{x \to a \\ x > a}} f(x) = \lim\limits_{\substack{x \to a \\ x > a}} g(x) = 0$ et $g'(a) \neq 0$.
>
> Alors $\lim\limits_{\substack{x \to a \\ x > a}} \dfrac{f(x)}{g(x)} = \dfrac{f'(a)}{g'(a)}$.

1. En utilisant la règle de L'Hôpital, calculer :

a) $\lim\limits_{\substack{x \to 0 \\ x > 0}} \dfrac{x^2}{e^x - 1}$

b) $\lim\limits_{\substack{x \to 0 \\ x > 0}} \dfrac{xe^{x^2 - 1}}{e^x - 1}$

2. a) Déterminer $\lim\limits_{\substack{x \to 1 \\ x > 1}} \dfrac{3x+1}{x^2 - 1}$.

b) A-t-on le même résultat avec la règle de l'Hôpital ? Pourquoi ?

3. Soit $h : x \mapsto \dfrac{x^2 \sin\left(\dfrac{1}{x}\right)}{x}$.

a) Simplifier l'expression de h puis, en posant $X = \dfrac{1}{x}$, déterminer $\lim\limits_{\substack{x > 0 \\ x \to 0}} h(x)$.

b) Soit $f : x \mapsto x^2 \sin\left(\dfrac{1}{x}\right)$ et $g : x \mapsto x$.

Montrer que $\dfrac{f'(x)}{g'(x)} = 2x \sin\left(\dfrac{1}{x}\right) - \cos\left(\dfrac{1}{x}\right)$.

> 👍 **Coup de pouce** On pourra utiliser la formule suivante.
> Pour toute fonction dérivable u, $(\sin u)' = u' \times \cos u)$.

c) En calculant $\lim\limits_{n \to +\infty} \dfrac{f'\left(\dfrac{1}{2n\pi}\right)}{g'\left(\dfrac{1}{2n\pi}\right)}$ puis $\lim\limits_{n \to +\infty} \dfrac{f'(v_n)}{g'(v_n)}$, où (v_n) est une suite à choisir (avec n entier naturel), démontrer que $\dfrac{f'}{g'}$ n'a pas de limite à droite de 0.

d) Comment s'explique la différence entre les résultats des questions **3. a)** et **c)** ?

134 Coniques

Dans un plan muni d'un repère $(O, \vec{i}, \vec{j})$, on considère la courbe $\mathcal{H}$ d'équation $y^2 - x^2 = 9$.

1. Tracer $\mathcal{H}$ avec la calculatrice en prenant comme intervalle $[-6 ; 6]$ pour x et $[-7 ; 7]$ pour y.

Que peut-on conjecturer en $-\infty$ et $+\infty$?

2. Soit $f : x \mapsto \sqrt{x^2 + 9}$ définie sur l'ensemble des réels.

Montrer que $\mathcal{H}$ est l'union de $\mathcal{C}_0$, la courbe représentative de f et de $\mathcal{C}_1$, celle de $-f$.

3. Dresser le tableau de variations de f.

Préciser ses limites en $-\infty$ et $+\infty$

4. Soit d la droite d'équation $y = x$.

Déterminer $\lim\limits_{x \to +\infty} (f(x) - x)$ et $\lim\limits_{x \to -\infty} (-f(x) - x)$.

Qu'en déduit-on sur $\mathcal{C}_0$ et d ? et sur $\mathcal{C}_1$ et d ?

5. Déterminer l'équation de la deuxième asymptote, en justifiant.

$\mathcal{H}$ est une hyperbole, elle fait partie des coniques, à savoir l'intersection entre un cône et un plan de l'espace.

135 Calcul de limites (1)

Déterminer les limites suivantes.

a) $\lim\limits_{x \to +\infty} \left(\sqrt{x + \sqrt{x}} - \sqrt{x} \right)$

b) $\lim\limits_{x \to a} \dfrac{x^{n+1} - a^{n+1}}{x^n - a^n}$

c) $\lim\limits_{x \to +\infty} x E(x)$ où $E(x)$ est la fonction partie entière.

d) $\lim\limits_{\substack{x \to a \\ x > a}} \dfrac{\sqrt{x - a} - \sqrt{x - a}}{\sqrt{x^2 - a^2}}$ où $a > 0$.

e) $\lim\limits_{x \to +\infty} \dfrac{\sqrt{x + \sqrt{x + \sqrt{x}}}}{\sqrt{x + 1}}$.

136 Calcul de limites (2)

Soit $n \in \mathbb{N}^*$.

1. Déterminer la limite en $+\infty$ de $\sqrt{x + n} - \sqrt{x}$.

2. En déduire :

$\lim\limits_{x \to +\infty} \left(\sqrt{x + 1} + \sqrt{x + 2} + \dots + \sqrt{x + n} - n\sqrt{x} \right)$.

137 Partie entière

Soit a et b des réels strictement positifs.

On pose, pour tout $\in \mathbb{R}$, $f(x) = \dfrac{x}{a} E\left(\dfrac{b}{x} \right)$ et $g(x) = \dfrac{b}{x} E\left(\dfrac{x}{a} \right)$.

1. Etudier les limites de f et g en 0 si $a = 1$ et $b = 2$.

2. Reprendre la question précédente dans le cas général.

138 Fonction périodique

Soit $f : \mathbb{R} \to \mathbb{R}$ une fonction périodique de période T.
On suppose que f admet une limite finie l en $+\infty$.
Soit $x \in \mathbb{R}$.

1. Donner la limite de la suite de terme général $x + nT$.

2. En considérant $f(x + nT)$, démontrer que la fonction f est constante.

139 Cissoïde de Dioclès TICE

Le problème de la duplication du cube, consistant à tracer à la règle et au compas le nombre $\sqrt[3]{2}$ (c'est-à-dire le nombre a tel que $a^3 = 2$), a longtemps tenu les mathématiciens en échec jusqu'à ce que l'on démontre l'impossibilité d'une telle construction.

Dioclès

La cissoïde de Dioclès en est l'une des tentatives.

A ▶ Construction de la cissoïde

Dans un repère orthonormé $(O, \overrightarrow{OI}, \overrightarrow{OJ})$, on considère la droite d d'équation $x = 1$ et le cercle $\mathcal{C}$ de diamètre $[OI]$.
Un point P sur d détermine une demi-droite $[OP)$, celle-ci coupe $\mathcal{C}$ en un point N, soit alors le point M tel que $\overrightarrow{OM} = \overrightarrow{NP}$.

1. Construire cette figure avec **Geogebra**.

Afficher la trace du point M puis faire varier P sur la droite d.
Cette courbe est la cissoïde de Dioclès.

2. Tracer sur cette même feuille la courbe représentative

de $f : x \mapsto \sqrt{\dfrac{x^3}{1 - x}}$.

Que constate-t-on ?

Quelle fonction est représentée par l'autre morceau de la cissoïde ?

B ▶ Équation de la cissoïde

Soit un réel t tel que $P(1 ; t)$.

1. a) Donner une équation cartésienne de (OP) en fonction de t.

b) Donner une équation du cercle $\mathcal{C}$.

c) En déduire les coordonnées du point N en fonction de t.

2. En déduire que $M\left(\dfrac{t^2}{1 + t^2} ; \dfrac{t^3}{1 + t^2} \right)$

3. Montrer que les coordonnées de M vérifient l'équation $x(x^2 + y^2) - y^2 = 0$.

On en déduit que la cissoïde est contenue dans l'ensemble $\mathcal{E}$ des points du plan défini par l'équation $x(x^2 + y^2) - y^2 = 0$.

4. Montrer que $\mathcal{E}$ est la réunion de la courbe représentative de f, définie précédemment, et de sa symétrique par rapport à l'axe des ordonnées.

5. a) Tracer le tableau de variations de la fonction

$g : t \mapsto \dfrac{1}{1 + t^2}$

en précisant ses limites aux bornes de son ensemble de définition.

b) En déduire que, quand t varie sur $\mathbb{R}$, $g(t)$ varie sur $[0 ; 1[$.

c) Justifier que la cissoïde est bien $\mathcal{E}$ en entier.

C ▶ Détermination de $\sqrt[3]{2}$

1. Montrer que (IM) coupe l'axe des ordonnées au point $R(0 ; t^3)$.

2. En déduire une manière d'obtenir géométriquement $\sqrt[3]{2}$ grâce à la cissoïde.

140 **Fonctions équivalentes**

Soit f et g deux fonctions telles que $g(x) \neq 0$ pour $x > m$ avec m réel.

On dit que f et g sont équivalentes en $+\infty$ si $\lim\limits_{x \to +\infty} \dfrac{f(x)}{g(x)} = 1$.

1. Montrer que les fonctions f et g suivantes sont équivalentes en $+\infty$.

a) $f : x \mapsto \mathrm{e}^{\frac{1}{x^2}}$ et $g : x \mapsto 1$.

b) $f : x \mapsto \dfrac{\sqrt{4 + \dfrac{1}{x}}}{\sqrt{\dfrac{1}{x}}}$ et $g : x \mapsto 2\sqrt{x}$.

2. Déterminer une fonction g simple équivalente en $+\infty$ à la fonction f proposée.

a) $f : x \mapsto \dfrac{2x + 1}{x - 1}$ **b)** $f : x \mapsto \dfrac{x^2 + 2x - 1}{x + 2}$

c) $f : x \mapsto x + \sin(x)$ **d)** $f : x \mapsto ax + \sqrt{x^2 + 1}$ avec a réel :

141 **Fonctions asymptotiques**

On dit que deux fonctions f et g sont asymptotiques en $+\infty$ si $\lim\limits_{x \to +\infty} (f(x) - g(x)) = 0$.

Montrer que les fonctions f et g suivantes sont asymptotiques.

a) $f : x \mapsto \dfrac{\mathrm{e}^x + \mathrm{e}^{-x}}{2}$ et $g : x \mapsto \dfrac{\mathrm{e}^x - \mathrm{e}^{-x}}{2}$.

b) $f : x \mapsto \sqrt{x^4 + \cos(x)}$ et $g : x \mapsto x^2$.

142 **Calcul de limites (3)**   BCPST

Calculer les limites suivantes.

a) $\lim\limits_{x \to +\infty} \left(x\mathrm{e}^{\frac{1}{x}} - x \right)$ **b)** $\lim\limits_{x \to +\infty} \left(\mathrm{e}^{\frac{1}{x}} - \mathrm{e}^{\frac{1}{1+x}} \right)$

c) $\lim\limits_{x \to 0} \dfrac{\sqrt{1 + x} - \sqrt{1 - x}}{x}$ **d)** $\lim\limits_{x \to +\infty} \dfrac{\tan(x) - \sin(x)}{x^3}$

143 **Étude qualitative**

Soit la fonction $f : x \mapsto \sqrt{x + \sqrt{1 + x^2}}$.

1. Montrer que f est définie sur l'ensemble des réels.

2. Déterminer son tableau de variations

3. Calculer $\lim\limits_{x \to +\infty} f(x)$.

4. a) Montrer que $\lim\limits_{x \to -\infty} (x + \sqrt{1 + x^2}) = 0$ pour $x < 0$.

b) En déduire $\lim\limits_{x \to -\infty} f(x)$.

5. Tracer une allure de la courbe de f.

144 **Triangle rectangle**

On considère dans le plan un triangle rectangle dont les mesures des côtés de l'angle droit sont 1 et un nombre x. L'hypoténuse est donnée fonction de x par $h(x)$.

Déterminer les limites suivantes.

a) $\lim\limits_{x \to 0} \dfrac{h(x) - 1}{x^2}$ **b)** $\lim\limits_{x \to +\infty} x(h(x) - x)$.

145 **Fonction homographique**   MPSI   PCSI

On considère une fonction $f : x \mapsto \dfrac{x + b}{cx + d}$ ($c \neq 0$) telle que :

• la courbe représentative de f admet une asymptote d'équation $y = 2$ (en $-\infty$ et en $+\infty$) et une asymptote d'équation $x = -1$.

• $\lim\limits_{x \to 0} f(x) = 1$.

Déterminer les réels b, c et d.

146 **Fonction exponentielle (1)**

Soit $f : x \mapsto \dfrac{\mathrm{e}^x}{x^n}$, où n est un entier naturel non nul.

1. a) Quel est le plus grand ensemble de définition possible de f ?

b) Quel est le plus grand ensemble de dérivabilité possible de f ?

2. On suppose que n est pair.

a) Dresser le tableau de variations de f sans préciser les limites aux bornes.

b) Calculer les limites de f aux bornes de son ensemble de définition et compléter le tableau.

3. Reprendre les questions **2. a)** et **b)** en supposant n impair.

147 **Fonction exponentielle (2)**

On considère la fonction f définie sur $\mathbb{R}$ par $f(x) = x\mathrm{e}^{x-1} + 1$. On note $\mathscr{C}_f$ sa courbe représentative dans le repère orthonormé $(O, \vec{i}, \vec{j})$.

1. Déterminer la limite de f en $-\infty$.

Que peut-on en déduire pour la courbe $\mathscr{C}_f$?

2. Déterminer la limite de f en $+\infty$.

3. On admet que f est dérivable sur $\mathbb{R}$

Montrer que $f'(x) = (x + 1)\mathrm{e}^{x-1}$ pour tout réel x.

4. Étudier les variations de f et dresser son tableau de variations sur l'ensemble des réels.

D'après Bac S, Antilles-Guyane, juin 2012.

148 **Vitesse d'un véhicule**   Physique

Un véhicule se rend d'une ville A à une ville B à une vitesse moyenne de 80 km·h^{-1}, puis revient en ville A à une vitesse moyenne de x km·h^{-1}.

On s'intéresse à la vitesse moyenne sur le trajet aller-retour $v(x)$ en fonction de x.

1. Sur quel intervalle varie x ?

2. Soit d la distance entre les villes A et B

a) Exprimer le temps t_a de parcours à l'aller en fonction de d.

b) Exprimer le temps t_r de parcours au retour en fonction de d et x.

c) En déduire le temps total t de parcours (aller-retour) en fonction de d et x.

3. En déduire la relation $\dfrac{2}{v(x)} = \dfrac{1}{80} + \dfrac{1}{x}$ puis l'expression algébrique de $v(x)$.

4. Dresser le tableau de variations de v sans préciser ses limites aux bornes.

5. Calculer $\lim\limits_{x \to +\infty} v(x)$ et $\lim\limits_{\substack{x > 0 \\ x \to 0}} v(x)$.

Interpréter ces résultats dans le contexte de l'exercice.

Travaux pratiques

1 Datation au carbone 14

Le principe de datation au carbone 14 repose sur la mesure de la proportion de carbone 14 contenue dans un organisme mort pour estimer sa date de décès.

En effet, tant qu'un organisme est vivant, sa proportion de carbone 14 est la même que dans la biosphère, lorsqu'il meurt, cette concentration décroît suivant la fonction $C : t \mapsto C_0\, e^{-\lambda t}$ où t est le temps passé (en années) depuis la mort de l'organisme, C_0 est la concentration de carbone 14 au moment de la mort ($C_0 \approx 10^{-12}$) et λ est la constante radioactive du carbone 14 ($\lambda \approx 1{,}21 \times 10^{-4}\,\text{an}^{-1}$).

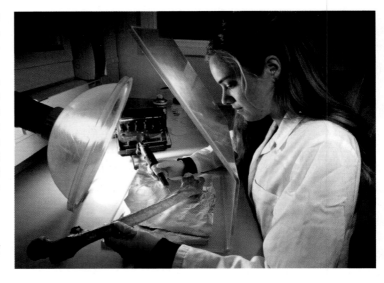

A ▶ Étude de la fonction C

1. Déterminer les variations de la fonction C sur $[0\,;+\infty[$.

2. Calculer $\lim\limits_{t \to +\infty} C(t)$.

En déduire le tableau de variations de la fonction C sur $[0\,;+\infty[$.

B ▶ Recherche de seuil

Un fossile a été découvert, l'échantillon prélevé présente une concentration de carbone de 3×10^{-14}. On souhaite dater cet échantillon.

1. Ouvrir un logiciel avec un tableur.

Dans les colonnes A et B, dresser le tableau de valeur de la fonction C pour t allant de 0 à 30 000 avec un pas de 1 000.

> 👍 **Coup de pouce** Quelle que soit la valeur de X (nombre, référence de case), e^X s'écrit dans un tableur EXP(X).

2. À l'aide du tableau déterminer, au millier près, la valeur du seuil t_0 à partir duquel $C(t) \leqslant 3 \times 10^{-14}$ pour $t \geqslant t_0$.

Ce seuil t_0 est le temps passé depuis la mort de l'organisme fossilisé (au millier d'années près).

3. Affiner votre tableau afin de déterminer le temps passé depuis la mort de l'individu fossilisé à l'année près.

C ▶ Programme de recherche de seuil

On souhaite automatiser cette recherche de seuil.

1. Écrire en langage **Python** 🐍 une fonction **datation(C)**, où c désigne une concentration $C < 10^{-12}$), renvoyant le seuil t_0 (au millier près) à partir duquel $c(t) \leqslant C$ pour $t \geqslant t_0$.

Tester le programme avec $C = 3 \times 10^{-14}$.

> 👍 **Coup de pouce** En **Python** e^x s'écrit **math.exp(x)**, à condition d'ajouter **import math** en première ligne de code.

2. En ajoutant des boucles **while**, augmenter la précision de votre programme à l'année près.

3. Dans le cas général, écrire une fonction **seuil(Y,p)**, où **Y** est un nombre réel et **p** un entier naturel, renvoyant le seuil x_0, à 10^{-p} près, à partir duquel on a $C(x) \leqslant Y$ pour tout $x \geqslant x_0$.

2 Critère de Cauchy

Le critère de Cauchy permet de déterminer si une fonction admet une limite finie en un point sans nécessairement déterminer cette limite.
Son énoncé est le suivant.

> Soit f une fonction définie sur un intervalle I et a un réel appartenant à l'intervalle I.
> f admet une limite finie en a si, pour tout $\varepsilon > 0$, il existe un seuil η tel que, pour tout réel x et y,
> Si $|x - a| < \eta$ et $|y - a| < \eta$, alors $|f(x) - f(y)| < \varepsilon$.

Autrement dit, f admet une limite finie en a si $f(x) - f(y)$ tend vers 0 lorsque x et y tendent vers a.
On va appliquer ce critère sur quelques fonctions, en commençant par $f : x \mapsto x^2$

1. Rappeler les limites de f à droite et à gauche de 0.

2. Ouvrir un tableur et construire le tableau suivant.

Augustin-Louis Cauchy

TICE
Critère de Cauchy
lienmini.fr/maths-s02-07

	A	B	C	D	E	F	G	H	I	J	K	L
1	y ╲ x	0,05	0,04	0,03	0,02	0,01	0	–0,01	–0,02	–0,03	–0,04	–0,05
2	0,05											
3	0,04											
4	0,03											
5	0,02											
6	0,01											
7	0											
8	–0,01											
9	–0,02											
10	–0,03											
11	–0,04											
12	–0,05											

Dans ce tableau on a consigné les valeurs de x sur la première ligne et celles de y sur la première colonne.
On va maintenant calculer $f(x) - f(y)$ sur chaque case suivant les valeurs de x et y du tableau.

3. Écrire la formule $\boxed{\texttt{=B\$1\^2-\$A2\^2}}$ dans la cellule B2, puis étirer cette formule sur toutes les cases vides du tableau.

a) À quoi correspond la valeur en C2 pour la fonction f ?

b) Pourquoi pouvait-on s'attendre à n'avoir que des 0 sur les diagonales de ce tableau ?
Ces valeurs ne seront donc pas prises en compte dans l'étude pour la suite.

c) Quelle zone du tableau faut-il regarder pour observer le comportement de $f(x) - f(y)$ quand x et y se rapprochent de 0 ?

d) En observant cette zone, que peut-on supposer quant à la limite de $f(x) - f(y)$ quand x et y tendent vers 0 ?
Que peut-on en déduire comme hypothèse concernant la limite de f en 0 ?
Est-ce cohérent avec la limite calculée à la main ?

4. En effaçant les cases non grisées puis en complétant le tableau avec une formule appropriée,

émettre une conjecture sur l'éventuelle limite en 0 de g définie par $g : x \mapsto \dfrac{1}{x}$ en utilisant le critère de Cauchy et vérifier la cohérence de votre résultat avec celui trouvé à la main.

3

Fonctions cosinus et sinus

Depuis le XIXe siècle, grâce aux travaux de Joseph Fourier sur la propagation de la chaleur, on a réussi à modéliser le son avec plus de précisions grâce aux fonctions trigonométriques.

Comment cette modélisation est-elle réalisée ?

↪ **TP 3** p. 106

▶ **VIDÉO**

Modélisation du son
lienmini.fr/maths-s03-01

Pour prendre un bon départ

 EXOS
Prérequis
lienmini.fr/maths-s03-02

 Les rendez-vous
Sésamath

1 Déterminer la périodicité et la parité d'une fonction

1. Déterminer la période des fonctions suivantes définies sur $\mathbb{R}$.

a) $f(x) = \cos(x) - 3$

b) $g(x) = \dfrac{\cos(x) + 5}{2\sin(x)}$

c) $h(x) = \sin(2x) \times (\cos(2x) - 1)$

2. Déterminer la parité des fonctions précédentes.

2 Étudier la courbe d'une fonction trigonométrique

On a tracé la courbe représentative $\mathscr{C}$ de la fonction f définie sur $\mathbb{R}$

par $f(x) = \cos(x) - \dfrac{4}{5 + \cos(x)}$ sur l'intervalle $[0 ; \pi]$.

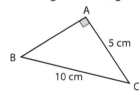

f est paire et 2π-périodique.

1. Comment obtenir la courbe $\mathscr{C}$ sur $[0 ; 2\pi]$?

2. Tracer la courbe sur $\mathbb{R}$ à l'aide de la calculatrice.
Quelles sont les transformations utilisées pour passer de la représentation sur $[0 ; \pi]$ à celle sur $\mathbb{R}$?

3 Se repérer dans un triangle rectangle

Déterminer la valeur exacte des angles du triangle ABC rectangle en A.

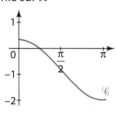

4 Se repérer sur le cercle trigonométrique

Associer chacun des nombres suivants à un point du cercle trigonométrique.

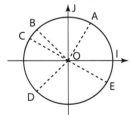

a) $\dfrac{5\pi}{6}$ **b)** $\dfrac{3\pi}{4}$ **c)** $\dfrac{\pi}{3}$ **d)** $-\dfrac{\pi}{6}$ **e)** $-\dfrac{3\pi}{4}$

5 Connaître les valeurs remarquables

Donner les valeurs exactes de :

a) $\cos\left(\dfrac{\pi}{4}\right)$ **b)** $\cos\left(\dfrac{2\pi}{3}\right)$ **c)** $\sin\left(\dfrac{\pi}{6}\right)$ **d)** $\sin\left(\dfrac{\pi}{3}\right)$

Activités

1 Dériver les fonctions cosinus et sinus

A ▶ Limite... finie ?

On considère la fonction définie pour tout réel x non nul par $f(x) = \dfrac{\sin(x)}{x}$.

Le but de cette partie est de déterminer, si elle existe, la limite de f en 0.

1. Soit $x \in \left]0\,;\dfrac{\pi}{2}\right[$. On considère le cercle trigonométrique et M un point de

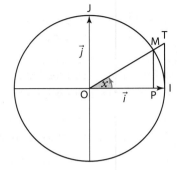

ce cercle associé à la valeur de l'angle x, en radians. Soit P le projeté orthogonal de M sur (OI) et T le point d'intersection de la droite (OM) et de la tangente en I au cercle trigonométrique.

Montrer, à l'aide de considérations géométriques, que, pour tout $0 < x < \dfrac{\pi}{2}$,

$\cos(x) \leqslant \dfrac{\sin(x)}{x} \leqslant \dfrac{1}{\cos(x)}$.

 Coup de pouce Comparer les aires des triangles OMP, OTI et de la portion de disque OMI.

2. Déterminer la limite de f en 0.

 Coups de pouce
- Deux cas devront être étudiés.
- Déterminer la parité de la fonction f.

B ▶ Vers la dérivation...

On admet que, pour tous nombres a et b :
$$\cos(a + b) = \cos(a)\cos(b) - \sin(a)\sin(b) \text{ et } \sin(a + b) = \cos(a)\sin(b) + \sin(a)\cos(b).$$

1. En s'aidant du graphique ci-dessous représentant les fonctions cosinus et sinus, conjecturer une relation entre les variations de la fonction sinus (respectivement cosinus) et le signe de la fonction cosinus (respectivement sinus).

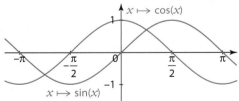

2. Soit x un réel quelconque et h un réel aussi proche de zéro que l'on veut.

a) Démontrer l'égalité $\dfrac{\sin(x + h) - \sin(x)}{h} = \cos(x) \times \dfrac{\sin(h)}{h} + \sin(x) \times \dfrac{\cos(h) - 1}{h}$.

b) Démontrer que $\displaystyle\lim_{h \to 0} \dfrac{\cos(h) - 1}{h} = 0$.

 Coup de pouce

Utiliser l'égalité $\dfrac{\cos(h) - 1}{h} = \dfrac{(\cos(h) - 1)(\cos(h) + 1)}{h(\cos(h) + 1)}$ et le résultat trouvé dans la partie **A**.

c) Une des conjectures émises dans la question **1.** est-elle vérifiée ?

3. Par un raisonnement analogue, déterminer si la deuxième conjecture est vraie.

↬ **Cours 1** p. 84

2 Résoudre des équations trigonométriques

A ▸ Résoudre une équation en cosinus

1. On considère le cercle trigonométrique et un point M de celui-ci tel que $\widehat{IOM} = \alpha$, exprimé en radians. Quelle est l'abscisse du point M ?

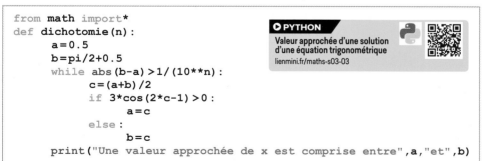

2. Soit le point N symétrique du point M par rapport à (OI).

Quelle est l'abscisse du point N ? Compléter l'égalité suivante : $\cos(-\alpha) = \ldots$

3. a) Soit α et β deux réels appartenant à l'intervalle $[0 ; 2\pi[$. En s'aidant des questions précédentes, résoudre l'équation $\cos(\alpha) = \cos(\beta)$.

b) Donner les solutions de l'équation précédente lorsque α et β sont deux réels quelconques.

B ▸ Résoudre une équation en sinus

Soit le point P, symétrique du point M par rapport à (OJ).

1. a) Déterminer la valeur, en radians, de l'angle $\widehat{IOP}$.

b) En déduire l'ordonnée du point P. Compléter l'égalité suivante : $\sin(\pi - \alpha) = \ldots$

2. a) Soit α et β deux réels appartenant à l'intervalle $[0 ; 2\pi[$. En s'aidant des questions précédentes, résoudre l'équation $\sin(\alpha) = \sin(\beta)$.

b) Donner les solutions de l'équation précédente lorsque α et β sont deux réels quelconques.

➡ Cours 2 p. 86

Algo   20 min

3 Déterminer une valeur approchée des solutions d'une équation trigonométrique

On considère la fonction f définie par $f(x) = 3\cos(2x - 1)$ sur l'intervalle $[0 ; \pi]$.

1. a) Dresser le tableau de variations de f sur l'intervalle $[0 ; \pi]$.

b) En déduire que l'équation $f(x) = 0$ admet exactement deux solutions sur l'intervalle $[0 ; \pi]$.

2. Dans cette question, on va déterminer une valeur approchée des solutions précédentes.

Pour cela, on a programmé l'algorithme suivant sous **Python** .

```python
from math import*
def dichotomie(n):
    a=0.5
    b=pi/2+0.5
    while abs(b-a)>1/(10**n):
        c=(a+b)/2
        if 3*cos(2*c-1)>0:
            a=c
        else:
            b=c
    print("Une valeur approchée de x est comprise entre",a,"et",b)
```

▶ PYTHON

Valeur approchée d'une solution d'une équation trigonométrique
lienmini.fr/maths-s03-03

a) Faire fonctionner cet algorithme pour $n = 4$. En déduire ce qu'il retourne.

b) Modifier l'algorithme pour déterminer une valeur approchée de la deuxième solution de l'équation $f(x) = 0$ sur l'intervalle $[0 ; \pi]$.

c) Programmer l'algorithme précédent sous **Python** et déterminer une valeur approchée des solutions de l'équation $f(x) = 0$ sur l'intervalle $[0 ; \pi]$ à 10^{-4} près.

➡ Cours 2 p. 86

Cours

1 Dérivabilité

Propriétés Dérivées des fonctions sinus et cosinus

Les fonctions cosinus et sinus sont dérivables sur $\mathbb{R}$ et, pour tout $x \in \mathbb{R}$, on a :

$$\sin'(x) = \cos(x) \text{ et } \cos'(x) = -\sin(x)$$

● Démonstrations

① $\dfrac{\cos(x+h) - \cos(x)}{h} = \dfrac{\cos(x)\cos(h) - \sin(x)\sin(h) - \cos(x)}{h}$

$$= \frac{\cos(x)(\cos(h) - 1)}{h} - \frac{\sin(h)}{h} \times \sin(x) \text{ avec } \lim_{h \to 0} \frac{\sin(h)}{h} = 1 \quad \text{↳ Activité 1}$$

$\dfrac{\cos(h) - 1}{h} = \dfrac{\cos^2(h) - 1}{h(\cos(h) + 1)}$

$$= \frac{-\sin^2(h)}{h(\cos(h) + 1)}$$

$$= -\frac{\sin(h)}{h} \times \frac{\sin(h)}{\cos(h) + 1} \text{ avec } \lim_{h \to 0} \frac{\sin(h)}{\cos(h) + 1} = \frac{0}{2} = 0$$

Ainsi, on obtient $\displaystyle\lim_{h \to 0} \dfrac{\cos(x+h) - \cos(x)}{h} = -\sin(x)$

② Pour la démonstration concernant la dérivée de la fonction sinus   ↳ Activité 1

▶**Remarque** Les fonctions sinus et cosinus étant périodiques de période 2π, il suffit de les étudier sur un intervalle d'amplitude 2π.

x	$-\pi$		$-\dfrac{\pi}{2}$		$\dfrac{\pi}{2}$		π
$\sin'(t) = \cos(t)$		$-$	0	$+$	0	$-$	
Variations de la fonction sinus	0 ↘		-1	↗	1	↘	0

x	$-\pi$		0		π
$\cos'(t) = -\sin(t)$		$+$	0	$-$	
Variations de la fonction cosinus	-1	↗	1	↘	-1

Propriété Compléments sur la dérivation

Soit une fonction u dérivable sur un intervalle I de $\mathbb{R}$.

Les fonctions f et g définies sur I par $f(t) = \cos(u(t))$ et $g(t) = \sin(u(t))$ sont dérivables sur I et, pour tout nombre t de I :

$$f'(t) = -u'(t)\sin(u(t)) \text{ et } g'(t) = u'(t)\cos(u(t)).$$

● Exemples

• $f(x) = \sin(5x + 1)$; $f'(x) = 5\cos(5x + 1)$

• $g(x) = \cos\left(\dfrac{x}{3} + 5\right)$; $g'(x) = -\dfrac{1}{3}\sin\left(\dfrac{x}{3} + 5\right)$

• $h(x) = \cos(3x^2 + 5x - 1)$; $h'(x) = -(6x + 5)\sin(3x^2 + 5x - 1)$

EXOS
Méthodes
lienmini.fr/maths-s03-04

Les rendez-vous
Sésamath

Exercices (résolus)

Méthode 1 Dériver une fonction trigonométrique

Énoncé

Déterminer la dérivée de la fonction f définie sur $[0\,;\pi[$ par $f(x) = \dfrac{\sin(x)+\cos(x)}{1+\cos(x)}$.

Solution

$f(x) = \dfrac{\sin(x)+\cos(x)}{1+\cos(x)}$

$f'(x) = \dfrac{(\cos(x)-\sin(x))(1+\cos(x)) - (\sin(x)+\cos(x))(-\sin(x))}{(1+\cos(x))^2}$

$f'(x) = \dfrac{\cos(x)+\cos^2(x)-\sin(x)-\sin(x)\cos(x)+\sin^2(x)+\cos(x)\sin(x)}{\left(1+\cos(x)\right)^2}$

$f'(x) = \dfrac{\cos(x)-\sin(x)+1}{(1+\cos(x))^2}$

Conseils & Méthodes

1 Reconnaître la forme de la fonction et de sa dérivée (ici $\left(\dfrac{u}{v}\right)' = \dfrac{u'v - uv'}{v^2}$).

2 Appliquer les formules de dérivées des fonctions cosinus et sinus.

À vous de jouer !

1 Déterminer la dérivée de la fonction f sur l'intervalle I.

a) $f(x) = \dfrac{1}{\sin(x)}$ 　　　　　　 I $= \,]0\,;\pi[$

b) $f(x) = 2\cos(x)\sin(x)$ 　　　 I $= \mathbb{R}$

2 Déterminer la dérivée de la fonction f sur l'intervalle I.

a) $f(x) = \dfrac{\sin(x)}{x^2}$ 　　　　　　 I $= \,]0\,;+\infty[$

b) $f(x) = \dfrac{x+\cos(x)}{3+\sin(x)}$ 　　　 I $= \mathbb{R}$

➥ Exercices 40 et 41 p. 93

Méthode 2 Dériver une fonction composée

Énoncé

Déterminer la dérivée de la fonction f définie sur $\mathbb{R}$ par :

$$f(x) = \cos(2x-1)\sin(5x+3).$$

Solution

$f(x) = \cos(2x-1)\sin(5x+3)$

On pose $u(x) = 2x-1$ et $v(x) = 5x+3$

$u'(x) = 2$ et $v'(x) = 5$

$f'(x) = -2\sin(2x-1)\sin(5x+3) + 5\cos(2x-1)\cos(5x+3)$

Conseils & Méthodes

1 Reconnaître les formules $\cos(u)' = -u'\sin(u)$ et $\sin(u)' = u'\cos(u)$ où u est une fonction définie sur un intervalle I.

2 Identifier alors u puis calculer sa dérivée.

À vous de jouer !

3 Déterminer la dérivée des fonctions suivantes définies sur $\mathbb{R}$.

a) $f(x) = 5\sin(3x+12)$

b) $g(x) = 8\cos(-5x+4)$

c) $h(x) = -7\cos(-2x-3)$

4 Déterminer la dérivée des fonctions suivantes définies sur $\left]-\dfrac{\pi}{2}\,;\dfrac{\pi}{2}\right[$.

a) $f(x) = \dfrac{\cos(3x)-x}{\sin(3x)+x+2}$

b) $g(x) = \dfrac{\cos(5x+1)}{\sin\left(\dfrac{x}{4}\right)+3}$

➥ Exercices 42 et 43 p. 93

2 Résolution d'équations et d'inéquations

Propriété Valeurs remarquables

x	0	$\dfrac{\pi}{6}$	$\dfrac{\pi}{4}$	$\dfrac{\pi}{3}$	$\dfrac{\pi}{2}$	π
$\cos(x)$	1	$\dfrac{\sqrt{3}}{2}$	$\dfrac{\sqrt{2}}{2}$	$\dfrac{1}{2}$	0	-1
$\sin(x)$	0	$\dfrac{1}{2}$	$\dfrac{\sqrt{2}}{2}$	$\dfrac{\sqrt{3}}{2}$	1	0

Propriété Résolution d'équations

Pour résoudre une équation du type $\cos(x) = \cos(a)$ ou $\sin(x) = \sin(a)$, on s'appuie sur le cercle trigonométrique pour ne pas oublier de solutions.

$$\cos(x) = \cos(a) \Leftrightarrow x = a + 2k\pi \text{ ou } x = -a + 2k\pi, k \in \mathbb{Z}$$
$$\sin(x) = \sin(a) \Leftrightarrow x = a + 2k\pi \text{ ou } x = \pi - a + 2k\pi, k \in \mathbb{Z}$$

• **Exemple**

Soit l'équation $\cos(x) = \dfrac{\sqrt{2}}{2}$, que l'on veut résoudre dans $\mathbb{R}$.

$$\cos(x) = \frac{\sqrt{2}}{2} \Leftrightarrow \cos(x) = \cos\left(\frac{\pi}{4}\right) \Leftrightarrow \begin{cases} x = \dfrac{\pi}{4} + 2k\pi, k \in \mathbb{Z} \\ \qquad\text{ou} \\ x = -\dfrac{\pi}{4} + 2k\pi, k \in \mathbb{Z} \end{cases}$$

Cette équation a pour solution l'ensemble $S = \left\{-\dfrac{\pi}{4} + 2k\pi, k \in \mathbb{Z}\right\} \cup \left\{\dfrac{\pi}{4} + 2k\pi, k \in \mathbb{Z}\right\}$.

Propriété Résolution d'inéquations

Soit a un nombre réel.

• **Les solutions de l'inéquation $\cos(x) \leqslant \cos(a)$ sont les nombres vérifiant :**
$$a + 2k\pi \leqslant x \leqslant 2\pi - a + 2k\pi, k \in \mathbb{Z}.$$

• **Les solutions de l'inéquation $\sin(x) \leqslant \sin(a)$ sont les nombres vérifiant :**
$$-\pi - a + 2k\pi \leqslant x \leqslant a + 2k\pi, k \in \mathbb{Z}.$$

▶**Remarque** Pour résoudre une inéquation du type $\cos(x) \leqslant \cos(a)$ ou $\sin(x) \leqslant \sin(a)$ sur l'intervalle $[0 ; 2\pi[$, on peut s'appuyer sur le cercle trigonométrique.

En effet, deux points d'un cercle trigonométrique d'abscisses $\cos(a)$ (respectivement $\sin(a)$) définissent deux arcs de cercle représentant les solutions de $\cos(x) \leqslant \cos(a)$ et $\cos(x) \geqslant \cos(a)$ (respectivement $\sin(x) \leqslant \sin(a)$ et $\sin(x) \geqslant \sin(a)$).

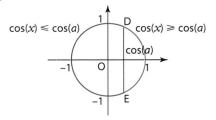 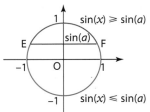

On peut alors trouver l'ensemble des solutions des inéquations $\cos(x) \leqslant \cos(a)$ ou $\sin(x) \leqslant \sin(a)$ sur $\mathbb{R}$.

EXOS
Méthodes
lienmini.fr/maths-s03-04

Les rendez-vous
Sésamath

Exercices (résolus)

Méthode 3 — Résoudre une équation ou une inéquation

Énoncé

1. Résoudre sur l'intervalle $]-\pi\,;\pi]$ l'équation $\sin\left(2x+\dfrac{\pi}{4}\right)=\dfrac{\sqrt{3}}{2}$.

2. Résoudre l'inéquation $\cos\left(4x-\dfrac{\pi}{3}\right)<\dfrac{1}{2}$ sur l'intervalle $[0\,;2\pi[$.

Solution

Conseils & Méthodes

1 Se ramener à une inégalité de cosinus ou de sinus en utilisant les valeurs remarquables.

2 Appliquer la propriété vue dans le cours sans oublier le $+\,2k\pi$.

3 Chercher les solutions sur l'intervalle donné en prenant des valeurs de k particulières.

1. $\sin\left(2x+\dfrac{\pi}{4}\right)=\dfrac{\sqrt{3}}{2}\Leftrightarrow \sin\left(2x+\dfrac{\pi}{4}\right)=\sin\left(\dfrac{\pi}{3}\right)$ **1**

$\Leftrightarrow 2x+\dfrac{\pi}{4}=\dfrac{\pi}{3}+2k\pi$ ou $2x+\dfrac{\pi}{4}=\pi-\dfrac{\pi}{3}+2k\pi,\ k\in\mathbb{Z}$ **2**

$\Leftrightarrow 2x=\dfrac{\pi}{12}+2k\pi$ ou $2x=\dfrac{5\pi}{12}+2k\pi,\ k\in\mathbb{Z}$

$\Leftrightarrow x=\dfrac{\pi}{24}+k\pi$ ou $x=\dfrac{5\pi}{24}+k\pi,\ k\in\mathbb{Z}$

On détermine les valeurs de k pour lesquelles les solutions appartiennent à l'intervalle $]-\pi\,;\pi]$: **3**

$-\pi<\dfrac{\pi}{24}+k\pi\leq\pi\Leftrightarrow-\dfrac{25\pi}{24}<k\pi\leq\dfrac{23\pi}{24}\Leftrightarrow k\in(-1\,;0)$ avec $k\in\mathbb{Z}\Leftrightarrow k\in\mathbb{Z}$

$-\pi<\dfrac{5\pi}{24}+k\pi\leq\pi\Leftrightarrow-\dfrac{29\pi}{24}<k\pi\leq\dfrac{19\pi}{24}\Leftrightarrow-\dfrac{29}{24}<k\leq\dfrac{19}{24}$ avec $k\in\mathbb{Z}\Leftrightarrow k\in\{-1\,;0\}$

Les solutions de l'équation $\sin\left(2x+\dfrac{\pi}{4}\right)=\dfrac{\sqrt{3}}{2}$ sur l'intervalle $]-\pi\,;\pi]$ sont $-\dfrac{23\pi}{24}\,;-\dfrac{19\pi}{24}\,;\dfrac{\pi}{24}$ et $\dfrac{5\pi}{24}$.

2. $\cos\left(4x-\dfrac{\pi}{3}\right)<\dfrac{1}{2}\Leftrightarrow\cos\left(4x-\dfrac{\pi}{3}\right)<\cos\left(\dfrac{\pi}{3}\right)$ **1**

$\Leftrightarrow\dfrac{\pi}{3}+2k\pi<4x-\dfrac{\pi}{3}<2\pi-\dfrac{\pi}{3}+2k\pi,\ k\in\mathbb{Z}$ **2**

$\Leftrightarrow\dfrac{2\pi}{3}+2k\pi<4x<2\pi+2k\pi,\ k\in\mathbb{Z}\Leftrightarrow\dfrac{\pi}{6}+\dfrac{k\pi}{2}<x<\dfrac{\pi(1+k)}{2},\ k\in\mathbb{Z}$

On détermine les valeurs de k pour lesquelles les solutions appartiennent à l'intervalle $[0\,;2\pi[$: **3**

$0\leq\dfrac{\pi}{6}+\dfrac{k\pi}{2}<2\pi\Leftrightarrow-\dfrac{\pi}{6}\leq\dfrac{k\pi}{2}<\dfrac{11\pi}{6}\Leftrightarrow-\dfrac{\pi}{3}\leq k\pi<\dfrac{11\pi}{3}$

$\Leftrightarrow-\dfrac{1}{3}\leq k<\dfrac{11}{3}$ avec $k\in\mathbb{Z}\Leftrightarrow k\in\{0\,;1\,;2\,;3\}$

$0\leq\dfrac{\pi(1+k)}{2}<2\pi\Leftrightarrow0\leq1+k<4\Leftrightarrow-1\leq k<3$ avec $k\in\mathbb{Z}\Leftrightarrow k\in\{-1\,;0\,;1\,;2\}$

Les solutions de l'inéquation $\cos\left(4x-\dfrac{\pi}{3}\right)<\dfrac{1}{2}$ sur l'intervalle $[0\,;2\pi[$ sont :

$\left]\dfrac{\pi}{6}\,;\dfrac{\pi}{2}\right[\cup\left]\dfrac{2\pi}{3}\,;\pi\right[\cup\left]\dfrac{7\pi}{6}\,;\dfrac{3\pi}{2}\right[\cup\left]\dfrac{5\pi}{3}\,;2\pi\right[$.

À vous de jouer !

5 Résoudre les équations sur l'intervalle $]-\pi\,;\pi]$.

a) $\cos(3x)=\dfrac{\sqrt{3}}{2}$ **b)** $\cos\left(2x-\dfrac{\pi}{2}\right)=-1$

6 Résoudre les équations sur l'intervalle $]-2\pi\,;2\pi]$.

a) $\cos\left(x+\dfrac{\pi}{3}\right)=\cos\left(3x-\dfrac{\pi}{2}\right)$ **b)** $2\cos\left(\pi-\dfrac{x}{2}\right)=-1$

7 Résoudre l'inéquation $\sin\left(x-\dfrac{\pi}{3}\right)\geq\dfrac{\sqrt{3}}{2}$ sur l'intervalle $[-\pi\,;\pi[$.

8 Résoudre l'inéquation $\cos\left(2x+\dfrac{\pi}{6}\right)<\dfrac{1}{\sqrt{2}}$ sur l'intervalle $[0\,;2\pi[$.

➡ Exercices 44 à 49 p. 93

Exercices (résolus)

Méthode 4 — Étudier une fonction trigonométrique

↳ Cours 1 p. 84

Énoncé

Soit f la fonction définie sur $\mathbb{R}$ par $f(x) = 2\sin^3(x) - 3\sin(x)$ et $\mathscr{C}$ sa courbe représentative dans un repère orthonormal.

1. a) Montrer que f est une fonction périodique.

b) Étudier la parité de f.

c) Vérifier que $f\left(\dfrac{\pi}{2} - x\right) = f\left(\dfrac{\pi}{2} + x\right)$.

Que peut-on en déduire ?

2. On admet la formule $2\sin^2(a) = 1 - \cos(2a)$.

Démontrer que, pour tout réel x, $f'(x) = -3\cos(x)\cos(2x)$.

3. Dresser le tableau de variations de f sur l'intervalle $\left[0\,;\dfrac{\pi}{2}\right]$.

Conseils & Méthodes

1 Connaître la périodicité T de la fonction sinus, puis calculer $f(x + T)$.

2 Calculer $f(-x)$.
- Si $f(-x) = f(x)$, f est paire.
- Si $f(-x) = -f(x)$, f est impaire.

3 Calculer $f\left(\dfrac{\pi}{2} - x\right)$ puis $f\left(\dfrac{\pi}{2} + x\right)$ et comparer les résultats ou utiliser la formule $\sin\left(\dfrac{\pi}{2} - x\right) = \sin\left(\dfrac{\pi}{2} + x\right)$.

Solution

1. a) $f(x + 2\pi) = 2\sin^3(x + 2\pi) - 3\sin(x + 2\pi)$ **1**

$f(x + 2\pi) = 2\sin^3(x) - 3\sin(x) = f(x)$

f est donc 2π-périodique.

b) $f(-x) = 2\sin^3(-x) - 3\sin(-x) = -2\sin^3(x) + 3\sin(x) = -f(x)$ **2**

f est une fonction impaire.

c) $f\left(\dfrac{\pi}{2} - x\right) = 2\sin\left(\dfrac{\pi}{2} - x\right)^3 - 3\sin\left(\dfrac{\pi}{2} - x\right)$ **3**

$= 2\sin\left(\dfrac{\pi}{2} + x\right)^3 - 3\sin\left(\dfrac{\pi}{2} + x\right)$ car $\sin\left(\dfrac{\pi}{2} - x\right) = \cos(x)$ et $\cos(x) = \sin\left(\dfrac{\pi}{2} + x\right)$ et donc $f\left(\dfrac{\pi}{2} - x\right) = f\left(\dfrac{\pi}{2} + x\right)$

Ainsi, la droite d'équation $x = \dfrac{\pi}{2}$ est un axe de symétrie de $\mathscr{C}$.

2. f est dérivable sur $\mathbb{R}$ comme somme de fonctions dérivables sur $\mathbb{R}$. Pour tout réel x :

$f'(x) = 6\cos(x)\sin^2(x) - 3\cos(x)$

$f'(x) = -3\cos(x)(1 - 2\sin^2(x))$

$f'(x) = -3\cos(x)(1 - 1 + \cos(2x))$

$f'(x) = -3\cos(x)\cos(2x)$

$\cos(2x) < 0 \Leftrightarrow \cos(2x) < \cos\left(\dfrac{\pi}{2}\right)$

$\Leftrightarrow \dfrac{\pi}{2} + 2k\pi < 2x < 2\pi - \dfrac{\pi}{2} + 2k\pi$

$\Leftrightarrow \dfrac{\pi}{4} + k\pi < x < \dfrac{3\pi}{4} + k\pi$

3.

x	0		$\dfrac{\pi}{4}$		$\dfrac{\pi}{2}$
$-3\cos(x)$		$-$		$-$	
$\cos(2x)$		$+$	0	$-$	
$f'(x)$		$-$	0	$+$	
Variations de f	0	↘	$-\sqrt{2}$	↗	-1

À vous de jouer !

9 On considère la fonction f définie sur $\mathbb{R}$ par :
$$f(x) = 3\cos^2(x) - 6\cos(x).$$

a) Montrer que f est une fonction périodique.

b) Que peut-on en déduire sur l'intervalle d'étude de f ?

b) Dresser le tableau de variations de f sur $[0\,; 2\pi]$.

10 On considère la fonction f définie sur $\mathbb{R}$ par :
$$f(x) = 2\cos(x) + \sin^2(x).$$

a) Montrer que f est une fonction périodique de période π.

b) Montrer que f est paire.

c) Dresser le tableau de variations de f sur $[0\,;\pi]$, puis sur $[-\pi\,;\pi]$.

↳ Exercices 50 à 60 p. 94-95

● EXOS
Méthodes
lienmini.fr/maths-s03-04

Les rendez-vous
Sésamath

Exercices résolus

Méthode 5 · Résoudre une inéquation trigonométrique de degré 3

→ Cours 2 p. 86

Énoncé

L'objectif de cet exercice est de résoudre l'inéquation $2\cos^3(x) - 3\cos^2(x) + 1 \geq 0$ dans $[0\,;2\pi[$.

1. Soit la fonction f définie sur $\mathbb{R}$ par $f(x) = 2x^3 - 3x^2 + 1$. Vérifier que $f(1) = 0$.

2. Déterminer les réels a, b et c vérifiant $f(x) = (x-1)(ax^2 + bx + c)$.

3. Étudier le signe de $f(x)$ sur $\mathbb{R}$.

4. En déduire les solutions de l'inéquation $2\cos^3(x) - 3\cos^2(x) + 1 \geq 0$ dans $[0\,;2\pi[$.

Solution

1. $f(1) = 2 - 3 + 1 = 0$.

2. $f(x) = ax^3 + bx^2 + cx - ax^2 - bx - c$ **1**
$f(x) = ax^3 + (b-a)x^2 + (c-b)x - c$

Par identification, on obtient :
$$\begin{cases} a = 2 \\ b - a = -3 \\ c - b = 0 \\ -c = 1 \end{cases} \Leftrightarrow \begin{cases} a = 2 \\ c = -1 \\ b = -1 \end{cases}$$

Ainsi, $f(x) = (x-1)(2x^2 - x - 1)$.

3. On détermine le signe du polynôme $2x^2 - x - 1$.
$\Delta = 1 - 4 \times 2 \times (-1) = 9$
$x_1 = \dfrac{1-3}{4} = -\dfrac{1}{2}$ et $x_2 = \dfrac{1+3}{4} = 1$

4. Soit $X = \cos(x)$. On réalise un changement de variable :
$x \in \mathbb{R}$, mais $X \in [-1\,;1]$ **2**

On a alors $f(X) \geq 0 \Leftrightarrow X \geq -\dfrac{1}{2}$

$\cos(x) \geq -\dfrac{1}{2}$ **3**

$\cos(x) \geq \cos\left(\dfrac{2\pi}{3}\right)$

$-\dfrac{2\pi}{3} + 2k\pi \leq x \leq \dfrac{2\pi}{3} + 2k\pi,\ k \in \mathbb{Z}$

Donc l'ensemble des solutions de l'inéquation $2\cos^3(x) - 3\cos^2(x) + 1 \geq 0$ dans $[0\,;2\pi[$ est :

$S = \left[0\,;\dfrac{2\pi}{3}\right] \cup \left[\dfrac{4\pi}{3}\,;2\pi\right[$.

Conseils & Méthodes

1 Développer l'expression de f puis identifier les coefficients du polynôme.

2 Poser $\cos(x) = X$ pour se ramener à une inéquation déjà résolue.

3 Remplacer X par $\cos(x)$ en tenant compte que $\cos(x)$ est compris dans l'intervalle $[-1\,;1]$.

x	$-\infty$		$-\dfrac{1}{2}$		1		$+\infty$
$x - 1$		$-$		$-$		$+$	
$2x^2 - x - 1$		$+$		$-$		$+$	
$f(x)$		$-$		$+$		$+$	

À vous de jouer !

11 Résoudre sur $[-\pi\,;\pi]$:
$$2\sin^2(x) - \sin(x) - 1 > 0.$$

12 **1.** Soit $f(x) = 2x^3 - x^2 - 2x + 1$. Vérifier que $f(1) = 0$.
2. Résoudre sur $[-\pi\,;\pi]$:
$$2\cos^3(x) - \cos^2(x) - 2\cos(x) + 1 < 0.$$

13 **1.** Soit $f(x) = x^3 - 2,5x^2 - 2x + 1,5$. Vérifier que $f(-1) = 0$.
2. Résoudre sur $[0\,;2\pi]$:
$$\cos^3(x) - 2,5\cos^2(x) - 2\cos(x) + 1,5 < 0.$$

14 **1.** Soit $f(x) = x^3 - 0,5x^2 - 2,5x - 1$. Vérifier que $f(2) = 0$.
2. Résoudre sur $[-\pi\,;\pi]$:
$$\sin^3(x) - 0,5\sin^2(x) - 2,5\sin(x) - 1 < 0.$$

→ Exercices 61 à 67 p. 95

La propriété à démontrer

L'équation $x + \sqrt{2}\sin(x) = 2$ a une solution sur l'intervalle $[0 ; 2\pi]$.

⊙ On souhaite démonter cette propriété.

▶ Comprendre avant de rédiger

- Résoudre l'équation se ramène à une étude de fonction en posant, pour tout x réel, $f(x) = x + \sqrt{2}\sin(x) - 2$.
- On utilisera le théorème des valeurs intermédiaires pour conclure.

▶ Rédiger

Étape ❶ En posant, pour tout x réel, $f(x) = x + \sqrt{2}\sin(x) - 2$, l'équation précédente est équivalente à $f(x) = 0$.

La démonstration rédigée

Soit la fonction f définie sur l'intervalle $[0 ; 2\pi]$ par :
$$f(x) = x + \sqrt{2}\sin(x) - 2.$$

Étape ❷ On détermine la dérivée de f.

$f'(x) = 1 + \sqrt{2}\cos(x)$

Étape ❸ On va déterminer le signe de la dérivée en s'appuyant sur la connaissance des fonctions cosinus et sinus.

$$f'(x) \geqslant 0$$
$$\Leftrightarrow \cos(x) \geqslant -\frac{\sqrt{2}}{2}$$

$$\Leftrightarrow \cos(x) \geqslant \cos\left(\frac{3\pi}{4}\right)$$
$$\Leftrightarrow x \in \left[0 ; \frac{3\pi}{4}\right] \cup \left[\frac{5\pi}{4} ; 2\pi\right]$$

Étape ❹ On dresse le tableau de variations de f sur l'intervalle $[0 ; 2\pi]$.

x	0		$\frac{3\pi}{4}$		$\frac{5\pi}{4}$		2π
$f'(x)$		$+$	0	$-$	0	$+$	
Variations de f	-2	↗	$\frac{3\pi}{4} - 1$	↘	$\frac{5\pi}{4} - 3$	↗	$2\pi - 2$

Étape ❺ On applique le théorème des valeurs intermédiaires sur chaque intervalle.

- f est continue et strictement croissante sur l'intervalle $\left[0 ; \frac{3\pi}{4}\right]$ avec $f(0) = -2$ et $f\left(\frac{3\pi}{4}\right) > 0$. D'après le théorème des valeurs intermédiaires, l'équation $f(x) = 0$ admet une unique solution sur $\left[0 ; \frac{3\pi}{4}\right]$.

- f est continue sur $\left[\frac{3\pi}{4} ; 2\pi\right]$ et son minimum, atteint en $\frac{5\pi}{4}$ est strictement positif. Ainsi l'équation $f(x) = 0$ n'a pas de solution sur $\left[\frac{3\pi}{4} ; 2\pi\right]$.

Étape ❻ On conclut.

Ainsi, $x + \sqrt{2}\sin(x) = 2$ a une unique solution sur $[0 ; 2\pi]$.

▶ Pour s'entraîner

De la même façon, démontrer que l'équation $\sqrt{3}x + 2\cos(x) = 3$ a une unique solution sur l'intervalle $[0 ; 2\pi]$.

● DIAPORAMA
Calculs et automatismes
lienmini.fr/maths-s03-05

Exercices calculs et automatismes

15 Valeurs remarquables (1)

Donner les valeurs exactes de :

a) $\cos\left(\dfrac{5\pi}{6}\right)$; $\cos\left(\dfrac{2\pi}{3}\right)$; $\cos\left(-\dfrac{\pi}{6}\right)$; $\cos\left(\dfrac{7\pi}{3}\right)$

b) $\sin\left(\dfrac{3\pi}{2}\right)$; $\sin\left(\dfrac{3\pi}{4}\right)$; $\sin\left(\dfrac{2\pi}{3}\right)$; $\sin\left(-\dfrac{5\pi}{6}\right)$

16 Valeurs remarquables (2)

Donner les valeurs exactes de :

a) $\cos\left(\dfrac{25\pi}{6}\right)$; $\cos\left(\dfrac{19\pi}{3}\right)$; $\cos\left(-\dfrac{13\pi}{6}\right)$; $\cos\left(-\dfrac{11\pi}{3}\right)$

b) $\sin\left(\dfrac{17\pi}{2}\right)$; $\sin\left(\dfrac{19\pi}{4}\right)$; $\sin\left(-\dfrac{8\pi}{3}\right)$; $\sin\left(-\dfrac{11\pi}{6}\right)$

17 Dériver des fonctions (1)

Déterminer la fonction dérivée de chacune des fonctions suivantes.

a) $\cos(x) + 2$
b) $\cos(x) + 3x + 5$
c) $2\sin(x)$
d) $3\sin(x) + 8x - 1$
e) $5\cos(x) - 5\sin(x) + 7x - 11$
f) $6\sin(x) - 7\cos(x) + 5x + 4$

18 Déterminer la parité ou non d'une fonction

Calculer $f(-x)$ dans chacun des cas suivants et préciser si la fonction est paire, impaire ou ni l'une ni l'autre.

a) $f(x) = 2\cos(x) + 13$
b) $f(x) = \sin(x) - x$
c) $f(x) = 2\sin(x) - \cos(x)$
d) $f(x) = x^2 + 3\cos(x)$
e) $f(x) = x^3 + 5\sin(x)$

19 Vrai ou faux ?

Les affirmations suivantes sont-elles vraies ou fausses ?

a) La fonction cosinus est croissante sur $\left[0 ; \dfrac{\pi}{2}\right]$.

b) La fonction sinus est croissante sur $\left[0 ; \dfrac{\pi}{2}\right]$.

c) La fonction sinus est décroissante sur $\left[\dfrac{\pi}{2} ; \dfrac{3\pi}{2}\right]$.

d) La fonction cosinus est croissante sur $[-\pi ; \pi]$.

20 Périodiques ?

Déterminer si les fonctions suivantes sont périodiques. Si oui, préciser leur période.

a) $f(x) = \sin(x) + 3\cos(x)$ **b)** $f(x) = \sin(2x)$
c) $f(x) = \cos^2(x)$ **d)** $f(x) = \sin(x) + \cos(2x)$
e) $f(x) = e^{\sin(x)}$ **f)** $f(x) = \cos(x) + x$

21 Résoudre une équation trigonométrique

Résoudre dans l'intervalle $[0 ; 2\pi]$ les équations suivantes.

a) $\cos(x) = -1$ **b)** $\sin(x) = 0$

c) $\cos(x) = \dfrac{1}{2}$ **d)** $\sin(x) = \dfrac{\sqrt{2}}{2}$

e) $\sin(x) = -\dfrac{\sqrt{3}}{2}$ **f)** $\cos(x) = -\dfrac{\sqrt{2}}{2}$

22 Résoudre une inéquation trigonométrique

Résoudre dans $[0 ; 2\pi]$ les inéquations suivantes.

a) $\cos(x) \leqslant \dfrac{1}{2}$ **b)** $\sin(x) > 0$

c) $\sin(x) \geqslant -\dfrac{\sqrt{3}}{2}$ **d)** $\cos(x) \leqslant -\dfrac{\sqrt{2}}{2}$

23 Dériver des fonctions (2)

Déterminer la fonction dérivée de chacune des fonctions suivantes.

a) $f(x) = 4\cos(3x)$
b) $f(x) = 6\sin(5x)$
c) $f(x) = \sin^2(x)$
d) $f(x) = \cos^2(x)$
e) $f(x) = 5\sin(x) + \sin(5x)$
f) $f(x) = \cos\left(-2x + \dfrac{\pi}{3}\right)$

24 QCM

Pour les questions suivantes, choisir la bonne réponse.

1. Pour tout réel $a \in [-1 ; 1]$, l'équation $\cos(x) = a$ admet une unique solution dans l'intervalle :

a $[-\pi ; \pi]$ **b** $[-2\pi ; 2\pi]$ **c** $[0 ; \pi]$

2. Pour tout réel $a \in [-1 ; 1]$, l'équation $\sin(x) = a$ admet une unique solution dans l'intervalle :

a $\left[-\dfrac{\pi}{2} ; \dfrac{\pi}{2}\right]$ **b** $[-\pi ; \pi]$ **c** $\left[\dfrac{\pi}{2} ; \dfrac{5\pi}{2}\right]$

25 Déterminer les variations d'une fonction

La fonction f définie sur $\mathbb{R}$ est-elle croissante sur $\mathbb{R}$?
a) $f(x) = x + \cos(x)$ **b)** $f(x) = 0{,}5x + \sin(x)$

26 Lecture graphique

En vous aidant du graphique ci-dessous, associer chaque fonction à sa courbe représentative.

$$f(x) = \cos(x) + 1 \text{ et } g(x) = \sin(x) + 1$$

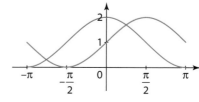

Exercices d'application

Image d'un nombre par une fonction trigonométrique

27 Soit la fonction définie sur $\mathbb{R}$ par :
$$f(x) = \sin(x) - 4.$$

Calculer l'image des nombres $\dfrac{\pi}{6}$, $\dfrac{\pi}{3}$, $\dfrac{\pi}{2}$ et π par f.

28 Soit les fonctions f et g définies sur $\left[0\,;\dfrac{\pi}{2}\right[\cup \left]\dfrac{\pi}{2}\,;\pi\right]$

par $f(x) = \dfrac{\sin(x)}{\cos(x)}$ et $g(x) = \sin(x) - \dfrac{3}{\cos(x)}$.

1. Déterminer les images de $\dfrac{\pi}{6}$, $\dfrac{2\pi}{3}$ et π par f.

2. Déterminer les images de π, $-\dfrac{\pi}{3}$ et $\dfrac{3\pi}{4}$ par g.

29 Soit la fonction définie sur $\mathbb{R}$ par :
$$f(x) = \cos^2(x) - \dfrac{1}{3}\sin(x).$$

Déterminer les images de π, $-\dfrac{\pi}{6}$, $-\dfrac{\pi}{3}$ et $\dfrac{7\pi}{4}$ par f.

Périodicité et parité

30 **1.** Soit la fonction définie sur $\mathbb{R}$ par :
$$f(x) = \dfrac{1 - \cos(x)}{2 + \cos(x)}.$$

a) Démontrer que f est 2π-périodique.
b) Démontrer que f est une fonction paire.
2. Reprendre les questions précédentes avec la fonction définie sur $\mathbb{R}$ par $g(x) = 1 + 5\cos^2(x)$.

31 Soit les fonctions f et g définies sur $\mathbb{R}$ par :
$$f(x) = \sin(x)\cos(x)$$
$$g(x) = \sin(x) + \dfrac{3}{2 + \sin(x)}.$$

1. Démontrer que f et g sont 2π-périodiques.
2. Étudier la parité des fonctions f et g.

32 Soit la fonction f définie sur $\mathbb{R}$ par :
$$f(x) = 2\sin(x) + \sin(2x).$$
1. Déterminer si f est une fonction 2π-périodique.
2. Étudier la parité de la fonction f.

33 Soit la fonction f définie sur $\mathbb{R}$ par :
$$f(x) = 7\sin\left(\dfrac{x}{2}\right).$$

1. Déterminer si f est une fonction périodique.
Si oui, déterminer sa période.
2. Étudier la parité de la fonction f.

Représentation graphique

34 Voici la représentation graphique de quelques fonctions. Déterminer pour chacune d'elle si elle est paire, impaire ou ni l'une ni l'autre.

a)
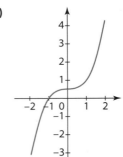

b)
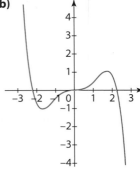

c)
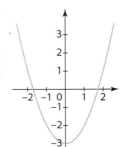

d)
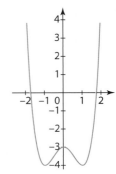

e)
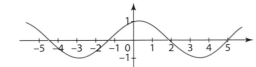

35 Voici la représentation graphique de quelques fonctions. Déterminer pour chacune d'elle si elle est périodique. Si oui, donner sa période.

a)
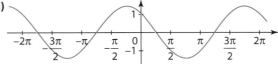

b)
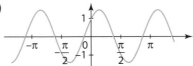

c)
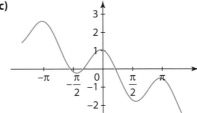

36 Tracer, en s'aidant de la calculatrice, la courbe de la fonction f définie par $f(x) = 2\cos(x) - 1$ sur l'intervalle $[-2\pi \, ; 2\pi]$.

37 Tracer, en s'aidant de la calculatrice, la courbe de la fonction f définie par $f(x) = \sin(x) + 2$ sur l'intervalle $[-2\pi \, ; 2\pi]$.

Tableau de variations

38 Tracer le tableau de variations de la fonction cosinus sur l'intervalle $[-\pi \, ; \pi]$, puis sur $[0 \, ; 2\pi]$.

39 Tracer le tableau de variations de la fonction sinus sur l'intervalle $[-\pi \, ; \pi]$, puis sur $[0 \, ; 2\pi]$.

Dérivation  p. 85

Dans les exercices 40 à 43, déterminer la dérivée des fonctions proposées sur l'intervalle I.

40 **a)** $f(x) = 3\sin(x) + x^2\cos(x)$ $I = \mathbb{R}$
b) $f(x) = 2\cos(x) + x$ $I = \mathbb{R}$
c) $f(x) = \dfrac{\sin(x)}{x}$ $I =]0 \, ; \pi[$
d) $f(x) = 5x^2\sin(x) + x\cos(x)$ $I = \mathbb{R}$

41 **a)** $f(x) = \dfrac{1}{\cos(x)}$ $I = \left]-\dfrac{\pi}{2} \, ; \dfrac{\pi}{2}\right[$
b) $f(x) = 5x\sin(x)$ $I = \mathbb{R}$
c) $f(x) = \sqrt{4 + \sin(x)}$ $I = \mathbb{R}$
d) $f(x) = (\cos(x))^4$ $I = \mathbb{R}$

42 **a)** $f(x) = -3\cos(3x)$ $I = \mathbb{R}$
b) $f(x) = \sin(x^2 + x)$ $I = \mathbb{R}$
c) $f(x) = \cos\left(\dfrac{1}{2 + x^3}\right)$ $I = \mathbb{R}$
d) $f(x) = \sqrt{1 + \cos^2(x)}$ $I = \mathbb{R}$
e) $f(x) = -\sin\left(-3x - \dfrac{\pi}{2}\right)$ $I = \mathbb{R}$
f) $f(x) = \sin(2x) - 3\cos(x)$ $I = \mathbb{R}$

43 **a)** $f(x) = \cos(\sqrt{1 + x^2})$ $I = \mathbb{R}$
b) $f(x) = \sin\left(-5x + \dfrac{\pi}{4}\right)$ $I = \mathbb{R}$
c) $\dfrac{\cos(2x) - x}{\sin(2x) + x}$ $I = [3 \, ; +\infty[$
d) $f(x) = e^{\cos(x)}$ $I = \mathbb{R}$

Résolution d'équation p. 87

44 Résoudre les équations suivantes sur $\mathbb{R}$.

a) $\cos(5x) = \dfrac{\sqrt{3}}{2}$

b) $\sin(6x) = \dfrac{\sqrt{2}}{2}$

c) $\sqrt{2}\cos(x - \pi) = 1$

d) $\sqrt{2}\sin(2x) + 3 = 4$

45 Résoudre les équations suivantes sur l'intervalle $]-\pi \, ; \pi]$.

a) $\sin\left(3x + \dfrac{\pi}{2}\right) + 1 = 0$

b) $2\cos(x + \pi) + \sqrt{3} = 0$

c) $2\sin\left(5x + \dfrac{\pi}{2}\right) + \sqrt{3} = 0$

d) $-2\cos(3x - \pi) - \sqrt{2} = 0$

46 Résoudre les équations suivantes sur l'intervalle $]-\pi \, ; \pi]$.

a) $\sin\left(x - \dfrac{\pi}{3}\right) = \sin\left(2x + \dfrac{\pi}{6}\right)$

b) $4\cos(5x - \pi) + 2 = 0$

c) $2\cos(3x - \pi) - \sqrt{2} = 0$

d) $\cos(x - \pi) = \cos\left(2x + \dfrac{\pi}{6}\right)$

Résolution d'inéquation p. 87

47 Résoudre les inéquations suivantes sur l'intervalle I.

a) $\sin(x) < \dfrac{\sqrt{2}}{2}$ $I = [0 \, ; \pi[$

b) $\sin\left(x + \dfrac{\pi}{6}\right) \leqslant \dfrac{-1}{2}$ $I = [0 \, ; 2\pi[$

c) $\cos\left(x + \dfrac{\pi}{2}\right) \leqslant \dfrac{\sqrt{3}}{2}$ $I = [0 \, ; 2\pi[$

d) $\cos\left(x - \dfrac{\pi}{4}\right) > \dfrac{1}{2}$ $I = [0 \, ; 2\pi[$

48 Résoudre les inéquations suivantes sur l'intervalle I.
a) $\sin(x + \pi) < 0$ $I = [0 \, ; 2\pi[$
b) $1 + 2\cos(x) > 0$ $I =]-\pi \, ; \pi]$
c) $\sqrt{3} - 2\sin(x) < 0$ $I =]-\pi \, ; \pi]$
d) $\sqrt{2} - 2\cos(x) \geqslant 0$ $I = [0 \, ; 2\pi[$

49 Résoudre les inéquations suivantes sur l'intervalle I.
a) $(\sqrt{2}\sin(x) - 1)(\sqrt{2}\sin(x) + 1) \leqslant 0$ $I =]-\pi \, ; \pi]$
b) $(\cos(x) - 1)(\cos(x) + 1) > 0$ $I =]-\pi \, ; \pi]$
c) $4\cos^2(x) - 3 \geqslant 0$ $I = [0 \, ; 2\pi[$
d) $2\cos^2\left(3x - \dfrac{\pi}{4}\right) - 1 < 0$ $I = [0 \, ; 2\pi[$

Étude d'une fonction trigonométrique

Méthode **4** p. 88

50 Soit f la fonction définie sur $\mathbb{R}$ par :
$$f(x) = \cos(x) + \cos^2(x)$$
et Γ sa courbe représentative.
1. Montrer que la fonction f est 2π-périodique.
2. Montrer que la fonction f est paire.
3. Montrer que Γ admet des tangentes horizontales aux points d'abscisses 0 ; $\dfrac{2\pi}{3}$; π et $\dfrac{4\pi}{3}$.
4. Étudier les variations de f sur l'intervalle $[0 ; \pi]$.
5. Recopier et compléter le tableau de valeurs suivant.

x	0	$\dfrac{\pi}{3}$	$\dfrac{\pi}{2}$	$\dfrac{2\pi}{3}$	π	$\dfrac{4\pi}{3}$	$\dfrac{3\pi}{2}$	$\dfrac{5\pi}{3}$
$f(x)$								

6. Tracer Γ sur l'intervalle $[0 ; 2\pi]$.

51 Soit f la fonction définie sur $[0 ; \pi]$ par :
$$f(x) = (1 - \sin(x)) \cos(x).$$
1. a) Calculer $f'(x)$.
b) Montrer que $f'(x) = (2\sin(x) + 1)(\sin(x) - 1)$.
2. a) Déterminer le signe de $2\sin(x) + 1$, puis celui de $(\sin(x) - 1)$ sur $[0 ; \pi]$.
b) En déduire le sens de variation de f.

52 Soit f la fonction définie par $f(x) = \dfrac{2}{\sin(x) + 3}$.
1. Justifier que f est définie pour tout x de $\mathbb{R}$.
2. Calculer $f'(x)$.
3. En déduire les variations de f sur l'intervalle $[-\pi ; \pi]$.

53 Soit f la fonction définie sur $\mathbb{R}$ par $f(x) = x + \sin^2(x)$ et Γ sa courbe représentative dans un repère orthonormal.
1. Montrer que, pour tout réel x, on a :
$$x \leqslant f(x) \leqslant x + 1 \text{ et } f(x + \pi) = f(x) + \pi.$$
2. En s'aidant de la question précédente, déterminer les limites de f en $-\infty$ et en $+\infty$.
3. Calculer $f'(x)$.
4. Déterminer le tableau de variations de f sur $[0 ; \pi]$. (*Indication :* pour tout nombre a, $\sin(2a) = 2\sin(a)\cos(a)$.)
5. En s'aidant du résultat de la question **1.**, déterminer comment tracer Γ à partir de la représentation de f sur $[0 ; \pi]$.
6. Tracer Γ sur $[0 ; \pi]$, puis sur $[0 ; 2\pi]$.

54 Soit f la fonction définie sur $\mathbb{R}$ par :
$$f(x) = x + \sin(x)$$
et Γ sa courbe représentative dans un repère orthonormal.
1. Montrer que, pour tout réel x, on a :
$$x - 1 \leqslant f(x) \leqslant x + 1.$$
2. Déterminer les tangentes horizontales à Γ.
3. Déterminer l'équation des tangentes à Γ aux points d'abscisses $\dfrac{\pi}{2}$ puis $-\dfrac{\pi}{2}$. Que peut-on en déduire sur la courbe Γ ?
4. Vérifier les résultats à l'aide de la calculatrice en traçant Γ et les droites d'équation $y = x - 1$ et $y = x + 1$.

55 On considère, dans un repère orthonormal $(O ; \vec{i}, \vec{j})$ direct, les points $A(-1 ; 0)$, $B(0 ; -1)$ et $M(\cos(x) ; \sin(x))$ où x est un réel appartenant à $\left]-\dfrac{\pi}{2} ; \pi\right[$.

1. Calculer AB puis exprimer les longueurs AM et BM en fonction de x.
2. Déterminer la valeur x_0 pour laquelle ABM est isocèle en M.
3. Montrer que le périmètre du triangle ABM peut s'écrire
$$p(x) = \sqrt{2} + \sqrt{2(1 + \cos(x))} + \sqrt{2(1 + \sin(x))}.$$
4. Calculer $p'(x)$ et vérifier que $p'(x_0) = 0$.
5. On admet que pour tout $x \in \left]-\dfrac{\pi}{2} ; x_0\right]$, $p'(x) \geqslant 0$ et pour tout $x \in [x_0 ; \pi[$, $p'(x) \leqslant 0$. Que peut-on en déduire sur le triangle ABM ?

56 Soit la fonction f définie sur $\mathbb{R}$ par $f(x) = 4\sin\left(\dfrac{x}{2}\right)$ et $\mathscr{C}$ sa courbe représentative dans un repère orthonormal $(O ; \vec{i}, \vec{j})$.
1. Vérifier que la fonction f est impaire.
2. Montrer que la fonction f est périodique et préciser sa période.
3. a) Calculer $f(\pi - x)$, puis $f(\pi + x)$.
b) Que peut-on en déduire concernant la courbe $\mathscr{C}$?
4. Déterminer le sens de variation de f sur $[0 ; \pi]$.
5. Tracer $\mathscr{C}$ sur $[0 ; \pi]$, puis sur $[-2\pi ; 2\pi]$.

57 Soit la fonction f définie sur $\mathbb{R}$ par :
$$f(x) = \dfrac{2\cos(x) + 1}{2 + \cos(x)}.$$
1. Montrer que la fonction f est 2π-périodique.
2. Montrer que la fonction f est paire.
3. En déduire que l'on peut étudier f sur l'intervalle $[0 ; \pi]$.
4. Déterminer le tableau de variations de f sur $[0 ; \pi]$.
5. Montrer que l'équation $f(x) = 0$ a exactement une solution α sur $[0 ; \pi]$ et donner une valeur approchée de α au millième près.

58 On considère la fonction f définie sur $\mathbb{R}$ par :
$$f(x) = 3\cos\left(2x + \dfrac{\pi}{4}\right).$$
1. Déterminer si la fonction f est périodique. Si oui, préciser la période T de x.
2. Montrer que, pour tout $x \in \mathbb{R}$, $|f(x)| \leqslant 3$.
3. Calculer $f'(x)$.
4. Déterminer les variations de f sur $\left[-\dfrac{\pi}{8} ; \dfrac{7\pi}{8}\right]$.
5. En déduire que la fonction f admet un minimum sur $\left[-\dfrac{\pi}{8} ; \dfrac{7\pi}{8}\right]$ et déterminer sa valeur.
6. Déterminer l'équation de la tangente à la courbe représentative de f au point d'abscisse $\dfrac{\pi}{8}$.

59 Sachant que la fonction sinus est **Démo**

dérivable sur $\mathbb{R}$, démontrer que $\displaystyle\lim_{x \to 0} \frac{\sin(x)}{x} = 1$.

60 Soit f la fonction définie sur $\mathbb{R}$ par : **Algo**
$$f(x) = (2 + \cos(x))e^{1-x}.$$
1. Montrer que, pour tout x de $\mathbb{R}$, $f(x) > 0$.
2. On admet que, pour tout x de $\mathbb{R}$:
$$\sqrt{2}\cos\left(x - \frac{\pi}{4}\right) = \cos(x) + \sin(x).$$
Démontrer que la fonction f est strictement décroissante sur $\mathbb{R}$.
3. a) Montrer que, pour tout x de $\mathbb{R}$, $e^{1-x} \leqslant f(x) \leqslant 3e^{1-x}$.
b) En déduire la limite de f en $+\infty$.
c) Écrire un algorithme permettant de déterminer un réel x_0 tel que, pour tout $x \geqslant x_0$, $0 \leqslant f(x) \leqslant 10^{-6}$.

Interpréter graphiquement ce résultat.

Résolution d'équations et d'inéquations

Méthode 5 p. 89

61 Résoudre dans l'intervalle $]-\pi\,;\pi]$.

a) $\cos\left(2x + \dfrac{\pi}{6}\right) = \dfrac{1}{2}$

b) $\sin\left(3x - \dfrac{\pi}{3}\right) = -\dfrac{\sqrt{2}}{2}$

c) $\cos(x) = \cos\left(x + \dfrac{\pi}{4}\right)$

d) $2\cos(2x) = 1$

62 Résoudre dans l'intervalle $[0\,;2\pi[$.
a) $4\cos^2(x) - 6\cos(x) + 2 = 0$
b) $4\cos^2(x) - 6\cos(x) + 2 \geqslant 0$

63 Résoudre dans l'intervalle $[0\,;2\pi[$.
a) $6\sin^2(x) + 9\sin(x) + 3 = 0$
b) $6\sin^2(x) + 9\sin(x) + 3 \leqslant 0$
c) $2\sin^2(x) + \sin(x) + 2 = 0$

64 Résoudre dans l'intervalle $[0\,;2\pi[$.
a) $4\cos^2(x) + (2 - 2\sqrt{3})\cos(x) - \sqrt{3} = 0$

b) $4\cos^2(x) + (2 - 2\sqrt{3})\cos(x) - \sqrt{3} \geqslant 0$

65 Résoudre dans l'intervalle $[0\,;2\pi[$.

a) $\cos\left(\dfrac{\pi}{2} - x\right) = \sin\left(\dfrac{\pi}{3}\right)$

b) $\sin\left(\dfrac{\pi}{2} - x\right) = \cos\left(\dfrac{\pi}{4}\right)$

c) $\sin\left(\dfrac{5\pi}{6}\right) = \cos(x)$

66 Choisir la bonne réponse.

1. La solution de l'équation $2\cos\left(\dfrac{x}{3} - \dfrac{\pi}{3}\right) = 0$ sur l'intervalle $[-\pi\,;\pi]$ est :

a $\dfrac{5\pi}{6}$ **b** $\dfrac{5\pi}{2}$ **c** $\dfrac{\pi}{6}$ **d** $-\dfrac{\pi}{2}$

Pour les questions **2.** et **3.**, on considère la fonction f définie sur $\mathbb{R}$ par $f(x) = \cos\left(2x - \dfrac{\pi}{4}\right)$. Une partie de la courbe représentative de la fonction f est tracée ci-dessous.

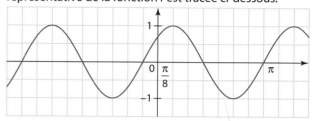

2. L'équation $f'(x) = 0$ admet dans l'intervalle $[0\,;\pi]$:
a aucune solution **b** une solution
c deux solutions **d** on ne peut pas savoir

3. L'équation $f(x) = 0$ admet dans l'intervalle $\left]-\dfrac{5\pi}{8}\,;\dfrac{5\pi}{8}\right[$:

a aucune solution **b** une solution
c deux solutions **d** trois solutions

4. Soit la fonction f définie sur $\mathbb{R}$ par :
$$f(x) = 3\sin(x) + \frac{1}{4}\cos(2x).$$

La valeur de $f\left(\dfrac{\pi}{2}\right)$ est :

a 3 **b** $-\dfrac{1}{4}$ **c** $\dfrac{11}{4}$ **d** -3

67 Soit la fonction f définie sur $\mathbb{R}$ par :
$$f(x) = \sqrt{2}\cos\left(x - \frac{\pi}{4}\right).$$

Une partie de la représentation graphique de cette fonction est donnée ci-dessous.

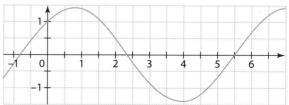

1. Répondre aux questions suivantes par lecture graphique.
a) Combien de solutions possède l'équation $f(x) = 1{,}5$ sur $[0\,;2\pi]$?
b) Combien de solutions possède l'équation $f(x) = 1$ sur $[0\,;2\pi]$?
c) Combien de solutions possède l'équation $f'(x) = 0$ sur $[0\,;2\pi]$?
d) Combien de solutions possède l'équation $f(x) = 0$ sur $[0\,;2\pi]$?
2. Résoudre dans l'intervalle $[0\,;2\pi]$ l'équation $f(x) = 0$.

68 Préciser pour chaque affirmation si elle est vraie ou fausse en justifiant.

a) On considère l'égalité suivante : pour tout nombre réel x, $\cos(2x) = \cos^2(x) - \sin^2(x)$.

Affirmation 1 : Pour tout nombre réel $a \in [-\pi ; 0]$ tel que $\cos(2a) = \dfrac{7}{25}$, on a $\sin(a) = -\dfrac{3}{5}$.

b) On note $\mathscr{C}$ la courbe représentative de la fonction f définie sur $\mathbb{R}$ par $f(x) = \cos(x)e^{-x}$.

Affirmation 2 : La courbe $\mathscr{C}$ admet une asymptote en $+\infty$.

D'après BAC S, Nouvelle-Calédonie, 2019.

Modélisation

69 Un ressort à spires est attaché `Physique` à son extrémité fixe A. On attache un mobile à son autre extrémité M. On admet que l'abscisse du point M dans le repère $(O ; \vec{i}, \vec{j})$ vérifie, pour tout t réel, $t \geqslant 0$, l'équation $(E) : f''(t) + 9f(t) = 8\sin(t)$ où t représente le temps exprimé en seconde et f'' la fonction dérivée seconde de f.

1. a) Montrer que la fonction g définie sur $[0 ; +\infty[$ par :
$$g(t) = A\cos(3t) + B\sin(3t) + \sin(t)$$
avec A et B des nombres réels, est solution de (E).

b) Que représente la fonction g dans ce contexte ?

2. On suppose qu'à l'instant $t = 0$, le ressort étant compressé, le mobile passe en O avec une vitesse de 4 m·s⁻¹. Cela se traduit par le fait que $f'(0) = 4$.
Déterminer les valeurs de A et B pour que la fonction g vérifie les conditions $g(0) = 0$ et $g'(0) = 4$.

3. On admet dans cette question que :
$$\sin(3t) = -4\sin^3(t) + 3\sin(t).$$
Déterminer les instants t où le mobile repasse par le point de départ, c'est-à-dire résoudre dans l'ensemble $]0 ; +\infty[$ l'équation $g(t) = 0$.

Bac STI, La Réunion, septembre 2002.

70 **1.** Ouvrir un logiciel de géométrie `TICE` dynamique.
a) Reproduire la figure ci-contre dans laquelle on a inscrit un rectangle ABCD dans un demi-cercle de diamètre 2 cm. On note α l'angle $\widehat{AOB}$.
b) Déterminer pour quelle valeur de α l'aire du rectangle ABCD est maximale.

2. Soit $\mathscr{A}(\alpha)$ la fonction exprimant l'aire du rectangle ABCD en fonction de la valeur de α, exprimée en radians.
a) Déterminer une expression de $\mathscr{A}(\alpha)$.
b) Étudier les variations de $\mathscr{A}$ sur l'intervalle $]0 ; \pi[$.
c) Quelle est la valeur de α pour laquelle l'aire de ABCD est maximale ?
Déterminer cette aire maximale.

71 Lors d'un match de rugby, un joueur doit transformer un essai qui a été marqué au point E situé à l'extérieur du segment [AB]. La transformation consiste à taper le ballon par un coup de pied depuis un point T que le joueur a le droit de choisir n'importe où sur le segment [EM] perpendiculaire à la droite (AB) sauf en E. La transformation est réussie si le ballon passe entre les poteaux repérés par les points A et B sur la figure.

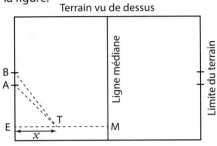

Le but de cet exercice est de chercher s'il existe une position du point T sur [EM] pour laquelle l'angle $\widehat{ATB}$ est maximal et, si c'est le cas, de déterminer une valeur approchée de cet angle.

Dans la suite de l'exercice, on note x la longueur ET.
On a EM = 50 m, EA = 25 m et AB = 5,6 m, et on note α la mesure en radians de l'angle $\widehat{ETA}$, β la mesure en radians de l'angle $\widehat{ETB}$ et γ la mesure en radians de l'angle $\widehat{ATB}$.

1. La fonction tangente est définie sur $\left]0 ; \dfrac{\pi}{2}\right[$ par :
$$\tan(x) = \dfrac{\sin(x)}{\cos(x)}.$$

Exprimer $\tan(\alpha)$ et $\tan(\beta)$ en fonction de x dans les triangles rectangles ETA et ETB.

2. Montrer que la fonction tangente est strictement croissante sur $\left]0 ; \dfrac{\pi}{2}\right[$.

3. L'angle $\widehat{ATB}$ admet une mesure γ appartenant à $\left]0 ; \dfrac{\pi}{2}\right[$, résultat admis ici, que l'on peut observer sur la figure.
On admet que, pour tous réels a et b de $\left]0 ; \dfrac{\pi}{2}\right[$:
$$\tan(a - b) = \dfrac{\tan(a) - \tan(b)}{1 + \tan(a) \times \tan(b)}.$$

Montrer que $\tan(\gamma) = \dfrac{5,6x}{x^2 + 765}$.

4. a) L'angle $\widehat{ATB}$ est maximal lorsque sa mesure γ est maximale.
Montrer que cela correspond à un minimum sur $]0 ; 50]$ de la fonction f définie par $f(x) = x + \dfrac{765}{x}$.

b) Montrer qu'il existe une unique valeur de x pour laquelle $\widehat{ATB}$ est maximal et déterminer cette valeur de x au mètre près ainsi qu'une mesure de l'angle $\widehat{ATB}$ à 0,01 radian près.

D'après Bac S, France métropolitaine, juin 2016.

Exercices d'entraînement

Déterminer des valeurs de cos et sin

72 On donne $\sin\left(\dfrac{7\pi}{12}\right) = \dfrac{\sqrt{2}+\sqrt{6}}{4}$.

Calculer la valeur exacte de $\cos\left(\dfrac{7\pi}{12}\right)$.

73 On donne $\cos\left(\dfrac{\pi}{8}\right) = \dfrac{\sqrt{2+\sqrt{2}}}{2}$.

Calculer la valeur exacte de $\sin\left(\dfrac{\pi}{8}\right)$.

74 On considère les fonctions f et g définies sur $\mathbb{R}$
par $f(x) = \cos(x) - 1 + \dfrac{x^2}{2}$ et $g(x) = f(x) - \dfrac{x^4}{24}$.

1. Démontrer que, pour tout réel x, $f(x) \geqslant 0$.

> **Coup de pouce** Dériver deux fois f.

2. Démontrer que, pour tout réel x, $g(x) \leqslant 0$.

> **Coup de pouce** Dériver quatre fois g.

3. En déduire un encadrement de $\cos(x)$.
4. Déterminer la précision $\varepsilon(x)$ de l'encadrement, puis étudier les variations de la fonction ε.
5. En déduire à quelle condition sur x il est pertinent d'utiliser cet encadrement.
6. À l'aide de la calculatrice, donner une valeur approchée de $\cos\left(\dfrac{\pi}{5}\right)$ et estimer sa précision.

Déterminer une aire entre deux courbes

75 On considère la fonction f définie **Algo**
sur $[0\,;2\pi]$ par $f(x) = -1{,}5\cos(x) + 1{,}5$.
On admet que la fonction f est continue sur $[0\,;2\pi]$. On note $\mathscr{C}_1$ la courbe représentative de la fonction f dans un repère orthonormé (voir le graphique suivant).

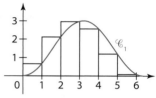

1. Démontrer que la fonction f est positive sur $[0\,;2\pi]$.
2. Sur la figure ci-dessus, la courbe tracée en tirets, notée $\mathscr{C}_2$, est la courbe symétrique de $\mathscr{C}_1$ par rapport à l'axe des abscisses.
L'objectif est de déterminer l'aire $\mathscr{A}$ délimitée par les droites d'équations $x = 0$; $x = 2\pi$; $y = -1{,}5\cos(x) + 1{,}5$ et $y = 1{,}5\cos(x) - 1{,}5$ exprimée en unités d'aire.

a) Pour cela, on va d'abord déterminer l'aire $\mathscr{A}_1$ délimitée par les droites d'équations $x = 0$; $x = 2\pi$ et $y = -1{,}5\cos(x) + 1{,}5$.
On partage cette aire à l'aide de rectangles de lar-

geur $\dfrac{2\pi}{n}$ avec $n \in \mathbb{N}$ et de longueur $f\left(\dfrac{2\pi}{n}\right)$. Plus n est grand,
plus l'aire obtenue en sommant l'aire de chaque rectangle est proche de l'aire $\mathscr{A}_1$.
Compléter le programme suivant écrit en **Python** permettant de calculer $\mathscr{A}_1$.

```python
from math import*
def aire(n) :
    s=0
    for k in range (1,n) :
        s=s+(2*pi/n)*…
    print ("L'aire est égale à environ")
    print (s)
```

b) Déterminer l'aire $\mathscr{A}_1$ lorsque $n = 100$.
c) Compléter le programme précédent pour pouvoir déterminer l'aire $\mathscr{A}$.

D'après BAC S, Nouvelle-Calédonie, 2019.

Travailler le Grand Oral

76 Essayer de répondre le plus rapidement **Oral**
possible aux questions suivantes face à un camarade de classe.
1. Donner les valeurs exactes des expressions suivantes.

a) $\cos\left(\dfrac{2\pi}{3}\right) + \cos\left(-\dfrac{2\pi}{3}\right)$ **b)** $\sin\left(\dfrac{\pi}{6}\right) + \cos\left(\dfrac{\pi}{3}\right)$

c) $4\sin\left(\dfrac{\pi}{4}\right)$ **d)** $\cos\left(\dfrac{\pi}{6}\right) + \sin\left(\dfrac{\pi}{3}\right)$

2. Dériver les fonctions suivantes.
a) $f(x) = \cos(x) + 2x$
b) $g(x) = -3\sin(x) + 1$
c) $h(x) = -\cos(x) + 5\sin(x) + 5x^2$

77 Étudier les variations de la fonction f définie sur $]0\,;\pi[$
par $f(x) = \dfrac{\sin(x)}{x}$.

Écrire un compte-rendu détaillant la démarche effectuée et une conclusion à la question posée.

Exercices (bilan)

78 Étudier une fonction

On considère la fonction f définie sur $\mathbb{R}$ par $f(x) = e^x\cos(x)$. On appelle $\mathscr{C}_f$ la représentation graphique de f dans un repère orthogonal.

1. a) Montrer que, pour tout réel x, $-e^x \leqslant f(x) \leqslant e^x$.

b) En déduire que $\mathscr{C}_f$ admet une asymptote au voisinage de $-\infty$. Donner l'équation de cette asymptote.

2. Déterminer les abscisses des points d'intersection de $\mathscr{C}_f$ avec l'axe des abscisses.

3. On admet l'égalité suivante, pour tous nombres a et b :
$$\cos(a + b) = \cos(a)\sin(a) - \cos(b)\sin(b).$$

Démontrer que, pour tout réel $x \in \left[-\dfrac{\pi}{2} ; \dfrac{\pi}{2}\right]$:

$$\cos(x) - \sin(x) = \sqrt{2}\cos\left(x + \dfrac{\pi}{4}\right).$$

4. On étudie la fonction f sur l'intervalle $\left[-\dfrac{\pi}{2} ; \dfrac{\pi}{2}\right]$.

a) Calculer $f'(x)$.

b) Montrer que f est croissante sur $\left[-\dfrac{\pi}{2} ; \dfrac{\pi}{4}\right]$ et décroissante sur $\left[\dfrac{\pi}{4} ; \dfrac{\pi}{2}\right]$.

c) Dresser le tableau de variations de f sur $\left[-\dfrac{\pi}{2} ; \dfrac{\pi}{2}\right]$.

d) Préciser les valeurs prises par f en $-\dfrac{\pi}{2}, \dfrac{\pi}{4}$ et $\dfrac{\pi}{2}$.

5. Tracer $\mathscr{C}_f$ sur l'intervalle $\left[-\dfrac{\pi}{2} ; \dfrac{\pi}{2}\right]$ à l'aide de la calculatrice.

6. Démontrer que, sur l'intervalle $\left[0 ; \dfrac{\pi}{2}\right]$, l'équation $f(x) = \dfrac{1}{2}$ admet une solution unique α.

7. Déterminer, à l'aide de la calculatrice, la valeur approchée de α arrondie au centième.

8. Déterminer l'équation de la tangente T à $\mathscr{C}_f$ en 0, puis la tracer sur le graphique précédent.

79 Nombre de solutions

Soit la fonction g définie sur $\mathbb{R}$ par $g(x) = \sin(x) - \dfrac{x}{2}$.

1. a) Montrer que, pour tout x réel, $1 - \dfrac{x}{2} < 0 \Leftrightarrow x > 2$ et

$-1 - \dfrac{x}{2} > 0 \Leftrightarrow x > -2$.

b) En déduire que l'équation $g(x) = 0$ admet des solutions uniquement dans l'intervalle $[-2 ; 2]$.

2. Dresser le tableau de variations de g sur l'intervalle $[-\pi ; \pi]$.

> **Remarque** L'intervalle $[-\pi ; \pi]$ contient $[-2 ; 2]$.

3. Déterminer le nombre de solutions de l'équation $g(x) = 0$.
4. Donner une valeur approchée à 10^{-3} près par défaut de la plus grande solution.

80 Suites et fonctions trigonométriques

Le plan est rapporté à un repère orthonormal $(O, \vec{i}, \vec{j})$. Soit f la fonction définie sur $[0 ; +\infty[$ par :
$$f(x) = e^{-x}\cos(4x)$$
et Γ sa courbe représentative dans le repère $(O, \vec{i}, \vec{j})$.
On considère également la fonction g définie sur $[0 ; +\infty[$ par $g(x) = e^{-x}$ et on nomme $\mathscr{C}$ sa courbe représentative dans le repère $(O, \vec{i}, \vec{j})$.

1. a) Montrer que, pour tout réel x appartenant à l'intervalle $[0 ; +\infty[$, $-e^{-x} \leqslant f(x) \leqslant e^{-x}$.

b) En déduire la limite de f en $+\infty$.

2. Déterminer les coordonnées des points communs aux courbes Γ et $\mathscr{C}$.

3. On définit la suite (u_n) sur $\mathbb{N}$ par $u_n = f\left(n\dfrac{\pi}{2}\right)$.

a) Montrer que la suite (u_n) est géométrique et préciser sa raison.

b) En déduire le sens de variation de la suite (u_n) et étudier sa convergence.

4. a) Montrer que, pour tout réel x appartenant à l'intervalle $[0 ; +\infty[$, $f'(x) = -e^{-x}[\cos(4x) + 4\sin(4x)]$.

b) En déduire que les courbes Γ et $\mathscr{C}$ ont même tangente en chacun de leurs points communs.

5. Donner une valeur approchée au dixième près par excès du coefficient directeur de la droite T tangente à la courbe Γ au point d'abscisse $\dfrac{\pi}{2}$.

81 Équations de fonctions

Soit f la fonction définie sur $\mathbb{R}$ par :
$$f(x) = \cos(3x) - 2\sin(3x).$$

1. Déterminer $f'(x)$ puis $f''(x)$.
2. Trouver une relation entre $f''(x)$ et $f(x)$.
3. Soit la fonction g définie pour tout x réel par :

$$g(x) = \cos\left(3x - \dfrac{5\pi}{4}\right).$$

Vérifier que $g''(x) + 9g(x) = 0$ et que $g(0) = -\dfrac{\sqrt{2}}{2}$ et

$g'\left(\dfrac{\pi}{3}\right) = \dfrac{3\sqrt{2}}{2}$ avec g'' la dérivée seconde de la fonction g.

4. Résoudre dans $[0 ; 2\pi[$ l'équation $g(x) = 0$.
5. Montrer que les solutions obtenues forment une suite arithmétique de raison $\dfrac{\pi}{3}$.

82 QCM

Parmi les fonctions suivantes, laquelle vérifie, pour tout x réel, $f'(x) + 2f(x) = e^{-2x}\cos(x)$ et $f(0) = 1$?

a $f(x) = e^{-2x}\cos(x)$

b $f(x) = -\dfrac{e^{-2x}}{2}\sin(x)$

c $f(x) = \dfrac{1}{2}(e^{2x} + e^{-2x})\cos(x)$

d $f(x) = (1 + \sin(x))e^{-2x}$

Fonction cosinus

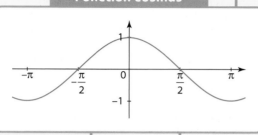

Périodicité et parité

- **Périodique**, de période 2π : $\cos(x + 2\pi) = \cos(x)$
- **Paire** : $\cos(-x) = \cos(x)$

Dérivée

Dérivable sur $\mathbb{R}$: $\cos'(x) = -\sin(x)$

Résolution d'inéquation

$\cos(x) \leqslant \cos(a) \Leftrightarrow a + 2k\pi \leqslant x \leqslant 2\pi - a + 2k\pi, k \in \mathbb{Z}$

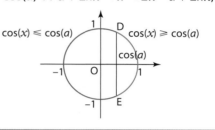

Résolution d'équation

$\cos(x) = \cos(a)$

$\Leftrightarrow \begin{cases} x = a + 2k\pi \\ \quad \text{ou} \\ x = -a + 2k\pi \end{cases}, k \in \mathbb{Z}$

Fonction sinus

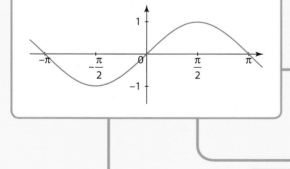

Périodicité et parité

- **Périodique**, de période 2π : $\sin(x + 2\pi) = \sin(x)$
- **Impaire** : $\sin(-x) = -\sin(x)$

Dérivée

Dérivable sur $\mathbb{R}$: $\sin'(x) = \cos(x)$

Résolution d'inéquation

$\sin(x) \leqslant \sin(a) \Leftrightarrow -\pi - a + 2k\pi \leqslant x \leqslant a + 2k\pi, k \in \mathbb{Z}$

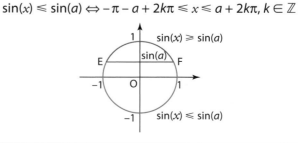

Résolution d'équation

$\sin(x) = \sin(a)$

$\Leftrightarrow \begin{cases} x = a + 2k\pi \\ \quad \text{ou} \\ x = \pi - a + 2k\pi \end{cases}, k \in \mathbb{Z}$

Je dois être capable de...

Je dois être capable de...	Méthode	Parcours d'exercices
▶ Dériver une fonction trigonométrique	Méthode **1** Méthode **2** →	1 à 4, 40, 41, 42
▶ Résoudre une équation trigonométrique	Méthode **3** →	5, 6, 44, 45
▶ Résoudre une inéquation trigonométrique	Méthode **3** Méthode **5** →	7, 8, 11, 12, 47, 48, 62, 63
▶ Étudier une fonction trigonométrique	Méthode **4** →	9, 10, 50, 51

▶ EXOS
QCM interactifs
lienmini.fr/maths-s03-06

QCM Pour les exercices suivants, choisir la bonne réponse.

	A	B	C	D
83 Dans $\left[0\,;\dfrac{\pi}{2}\right]$, l'équation $x - \cos(x) = 0$ a :	deux solutions	une solution	aucune solution	plus de deux solutions
84 Soit la fonction f définie et dérivable pour tout nombre réel x par $f(x) = e^{-x}\sin(x)$.	La fonction f est décroissante sur l'intervalle $\left]-\dfrac{\pi}{4}\,;+\infty\right[$.	Soit f' la fonction dérivée de f. On a $f'\left(\dfrac{\pi}{4}\right) = 0$.	La fonction f est positive sur l'intervalle $]0\,;+\infty[$.	La fonction f est périodique.
85 L'équation $\sqrt{2}\cos(2x + \pi) = 1$ a pour solution dans l'intervalle $[0\,;2\pi[$:	$\left\{\dfrac{5\pi}{4}\,;\dfrac{3\pi}{4}\right\}$	$\left\{\dfrac{-3\pi}{8}\,;\dfrac{-5\pi}{8}\,;\dfrac{-5\pi}{8}\,;\dfrac{-13\pi}{8}\right\}$	$\left\{\dfrac{5\pi}{8}\,;\dfrac{13\pi}{8}\right\}$	$\left\{\dfrac{3\pi}{8}\,;\dfrac{5\pi}{8}\,;\dfrac{11\pi}{8}\,;\dfrac{13\pi}{8}\right\}$
86 L'équation $5\sin^2(x) + \dfrac{5}{2}\sin(x) - \dfrac{5}{2} = 0$ a pour solution dans $[-\pi\,;\pi[$:	$\left\{\dfrac{\pi}{6}\,;\dfrac{5\pi}{6}\,;\dfrac{3\pi}{2}\right\}$	$\left\{-\dfrac{\pi}{2}\,;\dfrac{\pi}{6}\,;\dfrac{5\pi}{6}\right\}$	$\left\{-\dfrac{\pi}{2}\,;\dfrac{\pi}{6}\,;\dfrac{\pi}{2}\,;\dfrac{5\pi}{6}\right\}$	$\left\{-\dfrac{\pi}{2}\,;\dfrac{\pi}{6}\,;\dfrac{5\pi}{6}\,;\dfrac{3\pi}{2}\right\}$
87 Soit la fonction f définie sur $]-\pi\,;\pi[$ par $f(x) = \dfrac{\cos(x)}{\sin(x)}$. Sa dérivée $f'(x)$ est égale à :	$\dfrac{1}{\sin^2(x)}$	$\dfrac{-1}{\sin^2(x)}$	$\dfrac{-2\cos(x)\sin(x)}{\sin^2(x)}$	$\dfrac{\sin(x) - \cos(x)}{\sin^2(x)}$
88 L'inéquation $2\sin(x) \geqslant \sqrt{3}$ a pour solution sur l'intervalle $[0\,;2\pi]$:	$\left\{\dfrac{\pi}{3}\,;\dfrac{2\pi}{3}\right\}$	$\left\{\dfrac{\pi}{6}\,;\dfrac{5\pi}{6}\right\}$	$\left[\dfrac{\pi}{3}\,;\dfrac{2\pi}{3}\right]$	$\left[\dfrac{\pi}{6}\,;\dfrac{5\pi}{6}\right]$
89 Soit la fonction f définie sur $\mathbb{R}$ par $f(x) = 3\sin^2(x) + 2\sin(x)\cos(x)$. Sa dérivée $f'(x)$ est égale à :	$2\sin(x)\,(\cos(x) - \sin^2(x)) + \cos^2(x)$	$6\sin(x)\cos(x) + 2$	$2(3\sin(x)\cos(x) + \cos^2(x) - \sin^2(x))$	$6\sin(x) + 2$

90 Un lapin qui vit dangereusement

Un lapin désire traverser une route de 4 mètres de largeur. Un camion, occupant toute la route, arrive à sa rencontre à la vitesse de 60 km/h. Le lapin décide au dernier moment de traverser, alors que le camion n'est plus qu'à 7 mètres de lui. Son démarrage est foudroyant et on suppose qu'il effectue la traversée en ligne droite au maximum de ses possibilités, c'est-à-dire… 30 km/h !

L'avant du camion est représenté par le segment [CC'] sur le schéma ci-dessous.

Le lapin part du point A en direction de D. Cette direction est repérée par l'angle $\theta = \widehat{BAD}$ avec $0 \leqslant \theta \leqslant \dfrac{\pi}{2}$ (en radians).

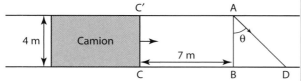

1. Déterminer en fonction de $\cos(\theta)$ et $\sin(\theta)$ les distances AD et CD puis les temps t_1 et t_2 mis par le lapin et le camion pour parcourir respectivement les distances AD et CD.

2. On pose $f(\theta) = \dfrac{7}{2} + 2\dfrac{\sin(\theta)}{\cos(\theta)} - \dfrac{4}{\cos(\theta)}$.

Montrer que le lapin aura traversé la route avant le passage du camion si et seulement si $f(\theta) > 0$.

3. Conclure.　Méthode 1 p. 85　Méthode 3　Méthode 4 p. 87-88

91 Aire maximale d'un trapèze TICE

1. Ouvrir un logiciel de géométrie dynamique.
a) Tracer un segment [BC] de longueur 1 cm puis le cercle de centre B et de rayon 1 cm et le cercle de centre C et de rayon 1 cm.
b) Placer un point A sur le cercle de centre B et de rayon 1 cm, puis tracer un trapèze isocèle ABCD tel que AB = BC = CD = 1 cm.
c) On note θ la mesure de l'angle en radians de l'angle $\widehat{BAD}$. Afficher la mesure de l'angle θ et l'aire de ABCD. Déterminer la valeur de θ pour laquelle l'aire semble maximale.

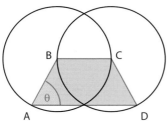

2. Dans cette question, on cherche à déterminer, par le calcul, l'aire maximale de ABCD notée $\mathscr{A}(\theta)$.
a) Déterminer l'intervalle dans lequel varie θ.
b) Montrer que $\mathscr{A}(\theta) = (1 + \cos(\theta))\sin(\theta)$ pour tout $\theta \in \left[0\,;\dfrac{\pi}{2}\right]$.
c) Déterminer le tableau de variations de $\mathscr{A}$ sur $\left[0\,;\dfrac{\pi}{2}\right]$.
d) Conclure.　Méthode 1 p. 85　Méthode 4 p. 88

92 Étude de fonctions

Soit la fonction f définie sur $[0\,;2\pi]$ par :
$$f(x) = 1 + \cos(x) + \dfrac{1}{2}\cos(2x).$$

1. Déterminer la dérivée de la fonction f.
2. On admet l'égalité suivante, pour tout nombre réel a :
$$\sin(2a) = 2\sin(a)\cos(a).$$
Montrer que pour tout réel $x \in [0\,;2\pi]$:
$$f'(x) = -\sin(x)\,(1 + 2\cos(x)).$$
3. Résoudre dans l'intervalle $[0\,;2\pi]$, l'équation $\sin(x)\,(1 + 2\cos(x)) = 0$.
4. Dresser le tableau de signes de $f'(x)$ sur $[0\,;2\pi]$.
5. Déduire des questions précédentes le tableau de variations de la fonction f sur l'intervalle $[0\,;2\pi]$. Préciser les ordonnées des points dont l'abscisse x vérifient $f'(x) = 0$.　Méthode 1 p. 85　Méthode 4 p. 88

93 Étude de fonctions avec une fonction auxiliaire

A ▶ Soit f la fonction définie sur $\mathbb{R}$ par :
$$f(x) = \dfrac{3(x-1)^3}{3x^2 + 1}.$$
1. Calculer $f'(x)$.
2. Dresser le tableau de variations de f sur $\mathbb{R}$.
3. Déterminer une équation de la tangente T à la courbe représentative de f au point d'abscisse 0.

B ▶ Soit g la fonction définie sur $\mathbb{R}$ par :
$$g(x) = \dfrac{3(\sin(x) - 1)^3}{3\sin^2(x) + 1}.$$
1. Vérifier que g est 2π-périodique.
2. a) Écrire une relation entre f et g.
b) On admet que, si u et v sont deux fonctions dérivables sur $\mathbb{R}$, alors la fonction composée de v suivie de u est dérivable sur $\mathbb{R}$ et :
$$[u(v(x))]' = v'(x) \times u'(v(x)).$$
En déduire une expression de $g'(x)$.
3. Dresser le tableau de variations de g sur $[-\pi\,;\pi]$.　Méthode 1 p. 85　Méthode 4 p. 88

Exercices (vers le supérieur)

94 Représenter une ampoule

Dans cet exercice, on s'intéresse à la modélisation d'une ampoule basse consommation.

Le plan est muni d'un repère orthonormé $(O, \vec{i}, \vec{j})$.

On considère les points A(– 1 ; 1), B(0 ; 1), C(4 ; 3), D(7 ; 0), E(4 ; – 3), F(0 ; – 1) et G(– 1 ; 1).

On modélise la section de l'ampoule par un plan passant par son axe de révolution à l'aide de la figure suivante.

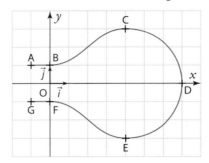

La partie de la courbe située au-dessus de l'axe des abscisses se décompose de la manière suivante :

• la portion située entre les points A et B est la représentation graphique de la fonction constante h définie sur $[-1 ; 0]$ par $h(x) = 1$;

• la portion située entre les points B et C est la représentation graphique d'une fonction f définie sur $[0 ; 4]$ par :

$$f(x) = a + b\sin\left(c + \frac{\pi}{4}x\right)$$

où a, b et c sont des réels non nuls fixés et où le réel c appartient à $\left[0 ; \frac{\pi}{2}\right]$;

• la portion située entre les points C et D est un quart de cercle de diamètre [CE].

La partie de la courbe située en dessous de l'axe des abscisses est obtenue par symétrie par rapport à l'axe des abscisses.

1. Pour tout réel $x \in [0 ; 4]$, déterminer $f'(x)$.

2. Déterminer la valeur du réel c sachant que les tangentes aux points B et C à la représentation graphique de f sont parallèles à l'axe des abscisses.

3. Déterminer les réels a et b.

D'après Bac S, Polynésie, 2018.

95 Suite de sinus
Démo

Montrer que la suite (u_n) définie, pour tout $n \in \mathbb{N}^*$,

par $u_n = \dfrac{\sin(1)}{n^2} + \dfrac{\sin(2)}{n^2} + ... + \dfrac{\sin(n)}{n^2}$ est convergente.

96 Suite de suite

Soit $(a_n)_{n \in \mathbb{N}}$ une suite non constante de réels.

Pour tout entier n, on pose $u_n = \sin(a_n)$.

Peut-on choisir une suite $(a_n)_{n \in \mathbb{N}}$ telle que la suite $(u_n)_{n \in \mathbb{N}}$ converge vers $\dfrac{\sqrt{2}}{2}$?

97 Variations de fonctions
PACES

On considère que $x \in [0 ; 4\pi]$.

Les affirmations suivantes sont-elles vraies ou fausses ?

a) La fonction cosinus est décroissante sur $[0 ; \pi]$ et sur $[2\pi ; 3\pi]$.

b) Les fonctions sinus et cosinus sont décroissantes sur $\left[\dfrac{5\pi}{2} ; 3\pi\right]$.

c) Sur $\left[\dfrac{\pi}{2} ; \dfrac{3\pi}{2}\right]$ les fonctions cosinus et sinus ont des sens de variations contraires.

98 Une formule utile
MPSI **PCSI**

Dans cet exercice, on va démontrer que pour tous nombres réels a et b :

$$\cos(a + b) = \cos(a)\cos(b) - \sin(a)\sin(b).$$
$$\sin(a + b) = \cos(a)\sin(b) + \cos(b)\sin(a).$$

On considère un repère orthonormé $(O, \vec{i}, \vec{j})$, le cercle trigonométrique noté $\mathscr{C}$ et a et b deux nombres réels.

Soit M et M' deux points de $\mathscr{C}$ vérifiant que $(\vec{i}, \overrightarrow{OM}) = a$ et $(\vec{i}, \overrightarrow{OM'}) = a + \dfrac{\pi}{2}$.

1. Quelles sont les coordonnées des points M et M' dans le repère $(O, \vec{i}, \vec{j})$?

2. On place le point N sur $\mathscr{C}$ tel que $(\overrightarrow{OM}, \overrightarrow{ON}) = b$. Dans le repère $(O, \overrightarrow{OM}, \overrightarrow{OM'})$, quelles sont les coordonnées de N ?

3. Exprimer les coordonnées de N dans le repère $(O, \vec{i}, \vec{j})$ de deux manières différentes.

4. Conclure.

99 Dériver une fonction
PACES

La fonction tangente est définie sur $\left]0 ; \dfrac{\pi}{2}\right[$ par :

$$\tan(x) = \frac{\sin(x)}{\cos(x)}.$$

Les affirmations suivantes sont-elles vraies ou fausses ?

a) La fonction $\cos(x)$ est croissante sur $[0 ; \pi]$.

b) $(\tan(x))' = \dfrac{1}{1 + \cos(2x)}$ **c)** $(\tan(x))' = \dfrac{1}{\cos^2(x)}$

d) $(\tan(x))' = 1 + \tan^2(x)$

100 Déterminer des valeurs exactes

On admet que pour tous nombres réels a et b :

$$\cos(a + b) = \cos(a)\cos(b) - \sin(a)\sin(b).$$

La fonction tangente est définie sur $\left]0 ; \dfrac{\pi}{2}\right[$ par :

$$\tan(x) = \frac{\sin(x)}{\cos(x)}.$$

1. Que vaut $\dfrac{\pi}{3} - \dfrac{\pi}{4}$? En déduire les valeurs exactes de $\cos\left(\dfrac{\pi}{12}\right)$, $\sin\left(\dfrac{\pi}{12}\right)$ et $\tan\left(\dfrac{\pi}{12}\right)$.

2. Déterminer les valeurs exactes de $\cos\left(\dfrac{5\pi}{12}\right)$, $\sin\left(\dfrac{5\pi}{12}\right)$ et $\tan\left(\dfrac{5\pi}{12}\right)$.

101 Inégalité de Huygens · Démo

On cherche à démontrer dans cet exercice que, pour tout

$$x \in \left[0 ; \frac{\pi}{2}\right[, 2\sin(x) + \frac{\sin(x)}{\cos(x)} \geqslant 3x.$$

Cette inégalité est appelée inégalité de Huygens.

On considère la fonction f définie sur $\left[0 ; \frac{\pi}{2}\right[$ par :

$$f(x) = 2\sin(x) + \frac{\sin(x)}{\cos(x)} - 3x.$$

1. Calculer $f'(x)$.

2. On considère le polynôme défini sur $]0 ; 1]$ par :
$$P(x) = 2x^3 - 3x^2 + 1.$$

a) Montrer que $P(x) = (x-1)^2(2x+1)$.

b) Déterminer le signe de $P(x)$ sur $]0 ; 1]$.

3. On rappelle que la fonction cosinus est continue et strictement décroissante sur $\left[0 ; \frac{\pi}{2}\right[$ et son intervalle image est $]0 ; 1]$.

a) Vérifier que, pour tout $x \in \left[0 ; \frac{\pi}{2}\right[, f'(x) = \frac{P(\cos(x))}{\cos^2(x)}$.

b) En déduire le signe de $f'(x)$, puis les variations de f sur $\left[0 ; \frac{\pi}{2}\right[$.

c) Prouver alors l'inégalité de Huygens.

102 Arc de sinusoïde · Algo

Le but est d'estimer la longueur l de l'arc de la courbe représentative de la fonction cosinus sur $\left[\frac{3\pi}{2} ; \frac{5\pi}{2}\right]$.

Pour cela, on subdivise l'intervalle $\left[\frac{3\pi}{2} ; \frac{5\pi}{2}\right]$ en n intervalles, $n \geqslant 2$, de longueurs $\frac{\pi}{n}$ puis on trace une ligne brisée qui relie dans l'ordre les points de coordonnées

$$\left(\frac{3\pi}{2} + \frac{k\pi}{n} ; \cos\left(\frac{3\pi}{2} + \frac{k\pi}{n}\right)\right) \text{ pour } k \in \{0 ; 1 ; 2 ; \dots ; n\}.$$

On note l_n la longueur de la ligne brisée.

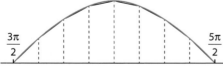

1. Calculer la valeur exacte de l_2 et de l_3.

2. L'algorithme ci-contre permet de déterminer la longueur l_n en fonction de n. Compléter cet algorithme.

```
L ← 0
Pour i allant de 0 à n:
    L ← L + …
FinPour
Afficher L
```

3. Le programmer sous **Python** puis déterminer la valeur de l_{1000}.

103 Résoudre une équation

En utilisant l'égalité démontré dans l'exercice 98, déterminer les solutions de l'équation $\sin(x) + \sin(2x) = 0$ sur $\mathbb{R}$.

104 Représentation graphique · PACES

On considère le graphe suivant.

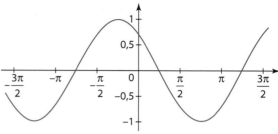

Les affirmations suivantes sont-elles vraies ou fausses ?

a) Ce graphe représente la fonction cosinus.

b) La fonction qui est représentée par ce graphe est paire.

c) La fonction qui est représentée par ce graphe n'est ni paire ni impaire.

105 Fonctions hyperboliques · MPSI · PCSI

Pour tout réel x, on pose $sh(x) = \dfrac{e^x - e^{-x}}{2}$; $ch(x) = \dfrac{e^x + e^{-x}}{2}$; $th(x) = \dfrac{sh(x)}{ch(x)}$.

La fonction sh est appelée « sinus hyperbolique », la fonction ch est appelée « cosinus hyperbolique » et la fonction th « tangente hyperbolique ».

La fonction tangente est définie sur $\left]0 ; \frac{\pi}{2}\right[$ par :

$$\tan(x) = \frac{\sin(x)}{\cos(x)}.$$

Ces fonctions présentent des analogies avec les fonctions sinus, cosinus et tangente.

1. Déterminer la parité de chacune de ces fonctions.

2. **a)** Vérifier que pour tout réel x, on a l'égalité :
$$ch^2(x) - sh^2(x) = 1.$$

b) Vérifier que, pour tout réel x, on a :
$$(ch)'(x) = sh(x) ; sh'(x) = ch(x) ;$$
$$(th)'(x) = 1 - th^2(x).$$

3. Étudier les variations de ces fonctions et les tracer dans un repère orthonormal.

106 Équation et algorithme · Algo ✎

1. Justifier que l'équation $\cos(x) = 0,2$ a une unique solution dans l'intervalle $[0 ; \pi]$. On notera x_0 cette solution.

2. On considère l'algorithme ci-contre.
Le compléter pour qu'il affiche un encadrement de x_0 au millième.

```
a ← 0
b ← 3
Tant que b-a >...
    m ← a + b
        ——
         2
    Si ... > 0,2:
        ... ← m
    Sinon
        ... ← m
    Fin si
Fin Tant que
Afficher a et b
```

Travaux pratiques

1   Chercher la tangente

On va s'intéresser à la fonction tangente en généralisant la définition vue en classe de troisième.

A ▶ Dans le triangle rectangle

On se place dans un triangle rectangle ABC rectangle en A.

1. Exprimer le cosinus, le sinus, puis la tangente de l'angle $\widehat{ABC}$.

2. Exprimer le cosinus, le sinus, puis la tangente de l'angle $\widehat{ACB}$.

3. En déduire une expression de la tangente d'un angle aigu en fonction du cosinus et du sinus de cet angle.

B ▶ Avec le cercle trigonométrique

On considère le cercle trigonométrique $\mathscr{C}$ de centre O dans le repère orthonormé direct $(O, \vec{i}, \vec{j})$.

On trace la droite T tangente à $\mathscr{C}$ au point de coordonnées A(1 ; 0).

Pour tout nombre x de l'intervalle $\left]-\dfrac{\pi}{2} ; \dfrac{\pi}{2}\right[$, on note M le point du cercle trigonométrique associé à x.

Soit N le point d'intersection de la droite (OM) avec la droite T.

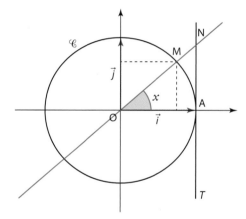

1. a) Expliquer pourquoi le point N est bien défini.

b) À l'aide du théorème de Thalès, démontrer que l'ordonnée du point N est égale à $\dfrac{\sin(x)}{\cos(x)}$.

Par la suite, on appelle fonction tangente la fonction définie sur $\left]-\dfrac{\pi}{2} ; \dfrac{\pi}{2}\right[$ par $\tan(x) = \dfrac{\sin(x)}{\cos(x)}$.

2. a) Déterminer si la fonction tangente est périodique.
Si oui, préciser sa période.

> **Coup de pouce** $\sin(x + \pi) = -\sin(x)$

b) Déterminer si la fonction tangente est une fonction paire, impaire ou ni l'une ni l'autre.

c) Expliquer pourquoi la fonction tangente est dérivable sur $\left]-\dfrac{\pi}{2} ; \dfrac{\pi}{2}\right[$ puis calculer sa dérivée.

d) En déduire les variations de la fonction tangente sur $\left]-\dfrac{\pi}{2} ; \dfrac{\pi}{2}\right[$.

3. a) Peut-on définir la fonction tangente sur $\mathbb{R}$?
Si non, déterminer les valeurs pour lesquelles la fonction tangente n'est pas définie.

b) Dresser le tableau de variations de la fonction tangente sur l'intervalle $[-\pi ; \pi]$.

c) À l'aide de la calculatrice, représenter la fonction tangente et vérifier les réponses aux questions précédentes.

2   De plus en plus proche du sinus et du cosinus

On cherche à trouver des valeurs approchées prises par la fonction sinus pour des valeurs proches de zéro.

Joseph Fourier, mathématicien et physicien français (1768-1830), a trouvé lors de ses travaux sur la propagation de la chaleur des formules permettant d'exprimer les fonctions sinus et cosinus à l'aide de somme infinie.

A ▶ Sinus

On admet la formule suivante pour tout réel x, x proche de zéro :

$$\sin(x) = x - \frac{x^3}{3!} + \frac{x^5}{5!} - \frac{x^7}{7!} + \dots$$

avec, pour tout entier naturel n, $n! = 1 \times 2 \times 3 \times \dots \times n$ et x exprimé en radians.

On appelle factorielle n le nombre défini par $n!$ (⤷ **chapitre 11**)

1. a) Calculer 3! ; 5! et 7!

b) Compléter l'algorithme suivant permettant de déterminer le factoriel d'un entier naturel.

```
a ← 1
Pour i allant de …… à …… faire :
        a = …
Fin Pour
Retourner (a)
```

c) Le programmer sous **Python** .

On peut également écrire la formule précédente sous la forme suivante :

$$\sin(x) = \sum_{k=0}^{+\infty} (-1)^k \frac{x^{2k+1}}{(2k+1)!} = \lim_{n \to +\infty} \sum_{k=0}^{n} (-1)^k \frac{x^{2k+1}}{(2k+1)!}$$

où $\sum\limits_{k=0}^{+\infty}$ signifie que la somme est infinie.

2. Écrire une fonction en langage **Python** permettant de calculer la valeur approchée du sinus d'un nombre proche de zéro. On peut pour cela s'aider de la formule précédente et de la fonction `factorial` de **Python**. Cette fonction prendra en paramètres les valeurs de n et de x.

B ▶ Cosinus

On admet la formule suivante, pour tout réel x, x proche de zéro :

$$\cos(x) = 1 - \frac{x^2}{2!} + \frac{x^4}{4!} - \frac{x^6}{6!} + \dots$$

où x est exprimé en radians.

1. Écrire une formule identique à celle du sinus d'un nombre réel de la question **A 1.** pour le cosinus d'un nombre réel.

2. Écrire un programme en langage **Python** permettant de calculer la valeur du cosinus d'un nombre à partir de la formule précédente et de la fonction factorielle programmée dans la question **1. c)**.
Cette fonction prendra en paramètres les valeurs de n et de x.

Algo — 55 min

3 Modélisation du son

Un son est provoqué par un mouvement de l'air. Ce mouvement se propage en faisant varier la pression atmosphérique sous la forme d'une onde, comme lorsqu'on jette un caillou dans l'eau. Un son pur est produit par un diapason et sa représentation graphique est une fonction sinusoïdale.

Une onde sonore est caractérisée par sa période T qui caractérise la hauteur du son et par son amplitude P, exprimée en Pascal, qui caractérise son intensité.

En général, on étudie plutôt la fréquence F, exprimée en hertz, du son qui correspond au nombre d'oscillations par seconde. La fréquence détermine la tonalité du son : plus un son est aigu, plus sa fréquence est élevée et plus sa fréquence est lente, plus le son est grave.

On appelle **son pur** un son comportant une seule fréquence.

A ▸ Modélisation d'un son pur

1. On admet qu'un son pur de fréquence F et d'amplitude P peut être représenté par la fonction définie sur $\mathbb{R}$ par :

$$f(t) = P \sin(2\pi F t)$$

où t désigne le temps exprimé en seconde.

a) Déterminer la période T de cette fonction.

 Coup de pouce
La fonction sinus est 2π-périodique.

b) En déduire la relation entre la période T et la fréquence F d'un son.

2. Le la 440, aussi noté la_3, est une note de musique utilisée comme hauteur de référence.

Sa fréquence est de 440 Hz (hertz). On donne ci-dessous une représentation graphique de la fonction associée au la 440 pour une amplitude donnée.

a) Déterminer graphiquement une valeur approchée de sa période puis vérifier le résultat à l'aide d'un calcul.

b) Déterminer graphiquement l'amplitude associée au son représenté ci-dessus.

c) En déduire l'expression de la fonction représentée.

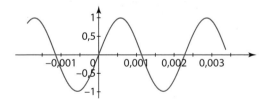

B ▸ Modélisation d'un son

Lorsqu'un musicien joue une note avec un instrument de musique, nous avons l'impression de n'entendre qu'un seul son mais cette impression est erronée.

Joseph Fourier a affirmé en 1822 qu'un son musical peut se décomposer en plusieurs autres sons musicaux élémentaires appelés sons purs.

La fonction f représentant le son entendu est composée d'une somme de fonctions sinusoïdales.

La note perçue est en fait une « harmonie » dans laquelle cette note est dominante.

Sa fréquence est appelée fréquence fondamentale, ou harmonique 1, et indique la hauteur de celle-ci.

Les fréquences des autres notes formant ce son, appelées harmoniques, sont des multiples entiers de la fréquence fondamentale.

Ainsi, lorsqu'un musicien joue un la$_1$, il joue le la$_1$, ainsi que toutes ses harmoniques mais avec des amplitudes inférieures que la dominante la$_1$. Le son obtenu est la somme des sons de chaque harmonie produite.

1. Sur le graphique suivant est représenté le signal sinusoïdal de la note la$_1$ en bleu et celui de la note mi$_3$ en vert.

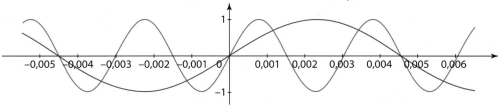

a) Déterminer la période T_1 de la note la$_1$.
b) Déterminer la période T_3 de la note mi$_3$.
c) Vérifier graphiquement que la note mi$_3$ est une harmonique de la note la$_1$.

2. On donne ci-dessous les représentations graphiques de la décomposition d'un son en somme de fonctions sinusoïdales.

Signal du son entendu

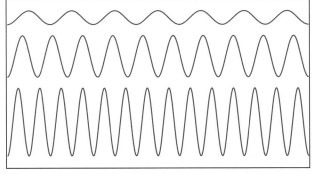

Signal de la note dominante

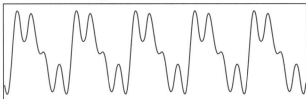

Signaux des harmoniques

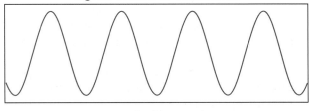

Soit une fonction f définie sur $\mathbb{R}$ par :
$$f(t) = \sin(110\pi t) + a_1 \sin(220\pi t) + a_2 \sin(330\pi t) + \ldots + a_n \sin(110(n+1)\pi t)$$
avec $a_1, a_2, \ldots, a_n$ des nombres réels compris entre 0 et 1, 1 étant exclu, et n un nombre entier compris entre 3 et 11. Cette fonction est une modélisation possible du signal sonore de la note la$_1$. La variable t représente le temps exprimé en seconde.
Écrire un algorithme permettant de générer les différentes fonctions f précédentes et de représenter celles-ci.
Le programmer ensuite à l'aide du logiciel **Python** .

4

Continuité

La méthode de Newton Raphson est redoutablement efficace pour déterminer en un minimum d'étapes une approximation d'un zéro d'une fonction continue.

Comment fonctionne la méthode de Newton Raphson ?

↳ **TP 2** p. 135

▶ **VIDÉO WEB**

Méthode de Newton Raphson
lienmini.fr/maths-s04-01

Pour prendre un bon départ

 EXOS
Prérequis
lienmini.fr/maths-s04-02

Les rendez-vous
Sésamath

1 Calculer une limite en un point

Déterminer les limites suivantes.

a) $\lim_{x \to -1} x^2 - 3x + 5$ **b)** $\lim_{x \to 2^-} \dfrac{5x}{2 - x}$ **c)** $\lim_{x \to 1} \dfrac{3}{(x - 1)^2}$

2 Interpréter une courbe

a)

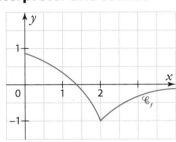

Déterminer $\lim_{x \to 2} f(x)$.

La fonction f est-elle dérivable en 2 ?

Pourquoi ?

b)

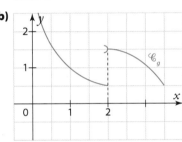

Déterminer $\lim_{x \to 2^-} g(x)$ et $\lim_{x \to 2^+} g(x)$.

La fonction g admet-elle une limite en 2 ?

La fonction g est-elle dérivable en 2 ?

Pourquoi ?

3 Déterminer les variations d'une fonction

Calculer la fonction dérivée des fonctions suivantes puis déterminer leurs variations.

a) $f(x) = 2x^3 - 6x^2 + 5$ **b)** $f(x) = \dfrac{x + 1}{x^2 + x + 1}$ **c)** $f(x) = (2x + 3)e^x$ **d)** $f(x) = \dfrac{x}{e^x}$

4 Montrer la convergence d'une suite

Soit la suite (u_n) définie sur $\mathbb{N}$ tel que : pour tout $n \in \mathbb{N}$, $u_n \leqslant u_{n+1} < 3$.

1. Montrer que la suite (u_n) converge vers une limite ℓ.

2. Peut-on affirmer que :

a) $\ell = 3$? **b)** $\ell < 3$? **c)** $\ell \leqslant 3$? **d)** ℓ est quelconque ?

5 Comprendre une fonction en langage Python

Qu'affiche cet algorithme pour $f(1)$, $f(0.9)$ et $f(1.1)$?

```python
def f(x):
    if x<1:
        return x+1
    elif x>1:
        return -x**2+4*x+1
    else:
        return 3
```

En déduire $\lim_{x \to 1^-} f(x)$ et $\lim_{x \to 1^+} f(x)$.

Activités

1 Découvrir la fonction partie entière

A ▶ Représentation

La fonction partie entière, noté E, associe à tout réel x le plus grand entier inférieur ou égal à x.

Pour tout réel x, on détermine l'entier relatif n tel que $n \leqslant x < n + 1$, on a alors $E(x) = n$.

1. Déterminer $E(2 , 3)$, $E(4)$, $E(-1 , 7)$, $E(-3)$.

2. Représenter la fonction partie entière E dans l'intervalle $[-3 ; 3]$ dans un repère semblable au repère ci-contre.

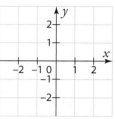

B ▶ Continuité

1. Déterminer la limite à droite et à gauche de la partie entière en 2. La fonction partie entière admet-elle une limite en 2 ? Pourquoi ?

2. On considère maintenant un réel a non entier. La fonction partie entière admet-elle une limite en $x = a$? Si oui que vaut cette limite ?

3. On dit qu'une fonction est continue en a si, et seulement si, $\lim\limits_{x \to a} f(x) = f(a)$. Sur quels intervalles des réels la fonction partie entière est-elle continue ? En quelles valeurs de $\mathbb{R}$ la fonction partie entière n'est-elle pas continue ?

↳ Cours 1 p. 112

2 Comprendre le lien entre continuité et dérivabilité

A ▶ Une première fonction et valeur absolue

Soit la fonction f définie sur $\mathbb{R}$ par : $f(x) = |2x - 3|$.

1. Calculer $\lim\limits_{x \to \frac{3}{2}^-} f(x)$ et $\lim\limits_{x \to \frac{3}{2}^+} f(x)$. La fonction f admet-elle une limite en $\dfrac{3}{2}$? Pourquoi ?

2. a) Calculer $\lim\limits_{x \to \frac{3}{2}^-} \dfrac{f(x) - f\left(\frac{3}{2}\right)}{x - \frac{3}{2}}$ et $\lim\limits_{x \to \frac{3}{2}^+} \dfrac{f(x) - f\left(\frac{3}{2}\right)}{x - \frac{3}{2}}$.

b) La fonction f est-elle dérivable en $\dfrac{3}{2}$? Pourquoi ?

3. Tracer la fonction f à l'aide de la calculatrice.
Comment interpréter graphiquement les résultats obtenus pour les questions **1.** et **2.** ?

B ▶ Une seconde fonction et racine carrée

Soit la fonction g définie sur $\mathbb{R}$ par : $g(x) = \sqrt{x^2}$.

1. Calculer $\lim\limits_{x \to 0^-} g(x)$ et $\lim\limits_{x \to 0^+} g(x)$. La fonction g admet-elle une limite en 0 ? Pourquoi ?

2. Calculer $\lim\limits_{x \to 0^-} \dfrac{g(x) - g(0)}{x}$ et $\lim\limits_{x \to 0^+} \dfrac{g(x) - g(0)}{x}$. La fonction g est-elle dérivable en 0 ? Pourquoi ?

3. Tracer la fonction g à l'aide de la calculatrice.
Comment interpréter graphiquement les résultats obtenus pour les questions **1.** et **2.** ?

↳ Cours 2 p. 144

3 Utiliser les notions de limite et fonction associée

15 min

On définit la suite (u_n) par : $u_0 = 6$ et pour tout $n \in \mathbb{N}$, $u_{n+1} = \frac{1}{2}u_n + 1$.

1. a) Reproduire le graphique ci-contre puis placer les points d'ordonnées nulles A_0, A_1, A_2 et A_3 d'abscisses respectives u_0, u_1, u_2 et u_3.

b) Que peut-on conjecturer pour la limite de (u_n) ?

2. Soit la fonction f associée à la suite (u_n) définie sur $\mathbb{R}$ par $f(x) = \frac{1}{2}x + 1$.

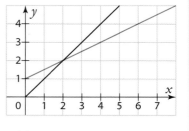

Résoudre l'équation $f(x) = x$. On appelle par la suite a la solution de l'équation.

3. On définit la suite (v_n) par : $v_n = u_n - a$.

a) Montrer que la suite (v_n) est géométrique. Donner sa raison q et son premier terme v_0.

b) Exprimer v_n puis u_n en fonction de n.

c) Montrer alors que la suite (u_n) converge et calculer sa limite ℓ.

d) Quelle relation existe-t-il entre la limite ℓ et la fonction f ?

➥ Cours 3 p. 114

4 Résoudre une équation

15 min

1. On donne les tableaux de variations de deux fonctions f et g définies sur $\mathbb{R}$.

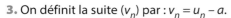

x	$-\infty$		1		$+\infty$
$f'(x)$		$+$	0	$-$	
f	$-\infty$		5		-1

x	$-\infty$		$+\infty$
$g'(x)$		$-$	
g	$\frac{3}{2}$		-2

On considère les équations (E_1) : $f(x) = k$ et (E_2) : $g(x) = k$ avec $k \in \mathbb{R}$.

a) On prend $k = 0$. Combien de solutions possèdent les équations (E_1) et (E_2) ? Pourquoi ?

b) Déterminer, selon les valeurs de k, le nombre de solutions de l'équation (E_1).

c) Déterminer, selon les valeurs de k, le nombre de solutions de l'équation (E_2).

2. On donne les représentations de deux nouvelles fonctions f et g définies sur $[0 ; 4]$.

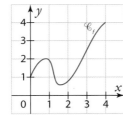 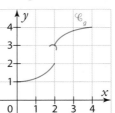

On considère les équations suivantes avec $k \in [1 ; 4]$:

(E_1) : $f(x) = k$;

(E_2) : $g(x) = k$.

a) La fonction g est-elle continue en $x = 2$? Pourquoi ?

Quelle est l'image de l'intervalle $[1 ; 4]$ par la fonction g ?

b) Discuter le nombre de solutions suivant les valeurs de k, des équations (E_1) et (E_2).

➥ Cours 3 p. 114

Cours

1 Définition et propriétés

Définition Continuité

Soit une fonction f définie sur un intervalle ouvert I contenant le réel a. On dit que la fonction f est continue en un point a si et seulement si : $\lim\limits_{x \to a} f(x) = f(a)$.

La fonction f est continue sur un intervalle I si, et seulement si, f est continue en tout point de I.

▶ **Remarques**

• Graphiquement, la continuité d'une fonction sur un intervalle I se traduit par une courbe « en un seul morceau », elle n'a pas de « saut » en certaines valeurs.

• On définit la continuité sur un intervalle fermé en prenant la limite à droite de la borne inférieure et la limite à gauche de la borne supérieure.

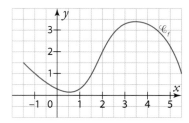

Fonction continue
sur son intervalle de définition

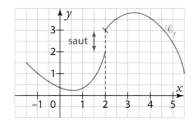

La fonction f n'a pas de limite en 2

f est discontinue en 2 donc non continue
sur son intervalle de définition

Propriétés Continuité des fonctions usuelles

• Les fonctions puissance $x \mapsto x^n$, $n \in \mathbb{N}$, sont continues sur $\mathbb{R}$.
• La fonction inverse $x \mapsto \dfrac{1}{x}$ est continue sur $]-\infty\,;0[$ ou $]0\,;+\infty[$.
• La fonction racine carrée $x \mapsto \sqrt{x}$ est continue sur $[0\,;+\infty[$.
• La fonction valeur absolue $x \mapsto |x|$ est continue sur $\mathbb{R}$.
• La fonction exponentielle $x \mapsto \mathrm{e}^x$ est continue sur $\mathbb{R}$.
• Les fonctions sinus $x \mapsto \sin x$ et cosinus $x \mapsto \cos x$ sont continues sur $\mathbb{R}$.

• D'une façon générale, toutes fonctions construites par somme, produit, quotient ou composition à partir des fonctions mentionnées ci-dessus sont continues sur leur ensemble de définition.

▶ **Remarque** Les fonctions polynômes et rationnelles sont continues sur leur ensemble de définition.

● **Exemple**
La fonction f définie sur $\mathbb{R}$ par $f(x) = \sin[\cos(x^2 + 1)]$ est continue par somme et composition de fonctions continues sur $\mathbb{R}$.

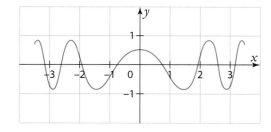

● EXOS
Méthodes
lienmini.fr/maths-s04-03

Les rendez-vous
Sésamath

Exercices (résolus)

Méthode 1 Conjecturer et montrer la continuité d'une fonction

Énoncé

Soit la fonction f définie sur $\mathbb{R}$ par : $\begin{cases} f(x) = x^2 - 2x - 2 & \text{si } x \leqslant 1 \\ f(x) = \dfrac{x-4}{x} & \text{si } x > 1 \end{cases}$

1. Tracer sur la calculatrice la fonction f.
Que peut-on conjecturer sur la continuité de la fonction f sur $\mathbb{R}$?

2. Démontrer cette conjecture en étudiant les cas $x \neq 1$ et $x = 1$.

Solution

1. On obtient la courbe suivante. **1**

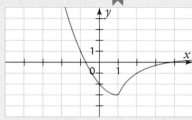

D'après la représentation de la fonction f on peut conjecturer que la fonction f est continue sur $\mathbb{R}$. **2**

2. **3** • La fonction $x \mapsto x^2 - 2x - 2$ est un polynôme donc continue sur $\mathbb{R}$ et donc continue sur $]-\infty : 1[$.

La fonction $x \mapsto \dfrac{x-4}{x}$ est une fonction rationnnelle donc continue sur $\mathbb{R}^*$ et donc sur $]1 ; +\infty[$.

• Analysons la continuité en 1 : **4**

$$\left. \begin{array}{l} \lim\limits_{x \to 1^-} f(x) = \lim\limits_{x \to 1^-} x^2 - 2x - 2 = -3 \\[2mm] \lim\limits_{x \to 1^+} f(x) = \lim\limits_{x \to 1^+} \dfrac{x-4}{x} = -3 \end{array} \right\} \Rightarrow \lim\limits_{x \to 1} f(x) = -3$$

or $f(1) = -3$ **5**, on a donc $\lim\limits_{x \to 1} f(x) = f(1)$. La fonction f est continue en 1.

Conclusion : la fonction f est continue sur $\mathbb{R}$.

Conseils & Méthodes

1 Comme les variations de la fonction f sont inconnues, prendre une fenêtre par défaut.

2 La courbe n'a pas de saut donc elle est continue.

3 Analyse de la continuité pour $x \neq 1$. Les fonctions usuelles sont continues sur leur ensemble de définition.

4 Analyse de la continuité en 1. La fonction f a un changement de forme en 1, on calcule la limite à gauche et la limite à droite de 1 et on les compare à $f(1)$.

5 Pour calculer $f(1)$, on prend la première forme.

À vous de jouer !

1 Soit la fonction f définie sur $\mathbb{R}$ par :

$$\begin{cases} f(x) = x - 1 & \text{si } x < 1 \\ f(x) = -x^2 + 4x + 1 & \text{si } x \geqslant 1 \end{cases}$$

1. Tracer sur la calculatrice la fonction f.
Que peut-on conjecturer sur l'ensemble sur lequel la fonction f est continue ?

2. Démontrer cette conjecture en étudiant les cas $x \neq 1$ et $x = 1$.

2 Soit la fonction f définie sur $\mathbb{R}$ par :

$$\begin{cases} f(x) = e^x & \text{si } x \leqslant 0 \\ f(x) = -x^2 + 2x + 1 & \text{si } x > 0 \end{cases}$$

1. Tracer sur la calculatrice la fonction f.
Que peut-on conjecturer sur l'ensemble sur lequel la fonction f est continue ?

2. Démontrer cette conjecture en étudiant les cas $x \neq 0$ et $x = 0$.

➥ Exercices 20 à 24 p. 122

2 Continuité et dérivabilité

Théorème Continuité et dérivabilité

Si une fonction f est dérivable en un point a alors f est continue en a.

Si une fonction f est dérivable sur un intervalle I alors f est continue sur I.

● Démonstration

Montrons que la dérivabilité en a entraîne la continuité en a.

Pour $x \neq 0$, posons $t(x)$ le taux d'accroissement de la fonction f en a : $t(x) = \dfrac{f(x) - f(a)}{x - a}$.

Par produit en croix : $(x - a)t(x) = f(x) - f(a) \Rightarrow f(x) = (x - a)t(x) + f(a)$.

La fonction f est dérivable en a : $\lim\limits_{x \to a} t(x) = f'(a)$ et $\lim\limits_{x \to a} (x - a) = 0$

donc par produit : $\lim\limits_{x \to a} (x - a)t(x) = 0$ et par somme : $\lim\limits_{x \to a} (x - a)t(x) + f(a) = f(a)$.

On a alors : $\lim\limits_{x \to a} f(x) = f(a)$. La fonction f est continue en a.

▶ **Remarque** La réciproque de ce théorème est fausse. Une fonction peut être continue en a mais pas dérivable en a.

Prenons par exemple la fonction valeur absolue en 0.

- $\lim\limits_{x \to 0^-} \dfrac{|x| - |0|}{x - 0} = \lim\limits_{x \to 0^-} \dfrac{-x}{x} = \lim\limits_{x \to 0^-} -1 = -1$

- $\lim\limits_{x \to 0^+} \dfrac{|x| - |0|}{x - 0} = \lim\limits_{x \to 0^+} \dfrac{x}{x} + \lim\limits_{x \to 0^+} 1 = 1$

La fonction valeur absolue n'est donc pas dérivable en 0,

- or $\left.\begin{array}{l}\lim\limits_{x \to 0^-} |x| = \lim\limits_{x \to 0^-} -x = 0 \\ \lim\limits_{x \to 0^-} |x| = \lim\limits_{x \to 0^+} x \leq 0\end{array}\right\} \Rightarrow \lim\limits_{x \to 0^-} |x| = 0 = |0|$.

La fonction valeur absolue est continue en 0.

Une fonction continue mais pas dérivable en a est caractérisée par une courbe qui admet un point anguleux.

3 Continuité et suite

Théorème Point fixe

Soit une suite (u_n) définie par un premier terme et $u_{n+1} = f(u_n)$ convergente vers ℓ.

Si la fonction associée f est continue en ℓ, alors la limite de la suite ℓ est solution de l'équation $f(x) = x$.

● Démonstration

- La suite (u_n) est convergente vers ℓ. Donc $\lim\limits_{n \to +\infty} u_n = \ell$.

- De plus, la fonction f est continue en ℓ. Donc $\lim\limits_{x \to \ell} f(x) = f(\ell)$.

- Par composition, on en déduit que : $\lim\limits_{n \to +\infty} f(u_n) = f(\ell) \Leftrightarrow \lim\limits_{n \to +\infty} u_{n+1} = f(\ell)$.

- Or $\lim\limits_{n \to +\infty} u_{n+1} = \lim\limits_{n \to +\infty} u_n = \ell$, on en déduit alors que $f(\ell) = \ell$.

▶ **Remarques**

- La condition de continuité de f en ℓ est indispensable. Comme ℓ n'est « a priori » pas connue, on prendra en pratique l'ensemble sur lequel la fonction f est continue.

- Si l'équation $f(x) = x$ admet plusieurs solutions, on choisira celle qui correspondra aux caractéristiques de la suite.

EXOS
Méthodes
lienmini.fr/maths-s04-03

Les rendez-vous
Sésamath

Exercices résolus

Méthode 2 Étudier la continuité et la dérivabilité en un point

Énoncé

Soit la fonction f définie sur $\mathbb{R}$ par : $f(x) = |x^2 + 2x - 3|$.

1. **Pourquoi la fonction f est-elle continue sur $\mathbb{R}$?**

2. a) **Sur une calculatrice tracer la courbe $\mathscr{C}_f$ dans la fenêtre $x \in [-5\,;3]$ et $y \in [-0,5\,;3,5]$.**

b) **D'après la courbe $\mathscr{C}_f$, la fonction f est-elle dérivable en -3 et en 1 ? Conclure.**

> **Conseils & Méthodes**
>
> **1** La courbe de f admet deux points anguleux en -3 et 1 et donc n'admet pas de tangente en ces points.

Solution

1. La fonction f est continue sur $\mathbb{R}$ par composition d'une fonction polynôme et d'une valeur absolue.

2. a) On obtient la courbe ci-contre.

b) La fonction f n'est pas dérivable en -3 ni en 1 car en ces points la courbe n'admet pas de tangente. **1**

Une fonction peut être continue et non dérivable.

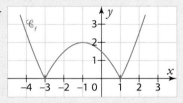

À vous de jouer !

3

Soit la fonction f définie sur $\mathbb{R}$ par : $\begin{cases} f(x) = 0 & \text{si } x \leqslant 0 \\ f(x) = x^2 & \text{si } x > 0 \end{cases}$

1. Montrer la continuité en 0.

2. Visualiser sur une calculatrice la fonction f et expliquer la dérivabilité en 0.

4

Soit la fonction f définie sur $\mathbb{R}$ par : $\begin{cases} f(x) = x & \text{si } x \leqslant 1 \\ f(x) = \dfrac{1}{x} & \text{si } x > 1 \end{cases}$

1. Montrer la continuité en 1.

2. Visualiser sur une calculatrice la fonction f et expliquer la non dérivabilité en 1.

↪ Exercices **25** à **28** p. **122**

Méthode 3 Déterminer la limite d'une suite croissante et convergente

Énoncé

Soit la suite (u_n) définie par $u_0 = 0,1$ et $u_{n+1} = 2u_n (1 - u_n)$. On admet que la suite (u_n) est croissante et convergente vers ℓ. Déterminer ℓ.

> **Conseils & Méthodes**
>
> **1** Lorsque l'équation $f(x) = x$ admet plusieurs solutions, on garde celle qui correspond aux caractéristiques de la suite.

Solution

La fonction f associée à la suite (u_n) est $f(x) = 2x(1 - x)$.

La fonction f est continue sur $\mathbb{R}$ car f est un polynôme. D'après le théorème du point fixe, ℓ vérifie l'équation $2x(1 - x) = x \Leftrightarrow 2x - 2x^2 - x = 0 \Leftrightarrow x(1 - 2x) = 0$.

Cette équation admet deux solutions $x = 0$ ou $x = 0,5$. Comme la suite est croissante et $u_0 = 0,1$ alors $\ell \geqslant 0,1$.
La solution qui convient est alors $\ell = 0,5$. **1**

À vous de jouer !

5 Soit la suite (u_n) définie sur $\mathbb{N}$ par : $u_0 = 6$, et pour tout $n \in \mathbb{N}$, $u_{n+1} = \dfrac{1}{3}\sqrt{u_n^2 + 8}$.

On admet que la suite (u_n) est décroissante et convergente vers ℓ. Déterminer ℓ.

6 Soit la suite (u_n) définie sur $\mathbb{N}$ par : $u_0 = 3$, et pour tout $n \in \mathbb{N}$, $u_{n+1} = \dfrac{2 + 3u_n}{4 + u_n}$.

On admet que la suite (u_n) est minorée par 1 et convergente vers ℓ. Déterminer ℓ.

↪ Exercices **29** à **33** p. **123**

4 Continuité et équation

Théorème Valeurs intermédiaires

Soit f une fonction **continue** sur un intervalle $[a \, ; b]$.

Pour tout réel k compris entre $f(a)$ et $f(b)$, l'équation $f(x) = k$ admet au moins une solution c dans l'intervalle $[a \, ; b]$.

● Démonstration

L'idée de la démonstration est d'encadrer k dans des intervalles d'amplitude de plus en plus petite par un procédé de dichotomie, et de montrer l'existence de c par la continuité de la fonction f par passage à la limite. ↪ **Exercice 81** p. 132

▶ **Remarques**

● Ce théorème s'appelle le théorème des valeurs intermédiaires car le réel k est une valeur intermédiaire entre $f(a)$ et $f(b)$.

● L'existence d'une solution c peut s'expliquer par l'absence de « saut » de la courbe $\mathscr{C}_f$. Ainsi l'**image de l'intervalle** $[a \, ; b]$ par une fonction continue est un **intervalle** qui contient nécessairement k.

● L'existence de c ne veut pas dire qu'il n'existe qu'une seule solution à l'équation $f(x) = k$. Sur le graphe ci-contre, il existe trois solutions, notées c_1, c_2 et c_3.

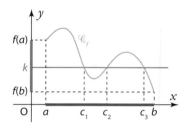

Théorème Bijection

Soit f une fonction **continue et strictement monotone** sur un intervalle $[a \, ; b]$.

Pour tout réel k compris entre $f(a)$ et $f(b)$, l'équation $f(x) = k$ admet une unique solution c dans l'intervalle $[a \, ; b]$.

● Démonstration

L'existence d'une solution est montrée par le théorème des valeurs intermédiaires. On montre l'unicité par l'absurde : supposons que l'équation $f(x) = k$ admette deux solutions distinctes c_1 et c_2, avec $c_1 < c_2$, la stricte monotonie de la fonction f entraîne pour f croissante $f(c_1) < f(c_2)$, ou pour f décroissante $f(c_1) > f(c_2)$, ce qui est contradictoire avec $f(c_1) = f(c_2) = k$.

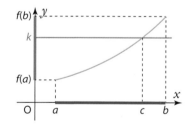

▶ **Remarques**

● On généralise ce théorème à l'intervalle ouvert $I = \,]a \, ; b[$ où a et b peuvent être réels, ou $\pm\infty$, k doit alors être compris entre $\displaystyle\lim_{x \to a} f(x)$ et $\displaystyle\lim_{x \to b} f(x)$.

● Lorsque $k = 0$, il suffira de montrer que la fonction f change de signe sur I.

● Le terme « bijection » signifie qu'une image par la fonction f n'admet qu'un et un seul antécédent.

● Un tableau de variations suffit pour montrer la continuité et la stricte monotonie de la fonction. Les flèches « montantes » ou « descendantes » indiquent la continuité et la monotonie qui doivent être listées comme hypothèses dans la rédaction de la démonstration.

● Exemple

L'équation $x^3 = 20$ admet une unique solution sur $\,]-\infty \, ; +\infty[$ car la fonction cube $x \mapsto x^3$ est strictement croissante et continue sur $\mathbb{R}$ et 20 est compris entre $\displaystyle\lim_{x \to -\infty} x^3 = -\infty$ et $\displaystyle\lim_{x \to +\infty} x^3 = +\infty$.

EXOS
Méthodes
lienmini.fr/maths-s04-03

Les rendez-vous
Sésamath

 Exercices résolus

Méthode 4 — Trouver le nombre de solutions d'une équation

Énoncé

Soit la fonction f définie sur $[-2 ; +\infty[$ par $f(x) = x^3 - 3x^2 + 3$.

1. Dresser le tableau de variations de la fonction f, on admettra que $\lim\limits_{x \to +\infty} f(x) = +\infty$.

2. a) Montrer que l'équation $f(x) = 1$ admet au moins une solution dans $[-2 ; +\infty[$.

b) Montrer que l'équation $f(x) = 5$ admet une unique solution α dans $[-2 ; +\infty[$.

Donner un encadrement au dixième près de α.

Solution

1. Étudions les variations de la fonction f sur $[-2 ; +\infty[$.

$f'(x) = 3x^2 - 6x = 3x(x - 2)$

$f'(x) = 0 \Leftrightarrow x = 0$ ou $x = 2$

Le signe de $f'(x)$ est celui du trinôme.

On calcule $f(0) = 3$, $f(2) = -1$ et $f(-2) = -17$.

x	-2		0		2		$+\infty$
$f'(x)$		$+$	0	$-$	0	$+$	
f	-17	↗	3	↘	-1	↗	$+\infty$

Conseils & Méthodes

1 Pour déterminer l'existence de solutions on utilise le théorème des valeurs intermédiaires, la monotonie de la fonction f n'est pas une hypothèse.

2 Lorsqu'une équation n'a pas de solution, une simple majoration est suffisante pour conclure.

3 Pour connaître le nombre de solutions, on utilise le théorème de la bijection, l'étude des variations de la fonction f est indispensable.

2. a) La fonction f est continue sur $[-2 ; +\infty[$ car dérivable.

1 est compris entre $f(-2) = -17$ et $f(0) = 3$ entre $f(0) = 3$ et $f(2) = -1$, et entre $f(2) = -1$ $\lim\limits_{x \to +\infty} f(x) = +\infty$ donc d'après le théorème de valeurs intermédiaires, l'équation $f(x) = 1$ admet au moins une solution dans $[-2 ; +\infty[$.

b) Sur l'intervalle $[-2 ; 2[$, $f(x)$ est majorée par 3 donc l'équation $f(x) = 5$ n'admet pas de solution. **2**

Sur l'intervalle $[2 ; +\infty[$ la fonction f est continue et strictement monotone. 5 est compris entre $f(2) = -1$ et $\lim\limits_{x \to +\infty} f(x) = +\infty$. D'après le théorème de la bijection, l'équation $f(x) = 5$ admet une unique solution α dans $[2 ; +\infty[$. **3**

Conclusion : l'équation $f(x) = 5$ admet une unique solution α dans l'intervalle $[-2 ; +\infty[$.

Par le balayage d'une calculatrice avec un pas de 0,1, on trouve $3,1 < \alpha < 3,2$.

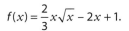
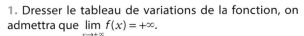

X	Y1
3	3
3.1	3.961
3.2	5.048
3.3	6.267

À vous de jouer !

7 Soit la fonction f définie sur $[0 ; +\infty[$ par :
$$f(x) = x^3 - 9x^2 + 24x - 12.$$

1. Dresser le tableau de variations de la fonction, on admettra que $\lim\limits_{x \to +\infty} f(x) = +\infty$.

2. a) Montrer que l'équation $f(x) = 0$ admet une unique solution α dans $[0 ; +\infty[$.

b) Contrôler en traçant la fonction f sur une calculatrice la véracité des résultats.

8 Soit la fonction f définie sur $[0 ; +\infty[$ par :
$$f(x) = \frac{2}{3} x\sqrt{x} - 2x + 1.$$

1. Dresser le tableau de variations de la fonction, on admettra que $\lim\limits_{x \to +\infty} f(x) = +\infty$.

2. a) Montrer que l'équation $f(x) = 0$ admet deux solutions α et β, ($\alpha < \beta$) et que $\alpha \in [0 ; 1]$.

b) Par le balayage d'une calculatrice donner un encadrement de α à 10^{-2}.

↪ Exercices 33 à 39 p. 123

Exercices (résolus)

Méthode 5 Déterminer la limite d'une suite

Algo

↪ Cours 3 p. 114

Énoncé

On définit la suite (u_n) sur $\mathbb{N}$ par : $u_0 = 4$ et pour tout $n \in \mathbb{N}$, $u_{n+1} = 3 - \dfrac{4}{u_n + 1}$.

1. a) Écrire une fonction $u(n)$ en **Python** renvoyant la valeur de u_n puis compléter le tableau suivant en donnant les valeurs à 10^{-3} près.

n	5	10	50	100	1 000
$u(n)$					

b) Conjecturer la convergence de la suite (u_n).

2. On admet que l'on peut montrer par récurrence que la suite (u_n) est décroissante et positive.

a) Déterminer la fonction f telle que $u_{n+1} = f(u_n)$ puis justifier que f est continue sur $\mathbb{R}_+$.

b) Montrer que la suite (u_n) est convergente puis déterminer sa limite ℓ.

Solution

1. a) On peut proposer le programme suivant.

```python
def u(n):
    u = 4
    for i in range(1, n+1):
        u = 3 - 4/(u+1)
    return u
```
1

Conseils & Méthodes

1 L'ensemble des entiers `range(1,n+1)`, sont les entiers de 1 à n. On peut aussi utiliser `range(n)`.

2 Les fonctions rationnelles sont continues sur leur ensemble de définition.

On obtient le tableau suivant.

n	5	10	50	100	1 000
$u(n)$	1,353	1,188	1,039	1,020	1,002

b) La suite semble converger vers 1.

2. a) La fonction f est définie par $f(x) = 3 - \dfrac{4}{x+1}$.

La fonction f est rationnelle donc continue sur $\mathbb{R}\backslash\{-1\}$, et donc continue sur $\mathbb{R}_+$. **2**

b) La fonction f est continue sur $\mathbb{R}_+$ donc d'après le théorème du point fixe, la limite ℓ vérifie l'équation

$$f(x) = x \Leftrightarrow 3 - \frac{4}{x+1} = x \xleftrightarrow{\times(x+1)} 3(x+1) - 4 = x(x+1) \Leftrightarrow 3x + 3 - 4 = x^2 + x$$

$$\Leftrightarrow x^2 - 2x + 1 = 0 \Longleftrightarrow (x+1)^2 = 0 \qquad \Leftrightarrow x = 1.\ \text{La suite } (u_n) \text{ converge donc vers 1.}$$

À vous de jouer !

9 On définit la suite (u_n) sur $\mathbb{N}$ par : $u_0 = 1$ Algo
et pour tout $n \in \mathbb{N}$, $u_{n+1} = \dfrac{9}{6 - u_n}$.

1. Écrire une fonction $u(n)$ en **Python** renvoyant la valeur de u_n puis conjecturer avec un tableau de valeurs la convergence de la suite (u_n).

2. On admet que l'on peut montrer que la suite (u_n) est croissante de termes inférieurs à 3.

a) Déterminer la fonction f telle que $u_{n+1} = f(u_n)$ puis montrer que f est continue sur $[1\ ;\ 3]$.

b) Montrer que la suite (u_n) est convergente puis déterminer sa limite ℓ.

10 On définit la suite (u_n) sur $\mathbb{N}$ par : $u_0 = 5$ Algo
et pour tout $n \in \mathbb{N}$, $u_{n+1} = \dfrac{1 + 3u_n}{3 + u_n}$.

1. Écrire une fonction $u(n)$ en **Python** renvoyant la valeur de u_n puis conjecturer avec un tableau de valeurs la convergence de la suite (u_n).

2. On admet que l'on peut montrer que la suite (u_n) est décroissante de termes supérieurs à 1.

a) Déterminer la fonction f telle que $u_{n+1} = f(u_n)$ puis montrer que f est continue sur $[1\ ;\ 5]$.

b) Montrer que la suite (u_n) est convergente puis déterminer sa limite ℓ.

↪ Exercices 40 à 43 p. 124

● EXOS
Méthodes
lienmini.fr/maths-s04-03

Les rendez-vous
Sésamath

Exercices résolus

Méthode 6 — Étudier une fonction à l'aide d'une fonction auxiliaire

↳ Cours 4 p. 116

Énoncé

Soit la fonction f définie et dérivable sur $I = [0 ; +\infty[$ par : $f(x) = \dfrac{10x}{e^x + 1}$.

1. Démontrer que pour tout réel de I : $f'(x) = \dfrac{10}{(e^x + 1)^2} \times g(x)$ où g est une fonction définie sur I que l'on déterminera.

2. a) Démontrer qu'il existe un unique réel α de I tel que $g(\alpha) = 0$.

b) À l'aide d'un tableau de valeurs sur une calculatrice donner un encadrement de α à 10^{-2}.

c) Déterminer le signe de $g(x)$ suivant les valeurs de x.

3. En déduire le tableau de variations de f sur I. On admettra que $\lim\limits_{x \to +\infty} f(x) = 0$.

Solution

1. $f'(x) = \dfrac{10(e^x + 1) - 10xe^x}{(e^x + 1)^2} = \dfrac{10(e^x + 1 - xe^x)}{(e^x + 1)^2} = \dfrac{10}{(e^x + 1)^2} \times g(x)$

Avec $g(x) = e^x - xe^x + 1$.

2. a) • On étudie les variations de g et sa limite en $+\infty$. **1**

$g'(x) = e^x - (1e^x + xe^x) = e^x - e^x - xe^x = -xe^x$

Pour $x \geqslant 0$, $-xe^x \leqslant 0$ donc $g'(x) \leqslant 0$. La fonction g est décroissante sur I.

• Limite en $+\infty$: on a $g(x) = e^x(1 - x) + 1$

$\left.\begin{array}{l} \lim\limits_{x \to +\infty} e^x = +\infty \\ \lim\limits_{x \to +\infty} 1 - x = -\infty \end{array}\right\}$ par produit : $\lim\limits_{x \to +\infty} e^x(1 - x) = -\infty$

Par somme : $\lim\limits_{x \to +\infty} g(x) = -\infty$. On calcule $g(0) = 2$. **2**

Sur I la fonction g est continue (car dérivable), monotone (décroissante) et change de signe car $g(0) > 0$ et $\lim\limits_{x \to +\infty} g(x) < 0$ donc d'après le théorème de la bijection, l'équation $g(x) = 0$ admet une unique solution α.

b) Par le balayage d'une calculatrice, on trouve : $g(1{,}27) \approx 0{,}039$ et $g(1{,}28) \approx -0{,}007$. **3** On en déduit que $1{,}27 < \alpha < 1{,}28$.

c) Comme la fonction g est décroissante sur I, si $x < \alpha$, $g(x) > 0$ et si $x > \alpha$, $g(x) < 0$.

3. Comme, $\dfrac{10}{e^x + 1} > 0$ pour tout x de I, le signe de $f'(x) = \dfrac{10}{(e^x + 1)^2} \times g(x)$

est du signe de $g(x)$, on obtient le tableau de variations ci-contre.

Conseils & Méthodes

1 L'unicité de la solution est obtenue par le théorème de la bijection. Il est nécessaire de connaître les variations de la fonction f.

2 Le changement de signe de la fonction g sur I est alors établi.

3 On programme de tableau de valeurs avec comme valeur initiale 0 et un pas de 0,01.

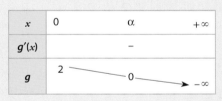

x	0		α		$+\infty$
$g'(x)$			$-$		
g	2		0		$-\infty$

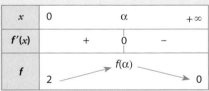

x	0		α		$+\infty$
$f'(x)$		$+$	0	$-$	
f	2		$f(\alpha)$		0

À vous de jouer !

11 Soit la fonction f définie et dérivable sur $\mathbb{R}$ par :
$$f(x) = 3x^4 + 4x^3 + 12x^2 + 12x - 5.$$

1. Démontrer que pour tout réel que : $f'(x) = 12g(x)$ où g est une fonction définie sur $\mathbb{R}$ que l'on déterminera.

2. a) Démontrer qu'il existe un unique réel α tel que $g(\alpha) = 0$.

b) À l'aide d'un tableau de valeurs donner un encadrement de α à 10^{-2}.

c) Déterminer le signe de $g(x)$ suivant les valeur de x.

3. En déduire le tableau de variations de f sur $\mathbb{R}$.

12 Soit la fonction f définie et dérivable sur $I =]0 ; +\infty[$ par :
$$f(x) = e^x + \frac{1}{x}.$$

1. Démontrer que pour tout réel x de I : $f'(x) = \dfrac{g(x)}{x^2}$ où g est une fonction définie sur I que l'on déterminera.

2. a) Démontrer qu'il existe un unique réel α de I tel que $g(\alpha) = 0$ et donner un encadrement de α à 10^{-2}.

b) Déterminer le signe de $g(x)$ suivant les valeur de x.

3. En déduire le tableau de variations de f sur I.

↳ Exercices 44 à 47 p. 124

La propriété à démontrer

Si une fonction f est dérivable en un point a alors f est continue en a.

○ Démontrer ce théorème en revenant à la définition du nombre dérivé de la fonction f en a.

▶ Comprendre avant de rédiger

• Si la fonction f est dérivable en a alors sa courbe représentative admet une tangente au point d'abscisse a et donc la courbe ne peut avoir un « saut » au point d'abscisse a.

• Une fonction f est dérivable en a si, et seulement si la limite du taux d'accroissement en a admet une limite finie : $\lim\limits_{x\to a} \dfrac{f(x) - f(a)}{x - a} = f'(a)$.

• Une fonction f est continue en a si, et seulement si $\lim\limits_{x\to a} f(x) = f(a)$.

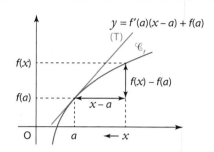

▶ Rédiger

Étape ❶

Le taux d'accroissement est défini pour $x \neq a$.

Étape ❷

On isole $f(x)$ à l'aide d'un produit en croix.

Étape ❸

Comme la fonction f est dérivable en a alors la limite du taux d'accroissement est finie et vaut $f'(a)$.

Étape ❹

On a bien la définition de la continuité en a.

La démonstration rédigée

Soit $t(x)$ le taux d'accroissement de la fonction f en a, on a : $t(x) = \dfrac{f(x) - f(a)}{x - a}$.

On a alors :
$$f(x) - f(a) = (x - a)\, t(x)$$
$$\Leftrightarrow \quad f(x) = (x - a)\, t(x) + f(a).$$

$\lim\limits_{x\to a} t(x) = f'(a)$ donc par produit :
$\lim\limits_{x\to a} (x - a)t(x) = 0 \times f'(a) = 0$
et par somme :
$\lim\limits_{x\to a} (x - a)t(x) + f(a) = 0 + f(a) = f(a)$
donc $\lim\limits_{h\to 0} f(x) = f(a)$.

La fonction f est alors continue en a.

▶ Pour s'entraîner

On donne la fonction f définie sur $\mathbb{R}$ par : $\begin{cases} f(x) = x - 1 & \text{si } x \leq 1 \\ f(x) = \dfrac{1}{2} - \dfrac{1}{2}x^2 & \text{si } x > 1 \end{cases}$

Montrer que la fonction f est continue mais pas dérivable en 1.

DIAPORAMA
Calculs et automatismes
lienmini.fr/maths-s04-04

Exercices | calculs et automatismes

13 Continuité en un point

Méthode Comment reconnaître la continuité sur une courbe ?
On donne les courbes suivantes.

a)
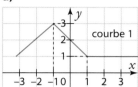
courbe 1

b)
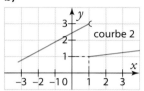
courbe 2

c)
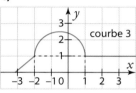
courbe 3

d)
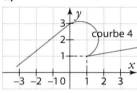
courbe 4

Parmi ces courbes quelles sont celles qui représentent une fonction continue en 1 ?

14 Continuité et fonction par morceaux

L'affirmation suivante est-elle vraie ou fausse ? Justifier.   V   F

La fonction f suivante est continue sur $\mathbb{R}$.   ☐   ☐

$$\begin{cases} f(x) = -x^2 - 4x - 2 & \text{si } x \leqslant -1 \\ f(x) = \dfrac{x+1}{x+2} & \text{si } x > -1 \end{cases}$$

15 Continuité et dérivabilité

Méthode Comment reconnaître la dérivabilité sur une courbe ?
On donne la représentation suivante de la courbe de f dans l'intervalle [0,5 ; 4].

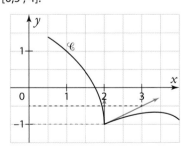

1. La fonction f est-elle continue en 2 ?
2. La fonction f est-elle dérivable en 2 ?

16 Continuité et programme Python Algo

L'affirmation suivante est-elle vraie ou fausse ? Justifier.   V   F

La fonction définie en **Python**
ci-dessous est continue sur $\mathbb{R}$.   ☐   ☐

```python
def f(x):
    if x<=-1:
        return x+2
    else :
        return x**2
```

17 Continuité et suite

Choisir la (les) bonne(s) réponse(s).
Soit la suite (u_n) définie sur $\mathbb{N}$ par : $u_0 = 0$ et pour tout $n \in \mathbb{N}$,
$u_{n+1} = \sqrt{3u_n + 4}$.

Si la suite (u_n) est convergente, sa limite ℓ vaut :
a −1.   **b** 4.   **c** −1 ou 4.   **d** 2.

18 Théorème des valeurs intermédiaires

Choisir la (les) bonne(s) réponse(s)
On donne la représentation d'une fonction f sur $I = [-1 ; 3]$.

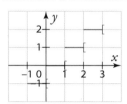

1. L'équation $f(x) = \dfrac{1}{2}$ admet comme nombre de solutions :

a 0.   **b** 1.   **c** 2.   **d** plus de 2.

2. L'équation $f(x) = 1$ admet comme nombre de solutions :
a 0.   **b** 1.   **c** 2.   **d** plus de 2.

19 Théorème de la bijection

On donne la représentation d'une fonction f sur $I = [-5 ; 7]$.

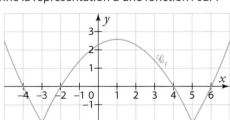

1. Justifier que la fonction f est continue sur I.
2. Donner et justifier le nombre de solutions de l'équation $f(x) = 0$ dans l'intervalle :
a) [1 ; 5].
b) [−1 ; 1].
c) I.

Exercices (d'application)

Conjecturer et montrer la continuité
Méthode ① p. 113

20 Soit la fonction f définie sur $\mathbb{R}$ par :

$$\begin{cases} f(x) = 2x + 5 & \text{si } x < -2 \\ f(x) = 1 & \text{si } -2 \leqslant x \leqslant 2 \\ f(x) = -2x + 5 & \text{si } x > 2 \end{cases}$$

1. Tracer la fonction f sur une calculatrice puis conjecturer la continuité de la fonction f sur $\mathbb{R}$.
2. Démontrer la conjecture.

21 Pour l'organisation d'une réception, un grossiste pratique les tarifs suivants.
• Pour moins de 100 ℓ de boisson consommée, le litre est facturé 0,50 €.
• De 100 ℓ à moins de 200 ℓ de boisson consommée, le litre est facturé 0,40 €.
• De 200 ℓ à 500 ℓ de boisson consommée, le litre est facturé 0,35 €.
On appelle x le nombre de litres consommés et $f(x)$ le prix payé pour x litres consommés.
1. Déterminer l'expression de $f(x)$ pour $x \in [0 ; 500]$.
2. La fonction f est-elle continue sur $[0 ; 500]$?

22 Soit la fonction f définie sur $\mathbb{R}$ par : **Démo**

$$\begin{cases} f(x) = 2 - x & \text{si } x \leqslant 1 \\ f(x) = x^2 + x - 1 & \text{si } x > 1 \end{cases}$$

Montrer que la fonction f est continue sur $\mathbb{R}$.

23 Soit la fonction f définie sur $[0 ; +\infty[$ par :

$$\begin{cases} f(x) = \dfrac{x - 4}{x - 3} & \text{si } x < k \\ f(x) = \sqrt{x + 2} & \text{si } x \geqslant k \end{cases}$$

1. Tracer les fonctions $x \mapsto \sqrt{x + 2}$ et $x \mapsto \dfrac{x - 4}{x - 3}$ sur une calculatrice. Conjecturer la valeur de k pour laquelle f est continue sur $[0 ; +\infty[$.
2. Démontrer cette conjecture.

24 Soit la fonction f définie sur $\mathbb{R}$ par :

$$\begin{cases} f(x) = \dfrac{2}{9}(x^2 - 2x - 24) & \text{si } x < -3 \text{ ou } x > 5 \\ f(x) = -\dfrac{2}{7}(x^2 - 2x - 8) & \text{si } -3 \leqslant x \leqslant 5 \end{cases}$$

1. a) Tracer la fonction f sur une calculatrice pour $x \in [-5 ; 7]$.
b) Conjecturer le domaine où la fonction f est continue.
2. Justifier que f est continue sur ce domaine.
3. Sur quel domaine la fonction f vous semble-t-elle dérivable ?

Étudier la continuité et la dérivabilité en un point
Méthode ② p. 115

25 Une cuve est formée de deux cubes superposés qui communiquent. L'arête du grand cube mesure 80 cm et celle du petit 60 cm.
On désigne par x (en cm) la hauteur du liquide dans la cuve et par V le volume en litres correspondant.

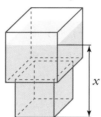

1. Expliquer pourquoi la fonction $x \mapsto V(x)$ doit être continue et non dérivable en 60.
2. a) Déterminer $V(x)$ pour $x \in [0 : 140]$.
b) Confirmer que la fonction $x \mapsto V(x)$ est bien continue et non dérivable en 60.

26 Soit la fonction f définie sur $\mathbb{R}$ par :

$$\begin{cases} f(x) = x^2 + 3x + 3 & \text{si } x \leqslant -1 \\ f(x) = \dfrac{2}{x^2 + 1} & \text{si } x > -1 \end{cases}$$

1. Montrer que f est continue sur $\mathbb{R}$.
2. a) Tracer la fonction f sur une calculatrice pour $x \in [-5 ; 5]$.
b) Conjecturer la dérivabilité sur $\mathbb{R}$. Justifier.

27 Soit la fonction f définie sur $\mathbb{R}$ par :

$$\begin{cases} f(x) = \sqrt{x^2 - x + 1} & \text{si } x \leqslant 1 \\ f(x) = -\dfrac{1}{4}x^2 + x + \dfrac{1}{4} & \text{si } x > 1 \end{cases}$$

1. Justifier que f est continue sur $\mathbb{R}$.
2. a) Tracer la fonction f sur une calculatrice pour $x \in [-5 ; 7]$.
b) Pourquoi la fonction f semble-t-elle dérivable sur $\mathbb{R}$?
3. a) Calculer les fonctions dérivées des fonctions $x \mapsto \sqrt{x^2 - x + 1}$ et $x \mapsto \dfrac{1}{4}x^2 + x + \dfrac{1}{4}$.
b) Calculer les nombres dérivés de ces deux fonctions en 1. Conclure.

28 Soit la fonction f définie sur $\mathbb{R}$ par :

$$f(x) = \dfrac{x}{1 + |x|}.$$

1. Justifier que la fonction f est continue sur $\mathbb{R}$.
2. a) Tracer la fonction f sur une calculatrice pour $x \in [-4 ; 4]$ et $y \in [-2 ; 2]$.
b) Pourquoi la fonction semble-t-elle dérivable sur $\mathbb{R}$?
c) Déterminer l'expression de f suivant le signe de x.
d) Justifier que la fonction f est dérivable sur $\mathbb{R}\backslash\{0\}$.
e) Calculer les nombres dérivés en 0. Conclure.

Déterminer la limite d'une suite

 p. 115

29 Soit la suite (u_n) définie sur $\mathbb{N}$ par : $u_0 = 5$, et pour tout $n \in \mathbb{N}$, $u_{n+1} = \dfrac{1}{2}\left(u_n + \dfrac{2}{u_n}\right)$. On admet que la suite (u_n) est minorée par 0 et convergente vers ℓ. Déterminer ℓ.

30 Soit la suite (u_n) définie sur $\mathbb{N}$ par : $u_0 = 3$, et pour tout $n \in \mathbb{N}$, $u_{n+1} = \dfrac{1}{4}(1 + u_n^2)$. On admet que la suite (u_n) est décroissante et convergente vers ℓ.
Déterminer ℓ.

31 Soit la suite (u_n) définie sur $\mathbb{N}$ par : $u_0 = e^3$, et pour tout $n \in \mathbb{N}$, $u_{n+1} = e\sqrt{u_n}$.
1. On admet que la suite (u_n) est minorée par 6 et convergente vers ℓ.
Déterminer ℓ.
2. Afficher la suite sur une calculatrice puis contrôler la valeur de ℓ trouvée.

32 Soit la suite (u_n) définie sur $\mathbb{N}$ par : $u_0 = 1$, et pour tout $n \in \mathbb{N}$, $u_{n+1} = u_n e^{-u_n}$.
1. On admet que la suite (u_n) est convergente vers ℓ. Déterminer ℓ.
2. Tracer sur une calculatrice la fonction f telle que $f(x) = x e^{-x}$ et la droite $y = x$.
Contrôler la valeur de ℓ trouvée.

Trouver le nombre de solutions d'une équation

p. 117

33 On donne le tableau de variations d'une fonction f définie sur $[0\,;+\infty[$.

x	0	3	$+\infty$
f	-2	$f(3)$	$+\infty$

Justifier que l'équation $f(x) = 0$ admet une unique solution sur $[0\,;+\infty[$.

34 On donne le tableau de variations d'une fonction f définie sur $\mathbb{R}$.

x	$-\infty$	2	$+\infty$
f	0	e^2	$-\infty$

1. Justifier que pour tout réel $m \in]0\,;e^2[$ l'équation $f(x) = m$ admet deux solutions.
2. Justifier que pour tout réel $m \in]e^2\,;+\infty[$ l'équation $f(x) = m$ n'admet aucune solution.

35 Soit la fonction f définie sur $\mathbb{R}$ par :
$$f(x) = x^3 + 6x^2 + 9x + 3.$$
dont les variations sont données par le tableau de variations suivant.

x	$-\infty$		-3		-1		$+\infty$
$f'(x)$		$+$	0	$-$	0	$+$	
$f(x)$	$-\infty$		3		-1		$+\infty$

1. Justifier que f est continue sur $\mathbb{R}$.
2. Dénombrer les solutions de l'équation $f(x) = 2$.
3. **a)** Justifier que l'équation $f(x) = 4$ admet une unique solution α.
b) Déterminer un encadrement de α à l'unité près.

36 Soit la fonction f définie sur $\mathbb{R}$ par :
$$f(x) = 0{,}4x^5 - 8x - 3.$$
1. Déterminer les variations de la fonction f.
On ne demande pas les limites en $\pm\infty$.
2. Démontrer que l'équation $f(x) = 2$ admet une unique solution α dans l'intervalle $[2\,;3]$.
3. À l'aide d'une calculatrice, déterminer un encadrement à 10^{-2} près de la solution α.

37 Soit f une fonction définie sur $\mathbb{R}$ par :
$$f(x) = x^3 - 2x^2 - 4x - 4.$$
1. Résoudre l'équation $f(x) = -4$.
2. Dresser le tableau de variations de la fonction f.
3. Donner et justifier le nombre de solutions de l'équation $f(x) = 4$.
4. Existe-t-il un réel k tel que l'équation $f(x) = k$ n'admette aucune solution ?

38 Une fonction f a le tableau de variations suivant.

x	-10		-4		0		3		10
$f'(x)$		$-$	0	$+$	0	$-$	0	$+$	
$f(x)$	$\sqrt{2}$		$-\pi$		2		-4		$+\infty$

1. Justifier la continuité de la fonction f sur $I = [-10\,;10]$.
2. Discuter, en vous justifiant, selon les valeurs de k, le nombre de solutions de l'équation $f(x) = k$.

39 On cherche le nombre de solutions de l'équation :
$$(E) : x^4 + 3x^3 + x^2 + 1 = 0.$$
On pose alors la fonction f définie sur $\mathbb{R}$ par :
$$f(x) = x^4 + 3x^3 + x^2 + 1.$$
1. Justifier la continuité de la fonction f sur $\mathbb{R}$.
2. **a)** Calculer la dérivée f' de la fonction f puis montrer que $f'(x) = x(x + 2)(4x + 1)$.
b) Calculer les limites de la fonction f en $\pm\infty$.
c) Dresser le tableau de variations de la fonction f.
3. Donner et justifier le nombre de solutions de l'équation (E).

Exercices d'entraînement

Déterminer la limite d'une suite $u_{n+1} = f(u_n)$

Méthode **5** p. 118

40 Soit la fonction f définie sur $I = \mathbb{R}\backslash\{-2\}$ par :
$$f(x) = \frac{2x+1}{x+2}.$$

1. a) Justifier que f est continue sur I.
b) Résoudre l'équation $f(x) = x$ dans I.
c) Montrer que f est croissante sur $\mathbb{R}\backslash\{-2\}$.
2. Soit la suite $u_0 = 0$ telle que pour tout $n \in \mathbb{N}$, $u_{n+1} = f(u_n)$.
a) Démontrer par récurrence que pour tout $n \in \mathbb{N}$,
$0,5 \leq u_n \leq u_{n+1} < 3$.
b) En déduire que la suite (u_n) est convergente vers ℓ puis déterminer ℓ.

41 Soit la fonction f définie sur $I = [0 \, ; 1]$ par :
$$f(x) = 1,4x(1 - x).$$

1. a) Justifier que f est continue sur I.
b) Résoudre l'équation $f(x) = x$ dans I.
c) Montrer que la fonction f est croissante sur $[0 \, ; 0,5]$.
2. On définit la suite $u_0 = 0,1$ telle que pour tout $n \in \mathbb{N}$, $u_{n+1} = f(u_n)$.
a) Démontrer par récurrence que pour tout $n \in \mathbb{N}$:
$$0 \leq u_n \leq u_{n+1} < 0,5.$$
b) En déduire que la suite (u_n) est convergente vers ℓ puis déterminer ℓ.

42 Soit la fonction f définie sur $I = \,]-1 \, ; +\infty[$ par :
$$f(x) = \frac{3x+2}{x+1}.$$

1. a) Justifier que f est continue sur I.
b) Résoudre l'équation $f(x) = x$ dans I.
c) Montrer que la fonction f est croissante sur I.
2. On définit la suite $u_0 = -0,5$ telle que pour tout $n \in \mathbb{N}$, $u_{n+1} = f(u_n)$.
a) Démontrer par récurrence que pour tout $n \in \mathbb{N}$,
$0 \leq u_n \leq u_{n+1} < 1$.
b) En déduire que la suite (u_n) est convergente vers ℓ puis déterminer ℓ.

43 Soit la fonction f définie sur $I = [0 \, ; 1]$ par :
$$f(x) = 2x\,(1-x).$$

1. a) Justifier que f est continue sur I.
b) Résoudre l'équation $f(x) = x$ dans I.
c) Montrer que si $x \in \left[0 \, ; \dfrac{1}{2}\right]$ alors $f(x) \in \left[0 \, ; \dfrac{1}{2}\right]$.
d) Quelles sont les variations de f sur I ?
2. On définit la suite $u_0 = -0,1$ telle que pour tout $n \in \mathbb{N}$, $u_{n+1} = f(u_n)$.
a) Démontrer par récurrence que pour tout $n \in \mathbb{N}$, la suite est croissante et majorée sur I.
b) En déduire que la suite (u_n) est convergente vers ℓ puis déterminer ℓ.

Étudier une fonction à l'aide d'une fonction auxiliaire

Méthode **6** p. 119

44 On considère la fonction f définie sur $I = \mathbb{R}/\{-1 \, ; 1\}$ par :
$$f(x) = \frac{x^3 + 2x^2}{x^2 - 1}.$$

A ▶ Soit la fonction g définie sur $\mathbb{R}$ par $g(x) = x^3 - 3x - 4$.
1. Étudier les variation de la fonction g.
2. Montrer que l'équation $g(x) = 0$ admet une unique solution α dans l'intervalle $[1 \, ; 3]$.
3. Donner le signe de $g(x)$ suivant les valeurs de x.
B ▶ 1. Calculer $f'(x)$ puis montrer que : $f'(x) = \dfrac{x\,g(x)}{(x^2 - 1)^2}$.

2. Calculer les limites de f en $\pm\infty$ et en ± 1.
3. En déduire le tableau de variations de f.

45 Soit la fonction f définie sur $]-1 \, ; +\infty[$ par : **Algo**
$$f(x) = \frac{1 - x}{1 + x^3}.$$

A ▶ Soit la fonction g définie sur $\mathbb{R}$ par :
$$g(x) = 2x^3 - 3x^2 - 1.$$
1. Déterminer la fonction dérivée g' puis dresser le tableau de variations de la fonction g. (On ne demande pas de calculer les limites en l'infini.)
2. Démontrer que l'équation $g(x) = 0$ admet une unique solution α dans $\mathbb{R}$ et que $1 < \alpha < 2$.
3. À l'aide de l'algorithme de dichotomie, déterminer un encadrement de α à 10^{-3}.
Donner le nombre de boucles nécessaires à cet encadrement.
4. En déduire le signe de $g(x)$ suivant les valeurs de x.
B ▶ 1. Déterminer les limites de f en -1 et en $+\infty$.
2. Déterminer la fonction dérivée f' et montrer que :
$$f'(x) = \frac{g(x)}{(1 + x^3)^2}.$$
3. Déterminer le signe de f' sur $]-1 \, ; +\infty[$ puis dresser le tableau de variations de la fonction f sur $]-1 \, ; +\infty[$.

46 Soit la fonction f définie sur $I = \,]-2 \, ; +\infty[$ **Algo**
par :
$$f(x) = \frac{-x^3}{x + 2}.$$

1. Déterminer les limites de f en -2 et en $+\infty$.
2. Déterminer la fonction dérivée f' et montrer que :
$$f'(x) = -\frac{2x^2(x + 3)}{(x + 2)^2}.$$

3. En déduire le tableau de variations de la fonction f sur $]-2 \, ; +\infty[$.
4. Démontrer que l'équation $f(x) = 2$ admet une unique solution α dans l'intervalle $]-2 \, ; +\infty[$ puis montrer que $-1,5 < \alpha < 0$.
5. À l'aide de l'algorithme de dichotomie donner un encadrement à 10^{-4} de α ainsi que le nombre de boucles nécessaires pour l'obtenir.

47 Soit la fonction g définie sur $\mathbb{R}$ par :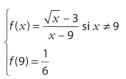
$$f(x) = (2x - 5)(1 - e^{-x}).$$

A ▶ Soit la fonction g définie sur $\mathbb{R}$ par $g(x) = 2e^x + 2x - 7$.

1. Déterminer les limites de g en $\pm\infty$.

2. Montrer que la fonction g est croissante sur $\mathbb{R}$.

3. a) Justifier que l'équation $g(x) = 0$ admet une unique solution α dans $\mathbb{R}$.

b) Montrer que $\alpha \in [0 ; 1]$ puis déterminer une valeur approchée de α à 10^{-3} près à l'aide d'une calculatrice.

4. En déduire le signe de $g(x)$ suivant les valeurs de x.

B ▶ **1.** Déterminer les limites de f en $\pm\infty$.

2. Déterminer la fonction dérivée f' et montrer que $f'(x) = g(x)\, e^{-x}$.

3. Déterminer le signe de f' sur $\mathbb{R}$ puis dresser le tableau de variations de la fonction f sur $\mathbb{R}$.

4. Démontrer que $f(\alpha) = \dfrac{(2\alpha - 5)^2}{2\alpha - 7}$ puis déduire une valeur approchée de $f(\alpha)$ à 10^{-3} près.

5. Calculer $\displaystyle\lim_{x \to +\infty} [f(x) - (2x - 5)]$. En déduire que la droite D d'équation $y = 2x - 5$ est asymptote à $\mathscr{C}_f$ en $+\infty$.

C ▶ Pour tout entier naturel $n \geqslant 3$, on considère les points A_n, B_n et C_n d'abscisse n, appartenant respectivement à l'axe des abscisses, la droite D et la courbe $\mathscr{C}_f$.

Soit u_n le réel défini par : $u_n = \dfrac{C_n B_n}{A_n B_n}$.

1. Démontrer que pour tout entier naturel supérieur ou égal à 3, on a $u_n = \dfrac{2n - 5 - f(n)}{2n - 5}$.

2. Quelle est la nature de la suite (u_n) ?

3. Calculer la limite de la suite (u_n).

Limite et continuité

48 Soit la fonction f définie sur $\mathbb{R}$ par : **Démo**
$$\begin{cases} f(x) = \dfrac{x}{1 + e^{\frac{1}{x}}} \text{ si } x \neq 0 \\ f(0) = 0 \end{cases}$$

1. Tracer sur une calculatrice la fonction f pour x non nul. Que peut-on conjecturer sur la continuité de f en 0 ?

2. Démontrer cette conjecture.

49 Soit la fonction f définie sur $\mathbb{R}$ par :
$$\begin{cases} f(x) = x\sin\dfrac{1}{x} \text{ si } x \neq 0 \\ f(0) = 0 \end{cases}$$

1. Tracer sur une calculatrice la fonction f pour x non nul. Que peut-on conjecturer sur la continuité de f en 0 ?

2. Démontrer cette conjecture.

50 Soit la fonction f définie sur $[0 ; +\infty[$ par :
$$\begin{cases} f(x) = \dfrac{\sqrt{x} - 3}{x - 9} \text{ si } x \neq 9 \\ f(9) = \dfrac{1}{6} \end{cases}$$

1. Étudier la continuité en 9.

2. Contrôler ce résultat à l'aide d'une calculatrice.

51 Soit la fonction f définie sur $\mathbb{R}$ par : **Démo**
$$\begin{cases} f(x) = \dfrac{xe^x}{e^x - 1} \text{ si } x \neq 0 \\ f(0) = 1 \end{cases}$$

On rappelle que $\displaystyle\lim_{x \to 0} \dfrac{e^x - 1}{x} = 1$.

Montrer que la fonction f est continue en 0.

52 Soit la fonction f définie sur $\mathbb{R}$ par :
$$\begin{cases} f(x) = \dfrac{1 - \sqrt{x^2 + 1}}{x} \text{ si } x \neq 0 \\ f(0) = m \end{cases}$$

1. Montrer que la fonction f peut s'écrire sous la forme :
$$f(x) = \dfrac{-x}{1 + \sqrt{x^2 + 1}}.$$

2. a) Déterminer la limite de la fonction f en 0.

b) Quelle valeur faut-il donner à m pour que la fonction f soit continue en 0 ?

53 Soit la fonction f définie sur $\mathbb{R}$ par :
$$\begin{cases} f(x) = \dfrac{(x^{20} + 100)^2 - 10\,000}{x^{20}} \text{ si } x \neq 0 \\ f(0) = 0 \end{cases}$$

Voici la reproduction d'un écran d'une calculatrice représentant la fonction f sur l'intervalle $[0 ; 1,5]$.

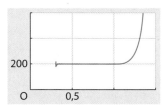

1. Au vu du graphique, peut-on dire que la fonction f est continue sur $\mathbb{R}$?

2. Calculer $\displaystyle\lim_{x \to 0} f(x)$ puis justifier que la fonction f est dérivable sur $\mathbb{R}$.

3. Comment peut-on expliquer la représentation graphique de la calculatrice ?

Solution d'équation avec une fonction continue

54 Soit la courbe $\mathscr{C}$ d'équation :

$$y = \frac{1}{2}(e^x + e^{-x} - 2).$$

Cette courbe est appelée une « chaînette ».
On s'intéresse ici aux « arcs de chaînette » délimités par deux points de cette courbe symétriques par rapport à l'axe des ordonnées. Un tel arc est représenté sur le graphique ci-dessous en trait plein.

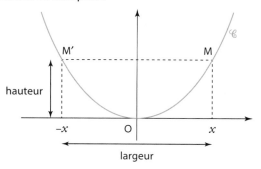

On définit la « largeur » et la « hauteur » de l'arc de chaînette délimité par les points M et M' comme indiqué sur le graphique.
Le but de l'exercice est d'étudier les positions possibles sur la courbe du point M d'abscisse x strictement positive afin que la largeur de l'arc de chaînette soit égale à sa hauteur.
1. Justifier que le problème étudié se ramène à la recherche des solutions strictement positives de l'équation :

$$(E) : e^x + e^{-x} - 4x - 2 = 0.$$

2. Soit f la fonction définie sur $[0 \,;\, +\infty[$ par :

$$f(x) = e^x + e^{-x} - 4x - 2$$

et l'on admet que $\displaystyle\lim_{x \to +\infty} f(x) = +\infty$.
a) Calculer $f'(x)$.
b) Montrer que l'équation $f'(x) = 0$ équivaut à résoudre $(e^x)^2 - 4e^x - 1 = 0$.
c) On pose $X = e^x$, montrer alors que l'équation $f(x) = 0$ admet pour unique solution x_1 tel que $e^{x_1} = 2 + \sqrt{5}$.

3. On donne le tableau de signes de $f'(x)$.

x	0		x_1		$+\infty$
$f'(x)$		$-$	0	$+$	

a) Dresser le tableau de variations de la fonction f.
b) Démontrer que l'équation $f(x) = 0$ admet une unique solution α strictement positive tel que $2 < \alpha < 3$.
c) À l'aide de l'algorithme de dichotomie donner un encadrement de α à 10^{-3} près.

4. La *Gateway Arch*, édifiée dans la ville de Saint-Louis aux États-Unis, a l'allure suivante.

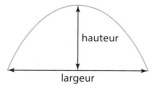

Son profil peut être approché par un arc de chaînette renversé dont la largeur est égale à la hauteur.
La largeur de cet arc, exprimée en mètres, est égale au double de la solution strictement positive de l'équation :

$$e^{\frac{t}{39}} + e^{-\frac{t}{39}} - 4\frac{t}{39} - 2 = 0.$$

Donner un encadrement de la hauteur de la *Gateway Arch*.

Travailler le Grand Oral

55 Soit la fonction f définie sur $\mathbb{R}$ par :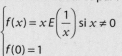

$$\begin{cases} f(x) = x\, E\left(\dfrac{1}{x}\right) \text{ si } x \neq 0 \\ f(0) = 1 \end{cases}$$

La fonction E correspond à la fonction partie entière.
1. Tracer sur la calculatrice la fonction f pour x non nul. Que peut-on conjecturer sur la continuité de la fonction f en 0 ?
2. Démontrer à l'oral devant la classe cette conjecture en calculant les limites à gauche et à droite de 0.

👍 **Coup de pouce** Penser à utiliser le théorème des gendarmes.

56 Fonction et suite (1)

On considère la fonction f définie sur l'intervalle $[0 \, ; +\infty[$

par :
$$f(x) = 5 - \frac{4}{x+2}.$$

On admettra que f est dérivable sur l'intervalle $[0 \, ; +\infty[$.

1. Démontrer que f est croissante sur l'intervalle $[0 \, ; +\infty[$.

2. Résoudre l'équation $f(x) = x$ sur l'intervalle $[0 \, ; +\infty[$.
On note α la solution.
Donner la valeur exacte de α puis en donner une valeur approchée à 10^{-2} près.

3. On considère la suite (u_n) définie par $u_0 = 1$ et, pour tout
$n \in \mathbb{N}$, $u_{n+1} = f(u_n)$.

a) Démontrer, par récurrence, que, pour tout $n \in \mathbb{N}$:
$0 \leqslant u_n \leqslant u_{n+1} \leqslant \alpha$ où α est le réel défini dans la question **2**.

b) La suite (u_n) est-elle convergente? Justifier.

4. Pour tout $n \in \mathbb{N}$, on définit la suite (S_n) par :
$$S_n = \sum_{k=0}^{n} u_k = u_0 + u_1 + \ldots + u_n.$$

a) Calculer S_0, S_1 et S_2. Donner une valeur approchée des résultats à 10^{-2} près.

b) Montrer que la suite (S_n) diverge vers $+\infty$.

57 Fonction et suite (2)

A ▶ Soit la fonction g définie sur $[0 \, ; +\infty[$ par :
$$g(x) = e^x - x - 1.$$

1. Étudier les variations de la fonction g.

2. Déterminer le signe de $g(x)$ suivant les valeurs de x.

3. En déduire que pour tout x de $[0 \, ; +\infty[$, $e^x - x > 0$.

B ▶ On considère la fonction f définie sur $[0 \, ; 1]$ par :
$$f(x) = \frac{e^x - 1}{e^x - x}.$$

On donne ci-dessous la courbe $(\mathscr{C}_f)$ représentative de la fonction f dans le plan muni d'un repère orthonormal. On admet que f est strictement croissante sur $[0 \, ; 1]$.

1. Montrer que pour tout x de $[0 \, ; 1]$, $f(x) \in [0 \, ; 1]$.

2. Soit (D) la droite d'équation $y = x$.

a) Montrer que pour tout x de $[0 \, ; 1]$:
$$f(x) - x = \frac{(1-x)g(x)}{e^x - x}.$$

b) Étudier la position relative de la droite (D) et de la courbe $(\mathscr{C}_f)$ sur $[0 \, ; 1]$.

C ▶ Soit la suite (u_n) définie par : $u_0 = \dfrac{1}{2}$ et pour tout $n \in \mathbb{N}$, $u_{n+1} = f(u_n)$.

1. Construire sur l'axe des abscisses les quatre premiers termes de la suite en laissant apparents les traits de construction.

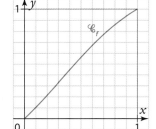

2. Montrer que pour tout $n \in \mathbb{N}$,
$$\frac{1}{2} \leqslant u_n \leqslant u_{n+1} \leqslant 1.$$

3. En déduire que la suite (u_n) est convergente et déterminer sa limite.

58 Résolution d'équation

Soit l'équation : $(E) : 2x\sqrt{x} - 3\sqrt{x} + 4 = \pi\sqrt{x}$.

Le but de cet exercice est de déterminer le nombre de solutions de (E) et de déterminer une approximation de chacune des solutions.

1. On pose pour tout $x > 0$, $g(x) = x\sqrt{x} - 1$.

a) Montrer que l'équation $g(x) = 0$ admet une unique solution α que l'on déterminera.

b) Déterminer le signe de $g(x)$ pour $x > 0$.

2. Soit la fonction f définie sur $]0 \, ; +\infty[$ par :
$$f(x) = 2x - 3 + \frac{4}{\sqrt{x}}.$$

a) Déterminer les limites de f en 0 et en $+\infty$.

b) Montrer que $f'(x) = \dfrac{2g(x)}{x\sqrt{x}}$.

c) En déduire le tableau de variations de la fonction f.

3. a) Montrer que l'équation (E) est équivalente à $f(x) = \pi$ pour $x \neq 0$.

b) Déterminer le nombre de solutions de l'équation (E).

c) Donner un encadrement à 10^{-2} de la ou les solutions de (E).

59 Fonction irrationnelle

Pour chacune des affirmations suivantes, préciser si elle est vraie ou fausse. Justifier votre réponse.
Soit la fonction f définie par :
$$f(x) = \sqrt{x^3 - 3x + 3}.$$

Affirmation 1 L'équation $x^3 - 3x + 3 = 0$ admet une unique solution α sur $\mathbb{R}$.

Affirmation 2 La fonction f est dérivable sur $]\alpha \, ; +\infty[$.

Affirmation 3 Pour tout réel m positif ou nul, l'équation $f(x) = m$ admet une unique solution sur $\mathbb{R}$.

60 Fonction auxiliaire

A ▶ Soit g la fonction définie sur $\mathbb{R}$ par :
$$g(x) = (x+2)\, e^{x-4} - 2.$$

1. Déterminer la limite de g en $+\infty$.

2. Montrer que la limite de g en $-\infty$ vaut -2.

3. On admet que la fonction g est dérivable sur $\mathbb{R}$. Calculer $g'(x)$ puis dresser le tableau de variations de g.

4. Démontrer que l'équation $g(x) = 0$ admet une unique solution α sur $\mathbb{R}$.

5. En déduire le signe de la fonction g sur $\mathbb{R}$.

6. À l'aide de l'algorithme de dichotomie, donner un encadrement d'amplitude 10^{-3} de α.

B ▶ Soit f la fonction définie sur $\mathbb{R}$ par :
$$f(x) = x^2 - x^2\, e^{x-4}.$$

1. Résoudre l'équation $f(x) = 0$ sur $\mathbb{R}$.

2. On admet que la fonction f est dérivable sur $\mathbb{R}$ et que pour tout réel x, $f'(x) = -x\, g(x)$
où la fonction g est celle définie à la partie **A**.
Étudier les variations de la fonction f sur $\mathbb{R}$.

3. Démontrer que le maximum de la fonction f sur $[0 \, ; +\infty[$ est égal à $\dfrac{\alpha^3}{\alpha + 2}$.

61 Portail

Une technicienne doit concevoir et réaliser un portail en bois plein, sur mesure, pour un pavillon.

L'ouverture du mur d'enceinte (non encore construit) ne peut excéder quatre mètres de large. Le portail est constitué de deux vantaux de largeur a telle que $0 < a \leq 2$.

Dans le modèle choisi, le portail fermé a la forme illustrée par la figure 1 ci-dessous. Les côtés [AD] et [BC] sont perpendiculaires au seuil [CD] du portail. Entre les points A et B, le haut des vantaux a la forme d'une portion de courbe.

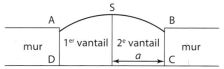

Figure 1

Cette portion de courbe est une partie de la représentation graphique de la fonction f définie sur $[-2\,;\,2]$ par :

$$f(x) = -\frac{b}{8}\left(e^{\frac{x}{b}} + e^{-\frac{x}{b}}\right) + \frac{9}{4} \quad \text{où } b > 0.$$

Le repère de la figure 2 est choisi de façon que les points A, B, C et D aient pour coordonnées respectives $(-a\,;\,f(-a))$, $(a\,;\,f(a))$, $(a\,;\,0)$ et $(-a\,;\,0)$ et on note S le sommet de la courbe de f.

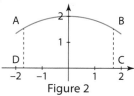

Figure 2

A ▶ 1. Montrer que, pour tout réel x appartenant à l'intervalle $[-2\,;\,2]$, $f(-x) = f(x)$.

Que peut-on en déduire pour la courbe représentative de la fonction f ?

2. On appelle f' la fonction dérivée de la fonction f. Montrer que, pour tout réel x de l'intervalle $[-2\,;\,2]$:

$$f'(x) = -\frac{1}{8}\left(e^{\frac{x}{b}} - e^{-\frac{x}{b}}\right).$$

3. Dresser le tableau de variations de la fonction f sur l'intervalle $[-2\,;\,2]$ et en déduire les coordonnées du point S en fonction de b.

B ▶ La hauteur du mur est de 1,5 m. On souhaite que le point S soit à 2 m du sol. On cherche alors les valeurs de a et b.

1. Justifier que $b = 1$.

2. Montrer que l'équation $f(x) = 1,5$ admet une unique solution sur l'intervalle $[0\,;\,2]$ et en déduire une valeur approchée de a au centième.

3. On choisit $a = 1,8$ et $b = 1$.

Les clients décident d'automatiser le portail si la masse d'un vantail excède 60 kg.

La densité des planches de bois utilisées pour la fabrication des vantaux est égale à $20\ \text{kg} \cdot \text{m}^{-2}$.

Que décideront les clients?

62 Population de grenouilles

Un groupe de scientifiques, des spécialistes en environnement et des biologistes, étudient l'évolution d'une population de grenouilles autour d'un étang. Les biologistes estiment que le nombre de grenouilles présentes autour de l'étang peut être modélisé par la fonction P définie sur l'intervalle $[0\,;\,+\infty[$ où t est le temps écoulé depuis 2018, en années : $P(t) = \dfrac{1\,000}{0,4 + 3,6e^{-0,5t}}$.

1. Étudier les variations de la fonction P sur $[0\,;\,+\infty[$.

2. Déterminer la limite de la fonction P en $+\infty$.

3. Montrer qu'il existe une unique valeur $t_0 \in [0\,;\,+\infty[$ telle que $P(t_0) = 2\,000$. Déterminer cette valeur à 10^{-1} près.

4. Selon ce modèle, déterminer au cours de quelle année la population de l'étang aura dépassé pour la première fois les 2 000 grenouilles.

63 Plant de maïs

Algo

On s'intéresse à l'évolution de la hauteur d'un plant de maïs en fonction du temps.

On décide de modéliser cette croissance par une fonction logistique du type :

$$h(t) = \frac{a}{1 + be^{-0,04t}}.$$

où $h(t)$, en mètres, représente la hauteur du plant en fonction du temps t, en jours. Les constantes a et b sont des réels positifs.

On sait qu'initialement, pour $t = 0$, le plant mesure 0,1 m et que sa hauteur tend vers une hauteur limite de 2 m.

1. Déterminer les constantes a et b afin que la fonction h corresponde à la croissance du plant de maïs étudié.

2. On suppose que la fonction h est croissante sur $[0\,;\,+\infty[$.

a) Montrer que l'équation $h(t) = 1,5$ admet une unique solution t_0.

b) À l'aide d'un algorithme, donner, au jour près, le temps nécessaire pour que le plant de maïs atteigne une hauteur supérieure à 1,5 m.

D'après Bac Pondichéry 2013

Continuité des fonctions usuelles

Toutes fonctions construites par somme, produit, quotient ou composition à partir de fonctions élémentaires sont continues sur leur ensemble de définition.

Continuité et dérivabilité

f dérivable en $a \Rightarrow f$ continue en a

f continue en $a \nRightarrow f$ est dérivable en a

Continuité

• $E(x)$ non continue en $x \in \mathbb{Z}$

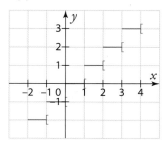

f est **continue** en a
si et seulement si
$$\lim_{x \to a} f(x) = f(a)$$

• $|x|$ continue et non dérivable en 0

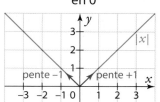

Continuité et suite

Soit une suite (u_n) définie par
$$u_{n+1} = f(u_n).$$
Si (u_n) convergente et f est continue en ℓ,
alors ℓ vérifie $f(x) = x$.

Continuité et équation

Soit f une fonction continue sur un intervalle $[a\,;b]$.

• **Valeurs intermédiaires**

Pour tout réel k compris entre $f(a)$ et $f(b)$, l'équation $f(x) = k$ admet au moins une solution c dans l'intervalle $[a\,;b]$.

• **Bijection**

f est strictement monotone sur $[a\,;b]$:

pour tout réel k compris entre $f(a)$ et $f(b)$, l'équation $f(x) = k$ admet une unique solution c dans l'intervalle $[a\,;b]$.

Résolution de $f(x) = 0$ par dichotomie

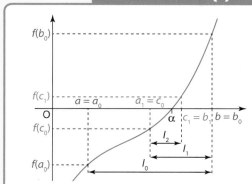

Pour encadrer c, la méthode par dichotomie consiste à réduire l'intervalle $[a\,;b]$ en le divisant par 2.

Je dois être capable de...

▶ Étudier la continuité d'une fonction et la dérivabilité en un point   Méthode 1 Méthode 2 → 1, 2, 20, 21, 3, 4, 25, 26

▶ Déterminer la limite d'une suite   Méthode 3 Méthode 5 → 5, 6, 29, 30, 9, 10, 40, 41

▶ Trouver le nombre de solutions d'une équation   Méthode 4 → 7, 10, 35, 36

▶ Utiliser une fonction auxiliaire   Méthode 6 → 13, 14, 46, 47

Parcours d'exercices

● EXOS
QCM interactifs
lienmini.fr/maths-s04-05

QCM Pour les exercices suivants, choisir la (les) bonne(s) réponse(s).

	A	B	C	D
64 Si une fonction f est continue au point a alors :	f est définie en a.	f est dérivable en a.	la limite en a n'existe pas.	la limite en a existe et vaut $f(a)$.
65 Soit la fonction f définie par : $f(x) = \sqrt{x+1}$	f est continue sur $[-1\,;+\infty[$.	f est dérivable sur $[-1\,;+\infty[$.	f est continue mais pas dérivable en 0.	f n'admet pas de tangente au point -1.
66 Soit la suite (u_n) décroissante et minorée définie sur $\mathbb{N}$ par : $\begin{cases} u_0 = 3 \\ u_{n+1} = \dfrac{4u_n}{2u_n+1} \end{cases}$	La suite (u_n) converge vers 0.	La suite (u_n) converge vers $\dfrac{3}{2}$.	La suite (u_n) converge mais on ne peut rien dire sur sa limite.	La suite (u_n) diverge.
67 Soit f définie sur $\mathbb{R}$. L'équation $f(x) = 1$:	n'admet pas de solution sur $\mathbb{R}$.	admet une solution unique sur $\mathbb{R}$.	admet 2 solutions sur $\mathbb{R}$.	admet 3 solutions sur $\mathbb{R}$.
68 Soit f définie sur $\mathbb{R}$. L'équation $f(x) = 0$:	n'admet pas de solution sur $\mathbb{R}$.	admet une solution unique sur $\mathbb{R}$.	admet 2 solutions sur $\mathbb{R}$.	admet 3 solutions sur $\mathbb{R}$.
69 Soit f définie sur $[-2\,;2]$ par $f(x) = \dfrac{2}{1+x^2}$. Alors $f(x) = \dfrac{2}{3}$:	n'admet pas de solution sur $\mathbb{R}$.	admet une solution unique sur $\mathbb{R}$.	admet 2 solutions sur $\mathbb{R}$.	admet 3 solutions sur $\mathbb{R}$.
70 Une valeur approchée à 10^{-1} près par défaut de la solution $x^3 + 2x - 1 = 0$ est :	0,3.	0,4.	0,5.	0,6.

71 Ensemble de continuité

Soit la fonction f définie sur $\mathbb{R}$ par :
$$\begin{cases} f(x) = x^2 + 2x - 1 & \text{si } x < -1 \\ f(x) = \sqrt{x+1} - 2 & \text{si } x \geq 1 \end{cases}$$

1. Tracer sur la calculatrice la fonction f.
Que peut-on conjecturer sur l'ensemble sur lequel la fonction f est continue ?
2. Démontrer cette conjecture
en étudiant les cas $x \neq -1$ et $x = -1$.   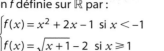 **p. 113**

72 Dérivabilité en 0

Soit la fonction f définie sur $\mathbb{R}$ par :
$$\begin{cases} f(x) = e^{-x} & \text{si } x \leq 0 \\ f(x) = x^2 + 1 & \text{si } x > 0 \end{cases}$$

1. Montrer la continuité en 0.
2. Visualiser sur une calculatrice la fonction f
et expliquer la non dérivabilité en 0.   **p. 115**

73 Limite par récurrence

Soit la fonction f définie sur $[0 ; 9]$ par :
$$f(x) = 6 - \frac{5}{x+1}.$$

1. Justifier que la fonction f est continue sur $[0 ; 9]$.
On considère la suite (u_n) définie sur $\mathbb{N}$ par : $u_0 = 0$ et $u_{n+1} = f(u_n)$.
2. a) Montrer par récurrence que pour tout $n \in \mathbb{N}$, $0 \leq u_n \leq 9$.
b) On admet que la suite (u_n) est croissante, en déduire que la suite (u_n) est convergente vers ℓ.
c) Déterminer ℓ.    **p. 115** **p. 118**

74 Étude de fonction

Soit la fonction f définie sur $\mathbb{R}$ par :
$$f(x) = x - \frac{2}{x^2 + 1}.$$

1. Démontrer pour tout réel que $f'(x) = \dfrac{(x+1)g(x)}{(x^2+1)^2}$,
où $g(x) = x^3 - x^2 + 3x + 1$.
2. a) Calculer les limites de la fonction g en $\pm \infty$.
b) Déterminer les variations de la fonction g puis dresser son tableau de variations.
c) Montrer que l'équation $g(x) = 0$ admet une unique solution α sur $\mathbb{R}$ puis vérifier que $\alpha \in [-1, 0]$.
d) À l'aide de l'algorithme de dichotomie, donner un encadrement à 10^{-3} près de α.
3. a) Donner le signe de $g(x)$ suivant les valeurs de x puis déterminer le signe de $f'(x)$ sur $\mathbb{R}$.
b) On admet que $\lim\limits_{x \to +\infty} f(x) = +\infty$ et $\lim\limits_{x \to -\infty} f(x) = -\infty$.
Dresser le tableau de variations
de la fonction f.   **p. 119**

75 Deux solutions

Soit la fonction f définie sur $\mathbb{R}$ par :
$$f(x) = e^x - x - 3.$$

1. a) Déterminer la limite de f en $-\infty$.
On admet que $\lim\limits_{x \to +\infty} f(x) = +\infty$.
b) Déterminer les variations de la fonction f puis dresser son tableau de variations.
2. a) Montrer que l'équation $f(x) = 0$ admet exactement deux solutions α et β, $(\alpha < \beta)$, sur $\mathbb{R}$.
b) Vérifier que $\beta \in [1 ; 2]$ puis déterminer par balayage d'une calculatrice un encadrement de β au dixième.   **p. 117**

76 Unique solution   **Algo** **Démo**

Le but de cet exercice est de
démontrer que l'équation $(E) : e^x = \dfrac{1}{x}$ admet une
unique solution dans $\mathbb{R}$ et de construire une suite qui converge vers cette solution.

A ▶ Soit la fonction f définie sur $\mathbb{R}$ par :
$$f(x) = x - e^{-x}.$$

1. Démontrer que l'équation (E) est équivalente à l'équation $f(x) = 0$ pour $x \neq 0$.
2. a) Calculer la limite de f en $+\infty$. On admet que $\lim\limits_{x \to -\infty} f(x) = -\infty$.
b) Montrer que la fonction f est croissante sur $\mathbb{R}$ puis dresser son tableau de variations.
c) Démontrer que l'équation $f(x) = 0$ admet une unique solution α sur $\mathbb{R}$ puis vérifier que $\alpha \in [\dfrac{1}{2} ; 1]$.
d) Quel est le signe de f sur l'intervalle $[0 ; \alpha]$?

B ▶ Soit la fonction g définie sur $[0 ; 1]$ par :
$$g(x) = \frac{1+x}{1+e^x}.$$

1. a) Montrer que l'équation (E) est équivalente à $g(x) = x$ avec $x \neq 0$.
b) Calculer $g'(x)$ et montrer que $g'(x) = -\dfrac{e^x f(x)}{(1+e^x)^2}$.

En déduire que la fonction g est croissante sur $[0 ; \alpha]$.
2. On considère la suite (u_n) définie sur $\mathbb{N}$ par $u_0 = 0$ et pour tout $n \in \mathbb{N}$, $u_{n+1} = g(u_n)$.
a) Démontrer par récurrence que pour tout $n \in \mathbb{N}$: $0 \leq u_n \leq u_{n+1} \leq \alpha$.
b) En déduire que la suite (u_n) est convergente vers α.
c) À l'aide d'une fonction $u(n)$ en **Python** renvoyant la valeur de u_n, déterminer une valeur approchée de u_4 arrondie à la sixième décimale.

 p. 117 **p. 119**

77 Fonction définie par une relation fonctionnelle

Démo

On se propose de déterminer toutes les fonctions f continues sur $\mathbb{R}$ et qui vérifient la relation fonctionnelle suivante :
$$\forall x \in \mathbb{R}, f(x + y) = f(x) + f(y).$$
Soit f une fonction remplissant ces conditions.
Soit $x \in \mathbb{R}$.

1. a) Démontrer que $f(0) = 0$ et que $f(-x) = -f(x)$.

b) Démontrer par récurrence que, pour tout entier naturel n :
$$f(nx) = n\, f(x).$$

c) Démontrer que pour tout entier naturel n :
$$f(-nx) = -n\, f(x).$$
On a donc, pour tout entier relatif k :
$$f(kx) = k\, f(x).$$

d) Démontrer que, pour tout entier naturel non nul n :
$$f\left(\frac{1}{n} \times x\right) = \frac{1}{n} \times f(x).$$

e) Démontrer que, pour tout nombre rationnel q :
$$f(qx) = qf(x).$$

f) On pose : $f(1) = \lambda$.
Démontrer que, pour tout nombre rationnel q :
$$f(q) = \lambda q.$$

2. On admet que tout nombre réel x est la limite d'une suite de nombres rationnels.

a) Démontrer que, pour tout réel x, on a :
$$f(x) = \lambda x.$$
On pourra poser :
$$\forall x \in \mathbb{R}, \forall n \in \mathbb{N}, x = \lim_{n \to \infty} q_n \text{ où } q_n \in \mathbb{Q}.$$

 Coup de pouce Appliquer le théorème du point fixe.

b) Quelles sont toutes les fonctions continues f vérifiant la relation fonctionnelle ?

78 Somme et continuité

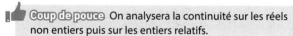

On rappelle que E désigne la fonction partie entière.

1. Soit $n \in \mathbb{N}^*$.
On définit la fonction f sur $\mathbb{R}$ par :
$$f_n(x) = E(x) + [x - E(x)]^n.$$

a) Visualiser les fonctions f_2, f_5 et f_{50} sur la calculatrice.

b) Tracer sur une feuille l'allure de ces fonctions.

c) Démontrer que pour tout $n \in \mathbb{N}^*$, la fonction f_n est continue sur $\mathbb{R}$.

 Coup de pouce On analysera la continuité sur les réels non entiers puis sur les entiers relatifs.

2. Soit la fonction g définie sur $\mathbb{R}$ par :
$$g(x) = E(x) + E(1 - x).$$
Déterminer l'expression de $g(x)$ en analysant les cas où x est un entier relatif et x non entier.
Visualiser la fonction g sur la calculatrice et critiquer cette représentation graphique.

3. Que peut-on dire de la somme de deux fonctions discontinues en a ?

79 Produit de fonctions et continuité

1. Soit une fonction f continue en a avec $f(a) \neq 0$ et g une fonction discontinue en a. Montrer, par l'absurde, que la fonction $f \times g$ est discontinue en a.

2. Soit une fonction f continue en a avec $f(a) = 0$ et g une fonction discontinue en a.

a) On définit les fonctions f et g sur $\mathbb{R}$ par $f(x) = x$ et $g(x) = E(x)$. Montrer que la fonction $f \times g$ est continue en 0.

b) On définit les fonctions f et g sur $\mathbb{R}$ par : $f(x) = x$ et $g(x) = \dfrac{1}{x}$ si $x \neq 0$ et $g(0) = 0$
Montrer que la fonction $f \times g$ est discontinue en 0.

c) Quelle condition supplémentaire faut-il ajouter à la fonction g pour que la fonction $f \times g$ soit toujours continue en a ?

3. Soit deux fonctions f et g discontinues en a.
Montrer, en prenant des exemples, que la fonction $f \times g$ peut être soit continue soit discontinue en a.

80 Discontinuité

On rappelle que si u_n est une suite convergente vers a et si f est une fonction qui admet pour limite ℓ en a alors $\lim\limits_{x \to a} f(u_n) = a$. Soit f une fonction définie sur $\mathbb{R}$ par :
$$\begin{cases} f(x) = \sin\left(\dfrac{1}{x}\right) & \text{si } x \neq 0 \\ f(0) = 0 \end{cases}$$

1. Tracer la fonction f sur une calculatrice. Que peut-on conjecturer sur la continuité en 0 ?

2. Montrer cette conjecture. On pourra raisonner par l'absurde en considérant deux suites (u_n) et (v_n) définies pour $n \in \mathbb{N}$ par : $u_n = 2n\pi$ et $nv_n = 2\pi n + \dfrac{\pi}{2}$.

81 Valeurs intermédiaires

Démo

Soit une fonction f continue sur un intervalle $I = [a\,;b]$.
Soit k un réel compris entre $f(a)$ et $f(b)$.
On suppose que $f(a) < f(b)$.
On construit deux suites (a_n) et (b_n) telles que : $a_0 = a$ et $b_0 = b$ et pour tout $n \in \mathbb{N}$:
$$\begin{cases} a_{n+1} = a_n \\ b_{n+1} = \dfrac{a_n + b_n}{2} \end{cases} \text{si } f\left(\dfrac{a_n + b_n}{2}\right) \geqslant k$$
$$\begin{cases} a_{n+1} = \dfrac{a_n + b_n}{2} \\ b_{n+1} = b_n \end{cases} \text{si } f\left(\dfrac{a_n + b_n}{2}\right) < k$$

1. a) Montrer par récurrence que pour tout $n \in \mathbb{N}$, k est compris entre a_n et b_n et $a_n \leqslant b_n$.

b) Montrer que la suite (a_n) est croissante et que la suite (b_n) est décroissante.

2. On pose $u_n = b_n - a_n$. Montrer que la suite (u_n) est géométrique. On précisera sa raison q et son premier terme u_0.
En déduire que $\lim\limits_{n \to +\infty} u_n = 0$.

3. On admet alors que les suites (a_n) et (b_n) sont adjacentes et qu'elles convergent donc vers une limite commune c.
Montrer que $k = f(c)$ puis conclure.

82 Méthode de la sécante — Algo

A ▶ Le principe

Soit une fonction f continue et monotone sur un intervalle $I = [a\,;b]$.
On suppose que l'équation $f(x) = 0$ admet une unique solution α dans I.
On introduit alors la suite (a_n) telle que $a_0 = a$.
On construit les termes de la suite (a_n) de la façon suivante :
• à partir de a_0, on trace la droite (AB) (sécante à $\mathscr{C}_f$ sur I), cette droite coupe l'axe des abscisses au point d'abscisse a_1.
• on réitère ensuite le procédé pour trouver les termes a_2, a_3, ...,a_n.

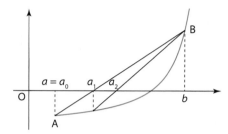

1. Déterminer l'équation de la droite (AB) puis montrer que cette droite coupe l'axe des abscisses au point d'abscisse a' tel que :
$$a' = a - \frac{b-a}{f(b)-f(a)}f(a).$$

2. On introduit la suite (a_n) telle que $a_0 = a$ et pour tout $n \in \mathbb{N}$:
$$a_{n+1} = a_n - \frac{b-a_n}{f(b)-f(a_n)}f(a_n).$$

On suppose dans cette question que f est croissante.
a) Montrer que la suite (a_n) est croissante et majorée.
b) En déduire que la suite (a_n) converge vers ℓ telle que $f(\ell) = 0$.

B ▶ Application

Soit la fonction f définie sur $\mathbb{R}$ par :
$$f(x) = x^3 - 4x^2 + 1.$$
1. Démontrer que l'équation $f(x) = 0$ admet une unique solution α dans l'intervalle $[0\,;1]$.
2. Pour trouver une valeur approchée de α, on décide d'appliquer la méthode de la sécante.
On introduit la suite (a_n) avec $a_0 = 0$ et pour tout $n \in \mathbb{N}$,
$$a_{n+1} = a_n - \frac{b-a_n}{f(b)-f(a_n)}f(a_n).$$

a) Programmer la fonction f et une fonction secante (a, b, p) en **Python** où a et b sont les bornes de l'intervalle I et qui donne la valeur de α avec une précision à 10^{-p} près.
b) Appliquer ce programme pour $I = [0\,;1]$ et $p = 3$.

▶ **Remarque** La méthode de la sécante donne une valeur de α par défaut tandis que la méthode de Newton Raphson donne une valeur par excès. Ces deux méthodes sont donc complémentaires et donnent un encadrement de la valeur de α.

83 Relation fonctionnelle — Démo

Soit une fonction définie et continue sur $\mathbb{R}$, telle que pour tout réel x, on a la relation :
$$[f(x)]^2 = 1.$$
En raisonnant par l'absurde montrer que la fonction f est constante.

👍 **Coup de pouce** Penser à utiliser le théorème des valeurs intermédiaires.

84 Zéros d'une famille de fonctions

Soit n un entier naturel supérieur ou égal à 2.
On définit la fonction f_n sur $\mathbb{R}$ par :
$$f_n(x) = x^{n+1} - 2x^n + 1.$$
1. Étudier les variations de la fonction f_n sur $\mathbb{R}$ et montrer que la fonction f_n est décroissante sur $\left[0\,;\dfrac{2n}{n+1}\right]$.

2. Montrer que $f\left(\dfrac{2n}{n+1}\right) < 0$.

3. Montrer que pour tout $n \geqslant 2$, la fonction f_n s'annule une seule fois dans l'intervalle $\left[\dfrac{2n}{n+1}\,;2\right]$.

85 Nombre de solutions d'une équation

Le but de cet exercice est de déterminer le nombre de solutions sur $\mathbb{R}$ de l'équation $(E) : e^{-x^2} = e^x - 1$.
1. Conjecturer graphiquement le nombre de solutions de l'équation (E).
2. Montrer que pour tout réel $x < 0$, on a : $e^{-x^2} > e^x - 1$.
3. On pose la fonction f définie sur $\mathbb{R}_+$ par :
$$f(x) = e^{-x^2} - e^x + 1.$$
a) Montrer que f est strictement décroissante sur $[0\,;+\infty[$.
b) Calculer la limite de f en $+\infty$.
c) En déduire le nombre de solution de l'équation (E) sur $[0\,;+\infty[$ puis sur $\mathbb{R}$.

86 Point fixe

Soir la fonction f définie sur $\mathbb{R}$ par :
$$f(x) = \frac{2}{e^x + e^{-x}}.$$
1. Conjecturer graphiquement le nombre de solution sur $\mathbb{R}$ de l'équation : $f(x) = x$.
2. On pose la fonction g définie sur $\mathbb{R}$ par :
$$g(x) = f(x) - x.$$
a) Calculer les limites de la fonction g en $+\infty$ et $-\infty$.
b) Montrer que la fonction g est décroissante sur $\mathbb{R}$.
c) En déduire le nombre de solution sur $\mathbb{R}$ de l'équation $f(x) = x$.
3. Soit la suite (u_n) définie sur $\mathbb{N}$ par :
$$u_{n+1} = f(u_n).$$
On admet que la suite est convergente vers une limite ℓ.
Déterminer, à l'aide de l'algorithme de dichotomie, un encadrement à 10^{-3} près de ℓ.

Travaux pratiques

1 Algorithme de dichotomie

Il s'agit de déterminer une valeur approchée de l'équation $x^3 + x - 1 = 0$ par une méthode de dichotomie.

1. On pose la fonction f définie sur $\mathbb{R}$ par : $f(x) = x^3 + x - 1$.
Montrer que l'équation $f(x) = 0$ admet une unique solution α sur $\mathbb{R}$ et que $\alpha \in [0\ ;1]$.

2. On voudrait obtenir un encadrement de cette solution α. On procède alors par dichotomie, c'est-à-dire qu'on partage l'intervalle $[0\ ,1]$ en deux intervalles $I_1 = \left[0\ ;\dfrac{1}{2}\right]$ et $I_2 = \left[\dfrac{1}{2}\ ;1\right]$.

a) Calculer $f\left(\dfrac{1}{2}\right)$. Dire pourquoi α se trouve dans l'intervalle I_2.

b) On réitère le procédé en partageant l'intervalle I_2 en deux : $I_3 = \left[\dfrac{1}{2}\ ;\dfrac{3}{4}\right]$ et $I_4 = \left[\dfrac{3}{4}\ ;1\right]$.

Calculer $f\left(\dfrac{3}{4}\right)$. Dans quel intervalle, I_3 ou I_4, se trouve α ?

3. On décide d'automatiser ce procédé pour que α se trouve dans un intervalle d'amplitude inférieur à 10^{-3}. On donne le programme en **Python** suivant.

```
1   def f(x):
2       return x**3+x-1
3   def dicho(a,b) :
4       n=0
5       while b-a>=10**(-3) :
6           c=(a+b)/2
7           if f(a)*f(c)<0:
8               b=c
9           else:
10              a=c
11          n=n+1
12      return a,b,n
```

a) Quelles valeurs doit-on utiliser pour a et b pour exécuter la fonction dicho ?
b) Que représente la variable n ?
c) Expliquer les lignes 7, 8, 9, 10 du programme.
d) Rentrer ce programme dans votre calculatrice et donner un encadrement à 10^{-3} de la valeur α.
En combien d'itérations est-il obtenu ?
e) Que faut-il modifier pour avoir un encadrement à 10^{-6} ?
Donner alors cet encadrement ainsi que le nombre d'itérations nécessaires.

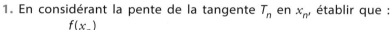

2 La méthode Newton Raphson

Fourier

La méthode de résolution des équations numériques a été initiée par Isaac Newton vers 1669 sur des exemples numériques mais la formulation était fastidieuse. Puis, Joseph Raphson met en évidence une formule de récurrence. Plus tard, Mouraille et Lagrange étudient la convergence des approximations successives en fonction des conditions initiales par une approche géométrique. Enfin, Fourier et Cauchy s'occupent de la rapidité de la convergence.

Cauchy

A ▶ Principe

Soit une fonction f dérivable sur un intervalle I. On suppose que l'équation $f(x) = 0$ admet une solution α dans I. On introduit alors la suite (x_n) telle que x_0 est une valeur proche de α. On construit les termes de la suite (x_n) de la façon suivante : à partir de x_0, on détermine un nouveau terme x_1 en traçant la tangente T_0 à $\mathscr{C}_f$ en x_0. Cette tangente coupe l'axe des abscisses en x_1.
On réitère ensuite le procédé pour trouver les termes $x_2, x_3, ..., x_n$.
Soit x_{n+1} l'abscisse du point d'intersection de la tangente T_n à $\mathscr{C}_f$ en x_n.

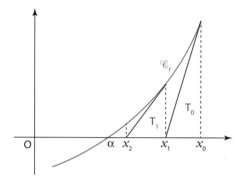

1. En considérant la pente de la tangente T_n en x_n, établir que :
$$x_{n+1} = x_n - \frac{f(x_n)}{f'(x_n)}.$$

2. Quelle condition doit vérifier la fonction f pour que la suite (x_n) existe sur $\mathbb{N}$?

▶ **Remarque** Pour que la suite (x_n) soit convergente, en pratique, il faut prendre un x_0 assez proche de la valeur α de façon à ce qu'il n'y ait pas de changement de convexité.

B ▶ Application

Soit la fonction f définie sur $\mathbb{R}$ par : $f(x) = x^3 - 4x^2 + 1$.
1. Démontrer que l'équation $f(x) = 0$ admet une unique solution α dans l'intervalle $[0\,,\,1]$.
2. Pour trouver une valeur approchée de α, on décide d'appliquer la méthode de Newton. On introduit la suite (x_n) telle que pour tout $n \in \mathbb{N}$, $x_{n+1} = x_n - \dfrac{f(x_n)}{f'(x_n)}$.

a) Pourquoi ne peut-on pas prendre $x_0 = 0$?
b) On décide pour la suite du TP de prendre $x_0 = 1$. Compléter à l'aide de la calculatrice le tableau ci-contre pour $n = 0, n = 1, n = 2$. On donnera les valeurs à 10^{-3} près.
c) Quelle est la précision obtenue ?
3. On décide d'automatiser les calculs avec la foncion **newton(a,p)** en **Python** où **a** correspond à x_0 et **p** la précision à 10^{-p} près.

a) Compléter le programme. La fonction **fprime** correspond à la dérivée de la fonction f.
b) Rentrer ce programme dans la calculatrice. Expliquer la condition de la ligne 9.
c) Quel est le nombre d'itération pour avoir une précision de 10^{-3} ? Même question pour des précisions de 10^{-6} et de 10^{-12}.
d) Que peut-on dire de la précision à chaque itération ?

n	x_n	$f(x_n)$	$f'(x_n)$	$-\dfrac{f(x_n)}{f'(x_n)}$	x_{n+1}
0	1				

```python
1   from math import *
2   def f(x):
3       return ...
4   def fprime(x):
5       return ...
6   def newton(a,p):
7       x=a
8       n=0
9       while abs(f(x))>=10**(-p):
10          x=...
11          n=...
12      return x,n
```

5

Dérivation et convexité

Les montagnes russes sont impressionnantes. Le Thunderhead Roller Coaster, par exemple, est une montagne russe des plus populaires au monde avec ses 22 virages et sa pente maximale de 60°.

Comment déterminer les endroits où la vitesse du train sera la plus grande ?

↳ TP 2 p. 167

▶ VIDÉO WEB

Un manège courbé
lienmini.fr/maths-s05-01

Pour prendre un bon départ

● **EXOS**
Prérequis
lienmini.fr/maths-s05-02

Les rendez-vous
Sésamath

1 Déterminer un nombre dérivé

1. On considère une fonction dont la courbe représentative $\mathscr{C}_f$ est donnée ci-contre.

a) Graphiquement, déterminer $f'(0)$, $f(0)$, $f'(1)$ et $f(1)$.

b) Graphiquement, déterminer les abscisses pour lesquelles la tangente à $\mathscr{C}_f$ est horizontale.

2. Soit g la fonction définie sur $\mathbb{R}$ par $g(x) = x^3$.

a) Calculer $g'(3)$ et $g'(-3)$.
Que remarquez-vous ? Justifier.

b) Déterminer l'abscisse positive a pour laquelle $g'(a) = 12$.

2 Déterminer une équation de tangente

1. Soit f la fonction définie sur $\mathbb{R}$ par $f(x) = x^2 + 3x + 1$ et $\mathscr{C}_f$ sa courbe représentative dans un repère orthonormé.

a) Calculer $f'(2)$ et $f(2)$.

b) En déduire l'équation de la tangente à la courbe $\mathscr{C}_f$ au point d'abscisse 2, notée T_2.

2. Soit g la fonction définie sur $\mathbb{R}$ par $g(x) = e^x$.
Déterminer l'équation de la tangente à la courbe $\mathscr{C}_g$ au point d'abscisse 0, notée T_0.

3 Calculer des dérivées

Calculer les dérivées des fonctions suivantes.

a) $f(x) = \dfrac{2}{3}x^3 + 3\sqrt{x}$

b) $g(x) = 4x - \dfrac{7}{x}$

c) $h(x) = xe^x$

d) $i(x) = \dfrac{x^2 e^x + 3}{x + 5}$

4 Étudier des tableaux de signes

1. On considère les tableaux de signes de deux fonctions f et g définies sur $\mathbb{R}$.

x	$-\infty$		3		$+\infty$
Signe de $f(x)$		$-$	0	$+$	

x	$-\infty$		-2		$+\infty$
Signe de $g(x)$		$-$	0	$+$	

Dresser le tableau de signes de $f \times g$.

2. Soit h la fonction définie sur $\mathbb{R}$ par $h(x) = (x^2 - 9)(3x + 4)$.
Dresser le tableau de signes de la fonction h.

5 Calculer la dérivée de $x \rightarrow f(ax + b)$

1. Soit f la fonction définie par $f(x) = e^{3x+1}$. Calculer $f'(x)$.

2. Soit g la fonction définie par $g(x) = \sqrt{-2x + 1}$. Calculer $g'(x)$.

Activités

1   Voir des fonctions... à l'intérieur d'autres fonctions !

A ▶ Schéma de composition avec deux fonctions

On considère la fonction f définie par $f(x) = \sqrt{3x}$.

1. Calculer $f(1)$. Lors de ce calcul, quelle a été la dernière opération effectuée ?

2. Un élève tente d'expliquer à un autre comment calculer $f(x)$: « Tu prends un nombre x puis tu le multiplies par 3 et tu prends la racine carrée du nombre obtenu ». D'après cette phrase, compléter la procédure ci-après.

$$x \quad \overset{u}{\to} \quad u(x) = \text{......} \quad \overset{v}{\to} \quad v(u(x)) = v(\text{......}) = \text{......}$$

3. Lequel des deux algorithmes ci-contre, écrits en langage **Python** , retourne $f(x)$?

4. Soit u et v les fonctions définies par $u(x) = \sqrt{x}$ et $v(x) = 3x$.

a) Donner les domaines de définition de u et de v notés respectivement D_u et D_v.

b) Exprimer $u(v(x))$ et $v(u(x))$ en fontion de x.

c) On note $u \circ v$ (et on lit « u rond v ») la fonction qui à x, associe $u(v(x))$ et $v \circ u$ la fonction qui à x, associe $v(u(x))$. Déterminer les domaines de définition de $u \circ v$ et de $v \circ u$ notés respectivement $D_{u \circ v}$ et $D_{v \circ u}$. Sont-ils égaux ?

5. Montrer que $u \circ v(0) = v \circ u(0)$ mais que $u \circ v(4) \neq v \circ u(4)$. Qu'en conclure ?

Algorithme A :

```
def f(x):
    x = 3*x
    return(sqrt(x))
```

Algorithme B :

```
def f(x):
    x = sqrt(x)
    return(3*x)
```

B ▶ Schéma de composition avec trois fonctions

On considère la fonction f définie par $f(x) = \dfrac{1}{(x+1)^2}$. Soit u, v et w les fonctions définies par $u : x \to \dfrac{1}{x}$, $v : x \to x^2$ et $w : x \to x + 1$. Donner le schéma de composition de f puis montrer que $u \circ v \circ w = (u \circ v) \circ w = u \circ (v \circ w)$.

↪ **Cours 1 p. 140**

2   Étudier une dérivée

On considère la fonction u définie par $u(x) = e^{x^2}$ représentée graphiquement par la courbe $\mathscr{C}_u$ ci-contre. On admet que u est la composée $v \circ w$ des fonctions $v : x \to e^x$ et $w : x \to x^2$.

On considère les fonctions $f : x \to 2xe^{2x}$, $g : x \to 2xe^{x^2}$ et $h : x \to e^{2x}$.

1. À l'aide du graphique, dresser le tableau de variations de la fonction u.

2. Dresser les tableaux de signes des fonctions f, g et h.

3. Parmi les fonctions f, g et h représentées ci-contre par les courbes $\mathscr{C}_f$, $\mathscr{C}_g$ et $\mathscr{C}_h$, laquelle pourrait être la fonction dérivée de la fonction u ?

4. Comment pourrait s'écrire la dérivée d'une fonction composée $v \circ w$?

5. Soit u et v des fonctions quelconques telles que $u \circ v$ soit dérivable sur un intervalle I. Soit a un réel de I.

a) Vérifier que, pour tout réel h strictement positif, $\dfrac{u \circ v(a+h) - u \circ v(a)}{h} = \dfrac{u \circ v(a+h) - u \circ v(a)}{v(a+h) - v(a)} \times \dfrac{v(a+h) - v(a)}{h}$.

b) Calculer $\displaystyle \lim_{h \to 0} \dfrac{u \circ v(a+h) - u \circ v(a)}{h}$ et en déduire que $(u \circ v)' = (u' \circ v) \times v'$.

👍 **Coups de pouce** • Faire le lien entre signe des potentielles fonctions dérivées et variation de la fonction initiale.
• À partir de la courbe $\mathscr{C}_u$, déterminer des nombres dérivés.

↪ **Cours 2 p. 142**

3 Utiliser une fonction de production

Jeff est couturier. Il crée sa propre entreprise et il décide de produire au maximum 100 pièces par an. Il se fixe un objectif d'au moins 50 pièces pour la 1e année. On modélise la production semestrielle de cet artisan par une fonction f de la variable t où t est le temps hebdomadaire (en heures) qu'il consacre à produire des pièces, f est donc définie sur $\mathbb{R}_+$.

1. On considère que f est définie par la relation $f(t) = 20\sqrt{t}$.

a) Au 1er semestre, Jeff se consacre entièrement aux papiers administratifs et ne produit rien. Au 2nd semestre il décide de rattraper ce retard en consacrant 20 heures hebdomadaires à la production. Calculer la production obtenue en fin d'année. Cette stratégie semble-t-elle efficace ?

b) Même question que précédemment en considérant 10 heures de travail consacrées à la production pour le 1er semestre et 10 heures de travail consacrées à la production pour le 2nd semestre.

 Coups de pouce • Calculer $f(0)$ puis $f(20)$ et faire la moyenne des deux résultats obtenus.
• La stratégie est efficace si la production moyenne obtenue est supérieure à 50.

c) Soit t un réel de $[0\,;1]$. Établir une inégalité entre $tf(4)$, $(1-t)f(16)$ et $f(t \times 4 + (1-t) \times 16)$.

d) Tracer les tangentes à $\mathscr{C}_f$ en différents points. Quelle est leur position par rapport à $\mathscr{C}_f$?

2. Reprendre la question **1.** en considérant que f est définie par la relation $f(t) = \dfrac{4}{25}t^2$.

3. D'après **1.** et **2.** quelle stratégie devrait adopter Jeff ? Quelle(s) différence(s) existe-t-il entre les fonctions des questions **1.** et **2.** ? ↦ **Cours 3** p. 144

---

4 Voir le lien entre courbes, sécantes et tangentes

1. À l'aide d'un logiciel de géométrie dynamique, tracer dans un repère la courbe $\mathscr{C}_f$ représentative de la fonction $f : x \to x^3$.

2. Placer deux points A et B d'abscisses négatives et tracer le segment [AB] (aussi appelé sécante). Comment est situé ce segment par rapport à la courbe $\mathscr{C}_f$? Faire de même avec deux points C et D d'abscisses positives puis avec le point E d'abscisse –2 et le point F d'abscisse 2.

3. Pour tout point M de $\mathscr{C}_f$, on note T_M la tangente à $\mathscr{C}_f$ au point M. Tracer T_A, T_B, T_C, T_D, T_E et T_F.
Donner la position de chaque tangente par rapport à $\mathscr{C}_f$.

4. a) Déterminer l'expression de $f'(x)$, où f' désigne la fonction dérivée de f.

b) Dresser les tableaux de variations et de signes de la fonction f'.

5. On note f'' (et on lit « f seconde ») la fonction dérivée de la fonction f'. Déterminer le signe de f''.

6. Recopier et compléter le tableau ci-contre.

x appartient à l'intervalle	$]-\infty\,;0]$	$[0\,;+\infty[$
Sécantes	en dessous de $\mathscr{C}$	au-dessus de $\mathscr{C}$
Tangentes	au-dessus de $\mathscr{C}$	en dessous de $\mathscr{C}$
Variations de f'		
Signe de $f''(x)$		
Fonction f...	concave	convexe

↦ **Cours 4** p. 146 **et 5** p. 146

Composée d'une fonction *u* par une fonction *v*

Définition Composition d'une fonction *u* par une fonction *v*

**Soit *v* et *u* deux fonctions telles que *u* est définie sur un intervalle I à valeurs dans l'intervalle J
(c'est à dire pour tout *x* de I, $u(x)$ appartient à J), et *v* est définie sur J.
On note alors $v \circ u$ la fonction définie sur I par $v \circ u : x \rightarrow v(u(x))$.**

$$\begin{array}{ccccc} I & u & J & v & \\ x & \mapsto & u(x) & \mapsto & v(u(x)) \end{array}$$

● Exemple

Soit deux fonctions *u* et *v* telles que : $u : x \mapsto 2x - 3$ et $v : x \mapsto \sqrt{x}$.

La fonction $v \circ u$ est définie sur $\left[\dfrac{3}{2} ; +\infty\right[$ par $v \circ u(x) = v(u(x)) = v(2x - 3) = \sqrt{2x - 3}$.

▶ **Remarques**

① La fonction $u \circ v$ est définie sur $[0 ; +\infty[$ par $u \circ v(x) = 2\sqrt{x} - 3$.

② Dans l'exemple ci-dessus, $u(1)$ existe ($u(1) = -1$) mais $v(u(1))$ n'existe pas car la fonction racine carrée est définie sur $\mathbb{R}_+$.

Propriété Associativité de la composition de fonctions

**La composée de fonctions est associative. Soit *u*, *v* et *w* trois fonctions vérifiant les conditions
de définition requises alors : $w \circ (v \circ u) = (w \circ v) \circ u$.**

● Exemple

Soit trois fonctions *u*, *v* et *w* définies par $u : x \mapsto x^2 - 2$, $v : x \mapsto e^x$ et $w : x \mapsto 1 - x$.

Le schéma de composition donne : $\begin{cases} x \mapsto u(x) = x^2 - 2 \\ \qquad y \mapsto e^y \\ \qquad\qquad z \mapsto 1 - z \end{cases}$

Donc :
● $w \circ v(x) = w(v(x)) = w(e^x) = 1 - e^x$
et par suite $(w \circ v) \circ u(x) = w \circ v(u(x)) = w \circ v(x^2 - 2) = 1 - e^{x^2 - 2}$
● $v \circ u(x) = v(u(x)) = v(x^2 - 2) = e^{x^2 - 2}$
et par suite $w \circ (v \circ u)(x) = w \circ (v \circ u(x)) = w(e^{x^2 - 2}) = 1 - e^{x^2 - 2}$
donc $(w \circ v) \circ u = w \circ (v \circ u)$.

Propriété Non commutativité de la composition de fonctions

La composée de fonctions n'est pas commutative : $v \circ u \neq u \circ v$ en général.

● Exemple

Soit les trois mêmes fonctions que dans l'exemple précédent *u*, *v* et *w* définies par $u : x \mapsto x^2 - 2$, $v : x \mapsto e^x$
et $w : x \mapsto 1 - x$.

Le schéma de composition donne : $\begin{cases} x \mapsto u(x) = x^2 - 2 \\ \qquad y \mapsto e^y \\ \qquad\qquad z \mapsto 1 - z \end{cases}$

Ici,
$u \circ v(x) = u(v(x)) = u(e^x) = (e^x)^2 - 2 = e^{2x} - 2$
mais $v \circ u(x) = v(u(x)) = v(x^2 - 2) = e^{x^2 - 2}$.
Donc $u \circ v \neq v \circ u$.

EXOS
Méthodes
lienmini.fr/maths-s05-03

Les rendez-vous
Sésamath

Exercices (résolus)

Méthode 1 Étudier un schéma de composition

Énoncé

Soit deux fonctions u et v telles que $v \circ u(x) = \dfrac{x^7}{x^7 + 1}$. Déterminer v et u.

Solution

1 Le schéma de composition est : $x \overset{u}{\underset{\mathbb{R}}{\mapsto}} x^7 \overset{v}{\underset{\mathbb{R}}{\mapsto}} \dfrac{x^7}{x^7 + 1}$.

D'où $u : x \to x^7$ et $v : x \to \dfrac{x}{x + 1}$. On vérifie que $v \circ u(x) = v(x^7) = \dfrac{x^7}{x^7 + 1}$ **2**.

Conseils & Méthodes

1 Bien distinguer les étapes de la composition en écrivant le schéma de composition.

2 Supprimer les ∘ en passant par les parenthèses et en suivant la composition étape par étape.

À vous de jouer !

1 Établir le schéma de composition de la fonction f définie par $f(x) = (x + 2)^3$.

2 Établir le schéma de composition de la fonction g définie par $g(x) = \sqrt{3x^2 - 5}$.

↪ Exercices 40 à 45 p. 154

Méthode 2 Déterminer l'image d'un nombre par une fonction composée

Énoncé

1. Soit deux fonctions f et g et leurs courbes représentatives $\mathscr{C}_f$ et $\mathscr{C}_g$ dans un repère orthonormé. Déterminer graphiquement, s'ils existent, $f \circ g(2)$ puis $g \circ f(0)$.
2. On considère deux fonctions h et j définies par $h(x) = x^5$ et $j(x) = \sqrt{x + 1}$. Déterminer $h \circ j(8)$.
3. On donne les tableaux de variations de u et v. Déterminer $u \circ v(-4)$.

x	-4		$+\infty$
Signe de $v'(x)$		$+$	
Variations de v	0		$+\infty$

x	0		$+\infty$
Signe de $u'(x)$		$-$	
Variations de u	6		$-\infty$

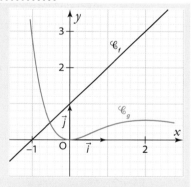

Solution

1. Par lecture graphique, on trouve $g(2) \approx 0{,}54$ et $f(0{,}54) \approx 1{,}54$ donc $f \circ g(2) \approx 1{,}54$.
1 De même on trouve, $f(0) = 1$ et $g(1) \approx 0{,}37$ donc $g \circ f(0) \approx 0{,}37$.
2. $h \circ j(8) = h(j(8)) = h(\sqrt{8 + 1}) = h(\sqrt{9}) = h(3) = 3^5 = 243$.
3. Par lecture du tableau, $u \circ v(-4) = u(v(-4)) = u(0) = 6$.

Conseils & Méthodes

1 Bien distinguer les étapes de la composition, en commençant par $g(2)$ puis par $f(g(2))$.

À vous de jouer !

3 On considère deux fonctions f et g définies par :

$$f(x) = 3x + 1 \text{ et } g(x) = \frac{1}{x}.$$

Déterminer $f \circ g(6)$.

4 Avec les tableaux ci-dessous, déterminer $f \circ g(1)$.

x	1		$+\infty$
Signe de $g'(x)$		$+$	
Variations de g	0		$+\infty$

x	$-\infty$		0		$+\infty$
Signe de $f'(x)$		$-$	0	$+$	
Variations de f	$+\infty$			$\frac{1}{e}$	$+\infty$

↪ Exercices 46 à 52 p. 154

Cours

2 Dérivée d'une fonction composée

Théorème Dérivée d'une fonction composée

Soit u et v deux fonctions (vérifiant les conditions de définition requises) dérivables de dérivées respectives u' et v', alors la fonction $v \circ u$ est dérivable et sa dérivée s'écrit : $(v \circ u)' = (v' \circ u) \times u'$.

Autrement dit pour tout réel x (vérifiant les conditions de définition requises) :

$$(v \circ u)'(x) = (v'(u(x)) \times u'(x).$$

▶ Remarque

Soit u une fonction dérivable de dérivée u' et a et b deux réels. Alors la fonction f définie par $f(x) = u(ax + b)$ est dérivable de dérivée f' telle que $f'(x) = a \times u'(ax + b)$.

● Exemple

Soit deux fonctions, $u(x) = 2x^2 - 3$ et $v(x) = \sqrt{x}$ d'où $u'(x) = 4x$ et $v'(x) = \dfrac{1}{2\sqrt{x}}$.

On obtient : $(v \circ u)'(x) = (v' \circ u(x)) \times u'(x) = \dfrac{1}{2\sqrt{2x^2 - 3}} \times 4x = \dfrac{2x}{\sqrt{2x^2 - 3}}$.

Propriétés Monotonie d'une fonction composée

① Si v et u sont de même monotonie (c'est à dire toutes deux croissantes ou toutes deux décroissantes), alors la fonction $v \circ u$ est croissante.

② Si v et u sont de monotonie contraire (c'est à dire l'une croissante et l'autre décroissante), alors la fonction $v \circ u$ est décroissante.

● Exemples

① Dans l'exemple précédent, u et v sont croissantes sur $\mathbb{R}_+$ donc $v \circ u$ l'est aussi sur $\mathbb{R}_+$.

② Considérons u et v telles que $u(x) = 2x - 3$ et $v(x) = \dfrac{1}{x}$.

u est croissante et v est décroissante donc $v \circ u$ définie par $v \circ u(x) = \dfrac{1}{2x - 3}$ est décroissante.

● Démonstration

La fonction dérivée de la fonction $v \circ u$ est la fonction notée $(v \circ u)'$ telle que : $(v \circ u)'(x) = (v'(u(x)) \times u'(x)$.

① Si u et v sont croissantes alors u' et v' sont positives et $(v \circ u)'$ l'est aussi. Si u et v sont décroissantes alors u' et v' sont négatives et $(v \circ u)'$ est positive. Dans les deux cas $v \circ u$ est croissante.

② Si est croissante et v décroissante alors u' est positive et v' est négative donc $(v \circ u)'$ est négative. Si u est décroissante et v croissante alors u' est négative et v' est positive donc $(v \circ u)'$ est négative. Dans les deux cas $v \circ u$ est décroissante.

Propriétés Dérivées usuelles

Soit u une fonction dérivable de dérivée u', a et b des réels et n un entier naturel.

Fonction	Fonction dérivée	Fonction	Fonction dérivée
$au + b$	$au' + b$	$\sqrt{u}$	$\dfrac{u'}{2\sqrt{u}}$
u^2	$2u'u$	$\cos(u)$	$-u'\sin(u)$
u^3	$3u'u^2$	$\sin(u)$	$u'\cos(u)$
u^n	$nu'u^{n-1}$	e^u	$u'e^u$
$\dfrac{1}{u}$	$-\dfrac{u'}{u^2}$	$\dfrac{1}{u^n}$	$-\dfrac{nu'}{u^{n+1}}$

Méthode 3 — Calculer la dérivée d'une fonction composée

Énoncé

Soit f la fonction définie sur $\mathbb{R}$ par $f(x) = \cos(x^2) + 3x$. On admet que f est dérivable et on note f' sa fonction dérivée.
On pose $g(x) = \cos(x^2)$.

1. Donner le schéma de composition de la fonction g.
2. Exprimer $g'(x)$ en fonction de x.
3. En déduire l'expression de f' en fonction de x.

> **Conseils & Méthodes**
>
> **1** Réécrire la formule initiale en distinguant bien les rôles de u et de v et en déterminant u' et v'.

Solution

1. $x \overset{u}{\longmapsto} x^2 = y \overset{v}{\longmapsto} \cos(y)$ avec $u(x) = x^2$ et $v(x) = \cos(x)$.

2. $u'(x) = 2x$ et $v'(x) = -\sin(x)$. Or $(v \circ u)' = (v' \circ u) \times u'$ **1** d'où : $g'(x) = -\sin(x^2) \times 2x = -2x \sin(x^2)$.

3. $f'(x) = -2x \sin(x^2) + 3$.

À vous de jouer !

5 Déterminer la fonction dérivée notée f' de la fonction f définie sur $\mathbb{R}$ par $f(x) = (-x + 1)e^{3x}$.

6 Déterminer la fonction dérivée notée f' de la fonction f définie sur $\mathbb{R}$ par $f(x) = \sin(x^2 + 1)$

↪ Exercices 53 à 60 p. 155

Méthode 4 — Étudier une fonction composée et dresser son tableau de variations

Énoncé

On considère la fonction f définie par $f(x) = e^{\frac{x}{x-1}}$.
Déterminer l'ensemble de définition de f puis dresser son tableau de variations.

Solution

$x - 1 \neq 0 \Leftrightarrow x \neq 1$ donc le domaine de définition de f noté $\mathcal{D}_f$ est $]-\infty\,;1[\,\cup\,]1\,;+\infty[$. **1**

On ne constate aucune parité, ni périodicité sur f. Le domaine d'étude est égal au domaine de définition. **2**

$\displaystyle\lim_{x \to \pm\infty} e^{\frac{x}{x-1}} = e^1 = e$. De plus $\displaystyle\lim_{\substack{x \to 1 \\ x < 1}} e^{\frac{x}{x-1}} = 0$ et $\displaystyle\lim_{\substack{x \to 1 \\ x > 1}} e^{\frac{x}{x-1}} = +\infty$. **3**

$f'(x) = -\dfrac{1}{(x-1)^2}e^{\frac{x}{x-1}} < 0$, donc f est décroissante sur $\mathcal{D}_f$. D'où le tableau de variations de f.

> **Conseils & Méthodes**
>
> **1** Pour déterminer $\mathcal{D}_f$, chercher dans un 1ᵉ temps les valeurs interdites.
>
> **2** Pour réduire le domaine d'étude chercher des éléments de parité ou de périodicité.
>
> **3** Procéder étape par étape dans le calcul des limites.
>
> **4** Résoudre l'inéquation $f'(x) \geqslant 0$ et pas seulement l'équation $f'(x) = 0$.

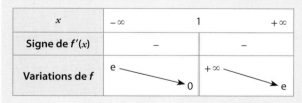

x	$-\infty$		1		$+\infty$
Signe de $f'(x)$		$-$		$-$	
Variations de f	e		$0 \quad +\infty$		e

À vous de jouer !

7 Étudier et dresser le tableau de variations de la fonction f définie sur $\mathbb{R}$ par $(x) = \sqrt{2 + \cos(x)}$.

8 Même question que précédemment avec la fonction g définie sur $\mathbb{R}$ par $g(x) = e^{-x^2}$.

↪ Exercices 61 à 64 p. 155

3 Convexité d'une fonction

Définition Sécante

Soit f une fonction et $\mathscr{C}_f$ sa courbe représentative dans un repère orthonormé.
Soit A et B deux points de $\mathscr{C}_f$ alors la droite (AB) est appelée **sécante** de $\mathscr{C}_f$.

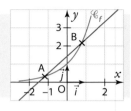

Définition Convexité et concavité

Soit f une fonction et $\mathscr{C}_f$ sa courbe représentative dans un repère orthonormé. On dit que :

① f est **convexe** sur un intervalle I si, pour tout réel x de I, $\mathscr{C}_f$ est **en dessous de ses sécantes**.

② f est **concave** sur un intervalle I si, pour tout réel x de I, $\mathscr{C}_f$ est **au-dessus de ses sécantes**.

Propriétés Fonctions usuelles

La fonction $x \mapsto \sqrt{x}$ est concave. Les fonctions $x \mapsto x^2$ et $x \mapsto e^x$ sont convexes.

La fonction $\dfrac{1}{x}$ est convexe sur $\mathbb{R}$.

● **Exemple**

Soit f la fonction cube définie sur $\mathbb{R}^*$ par $f(x) = \dfrac{1}{x}$ et $\mathscr{C}_f$ sa courbe représentative dans le repère ci-contre.

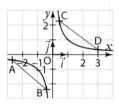

Alors le segment [CD] est au-dessus de la courbe $\mathscr{C}_f$ pour x strictement positif donc f est convexe sur $\mathbb{R}_+^*$ et le segment [AB] est en dessous de la courbe $\mathscr{C}_f$ pour x strictement négatif donc f est concave sur $\mathbb{R}_-^*$.

Propriétés Inégalités

● Si f est une fonction convexe sur un intervalle I alors pour tous réels x et y de I et pour tout $t \in [0\,;1]$ on a : $\quad f(tx + (1-t)y) \leqslant tf(x) + (1-t)f(y)$.

● Si f est une fonction concave sur un intervalle I alors pour tous réels x et y de I et pour tout $t \in [0\,;1]$ on a: $\quad f(tx + (1-t)y) \geqslant tf(x) + (1-t)f(y)$.

● **Démonstration**

Soit deux réels x et y et soit t un réel de $[0\,;1]$. Soit $A(x\,;f(x))$ et $B(y\,;f(y))$.
Alors le point $M(tx + (1-t)y, tf(x) + (1-t)f(y))$ appartient au segment [AB], sécante de $\mathscr{C}_f$, f étant convexe, cette sécante est située au dessus de $\mathscr{C}_f$. M est donc situé au dessus du point $N(tx + (1-t)y, f(tx + (1-t)y))$.
D'où $f(tx + (1-t)y) \leqslant tf(x) + (1-t)f(y)$.

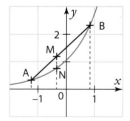

▶ **Remarque** Si les inégalités précédentes sont strictes, on dira que f est une fonction strictement convexe ou strictement concave sur I.

Propriétés Concavité

f est convexe sur I si et seulement si $-f$ est concave sur I.

● **Exemple**

Soit f la fonction définie sur $\mathbb{R}$ par $f(x) = -e^x$. La fonction $x \mapsto e^x$ est convexe, donc $f : x \mapsto -e^x$ est concave.

◗ EXOS
Méthodes
lienmini.fr/maths-s05-03

Les rendez-vous
Sésamath

Exercices (résolus)

Méthode 5 — Lire les intervalles où f est convexe ou concave sur sa représentation graphique

Énoncé

On considère une fonction f définie sur $[0 ; 8]$ dont la représentation graphique est donnée ci-contre. Déterminer graphiquement le (ou les) intervalle(s) où f est convexe puis celui (ou ceux) où f est concave.

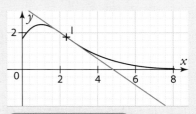

Solution

Sur $[0 ; 2,4]$, la courbe de f est au-dessus de ses sécantes donc f est concave sur cet intervalle. De même sur $[2,4 ; 8]$, la courbe de f est en dessous de ses sécantes donc f est convexe sur cet intervalle. **1**

Conseils & Méthodes

1 Repérer la position des sécantes par rapport à la courbe. Si elles ne sont pas apparentes, se servir d'une règle et la déplacer sur la courbe.

À vous de jouer !

9 À l'aide du graphique ci-dessous, déterminer les intervalles où f est convexe, où f est concave.

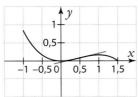

10 À l'aide du graphique ci-dessous, déterminer les intervalles où f est convexe, où f est concave.

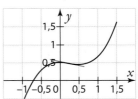

↦ Exercices 65 à 68 p. 156

Méthode 6 — Démontrer des inégalités en utilisant la convexité d'une fonction

Énoncé

Montrer que si a et b sont strictement positifs alors $(a + b)^2 \leqslant 2(a^2 + b^2)$.

Solution

La fonction carrée est convexe. Donc pour tous réels a et b et pour tout $t \in [0 ; 1]$, $f(ta + (1 - t)b) \leqslant tf(a) + (1 - t)f(b)$. **1**

Pour $t = \dfrac{1}{2}$ on obtient donc : $f\left(\dfrac{a + b}{2}\right) \leqslant \dfrac{1}{2}f(a) + \dfrac{1}{2}f(b)$

donc $\left(\dfrac{a + b}{2}\right)^2 \leqslant \dfrac{1}{2}a^2 + \dfrac{1}{2}b^2$ donc $(a + b)^2 \leqslant \dfrac{4(a^2 + b^2)}{2}$ soit $(a + b)^2 \leqslant 2(a^2 + b^2)$. **2**

Conseils & Méthodes

1 Réécrire l'inégalité de convexité

2 Simplifier les inégalités obtenues.

À vous de jouer !

11 En utilisant la concavité de la fonction racine carrée sur $\mathbb{R}_+$, montrer que si a et b sont strictement positifs alors $\sqrt{a + b} \geqslant \dfrac{\sqrt{2}}{2}\left(\sqrt{a} + \sqrt{b}\right)$.

12 En utilisant la convexité de la fonction cube sur $\mathbb{R}_+$, montrer que $(a + b)^3 \leqslant 4(a^3 + b^3)$.

↦ Exercices 69 à 71 p. 156

4 Fonction convexe et dérivées première et seconde

Théorème Fonction convexe, fonction concave

Soit I un intervalle réel.

Soit *f* une fonction deux fois dérivable sur I et *f'* sa fonction dérivée.

- *f* est convexe sur I, si et seulement si, pour tout réel x de I, *f'* est croissante.
- *f* est concave sur I, si et seulement si, pour tout réel x de I, *f'* est décroissante.

Exemple

Soit *f* la fonction définie et dérivable sur $\mathbb{R}$.

On a dressé le tableau de variations de la fonction *f'*.

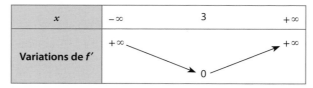

x	$-\infty$		3		$+\infty$
Variations de *f'*	$+\infty$		0		$+\infty$

Alors *f* est concave sur $]-\infty\,;3]$ et convexe sur $[3\,;+\infty[$.

Définition Dérivée seconde

Soit *f* une fonction supposée deux fois dérivable sur I et *f'* sa fonction dérivée.

On appelle dérivée seconde de la fonction *f*, notée *f''*, la dérivée de *f'*.

Exemple

Soit *f* la fonction définie (et dérivable deux fois) sur $\mathbb{R}$ par l'expression $f(x) = x^3 + 4x^2 + 5x + 1$.

Alors $f'(x) = 3x^2 + 4 \times (2x) + 5 = 3x^2 + 8x + 5$ et $f''(x) = 6x + 8$.

▶**Remarques**

① La dérivée seconde d'une fonction affine est toujours nulle.

② La fonction exponentielle est égale à sa dérivée, donc à sa dérivée seconde également.

Théorème Convexité et dérivée seconde

Soit *f* une fonction supposée deux fois dérivable et *f'* sa fonction dérivée.

- *f* est convexe sur I si et seulement si pour tout réel x de I, *f''* est positive.
- *f* est concave sur I si et seulement si pour tout réel x de I, *f''* est négative.

Démonstration

f' est croissante (resp. décroissante) si et seulement si *f''* est positive (resp. négative).

Donc *f* est convexe (resp. concave) si et seulement si *f''* est positive (resp. négative).

● EXOS
Méthodes
lienmini.fr/maths-s05-03

Les rendez-vous
Sésamath

Exercices résolus

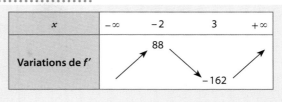

Méthode 7 Étudier la convexité de f à partir des variations de f'

Énoncé

Soit f une fonction deux fois dérivable et f' sa dérivée dont on donne le tableau de variations ci-contre.

1. Déterminer les intervalles pour lesquels f est convexe puis ceux pour lesquels f est concave.

2. En déduire le signe de la fonction f'', dérivée seconde de f.

x	$-\infty$		-2		3		$+\infty$
Variations de f'		↗	88	↘	-162	↗	

Solution

1. f' est décroissante sur $[-2 ; 3]$ donc f est concave sur cet intervalle. De même f' est croissante sur $]-\infty ; -2]\cup[3 ; +\infty[$ donc f est convexe sur cet intervalle.

2. $f''(x) \leqslant 0$ sur $[-2 ; 3]$ et $f''(x) \geqslant 0$ sur $]-\infty ; -2]\cup[3 ; +\infty[$. **2**

Conseils & Méthodes

1 Identifier si le tableau concerne f, f' ou f'' pour adopter la bonne stratégie.

2 f' est croissante si et seulement si f'' est positive.

À vous de jouer !

13 Étudier la convexité de f à l'aide du tableau ci-dessous.

x	$-\infty$		0		1		$+\infty$
Signe de $f''(x)$		$-$	0	$+$	0	$-$	
Variations de f'		↘	0	↗	$\frac{1}{6}$	↘	

14 Étudier la convexité de f à l'aide du tableau ci-dessous.

x	$-\infty$		$\frac{1}{4}$		$+\infty$
Signe de $f''(x)$		$-$	0	$+$	
Variations de f'		↘	$-\frac{1}{8}$	↗	

➥ Exercices 72 à 75 p. 156

Méthode 8 Étudier la convexité de f à partir du signe de f''

Énoncé

Soit f la fonction définie sur $\mathbb{R}$ par $f(x) = \dfrac{1}{3}x^3 - \dfrac{3}{2}x^2 + 2x + 1$.

Déterminer le (ou les) intervalle(s) où f est convexe, puis celui (ou ceux) où f est concave.

Solution

Cette fonction est deux fois dérivable sur $\mathbb{R}$:

$f'(x) = x^2 - 3x + 2$ et $f''(x) = 2x - 3$. **1**

- $f''(x) \geqslant 0 \Leftrightarrow 2x - 3 \geqslant 0 \Leftrightarrow x \geqslant \dfrac{3}{2}$ **2** Donc f est convexe sur $\left[\dfrac{3}{2} ; +\infty\right[$. **3**

- $f''(x) \leqslant 0 \Leftrightarrow 2x - 3 \leqslant 0 \Leftrightarrow x \leqslant \dfrac{3}{2}$ **2** Donc f est concave sur $\left]-\infty ; \dfrac{3}{2}\right]$. **3**

Conseils & Méthodes

1 Calculer $f''(x)$.

2 Déterminer son signe.

3 En déduire la convexité de f.

À vous de jouer !

15 Étudier algébriquement la convexité de la fonction f définie sur $\mathbb{R}$ par $f(x) = x e^{-x}$.

16 Étudier algébriquement la convexité de la fonction f définie sur $\mathbb{R}_+^*$ par $f(x) = \sqrt{x} - 3e^{x+2}$.

➥ Exercices 76 à 80 p. 157

Cours

5 Tangente et point d'inflexion

Propriétés Dérivée seconde et tangente

Soit f une fonction supposée deux fois dérivable sur I de dérivée seconde f''.

Si f'' est positive sur I, alors la courbe représentative de f est au-dessus de ses tangentes.

● Démonstration

Soit ϕ la fonction définie sur I par la différence entre la fonction et sa tangente.

$\phi(x) = f(x) - (f'(x_0)(x - x_0) + f(x_0)) = f(x) - f'(x_0)x + f'(x_0)\,x_0 - f(x_0)$

Alors ϕ est dérivable comme somme de fonctions dérivables et, en notant ϕ' sa dérivée, on obtient :

$\phi'(x) = f'(x) - f'(x_0) + 0 - 0 = f'(x) - f'(x_0)$.

Or f'' est positive donc f' est croissante. D'où :

si $x \geqslant x_0$ alors $f'(x) \geqslant f'(x_0)$ donc $\phi'(x) \geqslant 0$.

si $x \leqslant x_0$ alors $f'(x) \leqslant f'(x_0)$ donc $\phi'(x) \leqslant 0$.

De plus, $\phi(x_0) = f(x_0) - f'(x_0)\,x_0 + f'(x_0)\,x_0 - f(x_0) = 0$.

On obtient le tableau de variations ci-contre.

▶ VIDÉO
Démonstration
lienmini.fr/maths-s05-04

x	$-\infty$		x_0		$+\infty$
Signe de $\Phi'(x)$		$-$		$+$	
Variations de Φ			0		

Donc, pour tout réel x de I, $\phi(x) \geqslant 0$ donc $f(x) \geqslant f'(x_0)(x - x_0) + f(x_0)$ autrement dit, la courbe représentative de f est au-dessus de ses tangentes.

<u>Conclusion :</u> Si f'' est positive, alors la courbe représentative de f est au-dessus de ses tangentes.

▶ **Remarques**

① Si f'' est négative sur I, alors la courbe représentative de f est en dessous de ses tangentes.

② Attention à la réciproque, une fonction convexe n'est pas obligatoirement deux fois dérivable.

Définition Point d'inflexion

Soit f une fonction deux fois dérivable sur un intervalle I et $\mathscr{C}_f$ sa courbe représentative sur cet intervalle dans un repère orthonormé. Soit A un point de $\mathscr{C}_f$ et T_A la tangente à $\mathscr{C}_f$ au point A. On dit que A est un point d'inflexion pour $\mathscr{C}_f$ si, au point A, la courbe $\mathscr{C}_f$ traverse T_A.

● Exemple

Soit f la fonction cube et $\mathscr{C}_f$ sa courbe représentative dans un repère. Alors l'origine du repère $O(0\,;0)$ est un point d'inflexion pour $\mathscr{C}_f$. En revanche les tangentes en –1 et en 1 ne traversent pas la courbe, les points de coordonnées $(-1\,;f(-1))$ et $(1\,;f(1))$ ne sont donc pas des points d'inflexion.

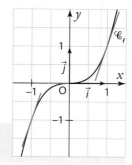

Propriété Point d'inflexion

Pour qu'il y ait point d'inflexion, il faut que f'' change de signe donc que f' change de variation.

● Exemple

Si $f(x) = x^3$ alors $f'(x) = 3x^2$ et $f''(x) = 6x$. Donc $f''(x) \geqslant 0 \Leftrightarrow x \geqslant 0$ et $f''(x) \leqslant 0 \Leftrightarrow x \leqslant 0$.

Il y a changement de signe de la dérivée seconde, donc f change de convexité, il y a donc en $O(0\,;0)$ un point d'inflexion.

EXOS
Méthodes
lienmini.fr/maths-s05-03

Les rendez-vous
Sésamath

Exercices (résolus)

9 Lire les points d'inflexion sur une représentation graphique

Énoncé

On considère une fonction f définie sur $[-1,4 ; 4,40]$ dont la représentation graphique est donnée ci-contre.

1. Déterminer graphiquement le (ou les) intervalle(s) où f est convexe puis celui (ou ceux) où f est concave.

2. En déduire le (ou les) point(s) d'inflexion éventuel(s).

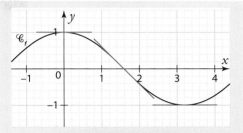

Solution

1. Sur $[-1,4 ; 1,6]$, la courbe est en dessous de ses tangentes donc f est concave. Sur $[1,6 ; 4,40]$, la courbe est au-dessus de ses tangentes donc f est convexe. **1**

2. La courbe change de convexité pour $x = 1,6$ (la tangente traverse la courbe en ce point) et $f(1,6) = 0$. Donc le point d'inflexion de la courbe a pour coordonnées $(1,6 ; 0)$.

Conseils & Méthodes

1 Repérer la position des tangentes par rapport à la courbe. Au besoin, se servir d'une règle et la déplacer le long de la courbe.

À vous de jouer !

17 Lire les coordonnées du (ou des) point(s) d'inflexion éventuel(s) de la courbe représentée.

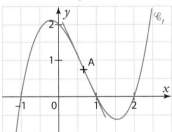

18 Lire les coordonnées du (ou des) point(s) d'inflexion éventuel(s) de la courbe représentée.

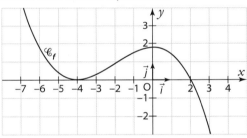

↪ **Exercices 81 à 82** p. 157

10 Déterminer algébriquement les coordonnées des points d'inflexion

Énoncé

Soit f la fonction définie sur $\mathbb{R}$ par $f(x) = (x^2 - 8x + 17)e^x$. Déterminer algébriquement les coordonnées du (ou des) point(s) d'inflexion éventuel(s) de la courbe représentative de la fonction f, notée $\mathscr{C}_f$.

Solution

$f'(x) = (x^2 - 6x + 9)e^x$ et $f''(x) = (x^2 - 4x + 3)e^x = (x - 1)(x - 3)e^x$. **1**

En étudiant le signe de $f''(x)$, on trouve que les points d'inflexion sont atteints pour $x = 1$ et $x = 3$. **2** Comme $f(1) = 10e$ et $f(3) = 2e^3$, les coordonnées des points d'inflexion sont $(1 ; 10e)$ et $(3 ; 2e^3)$.

Conseils & Méthodes

1 Dériver deux fois la fonction puis étudier le signe de la dérivée seconde.

2 Le point d'inflexion correspond à un changement de signe pour f''.

À vous de jouer !

19 Soit f la fonction définie par :
$$f(x) = (x + 1)e^{-x}.$$
Déterminer algébriquement les coordonnées du (ou des) point(s) d'inflexion éventuel(s) de $\mathscr{C}_f$

20 Soit f la fonction définie par : $f(x) = \dfrac{e^x}{x}$.

Déterminer algébriquement les coordonnées du (ou des) point(s) d'inflexion éventuel(s) de $\mathscr{C}_f$

↪ **Exercices 83 à 86** p. 157

Exercices (résolus)

Méthode 11 · Étudier une fonction composée

⮑ Cours 1 p. 140 et 2 p. 142

Énoncé

Soit f la fonction définie sur $]0 ; +\infty[$ par $f(x) = \sqrt{\dfrac{3x^2 + 2x + 1}{x}}$.

1. Montrer que $f(x) = \sqrt{3x + 2 + \dfrac{1}{x}}$.

2. Calculer les limites de f aux bornes de son domaine de définition $\mathcal{D}_f$.

3. Soit u et v deux fonctions dérivables avec v non-nulle. Rappeler $(u + v)'$ et $(\sqrt{u})'$.

4. Calculer $f''(x)$ et étudier son signe.

5. En déduire les variations de la fonction f.

6. Dresser le tableau de variations complet de la fonction f.

Solution

Conseils & Méthodes

1 Bien distinguer les cas $+\infty$ et $-\infty$, ainsi que les limites à gauche et à droite de 0.

2 S'aider si besoin en posant u et v et en déduisant u' et v'.

3 Ne pas oublier d'indiquer la valeur interdite et les limites aux bornes de $\mathcal{D}_f$.

1. $f(x) = \dfrac{3x^2 + 2x + 1}{x} = \dfrac{3x^2}{x} + \dfrac{2x}{x} + \dfrac{1}{x} = 3x + 2 + \dfrac{1}{x}$.

2. $\begin{cases} \lim\limits_{x \to +\infty} (3x + 2) = +\infty \\ \lim\limits_{x \to +\infty} \dfrac{1}{x} = 0 \end{cases}$ donc par théorème sur les limites de somme, on obtient : $\lim\limits_{x \to +\infty} f(x) = +\infty$.

De plus : $\begin{cases} \lim\limits_{\substack{x \to 0 \\ x > 0}} (3x + 2) = 2 \\ \lim\limits_{\substack{x \to 0 \\ x > 0}} \dfrac{1}{x} = +\infty \end{cases}$ donc par théorème sur les limites de somme, on obtient : $\lim\limits_{\substack{x \to 0 \\ x > 0}} f(x) = +\infty$. **1**

3. $(u + v)' = u' + v'$ et $(\sqrt{u})' = \dfrac{u'}{2\sqrt{u}}$.

4. f est dérivable comme somme de fonctions dérivables. $f'(x) = \dfrac{3 - \dfrac{1}{x^2}}{2\sqrt{3x + 2 + \dfrac{1}{x}}}$.

Sur $]0 ; +\infty[$ $f'(x) \geqslant 0 \Leftrightarrow 3 - \dfrac{1}{x^2} \geqslant 0 \Leftrightarrow \dfrac{3x^2 - 1}{x^2} \geqslant 0 \Leftrightarrow 3x^2 - 1 \geqslant 0 \Leftrightarrow x^2 \geqslant \dfrac{1}{3} \Leftrightarrow x \geqslant \dfrac{\sqrt{3}}{3}$ ou $x \leqslant -\dfrac{\sqrt{3}}{3}$. **2**

5. f est croissante sur $\left[\dfrac{\sqrt{3}}{3} ; +\infty\right[$ et décroissante sur $\left]0 ; \dfrac{\sqrt{3}}{3}\right]$.

6. Le tableau de variations complet de la fonction f. **3** est le suivant.

x	0		$\dfrac{1}{\sqrt{3}}$		$+\infty$
Signe de $f'(x)$		$-$	0	$+$	
Variations de f	$+\infty$	↘	$\sqrt{2(1+\sqrt{3})}$	↗	$+\infty$

À vous de jouer !

21 Soit f la fonction définie sur $\mathbb{R}_+$ par $f(x) = e^{3\sqrt{x}}$. Étudier f sur son ensemble de définition puis dresser son tableau de variations.

22 Soit g la fonction définie sur $]0 ; +\infty[$ par $g(x) = \sqrt{\dfrac{1}{1 + x}}$. Étudier g sur son ensemble de définition puis dresser son tableau de variations.

⮑ Exercices 87 à 90 p. 158

EXOS
Méthodes
lienmini.fr/maths-s05-03

Les rendez-vous
Sésamath

Exercices résolus

Méthode 12 Étudier la convexité d'une fonction pour résoudre un problème

➡ Cours 3 p. 144,
4 p. 146 et 5 p. 148

Énoncé

Dans une usine, on modélise le coût total (exprimé en milliers d'euros) de production d'un objet par la fonction convexe C_T définie sur $[0 ; 18[$ par :

$$C_T(x) = 5xe^{-0,2x}$$

où x est le nombre d'objets fabriqués, exprimé en centaines. On admet que C_T est dérivable sur $[0 ; 18[$ et on note $C_T{}'$ sa dérivée.

1. Quel est le coût total de production pour 500 objets?

2. On considère que le coût marginal est donné par la fonction C_M dérivée de la fonction C_T.
Autrement dit $C_M(x) = C_T{}'(x)$.

a) Exprimer $C_M(x)$ en fonction de x.

b) Calculer le coût marginal pour une production de 500 objets puis de 1500 objets. On arrondira les résultats à l'euro.

3. Soit $C_M{}'$ la fonction dérivée de C_M.

a) Exprimer $C_M{}'(x)$ en fonction de x puis étudier son signe sur $[0 ; 18[$.

b) Que pensez-vous de l'affirmation : « le coût marginal est croissant sur l'intervalle $[0 ; 10]$ » ?

c) Que pensez-vous de l'affirmation : « il y a accélération du coût total de production sur $[0 ; 10]$ » ?

Solution

Conseils & Méthodes

1. $f(5) = 25e^{-1} \approx 9,20$ milliers d'euros. **1**

2. a) $C_M(x) = C_T{}'(x) = 5e^{-0,2x} + 5x(-0,2)e^{-0,2x} = e^{-0,2x}(5 - x)$

b) $C_M(5) = e^{-0,2 \times 5}(5 - 5) = 0$
et $C_M(15) = e^{-0,2 \times 15}(5 - 15) = -10e^{-3} \approx -0,498 \approx -498$ euros. **1**

3. a) $C_M{}'(x) = -0,2e^{-0,2x}(5 - x) + e^{-0,2x}(-1) = -e^{-0,2x}(1 - 0,2x + 1)$
$= -e^{-0,2x}(2 - 0,2x) = e^{-0,2x}(0,2x - 2)$. **2**

Pour tout $x \in [0 ; 18[$, $e^{-0,2x} > 0$. De plus $0,2x - 2 \geq 0 \Leftrightarrow x \geq \dfrac{2}{0,2} = 10$.
Donc $C_M{}'(x) \geq 0 \Leftrightarrow x \geq 10$ et $C_M{}'(x) \leq 0 \Leftrightarrow x \leq 10$.

b) La dérivée du coût marginal étant négative sur $[0 ; 10]$ alors le coût marginal est décroissant sur $[0 ; 10]$ donc l'affirmation est fausse. **3**

c) La dérivée du coût marginal est positive sur $[0 ; 10]$ et correspond à la dérivée seconde du coût total de production. Donc il y a décélération du coût total de production sur $[0 ; 10]$ donc l'affirmation est fausse. **4**

1 Faire attention aux unités de x et de $f(x)$.

2 Pour factoriser, souligner les facteurs communs.

3 Faire le lien entre signe de la dérivée et variation de la fonction.

4 Faire le lien entre fonction, dérivée et dérivée seconde et leurs interprétations.

À vous de jouer !

23 On modélise le rythme de croissance d'un PIB (en milliards) par la dérivée de la fonction f définie sur $]0 ; +\infty[$ par :

$$f(x) = \frac{x}{x^2 - 1}$$

où x représente le mois à partir du 1er janvier 2020. Déterminer le moment où la croissance commence à ralentir.

24 On modélise la vitesse de production d'un objet (en milliers) par la dérivée de la fonction f définie sur $]0 ; +\infty[$ par :

$$f(x) = e^x + \frac{1}{x}$$

où x représente le mois à partir du 1er janvier 2020. Déterminer le moment où la vitesse diminue.

➡ Exercices 91 à 107 p. 158

▶ VIDÉO
Démonstration
lienmini.fr/maths-s05-04

ØLJEN
Les maths en finesse

La propriété à démontrer

Soit f une fonction deux fois dérivable sur I.

Si f'' est positive, alors la courbe représentative de f est au-dessus de ses tangentes.

▷ On souhaite démontrer cette propriété en utilisant une fonction ϕ qui représenterait l'écart entre la courbe et la tangente en x_0.

▶ Comprendre avant de rédiger

Que peut-on conclure du fait que f'' soit positive ? → f'' est positive si et seulement si f' est croissante.

Quelle est l'équation d'une tangente au point x_0 ? → $y = f'(x_0)(x - x_0) + f(x_0)$

Comment traduire mathématiquement l'expression « la courbe représentative de f est au-dessus de ses tangentes » ?

→ Cela revient à dire que $f(x) \geqslant f'(x_0)(x - x_0) + f(x_0)$.

Pour montrer une inégalité telle que $A \geqslant B$, on peut montrer que le signe de la différence $A - B$ est positif.

▶ Rédiger

La démonstration rédigée

Étape ❶ Noter les éléments de l'énoncé et les hypothèses faites au départ.

→ Soit f une fonction deux fois dérivable, f' sa dérivée première et f'' sa dérivée seconde. On admet que f'' est positive sur un intervalle I.

Étape ❷ Étudier le signe de la différence entre l'équation de la courbe et celle de la tangente en x_0 : $f(x) - y$.

→ Soit ϕ la fonction définie sur I par
$$\phi(x) = f(x) - (f'(x_0)(x - x_0) + f(x_0))$$
$$= f(x) - f'(x_0)x + f'(x_0)x_0 - f(x_0)$$

Étape ❸ Repérer les éléments constants et ceux qui dépendent de x.

→ Alors ϕ est dérivable comme somme de fonctions dérivables et, en notant ϕ' sa dérivée, on obtient :
$$\phi'(x) = f'(x) - f'(x_0) + 0 - 0 = f'(x) - f'(x_0).$$

Étape ❹ Rappeler le lien entre signe de la dérivée et variations de la fonction. En déduire le signe de $\phi'(x)$.

→ Or f'' est positive donc f' est croissante. D'où :
si $x \geqslant x_0$ alors $f'(x) \geqslant f'(x_0)$ donc $\phi'(x) \geqslant 0$.
si $x \leqslant x_0$ alors $f'(x) \leqslant f'(x_0)$ donc $\phi'(x) \leqslant 0$.

Étape ❺ Évaluer ϕ en son minimum x_0.

→ De plus, $\phi(x_0) = f(x_0) - f'(x_0)x_0 + f'(x_0)x_0 - f(x_0) = 0$.

On obtient le tableau de variations suivant.

Étape ❻ Créer un tableau de variations de ϕ pour avoir le valeur de son minimum.

→

x	$-\infty$		x_0		$+\infty$
Signe de $\phi'(x)$		$-$		$+$	
Variations de ϕ		↘	0	↗	

Étape ❼ Avec le signe de $\phi(x)$ on déduit l'inégalité.

→ Donc, pour tout réel x de I, $\phi(x) \geqslant 0$, donc $f(x) \geqslant f'(x_0)(x - x_0) + f(x_0)$: la courbe représentative de f est au-dessus de ses tangentes.

Étape ❽ Rédiger une conclusion.

→ Si f'' est positive, alors la courbe représentative de f est au-dessus de ses tangentes.

▶ Pour s'entraîner

Montrer que si f'' est négative, alors la courbe représentative de f est en dessous de ses tangentes.

○ DIAPORAMA
Calculs et automatismes
lienmini.fr/maths-s05-05

Exercices calculs et automatismes

25 Schéma de composition

1. Donner le schéma de composition de la fonction f définie sur $\mathbb{R}$ par :

$$f(x) = e^{x^2+1}.$$

2. Même question avec la fonction g définie sur $]-2 ; +\infty[$ par :

$$g(x) = \frac{1}{\sqrt{x+2}}.$$

26 Dérivée d'une fonction composée

Calculer la dérivée de la fonction f définie sur $\mathbb{R}$ par :

$$f(x) = \cos(3x^2 + 1).$$

27 Dérivée d'une fonction composée

Calculer la dérivée de la fonction f définie sur $\left]\dfrac{1}{7} ; +\infty\right[$ par :

$$f(x) = \frac{1}{\sqrt{7x-1}}.$$

28 Dérivée d'une fonction composée

Calculer la dérivée de la fonction f définie sur $\mathbb{R}_+^*$ par :

$$f(x) = e^{\frac{1}{\sqrt{x}}}.$$

29 Convexité (1)

Parmi les courbes suivantes, lesquelles sont représentatives de fonctions convexes ?

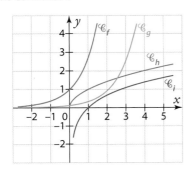

30 Somme de deux fonctions convexes

L'affirmation suivante est-elle vraie ou fausse ? V F

La somme de deux fonctions convexes est convexe. ☐ ☐

31 Convexité (2)

L'affirmation suivante est-elle vraie ou fausse ? V F

Si f est convexe alors $-f$ est concave. ☐ ☐

32 Exemples de fonctions convexes et concaves

Donner un exemple de fonction convexe et un exemple de fonction concave.

33 Exemple de point d'inflexion

Donner un exemple de courbe présentant un point d'inflexion.

34 Cube

Choisir la (les) bonne(s) réponse(s).

La fonction $x \mapsto x^3 + 2$ est :
a croissante sur $]-\infty ; 0]$. **b** décroissante sur $]-\infty ; 0]$.
c convexe sur $]-\infty ; 0]$. **d** concave sur $]-\infty ; 0]$.

35 Racine carrée

Choisir la (les) bonne(s) réponse(s).

La fonction $x \mapsto \sqrt{x}$:
a est croissante sur $[0 ; +\infty[$.
b est décroissante sur $[0 ; +\infty[$.
c présente une courbe au-dessus de ses tangentes sur $[0 ; +\infty[$.
d présente une courbe en dessous de ses tangentes sur $[0 ; +\infty[$.

36 Puissance

Choisir la (les) bonne(s) réponse(s).
La fonction $x \mapsto -2x^5$ est :
a croissante sur $]0 ; +\infty[$. **b** décroissante sur $]0 ; +\infty[$.
c convexe sur $]0 ; +\infty[$. **d** concave sur $]0 ; +\infty[$.

37 Point d'inflexion

Choisir la (les) bonne(s) réponse(s).
La courbe représentative de la fonction $x \mapsto (x-2)^3$ admet un point d'inflexion pour :
a $x = 2$. **b** $x = -2$.
c $x = 0$. **d** $x = 1$.

38 Fonctions affines

L'affirmation suivante est-elle vraie ou fausse ? V F

Les fonctions affines sont des fonctions convexes et concaves. ☐ ☐

39 Fonctions trigonométriques

Les affirmations suivantes sont-elles vraies ou fausses ? V F

a) La fonction cosinus est convexe sur $\left[0 ; \dfrac{\pi}{2}\right]$. ☐ ☐

b) La fonction sinus est concave sur $\left[\dfrac{\pi}{2} ; \pi\right]$. ☐ ☐

Dans tous les exercices, on désignera par $\mathscr{D}_f$ le domaine de définition de la fonction f, $\mathscr{C}_f$ la courbe représentative de la fonction f, f' la fonction dérivée de la fonction f et f'' la fonction dérivée seconde de la fonction f.

Étudier un schéma de composition

Méthode **1** p. 141

40 Soit f la fonction définie par :
$$f(x) = \sqrt{x^2 + 1}.$$
1. Donner le schéma de composition de la fonction f.
2. Déterminer l'ensemble de définition de la fonction f.

41 Soit les fonctions f et g définies par :
$$f(x) = \sqrt{\frac{1}{x}} \quad \text{et} \quad g(x) = \frac{1}{\sqrt{x}}.$$
1. Donner le schéma de composition de f, de g.
2. Déterminer l'ensemble de définition de f, de g.

42 Soit la fonction f définie par :
$$f(x) = \sqrt{x^2 - 8x + 15}.$$
1. Donner le schéma de composition de la fonction f.
2. Déterminer l'ensemble de définition de la fonction f.

43 Soit la fonction f définie par :
$$f(x) = (-x + 3)^4.$$
1. Donner le schéma de composition de la fonction f.
2. Déterminer l'ensemble de définition de la fonction f.

44 Soit la fonction f définie par :
$$f(x) = e^{\frac{1}{x}}.$$
1. Donner le schéma de composition de la fonction f.
2. Déterminer l'ensemble de définition de la fonction f.

45 Soit la fonction f définie par :
$$f(x) = \sqrt{\frac{e^x + 1}{x}}.$$
1. Donner le schéma de composition de la fonction f.
2. Déterminer l'ensemble de définition de la fonction f.

Déterminer l'image d'un nombre par une fonction composée

Méthode **2** p. 141

46 Soit f et g les fonctions définies par $f(x) = \sqrt{x + 1}$ et $g(x) = \frac{1}{x}$.
Calculer $g \circ f(1)$ et $f \circ g(3)$.

47 Soit f et g les fonctions définies par $f(x) = e^x$ et $g(x) = x^2$.
Calculer $g \circ f(-2)$ et $f \circ g(-1)$.

48 Algo

On considère les fonctions en langage **Python** suivantes.
1. Que renvoie la saisie $f(1)$?
2. Que renvoie la saisie $g(1)$?
3. Proposer une modification de l'algorithme pour que $f(1) = g(1)$.

```python
def f(x) :
    x = x+3
    return(1/x)
def g(x) :
    x = 1/x
    return(x+3)
```

49 À l'aide du graphique ci-contre, déterminer $f \circ g(1)$ et $g \circ f(-2)$. $f \circ g(-1)$ et $g \circ f(1)$ existent-ils ? Justifier.

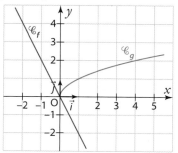

50 On considère deux fonctions f et g dont on donne les représentations graphiques ci-dessous.

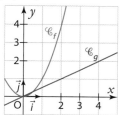

Déterminer $g \circ f(2)$ et $f \circ g(2)$.

51 On considère une fonction f dont on donne le graphe ci-dessous.

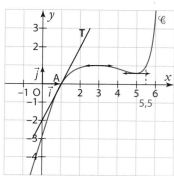

Soit g la fonction définie sur $]-\infty ; 6]$ par $g(x) = e^{f(x)}$.
Choisir alors la (ou les) bonne(s) réponse(s).
a) La fonction g est strictement croissante sur :
a $]3 ; 6]$ **b** $]1 ; 6]$ **c** $]-\infty ; 6]$ **d** $]-\infty ; 3]$

b) $g'(1)$ est égal à :
a 2   **b** 0   **c** 2e   **d** $\frac{2}{e}$

c) La fonction g s'annule exactement :
a 1 fois   **b** 2 fois   **c** 0 fois   **d** 3 fois

52 On considère une fonction f dont on donne le tableau de variations ci-dessous.

x	$-\infty$		0		$+\infty$
Signe de $f'(x)$		$-$	0	$+$	
Variations de f	$+\infty$	$\searrow$	π	$\nearrow$	$+\infty$

1. Déterminer $\cos \circ f(0)$.

2. Déterminer $\lim\limits_{x \to +\infty} e^{f(x)}$.

Calculer la dérivée d'une fonction composée p. 143

53 Soit f la fonction définie par :
$$f(x) = e^{-x+2}.$$
Exprimer $f'(x)$ en fonction de x.

54 Soit la fonction f définie par :
$$f(x) = \sqrt{x^2 - 1}.$$
Exprimer $f'(x)$ en fonction de x.

55 Soit la fonction f définie par :
$$f(x) = e^{\frac{1}{x+1}}.$$
Exprimer $f'(x)$ en fonction de x.

56 Soit la fonction f définie par :
$$f(x) = e^{-x}.$$
Exprimer $f'(x)$ en fonction de x.

57 Soit f la fonction définie sur $[0\ ;\ 2\pi[$ par :
$$f(x) = \cos(4x).$$
Exprimer $f'(x)$ en fonction de x.

58 Soit la fonction f définie par :
$$f(x) = (4e^{-x} + 1)^3$$
Exprimer $f'(x)$ en fonction de x.

59 Soit la fonction f définie par :
$$f(x) = \sin(x).$$
1. Soit $n \in \mathbb{N}$, on note $f^{(n)}$ la fonction dérivée n-ième de la fonction f.
Calculer $f'(x), f''(x), f^{(3)}(x)$ et $f^{(4)}(x)$.

2. En déduire une relation entre $f^{(4)}(x)$ et $f(x)$.

3. Dans ces conditions, que vaut $f^{(1\,789)}(x)$?

60 Soit n un entier naturel. Déterminer la dérivée f'_n de la fonction f_n définie sur $\mathbb{R}$ par :
$$f_n(x) = (\cos(x))^n.$$

Étudier une fonction composée et dresser son tableau de variations p. 143

61 Soit la fonction f définie par :
$$f(x) = \sqrt{x^3 - 1}.$$
1. Donner le schéma de composition de la fonction f.
2. Déterminer l'ensemble de définition de la fonction f noté $\mathcal{D}_f$.
3. Étudier $g : x \mapsto x^3 - 1$ et dresser son tableau de variations.
4. En déduire le tableau de variations de f.

62 Soit la fonction f définie par :
$$f(x) = \sqrt{\frac{1}{1+x}}.$$
1. Donner le schéma de composition de la fonction f.
2. Déterminer l'ensemble de définition de la fonction f noté $\mathcal{D}_f$.
3. Étudier $g : x \mapsto \dfrac{1}{1+x}$ et dresser son tableau de variations.
4. En déduire le tableau de variations de f.

63 Soit la fonction f définie par :
$$f(x) = e^{x^2 - 2x}.$$
1. Donner le schéma de composition de la fonction f.
2. Déterminer l'ensemble de définition de la fonction f noté $\mathcal{D}_f$.
3. Étudier $g : x \mapsto x^2 - 2x$ et dresser son tableau de variations.
4. En déduire le tableau de variations de f.

64 Soit la fonction f définie par :
$$f(x) = e^{-\frac{1}{x^2}}.$$
1. Donner le schéma de composition de la fonction f.
2. Déterminer l'ensemble de définition de la fonction f noté $\mathcal{D}_f$.
3. Étudier $g : x \mapsto -\dfrac{1}{x^2}$ et dresser son tableau de variations.
4. En déduire le tableau de variations de f.

Lire les intervalles où f est convexe ou concave 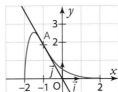 p. 145

65 À l'aide du graphique ci-dessous, déterminer l'intervalle sur lequel la fonction f est convexe et celui sur lequel elle est concave.

Exercices d'application

66 À l'aide du graphique ci-dessous, déterminer l'intervalle sur lequel la fonction f est convexe et celui sur lequel elle est concave.

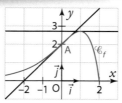

67 À l'aide du graphique ci-dessous, déterminer l'intervalle sur lequel la fonction g est convexe et celui sur lequel elle est concave.

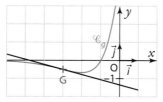

68 À l'aide du graphique ci-dessous, déterminer l'intervalle sur lequel la fonction h est convexe et celui sur lequel elle est concave.

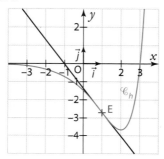

Démontrer des inégalités en utilisant la convexité d'une fonction
Méthode **6** p. 145

Démo

69 En utilisant la convexité de la fonction exponentielle, montrer que, pour tout réel x, $1 + x \leqslant e^x$.

👍 **Coup de pouce** Déterminer l'équation de la tangente T au point d'abscisse 0.

70 En utilisant la concavité de la fonction racine carrée, montrer que $\sqrt{x} \leqslant \frac{1}{2}(x + 1)$.

👍 **Coup de pouce** Déterminer l'équation de la tangente T au point d'abscisse 1.

71 1. Montrer que la fonction f définie par $f(x) = -\sqrt{x}$ est convexe.
2. Déterminer l'équation de la tangente à sa courbe au point d'abscisse 9.
3. En déduire une inégalité.

Étudier la convexité de f à partir des variations de f'
Méthode **7** p. 147

72 Soit f la fonction définie et dérivable sur $\mathbb{R}$.
On admet que f est dérivable et on donne le tableau de variations de f' ci-dessous.

Déterminer l'intervalle sur lequel la fonction f est convexe et celui sur lequel elle est concave.

73 Soit f une fonction définie et dérivable sur l'intervalle $\mathbb{R}$.
On note f' sa fonction dérivée.
Le tableau ci-dessous présente les variations de f'.

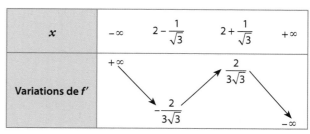

1. Sur quel intervalle f' est-elle croissante ? Décroissante ?
2. En déduire l'étude de la convexité de f sur $\mathbb{R}$.

74 Soit f la fonction définie et dérivable sur $\mathbb{R}$.
On admet que f est dérivable et on donne le tableau de variations de f' ci-dessous.

Déterminer l'intervalle sur lequel la fonction f est convexe et celui sur lequel elle est concave.

75 On assimile le rythme de croissance d'une production à la dérivée de la fonction f définie par :
$$f(x) = -8x^3 + 240x^2 - 2\,400x + 8\,000$$
où x est le nombre d'objets produits par heure.
1. Montrer que $f'(x) = -24(x - 10)^2$.
2. Sur quel intervalle f' est-elle croissante ? Décroissante ?
3. En déduire les intervalles sur lesquels f est convexe.

Étudier la convexité de f à partir du signe de f''

Méthode 8 p. 147

76 On considère la fonction f deux fois dérivable sur $\mathbb{R}$ définie par :
$$f(x) = x^3 + 6x^2.$$
1. Montrer que $f''(x) = 6x + 12$.
2. En déduire le plus grand intervalle sur lequel f est convexe.

77 On considère la fonction f deux fois dérivable sur $\mathbb{R} \backslash \{-1\}$ définie par :
$$f(x) = \frac{3-x}{x+1}.$$
1. Montrer que $f''(x) = \frac{8}{(x+1)^3}$.
2. En déduire le plus grand intervalle sur lequel f est convexe.

78 On considère la fonction f deux fois dérivable sur $]0 ; +\infty[$ par :
$$f(x) = 5x + 3 + \frac{1}{x}.$$
1. Montrer que $f''(x) = \frac{2}{x^3}$.
2. En déduire la convexité de f sur $[0 ; +\infty[$.

79 Soit f une fonction deux fois dérivable sur $\mathbb{R}$. Le tableau ci-dessous présente le signe de f''.

x	$-\infty$		-4		4		$+\infty$
Signe de $f''(x)$		$+$	0	$-$	0	$+$	

En déduire l'étude de la convexité de f sur $\mathbb{R}$.

80 Soit f la fonction définie sur $]0 ; +\infty[$ par :
$$f(x) = 3x - 3x\sqrt{x}$$
1. On admet que f est deux fois dérivable et on note f'' sa dérivée seconde.
a) Calculer $f''(x)$.
b) Étudier le signe de $f''(x)$.
2. a) Déduire de la question précédente que f est concave.
b) Interpréter graphiquement le résultat de la question précédente en utilisant les mots « sécantes » et « tangentes ».

Lire les points d'inflexion

Méthode 9 p. 149

81 On considère la représentation graphique d'une fonction f. Déterminer les points d'inflexion de cette courbe.

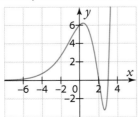

82 Déterminer les points d'inflexion de cette courbe.

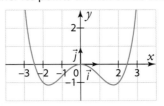

Déterminer algébriquement les coordonnées des points d'inflexion

Méthode 10 p. 149

83 On considère la fonction f définie et deux fois dérivable sur $\mathbb{R}$. On donne l'affichage obtenu à l'aide d'un logiciel de calcul formel ci-dessous.

```
1  f(x) := 6+(6-x)*exp(x-5) ;
   // Interprète f
   // Succès
   // lors de la compilation f
          x ->6+(6-x)*exp(x-5)
2  factoriser(deriver(deriver(f(x),x),x))
          (-x+4)*exp(x-5)
```

1. Dresser le tableau de signes de $f''(x)$.
2. Déterminer les coordonnées des points d'inflexion de la courbe représentative de la fonction f.

84 On considère la fonction f définie et deux fois dérivable sur $\mathbb{R}$ par :
$$f(x) = 7x\mathrm{e}^{-x}.$$
1. Calculer $f''(x)$ et en déduire les variations de f.
2. a) Calculer $f''(x)$.
b) Étudier le signe de $f''(x)$ et en déduire les coordonnées des éventuels points d'inflexion de la courbe représentative de la fonction f.

85 On considère la fonction f définie et deux fois dérivable sur $\mathbb{R}$ par :
$$f(x) = (x^2 + 1)\mathrm{e}^x.$$
1. Calculer $f'(x)$ et en déduire les variations de f.
2. a) Calculer $f''(x)$.
b) Étudier le signe de $f''(x)$ et en déduire les coordonnées des éventuels points d'inflexion de la courbe représentative de la fonction f.

86 On considère la fonction f définie et deux fois dérivable sur $\mathbb{R}$ par :
$$f(x) = (x^2 + 7x + 8)\mathrm{e}^{-x}.$$
1. Calculer $f'(x)$ et en déduire les variations de f.
2. a) Calculer $f''(x)$.
b) Étudier le signe de $f''(x)$ et en déduire les coordonnées des éventuels points d'inflexion de la courbe représentative de la fonction f.

Étude de fonctions composées ^{Méthode}**11** p. 150

87 Soit f la fonction définie sur $\mathbb{R}$ par $f(x) = x^2 - 7x + 10$ et g la fonction définie par $g(x) = \sqrt{f(x)}$.

1. a) Résoudre l'inéquation $f(x) \geqslant 0$.
b) En déduire l'ensemble de définition de la fonction g.
2. a) Déterminer les limites de g aux bornes de son ensemble de définition.
b) Calculer $g'(x)$ et en déduire les variations de la fonction g.
c) Dresser le tableau de variations de la fonction f puis celui de g.

88 Soit f la fonction définie sur $\mathbb{R}$ par $f(x) = x^2 + 2x + 1$ et g la fonction définie par $g(x) = \dfrac{1}{\sqrt{f(x)}}$.

1. a) Résoudre l'inéquation $f(x) \geqslant 0$.
b) En déduire l'ensemble de définition de la fonction g.
2. a) Déterminer les limites de g aux bornes de son ensemble de définition.
b) Calculer $g'(x)$ et en déduire les variations de la fonction g.
c) Dresser le tableau de variations de f puis celui de g.

89 Soit f la fonction définie sur $\mathbb{R}$ par $f(x) = x^3 - 1$ et g la fonction définie par $g(x) = e^{f(x)}$.
1. Déterminer l'ensemble de définition de la fonction g.
2. a) Déterminer les limites de g aux bornes de son ensemble de définition.
b) Calculer $g'(x)$ et en déduire les variations de la fonction g.
c) Dresser le tableau de variations de f puis celui de g.

90 Soit k un réel non nul et f la fonction définie par :
$$f(x) = \cos(kx).$$

1. Soit $n \in \mathbb{N}$, on note $f^{(n)}$ la fonction dérivée n-ième de la fonction f. Calculer $f'(x)$, $f''(x)$, $f^{(3)}(x)$ et $f^{(4)}(x)$.
2. En déduire une relation entre $f^{(4)}(x)$ et $f(x)$.
3. Dans ces conditions, que vaut $f^{(2\,020)}(x)$?

Étudier la convexité d'une fonction pour résoudre un problème ^{Méthode}**12** p. 151

91 Pour chacune des courbes suivantes $\mathscr{C}_f$ et $\mathscr{C}_g$, déterminer les intervalles où la fonction est convexe et ceux où elle est concave.

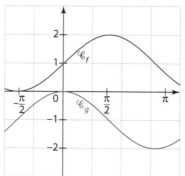

92 Soit f une fonction définie sur $[-1,8 ; 10]$.

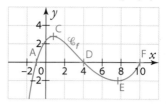

1. Sur quel intervalle la fonction semble-t-elle convexe ? Concave ?
2. En déduire le point d'inflexion de $\mathscr{C}_f$.

93 Soit la fonction f deux fois dérivable sur $[-5 ; 7]$ définie par :
$$f(x) = (x - 2,5)e^{0,4x}.$$
1. Montrer que $f'(x) = 0,4xe^{0,4x}$.
2. En déduire que $f''(x) = \dfrac{2}{25}(2x + 5)e^{0,4x}$.
3. Étudier la convexité de f sur $[-5 ; 7]$.

94 Soit la fonction g deux fois dérivable sur $]0 ; +\infty[$ définie par :
$$g(x) = -\dfrac{1}{x + 1}.$$
Calculer $g'(x)$. En déduire la concavité de g sur $]0 ; +\infty[$.

95 Soit f la fonction définie sur $\mathbb{R}\backslash\{\ln(3)\}$ par :
$$f(x) = 2x - 2 + \dfrac{3}{e^x - 3}.$$
1. Étudier le signe de $f''(x)$ sur $\mathbb{R}\backslash\{\ln(3)\}$.
2. En déduire les coordonnées du point d'inflexion de $\mathscr{C}_f$.

96 Soit la fonction f deux fois dérivable sur $\mathbb{R}$ définie par :
$$f(x) = 5xe^{-x}.$$
1. Montrer que $f''(x) = 5(x - 2)e^{-x}$.
2. En déduire le plus grand intervalle sur lequel f est concave.

97 Soit f la fonction définie sur l'intervalle $[-4 ; 10]$ par :
$$f(x) = x + (8x^2 + 52x + 88)e^{-0,5x}.$$
Un logiciel de calcul formel donne les résultats suivants.

1	`f(x) := x + (8*x^2 + 52*x + 88) * exp(`$-\frac{1}{2} * x$`)`
	`x -> x + (8*x² + 52*x + 88) * exp(`$\left(-\frac{1}{2}\right) * x$`)`
2	`simplifier(deriver(f(x),x))`
	$-4*x^2 * \exp\left(-\frac{1}{2} * x\right) - 10*x * \exp\left(-\frac{1}{2} * x\right)$ $+8 * \exp\left(-\frac{1}{2} * x\right) + 1$
3	`factoriser(deriver(deriver(f(x),x),x))`
	$(x+2) * (2*x-7) * \exp\left(-\frac{x}{2}\right)$

1. Retrouver par le calcul les résultats affichés par le logiciel.
2. Étudier la convexité de f sur l'intervalle $[-4 ; 10]$.

98 On considère la fonction f deux fois dérivable sur $\mathbb{R}$ définie par :
$$f(x) = -2(x+2)e^{-x}.$$
1. Montrer que $f''(x) = -2xe^{-x}$.
2. En déduire les coordonnées des points d'inflexion de la courbe $\mathscr{C}_f$.

99 On considère la fonction deux fois dérivable sur $\mathbb{R}$ définie par :
$$g(x) = x^2 e^{-x}.$$
1. Montrer que $g''(x) = (x^2 - 4x + 2)e^{-x}$.
2. En déduire les coordonnées des points d'inflexion de la courbe $\mathscr{C}_g$.

100 On considère la fonction h deux fois dérivable sur $\mathbb{R}$ définie par :
$$h(x) = \cos(x)e^x.$$
1. Montrer que $h''(x) = -2\sin(x)e^x$.
2. En déduire les coordonnées des points d'inflexion de la courbe $\mathscr{C}_h$.

101 Soit f la fonction définie sur $\mathbb{R}$ par :
$$f(x) = (x^3 - 11x^2 + 24x - 26)e^x.$$
1. Étudier le signe de $f''(x)$ sur $\mathbb{R}$.
2. En déduire les coordonnées du point d'inflexion de $\mathscr{C}_f$.

102 Soit g la fonction définie sur $\mathbb{R}_+$ par :
$$g(x) = 4\sqrt{x} + 3x.$$
1. Étudier le signe de $g''(x)$ sur $\mathbb{R}_+^*$.
2. En déduire les coordonnées du point d'inflexion de $\mathscr{C}_f$.

103 On donne ci-dessous le tableau de variations de f', fonction dérivée d'une fonction f définie sur $[-3\,;1]$.

x	-3	-2	0	1
Variations de f'	-5	0	-2	3

Déterminer l'intervalle sur lequel la fonction f est convexe et celui sur lequel elle est concave.

104 On donne ci-dessous le tableau de signes de f'', fonction dérivée seconde d'une fonction f définie sur $\mathbb{R}$.

x	$-\infty$		-7		-1		3		$+\infty$
Signe de $f''(x)$		$+$	0	$-$	0	$+$	0	$-$	

Déterminer l'intervalle sur lequel la fonction f est convexe et celui sur lequel elle est concave.

105 Étudier, selon les valeurs de m, la convexité de la fonction f définie par :
$$f(x) = e^{mx}.$$

106 On considère une fonction f définie et deux fois dérivable sur $\mathbb{R}$. On donne l'affichage obtenu à l'aide d'un logiciel de calcul formel ci-dessous.

```
1   f(x)  :=x+exp(-x+1)
                x ->x+*exp(-x+1)
2   deriver(f(x),x)
                -exp(-x+1)+1
3   (deriver(deriver(f(x),x),x))
                exp(-x+1)
```

1. En déduire que f est convexe sur $\mathbb{R}$.
2. Interpréter graphiquement le résultat de la question précédente en utilisant les mots « sécantes » et « tangentes ».

107 On considère une fonction g définie et deux fois dérivable sur $\mathbb{R}_+^*$. On donne l'affichage obtenu à l'aide d'un logiciel de calcul formel.

```
1   g(x)  :=sqrt(x)-1/x  ;
                x ->√x - 1/x
2   factoriser(deriver(deriver(g(x),x),x))
                -8*√x -x²
                ──────────
                4*x³*(√x)
```

1. En déduire que g est concave sur $\mathbb{R}_+^*$.
2. Interpréter graphiquement le résultat de la question précédente en utilisant les mots « sécantes » et « tangentes ».

Travailler le Grand Oral

108 Faire un exposé expliquant la querelle entre Newton et Leibniz.

Newton

Leibniz

109 Chercher les définitions d'épigraphe, d'hypographe et d'ensembles convexes.

110 Avec vos camarades, réaliser un exposé sous forme d'interview d'un(e) ou de plusieurs expert(es) sur la convexité et ses applications, où chacun(e) aura soit le rôle de journaliste, soit le rôle d'expert(e).

Exercices bilan

111 Étude d'une fonction composée (Algo)

Soit f la fonction définie par :

$$f(x) = 7e^{\frac{20}{x}}.$$

1. Déterminer le domaine de définition de f noté $\mathcal{D}_f$.

2. a) Calculer $f'(x)$.

b) En déduire les variations de f.

3. a) Calculer $f''(x)$.

b) En déduire les intervalles où f est convexe et ceux où f est concave.

c) Écrire un algorithme en langage **Python** 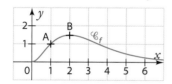 qui renvoie le tracé de la courbe $\mathcal{C}_f$.

112 Composition de fonctions et limites

La courbe $\mathcal{C}_f$ donnée ci-dessous représente une fonction f définie et dérivable sur $\mathbb{R}_+$. On admet que $\mathcal{C}_f$ passe par les points $O(0 ; 0)$, $A(1 ; 1)$ et $B\left(2 ; \dfrac{4}{e}\right)$ et que l'axe des abscisses est asymptote horizontale à la courbe $\mathcal{C}_f$.

1. Donner $\lim\limits_{x \to +\infty} f(x)$ et $f'(2)$.

2. On admet que $f(x) = x^2 e^{-x+1}$.

a) Calculer $f'(x)$. En déduire les variations de la fonction f.

b) Dresser le tableau de variations de f.

c) Déterminer l'équation de la tangente à $\mathcal{C}_f$ au point d'abscisse 4.

3. a) Calculer $f''(x)$. En déduire l'étude de la convexité de f.

b) Déterminer les éventuels points d'inflexion de $\mathcal{C}_f$.

4. On considère la fonction g définie sur $]0 ; +\infty[$ par :
$$g(x) = e^{-f(x)}.$$
Dresser le tableau de variations de g.

5. On considère la fonction h définie sur $]0 ; +\infty[$ par :
$$h(x) = \sqrt{f(x)}.$$
Dresser le tableau de variations de h.

D'après ES Métropole-La Réunion sept 2006

113 Domaine de définition

On considère la fonction f définie et deux fois dérivable par :
$$f(x) = \sqrt{x^3 + 8}.$$

1. Donner le domaine de définition de f.

2. Déterminer les limites de f aux bornes de son ensemble de définition.

3. Calculer $f'(x)$ et en déduire les variations de f.

4. a) Calculer $f''(x)$.

b) Étudier le signe de $f''(x)$ et en déduire les coordonnées des éventuels points d'inflexion de la courbe représentative de la fonction f.

114 Exponentielle de fonctions

Soit f une fonction définie et dérivable sur $]-1 ; +\infty[$ dont la courbe est donnée dans le graphe ci-dessous.

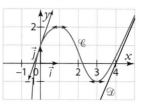

1. a) Donner $f'(0)$, $f'(1)$ et $f'(3)$.

b) Donner les intervalles où f semble concave et ceux où f semble convexe.

c) Conjecturer les coordonnées du point d'inflexion de f.

2. On note g la fonction définie sur $]-1 ; +\infty[$ par $g(x) = e^{f(x)}$.

a) Déterminer $\lim\limits_{x \to +\infty} g(x)$ puis $\lim\limits_{x \to -1} g(x)$.

b) Étudier les variations de g sur $]-1 ; +\infty[$ et en dresser le tableau de variations. Déterminer $g'(1)$ et $g'(0)$.

D'après Bac ES Liban 2006

115 Convexité d'une fonction

Soit f la fonction définie sur $\mathbb{R}$ par :
$$f(x) = xe^{x^2 - 1}.$$
et $\mathcal{C}_f$ sa courbe représentative dans un repère orthonormé.

1. a) Montrer que, pour tout réel x :
$$f'(x) = (2x^2 + 1)e^{x^2 - 1}.$$

b) En déduire le sens de variation de f sur $\mathbb{R}$.

2. a) Montrer que, pour tout réel x,
$$f''(x) = 2x(2x^2 + 3)e^{x^2 - 1}.$$

b) Déterminer l'intervalle sur lequel la fonction f est convexe.

3. Soit h la fonction définie sur $\mathbb{R}$ par :
$$h(x) = x - f(x).$$

a) Montrer que $h(x) = x(1 - e^{x^2 - 1})$.

b) On admet que l'inéquation $1 - e^{x^2 - 1} \geq 0$ a pour ensemble de solutions l'intervalle $[-1 ; 1]$. Déterminer le signe de $h(x)$ sur $[-1 ; 1]$ et en déduire la position relative de la courbe $\mathcal{C}_f$ et de la droite D d'équation $y = x$ sur $[-1 ; 1]$.

D'après Centres Étrangers 2014

116 Tangente

On considère la fonction f définie par :
$$f(x) = x^5 + \frac{25}{3}x^4 + \frac{20}{3}x^3 - 80x^2 + 8x + 1.$$

1. Calculer $f''(x)$.

2. Montrer que $f''(x) = 20(x - 1)(x + 2)(x + 4)$.

3. Étudier le signe de $f''(x)$ et en déduire l'étude complète de la convexité de f (convexité, concavité, points d'inflexion).

4. Donner une équation de la tangente à $\mathcal{C}_f$ au point d'abscisse -1.

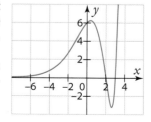

Dérivées des fonctions usuelles

Fonction	Fonction dérivée	Fonction	Fonction dérivée
$au + b$	au'	$\sqrt{u}$	$\dfrac{u'}{2\sqrt{u}}$
u^2	$2u'u$	$\cos(u)$	$-u'\sin(u)$
u^3	$3u'u^2$	$\sin(u)$	$u'\cos(u)$
u^n	$nu'u^{n-1}$	e^u	$u'\mathrm{e}^u$
$\dfrac{1}{u}$	$-\dfrac{u'}{u^2}$	$\dfrac{1}{u^n}$	$-\dfrac{nu'}{u^{n+1}}$

Composition de fonction

Pour tout x de I, $u(x)$ appartient à J, et v est définie sur J.

$v \circ u$ est la fonction définie sur I par
$v \circ u : x \mapsto v(u(x))$.

$$\begin{cases} \text{I} & u & \text{J} & v \\ x & \mapsto & u(x) & \mapsto & v(u(x)) \end{cases}$$

Dérivée d'une fonction composée

$$(v \circ u)' = (v' \circ u) \times u'$$
$$(v \circ u)'(x) = (v'(u(x)) \times u'(x)$$

Preuve de la convexité d'une fonction

La preuve peut être faire par :
- les sécantes,
- les tangentes,
- la croissance de la dérivée,
- la positivité de la dérivée seconde.

Convexité et concavité

- f est **convexe** sur un intervalle I si, pour tout réel x de I, $\mathscr{C}_f$ est **en dessous** de ses sécantes.
- f est **concave** sur un intervalle J si, pour tout réel x de J, $\mathscr{C}_f$ est **au-dessus** de ses sécantes.

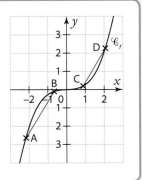

Point d'inflexion

On dit que A est un point d'inflexion pour $\mathscr{C}_f$ si, au point A, la courbe $\mathscr{C}_f$ traverse T_A.

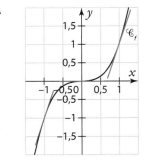

Je dois être capable de...

▶ Déterminer l'image d'un nombre par une fonction composée — Méthode **1** Méthode **2**

Parcours d'exercices → 1, 2, 40, 41, 3, 4, 46, 47

▶ Calculer la dérivée d'une fonction composée et en déduire le tableau de variations de cette fonction — Méthode **3** Méthode **4** Méthode **11**

→ 5, 6, 53, 54, 7, 8, 61, 62, 21, 22, 87, 88

▶ Étudier la convexité d'une fonction par différentes méthodes — Méthode **5** Méthode **6** Méthode **7** Méthode **8** Méthode **12**

→ 9, 10, 65, 66, 11, 12, 69, 70, 13, 14, 72, 73, 15, 16, 76, 77, 23, 24, 91, 92

▶ Déterminer les coordonnées des points d'inflexion par différentes méthodes — Méthode **9** Méthode **10**

→ 17, 18, 81, 82, 19, 20, 83, 84

▶ **EXOS**
QCM interactifs
lienmini.fr/maths-s05-06

QCM — Choisir la (les) bonne(s) réponse(s).

Pour les exercices **117** à **121**, on considère la fonction f définie sur $[-5 ; +\infty[$ dont voici le tableau de variations.

x	-5		-1		0		2		$+\infty$
$f(x)$	$-\infty$ ↗		-3 ↘		-5 ↗		4 ↘		$-4,5$

	A	**B**	**C**	**D**
117 Sur l'intervalle $]2 ; +\infty[$, la fonction g définie par $g(x) = e^{f(x)}$…	est croissante.	est décroissante.	n'est pas monotone.	est périodique.
118 Dans ces conditions, $g(2) =$	4	e^4	2	0
119 Dans ces conditions, $g'(-1) =$	1	e^3	$3e^3$	0
120 On pose $h(x) = \sqrt{f(x) + 5}$. Alors la fonction h…	est décroissante sur $]2 ; +\infty[$.	est croissante sur $]2 ; +\infty[$.	est négative sur $]2 ; +\infty[$.	n'est pas définie sur $]2 ; +\infty[$.
121 La dérivée h' de h est égale à :	$\dfrac{f'(x)}{\sqrt{f(x)+5}}$	$\sqrt{f(x)+5}$	$\dfrac{f'(x)}{2\sqrt{f(x)+5}}$	$\dfrac{f(x)}{2\sqrt{f(x)+5}}$

Pour les exercices **122** à **126**, on considère la fonction f deux fois dérivable sur $[-10 ; 10]$ définie par :
$$f(x) = 1 + (x - 5)e^{0,2x}.$$

	A	**B**	**C**	**D**
122 La dérivée $f''(x)$ est définie par :	$\dfrac{(x+5)e^{0,2x}}{25}$	$\dfrac{xe^{0,2x}}{5}$	$(x-5)e^{0,2x}$	0
123 f' est :	décroissante sur $[-5 ; 0]$.	décroissante sur $[-10 ; 0]$.	croissante sur $[-10 ; 5]$.	croissante sur $[-5 ; 5]$.
124 f est :	concave sur $[-5 ; 0]$.	concave sur $[-10 ; 0]$.	convexe sur $[-10 ; 5]$.	convexe sur $[-5 ; 5]$.
125 Sur $[0 ; 5]$, on peut affirmer que $\mathscr{C}_f$ est située…	au-dessus de ses tangentes.	au-dessus de ses sécantes.	en dessous de ses tangentes.	en dessous de ses sécantes.
126 $\mathscr{C}_f$ admet un point d'inflexion pour x égal à :	5	0	10	-5

127 Image d'un nombre

Soit deux fonctions u et g définies par les tableaux de variations ci-dessous.

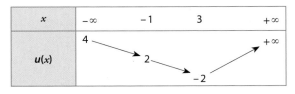

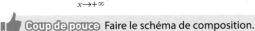

1. Déterminer $g \circ u(-1)$ et $u \circ g(2)$.
2. Déterminer la variation de $g \circ u$ sur $]-\infty\,;-1]$.
3. Déterminer $\lim\limits_{x \to +\infty} g(u(x))$. **Méthode 1** et **Méthode 2** p. 141

Coup de pouce Faire le schéma de composition.

D'après Bac ES La Réunion 2006

128 Étudier une fonction trigonométrique

Soit m un paramètre réel strictement positif. On considère la fonction g_m définie par $g_m(x) = \cos(mx) + mx$.
On appellera $\mathcal{C}_m$ sa courbe représentative dans le plan $\mathcal{P}$, rapporté à un repère orthonormé.

1. Déterminer l'ensemble des valeurs de x pour lesquelles g_m est définie.
2. La fonction est-elle paire ? Impaire ? Périodique ? Peut-on restreindre son intervalle d'étude ?

On décide d'étudier g_m sur $I = \left[0\,;\dfrac{2\pi}{m}\right]$.

3. Déterminer les limites et les variations de g_m aux bornes de I.
4. En déduire le tableau de variations de la fonction sur I. **Méthode 3**, **Méthode 4** p. 143 et **Méthode 11** p. 150

D'après Concours audioprothésiste CPDA 2013

129 Points d'inflexion

On considère la fonction f définie sur $\mathbb{R}$ par :
$$f(x) = (-5x^2 + 5)e^x.$$
1. Montrer que $f''(x) = -(5x^2 + 20x + 5)e^x$.
2. Étudier le signe de $5x^2 + 20x + 5$ puis celui de $f''(x)$.
3. En déduire les abscisses des points d'inflexion de $\mathcal{C}_f$.
4. Interpréter graphiquement ces résultats. **Méthode 9** et **Méthode 10** p. 149

D'après Bac ES Nouvelle-Calédonie novembre 2019

130 Étudier une fonction composée

On considère la fonction f définie par :
$$f(x) = (-x + 1)e^{-\frac{1}{x+1}}.$$
On appellera $\mathcal{C}_f$ sa courbe représentative dans le plan $\mathcal{P}$, rapporté à un repère orthonormé.
1. Déterminer l'ensemble des valeurs de x pour lesquelles f est définie.
2. Déterminer les limites de f aux bornes de son ensemble de définition.
3. Déterminer les variations de la fonction. Préciser les coordonnées des extrema si la fonction en possède.
4. Construire le tableau de variations de la fonction.
5. Donner l'allure de la courbe $\mathcal{C}_f$ **Méthode 3**, **Méthode 4** p. 143 et **Méthode 11** p. 150

D'après Concours audioprothésiste CPDA 2015

131 Étudier la convexité d'une fonction

Un ébéniste décide de refaire les accoudoirs d'un fauteuil.
On modélise l'accoudoir à l'aide de la fonction f définie sur $[0\,;60]$ par :
$$f(x) = 70 + (14x + 42)e^{-\frac{x}{5}}.$$
Soit $\mathcal{C}_f$ la courbe représentative de f.
On admet que la fonction f est deux fois dérivable sur l'intervalle $[0\,;60]$. On note f' sa fonction dérivée et f'' sa fonction dérivée seconde.
1. Montrer que pour tout nombre réel x de $[0\,;60]$,
$$f'(x) = \frac{1}{5}(-14x + 28)e^{-\frac{x}{5}}.$$
2. Étudier le signe de $f'(x)$ sur $[0\,;60]$ et dresser son tableau de variations.
3. Un logiciel de calcul formel permet d'afficher la ligne suivante.

```
1   factoriser(deriver(deriver(70+(14x+42)
    *exp(-x/5))))
```
$$\frac{14 * (x - 7) * \exp\left(-\frac{x}{5}\right)}{25}$$

À l'aide des informations obtenues :
a) Déterminer $f''(7)$. Que représente le point A de $\mathcal{C}_f$ d'abscisse 7 pour $\mathcal{C}_f$?
b) Étudier la convexité de f.
c) En déduire l'abscisse pour laquelle la dérivée admet un extremum.
Méthode 5, **Méthode 6** p. 145, **Méthode 7**, **Méthode 8** p. 147 et **Méthode 12** p. 151

Coup de pouce Étudier le signe de la dérivée seconde.

D'après Bac ES Métropole La Réunion juin 2019

132 Courbe de Lorenz

On appelle courbe de Lorenz la représentation graphique d'une fonction L vérifiant les conditions suivantes :
- L est définie et croissante sur $[0 ; 1]$,
- $L(0) = 0$ et $L(1) = 1$,
- pour tout x de $[0 ; 1]$, $L(x) \leqslant x$.

1. Soit f la fonction définie sur $[0 ; 1]$ par :

$$f(x) = \frac{3}{2}x + \frac{1}{x+1} - 1.$$

a) Déterminer la dérivée de f notée f'.
b) Dresser le tableau de variations de f sur $[0 ; 1]$.
c) En déduire que $x \geqslant f(x)$ sur $[0 ; 1]$.
d) Conclure.

2. Soit g la fonction définie sur $[0 ; 1]$ par
$$g(x) = e^x - (e - 2)x + 1$$
a) Calculer $g'(x)$. Donner le sens de variation de g sur $[0 ; 1]$.
b) Calculer $g(0)$ et $g(1)$.
c) On pose $h(x) = x - g(x)$.

x	0		$\ln(e-1)$		1
Signe de $h'(x)$		$+$	0	$-$	

Déduire du tableau de signes de $h'(x)$ le tableau de variations de h (on précisera l'arrondi à 0,1 de $h(\ln(e-1))$) puis que, pour tout x de $[0 ; 1]$, $g(x) \leqslant x$.

3. En déduire que les courbes représentatives de f et de g sont toutes deux des courbes de Lorenz.

D'après Bac ES Métropole 2003

133 Composition avec l'opposé

Soit f une fonction dérivable sur un intervalle réel I.
On pose, pour tout réel $x \in$ I :
$$g(x) = f(-x).$$
1. Calculer $g'(x)$.
2. Montrer que si f est paire alors f' est impaire.
3. Montrer que si f est impaire alors f' est paire.
4. Montrer que si f' est impaire alors f est paire.
5. Montrer que si f' est paire et $f(0) = 0$, alors f est impaire.

134 Étudier une fonction composée

Soit m un paramètre réel non nul.
On considère la fonction f_m définie par :

$$f_m(x) = (mx + 1)e^{\frac{1}{mx+1}}.$$

On appellera $\mathscr{C}_m$ sa courbe représentative dans le plan $\mathscr{P}$, rapporté à un repère orthonormé.
Répondre aux questions suivantes selon m.
1. Déterminer l'ensemble des valeurs de x pour lesquelles f_m est définie.
2. Déterminer les limites de f_m aux bornes de son ensemble de définition.
3. Déterminer les variations de la fonction. Préciser les coordonnées des extrema si la fonction en possède.
4. Construire le tableau de variations de la fonction.
5. Donner l'allure de la courbe $\mathscr{C}_m$.

D'après Concours audioprothésiste CPDA 2015

135 Dérivée n-ième d'une fonction (1)

Soit f la fonction puissance de degré n définie par :
$$f(x) = x^n.$$
avec n entier naturel non nul.
1. Calculer $f'(x)$ puis $f''(x)$.
2. À l'aide de factorielle, donner une expression de $f^{(n)}(x)$, dérivée n-ième de f.

136 Dérivée n-ième d'une fonction (2)

Soit f la fonction inverse définie par :

$$f(x) = \frac{1}{x}.$$

Soit k un entier naturel. On considère la dérivée k-ième de f notée $f^{(k)}(x)$.

Ainsi $f^{(1)}(x) = -\frac{1}{x^2}$ et $f^{(2)}(x) = \frac{2}{x^3}$.

1. Calculer $f^{(3)}(x)$ et $f^{(4)}(x)$.
2. Conjecturer une formule de $f^{(k)}(x)$.
3. Démontrer cette formule par récurrence sur $k \geqslant 1$.
4. Démontrer par récurrence sur $k \geqslant 1$ que, pour

$$f(x) = \frac{1}{a+x} \text{, avec } a \text{ réel :} \quad f^{(k)}(x) = \frac{(-1)^k k!}{(a+x)^{k+1}}.$$

5. Démontrer par récurrence sur $k \geqslant 1$ que, pour

$$f(x) = \frac{1}{a-x} \text{, avec } a \text{ réel :} \quad f^{(k)}(x) = \frac{k!}{(a-x)^{k+1}}.$$

137 Dérivée n-ième d'une fonction (3)

Soit f la fonction définie par :
$$f(x) = e^{kx}$$
avec k réel non nul.
1. Calculer $f'(x)$ puis $f''(x)$.
2. Donner une expression de $f^{(n)}(x)$, dérivée n-ième de f.
3. Discuter, selon les valeurs de k et de n, le signe de $f^{(n)}(x)$.
4. En déduire, selon les valeurs de k et de n, le sens de variation de $f^{(n-1)}(x)$.

138 Théorème des pentes   Démo

Soit f une application convexe de $\mathbb{R}$ dans $\mathbb{R}$ et a, b et c trois réels.
Démontrer que, si $a < b < c$, alors :

$$\frac{f(b) - f(a)}{b - a} \leqslant \frac{f(c) - f(a)}{c - a} \leqslant \frac{f(c) - f(b)}{c - b}.$$

139 Inégalité de convexité (1)

Soit a et b deux nombres réels strictement supérieurs à 1, tels que $\frac{1}{a} + \frac{1}{b} = 1$. Soit x et y deux réels strictement positifs, montrer que : $\frac{x^a}{a} + \frac{y^b}{b} \geqslant xy$.

140 Inégalité de convexité (2)

Montrer que, pour tout $x \in \left[0 ; \frac{\pi}{2}\right]$:

$$\frac{2}{\pi}x \leqslant \sin(x) \leqslant x.$$

Exercices

141 Inégalité arithmético-géométrique

Démo

Soit n un entier naturel et soit n réels strictement positifs notés $x_1, x_2, ..., x_n$.

On appelle moyenne arithmétique de x_1, x_2, ..., x_n la quantité $\dfrac{x_1 + ... + x_n}{n}$ et moyenne géométrique de $x_1, x_2, ..., x_n$ la quantité $(x_1...x_n)^{\frac{1}{n}}$.

Démontrer que :
$$(x_1...x_2)^{\frac{1}{n}} \leqslant \frac{x_1 + ... + x_n}{n}.$$

142 Avec une exponentielle

Soit a et b deux nombres réels.
Montrer que :
$$e^{\frac{(a+b)}{2}} \leqslant \frac{1}{2}(e^a + e^b).$$

143 Concavité de la fonction réciproque

Soit f une fonction convexe strictement monotone d'un intervalle I vers un intervalle J. Discuter, suivant la croissance ou la décroissance de f, la concavité de la fonction f^{-1}.

144 Avec un paramètre

Sciences Po

Soit λ un réel non nul fixé et $g_\lambda : x \to e^{-\lambda x^2}$ définie sur $\mathbb{R}$. On admet que g_λ est deux fois dérivable et on note Γ_λ sa courbe représentative dans un repère.
Répondre aux questions suivantes selon le signe de λ.
1. Étudier la parité de la fonction g_λ.
2. Déterminer les limites de g_λ sur son domaine de définition.
3. Étudier les variations de g_λ et dresser son tableau de variations.
4. Déterminer la dérivée seconde de la fonction g_λ.
5. La courbe Γ_λ présente-t-elle des points où elle traverse sa tangente ?
6. Donner l'allure de la courbe Γ_λ.

D'après Sciences Po, sujet 2011

145 Point d'inflexion (1)

On considère la fonction f définie sur $\mathbb{R}^*$ par $f(x) = \dfrac{3x^2 + 15x - 10}{3x^2}$. On note $\mathscr{C}_f$ sa courbe représentative dans une repère orthonormé. On admet que f est deux fois dérivable sur $\mathbb{R}_+^*$.

1. a) Montrer que pour tout réel x de $\mathbb{R}^*$, $f'(x) = \dfrac{-15x + 20}{3x^3}$.

b) Étudier le signe de $f'(x)$ et en déduire les variations de f sur $\mathbb{R}^*$.

2. a) Montrer que pour tout réel x de $\mathbb{R}^*$, $f''(x) = \dfrac{10x - 20}{x^4}$.

b) Étudier le signe de $f''(x)$ et en déduire la convexité de f sur $[2 ; +\infty[$.

c) Montrer que le point de $\mathscr{C}_f$ d'abscisse 2 est un point d'inflexion.

146 Convexité d'une fonction (1)

Soit f une fonction polynomiale de degré 4 définie par :
$$f(x) = ax^4 + bx + c$$
avec a réel non nul et b et c des réels.
Déterminer $f''(x)$ puis en déduire la convexité de f suivant le signe de a.

147 Convexité d'une fonction (2)

Petites Mines

On considère la fonction f définie par :
$$f(x) = 3xe^{-x^2} - 1.$$
On note $\mathscr{C}_f$ sa courbe représentative dans un repère orthonormé.
1. Étudier les variations de f sur $\mathbb{R}$, ainsi que les limites aux bornes du domaine de définition.
2. Calculer $f''(x)$. Qu'en déduit-on pour le point de $\mathscr{C}_f$ d'abscisse 0 ?
3. Donner une équation de la tangente en 0 à $\mathscr{C}_f$. Étudier la position de la courbe $\mathscr{C}_f$ par rapport à la tangente au point d'abscisse 0. Quel résultat retrouve-t-on ?
4. Donner l'allure de la courbe $\mathscr{C}_f$.

D'après Petites Mines 2009

148 Point d'inflexion (2)

Soit f une fonction polynomiale de degré 3 définie par :
$$f(x) = ax^3 + bx^2 + cx + d$$
avec a réel non nul et b, c et d des réels.
1. Discuter, selon les valeurs de a, de la convexité de la fonction f.
2. Montrer que, quelque soit le signe de a, la courbe représentative de f admet un point d'inflexion d'abscisse
$$\alpha = -\frac{b}{3a}.$$
3. Appliquer ce résultat avec $f(x) = 2x^3 + 6x^2 - 7x + 8$.

149 Avec un logiciel de calcul formel

On considère la fonction f définie sur $\mathbb{R}_+^*$ par $f(x) = \sqrt{x}e^{1-x}$. On note $\mathscr{C}_f$ sa courbe représentative dans une repère orthonormé.
1. a) Montrer que f peut s'écrire sous la forme
$$f(x) = \frac{x}{e^x} \times \frac{e}{\sqrt{x}} \text{ pour tout } x > 0.$$
b) En déduire $\lim\limits_{x \to +\infty} f(x)$ et interpréter géométriquement.
2. On admet que f est deux fois dérivable sur $\mathbb{R}_+^*$ de dérivée première f' et de dérivée seconde f''.
a) Exprimer $f'(x)$ en fonction de x.
b) En déduire les variations de f sur $\mathbb{R}_+^*$.
c) Déterminer l'équation de la tangente à $\mathscr{C}_f$ au point d'abscisse 1.
d) Un logiciel de calcul formel donne l'affichage ci-dessous.

```
1    factoriser(deriver(deriver(sqrt(x)*exp(1-x))))
```
$$\frac{(4*x^2 - 4*x - 1)*(\sqrt{x})*\exp(1-x)}{4*x^2}$$

Préciser les intervalles où f est convexe, concave et les éventuels points d'inflexion de $\mathscr{C}_f$.

D'après Concours ENSM 2011

Travaux pratiques

1 Des composées particulières

A ▶ Fonctions réciproques l'une de l'autre

1. À l'aide de Geogebra, tracer les courbes représentatives des fonctions f et g définies par $f(x) = \sqrt{x}$ et $g(x) = x^2$. Que remarque-t-on ?

2. a) Pour tout réel x, déterminer les domaines de définition de $g \circ f$ et de $f \circ g$.

b) Calculer $g \circ f(x)$ et $f \circ g(x)$. Que remarque-t-on ? Peut-on en déduire que $g \circ f = f \circ g$ sur $\mathbb{R}$ tout entier ?

3. Faire de même avec les fonctions f et g définies par $f(x) = \ln(x)$ et $g(x) = e^x$.

▶**Remarque** On dit que ces fonctions sont réciproques l'une de l'autre sur un intervalle I (à préciser) et on note f^{-1} la fonction réciproque de la fonction f.

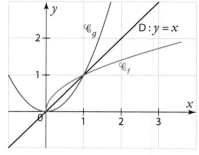

B ▶ Fonctions involutives

1. Soit f la fonction inverse définie par $f(x) = \dfrac{1}{x}$.

a) Pour tout réel x, non nul, montrer que $f \circ f(x) = x$. On dira que $f \circ f = Id$, où Id est l'application identité $x \mapsto x$.

b) Sur Geogebra tracer $\mathscr{C}_f$, courbe représentative de la fonction f dans un repère orthonormé. Que remarque-t-on ?

2. Pour tous réels a et b avec $b \neq 0$, on définit les fonctions g et h définies par $g(x) = a - x$ et $h(x) = \dfrac{b}{x - a} + a$.

a) Déterminer les domaines de définition de g et de h.

b) Créer des curseurs a et b sur Geogebra puis tracer $\mathscr{C}_g$ et $\mathscr{C}_h$, courbes représentatives des fonctions g et h dans un repère orthonormé. Que remarque-t-on ?

c) Calculer $g \circ g(x)$ et $h \circ h(x)$. Que remarque-t-on ? Qu'en déduire ?

▶**Remarque** On dit que ces fonctions sont involutives, elles sont leur propre réciproque c'est à dire $f^{-1} = f$.

C ▶ Fonctions idempotentes

On note *abs* la fonction valeur absolue définie par $abs(x) = \begin{cases} x & \text{si} \quad x \geqslant 0 \\ -x & \text{si} \quad x \leqslant 0 \end{cases}$

Pour tout réel x, calculer $abs(abs(x))$. Que remarque-t-on ?

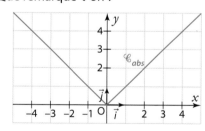

▶**Remarque** On dit que cette fonction est idempotente, composée par elle-même elle donne le même résultat, autrement dit : $f \circ f = f$.

2 Étude d'une fonction à paramètre

A ▸ Étude d'une fonction trigonométrique

Soit $t \in [-5 \,;\, 5]$. Soit f la fonction définie par $f : x \mapsto t\sin(x)$.

1. À l'aide de Geogebra, créer un curseur t et tracer la courbe $\mathscr{C}_f$ représentative de la fonction f.

2. Selon le signe de t, déterminer l'ensemble de définition de f, les variations de la fonction f et le tableau de variations de la fonction f.

B ▸ Étude d'une fonction exponentielle

Soit $t \in [-5 \,;\, 5]$. On considère la fonction g définie par $g(x) = e^{tx^3}$.

1. À l'aide de Geogebra, tracer la courbe $\mathscr{C}_g$ représentative de la fonction g.

2. Selon le signe de t, déterminer l'ensemble de définition de f, les variations de la fonction f et le tableau de variations de la fonction f.

C ▸ Étude d'une fonction racine carrée

Soit $t \in [-5 \,;\, 5]$. On considère la fonction h définie par $h(x) = \sqrt{tx^2 + x}$.

1. À l'aide de Geogebra, tracer la courbe $\mathscr{C}_h$ représentative de la fonction h.

2. Selon le signe de t, déterminer l'ensemble de définition de f, les variations de la fonction f et le tableau de variations de la fonction f.

3 Déterminer le lieu de vitesse maximale de la montagne russe

On modélise la portion du trajet la plus inclinée des montagnes russes par une fonction f définie et dérivable sur $[0 \,;\, 27]$ dont la dérivée est égale à :

$$f'(x) = -\dfrac{\sqrt{3}}{\left(\dfrac{\sqrt{3}}{15}\left(x - \dfrac{27}{2}\right)\right)^2 + 1}.$$

Un logiciel de calcul formel donne l'affichage ci-contre.

1. À l'aide de cet affichage, déterminer $f''(x)$.

2. En déduire les coordonnées du point d'inflexion de la courbe représentative de la fonction f.

3. Quelle est la valeur de la pente en ce point d'inflexion ? À quel angle cela correspond-il ?

4. Conclure quant à l'endroit où la vitesse est maximale au niveau de ce trajet.

1	`f(x):=156/10+15*atan(-sqrt(3)/15*(x-135/10))`
2	`(deriver(f(x),x))`
	$-\dfrac{\sqrt{3}}{\left((\sqrt{3}) * \dfrac{1}{15} * \left(x - \dfrac{27}{2}\right)\right)^2 + 1}$
3	`factoriser(deriver(deriver(f(x),x)))`
	$\dfrac{1200 * (\sqrt{3}) * (2 * x - 27)}{(4 * x^2 - 108 * x + 1029)^2}$

6

Fonction logarithme népérien

▶ VIDÉO WEB

Intensité sonore
lienmini.fr/maths-s06-01

Pour rendre compte de la perception humaine des sons, une échelle des décibels est utilisée : l'intensité allant de 0 dB, seuil de l'audition humaine, à environ 120 dB, limite supérieure des bruits usuels. Il s'agit d'une échelle logarithmique.

Pourquoi les voix de quatre chanteurs enrichissent-elles l'harmonie sans quadrupler l'intensité sonore ?
↪ TP 4 p. 201

Pour prendre un bon départ

 EXOS
Prérequis
lienmini.fr/maths-s06-02

 Les rendez-vous
Sésamath

1 Utiliser les propriétés algébriques de la fonction exponentielle

Simplifier au maximum les expressions suivantes.

a) $e^{-4x} \times e^{2x}$
b) $\dfrac{e^x}{e^{-2x}}$
c) $\dfrac{(e^{2x})^3}{e^{x+1}}$
d) $\dfrac{e^{-x} - e^x}{e^{-x}}$

2 Résoudre des équations du type $e^x = k$

1. Quel est le nombre de solutions de l'équation $e^x = k$ avec $k \in \mathbb{R}$?
2. Résoudre chacune des équations suivantes.

a) $e^x = 0$
b) $e^x = 1$
c) $e^x = e$
d) $e^x = \dfrac{1}{e}$

3 Résoudre des équations et des inéquations simples avec la fonction exponentielle

1. Résoudre les équations suivantes.

a) $e^{3x+1} \times e^x = 1$
b) $\dfrac{e^{-x}}{e^{4-x}} = e$
c) $e^{5x+1} = 0$

2. Résoudre les inéquations suivantes.

a) $e^{-x} \leqslant e$
b) $e^{x+1} > e^{3-2x}$
c) $\dfrac{1}{e^{2x}} < e^{x-3}$

4 Calculer des fonctions dérivées

Dans chacun des cas suivants, calculer $f'(x)$ sur l'intervalle I donné.

a) $f(x) = e^{-5x+3}$; $I = \mathbb{R}$
b) $f(x) = 3xe^x$; $I = \mathbb{R}$
c) $f(x) = \dfrac{5}{e^x - 1}$; $I = \mathbb{R}_-^*$

5 Savoir déterminer une équation de tangente

Pour chacune des fonctions ci-dessous, déterminer une équation de la tangente à la courbe en a.

a) $f : x \mapsto (x-1)e^x - 3$ en $a = 1$
b) $f : x \mapsto e^{5x} + 2x - 1$ en $a = 0$

6 Déterminer des limites

Déterminer les limites suivantes.

a) $\lim\limits_{x \to -\infty} e^{3x-1}$
b) $\lim\limits_{x \to +\infty} \dfrac{e^x}{x-2}$

c) $\lim\limits_{x \to -\infty} (2x+1)e^{2x}$
d) $\lim\limits_{x \to 0} \dfrac{e^x - 1}{x}$

7 Déterminer des réels vérifiant des conditions

Dans chaque cas, déterminer l'ensemble des réels vérifiant les conditions données.

a) $2x - 1 > 0$ et $-3x + 5 > 0$
b) $1 - x > 0$ et $x^2 + 3x - 4 < 0$

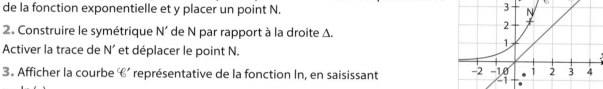

1 Approcher graphiquement une nouvelle fonction

TICE — 35 min

Le plan est muni d'un repère orthonormé.

A ▶ Transformation du plan

1. On considère le graphique ci-dessous.

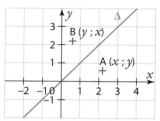

Quelle conjecture peut-on faire quant aux points A et B de coordonnées respectives $(x \, ; y)$ et $(y \, ; x)$ et la droite Δ d'équation $y = x$?

2. Démontrer la conjecture.

B ▶ Construction de la courbe de la fonction logarithme népérien

1. À l'aide d'un logiciel de géométrie dynamique, tracer la courbe représentative de la fonction exponentielle et y placer un point N.

2. Construire le symétrique N' de N par rapport à la droite Δ.

Activer la trace de N' et déplacer le point N.

3. Afficher la courbe $\mathscr{C}'$ représentative de la fonction ln, en saisissant $y = \ln (x)$.

L'ensemble des points N' constitue la courbe représentative de la fonction logarithme népérien notée ln, fonction réciproque de la fonction exponentielle.

C ▶ Conséquences et conjectures

D'après le théorème des valeurs intermédiaires (↳ chapitre 4), on peut démontrer que l'équation $e^x = k$ admet une unique solution s dans l'intervalle $]0 \, ; +\infty[$. On admet que $s = \ln (k)$.

1. En s'appuyant sur cette notion de fonction réciproque entre $x \mapsto e^x$ et $x \mapsto \ln (x)$ et les caractéristiques des coordonnées des points appartenant à ces courbes (*cf.* partie **A**), en déduire les valeurs de $\ln (1)$ et $\ln (e)$.

2. Que peut-on en déduire quant à $e^{\ln (x)}$ et $\ln (e^x)$?

3. Quel est l'ensemble de définition de la fonction logarithme népérien ?

4. Conjecturer pour la fonction logarithme népérien :

a) les limites aux bornes de l'ensemble de définition.

b) le sens de variation.

c) le signe de la fonction.

5. a) Reprendre la construction effectuée sur le logiciel de géométrie dynamique et y tracer la tangente au point N' à la courbe $\mathscr{C}'$. Afficher la valeur de son coefficient directeur.
b) Après avoir déplacé plusieurs fois le point N, émettre une conjecture quant au lien qui semble exister entre l'abscisse du point N' et le coefficient directeur.

6. Quelle conjecture peut-on émettre sur la dérivée de la fonction $x \mapsto \ln (x)$?

↳ Cours 1 p. 172

2 Répondre à des besoins pratiques de calculs au XVIᵉ siècle : les logarithmes

C'est avec John Napier, dit **Neper** (1550-1617), qu'apparaissent les logarithmes à la fin du XVIᵉ siècle. Ce mathématicien et astronome écossais a cherché à faciliter les calculs qui pouvaient devenir longs et pénibles liés à l'astronomie, la navigation… en mettant au point une correspondance entre les termes d'une suite géométrique (1 ; a ; a^2 ;… ; a^p ; … ; a^q ; …) et ceux d'une suite arithmétique (0 ; 1 ; 2 ; … ; p ; … ; q ; …) à l'aide de la formule $a^p \times a^q = a^{p+q}$.
Il met alors au point une table numérique à deux colonnes, appelée **table des logarithmes**.

Principe : Tout produit de deux nombres m et n de la première colonne est associé à l'addition de deux autres nombres x et y de la deuxième colonne.

m	x
n	y
$m \times n$	$x + y$

Les questions suivantes utilisent l'extrait ci-contre d'une table de logarithmes (les nombres de la colonne de droite sont arrondis au dix-millième près).

1. a) En prenant $m = 2$ et $n = 3$, peut-on constater que cette table vérifie le principe mentionné ci-dessus ?

b) Quel nombre doit-on écrire en face de 8 ? de 12 ?

c) Quel nombre doit-on écrire en face de 1 ?

d) Sans effectuer la multiplication 27×91, comment obtenir le résultat à l'aide de cette table ?

2. a) En remarquant que $10 \div 5 = 2$, quel calcul doit-on effectuer avec les nombres de la colonne de droite respectivement associés aux nombres 10 et 5 afin de retrouver celui qui est associé au nombre 2 ?
Vérifier cette conjecture sur d'autres nombres.

b) En déduire le nombre à inscrire en face de 0,2, puis en face de 1,5.

3. a) Dans la colonne de gauche, 3 ; 9 ; 27 ; 81 représentent les premiers termes d'une suite géométrique de raison 3.
Quelle semble être la nature de la suite dont les premiers termes sont les nombres correspondants dans la colonne de droite ?

b) En déduire les nombres à écrire en face de 3^{-1} et 3^{10}.

4. Pour la suite des questions, on notera a les nombres de la colonne de gauche et $\ln(a)$ ceux de la colonne de droite (logarithme népérien de a).

a) En prenant $m = n = a$, en déduire $\ln(a^2)$, le vérifier à l'aide de la table avec $a = 3$.

b) En prenant $m = n = \sqrt{a}$, en déduire $\ln(\sqrt{a})$, le vérifier à l'aide de la table avec $a = 16$.

◗ **Remarque** Cette table fait une correspondance entre les multiplications et les additions, entre les divisions et les soustractions, entre les extractions de racines carrées et les divisions par 2.

3^{-1}	
0,2	
1	
1,5	
2	**0,6931**
3	**1,0986**
4	1,3863
5	1,6094
6	**1,7918**
7	1,9459
8	
9	2,1972
10	2,3026
11	2,3979
12	
16	2,7726
27	3,2958
81	4,3944
91	4,5109
2 455	7,8059
2 456	7,8063
2 457	7,8067
2 458	7,8071
3^{10}	

↪ Cours 2 p. 174

Cours

1 Fonction logarithme népérien, fonction réciproque de la fonction exponentielle

Préambule Fonction exponentielle

① La fonction exponentielle est continue et strictement croissante sur $\mathbb{R}$:
$$\lim_{x \to -\infty} e^x = 0 \text{ et } \lim_{x \to +\infty} e^x = +\infty$$

② L'équation $e^x = k$, avec $k \in \mathbb{R}_+^*$, admet alors une unique solution dans $\mathbb{R}$, d'après le théorème des valeurs intermédiaires.

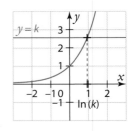

● **Démonstration** ①

▶ **VIDÉO**
Démonstration
lienmini.fr/maths-s06-10

Définition Fonction logarithme népérien

On appelle fonction logarithme népérien, notée ln, la fonction définie sur $]0 ; +\infty[$ qui à tout nombre réel strictement positif x associe l'unique solution de l'équation $e^y = x$ d'inconnue y. On définit ainsi $y = \ln(x)$.

● **Exemple** À l'aide de la touche $\boxed{\ln}$ de la calculatrice, on peut vérifier que $\ln(2) \approx 0{,}693$.

▶**Remarque** Quand il n'y a pas d'ambiguïté, on peut noter $\ln x$ au lieu de $\ln(x)$.

Propriétés Fonction logarithme népérien

• Pour tout réel $x > 0$: $e^{\ln(x)} = x$ • Pour tout réel x : $\ln(e^x) = x$ • $\ln(1) = 0$; $\ln(e) = 1$; $\ln\left(\dfrac{1}{e}\right) = \ln(e^{-1}) = -1$

● **Démonstration** ↳ **Activité 1** p. 170

● **Exemple** $\ln(e^3) = 3$ et $e^{\ln(3)} = 3$

Propriété Courbes des fonctions ln et exp

Dans un repère orthonormé, les courbes représentatives des fonctions ln et exp sont symétriques par rapport à la droite d'équation $y = x$.

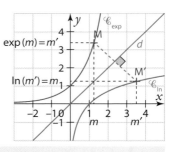

Propriété Sens de variation de la fonction ln

La fonction ln est strictement croissante sur $]0 ; +\infty[$.

● **Démonstration**

a et $b \in \mathbb{R}_+^*$; $0 < a < b \Leftrightarrow 0 < e^{\ln(a)} < e^{\ln(b)}$

On en déduit $\ln(a) < \ln(b)$ car la fonction $x \mapsto e^x$ est strictement croissante sur $\mathbb{R}$.

Propriété Conséquences liées au sens de variation de ln

Pour tous réels $a > 0$ et $b > 0$: $\ln(a) = \ln(b) \Leftrightarrow a = b$ et $\ln(a) < \ln(b) \Leftrightarrow a < b$.

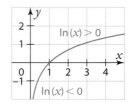

● **Démonstrations**

• $\ln(a) = \ln(b) \Leftrightarrow e^{\ln(a)} = e^{\ln(b)} \Leftrightarrow a = b$ car la fonction $x \mapsto e^x$ est strictement croissante sur $\mathbb{R}$.

• $\ln(a) < \ln(b) \Leftrightarrow e^{\ln(a)} < e^{\ln(b)} \Leftrightarrow a < b$ car la fonction $x \mapsto e^x$ est strictement croissante sur $\mathbb{R}$.

▶**Remarque** $\ln(x) > 0 \Leftrightarrow x > 1$ et $\ln(x) < 0 \Leftrightarrow 0 < x < 1$.

● EXOS
Méthodes
lienmini.fr/maths-s06-03
Les rendez-vous
Sésamath

Exercices (résolus)

Méthode 1 — Résoudre une équation/inéquation avec ln ou exp

Énoncé

Résoudre les équations et inéquations suivantes.

a) $\ln(x) = 5$ **b)** $e^x = 3$ **c)** $\ln(1-x) \leqslant -1$ **d)** $e^{2x-3} > 4$

Solution

a) Pour tout $x \in \mathbb{R}_+^*$, **1**, $\ln(x) = 5 \Leftrightarrow x = e^5$, d'où $S = \{e^5\}$. **2**

b) Pour tout $x \in \mathbb{R}$ **3**, $e^x = 3 \Leftrightarrow x = \ln(3)$, d'où $S = \{\ln(3)\}$.

c) Pour tout $1 - x > 0 \Leftrightarrow x \in \,]-\infty\,;1[$ **1**

$\ln(1-x) \leqslant -1 \Leftrightarrow 1 - x \leqslant e^{-1}$ c'est-à-dire $x \geqslant 1 - e^{-1}$ d'où $S = [1 - e^{-1}\,;+\infty[\,\cap\,]-\infty\,;1[$

soit $S = [1 - e^{-1}\,;1[$. **2**

d) Pour tout $x \in \mathbb{R}$, $e^{2x-3} > 4 \Leftrightarrow 2x - 3 > \ln(4)$ **3** $\Leftrightarrow x > \dfrac{\ln(4)+3}{2}$

d'où $S = \left]\dfrac{\ln(4)+3}{2}\,;+\infty\right[$.

Conseils & Méthodes

1 Commencer par déterminer les conditions d'existence, à savoir l'ensemble (E) des réels x tels que $u(x) > 0$ dans l'expression $\ln(u(x))$.

2 Simplifier un logarithme en appliquant la fonction exponentielle.

3 Simplifier en appliquant la fonction ln.

À vous de jouer !

1 Résoudre les équations et inéquations.

a) $\ln(x) = -1$ **b)** $e^{2x} = -1$

c) $\ln(4 - 2x) > 1$ **d)** $e^{x+1} \geqslant 2$

2 Résoudre les équations et inéquations.

a) $\ln(5x - 1) = 2$ **b)** $e^{-x} = 5$

c) $\ln(3x - 1) < 0$ **d)** $e^{5-x} \leqslant 2$

➙ Exercices 29 à 35 p. 184

Méthode 2 — Résoudre une équation/inéquation du type $\ln(u(x)) = \ln(v(x))$ ou $\ln(u(x)) < \ln(v(x))$

Énoncé

1. Résoudre l'équation $\ln(4x - 1) = \ln(2 - x)$.

2. Résoudre l'inéquation $\ln(x^2 + 2x - 3) \geqslant \ln(2)$.

Solution

1. Conditions d'existence : $4x - 1 > 0$ et $2 - x > 0$ **1**

soit $x > \dfrac{1}{4}$ et $x < 2$, d'où $x \in I = \left]\dfrac{1}{4}\,;2\right[$.

Pour tout $x \in I$, $\ln(4x - 1) = \ln(2 - x) \Leftrightarrow 4x - 1 = 2 - x$ c'est-à-dire $x = \dfrac{3}{5}$.

Or $\dfrac{3}{5} \in I$, donc $S = \left\{\dfrac{3}{5}\right\}$. **2**

2. Conditions d'existence : $x^2 + 2x - 3 > 0$ **1**

$\Delta = 16$; $x_1 = 1$ et $x_2 = -3$, d'où $I = \,]-\infty\,;-3[\cup\,]1\,;+\infty[$.

Pour tout $x \in I$, $\ln(x^2 + 2x - 3) \geqslant \ln(2) \Leftrightarrow x^2 + 2x - 3 \geqslant 2$ **3** $\Leftrightarrow x^2 + 2x - 5 \geqslant 0$;

$\Delta = 24$; $x_1 = -1 - \sqrt{6} \approx -3,45$ et $x_2 = -1 + \sqrt{6} \approx 1,45$

x_1 et x_2 appartiennent à I d'où $x \in \,]-\infty\,;-1-\sqrt{6}\,[\cup\,]-1+\sqrt{6}\,;+\infty[$ et $x \in I$, d'où $S = \,]-\infty\,;-1-\sqrt{6}\,[\cup\,]-1+\sqrt{6}\,;+\infty[$. **4**

Conseils & Méthodes

1 Déterminer les conditions d'existence, soit l'ensemble (E) des réels $x : u(x) > 0$ et $v(x) > 0$.

2 Puis résoudre dans (E), $u(x) = v(x)$.

3 Puis résoudre, $u(x) < v(x)$.

4 S'assurer que les solutions trouvées appartiennent bien à l'ensemble correspondant aux conditions d'existence.

À vous de jouer !

3 Résoudre.

a) $\ln(x + 1) = \ln(-x)$ **b)** $\ln(x^2 - 1) \leqslant \ln(5)$

4 Résoudre.

a) $\ln(x^2 - x + 1) = \ln(2)$ **b)** $\ln(2x) > \ln(x^2 - 2x + 1)$

➙ Exercices 36 à 38 p. 184

Propriétés algébriques de la fonction ln

Propriété Relation fonctionnelle

Pour tous réels a et b strictement positifs :

$$\ln(ab) = \ln(a) + \ln(b)$$

Démonstration

Pour tous réels a et b strictement positifs, $e^{\ln(ab)} = ab = e^{\ln(a)} \times e^{\ln(b)} = e^{\ln(a)+\ln(b)}$, soit $e^{\ln(ab)} = e^{\ln(a)+\ln(b)}$.
On a donc $\ln(ab) = \ln(a) + \ln(b)$.

▶Remarques

• On retrouve la particularité de l'activité 2, à savoir que cette fonction transforme les produits en sommes.

• Cette formule se généralise à un produit de plusieurs facteurs.

Exemples

• $\ln(10) = \ln(5 \times 2) = \ln(5) + \ln(2)$

• $\ln(30) = \ln(2 \times 3 \times 5) = \ln(2) + \ln(3) + \ln(5)$

Propriété Logarithme d'un inverse, d'un quotient

Pour tous réels a et b strictement positifs :

$$\ln\left(\frac{1}{a}\right) = -\ln(a) \qquad\qquad \ln\left(\frac{a}{b}\right) = \ln(a) - \ln(b)$$

Démonstrations

① $\ln(1) = \ln\left(a \times \dfrac{1}{a}\right)$ pour tout $a \in \mathbb{R}_+^*$.

D'où $0 = \ln(a) + \ln\left(\dfrac{1}{a}\right)$ d'après la relation fonctionnelle.

On a ainsi $\ln\left(\dfrac{1}{a}\right) = -\ln a$.

② Pour a et $b \in \mathbb{R}_+^*$, $\ln\left(\dfrac{a}{b}\right) = \ln\left(a \times \dfrac{1}{b}\right) = \ln(a) + \ln\left(\dfrac{1}{b}\right)$ d'après la relation fonctionnelle.

Soit $\ln\left(\dfrac{a}{b}\right) = \ln(a) - \ln(b)$ d'après la propriété précédente.

Propriété Logarithme d'une puissance, d'une racine carrée

Pour tout réel a strictement positif, et pour tout entier relatif n :

$$\ln(a^n) = n\ln(a) \qquad\qquad \ln\left(\sqrt{a}\right) = \frac{1}{2}\ln(a)$$

Démonstrations

① $e^{\ln(a^n)} = a^n$ et $e^{n\ln(a)} = (e^{\ln(a)})^n = a^n$

On a alors $e^{\ln(a^n)} = e^{n\ln(a)}$, soit $\ln(a^n) = n\ln(a)$.

② $\ln\left(\left(\sqrt{a}\right)^2\right) = \ln(a)$ et $\ln\left(\left(\sqrt{a}\right)^2\right) = 2\ln\left(\sqrt{a}\right)$, d'où $\ln(a) = 2\ln\left(\sqrt{a}\right)$, d'où $\ln\left(\sqrt{a}\right) = \dfrac{1}{2}\ln(a)$.

Exemples

• $\ln(25) = \ln(5^2) = 2\ln(5)$

• $\ln(16) - 2\ln(2) + \ln(8) = \ln(2^4) - 2\ln(2) + \ln(2^3) = 4\ln(2) - 2\ln(2) + 3\ln(2) = 5\ln(2)$

• $\ln\left(\sqrt{6}\right) = \dfrac{1}{2}\ln(6)$

Méthode 3 — Utiliser les propriétés algébriques de ln

Énoncé

Exprimer en fonction de ln 2 chacun des nombres suivants.

a) $\ln \dfrac{1}{4}$ **b)** $\ln 8 + 5\ln 2$ **c)** $\ln \sqrt{32}$ **d)** $\ln 10 - \ln 20$

Solution

a) $\ln \dfrac{1}{4} = -\ln 4 = -\ln(2^2) = -2\ln 2$

b) $\ln(2^3) + 5\ln 2 = 3\ln 2 + 5\ln 2 = 8\ln 2$ **2**

c) $\ln(\sqrt{32}) = \dfrac{1}{2}\ln 32 = \dfrac{1}{2}\ln(2^5) = \dfrac{5}{2}\ln 2$ **3**

d) $\ln 10 - \ln 20 = \ln\left(\dfrac{10}{20}\right) = \ln\dfrac{1}{2} = -\ln 2$ **2**

Conseils & Méthodes

1 Utiliser les propriétés $\ln \dfrac{1}{a} = -\ln a$ ainsi que $\ln a^n = n\ln a$.

2 Avec une somme/différence $\ln a + \ln b$ on peut penser à utiliser $\ln a + \ln b = \ln(a \times b)$; $\ln a - \ln b = \ln\left(\dfrac{a}{b}\right)$.

3 Chercher à écrire $\ln a$ sous la forme $\ln(c^n)$, soit $n\ln c$.

À vous de jouer !

5 Exprimer en fonction de ln 5.

a) $\ln 25 + \ln\sqrt{125}$ **b)** $\ln 35 - \ln 175$

c) $\ln \dfrac{e^4}{25}$ **d)** $e^{-\ln 5} - \ln(5e)$

6 Exprimer en fonction de ln 3.

a) $4\ln 12 - 4\ln 36$ **b)** $\ln \dfrac{1}{9} + \ln 81$

c) $\ln \dfrac{\sqrt{3}}{3} - \ln 27$ **d)** $e^{-2\ln 2} + \ln(9e^2)$

↳ **Exercices 39 à 45** p. 184

Méthode 4 — Résoudre une inéquation où l'inconnue est en exposant

Énoncé

Résoudre l'inéquation $\left(\dfrac{2}{5}\right)^n < 10^{-3}$ **avec** $n \in \mathbb{N}$.

Solution

La fonction ln est strictement croissante sur $]0 ; +\infty[$, donc l'inéquation $\left(\dfrac{2}{5}\right)^n < 10^{-3}$ est équivalente à $\ln\left(\left(\dfrac{2}{5}\right)^n\right) < \ln(10^{-3})$ **1**

$\Leftrightarrow n\ln\left(\dfrac{2}{5}\right) < \ln(10^{-3}) \Leftrightarrow n > \dfrac{\ln(10^{-3})}{\ln\left(\dfrac{2}{5}\right)}$ **2**

Or $\dfrac{\ln(10^{-3})}{\ln\left(\dfrac{2}{3}\right)} \approx 7,5$; par conséquent, $n \geqslant 8$. **3**

Conseils & Méthodes

1 Pour se « débarrasser » de l'inconnue en exposant, il faut penser à appliquer la fonction ln dans chaque membre de l'inéquation.

2 Lorsqu'il s'agit de diviser les membres d'une inéquation par $\ln a$, il faut être vigilant quant au signe de $\ln a$.

Pour $0 < a < 1$, $\ln a < 0$: le sens de l'inégalité change. En revanche, si $a > 1$, $\ln a > 0$ et le sens de l'inégalité reste alors le même.

3 Ne pas oublier de conclure en tenant compte du fait que n est un entier naturel.

À vous de jouer !

7 Résoudre les inéquations suivantes.

a) $\left(\dfrac{5}{9}\right)^n \leqslant 0,01$ avec $n \in \mathbb{N}$

b) $2^n - 7 \times 2^{n-1} > -3$

8 Résoudre les inéquations suivantes.

a) $3^{2n} > 10^8$

b) $5^n \times 9^{-n-1} \leqslant 10^{-4}$

↳ **Exercices 46 à 48** p. 184

3 Étude de la fonction logarithme népérien

Propriété Dérivée de la fonction ln

La fonction ln est dérivable sur $]0 ; +\infty[$ et, pour tout réel $x > 0$:

$$\ln'(x) = \frac{1}{x}.$$

● **Démonstration**

On admet que la fonction ln est dérivable sur $]0 ; +\infty[$. Pour tout réel $x > 0$, on pose $f(x) = e^{\ln(x)}$.

La fonction ln étant dérivable sur $]0 ; +\infty[$, et la fonction exponentielle étant dérivable sur $\mathbb{R}$,

f est aussi dérivable sur $]0 ; +\infty[$ comme composée de fonctions dérivables.

Sachant que $(v \circ u)' = (v' \circ u) \times u'$, en posant $v(x) = e^x$ et $u(x) = \ln(x)$, on a alors :

$f'(x) = e^{\ln(x)} \times \ln'(x) = x \times \ln'(x)$.

On a également $f(x) = x$ donc $f'(x) = 1$.

Par conséquent, on a $x \times \ln'(x) = 1 \Leftrightarrow \ln'(x) = \frac{1}{x}$.

▶ **VIDÉO**
Démonstration
lienmini.fr/maths-s06-04

Propriétés Limites aux bornes de l'ensemble de définition

$$\lim_{x \to +\infty} \ln(x) = +\infty \qquad\qquad \lim_{x \to 0} \ln(x) = -\infty$$

▶ **Remarque** Comme $x \in \mathbb{R}_+^*$, $\displaystyle\lim_{x \to 0} \ln(x)$ sous-entend $\displaystyle\lim_{\substack{x \to 0 \\ x > 0}} \ln(x)$.

● **Démonstrations**

① On utilise la définition de $\displaystyle\lim_{x \to +\infty} f(x) = +\infty$, à savoir :

« Pour tout réel A, il existe un réel m, tel que pour tout $x > m$ alors $f(x) > A$. »

Soit A un réel strictement positif fixé, on cherche m tel que $x > m$ implique $\ln x > A$.

Or $\ln x > A \Leftrightarrow e^{\ln x} > e^A$ car la fonction exponentielle est strictement croissante sur $\mathbb{R}$, donc $x > e^A$.

En posant $m = e^A$, on a, si $x > m$, alors $\ln x > A$, compte tenu de la définition de la limite préalablement rappelée, on a donc bien $\displaystyle\lim_{x \to +\infty} \ln x = +\infty$.

② Pour tout réel $x > 0$, $\ln(x) = -\ln\left(\dfrac{1}{x}\right)$.

Or $\displaystyle\lim_{\substack{x \to 0 \\ x > 0}} \frac{1}{x} = +\infty$ et $\displaystyle\lim_{X \to +\infty} \ln(X) = +\infty$.

D'où, par limite de composées de fonctions, $\displaystyle\lim_{x \to 0} \ln\left(\frac{1}{x}\right) = +\infty$, donc $\displaystyle\lim_{x \to 0} -\ln\left(\frac{1}{x}\right) = -\infty$, soit $\displaystyle\lim_{x \to 0} \ln(x) = -\infty$.

Propriétés Tableau de variations de ln et courbe représentative

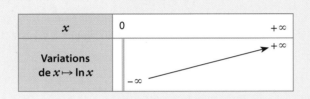

x	0	$+\infty$
Variations de $x \mapsto \ln x$	$-\infty$	$+\infty$

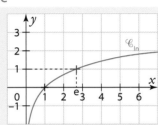

● EXOS
Méthodes
lienmini.fr/maths-s06-03

Les rendez-vous
Sésamath

Exercices (résolus)

Méthode 5 — Déterminer des équations de tangentes et la position relative de courbes

Énoncé

Dans un repère orthonormé, $\mathcal{C}$ est la courbe représentative de la fonction ln.

1. Déterminer une équation de la tangente T_1 à $\mathcal{C}$ au point d'abscisse 1.

2. Déterminer la position relative de $\mathcal{C}$ et de T_1.

Solution

1. T_1 a pour équation $y = f'(1)(x - 1) + f(1)$ avec $f(x) = \ln x$

Or $f'(x) = \dfrac{1}{x}$ donc T_1 a pour équation $y = 1(x - 1) + 0$ soit $y = x - 1$.

2. Il s'agit d'étudier le signe de $\ln x - (x - 1)$, soit le signe de la fonction $h : x \mapsto \ln x - x + 1$. **2** **3**

La résolution de l'inéquation $\ln x - x + 1 > 0$ n'étant pas évidente, on étudie le sens de variation de h afin de déterminer son signe à partir du tableau de variations : $h'(x) = \dfrac{1}{x} - 1 = \dfrac{1 - x}{x}$; puisque $x > 0$ le signe de $h'(x)$ est le même que celui de $1 - x$.

x	0		1		$+\infty$
Signe de $h'(x)$		$+$	0	$-$	
Variations de h		↗	0	↘	

D'après le tableau de variations, on en déduit que, pour tout $x > 0$, $h(x) \leq 0 \Leftrightarrow \ln x - (x - 1) \leq 0 \Leftrightarrow \ln x \leq x - 1$.

Par conséquent, la courbe $\mathcal{C}$ est en dessous de sa tangente T_1 sur $]0\,;+\infty[$.

Conseils & Méthodes

1 Utiliser une propriété vue en classe de 1re :
T_a a pour équation $y = f'(a)(x - a) + f(a)$.

2 Pour déterminer la position relative de deux courbes $\mathcal{C}_f$ et $\mathcal{C}_g$, il faut étudier le signe de $f(x) - g(x)$:

– si $f(x) - g(x) \geq 0$ sur I, alors $\mathcal{C}_f$ est au-dessus de $\mathcal{C}_g$ sur I.

– si $f(x) - g(x) \leq 0$ sur I, alors $\mathcal{C}_f$ est en dessous de $\mathcal{C}_g$ sur I.

3 Pour étudier le signe d'une différence, on peut poser une fonction égale à cette différence, puis étudier le sens de variation de celle-ci. Son tableau de variations sera utilisé pour étudier le signe de celle-ci.

À vous de jouer !

9 Déterminer la position relative de la courbe $\mathcal{C}_{\ln}$ et de sa tangente T_e au point d'abscisse e.

10 Soit f la fonction définie sur $]0\,;+\infty[$ par $f(x) = \ln x - 1$. Étudier la position relative de la courbe $\mathcal{C}_f$ par rapport à sa tangente T_e au point d'abscisse e.

➜ Exercices 49 à 52 p. 185

Méthode 6 — Étudier une fonction avec ln

Énoncé

Soit la fonction f définie sur $]0\,;+\infty[$ par $f : x \mapsto \ln x + x$. Donner le sens de variation de f.

Solution

$f'(x) = \dfrac{1}{x} + 1$ **1** Or, pour tout $x > 0$, $\dfrac{1}{x} + 1 > 0$ **2** : la fonction f est donc strictement croissante sur $]0\,;+\infty[$.

Conseils & Méthodes

1 Déterminer la dérivée de la fonction.

2 Étudier son signe.

À vous de jouer !

11 Donner le sens de variation de la fonction $f(x) = \dfrac{1}{x} - \ln x$ sur $]0\,;+\infty[$.

12 Donner le sens de variation de la fonction $f(x) = x^2 - x - \ln x$ sur $]0\,;+\infty[$

➜ Exercices 53 à 56 p. 185

4 Croissance comparée

Propriétés Croissance comparée

$$\lim_{x \to +\infty} \frac{\ln x}{x} = 0 \qquad \lim_{x \to 0} x \ln x = 0 \qquad \lim_{x \to +\infty} \frac{\ln x}{x^n} = 0 \text{ avec } n \in \mathbb{N}^* \qquad \lim_{x \to 0} x^n \ln x = 0 \text{ avec } n \in \mathbb{N}^*$$

● **Démonstrations**

① Pour tout réel $x > 0$, on a $\dfrac{\ln x}{x} = \dfrac{\ln x}{e^{\ln(x)}}$. Or $\lim\limits_{x \to +\infty} \ln x = +\infty$ et $\lim\limits_{X \to +\infty} \dfrac{X}{e^X} = 0$

par croissance comparée.

On en déduit par le théorème de composition des limites que $\lim\limits_{x \to +\infty} \dfrac{\ln x}{x} = 0$.

▶ **VIDÉO**

Démonstration
lienmini.fr/maths-s06-05

② Pour tout réel $x > 0$, on a $x \ln(x) = e^{\ln(x)} \times \ln(x)$ et $\lim\limits_{x \to 0} \ln(x) = -\infty$.

Or $\lim\limits_{X \to -\infty} Xe^X = 0$.

$\lim\limits_{x \to 0} X = \lim\limits_{x \to 0} \ln x = -\infty$ d'où $\lim\limits_{x \to 0} x \ln x = \lim\limits_{X \to -\infty} Xe^X = 0$ par croissance comparée.

On en déduit par le théorème de composition des limites que $\lim\limits_{x \to 0} x \ln x = 0$.

③ Pour tout $n > 1$ avec $n \in \mathbb{N}$, on a $\dfrac{\ln x}{x^n} = \dfrac{1}{x^{n-1}} \times \dfrac{\ln x}{x}$. Or $\lim\limits_{x \to +\infty} \dfrac{1}{x^{n-1}} = 0$ et $\lim\limits_{x \to +\infty} \dfrac{\ln x}{x} = 0$.

Par conséquent, par produit des limites, on a $\lim\limits_{x \to +\infty} \dfrac{\ln x}{x^n} = 0$.

④ Pour tout $n > 1$ avec $n \in \mathbb{N}$, on a $x^n \ln x = x^{n-1} \times x \ln x$. Or $\lim\limits_{x \to 0} x^{n-1} = 0$ et $\lim\limits_{x \to 0} x \ln x = 0$.

Par conséquent, par produit des limites, on a $\lim\limits_{x \to 0} x^n \ln x = 0$.

5 Fonction ln(u)

▶**Remarque** u est une fonction strictement positive sur un intervalle I.
La fonction $x \mapsto \ln(u(x))$ est notée $\ln(u)$ ou $\ln u$.

Propriété Dérivée de $\ln u$

Soit u une fonction dérivable et strictement positive sur un intervalle I.
La fonction $\ln u$ est alors dérivable sur I et $(\ln u)' = \dfrac{u'}{u}$.

● **Démonstration** ↪ **Pour s'entraîner** p. 182

Attention au pré-requis à utiliser : $(v \circ u)' = (v' \circ u) \times u'$, avec u et v deux fonctions dérivables respectivement sur un intervalle sur I et J avec $u(x) \in J$ pour tout $x \in$ I.

Propriété Sens de variation de $\ln u$

Soit u une fonction dérivable et strictement positive sur un intervalle I.
Les fonctions u et $\ln u$ ont le même sens de variation sur I.

● **Démonstration**

u étant strictement positive, le signe de $\dfrac{u'}{u}$ est le même que celui de u'. Or $(\ln u)' = \dfrac{u'}{u}$ ce qui signifie que le

signe de $(\ln u)'$ est le même que celui de u', c'est-à-dire que u et $\ln u$ ont même sens de variation.

● EXOS
Méthodes
lienmini.fr/maths-s06-03

Les rendez-vous
Sésamath

Exercices résolus

Méthode 7 — Calculer des limites dans le cas de formes indéterminées

Énoncé

Déterminer les limites suivantes : **a)** $\lim\limits_{x \to +\infty} (\ln x - 3x^2)$ **b)** $\lim\limits_{x \to +\infty} \dfrac{\ln(1+x)}{x^3}$

Solution

a) Pour tout réel $x > 0$, $\ln x - 3x^2 = x^2\left(\dfrac{\ln x}{x^2} - 3\right)$. 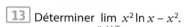 **1**

Par propriété, $\lim\limits_{x \to +\infty} \dfrac{\ln x}{x^2} = 0$, donc $\lim\limits_{x \to +\infty} \left(\dfrac{\ln x}{x^2} - 3\right) = -3$ d'où, par produit

des limites, $\lim\limits_{x \to +\infty} x^2\left(\dfrac{\ln x}{x^2} - 3\right) = -\infty$. Ainsi $\lim\limits_{x \to +\infty} (\ln x - 3x^2) = -\infty$.

b) $\dfrac{\ln(1+x)}{x^3} = \dfrac{\ln(1+x)}{1+x} \times \dfrac{1+x}{x^3}$

On pose $X = 1 + x$ et on retrouve une croissance comparée. **2** $\lim\limits_{x \to +\infty} \dfrac{\ln(1+x)}{1+x} = 0$.

$\dfrac{1+x}{x^3} = \dfrac{\left(x\left(1+\dfrac{1}{x}\right)\right)}{x^3} = \dfrac{\left(1+\dfrac{1}{x}\right)}{x^2}$ Or $\lim\limits_{x \to +\infty} 1 + \dfrac{1}{x} = 1$ et $\lim\limits_{x \to +\infty} x^2 = +\infty$, donc, par quotient des limites, on a $\lim\limits_{x \to +\infty} \dfrac{\left(1+\dfrac{1}{x}\right)}{x^2} = 0$.

Finalement, par produit des limites, on a $\lim\limits_{x \to +\infty} \dfrac{\ln(1+x)}{1+x} \times \dfrac{1+x}{x^3} = 0$, soit $\lim\limits_{x \to +\infty} \dfrac{\ln(1+x)}{x^3} = 0$.

Conseils & Méthodes

Pour ôter une forme indéterminée en $+\infty$:

1 factoriser par le monôme de plus haut degré de sorte à faire apparaître la croissance comparée.

2 trouver une nouvelle écriture de la fonction qui fasse apparaître une croissance comparée.

À vous de jouer !

13 Déterminer $\lim\limits_{x \to +\infty} x^2 \ln x - x^2$.

14 Déterminer $\lim\limits_{x \to 1} \dfrac{(x-1)\ln(x-1)}{\left(1-\dfrac{1}{x}\right)^2}$.

➜ Exercices 57 à 60 p. 185

Méthode 8 — Calculer la dérivée d'une fonction du type ln u

Énoncé

Soit la fonction f définie sur $\mathbb{R}$ par $f : x \mapsto \ln(3x^2 + 1)$. Calculer $f'(x)$.

Solution

$u(x) = 3x^2 + 1$, u est dérivable et strictement positive sur $\mathbb{R}$. **1**

$f'(x) = \dfrac{6x}{3x^2 + 1}$ **2**

Conseils & Méthodes

1 Vérifier que u est dérivable et strictement positive sur I.

2 Puis utiliser $(\ln u)' = \dfrac{u'}{u}$.

À vous de jouer !

15 Soit $f(x) = \ln\left(\dfrac{1+x}{x^2}\right)$.

Calculer $f'(x)$ sur $]-1\,;+\infty[$.

16 Soit $f(x) = (x^2 - 4)\ln\left(\dfrac{1}{2x}\right)$.

Calculer $f'(x)$ sur $]0\,;+\infty[$.

➜ Exercices 61 et 62 p. 185

Exercices (résolus)

● EXOS
Méthodes
lienmini.fr/maths-s06-03

Les rendez-vous
Sésamath

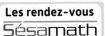

Méthode 9 — Étudier une fonction à l'aide d'une fonction auxiliaire

→ Cours 3 p. 176 et 4 p. 178

Énoncé

Soit la fonction f définie sur $]0\,;+\infty[$ par $f(x) = \dfrac{x^2 - 2x - 2 - 3\ln x}{x}$.

1. Soit ϕ la fonction définie sur $]0\,;+\infty[$ par $\phi(x) = x^2 - 1 + 3\ln x$.

a) Calculer $\phi(1)$ et la limite de ϕ en 0.

b) Étudier les variations de ϕ sur $]0\,;+\infty[$. En déduire le signe de $\phi(x)$ selon les valeurs de x.

2. a) Calculer les limites de f aux bornes de son ensemble de définition.

b) Montrer que, sur $]0\,;+\infty[$, $f'(x) = \dfrac{\phi(x)}{x^2}$. En déduire le tableau de variations de f.

D'après Bac S, Amérique du Sud, 2017.

Solution

1. a) $\phi(1) = 0$; $\lim\limits_{x \to 0} x^2 - 1 = -1$ et $\lim\limits_{x \to 0} 3\ln x = -\infty$, donc, par somme des limites, on a $\lim\limits_{x \to 0} \phi(x) = -\infty$.

b) $\phi'(x) = 2x + \dfrac{3}{x} = \dfrac{2x^2 + 3}{x}$ donc, pour $x \in\,]0\,;+\infty[$, $\phi'(x) > 0$, donc ϕ est une fonction croissante sur $]0\,;+\infty[$.
Or $\phi(1) = 0$, par conséquent, pour tout $x \in\,]0\,;1[$, $\phi(x) < 0$ et, pour tout $x \in\,]1\,;+\infty[$, $\phi(x) > 0$. **1 2**

2. a) $f(x) = \dfrac{x^2 - 2x - 2 - 3\ln x}{x}$ et $\lim\limits_{x \to 0} x^2 - 2x - 2 - 3\ln x = +\infty$ et $\lim\limits_{\substack{x \to 0 \\ x > 0}} x = 0^+$ donc, par quotient des limites, $\lim\limits_{x \to 0} f(x) = +\infty$.

$f(x) = x - 2 - \dfrac{2}{x} - \dfrac{3\ln x}{x}$ **3** or $\lim\limits_{x \to +\infty} x - 2 - \dfrac{2}{x} = +\infty$ et $\lim\limits_{x \to +\infty} \dfrac{\ln x}{x} = 0$ par croissance comparée.

Donc, par somme des limites, $\lim\limits_{x \to +\infty} f(x) = +\infty$.

b) $f'(x) = \dfrac{\left(2x - 2 - \dfrac{3}{x}\right)x - (x^2 - 2x - 2 - 3\ln x) \times 1}{x^2} = \dfrac{2x^2 - 2x - 3 - x^2 + 2x + 2 + 3\ln x}{x^2} = \dfrac{x^2 - 1 + 3\ln x}{x^2} = \dfrac{\phi(x)}{x^2}$

Puisque $x^2 > 0$ pour $x \in\,]0\,;+\infty[$, le signe de $f'(x)$ est le même que celui de $\phi(x)$. **4**

x	0		1		$+\infty$
Signe de $f'(x)$		$-$	0	$+$	
Variations de f	$+\infty$	↘	-3	↗	$+\infty$

Conseils & Méthodes

1 Pour étudier le signe d'une fonction à partir des variations de celle-ci, il faut utiliser des images en particulier.

2 Afin de mieux visualiser le signe de ϕ, dresser un tableau de variations de ϕ en y incluant la valeur de $\phi(1)$.

3 Avec une forme indéterminée, on peut chercher à réécrire la fonction de sorte à faire apparaître une croissance comparée.

4 Il est usuel d'utiliser une fonction auxiliaire pour étudier le signe d'une dérivée.

À vous de jouer !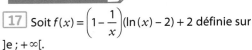

17 Soit $f(x) = \left(1 - \dfrac{1}{x}\right)(\ln(x) - 2) + 2$ définie sur $]e\,;+\infty[$.

1. Montrer que $f'(x) = \dfrac{u(x)}{x^2}$ avec $u(x) = \ln(x) + x - 3$.

2. Dresser le tableau de variations de u et en déduire son signe sur $]e\,;+\infty[$.

3. En déduire le tableau de variations de f sur $]e\,;+\infty[$.

18 1. Soit $f(x) = x - \dfrac{\ln x}{x}$ définie sur $[1\,;+\infty[$.

Montrer que $f'(x) = \dfrac{g(x)}{x^2}$ avec $g(x) = x^2 - 1 + \ln(x)$ et en déduire le tableau de variations de f sur $[1\,;+\infty[$.

2. Étudier la position de la courbe $\mathscr{C}_f$ et de la droite D d'équation $y = x$.

→ Exercices 63 à 70 p. 186-187

● EXOS
Méthodes
lienmini.fr/maths-s06-03

Les rendez-vous
Sésamath

Exercices (résolus)

Méthode 10 Étudier une fonction avec ln u

➥ Cours 4 et 5 p. 178

Énoncé

Soit f la fonction définie sur $]0\,;14[$ par $f(x)=2-\ln\left(\dfrac{x}{2}\right)$. La courbe représentative $\mathscr{C}_f$

de la fonction f est donnée dans le repère orthogonal d'origine O ci-contre.

À tout point M appartenant à $\mathscr{C}_f$, on associe le point P projeté de M sur l'axe des abscisses, et le point Q projeté orthogonal de M sur l'axe des ordonnées.

1. Montrer que la fonction $g : x \mapsto 2x - x\ln\left(\dfrac{x}{2}\right)$ modélise l'aire du rectangle OPMQ.

2. Dresser le tableau de variations de g sur $]0\,;14[$ et en déduire les coordonnées du point M pour lesquelles l'aire du rectangle OPMQ est maximale.

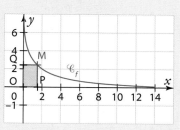

D'après Bac S, Pondichéry, 2016.

Solution

1. $\mathscr{A}_{\text{OPMQ}} = \text{OP} \times \text{MP} = x \times f(x)$ **1** $= x\left(2 - \ln\left(\dfrac{x}{2}\right)\right) = 2x - x\ln\left(\dfrac{x}{2}\right)$

2. $g'(x) = 2 - \ln\left(\dfrac{x}{2}\right) - x \times \dfrac{\frac{1}{2}}{\frac{x}{2}} = 2 - \ln\left(\dfrac{x}{2}\right) - 1 = 1 - \ln\left(\dfrac{x}{2}\right)$

$1 - \ln\left(\dfrac{x}{2}\right) \geq 0$ **2** $\Leftrightarrow \ln e \geq \ln\left(\dfrac{x}{2}\right) \Leftrightarrow e \geq \dfrac{x}{2}$ car la fonction ln

est croissante sur $]0\,;+\infty[$. On a alors $g'(x) \geq 0 \Leftrightarrow x \leq 2e$.

$g(x) = 2x - 2 \times \dfrac{x}{2}\ln\left(\dfrac{x}{2}\right)$ **3**

$\displaystyle\lim_{x \to 0} \dfrac{x}{2} = 0$ or $\displaystyle\lim_{X \to 0} X \ln X = 0$ par croissance comparée,

donc, par composition de limites de fonctions, $\displaystyle\lim_{x \to 0} \dfrac{x}{2}\ln\left(\dfrac{x}{2}\right) = 0$ et $\displaystyle\lim_{x \to 0} 2x = 0$.

Donc, par somme de limites, on a $\displaystyle\lim_{x \to 0} g(x) = 0$.

Conseils & Méthodes

1 Un point M $\in \mathscr{C}_f$ équivaut à dire que ses coordonnées sont du type $(x\,;f(x))$.

2 Pour résoudre une inéquation avec ln, on peut notamment chercher à transformer l'inéquation sous la forme $\ln a \geq \ln b$.

3 Pour le calcul de limite avec ln, penser à réécrire la fonction pour faire apparaître la croissance comparée.

4 Pour résoudre un problème d'optimisation, penser à étudier les variations de la fonction qui modélise le problème.

x	0		2e		14
Signe de $g'(x)$		+	0	−	
Variations de g	0	↗	2e	↘	$28 - 14\ln 7$

D'après le tableau de variations, on en déduit que l'aire de OPMQ est maximale **4** pour M(2e ; 2e).

À vous de jouer !

19 Soit la fonction f définie par $f(x) = \ln(-2x^2 + 13{,}5)$ sur l'intervalle $[-2{,}5\,;2{,}5]$.

1. Dériver f, puis dresser son tableau de variations sur $[-2{,}5\,;2{,}5]$.

2. Calculer $f(-2{,}5)$ et $f(2{,}5)$.

3. En déduire le signe de f sur $[-2{,}5\,;2{,}5]$.

20 Soit la fonction $g(x) = \ln[1 + (e-1)x] - x$ définie sur $[0\,;1]$.

1. Montrer que $g'(x) = \dfrac{(e-2)-(e-1)x}{1+(e-1)x}$.

2. Déterminer les variations de g sur $[0\,;1]$ et en déduire que g admet un maximum en $\dfrac{e-2}{e-1}$ dont on donnera une valeur arrondie à 10^{-2} près.

3. Établir que l'équation $g(x) = 0{,}05$ admet deux solutions sur $[0\,;1]$.

➥ Exercices 71 à 78 p. 187-189

Exercices — apprendre à démontrer

▶ VIDÉO
Démonstration
lienmini.fr/maths-s06-05

La propriété à démontrer

$$\lim_{x \to 0} x\ln x = 0$$

▷ Pour démontrer cette propriété, on utilisera le pré-requis suivant :
$\lim_{X \to -\infty} X e^X = 0$ (démontré au chapitre 2).

▶ Comprendre avant de rédiger

- Quand un pré-requis est donné pour une démonstration, il faut chercher à relier la question posée à ce pré-requis.

- Dans cet exemple particulier, se rappeler que $x = e^{\ln(x)}$ et donc que $x\ln(x) = e^{\ln(x)} \times \ln(x)$.

▶ Rédiger

La démonstration rédigée

Étape ❶

Puisqu'il s'agit de faire le lien entre la propriété qui est à démontrer qui porte sur ln et le pré-requis qui porte lui sur l'exponentielle, il faut réécrire la fonction à l'aide des propriétés algébriques.

Pour tout réel $x > 0$, car la fonction ln n'est définie que sur $]0\,;+\infty[$.

→ Pour tout réel $x > 0$, $x = e^{\ln(x)}$.

Étape ❷

Il s'agit ensuite de comprendre le lien entre la limite qui est à calculer et celle du pré-requis, autrement dit comprendre vers quelle valeur tend $\ln(x)$ lorsque x tend vers 0.

→ $\lim_{x \to 0} \ln x = -\infty$

Étape ❸

Il faut traduire le calcul de limite qui est à effectuer à l'aide de la nouvelle écriture de la fonction.

→ $x\ln x = e^{\ln(x)} \times \ln(x) = \ln(x)e^{\ln(x)}$
d'où $\lim_{x \to 0} x\ln x = \lim_{x \to 0} \ln(x)e^{\ln(x)}$
avec $\lim_{x \to 0} \ln(x) = -\infty$

Étape ❹

Il suffit de conclure à l'aide du pré-requis.

→ Puisque $\lim_{X \to -\infty} X e^X = 0$, par croissance comparée, on en déduit donc,
par le théorème de composition,
que $\lim_{x \to 0} \ln(x)e^{\ln(x)} = 0$, soit $\lim_{x \to 0} x\ln(x) = 0$.

▶ Pour s'entraîner

1. Pour tout entier relatif n, montrer que $\ln(a^n) = n\ln a$ en utilisant une démonstration par récurrence. Pré-requis : $\ln(ab) = \ln(b) + \ln(b)$.

2. Montrer que, pour une fonction u définie sur I, telle que pour tout $x \in I$, $u(x) > 0$, $(\ln u)'(x) = \dfrac{u'(x)}{u(x)}$. Pré-requis : $(v \circ u)'(x) = v'(u(x)) \times u'(x)$.

DIAPORAMA
Calculs et automatismes
lienmini.fr/maths-s06-06

Exercices calculs et automatismes

21 Équations, inéquations (1)

Pour chaque question, choisir la (les) bonne(s) réponse(s).

1. $\ln \sqrt{2} + \ln 8 - 5\ln 4 =$

ⓐ $-5 \ln 2$ ⓑ $-9 \ln 2$ ⓒ $-\dfrac{11}{2}\ln 2$ ⓓ $-\dfrac{13}{2}\ln 2$

2. Soit la fonction f définie sur D_f par :
$$f(x) = \ln(6x + 2) + \ln(6x - 2) - 2\ln 2.$$
Alors $f(x) =$

ⓐ $2\ln(6x) - 2\ln 2$ ⓑ $\ln(12x - 4)$
ⓒ $\ln(9x^2 - 1)$ ⓓ $\ln(36x^2 - 1)$

3. Soit l'équation $\ln(4x) = \ln(x - 1)$:

ⓐ $-\dfrac{1}{3}$ est la solution.

ⓑ $\ln\left(\dfrac{4x}{x - 1}\right) = 0$ est une équation équivalente.

ⓒ L'équation n'a pas de solution.

ⓓ $4x = x - 1$ est une équation équivalente.

4. L'inéquation $\ln(-x) \leqslant 1$ a pour ensemble solution :

ⓐ $[-e ; +\infty[$ ⓑ $[-e ; 0[$
ⓒ $\varnothing$ ⓓ $[-1 ; 0[$

22 Dérivées

1. Soit $f(x) = 3\ln x - x^2$ définie sur $]0 ; +\infty[$. Calculer $f'(x)$.

2. Soit $g(x) = \ln(4 - 2x)$ définie sur $]-\infty ; 2[$. Calculer $g'(x)$.

23 Python

Algo ✎

1. Que représente la valeur envoyée par la fonction **Python** 🐍 suivante ?

```
from math import*
def f(x) :
    if 4-2*x<=0 :
        return "Ce nombre n'a pas
                    d'image par f"
    else :
        return log(4-2*x)
```

▶ **Remarque** Sur **Python**, une fois la bibliothèque `math` importée, `log(x)` donne `ln(x)`.

2. Compléter la fonction **Python** qui :
– prend en entrée un nombre ;
– renvoie si le nombre est solution ou non de l'inéquation $\ln(x) + x - 5 < 0$.

```
def solution_equa(x) :
    if x<=0 :
        return...
    else...:
        if...:
            return "Ce nombre est
            solution de l'inéquation."
        else :
            return "Ce nombre
    n'est pas solution de l'inéquation."
```

24 Fonction ln

Les affirmations suivantes sont-elles vraies ou fausses ?
a) L'expression $\ln(x^2)$ est positive pour tout $x \in \mathbb{R}$.
b) $\ln(12) = \ln(10) \times \ln(2)$
c) La fonction $x \mapsto \ln(-x)$ est décroissante sur $]-\infty ; 0[$.
d) La suite $u_n = \ln(3^n)$, avec $n \in \mathbb{N}$, est une suite géométrique de raison 3.

25 Limites (1)

Les affirmations suivantes sont-elles vraies ou fausses ?

a) $\lim\limits_{x \to 0} x\ln x - \dfrac{3}{x} = 0$ **b)** $\lim\limits_{x \to +\infty} \dfrac{x^2}{\ln x} = +\infty$

c) $\lim\limits_{x \to 0} x\ln\sqrt{x} = 0$ **d)** $\lim\limits_{x \to +\infty} \dfrac{\ln(1 + x)}{x} = 1$

26 Lectures graphiques

On donne ci-dessous la représentation graphique $\mathscr{C}_f$ d'une fonction du type $f(x) = \ln(ax^2 + bx + c)$ avec a, b et c trois réels et la tangente d à $\mathscr{C}_f$ au point d'abscisse 4.

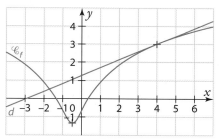

Les affirmations suivantes sont-elles vraies ou fausses ?
a) $f'(4) \approx 3$
b) Sur $[-4 ; 6]$, il existe deux valeurs de x pour lesquelles la tangente à la courbe a un coefficient directeur nul.
c) Sur $[-4 ; 6]$, $f'(x) > 0$ pour $x > -\dfrac{1}{2}$.
d) Sur $[0 ; 6]$, $f''(x) < 0$.

27 Équations, inéquations (2)

1. Soit l'équation $\ln(2x + 1) - \ln(4 - x) = \ln(2x)$, quelles sont les étapes nécessaires à la résolution d'une telle équation ?

2. Soit $f(x) = 2\ln(x + 1)$ et $g(x) = \ln(4x + 4)$. Comment étudier la position relative de $\mathscr{C}_f$ par rapport à $\mathscr{C}_g$?

28 Limites (2)

Pour chaque question, choisir la (les) bonne(s) réponse(s).

1. $\lim\limits_{x \to +\infty} x^2\ln(x) - 3x + 5 =$

ⓐ $-\infty$ ⓑ $+\infty$ ⓒ 5 ⓓ n'a pas de limite

2. $\lim\limits_{\substack{x \to 2 \\ x > 2}} \dfrac{\ln(x - 2)}{(2 - x)^3} + 1 =$

ⓐ 0 ⓑ $-\infty$ ⓒ $+\infty$ ⓓ 1

Exercices d'application

Équations/inéquations avec ln ou exp
 p. 173

29 1. Résoudre les équations suivantes.
a) $\ln(2x-1)=0$ b) $\ln(x-e)=1$
c) $2\ln(x)+1=-3$ d) $e^{5-2x}=2$
2. Résoudre les inéquations suivantes.
a) $\ln(1-x)>0$ b) $\ln(3-2x)\leqslant 1$
c) $3e^x-1<8$ d) $e^{2x}-3e^x\geqslant 0$

30 Résoudre les équations suivantes.
a) $5-\ln x=2$ b) $e^{4x+1}=5$
c) $\ln(2x+e)=1$ d) $\ln(x^2+x-6)=0$

31 Résoudre les inéquations suivantes.
a) $\ln\left(\dfrac{5x+1}{x-2}\right)\leqslant 0$ b) $\ln(x^2+2x)-1>0$
c) $6e^x-1\geqslant 3-4e^x$ d) $3e^{2x}-9e^x<0$

32 Résoudre les équations suivantes.
a) $(\ln x)^2+4\ln\left(\dfrac{1}{x}\right)-5=0$ (On pourra poser $X=\ln x$.)
b) $e^{2x}-2e^x=8$ (On pourra poser $X=e^x$.)

> 👍 **Coup de pouce** Penser à utiliser un changement de variable.

33 1. Résoudre $-X^2+7X-10>0$.
2. En déduire les solutions de l'inéquation $-(\ln x)^2+7\ln x-10>0$.

34 1. Résoudre l'inéquation $X^2+3X-4\geqslant 0$.
2. En déduire la résolution de l'inéquation $(\ln x)^2+3\ln x-4\geqslant 0$.

35 1. Résoudre $(\ln x)^2-2\ln x-3=0$.
On posera $X=\ln x$.
2. Résoudre $2(\ln x)^2-\ln x=0$.
3. Résoudre $(\ln x)^2+\ln x=-1$.

Équations/inéquations avec ln u
 p. 173

36 1. Résoudre les équations suivantes.
a) $\ln(3x-6)=\ln(4-x)$
b) $\ln(2x)-\ln(x+1)=\ln(x-5)$
2. Résoudre les inéquations suivantes.
a) $\ln(4x-2)+\ln(5)<1-\ln 2$
b) $\ln(5-x)\geqslant \ln(x-1)$

37 Résoudre les équations suivantes.
a) $\ln(2x-1)=2\ln x$
b) $\ln(x+1)+\ln(x-1)=\ln(4-2x)$

38 Résoudre les inéquations suivantes.
a) $\ln(x^2-4x+4)-\ln(x-2)<\ln(8-x)$
b) $\ln(2x+4)+\ln(1-x)-\ln 2\geqslant \ln(-x)$

Propriétés algébriques de ln
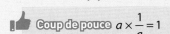 p. 175

39 1. Exprimer chacun des nombres suivants sous la forme $\ln a$, avec a un réel strictement positif.
a) $2\ln 5-\ln 15$ b) $-\ln 3+4\ln 2-\ln 5$
2. Exprimer chacun des nombres suivants en fonction de $\ln 5$.
a) $4\ln 5+\ln 25-3\ln\left(\dfrac{1}{5}\right)$
b) $\ln 125-\dfrac{1}{2}\ln 25+\ln\left(\dfrac{1}{25}\right)-4\ln\sqrt{5}$

40 1. Exprimer sous la forme $\ln a$, avec a un réel strictement positif, le nombre $3\ln 2-\ln 9+\ln 5$.
2. Exprimer en fonction de $\ln 2$ le nombre $\ln 8-3\ln 4+\ln\sqrt{2}$.

41 Simplifier au maximum les expressions suivantes.
a) $e^{2\ln 3+\ln 4}$ b) $e^{3\ln 2-\ln 4}$ c) $\dfrac{e^{\ln 6+1}}{e^{\ln 9+2}}$ d) $\dfrac{e^{2\ln 5+\ln 3}}{e^{2\ln 3}}$

42 Simplifier au maximum la somme $S=\displaystyle\sum_{n=1}^{100}\ln\left(\dfrac{n}{n+1}\right)$.

43 **Démo** Démontrer que, pour tout nombre réel x, on a $\ln(e^x+1)=x+\ln(1+e^{-x})$.

44 **Démo** Démontrer que, pour tous nombres réels a et $b\in\mathbb{R}_+^*$, $\ln\left(\dfrac{1}{a}\right)=-\ln(a)$ et $\ln\left(\dfrac{a}{b}\right)=\ln(a)-\ln(b)$.

> 👍 **Coup de pouce** $a\times\dfrac{1}{a}=1$

45 Les fonctions f et g définies par $f(x)=\ln(4-x^2)-\ln(2-x)$ et $g(x)=\ln(2+x)$ sont-elles égales ?

Inéquations du type $q^n<a$
 p. 175

46 Dans chaque cas déterminer les entiers naturels n tels que :
a) $\left(\dfrac{2}{3}\right)^n<10^{-4}$ b) $\left(\dfrac{9}{7}\right)^n\geqslant 10^6$
c) $1-\left(\dfrac{3}{5}\right)^n\geqslant 0,999$ d) $0,004>\left(\dfrac{8}{9}\right)^{2n}$

47 Dans chaque cas déterminer les entiers naturels n tels que :
a) $\left(\dfrac{1}{5}\right)^n\leqslant 0,001$ b) $1-\left(\dfrac{2}{5}\right)^n>0,999999$
c) $1,2^{2n}>10^5$ d) $0,02>\left(\dfrac{10}{11}\right)^n$

48 $(u_n)_{n\in\mathbb{N}}$ est la suite géométrique de premier terme $u_0=2$ et de raison $q=\dfrac{3}{2}$. À partir de quel rang n les termes de la suite sont-ils strictement supérieurs à 1 million ?

Tangentes, position relative de courbes p. 177

49 Soit f la fonction définie par $f(x) = 2\ln x + 1$ sur $]0 ; +\infty[$.

1. Déterminer l'équation de la tangente T_1 à $\mathscr{C}_f$ en 1.

2. a) Montrer qu'étudier la position relative de $\mathscr{C}_f$ et de sa tangente T_1 revient à étudier le signe de $2(\ln(x) - x + 1)$.

b) Soit $g(x) = \ln(x) - x + 1$. Déterminer $g'(x)$ et en déduire le sens de variation de g.

c) Calculer $g(1)$ et en déduire le signe de g sur $]0 ; +\infty[$.

d) En déduire la position relative de $\mathscr{C}_f$ et T_1.

50 Soit g la fonction définie par $g(x) = -3\ln x + 2x - 4$ sur $]0 ; +\infty[$.

1. Déterminer l'équation de la tangente T_e à $\mathscr{C}_g$ en e.

2. a) Montrer qu'étudier la position relative de $\mathscr{C}_g$ et de sa tangente T_e revient à étudier le signe de $h(x) = 3\left(\dfrac{x}{e} - \ln(x)\right)$.

b) Déterminer $h'(x)$ et en déduire le sens de variation de h sur $]0 ; +\infty[$.

c) Calculer $h(e)$ et en déduire le signe de h sur $]0 ; +\infty[$.

d) En déduire la position relative de $\mathscr{C}_g$ et de sa tangente T_e.

51 Soit f et g les fonctions définies respectivement par $f(x) = \ln(2x + 1)$ et $g(x) = \ln(4 - x)$.

Étudier la position relative des deux courbes sur $\left]-\dfrac{1}{2} ; 4\right[$.

52 Soit f et g les fonctions définies respectivement par $f(x) = \ln(x^2 + 2x + 1)$ et $g(x) = \ln(-3x + 15)$.

Étudier la position relative des deux courbes sur $]-1 ; 5[$.

Étude de fonction avec ln p. 177

53 Calculer la dérivée des fonctions suivantes sans se soucier de l'ensemble de définition ou de dérivabilité.

a) $f(x) = (\ln x + 3)(x - 2)$

b) $f(x) = \dfrac{x - \ln x}{3\ln x + 1}$

c) $f(x) = (\ln(x) - 2x + 1)^3$

d) $f(x) = \sqrt{3x - x\ln(x)}$

54 f est la fonction définie sur $]0 ; +\infty[$ par $f(x) = 2\ln x - \dfrac{4}{x}$.

1. Déterminer les limites de f en 0 et $+\infty$.

2. Montrer que f est strictement croissante sur $]0 ; +\infty[$.

55 Soit la fonction g définie sur $]0 ; e[\cup]e ; +\infty[$ par $g(x) = \dfrac{\ln(x) + 1}{\ln(x) - 1}$. Déterminer le sens de variation de g sur son ensemble de définition.

56 Soit la fonction g définie sur $]0 ; +\infty[$ par :
$$g(x) = (\ln x)^2 - 6\ln x + 5.$$

1. Dresser le tableau de variations de g sur $]0 ; +\infty[$.

2. a) En déduire le nombre de solutions de $g(x) = 0$.

b) Déterminer les solutions de cette équation à l'aide d'un changement de variable.

Limites simples et indéterminées p. 179

57 Déterminer les limites suivantes.

a) $\lim\limits_{x \to +\infty} 2x\ln(x) - 4$

b) $\lim\limits_{x \to 0} x\ln(x) + \dfrac{3}{x}$

c) $\lim\limits_{x \to +\infty} 5x^2\ln(x) - 4x^2 + 1$

d) $\lim\limits_{\substack{x \to 3 \\ x > 3}} \dfrac{\ln(x - 3)}{x - 3} + 3x$

58 Étudier les limites de f aux bornes de son ensemble de définition.

a) $f(x) = \ln(3 - 4x)$ $\quad I = \left]-\infty ; \dfrac{3}{4}\right[$

b) $f(x) = \ln\left(\dfrac{2 - x}{x + 1}\right)$ $\quad I =]-1 ; 2[$

59 Déterminer les limites suivantes.

a) $\lim\limits_{x \to 0} 2(\ln x)^2 - 5\ln x + 1$

b) $\lim\limits_{x \to 0} x^2\ln x - \dfrac{1}{x}$

c) $\lim\limits_{x \to +\infty} \dfrac{\ln(x) + 2}{\ln(x) - 4}$

d) $\lim\limits_{x \to +\infty} \dfrac{\ln\sqrt{x}}{\ln(2x)}$

e) $\lim\limits_{x \to 0} (\ln x)^2 + 2\ln x$

f) $\lim\limits_{x \to 1} (x - 1)^2\ln(x - 1)$

60 f est la fonction définie sur $\left]\dfrac{1}{5} ; +\infty\right[$ par $f(x) = \dfrac{\ln(5x)}{5x - 1}$.

1. Montrer que $\lim\limits_{x \to 0} \dfrac{\ln(1 + x)}{x} = 1$. Utiliser la limite d'un taux d'accroissement avec $f(x) = \ln(1 + x)$.

2. f est la fonction définie sur $\left]\dfrac{1}{5} ; +\infty\right[$ par $f(x) = \dfrac{\ln(5x)}{5x - 1}$.

Déterminer la limite de f en $\dfrac{1}{5}$ en écrivant f sous la forme $f(x) = \dfrac{\ln((5x - 1) + 1)}{5x - 1}$ et en utilisant le résultat de la question **1.**

Dérivées de fonctions du type ln u p. 179

61 Déterminer le plus grand ensemble de définition possible de chacune des fonctions suivantes, puis calculer $f'(x)$.

a) $f(x) = \ln(8x - 4)$

b) $f(x) = \ln(x^2 + x + 1)$

c) $f(x) = \ln\left(\dfrac{x - 1}{2x + 4}\right)$

d) $f(x) = \ln(e^x - 1)$

62 Déterminer le plus grand ensemble de définition possible de chacune des fonctions suivantes, puis calculer $f'(x)$.

a) $f(x) = \ln\sqrt{4 - x}$

b) $f(x) = \ln(\ln 2x)$

c) $f(x) = x^2\ln(e^x + 1)$

d) $f(x) = \dfrac{\ln(x^2 - 1)}{x^2 - 1}$

e) $f(x) = \ln((4x - 1)^2)$

f) $f(x) = (\ln(x^2 - 1))^3$

La fonction ln

Méthode **9** p. 180

63 Soit la fonction f définie sur $]0\,;+\infty[$ par :
$$f(x) = (\ln x)^2 - (1 + e)\ln x + e.$$
1. Calculer les limites de f aux bornes de son ensemble de définition.

2. a) Calculer $f'(x)$ et montrer que $f'(x) = \dfrac{2\ln x - 1 - e}{x}$.

b) En déduire le tableau de variations de f sur $]0\,;+\infty[$.

c) En déduire le nombre d'antécédents de 0 par f.

d) Retrouver la réponse en résolvant une équation, puis en déduire la valeur exacte du ou des antécédents.

64 **A ▶** On considère la fonction g définie sur l'intervalle $]0\,;+\infty[$ par $g(x) = 2x^3 - 1 + 2\ln x$.

1. Étudier les variations de la fonction g sur l'intervalle $]0\,;+\infty[$.

2. Justifier qu'il existe un unique réel α tel que $g(\alpha) = 0$. Donner une valeur approchée de α, arrondie au centième.

3. En déduire le signe de la fonction g sur l'intervalle $]0\,;+\infty[$.

B ▶ On considère la fonction f définie sur l'intervalle $]0\,;+\infty[$ par $f(x) = 2x - \dfrac{\ln x}{x^2}$.

On note $\mathscr{C}$ la courbe représentative de la fonction f dans le plan, muni d'un repère orthonormal $(O\,;\vec{i},\vec{j})$.

1. Déterminer les limites de la fonction f en 0 et en $+\infty$.

2. Étudier la position relative de la courbe $\mathscr{C}$ et de la droite Δ d'équation $y = 2x$.

3. Justifier que $f'(x)$ a même signe que $g(x)$.

4. En déduire le tableau de variations de la fonction f.

5. Tracer la courbe $\mathscr{C}$ dans le repère $(O\,;\vec{i},\vec{j})$.

On prendra comme unité :
• 2 cm sur l'axe des abscisses ;
• 1 cm sur l'axe des ordonnées.

D'après Bac S, Liban, 2012.

65 On considère la fonction f définie

Algo ✏

sur $[1\,;+\infty[$ par $f(x) = x - \dfrac{\ln x}{x}$.

On note $\mathscr{C}$ sa courbe représentative dans un repère orthonormal $(O\,;\vec{i},\vec{j})$.

1. Soit g la fonction définie sur $[1\,;+\infty[$ par $g(x) = x^2 - 1 + \ln x$. Montrer que la fonction g est positive sur $[1\,;+\infty[$.

2. a) Montrer que, pour tout x de sur $[1\,;+\infty[$, $f'(x) = \dfrac{g(x)}{x^2}$.

b) En déduire le sens de variation de f sur $[1\,;+\infty[$.

c) Étudier la position relative de la courbe $\mathscr{C}$ par rapport à la droite D d'équation $y = x$.

3. Pour tout entier naturel k supérieur ou égal à 2, on note respectivement M_k et N_k les points d'abscisse k de $\mathscr{C}$ et de D.

a) Montrer que, pour tout entier naturel k supérieur ou égal à 2, la distance M_kN_k entre les points M_k et N_k est donnée par $M_kN_k = \dfrac{\ln(k)}{k}$.

b) Écrire un algorithme déterminant le plus petit entier k_0 supérieur ou égal à 2 tel que la distance M_kN_k soit inférieure ou égale à 10^{-2}.

66 Soit la fonction f définie sur $]0\,;+\infty[$ dont la représentation graphique $\mathscr{C}_f$ est donnée ci-dessous et d la tangente à $\mathscr{C}_f$ au point d'abscisse 1.

L'expression de f est du type $f(x) = a\ln x + bx + c$ avec a, b, c trois réels.

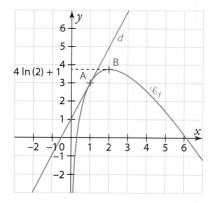

A ▶ 1. Par lecture graphique, déterminer $f(1)$; $f'(1)$ et $f(2)$.

2. En déduire l'expression de f.

3. Résoudre graphiquement $f(x) \geqslant 3$.

B ▶ On admet pour la suite de l'exercice que :
$$f(x) = 4\ln x - 2x + 5.$$
Soit la fonction g définie sur $]0\,;+\infty[$ par $g(x) = 2\ln x - x + 1$.

1. Déterminer les limites de g aux bornes de son ensemble de définition.

2. Calculer $g'(x)$ et étudier son signe.

3. En déduire le tableau de variations de g.

4. Vérifier que 1 est solution de l'équation $g(x) = 0$.

5. Montrer que l'équation $g(x) = 0$ admet une unique solution α sur l'intervalle $[2\,;+\infty[$.

On donnera une valeur approchée de α à 10^{-2} près.

6. En déduire le signe de g.

7. En déduire les solutions de l'inéquation $f(x) \geqslant 3$.

67 On considère la fonction f définie sur $]0\,;+\infty[$ par :
$$f(x) = (\ln x)^2 - 2\ln x.$$
On note $\mathscr{C}$ sa courbe représentative dans un repère orthonormé.

1. a) Étudier les limites de f aux bornes de son ensemble de définition.

b) En déduire l'existence d'asymptotes pour la courbe $\mathscr{C}$.

2. a) Montrer que $f'(x) = \dfrac{2(\ln x - 1)}{x}$.

b) En déduire le tableau de variations de f.

3. Résoudre l'équation $f(x) = 0$.

4. Construire $\mathscr{C}$ et ses asymptotes.

68 On considère l'équation (E_1) $e^x - x^n = 0$ où x est un réel strictement positif et n un entier naturel non nul.

1. Montrer que l'équation (E_1) est équivalente à l'équation (E_2) $\ln x - \dfrac{x}{n} = 0$.

2. Pour quelles valeurs de n l'équation (E_1) a-t-elle deux solutions ?

D'après Bac S, Antilles-Guyane, septembre 2014.

69 Sur le graphique ci-dessous, on a tracé, **Algo** dans le plan muni d'un repère orthonormé $(O ; \vec{i}, \vec{j})$, la courbe représentative $\mathscr{C}$ d'une fonction f définie et dérivable sur l'intervalle $]0 ; +\infty[$.

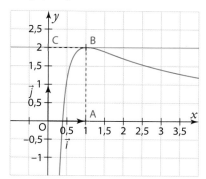

On dispose des informations suivantes :
– les points A, B et C ont pour coordonnées respectives $(1 ; 0)$, $(1 ; 2)$, $(0 ; 2)$;
– la courbe $\mathscr{C}$ passe par le point B et la droite (BC) est tangente à $\mathscr{C}$ en B ;
– il existe deux réels positifs a et b tels que, pour tout réel strictement positif x, $f(x) = \dfrac{a + b\ln x}{x}$.

1. a) En utilisant le graphique, donner les valeurs de $f(1)$ et $f'(1)$.
b) Vérifier que, pour tout réel strictement positif x,
$f'(x) = \dfrac{(b - a) - b\ln x}{x^2}$.
c) En déduire les réels a et b.
2. a) Justifier que, pour tout réel x appartenant à l'intervalle $]0 ; +\infty[$, $f'(x)$ a le même signe que $-\ln x$.
b) Déterminer les limites de f en 0 et en $+\infty$.
On pourra remarquer que, pour tout réel x strictement positif, $f(x) = \dfrac{2}{x} + \dfrac{2\ln x}{x}$.
c) En déduire le tableau de variations de la fonction f.
3. a) Démontrer que l'équation $f(x) = 1$ admet une unique solution α sur l'intervalle $]0 ; 1]$.
b) Par un raisonnement analogue, on démontre qu'il existe un réel β de l'intervalle $]1 ; +\infty[$ tel que $f(\beta) = 1$.
Déterminer l'entier n tel que $n < \beta < n + 1$.
4. On donne l'algorithme ci-dessous écrit

en langage **Python** .

```
from math import*
def f(x):
    image = 2/x+2*math.log(x)/x
    return image
a = 0
b = 1
while b-a>0.1:
    m = 1/2*(a+b)
    if f(m)<1 :
        a = m
    else :
        b = m
print(a,b)
```

a) Quel est le rôle de la fonction Python f ?
b) Quel est le rôle de ce programme ?
c) Quelle instruction Python faudrait-il modifier afin que ce programme affiche les deux bornes d'un encadrement de β d'amplitude 10^{-2} ?

D'après Bac S, 2013.

70 Soit la fonction g définie sur $]0 ; +\infty[$ par :
$$g(x) = 3 - 3\ln x + \frac{2}{x} + \frac{2\ln x}{x}.$$

1. Calculer $g'(x)$ et montrer que $g'(x) = \dfrac{h(x)}{x^2}$ avec $h(x) = -3x - 2\ln x$.
2. a) Étudier le sens de variation de h.
b) Montrer qu'il existe un unique réel α sur l'intervalle $]0 ; +\infty[$ tel que $h(\alpha) = 0$.
c) En déduire le signe de h sur l'intervalle $]0 ; +\infty[$.
3. a) À l'aide de la question **2.**, déterminer le sens de variation de g sur $]0 ; +\infty[$.
b) En déduire que le maximum de g est $M = \dfrac{4{,}5\alpha^2 + 2}{\alpha}$.

Fonctions du type ln $(u(x))$ **Méthode 10** p. 181

71 $\mathscr{C}$ et $\mathscr{C}'$ sont les courbes respectives des fonctions f et g définies sur $[1 ; +\infty[$ par :
$$f : x \mapsto \ln\left(\frac{1}{x^2 + 50x}\right)$$
$$g : x \mapsto \ln\left(\frac{1}{3x^2 + x - 1}\right)$$

1. Existe-t-il un point M en lequel les courbes $\mathscr{C}$ et $\mathscr{C}'$ s'interceptent ?

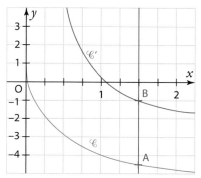

2. Soit A et B deux points appartenant respectivement aux courbes $\mathscr{C}$ et $\mathscr{C}'$ ayant pour abscisse x pour $x \in [1 ; +\infty[$.
a) Quelle conjecture peut-on faire concernant la limite de la distance AB lorsque x tend vers $+\infty$?
b) Démontrer cette conjecture.

72 Soit la fonction g définie sur un certain intervalle I par $g(x) = \ln(ax + b)$ avec a et b des réels.
1. Sachant que la courbe représentative $\mathscr{C}_g$ de la fonction g passe par le point A de coordonnées $(0 ; 1)$ et que la courbe $\mathscr{C}_g$ admet une tangente au point d'abscisse 1 parallèle à la droite $d : y = 2x - 1$, en déduire les valeurs de a et b.
2. Déterminer I et le sens de variation de g sur I.

73 Soit la fonction f définie sur $\mathbb{R}$ par $f(x) = \ln(e^{-x} + 1)$ et $\mathscr{C}$ sa représentation graphique.

1. Justifier que f est bien définie sur $\mathbb{R}$.

2. a) Étudier les limites de f aux bornes de son ensemble de définition.

b) En déduire l'existence d'une asymptote.

3. a) Déterminer la fonction dérivée de f.

b) En déduire le sens de variation de f.

4. a) Montrer que, pour tout x, $f(x) = -x + \ln(1 + e^x)$.

b) Soit la droite d d'équation $y = -x$. Déterminer la limite de $f(x) + x$ en $-\infty$ et en déduire une interprétation graphique.

c) Étudier la position de $\mathscr{C}$ et de d.

74 Soit la fonction f définie sur $]-1 ; +\infty[$ par

$$f(x) = \frac{1}{2}x + 1 - 2\ln(x + 1)$$ et $\mathscr{C}$ sa courbe représentative.

1. Étudier les limites de f aux bornes de son ensemble de définition.

2. Calculer $f'(x)$. En déduire le tableau de variations de f.

3. Montrer qu'il existe un point de $\mathscr{C}$ en lequel la tangente est parallèle à la droite d'équation $y = -x$ et déterminer l'équation de cette tangente.

4. Étudier la position de $\mathscr{C}$ et de la droite d d'équation

$$y = \frac{1}{2}x + 1.$$

75 f est une fonction définie sur $\mathbb{R}$ par $f(x) = \ln(ax^2 + bx + c)$, où a, b, et c sont trois réels. Son tableau de variations est :

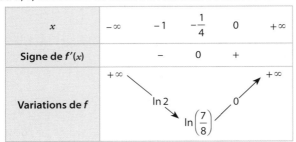

1. En utilisant les données du tableau, montrer que $f(x) = \ln(2x^2 + x + 1)$.

2. Calculer $f'(x)$. Puis vérifier que les variations et les informations portées sur le tableau ci-dessus sont exactes.

76 f est une fonction définie sur $]-5 ; 5[$ par $f(x) = \ln\left(\dfrac{5 - x}{5 + x}\right)$.

On note $\mathscr{C}$ la courbe représentative de f dans le plan muni d'un repère orthonormé.

1. Pour tout réel $x \in]-5 ; 5[$, montrer que $f(-x) = -f(x)$. Que peut-on en déduire quant aux éléments de symétrie de $\mathscr{C}$?

2. a) Déterminer la limite de f en -5. Comment interpréter graphiquement ce résultat ?

b) Calculer $f'(x)$ et en déduire le sens de variation de f sur $]-5 ; 0]$.

c) Montrer que la droite d d'équation $y = -0,4x$ est la tangente à $\mathscr{C}$ au point d'abscisse 0.

3. La courbe $\mathscr{C}$ et la droite d ont été tracées à l'aide de la calculatrice.

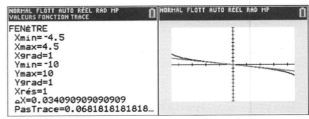

a) Quelle conjecture peut-on faire quant à la position de la courbe $\mathscr{C}$ et de la tangente d ?

b) Montrer que, pour démontrer cette conjecture, il faudra étudier le signe de la fonction h définie par

$$h(x) = \ln\left(\frac{5 - x}{5 + x}\right) + 0,4x.$$

c) Montrer que $h'(x) = \dfrac{-2x^2}{5(5 + x)(5 - x)}$.

d) En déduire le signe de $h'(x)$ sur $]-5 ; 5[$, puis le tableau de variations de h sur le même intervalle.

e) Calculer $h(0)$ et en déduire la position de la courbe $\mathscr{C}$ et de sa tangente d.

77 On considère l'équation (E) d'inconnue x réelle $e^x = 3(x^2 + x^3)$.

A ▶ Le graphique ci-dessous donne la courbe représentative de la fonction exponentielle et celle de la fonction f définie sur $\mathbb{R}$ par $f(x) = 3(x^2 + x^3)$ telles que les affiche une calculatrice dans un repère orthogonal.

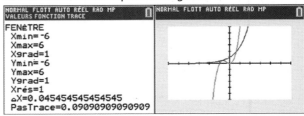

À l'aide du graphique ci-dessus, conjecturer le nombre de solutions de l'équation (E) et leur encadrement par deux entiers consécutifs.

B ▶ **1. a)** Étudier, selon les valeurs de x, le signe de $x^2 + x^3$.

b) En déduire que l'équation (E) n'a pas de solution sur l'intervalle $]-\infty ; -1]$.

c) Vérifier que 0 n'est pas solution de (E).

2. On considère la fonction h, définie pour tout nombre réel de $]-1 ; 0[\cup]0 ; +\infty[$ par :

$$h(x) = \ln 3 + \ln(x^2) + \ln(1 + x) - x.$$

Montrer que, sur $]-1 ; 0[\cup]0 ; +\infty[$, l'équation (E) équivaut à $h(x) = 0$.

3. a) Étudier les limites de h aux bornes de son ensemble de définition.

b) Montrer que, pour tout réel de $]-1 ; 0[\cup]0 ; +\infty[$, on a :

$$h'(x) = \frac{-x^2 + 2x + 2}{x(x + 1)}.$$

c) En déduire les variations de la fonction h.

d) Déterminer le nombre de solutions de l'équation $h(x) = 0$ et donner une valeur arrondie au centième de chaque solution.

e) Conclure quant à la conjecture de la partie **A**.

D'après Bac S, centres étrangers, 2012.

78 **1.** Soit les fonctions f et g définies par :

$$f(x) = \ln(2x+1) - \ln(x-4) \text{ et } g(x) = \ln\left(\frac{2x+1}{x-4}\right).$$

Les fonctions f et g sont-elles égales ?

2. a) Calculer les limites de g aux bornes de l'intervalle $]4 ; +\infty[$.

b) Dresser le tableau de variations de g sur l'intervalle $]4 ; +\infty[$.

3. a) Discuter selon les valeurs du réel m, s'il existe des tangentes à $\mathscr{C}_g$ parallèles à la droite d_m d'équation $y = mx$ pour $x \in]4 ; +\infty[$.

b) Existe-t-il des tangentes à $\mathscr{C}_g$ passant par l'origine du repère pour $x \in]4 ; +\infty[$?

> **Coup de pouce** Penser à introduire la fonction h définie par $h(x) = \dfrac{9x}{(x-4)(2x+1)} + \ln\left(\dfrac{2x+1}{x-4}\right)$, dresser son tableau de variations et en déduire le signe de h sur $]4 ; +\infty[$.

ln et suites

79 **A** ▶ On considère la fonction f définie sur $[0 ; +\infty[$ par $f(x) = \ln(1+2x) - x$.

1. a) Déterminer la limite de f en $+\infty$.

b) Calculer $f'(x)$ et en déduire le tableau de variations de f.

2. Montrer que l'équation $f(x) = 0$ admet une unique solution α sur $[1 ; 2]$.

B ▶ Soit la fonction g définie sur $[0 ; +\infty[$ par $g(x) = \ln(1+2x)$ et $(u_n)_{n \in \mathbb{N}}$ la suite définie par $u_0 = 1$ et, pour tout entier naturel, $u_{n+1} = g(u_n)$.

1. Représenter les premiers termes de la suite (u_n) à l'aide de la calculatrice et conjecturer le sens de variation de la suite ainsi que son éventuelle convergence.

2. Démontrer que, pour tout entier naturel n :
$$1 \leqslant u_n \leqslant u_{n+1} \leqslant 2.$$

3. En déduire la convergence de la suite (u_n) vers un réel ℓ à déterminer.

80 Soit la suite (u_n) définie par $u_0 = 1$ et $u_{n+1} = u_n - \ln(u_n^2 + 1)$, pour tout entier naturel n. **Algo** ✏

A ▶ Soit la fonction f définie sur $\mathbb{R}$ par :
$$f(x) = x - \ln(x^2 + 1).$$

1. a) Déterminer la limite de f en $-\infty$.

b) Pour $x > 2$, étudier le signe de la fonction $h(x) = x^3 - x^2 - 1$. Penser à dresser le tableau de variations de cette fonction pour pouvoir ensuite en déterminer le signe.

c) En déduire que, pour tout $x > 2$, $f(x) > x - \ln(x^3)$.

d) En déduire la limite de f en $+\infty$.

2. Calculer $f'(x)$ et en déduire le tableau de variations de f.

3. Résoudre dans $\mathbb{R}$ l'équation $f(x) = x$.

B ▶ **1.** Démontrer par récurrence que, pour tout entier naturel n, $0 \leqslant u_n \leqslant 1$.

2. Démontrer par récurrence que, pour tout entier naturel, $u_{n+1} \leqslant u_n$.

3. Démontrer que la suite (u_n) est convergente et déterminer sa limite.

4. Expliquer le rôle du programme écrit ci-dessous en langage **Python** 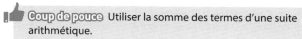.

```python
from math import*
n = 0
u = 1
while u >= 0.01 :
    n = n+1
    u = u-math.log(u*u+1)
print(u,n)
```

81 Soit (u_n) la suite géométrique de premier terme $u_0 = 3$ et de raison $q = \dfrac{1}{4}$ et (v_n) la suite définie par $v_n = \ln(u_n)_{n \in \mathbb{N}}$.

1. a) Exprimez u_n en fonction de n.

b) En déduire que (v_n) est une suite arithmétique dont on donnera le premier terme et la raison.

2. a) Soit $S_n = v_0 + v_1 + \ldots + v_n$. Calculer S_n en fonction de n.

> **Coup de pouce** Utiliser la somme des termes d'une suite arithmétique.

b) En déduire la limite de (S_n).

3. a) Soit $P_n = u_0 \times u_1 \times \ldots \times u_n$. Montrer que $e^{S_n} = P_n$.

b) En déduire la limite de la suite (P_n).

82 On pose $u_0 = 1$, $u_1 = e$ et, pour tout entier naturel n : **Algo** ✏

$$u_{n+2} = \frac{u_{n+1}^2}{e \times u_n}.$$

1. On définit, pour tout entier naturel n, la suite (v_n) par $v_n = \ln(u_{n+1}) - \ln(u_n)$.

a) Démontrer que la suite (v_n) est arithmétique de raison -1 et de premier terme $v_0 = 1$.

b) En déduire, pour tout entier naturel n, l'expression de v_n en fonction de n.

2. On définit, pour tout entier naturel n non nul, la suite (S_n) par $S_n = v_0 + v_1 + \ldots + v_{n-1}$.

a) Démontrer que, pour tout entier naturel non nul n, on a $S_n = \dfrac{n(3-n)}{2}$.

b) Démontrer que, pour tout entier naturel non nul n, on a $S_n = \ln(u_n)$.

> **Coup de pouce** Utiliser une démonstration par récurrence et la définition de v_n donnée à la question **1**.

3. a) Exprimer u_n en fonction de n et en déduire la limite de la suite (u_n).

b) Écrire un algorithme qui permette de déterminer la plus petite valeur de n telle que $u_n < 10^{-50}$.

c) Retrouver la réponse précédente à l'aide de la résolution d'une inéquation.

D'après Bac S, Amérique du Sud, 2018.

83 A ▶ On désigne par f la fonction **Algo** 🖩

définie sur l'intervalle $[1 ; +\infty[$ par $f(x) = \dfrac{1}{x+1} + \ln\left(\dfrac{x}{x+1}\right)$.

1. Déterminer $\lim\limits_{x \to +\infty} f(x)$.

2. Démontrer que, pour tout réel x de l'intervalle $[1 ; +\infty[$,
$f'(x) = \dfrac{1}{x(x+1)^2}$.

3. a) Dresser le tableau de variations de f sur $[1 ; +\infty[$.
b) Déterminer s'il existe un unique réel α solution de l'équation $f(x) = 0$.
c) En déduire le signe de la fonction f sur l'intervalle $[1 ; +\infty[$.

B ▶ Soit (u_n) la suite définie pour tout entier strictement positif par $u_n = 1 + \dfrac{1}{2} + \dfrac{1}{3} + \dots + \dfrac{1}{n} - \ln n$.

1. On considère l'algorithme ci-dessous.

```
N ← valeur saisie
U = 0
Pour i variant de 1 à N
        U = U + 1/i
Fin Pour
Afficher U
```

Expliquer le rôle de cet algorithme et donner la valeur exacte affichée par celui-ci lorsque l'utilisateur entre la valeur $N = 3$.
2. Modifier l'algorithme précédent afin qu'il affiche la valeur de u_n lorsque l'utilisateur entre la valeur de N.
3. À l'aide de la calculatrice, émettre une conjecture quant au sens de variation de la suite (u_n).
4. Démontrer que, pour tout entier strictement positif n, $u_{n+1} - u_n = f(n)$ où f est la fonction définie dans la partie **A**. En déduire le sens de variation de la suite (u_n).

D'après Bac S, 2012.

84 On considère la fonction f définie sur $[0 ; +\infty[$ par :
$$f(x) = \ln\left(\dfrac{3x+1}{x+1}\right).$$

A ▶ **1.** Déterminer $\lim\limits_{x \to +\infty} f(x)$ et en donner une interprétation graphique.

2. a) Démontrer que, pour tout nombre réel x positif ou nul :
$$f'(x) = \dfrac{2}{(x+1)(3x+1)}.$$

b) En déduire que la fonction f est strictement croissante sur $[0 ; +\infty[$.

B ▶ Soit (u_n) la suite définie par $u_0 = 3$ et, pour tout $n \in \mathbb{N}$, $u_{n+1} = f(u_n)$.

1. Démontrer par récurrence que, pour tout $n \in \mathbb{N}$, $\dfrac{1}{2} \leqslant u_{n+1} \leqslant u_n$.

2. Démontrer que la suite (u_n) converge vers une limite strictement positive.

D'après Bac S, Nouvelle Calédonie, 2019.

85 A ▶ **Établir une inégalité**
Sur l'intervalle $[0 ; +\infty[$, on définit la fonction f par :
$$f(x) = x - \ln(x+1).$$
1. Étudier le sens de variation de la fonction f sur l'intervalle $[0 ; +\infty[$.
2. En déduire que, pour tout $x \in [0 ; +\infty[$, $\ln(x+1) \leqslant x$.

B ▶ **Application à l'étude d'une suite** **Algo**
On pose $u_0 = 1$ et pour tout entier naturel n :
$$u_{n+1} = u_n - \ln(1 + u_n).$$
On admet que la suite de terme général u_n est bien définie.
1. a) Démontrer par récurrence que, pour tout entier naturel n, $u_n \geqslant 0$.
b) Démontrer que la suite (u_n) est décroissante, et en déduire que, pour tout entier naturel n, $u_n \leqslant 1$.
c) Montrer que la suite (u_n) est convergente.
2. On note ℓ la limite de la suite (u_n) et on admet que $\ell = f(\ell)$, où f est la fonction définie dans la partie **A**. En déduire la valeur de ℓ.
3. a) Écrire un algorithme qui, pour un entier naturel p donné, permet de déterminer le plus petit rang N à partir duquel tous les termes de la suite (u_n) sont inférieurs à 10^{-p}.
b) Déterminer le plus petit entier naturel n à partir duquel tous les termes de la suite (u_n) sont inférieurs à 10^{-15}.

D'après Bac S, Amérique du Nord, 2019.

Modélisations

86 Dans un bouillon de culture, on observe **SVT**
au temps $t = 0$, la présence de 10 000 bactéries.
Ce nombre est multiplié par 1,5 toutes les heures.
On modélise la situation à l'aide d'une suite $(u_n)_{n \in \mathbb{N}}$, avec u_n représentant le nombre de bactéries présentes dans le bouillon de culture n heures après la première observation.
1. Montrer que (u_n) est une suite géométrique dont on donnera le 1er terme u_0 et la raison.
2. Exprimer u_n en fonction de n.
3. En déduire au bout de combien d'heures le nombre de bactéries aura dépassé le million.

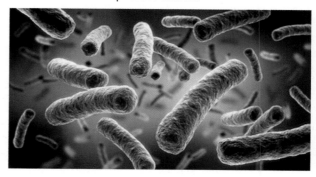

87 On tire successivement, et avec remise, n boules d'une urne contenant 5 boules blanches et 25 boules noires. Combien faut-il effectuer de tirages pour que la probabilité d'obtenir au moins 1 boule blanche soit supérieure à 0,999 ?

88 On place 2 500 € à intérêts composés à un taux annuel de 1,75 %. Combien d'années faudra-t-il pour doubler son capital ?

89 Un capital de 1 200 € est placé à un taux annuel composé de 2 % au 1er janvier 2020.
On modélise la situation par une suite (u_n) telle que u_n représente le capital à l'année $2020 + n$.
1. Montrer que la suite (u_n) est une suite géométrique dont on déterminera le 1er terme et la raison.
2. Au bout de combien d'années le capital aura-t-il triplé ?

90 **A** ▶ Soit un capital C placé à un taux t % **SES** d'intérêts composés. On s'intéresse au cas particulier d'un capital que l'on aimerait tripler et à une méthode rapide pour déterminer approximativement le nombre d'années le permettant.

1. Montrer que, pour tout $x \geqslant 0$, $x - \dfrac{x^2}{2} \leqslant \ln(1 + x) \leqslant x$.

> 👍 **Coup de pouce** Penser à étudier les fonctions h et g définies par $h(x) = x - \dfrac{x^2}{2} - \ln(1 + x)$
> et $g(x) = x - \ln(1 + x)$.

2. Pour des petites valeurs de x on peut alors considérer que $\ln(1 + x) \approx x$ avec un majorant de l'erreur égal à $\dfrac{x^2}{2}$.
Expliquer alors pourquoi, afin de calculer mentalement le nombre d'années permettant de tripler un capital, on peut utiliser la règle : « Un capital triple au bout de $\dfrac{110}{t}$ années, avec t le taux d'intérêts, valable pour de petites valeurs de t. »

B ▶ *Rappels :* un capital C est placé à un taux de t % en composition annuelle signifie qu'au bout d'une année le nouveau capital est $C \times \left(1 + \dfrac{t}{100}\right)$; un capital C est placé à un taux de t % en composition mensuelle signifie qu'au bout d'une année le nouveau capital est $C \times \left(1 + \dfrac{\left(\dfrac{t}{12}\right)}{100}\right)^{12}$.

1. En prenant $t = 5$ % et $C = 1\,500$ €, comparer les deux types de placements précédemment décrits.
2. En finance, on utilise le taux d'intérêt continu. On peut l'imaginer comme étant une périodicité infiniment petite.
a) Soit un capital C placé à un taux de t % en composition sur une période m ; le capital C' au bout d'une année sera

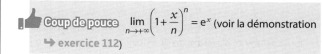

$$C \times \left(1 + \dfrac{\left(\dfrac{t}{m}\right)}{100}\right)^{m}.$$

Montrer que $\displaystyle \lim_{m \to +\infty} C \times \left(1 + \dfrac{\left(\dfrac{t}{m}\right)}{100}\right)^{m} = Ce^{\frac{t}{100}}$.

> 👍 **Coup de pouce** $\displaystyle \lim_{n \to +\infty} \left(1 + \dfrac{x}{n}\right)^{n} = e^{x}$ (voir la démonstration
> ➜ exercice 112)

b) Avec un placement à intérêt continu, quel devrait être le taux d'intérêt afin de pouvoir doubler son capital en un an ?

91 À la mort d'un être vivant, la proportion de carbone 14 diminue au fil des années.
Les archéologues peuvent estimer l'âge d'un bois ou d'un squelette en mesurant la proportion de carbone 14 présent dans l'objet préhistorique.
L'âge $A(x)$ en années est modélisé par $A(x) = -k \ln x$ où k est une constante et x est la proportion de carbone 14 restant par rapport au nombre d'atomes de départ.
1. La moitié des atomes de carbone 14 est désintégrée au bout de 5 730 ans.
En déduire la valeur de k (arrondir à l'unité).
2. Dans la suite, on prendra $A(x) = -8\,267 \ln x$.
a) Quel est l'âge d'une coquille d'un fossile dont la proportion de carbone 14 est 0,25 ?
b) Quelle est la proportion en carbone 14, de la momie de Xin Zhui, momie âgée de 2 170 ans ?

Travailler le Grand Oral

92 Dans un repère **TICE** **Algo** **Démo** orthogonal, on considère la courbe $\mathscr{C}$ représentative de la fonction ln et la courbe $\mathscr{C}'$ représentative de la fonction racine carrée. Soit x un réel strictement positif. On note respectivement M et N les points de $\mathscr{C}$ et $\mathscr{C}'$ d'abscisse x.
But : déterminer la limite de la distance MN lorsque x tend vers $+\infty$.
• **Groupe 1 :** modéliser la situation à l'aide d'un logiciel de géométrie dynamique. Quelle semble être la limite ?

• **Groupe 2 :** modéliser la situation à l'aide d'un tableur. Quelle semble être la limite ?
• **Groupe 3 :** modéliser la situation à l'aide d'un algorithme. Quelle semble être la limite ?
• **Groupe 4 :** rédiger la démonstration en utilisant l'astuce $\sqrt{x} - \ln x = \sqrt{x}\left(1 - 2\dfrac{\ln\sqrt{x}}{\sqrt{x}}\right)$ qui sera préalablement à démontrer.

Exercices bilan

93 Calcul d'aire et étude de ln

Soit f_a la fonction définie sur $]0 ; +\infty[$ par $f_a(x) = a - \ln\left(\dfrac{x}{a}\right)$
avec $a \in \mathbb{R}_+^*$ et $\mathscr{C}_{f_a}$ la courbe représentative de f_a. On donne
ci-dessous $\mathscr{C}_{f_a}$ dans un repère orthonormé.

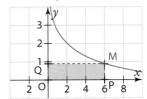

1. À tout point M appartenant à $\mathscr{C}_{f_a}$ on associe le point P,
projeté orthogonal de M sur l'axe des abscisses, et le
point Q, projeté orthogonal de M sur l'axe des ordonnées.
Déterminer les coordonnées de M pour lesquelles l'aire du
rectangle OPMQ est maximale.
2. Existe-t-il plusieurs valeurs de a pour lesquelles cette aire
maximale soit atteinte en M ayant pour abscisse a ?

94 Avec une fonction auxiliaire

A ▶ Soit u la fonction définie sur $]0 ; +\infty[$ par :
$$u(x) = \ln(x) + x - 3.$$
1. Justifier que la fonction u est strictement croissante sur
l'intervalle $]0 ; +\infty[$.
2. Démontrer que l'équation $u(x) = 0$ admet une unique
solution α comprise entre 2 et 3.
3. En déduire le signe de $u(x)$ en fonction de x.

B ▶ Soit f la fonction définie sur l'intervalle $]0 ; +\infty[$ par :
$$f(x) = \left(1 - \dfrac{1}{x}\right)[\ln(x) - 2] + 2$$
1. Calculer $\lim\limits_{x \to 0} f(x)$.
2. **a)** Démontrer que, pour tout réel $x \in]0 ; +\infty[$, $f'(x) = \dfrac{u(x)}{x^2}$.
b) En déduire le sens de variation de la fonction f sur
l'intervalle $]0 ; +\infty[$.

C ▶ Soit $\mathscr{C}$ la courbe représentative de la fonction f et $\mathscr{C}'$
celle de la fonction g définie par $g(x) = \ln(x)$.
1. Montrer que, pour tout réel de l'intervalle $]0 ; +\infty[$,
$$f(x) - \ln(x) = \dfrac{2 - \ln(x)}{x}.$$
2. En déduire la position relative de $\mathscr{C}$ et $\mathscr{C}'$ sur $]0 ; +\infty[$.

D'après Bac S, Amérique du Nord, 2015.

95 Limite et taux d'accroissement

Soit la fonction f définie par :
$$f(x) = \ln(x^2 - 3).$$
1. Après avoir déterminé l'ensemble de définition et de
dérivabilité de f, calculer $f'(x)$.
2. En déduire $\lim\limits_{x \to 2} \dfrac{f(x)}{x - 2}$.

> **Coup de pouce** Faire le lien entre le calcul de limite
> demandé et la dérivée (taux d'accroissement).

3. Existe-t-il deux tangentes à $\mathscr{C}_f$ parallèles à la droite
d'équation $y = x + 5$?

96 Modélisation

Algo

On donne ci-contre la représentation d'un module de
skateboard.
Le profil de ce module a été
modélisé par une fonction f
définie sur l'intervalle $[0 ; 20]$ par
$f(x) = (x + 1)\ln(x + 1) - 3x + 7$.

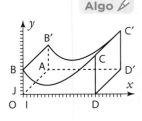

A ▶ 1. Montrer que, pour tout $x \in [0 ; 20]$, $f'(x) = \ln(x + 1) - 2$.
2. En déduire les variations de f sur l'intervalle $[0 ; 20]$ et
dresser son tableau de variations.
3. Calculer le coefficient directeur de la tangente à la
courbe $\mathscr{C}_f$ au point d'abscisse 0. La valeur absolue de ce
coefficient directeur est appelée l'inclinaison du module
de skateboard au point B.

B ▶ On souhaite peindre en
noir la surface supérieure du
module. On admet que l'aire de
cette surface sera approchée
par la somme des aires des
rectangles du type $B_k B_{k+1} B'_{k+1} B'_k$
(voir figure ci-contre) avec
$B_k B_{k+1} = \sqrt{1 + (f(k+1) - f(k))^2}$.

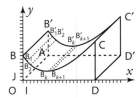

Compléter l'algorithme ci-dessous afin qu'il affiche une
estimation de l'aire de la partie à peindre.

```
S ← …
Pour K variant de … à …
        S ← …
Fin Pour
```

D'après Bac S, 2015.

97 ln u et tangente

Soit f la fonction définie par $f(x) = x\ln\left(\dfrac{x}{2}\right) - x + 2$ sur

$[2 ; 2e]$ et les points $I(2 ; 0)$ et $B(2e ; 2)$.
1. Justifier que B et I appartiennent à $\mathscr{C}_f$ et que l'axe des
abscisses est tangent à $\mathscr{C}_f$ en I.
2. Déterminer une équation de la tangente T_{2e} à $\mathscr{C}_f$ en B.
3. Soit D l'intersection de T_{2e} et (Ox).
Déterminer les coordonnées de D.

98 Position relative et croissance comparée

Soit les fonctions f et g définies sur $]1 ; +\infty[$ par :
$$f(x) = \ln(x - 1) + \dfrac{1}{x - 1} \quad \text{et} \quad g(x) = (\ln(x - 1))^2 + \dfrac{3 - 2x}{x - 1}.$$

1. Dresser le tableau de variations de f en déterminant les
limites en 1 et $+\infty$.

> **Coup de pouce** Pour la limite en 1, penser à faire
> apparaître une croissance comparée en mettant au même
> dénominateur.

2. **a)** En déduire que $\mathscr{C}_f$ est toujours au-dessus de la droite
$d : y = 1$.
b) Étudier la position relative de $\mathscr{C}_f$ et $\mathscr{C}_g$ sur $]1 ; +\infty[$.

Propriétés immédiates

- $\ln(1) = 0$
- $\ln(e) = 1$
- $\ln(e^x) = x$ avec $x \in \mathbb{R}$
- $e^{\ln(x)} = x$ avec $x \in \mathbb{R}_+^*$

Propriétés algébriques

a et b sont deux réels strictement positifs

- $\ln(ab) = \ln(a) + \ln(b)$
- $\ln\left(\dfrac{1}{a}\right) = -\ln(a)$
- $\ln\left(\dfrac{a}{b}\right) = \ln(a) - \ln(b)$
- $\ln\left(\sqrt{a}\right) = \dfrac{1}{2}\ln(a)$
- $\ln(a^n) = n\ln(a)$ avec $n \in \mathbb{N}$

Fonction logarithme népérien

$f(x) = \ln(x)$

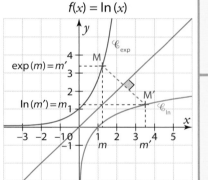

Dérivées

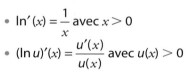

- $\ln'(x) = \dfrac{1}{x}$ avec $x > 0$
- $(\ln u)'(x) = \dfrac{u'(x)}{u(x)}$ avec $u(x) > 0$

Limites

- $\lim\limits_{x \to 0} \ln x = -\infty$
- $\lim\limits_{x \to +\infty} \ln x = +\infty$
- $\lim\limits_{x \to 0} x\ln x = 0$
- $\lim\limits_{x \to 0} x^n \ln x = 0$
- $\lim\limits_{x \to +\infty} \dfrac{\ln x}{x} = 0$
- $\lim\limits_{x \to +\infty} \dfrac{\ln x}{x^n} = 0$

Variations

La fonction ln est strictement croissante sur $]0\,;+\infty[$.

Signes

- Pour tout $0 < x < 1 : \ln x < 0$.
- Pour tout $x > 1 : \ln x > 0$.

Équations

- $\ln x = a \Leftrightarrow x = e^a$
- $\ln x = \ln y \Leftrightarrow x = y$
- $a^n = b$ avec a et b positifs différents de 1
  $\Leftrightarrow n = \dfrac{\ln b}{\ln a}$

Inéquations

- $\ln x \geqslant a \Leftrightarrow x \geqslant e^a$
- $\ln x \geqslant \ln y \Leftrightarrow x \geqslant y$
- $a^n \geqslant b$ avec a et b positifs $\Leftrightarrow n\ln a \geqslant \ln b$

Je dois être capable de...	Méthode	Parcours d'exercices
▶ Résoudre des équations, inéquations avec ln ou exp	1	1, 2, 29, 30
▶ Résoudre des équations, inéquations du type $\ln u \leqslant \ln v$	2	3, 4, 36, 37
▶ Utiliser les propriétés algébriques de ln	3	5, 6, 39, 40
▶ Résoudre des inéquations du type $q^n < a$	4	7, 8, 46, 47
▶ Déterminer des tangentes, la position relative de courbes	5	9, 10, 49, 50
▶ Étudier des fonctions avec ln	6, 9	11, 12, 17, 18, 53, 54, 63
▶ Déterminer des limites, notamment dans le cas de formes indéterminées	7	13, 14, 57, 58
▶ Dériver et étudier des fonctions avec $\ln u$	8, 10	15, 16, 19, 20, 61, 62, 73

EXOS
QCM interactifs
lienmini.fr/maths-s06-07

QCM

Pour les exercices suivants, choisir la (les) bonnes réponse(s).

	A	B	C	D
99 L'écriture $\ln(\sqrt{5}-\sqrt{2})+\ln(\sqrt{5}+\sqrt{2})$ se simplifie sous la forme :	$\ln(2\sqrt{5})$	$2\ln(\sqrt{5})$	$\ln 3$	$\dfrac{\ln(\sqrt{5})}{\ln(\sqrt{2})}+\ln(\sqrt{5})\times\ln(\sqrt{2})$
100 L'équation $\ln(x-1)-\ln(2-x)=\ln 2+\ln x$:	est équivalente à l'équation $\dfrac{x-1}{2-x}=2x$	n'admet aucune solution	admet une seule solution	admet deux solutions
101 $\lim\limits_{x\to+\infty}(1+x-x\ln x)=$	0	$+\infty$	$-\infty$	1
102 $\lim\limits_{x\to+\infty} x\ln\left(1+\dfrac{1}{x}\right)=$	0	$+\infty$	$-\infty$	1
103 Soit la fonction f définie sur $\mathbb{R}\backslash\{-2\}$ par $f(x)=\ln((2x+4)^2)$. $f'(x)=$	$\dfrac{2}{x+4}$	$\dfrac{2}{x+2}$	$\ln(4(2x+4))$	$\dfrac{1}{(x+2)\ln(2x+4)}$
104 Soit la fonction g définie par $g(x)=\ln(\ln(1-x))$ et D_g son ensemble de définition.	$D_g=]-\infty\,;1[$ et $g'(x)=\dfrac{-1}{1-x}$	$D_g=]-\infty\,;1[$ et $g'(x)=\dfrac{1}{(x-1)\ln(1-x)}$	$D_g=]-\infty\,;0[$ et $g'(x)=-\dfrac{1}{1-x}$	$D_g=]-\infty\,;0[$ et $g'(x)=\dfrac{-1}{(x-1)\ln(1-x)}$
105 Soit la fonction f définie sur $]0\,;+\infty[$ par $f(x)=5x\ln x-5x$ et T_1 la tangente à $\mathscr{C}_f$ au point d'abscisse 1.	$f'(x)=\dfrac{5}{x}-5$ et $\mathscr{C}_f$ est toujours au-dessus de T_1.	$f'(x)=\dfrac{5}{x}-5$ et $\mathscr{C}_f$ est au-dessus de T_1 sur $]1\,;+\infty[$.	$f'(x)=5\ln x$ et $\mathscr{C}_f$ est toujours au-dessus de T_1.	$f'(x)=5\ln x$ et $\mathscr{C}_f$ est au-dessus de T_1 sur $]1\,;+\infty[$.

106 **Retrouver l'expression de la fonction**

La courbe $\mathscr{C}$ donnée ci-dessous est la courbe représentative d'une fonction f définie sur $]-1 ; +\infty[$ par :
$$f(x) = ax^2 + bx + c - \ln(x + 1)$$
avec a, b et c des réels.
La droite $\mathscr{T}_0$ est la tangente à $\mathscr{C}$ au point A(0 ; 1) et passe par B(1 ; 0).

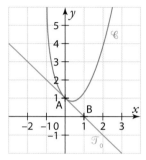

1. À partir des informations données, et sachant que $f'(1) = \dfrac{3}{2}$, montrer que $f(x) = x^2 + 1 - \ln(x + 1)$.

2. Déterminer le sens de variation de f et les limites aux bornes.

3. Existe-t-il des tangentes à $\mathscr{C}_f$ qui soient perpendiculaires à $\mathscr{T}_0$? Justifier par un calcul.

4. Soit la fonction g définie sur $\mathbb{R}$ par $g(x) = x^2 + 5$ et la fonction h définie sur $]-\infty ; -5[\cup]-1 ; +\infty[$ par :
$$h(x) = x^2 + 1 - \ln(x^2 + 6x + 5).$$
Étudier les positions relatives de $\mathscr{C}_f$, $\mathscr{C}_g$ et $\mathscr{C}_h$ sur $]-1 ; +\infty[$.

Méthode 1 **Méthode 2** p. 173 **Méthode 5** p. 177 **Méthode 7** **Méthode 8** p. 179

---

107 **Avec une fonction auxiliaire**

On considère les fonctions f et g définies sur $]0 ; +\infty[$ par :
$$f(x) = \frac{5x^2 - 2\ln x}{2x} \text{ et } g(x) = \frac{5x^2 - 2 + 2\ln x}{2x^2}.$$

1. a) Calculer la limite de $g(x)$ aux bornes de son ensemble de définition.

b) Étudier les variations de g sur $]0 ; +\infty[$.

c) Montrer qu'il existe un unique réel α solution de l'équation $g(x) = 0$ et que $\alpha \in]0,5 ; 1[$.

d) En déduire le signe de g selon les valeurs de x.

2. a) Calculer les limites de f aux bornes de son ensemble de définition.

b) Montrer que, sur $]0 ; +\infty[$, $f'(x) = \dfrac{g(x)}{2x^2}$ et en déduire les variations de f.

c) Montrer que f admet un minimum en α et que ce minimum vaut $\dfrac{5\alpha^2 - 1}{\alpha}$.

d) En déduire le signe de f sur $]0 ; +\infty[$.

Méthode 6 p. 177 **Méthode 7** p. 179 **Méthode 9** p. 180

---

108 **Probabilités et ln**

Chaque semaine, un agriculteur propose en vente directe à chacun de ses clients un panier de produits frais qui contient une seule bouteille de jus de fruits en verre incassable, qu'il demande de rapporter une fois vide. On suppose que le nombre de clients de l'agriculteur reste constant.

Une étude statistique réalisée donne les résultats suivants :
– à l'issue de la 1re semaine, la probabilité qu'un client rapporte la bouteille de son panier est 0,9 ;
– si le client a rapporté la bouteille de son panier une semaine, alors la probabilité qu'il ramène la bouteille de son panier la semaine suivante est 0,95 ;
– si le client n'a pas rapporté la bouteille de son panier une semaine, alors la probabilité qu'il ramène la bouteille de son panier la semaine suivante est 0,2.

On choisit au hasard un client parmi la clientèle de l'agriculteur. Pour tout entier n on nul, on note R_n l'évènement « le client rapporte la bouteille de son panier de la n-ième semaine ».
On note $r_n = P(R_n)$.

1. Justifier que, pour tout entier naturel n non nul :
$$r_{n+1} = 0,75 r_n + 0,2.$$

 **Coup de pouce** Penser à utiliser un arbre pondéré.

2. Démontrer que, pour tout entier naturel n non nul :
$$r_n = 0,1 \times 0,75^{n-1} + 0,8.$$

3. a) Écrire un algorithme qui permet de déterminer le plus petit rang n à partir duquel tous les termes de la suite sont inférieurs à 0,80001.

b) Retrouver ce résultat par le calcul et l'interpréter dans le contexte de l'exercice.

D'après Bac S, Liban, 2019.

Méthode 4 p. 175

---

109 **ln (u), limites et variations**

Soit la fonction g définie sur $\mathbb{R}^*$ par :
$$g(x) = \frac{1}{x^2} e^{-\frac{1}{x}}.$$

1. Soit la fonction h définie par :
$$h(x) = \ln(g(x)).$$
Montrer que h est définie sur tout $\mathbb{R}^*$.

2. Montrer que, pour tout $x \in]0 ; +\infty[$:
$$h(x) = \frac{-1 - 2x\ln x}{x}.$$

3. a) Calculer $\lim\limits_{x \to 0} h(x)$.

b) En déduire $\lim\limits_{x \to 0} g(x)$. **Méthode 3** p. 175 **Méthode 7** p. 179

D'après Bac S, Nouvelle-Calédonie, novembre 2018.

110 Relation fonctionnelle

But : découvrir une autre approche de la fonction ln.
On cherche à déterminer les fonctions qui vérifient :

$$\begin{cases} f(ab) = f(a) + f(b) \\ f'(1) = 1 \end{cases}$$

1. Montrer que toute fonction f non nulle vérifiant les conditions ci-dessus ne peut pas être définie en 0.
Pour la suite de l'exercice on considèrera les fonctions définies sur $]0\,;+\infty[$.
2. Montrer que $f(1) = 0$.

3. Montrer que $f\left(\dfrac{x}{y}\right) = f(x) - f(y)$.

4. a) Montrer que, pour tout $x > 0$ et $h > 0$:

$$\frac{f(x+h) - f(x)}{h} = \frac{f\left(1 + \dfrac{h}{x}\right) - f(1)}{\dfrac{h}{x}} \times \frac{1}{x}.$$

b) En déduire que $f'(x) = \dfrac{1}{x}$.

5. Déterminer le sens de variation de f sur $]0\,;+\infty[$ et en déduire le signe de f selon les valeurs de x.

▶ **Remarque** On appelle ln la fonction vérifiant ces conditions.

111 Les fonctions $x \mapsto x^{\alpha}$

On définit, pour tout $a > 0$ et $b \in \mathbb{R}$, $a^b = e^{b\ln a}$.

Pour tout $x > 0$ et $\alpha \in \mathbb{R}$, on pose :
$$f_\alpha(x) = x^\alpha.$$

1. À quoi correspondent précisément les fonctions f_0 et f_1 ?
Pour la suite de l'exercice, $\alpha \neq 0$ et $\alpha \neq 1$.
2. Montrer que la fonction f_α est dérivable sur $]0\,;+\infty[$ et $f'_\alpha(x) = \alpha x^{\alpha-1}$.
3. Étude des fonctions f_α avec $\alpha < 0$

a) Calculer $\lim\limits_{x \to 0} f_\alpha(x)$ et $\lim\limits_{x \to +\infty} f_\alpha(x)$.
b) Dresser le tableau de variations de f_α.
c) Tracer $\mathscr{C}_{f_\alpha}$ dans les cas particuliers où $\alpha = -1\,;\alpha = -0,5$.

4. Étude des fonctions f_α avec $\alpha > 0$

a) Calculer $\lim\limits_{x \to 0} f_\alpha(x)$ et $\lim\limits_{x \to +\infty} f_\alpha(x)$.
b) Dresser le tableau de variations de f_α.

c) On pose $h_\alpha(x) = \begin{cases} f_\alpha(x) \text{ pour } x > 0 \\ 0 \text{ pour } x = 0 \end{cases}$.

Montrer que h_α est continue en 0.
d) Étudier la dérivabilité de h_α en 0.

👍 **Coup de pouce** Penser à effectuer une disjonction de cas, $0 < \alpha < 1$ et $\alpha > 1$.

e) Tracer sur le même graphique que précédemment les courbes $\mathscr{C}_{f_\alpha}$ dans les cas particuliers où $\alpha = 0,2\,;\alpha = 0,5$ et $\alpha = 2$.

112 Une autre approche de e^x

Soit $a \in \mathbb{R}$, $n \in \mathbb{N}$ avec $n > -a$.

On pose $u_n = \left(1 + \dfrac{a}{n}\right)^n$.

1. Montrer que la suite $(\ln(u_n))$ est bien définie.
2. Calculer $\lim\limits_{n \to +\infty} \ln(u_n)$.

👍 **Coup de pouce** Penser à utiliser $\lim\limits_{X \to 0} \dfrac{\ln(1+X)}{X} = 1$.

3. En déduire que, pour tout $x \in \mathbb{R}$, $e^x = \lim\limits_{n \to +\infty} \left(1 + \dfrac{x}{n}\right)^n$.

113 Logarithme décimal et grands nombres

A ▶ On appelle la fonction logarithme décimal (notée log) la fonction définie, pour tout réel $x > 0$, par $\log x = \dfrac{\ln x}{\ln 10}$.
1. a) Montrer que $\log(10^n) = n$ avec $n \in \mathbb{Z}$.
b) Montrer que $\log(x^n) = n\log(x)$ avec $x \in]0\,;+\infty[$ et $n \in \mathbb{Z}$.
2. Dresser le tableau de variations de la fonction log, en y faisant apparaître les limites aux bornes de l'ensemble de définition.
3. Soit N un entier naturel non nul.
On veut montrer que le nombre de chiffres dans l'écriture décimal de N est $1 + E(\log N)$ où $E(x)$ représente la partie entière du réel x.
a) Tout nombre entier naturel N peut être encadré par deux puissances de 10 sous la forme :
$10^n \leqslant N < 10^{n+1}$ avec $n \in \mathbb{N}$.
À l'aide de cet encadrement, en déduire le nombre de chiffres de N.
b) À l'aide du sens de variation de la fonction log déterminé à la question **2.**, en déduire que le nombre de chiffres de N est $1 + E(\log N)$.

B ▶ À l'aide de cette méthode, déterminer le nombre de chiffres que possède le plus grand nombre premier annoncé en fin d'année 2018 grâce au projet GIMPS (*Great Internet Mersenne Prime Search*) qui devient ainsi le 51e nombre de Mersenne : $2^{82589933} - 1$.

114 Vrai ou faux ?   (PACES)

Pour chacune des affirmations suivantes, dire si elle est vraie ou fausse en justifiant la réponse.
Soit la fonction définie par :
$$f(x) = \ln(1 - \sin(3x)).$$

a) L'ensemble de définition de f est $\mathbb{R} \setminus \left\{\dfrac{\pi}{6} + \dfrac{2k\pi}{3}\,;k \in \mathbb{Z}\right\}$.

b) $f'(x) = \dfrac{-\cos(3x)}{1 - \sin(3x)}$

c) $\lim\limits_{x \to +\infty} f(x) = -\infty$ et la courbe $\mathscr{C}_f$ admet une asymptote verticale d'équation $x = -\dfrac{\pi}{2}$.

d) $f(x) = -\ln 2$ admet 6 solutions sur l'intervalle $]-\pi\,;\pi]$.

115 Logique ?

On cherche l'ensemble de définition de la fonction f définie par $f(x) = \ln\left(\dfrac{15 + 2x - x^2}{x^2 + 10x + 21}\right)$. On tient pour cela le raisonnement suivant : « f est définie si et seulement si on a $\dfrac{15 + 2x - x^2}{x^2 + 10x + 21} > 0$. Or $15 + 2x - x^2 = (3 + x)(5 - x)$ et $x^2 + 10x + 21 = (x + 3)(x + 7)$. Il faut donc et il suffit d'avoir $\dfrac{5 - x}{x + 7} > 0$, soit $x \in\ ]-7\ ;\ 5[$.

Conclusion : l'ensemble de définition cherché est $]-7\ ;\ 5[$.

Ce raisonnement est-il exact ?

Justifier.

D'après FESIC, 2018.

116 Étude d'une fonction   Agro-Véto

Soit les fonctions f et g définies sur $\mathbb{R}_+^*$ par :
$$f(x) = \dfrac{\ln(x)}{1 + x^2} \text{ et } g(x) = 1 + x^2 - 2x^2\ln(x).$$

1. a) Calculer les limites de g aux bornes de son ensemble de définition, et dresser son tableau de variations sur $\mathbb{R}_+^*$.
b) Montrer que l'équation $g(x) = 0$ admet une unique solution et en déduire le tableau de signes de g sur $\mathbb{R}_+^*$.
2. Calculer les limites de f aux bornes de son ensemble de définition et dresser son tableau de variations sur $\mathbb{R}_+^*$.

117 Suite et ln   Agro-Véto

On considère la suite (u_n) définie pour tout entier naturel n par $\begin{cases} u_0 = 1 \\ u_{n+1} = \ln(u_n + 1) + \ln(2) \end{cases}$.

1. Donner des valeurs approchées à 10^{-2} près de u_1 et u_2.
2. Démontrer par récurrence que, pour tout entier naturel n, on a $1 \leqslant u_n \leqslant u_{n+1} \leqslant 2$.
3. En déduire que la suite (u_n) est convergente vers un réel α dont on déterminera un encadrement d'amplitude inférieure à 0,5.
Justifier.
4. Montrer que α vérifie l'égalité $e^{-\alpha}(1 + \alpha) = \dfrac{1}{2}$.

D'après BCPST, 2017.

118 QCM

Pour chacune des questions, choisir la bonne réponse.

1. La suite (u_n) définie par $\begin{cases} u_{n+1} = \ln(1 + u_n) \\ u_0 = 1 \end{cases}$ est :

a croissante
b décroissante
c convergente vers e
d divergente vers $-\infty$

2. L'équation $x^2\ln 2 = x^3\ln 3$ a pour solution :

a $\left\{0\ ;\ \ln\left(\dfrac{2}{3}\right)\right\}$ b $\left\{0\ ;\ \dfrac{\ln 2}{\ln 3}\right\}$ c $\left\{\dfrac{\ln 2}{\ln 3}\right\}$ d $\{0\}$

3. Le domaine de définition de la fonction f définie par $f(x) = \ln(e^{-x} - 2)$ est :

a $]0\ ;\ +\infty[$ b $]\ln 2\ ;\ +\infty[$ c $]-\infty\ ;\ -\ln 2[$ d $]0\ ;\ 2[$

Concours de l'école de santé des armées, mai 2019.

119 Points d'intersection

Soit la fonction f définie sur $]0\ ;\ +\infty[$ par $f(x) = 2\ln x - (\ln x)^2$ et $\mathscr{C}_f$ sa courbe représentative.
1. Déterminer les limites de f aux bornes de son ensemble de définition.
2. Dresser le tableau de variations de la fonction f sur $]0\ ;\ +\infty[$.
3. $\mathscr{C}_f$ coupe l'axe des abscisses en deux points A et B d'abscisses respectives x_A et x_B telles que $x_A < x_B$. Déterminer les valeurs exactes de x_A et de x_B. Détailler les calculs.

D'après GEIPI Polytech, 2012.

120 Dérivées et limites

Les questions **1.** et **2.** sont indépendantes.
1. Déterminer l'ensemble de définition et la dérivée de la fonction f définie par $f(x) = \sqrt{\ln\left(\dfrac{x - 1}{3 - x}\right)}$.

2. Calculer $\displaystyle\lim_{x \to 0} \dfrac{\ln\left(\dfrac{1}{1 + x}\right)}{\sin x}$. Montrer au préalable que $x - \dfrac{x^3}{6} \leqslant \sin x \leqslant x$ pour tout $x \geqslant 0$.

D'après SPI EEAPR, 2017.

121 Déterminer f   Sciences Po

La fonction f est définie sur $\mathbb{R}_+^*$ par
$f(x) = ax^2 + \dfrac{b}{x^2} - (\ln x)^2$,
où a et $b \in \mathbb{R}$.
Sachant que $\mathscr{C}_f$ passe par A(1 ; 0,5) et admet une tangente horizontale en A, déterminer a et b.

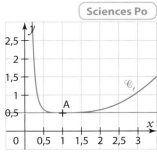

D'après Sciences Po, 2018.

122 Fonction et suite

a est un réel strictement positif donné.
1. On considère la fonction f définie pour tout x réel strictement positif par $f(x) = x\ln\left(1 + \dfrac{a}{x}\right)$.

a) Montrer que la fonction f est dérivable sur $]0\ ;\ +\infty[$ et que, pour tout $x > 0$, $f'(x) = \ln\left(1 + \dfrac{a}{x}\right) - \dfrac{a}{x + a}$.

b) Calculer $f''(x)$ et en déduire les variations de f'.
c) Déterminer $\displaystyle\lim_{x \to +\infty} f'(x)$, en déduire le signe de $f'(x)$ puis le sens de variation de f.
2. On considère les suites (u_n) et (v_n) définies pour tout entier n supérieur ou égal à 1 par $u_n = \left(1 + \dfrac{a}{n}\right)^n$ et $v_n = \ln(u_n)$.

a) Étudier la monotonie de la suite (v_n), en déduire celle de la suite (u_n).

b) Déterminer $\displaystyle\lim_{x \to 0} \dfrac{\ln(1 + x)}{x}$ et en déduire la limite de la suite (v_n) puis celle de la suite (u_n).

Sciences Po, 2010.

Travaux pratiques

1 Approximation de ln 2 par dichotomie

Le but de ce TP est de déterminer une valeur approchée de ln 2 avec une précision de 10^{-p} près, $p \in \mathbb{N}$.
La méthode utilisée sera la méthode par dichotomie qui repose sur le théorème suivant.

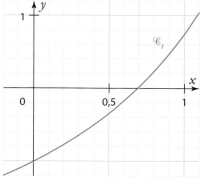

Théorème : Soit f une fonction continue et strictement croissante sur un intervalle $[a ; b]$ telle que $f(a)f(b) < 0$.
Il existe alors une unique solution α à l'équation $f(x) = 0$ sur cet intervalle.

Dans la suite de ce TP, on notera f la fonction définie sur $[0 ; 1]$ par $f(x) = e^x - 2$.

1. Écrire la fonction **Python** 🐍 f ayant pour paramètre flottant x correspondant à la fonction numérique f mentionnée ci-dessus et qui retourne donc $e^x - 2$ (deux lignes de code).

2. a) Écrire la fonction **Python** `Dicho` ayant pour paramètres flottants a et b, une fonction f (vérifiant les hypothèses du théorème énoncé) et un entier naturel n, qui retourne une valeur approchée de α, solution de l'équation $f(x) = 0$ à 10^{-p} près à partir du programme incomplet écrit ci-dessous en langage **Python** 🐍.

```python
from math import*
def f(x):
    return …
def Dicho(a,b,f,n):
    while a-b>…:
        m=(a+b)/2
        if f(m) …:
            a=…
        else :
            b=…
    return …
```

b) Modifier le programme de sorte à le rendre plus performant et qu'il puisse être également utilisé dans le cas d'une fonction non nécessairement croissante.

```python
from math import*
def f(x):
    return …
def Dicho(a,b,f,n):
    while b-a>…:
        m=(a+b)/2
        if f(a)*f(m)>0:
            a=…
        else :
            b=…
    return …
```

3. a) Résoudre l'équation $f(x) = 0$.

b) En déduire une valeur approchée de ln 2 à 10^{-5} près à l'aide de la fonction `Dicho` précédente, en saisissant sur la console même `Dicho`(a, b, f, n) en ayant pris le soin de remplacer a, b et n par les valeurs adéquates.

2 Algorithme de Briggs

Henry Briggs (1556-1630) est un mathématicien anglais qui fut coinventeur, avec John Napier, alias Neper, des logarithmes décimaux. On donne ci-dessous une description de sa méthode permettant de trouver une valeur approchée de log 5. Cette méthode de Briggs a permis de construire la table des logarithmes décimaux publiée en 1624 et expliquée par Euler en 1748.

John Napier

A ▶ Explication de la méthode de Briggs par Euler

1. Télécharger la table des logarithmes à l'aide du lien ci-contre.

▶ **DOCUMENT**
Table des logarithmes
lienmini.fr/maths-s06-08

> Soit la base logarithmique $a = 10$, qui est celle des tables ordinaires, et proposons-nous de trouver le logarithme approché de 5. Comme ce nombre est renfermé entre les limites 1 et 10, dont les logarithmes sont 0 et 1, on procédera de la manière suivante à l'extraction des racines, et on continuera les opérations jusqu'à ce qu'on soit arrivé à des limites, qui ne diffèrent plus du nombre proposé 5.
>
> Ainsi, en prenant des moyennes proportionnelles, on est parvenu à trouver $Z = 5,000\ 000$; à quoi répond le logarithme cherché 0,678 970 ; en supposant la base logarithmique $a = 10$.
>
> Par conséquent, $10^{\frac{69\ 897}{100\ 000}} = 5$ à-peu-près. C'est de cette manière que Briggs et Ulacq ont calculé la table ordinaire des logarithmes, quoiqu'on ait imaginé depuis des méthodes plus expéditives pour les trouver.
>
> Leonhard Euler, *Introduction à l'analyse infinitésimale*.

2. On appelle moyenne géométrique c de deux nombres a et b, le nombre c vérifiant $c = \sqrt{ab}$.
À partir de C, tous les nombres de la 1re colonne correspondent à des moyennes géométriques de deux nombres, expliquées en 3e colonne (ex. $C = \sqrt{AB}$), et tous les nombres de la 2e colonne correspondent à la moyenne arithmétique des deux nombres correspondants dans la 2e colonne (ex. $\log C = \dfrac{\log A + \log B}{2}$ où lC correspond à $\log C$).

La suite formée par les moyennes géométriques en 1re colonne converge vers 5 et la suite formée par les moyennes arithmétiques en 2e colonne converge vers log 5.
Avec cette méthode, détailler le calcul permettant d'obtenir le nombre D puis lD.

3. Le processus semble identique de C à F ; pourquoi diffère-t-il pour le calcul de G ?

4. Après plusieurs itérations de la méthode, on se rapproche du nombre 5 avec Z et une valeur approchée de log 5 est lZ.
Expliquer alors pourquoi il apparaît dans le texte la phrase :
« Par conséquent, $10^{\frac{69\ 897}{100\ 000}} = 5$ à peu près. »

B ▶ Construction de la table à l'aide d'un algorithme

1. On veut que l'algorithme ci-contre permette de déterminer une valeur approchée de log 5, avec une précision de 10^{-5} près. Par quelles valeurs faudrait-il alors remplacer x et p ?

2. Programmer cet algorithme en langage **Python** et vérifier que l'on retrouve effectivement la valeur approchée de log 5 annoncée dans la table de la partie **A**.

 Coup de pouce Lors de la saisie de cet algorithme, il faudra :
① importer le module `math`.
② utiliser `math.sqrt` pour la racine carrée.

```
A ← 1
B ← 10
lA ← 0
lB ← 1
Tant que B − x > 10⁻ᵖ faire
        Si √AB ≤ x alors
                A ← √AB
                          lA + lB
                 lA ← ───────────
                             2
        Sinon
                 B ← √AB
                          lA + lB
                 lB ← ───────────
                             2
        Fin si
Fin du Tant que
Afficher lB
```

Travaux pratiques

3 Distance d'un point à une courbe

On recherche la plus petite distance entre le point J(0 ; 1) et un point M appartenant à la courbe représentative de la fonction f définie sur $]-1 ; +\infty[$ par $f(x) = \ln(x + 1)$.
On note $\mathscr{C}_f$ la courbe représentative de la fonction f dans un repère orthonormé (O ; I, J).

A ▶ Modélisation du problème à l'aide d'un logiciel

1. À l'aide d'un logiciel de géométrie dynamique :

a) tracer la courbe $\mathscr{C}_f$.
b) créer un curseur a variant de $-0,5$ à 5 et incrémenté de $0,1$.
c) placer le point mobile M de coordonnées $(a ; f(a))$ appartenant ainsi à la courbe $\mathscr{C}_f$.
d) Placer le point J(0 ; 1).

2. Tracer le segment [JM] et faire apparaître la longueur de ce segment.

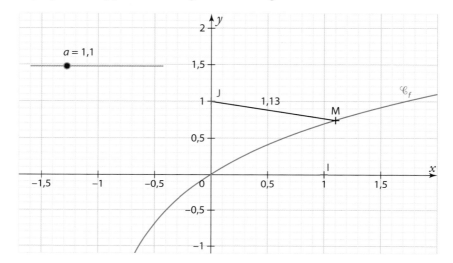

3. Changer la valeur du curseur a et, en visualisant la longueur du segment [JM], conjecturer la valeur de x pour laquelle la distance JM est la plus petite possible ainsi qu'une valeur approchée de cette distance minimale.

B ▶ Démonstration de la conjecture

1. Soit la fonction g définie sur $]-1 ; +\infty[$ par $g(x) = JM^2$, avec x l'abscisse du point M.
Exprimer $g(x)$ en fonction de x.

2. Montrer que, pour tout $x \in\ ]-1 ; +\infty[$, $g'(x) = 2 \times \dfrac{h(x)}{x+1}$ avec $h(x) = x^2 + x + \ln(x + 1) - 1$.

3. Dresser le tableau de variations de h en faisant apparaître les limites aux bornes qui seront préalablement calculées.
4. En déduire que l'équation $h(x) = 0$ admet une unique solution α sur $]-1 ; +\infty[$ dont on donnera une valeur approchée à 10^{-2} près.
5. Déduire des questions précédentes le signe de $h(x)$, puis le signe de $g'(x)$ et enfin le tableau de variations de g.
6. En déduire que g admet un minimum atteint en α valant $\alpha^4 + 2\alpha^3 + 2\alpha^2$.
7. Comparer avec les résultats trouvés à l'aide du logiciel de géométrie dynamique.

4 Intensité sonore

L'**intensité sonore** totale I de plusieurs ondes d'intensités I_1 et I_2 correspond à la somme de chacune des intensités sonores : $I = I_1 + I_2$.

L'amplitude de l'intervalle de l'intensité sonore perceptible étant de l'ordre de 10^{13} (le seuil d'audibilité étant de 10^{-12} W·m^{-2}), on utilise plutôt une échelle de grandeur plus simple et plus significative qui est le **niveau d'intensité sonore**.

Cette grandeur, notée L, s'exprime en décibels (dB) et est définie par $L = 10 \times \log \dfrac{I}{I_0}$ avec I l'intensité en W·m^{-2} ; et $I_0 = 10^{-12}$ W·m^{-2}.

1. On veut chercher à montrer que, si on quadruple l'intensité sonore, le niveau d'intensité sonore quant à lui n'est pas quadruplé.

On va d'abord le vérifier à l'aide d'un tableur.

On pose $I = 5 \times 10^{-6}$ W·m^{-2} ; $L = 10 \times \log\left(\dfrac{I}{10^{-12}}\right)$ dB le niveau d'intensité sonore associé ;

k le coefficient par lequel on multiplie l'intensité sonore (par exemple $k = 4$ si on quadruple) et L' le niveau d'intensité sonore associé à l'intensité $k \times I$.

> ▶ **TICE**
> **Fichier Excel**
> lienmini.fr/maths-s06-09

a) Reproduire le tableau ci-dessous sur un tableur ou le télécharger grâce au lien ci-contre.

	A	B	C	D	E	F	G	H	I	J
1	I =	0,000005		L =	66,9897000					
2										
3	k		2	3	4	5	6	7	8	9	10
4	I' = k*I										
5	k*L										
6	L'										
7											

b) Quelle formule faudra-t-il saisir en B4 et étendre jusqu'en J4 ?

c) Quelle formule faudra-t-il saisir en B5 et étendre jusqu'en J5 ?

d) Quelle formule faudra-t-il saisir en B6 et étendre jusqu'en J6 ?

e) À l'aide de ce tableur, comment peut-on répondre à la problématique posée en début de chapitre ?

> 👍 **Coup de pouce** Lorsqu'on écrit une formule dans laquelle un nom de cellule ne doit pas changer par un copier-glisser, il ne faut pas oublier de mettre à gauche de la lettre un \$ (par un copier-glisser vers la droite, la valeur ne va pas changer).
> De même, il faut mettre \$ devant le numéro si on fait un copier-glisser vers le bas.

2. Démonstration du résultat conjecturé à l'aide du tableur : on suppose que l'intensité sonore associée à chaque chanteur est la même et vaut I, que le niveau d'intensité sonore associé à chacun d'entre eux est L et on pose L' le niveau sonore associé à l'ensemble du groupe.

a) Vérifier que $L' = 10 \times \log\left(\dfrac{4I}{I_0}\right)$.

b) En utilisant les règles opératoires du logarithme décimal, qui sont les mêmes que les règles opératoires du logarithme népérien (ln), montrer que $L' \approx 6 + L$.

▶ **Remarque** Quadrupler l'intensité sonore revient à augmenter de 6 dB le niveau sonore et non à le multiplier par 4.

3. Démontrer de la même façon que si l'on divise par 5 l'intensité sonore cela revient à baisser de 7 dB le niveau sonore.

7

Primitives et équations différentielles

▶ VIDÉO

Carbone 14
lienmini.fr/maths-s07-01

L e carbone possède plusieurs formes – ou « isotopes » – parmi lesquelles le carbone 14, ou ^{14}C. Cet élément est radioactif, et sa radioactivité décroît au fil du temps à un rythme parfaitement régulier. Les scientifiques s'en servent donc comme « chronomètre » pour estimer l'âge d'objets très variés : œuvres d'art, roches, fossiles…

On analyse des fragments d'os trouvés dans une grotte. Des mesures montrent qu'ils ont perdu 30 % de leur teneur en carbone 14. Quel est l'âge de ces fragments d'os ? ↳ TP 3 p. 236

Pour prendre un bon départ

 EXOS
Prérequis
lienmini.fr/maths-s07-02

 Les rendez-vous
Sésamath

1 Calculer des dérivées de fonctions usuelles

Calculer la dérivée de f dans chacun des cas suivants, en précisant le domaine de dérivabilité.

a) $f(x) = \ln(x)$ **b)** $f(x) = \sqrt{x}$ **c)** $f(x) = \cos(x)$

d) $f(x) = \dfrac{1}{x}$ **e)** $f(x) = \dfrac{1}{x^2}$ **f)** $f(x) = x^4$

2 Calculer des dérivées de fonctions de la forme $u \times v$, $\dfrac{u}{v}$ ou $\dfrac{1}{v}$

On considère u et v des fonctions dérivables (v est non nulle quand elle est en dénominateur).
Calculer la dérivée de f dans chacun des cas suivants, en précisant le domaine de dérivabilité.

a) $f(x) = \dfrac{e^{3x+1}}{x}$ **b)** $f(x) = (x+1)e^x$ **c)** $f(x) = \dfrac{x^2}{x+2}$

d) $f(x) = x\ln(x)$ **e)** $f(x) = \dfrac{1}{(x+5)^2}$ **f)** $f(x) = x\sqrt{x}$

3 Calculer des dérivées de fonctions composées

Calculer la dérivée de f dans chacun des cas suivants, en précisant le domaine de dérivabilité.

a) $f(x) = e^{-x+1}$ **b)** $f(x) = \ln(x^2+3)$ **c)** $f(x) = \sin(3x+1)$

d) $f(x) = 4(x+1)^5$ **e)** $f(x) = \sqrt{(x^2+4)}$ **f)** $f(x) = e^{3x^2-5}$

4 Identifier si deux fonctions ont la même dérivée

Pour chaque cas, indiquer si les deux fonctions f et g ont la même dérivée sur l'intervalle I.

a) $f(x) = \ln(x+1) + \ln(x+5) + \ln(2)$
et $g(x) = \ln(x^2 + 6x + 5)$, $I =]-1\,;+\infty[$.

b) $f(x) = \cos(2x) - \sin(2x)$ et $g(x) = \sin(2x) + \cos(2x) + \cos\left(\dfrac{\pi}{3}\right)$, $I = \mathbb{R}$.

5 Résoudre des équations

Résoudre les équations suivantes.

a) $10e^{-3t} = 5$ avec $t \in \mathbb{R}$

b) $-4e^{5t} = 12$ avec $t \in \mathbb{R}$

c) $\dfrac{7}{2}e^x = 50$ avec $x \in \mathbb{R}$

d) $8e^{-\frac{t}{2}} = 40$ avec $t \in \mathbb{R}$

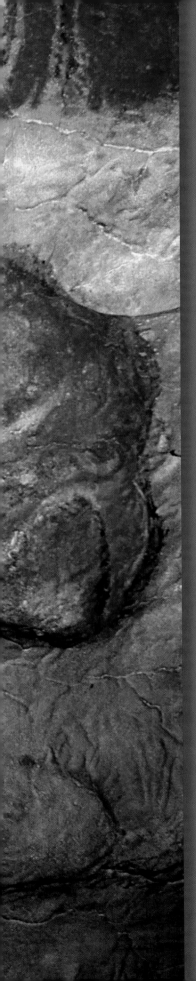

Activités

1 Découvrir la notion d'équation différentielle

On considère un ressort vertical à l'extrémité duquel on a placé une masse m.
On note $f(t)$ l'allongement du ressort à l'instant t par rapport à son équilibre statique et on note k (k > 0) la constante de raideur.
Les deux forces en présence sont la gravité et la force de rappel du ressort, qui est proportionnelle à l'allongement $f(t)$.

L'équation fondamentale de la dynamique s'écrit sous la forme $m\dfrac{d^2f(t)}{dt^2} + kf(t) = 0$

ou encore $mf''(t) + kf(t) = 0$, où f'' est la dérivée seconde de la fonction f.
Vérifier que les fonctions suivantes sont solutions $f(t) = A\cos(\omega t) + B\sin(\omega t)$

avec $\omega = \sqrt{\dfrac{k}{m}}$ et A et B des constantes.

Une équation qui relie une fonction à sa dérivée ou à ses dérivées successives est appelée une **équation différentielle**.

> Il existe des notations différentes pour désigner une dérivée d'une fonction f ou y,
> par exemple $\dot{y}$, $\dfrac{dy}{dx}$ (lorsque la variable est x), $\dfrac{dy}{dt}$ (lorsque la variable est t).
> La notation $\dfrac{dy}{dx}$ fut utilisée par Wilhelm Gottfried Leibniz (1646-1716), la présence
> de dy et dx définit la dérivée comme étant le rapport $\dfrac{dy}{dx}$ quand ces variations deviennent infiniment petites.
>
> La notation $\dot{y}$ est due à Sir Isaac Newton (1642-1727) qui parlait de fluxions.
> La notation f' a été amenée par le comte Joseph-Louis de Lagrange (1736-1813).

Wilhelm Gottfried Leibniz

↪ Cours 1 p. 206

2 Découvrir la notion de primitive

1. a) Déterminer une fonction y dérivable sur $\mathbb{R}$ telle que $y'(x) = e^x + 3$.

b) Déterminer une fonction F dérivable sur $\mathbb{R}_+^*$ telle que $F'(x) = \dfrac{2}{\sqrt{x}} - 1$.

2. On cherche à déterminer une fonction G dérivable sur $\mathbb{R}$ et dont la dérivée est $g(x) = (x+2)e^x$.
a) Peut-on déterminer G de la même manière que dans les situations précédentes ?
b) En supposant que $G(x)$ est de la forme $(ax+b)e^x$, déterminer les valeurs a et b convenables. Conclure.

3. On cherche à déterminer une fonction H dérivable sur $]0\,;+\infty[$ et dont la dérivée est $h(x) = \ln(x)$.
Un logiciel de calcul formel propose cette expression pour $H(x)$.
Démontrer que la fonction H a bien pour dérivée h.
On dit alors que H est une **primitive** de la fonction h sur l'intervalle $]0\,;+\infty[$.

```
int(ln(x),x)
```
```
x*ln(x)-x
```

4. Démontrer l'équivalence suivante : deux fonctions f et g ont la même dérivée sur un intervalle I si et seulement si la fonction $f - g$ est constante sur I.

↪ Cours 2 p. 208

3 Introduire l'étude des équations $y' = ay$ et $y' = ay + b$

A ▶ L'équation $y' = y$

1. Quelle fonction usuelle et non nulle est solution de l'équation $y' = y$?

2. Si une fonction f est solution de l'équation différentielle $y' = y$, la fonction Kf, où K est un réel quelconque, est-elle aussi solution de l'équation $y' = y$?

3. En déduire d'autres solutions de $y' = y$.

B ▶ L'équation $y' = ay$ et les fonctions de la forme $x \mapsto Ke^{ax}$ avec K et a réels

1. Vérifier que la fonction $x \mapsto e^{3x}$ est solution de l'équation $y' = 3y$.
En déduire d'autres solutions de l'équation.

2. Proposer des solutions des équations $y' = 5y$ et $y' = -y$.

3. À l'aide de GeoGebra, en créant des curseurs a et K, étudier les courbes représentatives des fonctions de la forme $x \mapsto Ke^{ax}$.

4. Associer chaque fonction f ci-dessous à sa courbe représentative et donner l'équation différentielle dont elle est solution.

a) $f(x) = -3e^{2x}$ **b)** $f(x) = 0,5e^x$ **c)** $f(x) = 0,5e^{-2x}$ **d)** $f(x) = -3e^{-2x}$ **e)** $f(x) = 0,5e^{-0,1x}$

①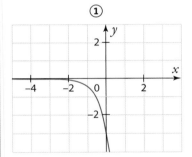

②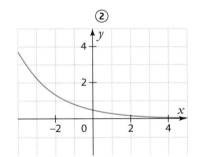

③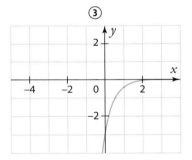

④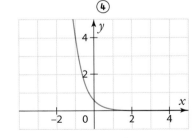

⑤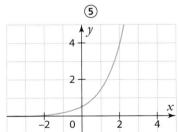

C ▶ L'équation $y' = ay + b$

1. En remarquant que l'équation différentielle $y' = 3y + 5$ se ramène à l'équation différentielle

(E) : $\left(y + \dfrac{5}{3}\right)' = 3\left(y + \dfrac{5}{3}\right)$, montrer qu'une fonction f est solution de (E) si et seulement si la fonction $f + \dfrac{5}{3}$

est solution de $y' = 3y$. Donner alors des solutions de cette équation.

2. On considère l'équation différentielle $y' = ay + b$, a et b étant des réels non nuls.
Quelles solutions peut-on donner à cette équation ?

➡ Cours 3 p. 210

Cours

1 Équations différentielles et primitives

Définition Équation différentielle

• Une **équation différentielle** est une égalité liant une fonction inconnue y de la variable x, ses dérivées successives y', y'',… et éventuellement d'autres fonctions (constantes, f…).

• On appelle **solution d'une équation différentielle** toute fonction dérivable vérifiant l'égalité.

Résoudre une équation différentielle, c'est trouver toutes les fonctions solutions vérifiant l'égalité.

Exemple

La fonction $x \mapsto e^{-x}$ est solution de l'équation $y'' - y = 0$ car, pour $y(x) = e^{-x}$, $y''(x) = +e^{-x}$, donc $y''(x) - y(x) = 0$.

Remarques

① La dérivée est associée à un taux de variation, quotient des variations de y sur les variations de x, d'où le terme *différentiel*.

② On peut être amené à utiliser l'écriture différentielle $y' = \dfrac{dy}{dx}$ ou $y' = \dfrac{dy}{dt}$.

Exemples

• $2y' + 3y = 0$ • $y'(t) = y^2(t) + 5t + 1$ • $\dfrac{dy}{dt} + 5y = 0$ • $\dfrac{dy}{dx} = 2y(x) + x^2$

Définition Primitive d'une fonction

Soit f une fonction définie sur un intervalle I réel.

On appelle primitive de la fonction f sur I toute fonction solution de l'équation différentielle $y' = f$.

Ainsi, une fonction F est une primitive de f sur I lorsque, pour tout x de I, on a $F'(x) = f(x)$.

Exemple

La fonction $x \mapsto x^2$ est solution de l'équation différentielle $y' = 2x$.
La fonction $F : x \mapsto x^2$ est une primitive, sur $\mathbb{R}$, de $f : x \mapsto 2x$.

Propriétés Primitives de fonctions usuelles

Fonction f	Intervalle de définition	Primitive F
$f(x) = a$	$\mathbb{R}$	$F(x) = ax + k$, avec k réel
$f(x) = x^n$, n entier relatif sauf -1	$\mathbb{R}$ si n entier naturel $]-\infty ; 0[$ ou $]0 ; +\infty[$ si n entier négatif non nul sauf -1.	$F(x) = \dfrac{1}{n+1}x^{n+1} + k$, avec k réel
$f(x) = \dfrac{1}{\sqrt{x}}$	$]0 ; +\infty[$	$F(x) = 2\sqrt{x} + k$, avec k réel
$f(x) = e^x$	$\mathbb{R}$	$F(x) = e^x + k$, avec k réel
$f(x) = \dfrac{1}{x}$	$]0 ; +\infty[$	$F(x) = \ln x + k$, avec k réel
$f(x) = \sin(x)$	$\mathbb{R}$	$F(x) = -\cos(x) + k$, avec k réel
$f(x) = \cos(x)$	$\mathbb{R}$	$F(x) = \sin(x) + k$, avec k réel

Remarque

On obtient ce tableau par lecture inverse du tableau des dérivées usuelles.

● EXOS
Méthodes
lienmini.fr/maths-s07-03

Les rendez-vous
Sésamath

Exercices (résolus)

Méthode 1 — Montrer qu'une fonction y est solution d'une équation différentielle

Énoncé

1. Montrer que la fonction y est solution de l'équation $y' = f$ sur I :
$y(x) = 3x^5 - x^2 + 5x - 1$; $f(x) = 15x^4 - 2x + 5$, avec I = $\mathbb{R}$.

2. Montrer que la fonction $x \mapsto \cos x$ est solution de l'équation $y'' + y = 0$.

Solution

1. La fonction y est bien dérivable sur I car c'est une somme de fonctions dérivables sur I :
$y'(x) = 15x^4 - 2x + 5 = f(x)$. **2**

2. La fonction $x \mapsto \cos(x)$ est deux fois dérivable sur $\mathbb{R}$ et $y(x) = \cos'x$, alors $y''(x) = -\cos x$, donc $y''(x) + y(x) = 0$.

Conseils & Méthodes

1 Ne pas oublier de justifier la dérivabilité. Pour justifier de la dérivabilité, penser à utiliser les opérations sur les fonctions dérivables. Ici la fonction y est la somme de fonctions dérivables sur I, donc elle est dérivable sur I.

2 Calculer la dérivée et retrouver f.

À vous de jouer !

1 Montrer que la fonction y est solution de l'équation $y' = f$ sur I.

a) $y(x) = \dfrac{5}{3}x^3 + \dfrac{3}{2}x^2$; $f(x) = 5x^2 + 3x$; I = $\mathbb{R}$

b) $y(x) = \dfrac{1}{3x^3} + 5$; $f(x) = \dfrac{-1}{x^4}$; I = $]0 ; +\infty[$

2 Montrer que la fonction y est solution de l'équation proposée.

a) $y(x) = e^{2x}$; équation : $y' = 2y$

b) $y(x) = \cos(x)\sin(x)$; équation : $y'' = -4y$

3 Montrer que la fonction y est solution de l'équation $y' = f$ sur un intervalle I à préciser.

a) $y(x) = \dfrac{e^x}{x}$; $f(x) = \dfrac{e^x(x-1)}{x^2}$

b) $y(x) = \sqrt{x} + \ln(x)$; $f(x) = \dfrac{1}{2\sqrt{x}} + \dfrac{1}{x}$

c) $y(x) = \sin(x) + \pi$; $f(x) = \cos(x)$

↪ Exercices 37 à 41 p. 218

Méthode 2 — Déterminer une primitive d'une fonction usuelle

Énoncé

Pour chacune des fonctions suivantes, déterminer une primitive F sur I = $]0 ; +\infty[$ ou I = $\mathbb{R}$.

a) $x \mapsto \dfrac{1}{x}$ **b)** $x \mapsto x^3$ **c)** $x \mapsto \dfrac{1}{x^4}$

Solution

a) **1** $F(x) = \ln(x)$

b) **1** $F(x) = \dfrac{1}{4}x^4$

c) L'entier n est négatif, égal à -4. **2**
$F(x) = \dfrac{1}{-4+1}x^{-4+1} = \dfrac{-1}{3}x^{-3} = \dfrac{-1}{3x^3}$.

Conseils & Méthodes

1 Appliquer la formule du tableau des primitives des fonctions usuelles.

2 Attention dans le tableau du cours, lorsque l'entier n est négatif avec $n \neq -1$, dans la formule $F(x) = \dfrac{1}{n+1}x^{n+1} + k$ le nombre $n+1$ est aussi négatif.

À vous de jouer !

4 Déterminer une primitive de la fonction f sur l'intervalle I.

a) $f(x) = \dfrac{5}{3}x^3$; I = $\mathbb{R}$ **b)** $f(x) = \dfrac{-1}{x^5}$; I = $]0 ; +\infty[$

5 Déterminer une primitive de la fonction f sur un intervalle I à préciser.

a) $f(x) = \dfrac{1}{\sqrt{x}}$ **b)** $f(x) = \sin(x)$

↪ Exercices 42 et 43 p. 218

Cours

2 Existence et calcul de primitives

Théorème Existence de primitives

Toute fonction continue sur un intervalle I admet des primitives sur I.

Théorème Ensemble des primitives et conditions initiales

Soit f une fonction continue sur un intervalle I et admettant une primitive F. Alors l'ensemble des primitives de f sur I sont les fonctions de la forme $F + k$, avec k réel. Pour tous réels x_0 de I et y_0 de $\mathbb{R}$, il existe une unique primitive qui prend en x_0 la valeur y_0, c'est-à-dire une unique primitive F telle que $F(x_0) = y_0$.

Démonstration

Soit f une fonction continue admettant une primitive F sur un intervalle I.
Alors toute fonction de la forme $x \mapsto F(x) + k$, avec k réel, a pour dérivée
$(F + k)'(x) = F'(x) + 0 = f(x)$, d'après les opérations sur les dérivées :
c'est donc une primitive de f sur I.

Réciproquement, si G est une primitive de f sur I alors, pour tout x de I,
$G'(x) = F'(x) = f(x)$, c'est-à-dire $(F(x) - G(x))' = 0$.

Ainsi il existe un réel k tel que $F(x) - G(x) = k$, c'est-à-dire $F(x) = G(x) + k$.

Si, de plus, $F(x_0) = y_0$, alors $F(x_0) = G(x_0) + k = y_0$, soit $k = y_0 - G(x_0)$.

VIDÉO
Démonstration
lienmini.fr/maths-s07-04

ØLJEN
Les maths en finesse

Remarque

On dit que deux primitives d'une même fonction diffèrent d'une constante.

Exemple

Soit $f : x \mapsto \sin\left(\dfrac{x}{4}\right)$. La fonction f est continue sur $\mathbb{R}$ et admet pour primitives les fonctions de la forme

$x \mapsto -4\cos\left(\dfrac{x}{4}\right) + k$. La primitive qui en 2π prend la valeur 0 est $x \mapsto -4\cos\left(\dfrac{x}{4}\right)$.

Propriétés Primitives de fonctions composées

Les théorèmes opératoires sur le calcul de dérivées permettent d'établir le tableau suivant sur les primitives. On considère que u désigne une fonction dérivable sur un intervalle I.

Forme de la fonction	Primitive à une constante près	Conditions
$u' + v'$	$u + v$	u et v dérivables sur I
$\lambda u'$, avec λ réel	λu	
$u'u^n$, $n \in \mathbb{Z}$, $n \neq 0$ et $n \neq -1$	$\dfrac{u^{n+1}}{n+1}$	Si n est négatif, alors $u(x) \neq 0$ pour tout x de I.
$\dfrac{u'}{u^2}$	$\dfrac{-1}{u}$	$u(x) \neq 0$ pour tout x de I
$\dfrac{u'}{2\sqrt{u}}$	$\sqrt{u}$	$u(x) > 0$ pour tout x de I
$\dfrac{u'}{u}$	$\ln|u|$	pour $u(x) \neq 0$
$u'e^u$	e^u	
$(v' \circ u) \times u'$	$v \circ u$	v dérivable sur un intervalle J et, pour tout x de I, $u(x)$ appartient à J

○ EXOS
Méthodes
lienmini.fr/maths-s07-03

Les rendez-vous
Sésamath

Exercices (résolus)

Méthode 3 Déterminer l'ensemble des primitives d'une fonction, ou une primitive avec conditions initiales

Énoncé

1. Soit $f : x \mapsto 3x^2 + \dfrac{1}{x}$. Vérifier que la fonction $F : x \mapsto x^3 + \ln(x)$ est une primitive de f sur $]0\,;+\infty[$.

2. En déduire l'ensemble des primitives de f sur $]0\,;+\infty[$. Déterminer celle qui prend en e la valeur 0.

Solution

1. F est bien dérivable sur I et $F'(x) = 3x^2 + \dfrac{1}{x}$.

2. L'ensemble des primitives de f sur $]0\,;+\infty[$ sont les fonctions de la forme $G(x) = x^3 + \ln(x) + k$, où $k \in \mathbb{R}$.
$G(e) = 0 \Leftrightarrow$ **2** $e^3 + \ln(e) + k = 0 \Leftrightarrow k = -1 - e^3$.
La primitive cherchée est donc : $G(x) = x^3 + \ln(x) - 1 - e^3$.

Conseils & Méthodes

1 Se rappeler que deux primitives diffèrent d'une constante.

2 Pour trouver la constante qui convient lorsque les conditions initiales sont imposées, on résout une équation.

À vous de jouer !

6 **1.** Montrer que la fonction $F : x \mapsto x\ln(x) - x$ est une primitive de la fonction ln sur $]0\,;+\infty[$.

2. En déduire l'ensemble des primitives de ln sur $]0\,;+\infty[$.

3. Déterminer l'unique primitive de la fonction ln qui s'annule en 1.

7 **1.** Montrer que $F : x \mapsto \cos\left(2x - \dfrac{\pi}{2}\right)$ est primitive de la fonction f définie par $f(x) = -2\sin\left(2x - \dfrac{\pi}{2}\right)$ sur $\mathbb{R}$.

2. En déduire l'unique primitive H de f sur $\mathbb{R}$ telle que $H\left(\dfrac{\pi}{4}\right) = 2$.

↪ **Exercices 44 à 47 p. 218**

Méthode 4 Déterminer une primitive

Énoncé

Pour chacune des fonctions proposées, déterminer une primitive F de f sur $\mathbb{R}$ ou $]0\,;+\infty[$.

a) $f(x) = x^3 + \dfrac{1}{x}$

b) $f(x) = \dfrac{2x+1}{(x^2+x+5)^3}$

Solution

a) On reconnaît une somme $u' + v'$ avec $u(x) = x^3$ et $v(x) = \dfrac{1}{x}$, avec u et v des fonctions dérivables sur $]0\,;+\infty[: F(x) = \dfrac{1}{4}x^4 + \ln(x)$. **1**

b) **2** On reconnaît la forme $u'u^n$ avec $n = -3$. Une primitive sur $\mathbb{R}$ (sur $\mathbb{R}$ car on aura remarqué que le trinôme $x^2 + x + 5$ est positif) sera :

3 $F(x) = \dfrac{(x^2+x+5)^{-3+1}}{-3+1} = \dfrac{-1}{2} \times (x^2+x+5)^{-2} = \dfrac{-1}{2(x^2+x+5)^2}$

Conseils & Méthodes

1 Faire apparaître correctement un modèle du tableau du cours.

2 C'est un produit, donc on va chercher dans le tableau des produits qui pourraient convenir comme modèle. Bien penser à diviser par $n + 1$.

3 Lorsque n est négatif, la forme $u'u^n$ s'écrit sous la forme d'un quotient.

À vous de jouer !

8 Déterminer une primitive de f sur l'intervalle I.

a) $f(x) = -e^{-x}$; $I = \mathbb{R}$.

b) $f(x) = \dfrac{x^2}{x^3+5}$; $I =]0\,;+\infty[$.

c) $f(x) = (2x+1)(x^2+x-7)^5$; $I = \mathbb{R}$

9 Déterminer une primitive de f sur l'intervalle I.

a) $f(x) = \dfrac{3}{(3x-1)^2}$; $I = \left]\dfrac{1}{3}\,;+\infty\right[$

b) $f(x) = \dfrac{2x+1}{\sqrt{x^2+x-5}}$; $I = \mathbb{R}$

c) $f(x) = \cos(x)(\sin(x))^2$; $I = \mathbb{R}$

↪ **Exercices 48 à 54 p. 219**

3 Résolution des équations différentielles

Théorème Ensemble des solutions d'une équation $y' = ay$, solution avec condition initiale

Les équations différentielles de la forme $y' = ay$ où a est un réel non nul ont pour solutions les fonctions $x \mapsto Ke^{ax}$, avec K réel.

Pour tous x_0 et y_0 deux réels donnés, il existe une unique fonction f solution prenant en x_0 la valeur y_0, c'est-à-dire telle que $f(x_0) = y_0$.

● **Démonstration**

On vérifie facilement que toute fonction de la forme $x \mapsto Ke^{ax}$, où $K \in \mathbb{R}$, est solution.
Réciproquement, il faut prouver que toute solution est de cette forme.
Considérons g une solution de l'équation $y' = ay$.
On a alors, pour tout x de $\mathbb{R}$, $g'(x) = ag(x)$.
Définissons une fonction t par $t(x) = g(x) \times e^{-ax}$.
Cette fonction est dérivable sur $\mathbb{R}$ et, pour tout x de $\mathbb{R}$,
on a $t'(x) = g'(x) \times e^{-ax} - ag(x)\, e^{-ax} = e^{-ax}(g'(x) - ag(x)) = 0$.
La fonction t est donc une fonction constante. Il existe un réel K tel que, pour tout x de $\mathbb{R}$, on a $t(x) = K$, et ainsi $g(x) = Ke^{ax}$.

▶ **VIDÉO**
Démonstration
lienmini.fr/maths-s07-05

ØLJEN
Les maths en finesse

▶**Allures des courbes des fonctions Ke^{ax}**
Obtenues pour K positif puis pour K négatif et en faisant varier le coefficient a.

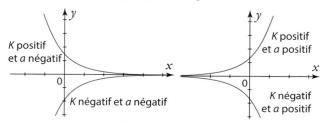

● **Exemple**

L'équation différentielle (E) : $y' = 3y$ a pour solutions les fonctions de la forme $x \mapsto Ke^{3x}$.
L'unique solution de (E) telle que $f(0) = 2$ est la fonction $x \mapsto 2e^{3x}$.

Théorème Ensemble des solutions d'une équation $y' = ay + b$, solution avec condition initiale

Les équations différentielles de la forme $y' = ay + b$ où a est un réel non nul et b un réel ont pour solutions les fonctions $x \mapsto Ke^{ax} - \dfrac{b}{a}$, avec K réel. Pour tous x_0 et y_0 deux réels donnés, il existe une unique fonction f solution prenant en x_0 la valeur y_0, c'est-à-dire telle que $f(x_0) = y_0$.

▶**Remarque** La fonction constante $x \mapsto -\dfrac{b}{a}$ est une solution particulière de l'équation.

● **Démonstration**

On vérifie facilement que toute fonction de la forme $x \mapsto Ke^{ax} - \dfrac{b}{a}$, avec $K \in \mathbb{R}$, est solution.

Réciproquement, il faut prouver que toutes les solutions sont de cette forme.

Nous savons que la fonction constante $c : x \mapsto -\dfrac{b}{a}$ est solution particulière, $c'(x) = a \times c(x) + b$. (1)

Considérons g une solution de l'équation $y' = ay + b$, on a alors, pour tout x de $\mathbb{R}$, $g'(x) = a \times g(x) + b$. (2)
Par soustraction de (2) et (1), on obtient $g'(x) - c'(x) = a \times (g(x) - c(x))$, soit $(g(x) - c(x))' = a \times (g(x) - c(x))$.
Ainsi, la fonction $g - c$ est solution de l'équation $y' = ay$, donc de la forme Ke^{ax}, ce qui entraîne :
$g(x) - c(x) = Ke^{ax}$, soit $(x) = Ke^{ax} - \dfrac{b}{a}$, $K \in \mathbb{R}$.

● **Exemple**
La fonction constante égale à 1 est solution de $y' = y - 1$. Toute fonction solution est de la forme $x \mapsto 1 + Ke^x$, avec K réel.

● EXOS
Méthodes
lienmini.fr/maths-s07-03

Les rendez-vous
Sésamath

Exercices (résolus)

Méthode 5 — Résoudre l'équation $y' = ay$

Énoncé

1. Résoudre l'équation $3y' = 2y$.
2. Donner l'allure des courbes solutions.
3. Déterminer ensuite l'unique solution f telle que $f(1) = e$.

Solution

Conseils & Méthodes

1 Retrouver la forme d'équation $y' = ay$.

2 Pour trouver l'unique fonction solution telle que $f(x_0) = y_0$, résoudre l'équation $Ke^{ax_0} = y_0$ d'inconnue K.

1. **1** L'équation $3y' = 2y$ correspond à la forme $y' = \dfrac{2}{3}y$.

L'ensemble des solutions sont les fonctions $x \mapsto Ke^{\frac{2}{3}x}$.

2. Si K est positif, les courbes sont en dessus de l'axe des abscisses, si K est négatif elles sont en dessous.

3. **2** La solution cherchée est telle que $Ke^{\frac{2}{3}} = e$,

soit $K = e^{\frac{-2}{3}} \times e = e^{\frac{1}{3}}$.

C'est la fonction $f : x \mapsto e^{\frac{1}{3}} \times e^{\frac{2}{3}x} = e^{\frac{1+2x}{3}}$.

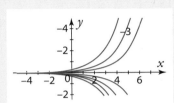

À vous de jouer !

10 1. Résoudre les équations différentielles.
a) $y' = 2y$ **b)** $y' = -5y$
2. Donner l'allure des fonctions $x \mapsto Ke^{-5x}$ en discutant selon le signe de K.

11 1. Résoudre les équations différentielles.
a) $y' + \dfrac{1}{3}y = 0$ **b)** $4y' + 5y = 0$
2. Déterminer la solution f de l'équation $4y' + 5y = 0$, telle que $f(1) = 2$.

➡ Exercices 58 à 65 p. 219-220

Méthode 6 — Résoudre l'équation $y' = ay + b$

Énoncé

Déterminer les solutions de l'équation $2y' = 8y - 10$ puis trouver la solution qui s'annule en 1.

Conseils & Méthodes

1 Retrouver le modèle $y' = ay + b$.

2 Déterminer la fonction constante solution. En déduire alors la forme de toutes les solutions.

3 Pour trouver l'unique fonction solution telle que $f(x_0) = y_0$, ici $f(1) = 0$, on va résoudre une équation pour déterminer K.

Solution

1 L'équation $2y' = 8y - 10$ correspond à la forme $y' = 4y - 5$.

La fonction constante $\dfrac{5}{4}$ est solution. **2**

L'ensemble des solutions sont les fonctions $x \mapsto \dfrac{5}{4} + Ke^{4x}$.

3 La solution cherchée est telle que $\dfrac{5}{4} + Ke^4 = 0$, soit $K = e^{-4} \times \dfrac{-5}{4} = \dfrac{-5}{4e^4}$.

À vous de jouer !

12 Résoudre les équations différentielles.
a) $y' = 2y + 1$ **b)** $y' = -5y + 2$
c) $y' + y = 3$ **d)** $4y' + y - 5 = 0$

13 Résoudre l'équation différentielle $y' = 0,5(y + 20)$. Donner la solution qui prend la valeur -30 en 4.

➡ Exercices 66 à 70 p. 220-221

Exercices (résolus)

 EXOS
Méthodes
lienmini.fr/maths-s07-03

 Les rendez-vous Sésamath

Méthode 7 — Transformer l'écriture d'une fonction pour obtenir ses primitives

↳ Cours 2 p. 208

Énoncé

1. On considère la fonction f définie sur $\mathbb{R}$ par :
$$f(x) = (3x^2 + 2)(x^3 + 2x).$$

a) Identifier la forme $u'u$, puis déterminer une primitive de f.

b) Déterminer la primitive qui prend en 1 la valeur 5.

2. On considère la fonction g définie pour tout réel $x \neq 0$ et $x \neq 1$ par :
$$g(x) = \frac{1}{x(x-1)}.$$

Trouver des réels a et b tels que $g(x) = \frac{a}{x} + \frac{b}{x-1}$.

En déduire une primitive de G sur $]1\,;+\infty[$.

Solution

1. a) On reconnaît la forme $u'u$ avec $u(x) = x^3 + 2x$.

1 Une primitive est $F : x \mapsto \frac{1}{2}(x^3 + 2x)^2 + k$, avec k réel.

b) $F(1) = \frac{1}{2}(1+2)^2 + k = 5 \Leftrightarrow k = \frac{1}{2}$ donc $F(x) = \frac{1}{2}(x^3 + 2x)^2 + \frac{1}{2}$.

2. **2** $g(x) = \frac{a}{x} + \frac{b}{(x-1)}$

$$= \frac{a(x-1) + bx}{x(x-1)}$$

$$= \frac{(a+b)x - a}{x(x-1)}$$

Par identification avec $\frac{1}{x(x-1)}$, on obtient $a = -1$ et $a + b = 0$, soit $b = 1$.

Ainsi $g(x) = \frac{-1}{x} + \frac{1}{x-1}$.

Pour tout x de $]1\,;+\infty[$, une primitive sera $G : x \mapsto -\ln(x) + \ln(x-1) = \ln\left(\frac{x-1}{x}\right)$.

Conseils & Méthodes

1 Avec la forme $u'u$, une primitive est $\frac{1}{2}u^2$.

2 Penser à réduire au même dénominateur pour pouvoir identifier avec la forme $g(x)$ de l'énoncé.

À vous de jouer !

14 **1.** Donner une primitive sur $\mathbb{R}$ de $x \mapsto \cos(x)\sin(x)$.

2. Donner une primitive sur $\mathbb{R}$ de $x \mapsto 2(x+1)e^{x^2 + 2x}$.

15 Sur l'intervalle $]1\,;+\infty[$ on considère la fonction :
$$g : x \mapsto \frac{1}{x(x-1)(x+1)}.$$

1. Déterminer les réels a, b et c tels que :
$$g(x) = \frac{a}{x} + \frac{b}{x-1} + \frac{c}{x+1}.$$

2. En déduire une primitive de g sur $]1\,;+\infty[$.

16 On considère la fonction :
$$h : x \mapsto (x+1)\,e^x.$$
En développant $h(x)$, retrouver une forme $u'v + uv'$ et en déduire une primitive de h sur $\mathbb{R}$.

17 On considère la fonction :
$$t : x \mapsto \frac{\ln(x)}{x}.$$
Écrire $t(x)$ sous une forme $u'u$ et en déduire une primitive sur $]0\,;+\infty[$

↳ Exercices 76 à 80 p. 222

EXOS
Méthodes
lienmini.fr/maths-s07-03

Les rendez-vous
Sésamath

Exercices (résolus)

^{Méthode}
8 Étudier une fonction solution d'une équation $y' = ay + b$

↳ **Cours 3** p. 210

Énoncé   **Algo** ✎

On considère l'équation différentielle $2y' - 5y = 0$.

1. Résoudre cette équation différentielle.

2. Déterminer la solution f telle que $f(1) = e$.

3. Étudier les variations de f sur $\mathbb{R}$.

4. Étudier les limites de f en $+\infty$ et $-\infty$.

5. Déterminer la valeur de x pour laquelle $f(x) = 20$.

6. Résoudre l'inéquation $f(x) > 40$.

7. Écrire un algorithme permettant de déterminer à partir de quelle valeur entière positive de x on a $f(x) > 10\,000$.

Solution

1. ▌1▐ $2y' - 5y = 0$ est de la forme $y' = \dfrac{5}{2}y$, les solutions sont les fonctions $x \mapsto Ce^{\frac{5}{2}x}$.

2. ▌2▐ $f(1) = e$ donne $f(1) = Ce^{\frac{5}{2}} = e \Leftrightarrow C = \dfrac{e}{e^{\frac{5}{2}}} = e^{-\frac{3}{2}}$, donc $f(x) = e^{-\frac{3}{2}} \cdot e^{\frac{5}{2}x} = e^{\frac{5x-3}{2}}$.

3. ▌3▐ D'après l'équation $f'(x) = \dfrac{5}{2}f(x) = \dfrac{5}{2}e^{\frac{5x-3}{2}} > 0$, donc f est strictement croissante sur $\mathbb{R}$.

4. ▌4▐ $\displaystyle\lim_{x\to+\infty} \dfrac{5x-3}{2} = +\infty$ et $\displaystyle\lim_{X\to+\infty} e^X = +\infty$ donc, par composition, $\displaystyle\lim_{x\to+\infty} f(x) = +\infty$.

$\displaystyle\lim_{X\to-\infty} \dfrac{5x-3}{2} = -\infty$ et $\displaystyle\lim_{X\to-\infty} e^X = 0$ donc, par composition, $\displaystyle\lim_{x\to-\infty} f(x) = 0$.

5. ▌5▐ $f(x) = 20$ équivaut à $e^{\frac{5x-3}{2}} = 20 \Leftrightarrow 5x - 3 = 2\ln 20 \Leftrightarrow x = \dfrac{3 + 2\ln(20)}{5}$.

6. $f(x) > 40$ équivaut à $e^{\frac{5x-3}{2}} > 40$, ce qui donne $x > \dfrac{3 + 2\ln(40)}{5}$.

$S = \left] \dfrac{3 + 2\ln(40)}{5} \,; +\infty \right[$.

7. ▌6▐ En langage naturel, l'algorithme est :

```
x ← 0
Tant que exp( (5x - 3) / 2 ) ≤ 10000
    x ← x + 1
Fin tant que
```

Conseils & Méthodes

▌1▐ Voir la méthode 5 pour la résolution de l'équation $y' = ay$.

▌2▐ Connaissant $f(x)$, calculer $f(1)$ puis résoudre l'équation pour trouver C.

▌3▐ C'est le signe de la dérivée qui donnera les variations.

▌4▐ Il faut étudier la limite d'une fonction composée.

▌5▐ Penser à l'équivalence $e^a = b \Leftrightarrow a = \ln(b)$.

▌6▐ C'est une boucle non bornée qu'il faut dans l'algorithme.

À vous de jouer ! ✎

18 Soit l'équation différentielle $3y' + 2y = 0$.
1. Résoudre cette équation différentielle.
2. Déterminer la solution f telle que $f(0) = e$.
3. Étudier les variations de f sur $\mathbb{R}$.
4. Étudier les limites de f en $+\infty$ et $-\infty$.
5. Déterminer la valeur de x pour laquelle $f(x) = 5$.

19 Soit l'équation différentielle $y' - 5y = 3$. **Algo** ✎
1. Résoudre cette équation différentielle.
2. Déterminer la solution f telle que $f(0) = \dfrac{-6}{5}$.
3. Étudier les variations de f sur $\mathbb{R}$.
4. Étudier les limites de f en $+\infty$ et $-\infty$.
5. Déterminer la valeur de x pour laquelle $f(x) = -10$.
6. Résoudre l'inéquation $f(x) < -100$.
7. Écrire un algorithme permettant de déterminer à partir de quelle valeur entière positive de x on a $f(x) < -10\,000$.

↳ **Exercices 69 et 70** p. 220-221

● EXOS
Méthodes
lienmini.fr/maths-s07-03

Les rendez-vous
Sésamath

Méthode 9 Modéliser des phénomènes

↪ Cours 3 p. 210

Énoncé

Une note de musique est émise en pinçant la corde d'une guitare électrique.
La puissance du son émis, initialement de 100 watts, diminue avec le temps t, mesuré en secondes.
On modélise par $f(t)$ la puissance du son émis, exprimée en watt, t secondes après le pincement
de la corde. Le son s'affaiblit à une vitesse proportionnelle à sa puissance, il a été établi
que le coefficient de proportionnalité est de $-0,12$.

1. Écrire l'équation différentielle traduisant la diminution de son.

2. Déterminer la fonction f solution de l'équation différentielle (E) qui vérifie la condition
initiale $f(0) = 100$.

3. Quelle est la puissance du son deux secondes après le pincement de la corde ?
Arrondir au watt près.

4. Résoudre par le calcul l'équation $f(t) = 80$, on donnera la valeur exacte
et la valeur approchée à 10^{-3}. Interpréter ce résultat.

Solution

1. **1** $y' = -0,12y$.

2. Les solutions de l'équation différentielle sont les fonctions définies pour tout réel t
par $t \mapsto ke^{-0,12t}$, où k est une constante réelle quelconque.

La condition $f(0) = 100$ équivaut à $ke^{-0,12\times0} = 100$, d'où $k = 100$.

Ainsi, la fonction f est définie sur $[0 ; +\infty[$ par $f(t) = 100e^{-0,12t}$.

3. **2** Il suffit de calculer $f(2) = 100e^{-0,12\times2} \approx 79$.

Arrondie au watt près, la puissance du son deux secondes après le pincement
de la corde est de 79 watts.

4. **3** Il suffit de résoudre l'équation $f(t) = 80 \Leftrightarrow 100e^{-0,12t} = 80 \Leftrightarrow e^{-0,12t} = \dfrac{80}{100}$

$\Leftrightarrow \ln(e^{-0,12t}) = \ln(0,8) \Leftrightarrow -0,12t = \ln(0,8) \Leftrightarrow t = \dfrac{-\ln(0,8)}{0,12} \approx 1,86$.

La puissance du son émis 1,86 seconde après le pincement de la corde sera égale à 80 watts.

Conseils & Méthodes

1 Si f est la fonction puissance,
alors la vitesse d'évolution
de cette puissance est f'.
On traduit ensuite l'énoncé.

2 On retrouve le modèle $y' = ay$
avec une condition initiale qui
assure l'unicité de la solution.

3 Interpréter la fonction f dans
le contexte de l'exercice.

À vous de jouer !

20 Le sel se dissout dans l'eau en ions Na^+ et Cl^- à une
vitesse proportionnelle à sa masse. Il y avait au départ
25 kg de sel. On note α le coefficient de proportionnalité
traduisant l'évolution de cette dissolution.
1. En notant $f(t)$ la quantité de sel (en kg) à l'instant t
($t \geqslant 0$), écrire, en fonction de α, l'équation différentielle
qui traduit le problème de la dissolution du sel. À l'aide
de la condition initiale, déterminer la fonction solution
exprimée à l'aide de α.
2. On sait de plus qu'il ne reste que 15 kg de sel après
10 h écoulées.
En déduire la valeur de
α puis l'expression de la
solution $f(t)$.
3. Quelle masse de sel
reste-t-il après 4 h ?
4. Au bout de combien
d'heures ne reste-t-il
plus que 0,5 kg de sel ?

21 Une fibre optique est un fil
très fin, en verre ou en plastique,
qui a la propriété d'être un
conducteur de la lumière et sert
dans la transmission d'un signal
véhiculant des données. La puissance du signal, exprimée en
milliwatts (mW), s'atténue au cours de la propagation,
exprimée en km. On admet que la fonction puissance g
est définie et dérivable sur l'intervalle $[0 ; +\infty[$ et qu'elle
est solution sur cet intervalle de l'équation différentielle
$y' + 0,035y = 0$.
1. Résoudre l'équation différentielle $y' + 0,035y = 0$.
2. Sachant que $g(0) = 7$, déterminer $g(x)$.
3. Pour rester détectable, un signal doit être amplifié
dès que sa puissance devient strictement inférieure à
0,08 mW. Le signal sera-t-il encore détecté au bout de
100 km de propagation ?

↪ Exercices 71 à 75 p. 221

● EXOS
Méthodes
lienmini.fr/maths-s07-03

Les rendez-vous
Sésamath

Exercices (résolus)

Méthode 10
Résoudre une équation de la forme $y' = ay + \varphi$ avec φ une fonction

↪ Cours 3 p. 210

Énoncé

Soit l'équation (E) : $2y' + 6y = x^2 + 2x - 1$.

1. Vérifier que la fonction $P : x \mapsto \dfrac{1}{6}x^2 + \dfrac{2}{9}x - \dfrac{13}{54}$ est solution de l'équation (E).

2. Montrer que f est solution de (E) équivaut à $f - P$ solution de (E') : $2y' + 6y = 0$.

3. En déduire les solutions de (E).

Conseils & Méthodes

1 Dériver la fonction P et vérifier l'égalité.

2 La démarche est identique à la resolution de $y' = ay + b$: f est solution de (E) si et seulement si $f - P$ est solution de $y' = ay$.

3 On connaît les solutions de l'équation $y' = ay$, donc on peut exprimer $f - P$.

Solution

1. **1** $P'(x) = \dfrac{1}{3}x + \dfrac{2}{9}$

$2 \times \left(\dfrac{1}{3}x + \dfrac{2}{9}\right) + 6\left(\dfrac{1}{6}x^2 + \dfrac{2}{9}x - \dfrac{13}{54}\right) = \dfrac{2}{3}x + \dfrac{4}{9} + x^2 + 6 \times \dfrac{2}{9}x - 6 \times \dfrac{13}{54} = x^2 + 2x - 1$

2. **2** f est solution de (E) si et seulement si $2f' + 6f = x^2 + 2x - 1$,

c'est-à-dire si et seulement si $2f' + 6f = 2P' + 6P$, soit $2(f - P)' + 6(f - P) = 0$.

3. f est solution de (E) si et seulement $f - P$ est solution de (E').

3 On sait que les solutions de (E') sont de la forme Ke^{-3x}.

$f - P$ est solution de (E), d'où $f(x) - P(x) = Ke^{-3x}$, ainsi $f(x) = P(x) + Ke^{-3x}$.

Ainsi les solutions de (E) sont les fonctions $x \mapsto \dfrac{1}{6}x^2 + \dfrac{2}{9}x - \dfrac{13}{54} + Ke^{-3x}$, avec K réel.

À vous de jouer !

22 Soit l'équation (E) : $y' - 3y = 2e^{1-x}$.

1. Vérifier que la fonction $g : x \mapsto \dfrac{-1}{2}e^{1-x}$ est solution de (E).

2. Montrer qu'une fonction f est solution de (E) si et seulement si $f - g$ est solution de (E') : $y' - 3y = 0$.

3. En déduire l'ensemble des solutions de (E).

23 Soit l'équation différentielle (E) : $y' + 2y = 3e^{-3x}$.

1. Vérifier que la fonction g définie sur $\mathbb{R}$ par $g(x) = -3e^{-3x}$ est solution de l'équation (E).

2. Montrer qu'une fonction f est solution de (E) si et seulement si $f - g$ est solution de (E') : $y' + 2y = 0$.

3. En déduire l'ensemble des solutions de (E).

24 Soit l'équation différentielle (E) : $y' = y + x$.

1. Déterminer une fonction h affine solution de (E).

2. Montrer qu'une fonction f est solution de (E) si et seulement si $f - h$ est solution de (E') : $y' = y$.

3. En déduire l'ensemble des solutions de (E).

25 Soit l'équation différentielle (E) : $y' = y + \cos x$.

1. Vérifier que la fonction $t : x \mapsto \dfrac{-1}{2}\cos x + \dfrac{1}{2}\sin x$ est solution de (E).

2. Montrer qu'une fonction f est solution de (E) si et seulement si $f - t$ est solution de (E') : $y' = y$.

3. En déduire l'ensemble des solutions de (E).

26 On considère les deux équations différentielles suivantes définies sur $\left]0 ; \dfrac{\pi}{2}\right[$:

$$(E) : y' - \left(1 + \dfrac{\cos x}{\sin x}\right)y = \sin x$$

$$(E_0) : y' - y = 1$$

1. Donner l'ensemble des solutions de l'équation (E_0).

2. Soit f et g deux fonctions dérivables sur $\left]0 ; \dfrac{\pi}{2}\right[$ et telles que $f(x) = g(x)\sin x$.

Démontrer que la fonction f est solution de (E) si et seulement si la fonction g est solution de (E_0).

3. Déterminer la solution f de (E) telle que $f\left(\dfrac{\pi}{4}\right) = 0$.

27 On considère l'équation (E) : $y' = y - x^2$.

1. Démontrer que si un polynôme P est solution de l'équation alors il est du second degré.

2. En déduire une solution particulière de (E).

3. Montrer que f est solution de (E) si et seulement si $f - P$ est solution de l'équation $y' = y$.

En déduire les solutions de (E).

↪ Exercices 96 à 98 p. 224

Exercices [apprendre à démontrer]

▶ VIDÉO
Démonstration
lienmini.fr/maths-s07-05

La propriété à démontrer

Les équations différentielles de la forme $y' = ay$ où a est un réel non nul ont pour solutions les fonctions :

$$x \longmapsto Ke^{ax}, \text{ avec } K \text{ réel.}$$

▷ On souhaite démonter cette propriété.

▶ Comprendre avant de rédiger

Il s'agit de prouver l'équivalence suivante : une fonction de la forme Ke^{ax} est solution et réciproquement toute solution est de la forme Ke^{ax}.

▶ Rédiger

Étape ❶

On vérifie que toute fonction y de la forme $x \longmapsto Ke^{ax}$, avec $K \in \mathbb{R}$, est solution.

Réciproquement, il faut prouver que toutes les solutions sont de cette forme.

Étape ❷

En considérant une fonction g solution, on définit une fonction auxiliaire t dérivable et dont la dérivée est nulle.

Étape ❸

Toute fonction dont la dérivée est nulle est une fonction constante, donc t est constante.

La démonstration rédigée

Considérons une fonction $y : x \longmapsto Ke^{ax}$.
Sa dérivée est $y'(x) = Kae^{ax}$, ainsi
$ay(x) = a(Ke^{ax}) = Kae^{ax} = y'(x)$.

Réciproquement, nous devons montrer que toute fonction solution est de la forme $x \longmapsto Ke^{ax}$.

Considérons g une solution de l'équation $y' = ay$.
On a alors, pour tout x de $\mathbb{R}$:
$$g'(x) = ag(x).$$
Définissons une fonction t par :
$$t(x) = g(x) \times e^{-ax}.$$
Cette fonction est dérivable sur $\mathbb{R}$ et, pour tout x de $\mathbb{R}$, on a :
$t'(x) = g'(x) \times e^{-ax} - ag(x) \, e^{-ax}$
$t'(x) = e^{-ax} (g'(x) - ag(x))$
$t'(x) = 0$

La fonction t est donc une fonction constante.
Il existe un réel K tel que $t(x) = K$ et ainsi $g(x) = Ke^{ax}$.

▶ Pour s'entraîner

De la même façon, montrer que les solutions de l'équation différentielle $y' = -ay$, avec a non nul, sont les fonctions de la forme $x \longmapsto Ke^{-ax}$, avec K réel.

DIAPORAMA
Calculs et automatismes
lienmini.fr/maths-s07-06

Exercices | calculs et automatismes

28 Existence de primitives

Les affirmations suivantes sont-elles vraies ou fausses ?

a) La fonction $x \mapsto \sqrt{x^2 - 4}$ admet des primitives sur $]2 ; +\infty[$.
b) Toute fonction dérivable sur un intervalle I admet des primitives sur I.

29 Primitives de x^n, $n \in \mathbb{Z}$, $n \neq -1$

Pour chaque fonction ci-dessous, déterminer une primitive sur I = $]0 ; +\infty[$.

a) x **b)** $\dfrac{1}{x}$ **c)** x^7

d) $\dfrac{1}{x^2}$ **e)** $\dfrac{1}{x^3}$ **f)** x^{-5}

30 Logique

Compléter les phrases ci-dessous.

a) Si F est une primitive d'une fonction f sur I, alors toute fonction de la forme ... est aussi primitive de f sur I.
b) Si deux fonctions f et g continues sur I sont égales, alors leurs primitives ...
c) Considérant deux fonctions F et G dérivables sur I, on a : $(F - G)' = 0$ ... $F = G + k$, avec k réel.
d) Pour u et v fonctions dérivables, la fonction ... admet une primitive de la forme $v \circ u$.

31 Primitives de fonctions usuelles

Choisir la (les) bonne(s) réponse(s).

1. Une primitive de $x \mapsto \dfrac{1}{\sqrt{x}}$ sur I = $]0 ; +\infty[$ est :

a $x \mapsto \sqrt{x}$ **b** $x \mapsto 2\sqrt{x}$ **c** $x \mapsto -\sqrt{x}$ **d** $x \mapsto \dfrac{1}{2\sqrt{x}}$

2. Une primitive de $x \mapsto \cos(2x)$ sur I = $\mathbb{R}$ est :

a $x \mapsto \sin(x)$ **b** $x \mapsto \sin(2x)$
c $x \mapsto \dfrac{1}{2}\cos(2x)$ **d** $x \mapsto \dfrac{1}{2}\sin(2x)$

3. Une primitive de $x \mapsto 3x^2 + x + 1$ sur $\mathbb{R}$ est :

a $x \mapsto x^3 + x^2 + x$ **b** $x \mapsto x^3 + \dfrac{1}{2}x^2 + x$
c $x \mapsto 3x^3 + x^2 + x$ **d** $x \mapsto 3x^3 + \dfrac{1}{2}x^2 + x$

4. Une primitive de $x \mapsto \dfrac{1}{x}$ sur $]0 ; +\infty[$ est :

a $x \mapsto \dfrac{-1}{x^2}$ **b** $x \mapsto \dfrac{1}{x^2}$ **c** $x \mapsto \ln(x)$ **d** $x \mapsto \ln\left(\dfrac{1}{x}\right)$

32 Équations différentielles

Les affirmations suivantes sont-elles vraies ou fausses ?

a) La fonction $f(x) = \cos(x)$ est solution de l'équation différentielle $y'' + y = 0$.
b) La fonction $f(x) = e^{3x}$ est solution de l'équation $y' + 3y = 0$.
c) La fonction $f(x) = 2 - e^x$ est solution de l'équation $y' - y = 2$.
d) La fonction $f(x) = 2 + e^{-x}$ est solution de l'équation $y' + y = 2$.

33 Primitives et opérations

Compléter le tableau en proposant un exemple de fonction f et une primitive F.

Forme (u fonction dérivable)	$f(x)$	Primitive $F(x)$
$u'u^n$, $n \in \mathbb{Z}$, $n \neq 0$ et $n \neq -1$		
$\dfrac{u'}{u^2}$		
$\dfrac{u'}{2\sqrt{u}}$		
$\dfrac{u'}{u}$		
$u'e^u$		
$v' \times (u' \circ v)$		

34 Équations différentielles du type $y' = ay$

Choisir la (les) bonne(s) réponse(s).

1. La fonction $x \mapsto 3e^x$ est solution de l'équation différentielle :

a $y' = 3y$ **b** $y' = -3y$ **c** $y' = -y$ **d** $y' = y$

2. La fonction $x \mapsto 5e^{-2x}$ est solution de l'équation différentielle :

a $y' = 2y$ **b** $y' = -2y$ **c** $y' = 5y$ **d** $y' = -5y$

35 Équations différentielles $y' = ay + b$

Choisir la (les) bonne(s) réponse(s).

1. Une solution particulière de l'équation différentielle $y' + \dfrac{1}{2}y = 10$ est la fonction constante égale à :

a 20   **b** −20   **c** 10   **d** −10

2. Une solution de l'équation différentielle $y' = 2y + 2$ est :

a $x \mapsto e^{-2x} + 1$ **b** $x \mapsto e^{-2x} - 1$
c $x \mapsto e^{2x} + 1$ **d** $x \mapsto e^{2x} - 1$

3. La fonction $x \mapsto 2 - e^{4x}$ est solution de l'équation différentielle :

a $y' - 4y = 8$ **b** $y' - 2y = 8$
c $y' - 8y = 4$ **d** $y' + 4y = 8$

36 Équations différentielles

Parmi les courbes suivantes, retrouver celle qui correspond à la solution de l'équation différentielle $y' + y = 0$ et qui prend en 0 la valeur $\dfrac{1}{2}$.

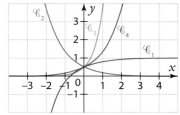

Exercices d'application

Montrer qu'une fonction est solution de $y' = f$

Méthode **1** p. 207

37 1. Vérifier que la fonction F est une primitive de f sur $\mathbb{R}$.

a) $f(x) = 3x + 1$ et $F(x) = \dfrac{3}{2}x^2 + x + 3$

b) $f(x) = -x^2 + e^x$ et $F(x) = \dfrac{-1}{3}x^3 + e^x + 1$

c) $f(x) = x^4 + x^3 + x$ et $F(x) = \dfrac{1}{5}x^5 + \dfrac{1}{4}x^4 + \dfrac{1}{2}x^2$

2. Vérifier que la fonction F est une primitive de f sur un intervalle I à préciser.

a) $f(x) = -2x + 1 - \dfrac{8}{x-4}$ et $F(x) = -x^2 + x - 8\ln(x-4)$

b) $f(x) = \dfrac{1}{\sqrt{x}} + 1$ et $F(x) = 2\sqrt{x} + x - 1$

38 1. Vérifier que la fonction F est une primitive de f sur $\mathbb{R}$.

a) $f(x) = (x+1)e^x$ et $F(x) = xe^x$

b) $f(x) = \dfrac{(x^2 - 2x + 1)e^x}{(x^2 + 1)^2}$ et $F(x) = \dfrac{e^x}{(x^2 + 1)}$

2. Vérifier que la fonction F est une primitive de f sur $]0 ; +\infty[$.

a) $f(x) = e^x\left(\dfrac{1 + 2x}{2\sqrt{x}}\right)$ et $F(x) = \sqrt{x}e^x$

b) $f(x) = \ln(x) + 1 + \dfrac{1}{x}$ et $F(x) = (x+1)\ln(x) - 1$

39 Vérifier que la fonction F est une primitive de f sur un intervalle I à déterminer.

a) $f(x) = (x+1)^2$ et $F(x) = \dfrac{1}{3}(x+1)^3$

b) $f(x) = \dfrac{2x+1}{(x^2 + x + 1)^2}$ et $F(x) = \dfrac{1}{x^2 + x + 1}$

c) $f(x) = \dfrac{2x+3}{(x^2 + 3x + 1)^3}$ et $F(x) = \dfrac{-1}{2(x^2 + 3x + 1)^2}$

d) $f(x) = \dfrac{x}{\sqrt{x^2 + 1}}$ et $F(x) = \sqrt{x^2 + 1}$

40 Vérifier que la fonction F est une primitive de f sur un intervalle I à déterminer.

a) $f(x) = 2\cos(2x + 3)$ et $F(x) = \sin(2x + 3)$

b) $f(x) = 1 + \tan^2(x)$ et $F(x) = \tan(x) = \dfrac{\sin(x)}{\cos(x)}$

41 Vérifier que la fonction F est une primitive de f sur un intervalle I à déterminer.

a) $f(x) = \dfrac{\ln x - 1}{(\ln x)^2}$ et $F(x) = \dfrac{x}{\ln x}$

b) $f(x) = \dfrac{-3 + \ln x}{x^2}$ et $F(x) = \dfrac{x + 2 - \ln x}{x}$

c) $f(x) = x(2\ln x + 1)$ et $F(x) = x^2\ln x - 1$

d) $f(x) = \dfrac{2\ln x}{x}$ et $F(x) = (\ln x)^2 + 5$

Primitive d'une fonction usuelle

Méthode **2** p. 207

42 Dans chaque cas, déterminer une primitive de la fonction f sur l'intervalle I.

a) $f(x) = e^x$; $I = \mathbb{R}$

b) $f(x) = \dfrac{1}{\sqrt{x}}$; $I =]0 ; +\infty[$

c) $f(x) = \dfrac{1}{x}$; $I =]0 ; +\infty[$

d) $f(x) = \dfrac{-1}{x^2}$; $I =]0 ; +\infty[$

43 Dans chaque cas, déterminer une primitive de la fonction f sur l'intervalle I.

a) $f(x) = \dfrac{5}{3}x^3$; $I = \mathbb{R}$

b) $f(x) = \dfrac{3}{2}x^2$; $I = \mathbb{R}$

c) $f(x) = \dfrac{-1}{x^4}$; $I =]0 ; +\infty[$

d) $f(x) = \dfrac{1}{x^3}$; $I =]0 ; +\infty[$

Ensemble des primitives d'une fonction usuelle, primitive avec conditions initiales

Méthode **3** p. 209

44 Déterminer un intervalle sur lequel la fonction f admet des primitives, puis donner l'ensemble des primitives F de f.

a) $f(x) = e^x$

b) $f(x) = \dfrac{1}{\sqrt{x}}$

c) $f(x) = \dfrac{1}{x}$

d) $f(x) = x^7$

45 Déterminer la primitive F de f vérifiant les conditions initiales $F(x_0) = y_0$ données.

a) $f(x) = e^x$; $x_0 = 0$ et $y_0 = -e$

b) $f(x) = \dfrac{1}{\sqrt{x}}$; $x_0 = 4$ et $y_0 = 0$

c) $f(x) = \dfrac{1}{x}$; $x_0 = 1$ et $y_0 = -5$

d) $f(x) = x^2$; $x_0 = -1$ et $y_0 = 2$

46 Déterminer la primitive F de f vérifiant les conditions initiales $F(x_0) = y_0$ données.

a) $f(x) = x^3$; $x_0 = -2$ et $y_0 = 0$

b) $f(x) = \dfrac{1}{2}x^2$; $x_0 = 1$ et $y_0 = \dfrac{5}{6}$

c) $f(x) = \dfrac{1}{x^2}$; $x_0 = \dfrac{1}{2}$ et $y_0 = 1$

d) $f(x) = \dfrac{1}{x^3}$; $x_0 = -1$ et $y_0 = 0$

47 La pente de la tangente en tout point $(x ; y)$ d'une courbe est égale à $\dfrac{2}{x^2}$. Trouver l'équation de cette courbe sachant qu'elle passe par le point P$(-1 ; -2)$.

Déterminer une primitive p. 209

48 Dans chaque cas, déterminer une primitive de la fonction f sur $\mathbb{R}$.

a) $f(x) = 4x^3 + 3x^2 + x + 1$

b) $f(x) = x^4 + x^2 + 5$

c) $f(x) = e^x + x^3$

d) $f(x) = 2e^x + 3x^2 + 5$

e) $f(x) = e^{-2x} + x + 5$

49 Déterminer l'ensemble des primitives de chacune des fonctions f sur $I =]0 ; +\infty[$.

a) $f(x) = \dfrac{1}{x} + x^2$

b) $f(x) = \dfrac{1}{\sqrt{x}} + x + 2$

c) $f(x) = \dfrac{3}{x} + 5x$

d) $f(x) = \dfrac{-1}{3\sqrt{x}} + \dfrac{1}{x} + 1$

50 Déterminer une primitive de chacune des fonctions f sur $I = \mathbb{R}$.

a) $f(x) = e^{-2x}$

b) $f(x) = -2xe^{-x^2}$

c) $f(x) = (3x^2 + 1)e^{x^3 + x} + 4$

d) $f(x) = 3(3x^2 + 1)(x^3 + x + 1)^2$

51 Déterminer une primitive de chacune des fonctions f sur $I = \mathbb{R}$.

a) $f(x) = \dfrac{2x + 1}{x^2 + x + 1}$

b) $f(x) = \dfrac{2x + 1}{2\sqrt{x^2 + x + 1}}$

c) $f(x) = \dfrac{2x + 1}{(x^2 + x + 1)^2}$

d) $f(x) = \dfrac{2x + 1}{(x^2 + x + 1)^5}$

52 Déterminer une primitive de chacune des fonctions f, sur un intervalle I à préciser.

a) $f(x) = \dfrac{2x + 4}{x^2 + 4x + 1}$

b) $f(x) = \dfrac{2x + 4}{2\sqrt{x^2 + 4x + 1}}$

c) $f(x) = \dfrac{2x + 4}{(x^2 + 4x + 1)^2}$

d) $f(x) = \dfrac{2x + 4}{(x^2 + 4x + 1)^5}$

53 Déterminer une primitive de chacune des fonctions f, sur un intervalle I à préciser.

a) $f(x) = (x + 1)^7$

b) $f(x) = \dfrac{1}{(x + 4)^3}$

c) $f(x) = 5x^2 - 3x + \dfrac{1}{x - 2}$

d) $f(x) = \dfrac{3}{(x - 1)^2}$

54 Déterminer une primitive de chacune des fonctions f, sur un intervalle I à préciser.

a) $f(x) = \cos(3x + 1)$

b) $f(x) = \sin(2x + 1)\cos^2(2x + 1)$

c) $f(x) = \dfrac{\sin(x)}{\cos(x)}$

d) $f(x) = \dfrac{-\cos(x)}{\sin^2(x)}$

Déterminer une primitive avec conditions initiales et p. 209

55 Déterminer la primitive F de f vérifiant les conditions initiales $F(x_0) = y_0$.

a) $f(x) = (x + 1)^5$; $x_0 = 0$ et $y_0 = 0$

b) $f(x) = e^{-7x} + x$; $x_0 = 0$ et $y_0 = \dfrac{-1}{7}$

c) $f(x) = (x - 1)e^{x^2 - 2x - 2}$; $x_0 = \sqrt{2}$ et $y_0 = 1$

d) $f(x) = (2x + 1)(x^2 + x - 1)^2$; $x_0 = -1$ et $y_0 = -1$

56 Déterminer la primitive F de f vérifiant les conditions initiales $F(x_0) = y_0$.

a) $f(x) = \dfrac{6x + 1}{3x^2 + x + 1}$; $x_0 = 0$ et $y_0 = 0$

b) $f(x) = \dfrac{3x + 2}{\sqrt{3x^2 + 4x + 1}}$; $x_0 = 0$ et $y_0 = 2$

c) $f(x) = \cos(7x)$; $x_0 = \pi$ et $y_0 = 2$

d) $f(x) = \dfrac{2}{(x + 4)^2}$; $x_0 = -3$ et $y_0 = 1$

57 **1.** Justifier pourquoi la fonction **TICE**

$x \mapsto \ln(x) \times e^x + \dfrac{e^x}{x}$ admet des primitives sur $]0 ; +\infty[$.

2. À l'aide de l'extrait Xcas ci-dessous, déterminer la primitive qui s'annule en 1.

```
deriver(exp(x)*ln(x))
```
$$\ln(x)*\exp(x) + \dfrac{\exp(x)}{x}$$

Équation différentielle $y' = ay$ 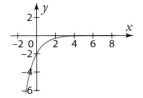 p. 211

58 Choisir la bonne réponse.

1. Une solution de l'équation différentielle $y' - 3y = 0$ est :

a $x \mapsto e^{-3x}$ **b** $x \mapsto e^{3x}$ **c** $x \mapsto e^{-x}$ **d** $x \mapsto e^x$

2. La solution de l'équation différentielle $y' = -5y$ qui prend la valeur 1 en 0 est :

a $x \mapsto e^{5x}$ **b** $x \mapsto 1 - e^{-5x}$ **c** $x \mapsto e^x$ **d** $x \mapsto e^{-5x}$

3. La courbe ci-dessous représente :

a une fonction solution de l'équation $y' = -y$

b une fonction solution de l'équation $y' = y$

c une fonction solution de l'équation $y'' = 0$

d une fonction solution de l'équation $y'' = x$

59 Résoudre les équations différentielles suivantes.

a) $y' = 4y$ **b)** $y' = \dfrac{3}{2}y$

c) $y' + 2y = 0$ **d)** $3y' - y = 0$

60 **1.** Résoudre l'équation $y' - 10y = 0$.

2. Déterminer la solution qui prend en $-0,1$ la valeur $\dfrac{2}{e}$.

61 **1. a)** Résoudre $2y' + 5y = 0$.

b) Déterminer la solution qui prend en 2 la valeur 1.

2. On considère la fonction $f : x \mapsto e^{\frac{-5}{2}x+5}$.

a) Vérifier que f est la solution trouvée à la question **1. b)**.

b) Étudier les variations de f sur $\mathbb{R}$.

c) Étudier les limites de f en $+\infty$ et en $-\infty$.

62 Les propositions suivantes sont-elles vraies ou fausses ?

1. Soit l'équation (E) : $y' = y - 1$.

Proposition 1 : Les solutions sont de la forme $x \mapsto ke^x - 1$.

2. Proposition 2 : Les fonctions $x \mapsto e^x$ et $x \mapsto 0$ sont les seules fonctions dérivables sur $\mathbb{R}$ et égales à leur dérivée.

3. Considérons l'équation (F) : $y = y' + x + 1$.

Proposition 3 : La fonction $e^x + x + 2$ est solution.

Proposition 4 : Il n'existe aucune fonction affine solution.

63 Pendant le premier mois de croissance de certaines plantes, telles que le maïs, le coton ou le soja, la vitesse de croissance (en g/jour) est proportionnelle au poids P du moment. Pour certaines espèces de coton, $\dfrac{dP}{dt} = 0,21P$.

1. Déterminer la forme de la fonction P.

2. Évaluer le poids d'une plante à la fin du mois ($t = 30$) si la plante pesait 70 mg au début du mois.

64 On considère dans les questions suivantes les fonctions solutions de l'équation $y' = \dfrac{1}{2}y$ et leurs courbes représentatives.

1. Soit un point M_0 donné de coordonnées $M_0(x_0 ; y_0)$. Combien de courbes passent par M_0 ?

2. Montrer que les tangentes à toutes les courbes au point d'ordonnée 2 sont parallèles à la droite $y = x$.

65 Le tableau suivant donne l'évolution   **SES** des ventes d'un produit commercialisé depuis 2000.

Rang de l'année à partir de 2000	0	5	10	15	19
Montant des ventes en milliers d'euros	0,8	1,3	2,17	3,59	5,34

1. Ces résultats incitent à ajuster ces ventes par une fonction $f : x \mapsto ae^{bx}$, avec a et b réels.
Déterminer les valeurs de a et de b telles que $f(0) = 0,8$ et $f(10) = 2,17$.
On donnera une valeur arrondie de b au millième.

2. Écrire l'équation différentielle dont la fonction f est solution.

3. Estimer, en milliers d'euros, le montant des ventes en 2023.

Équation différentielle $y' = ay + b$

Méthode 6   p. 211

66 Résoudre les équations différentielles suivantes.

a) $y' = 2y - 1$ **b)** $y' = \dfrac{-1}{4}y + 1$

c) $y' + 2y = 3$ **d)** $2y' - 5y = 1$

67 Choisir la bonne réponse.

1. Une solution de l'équation différentielle $y' + 7y = 21$ est :

a $e^{-7x} + 3$ **b** $e^{7x} - 3$

c $e^{-7x} - 3$ **d** $e^{7x} + 3$

2. La solution de l'équation différentielle $y' = -y + 5$ qui prend la valeur 1 en 0 est :

a $5 - 4e^{-x}$ **b** $1 - e^{-5x}$

c e^x **d** $5 - 4e^{-5x}$

68 **1.** Résoudre $y' - 2y = 5$.

2. Déterminer la solution qui prend en 0 la valeur 0.

69 Parmi les courbes suivantes, retrouver celle qui correspond à la solution de l'équation différentielle $y' + 2y = 6$ et qui prend en 0 la valeur 1.

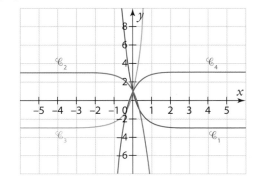

70 **1. a)** Résoudre l'équation $5y' - y = 4$.
b) Déterminer la solution qui prend en 5 la valeur -5.

2. On considère la fonction $f : x \mapsto -4 - e^{\frac{1}{5}x - 1}$.
a) Vérifier que f est la solution trouvée à la question **1. b)**.
b) Étudier les variations de f sur $\mathbb{R}$.
c) Étudier les limites de f en $+\infty$ et en $-\infty$.

Modélisation par une équation différentielle
 Méthode **9** p. 214

71 Pour de faibles valeurs de l'altitude, les scientifiques ont démontré que la fonction f, qui à l'altitude x en kilomètres associe la pression atmosphérique en hectopascal, est la solution de l'équation différentielle (E) : $y' + 0,12y = 0$ et qui vérifie $f(0) = 1\,013,25$.
1. a) Déterminer les solutions de l'équation différentielle (E).
b) Déterminer la solution f de l'équation différentielle (E) qui vérifie la condition initiale.
2. En utilisant la fonction f :
a) Calculer une valeur approchée à 0,01 près de la pression atmosphérique à 150 mètres d'altitude.
b) Calculer l'altitude, arrondie au mètre, correspondant à une pression atmosphérique de 900 hPa.

72 Une personne est placée sous perfusion de pénicilline, à raison de 0,1 milligramme de substance par minute. On note $Q(t)$ la quantité de pénicilline présente dans le sang au temps t (en minutes). On admet qu'il existe une constante $k > 0$ telle que $Q'(t) = 0,1 - kQ(t)$.
1. Sachant que $Q(0) = 0$, exprimer $Q(t)$ en fonction de k et t.
2. La limite de $Q(t)$ en $+\infty$ dépend-elle de k ?
Interpréter dans le contexte.
3. Calculer k sachant qu'au bout de 3 heures, Q est égale à la moitié de la valeur limite.

73 Un condensateur de capacité C **Physique**
farads est chargé sous une tension initiale de 20 volts. Il se décharge ensuite dans un résistor de résistance R ohms. En notant $u(t)$ la mesure de la tension en volts au bout de t secondes aux bornes du condensateur, u est alors une fonction définie sur $[0 ; +\infty[$, qui est solution de l'équation différentielle :

$$y' + \frac{1}{RC}y = 0.$$

1. Résoudre l'équation et en déduire la fonction u.
2. Pour cette question, $R = 1\,000$ et $C = 10^{-4}$.
Pendant combien de temps (au centième de seconde près) la tension aux bornes du condensateur reste-t-elle supérieure ou égale à 5 volts ?

74 Pour étudier une population N,   **SES**
le modèle de Malthus consiste à écrire que le taux de variation de la population vérifie :
$$N'(t) = \beta N(t) - \delta N(t)$$
où β est le taux de fertilité (nombre de naissances par unité de temps et par individu) et δ le taux de mortalité (nombre de décès par unité de temps et par individu), que l'on suppose constants.
1. En notant N_0 la population de départ, exprimer N en fonction de β, de δ et de N_0.
2. Si la fertilité l'emporte sur la mortalité, c'est-à-dire si $\beta > \delta$, le modèle prévoit une croissance « exponentielle ». Justifier cette expression.
3. Si, au contraire, $\beta < \delta$ préciser le type de croissance du modèle.

Thomas Robert Malthus (1766-1834), économiste britannique, a le premier énoncé ce modèle en 1798.
Ce modèle, s'il peut convenir pour des populations isolées de bactéries sur un intervalle de temps court, est beaucoup trop simpliste pour rendre compte de populations interagissant avec leur milieu, comme la nôtre.

75 L'octane est un hydrocarbure qui entre dans la composition de l'essence. Lorsqu'on chauffe un mélange d'octane et de solvant dans une cuve, une réaction chimique transforme progressivement l'octane en un carburant plus performant, appelé iso-octane.
La concentration d'octane, en moles par litre, dans la cuve est modélisée par une fonction f du temps t, exprimé en minutes.
On admet que cette fonction f, définie et dérivable sur l'intervalle $[0 ; +\infty[$, est une solution, sur cet intervalle, de l'équation différentielle (E) : $y' + 0,12y = 0,003$.
À l'instant $t = 0$, la concentration d'octane dans la cuve est de 0,5 mole par litre (mol·L^{-1}).
1. a) Déterminer la solution générale de l'équation différentielle (E).
b) Donner $f(0)$.
c) Vérifier que la fonction f est définie sur $[0 ; +\infty[$ par $f(t) = 0,475e^{-0,12t} + 0,025$.
2. a) Calculer la fonction dérivée de la fonction f sur l'intervalle $[0 ; +\infty[$.
b) Étudier le sens de variation de la fonction f sur l'intervalle $[0 ; +\infty[$.
c) Interpréter cette réponse dans le contexte de l'exercice.
3. Calculer, en justifiant, à la minute près, le temps nécessaire pour obtenir une concentration en octane dans la cuve de 0,25 mole par litre.
4. a) Calculer, en justifiant, $\lim\limits_{t \to +\infty} f(t)$.
Interpréter le résultat dans le contexte.
b) Le processus de transformation de l'octane en iso-octane est arrêté au bout d'une heure.
Expliquer ce choix.

Transformer l'écriture d'une fonction pour trouver ses primitives

76 1. Montrer que, pour tout x réel, on a :
$$\sin^3(x) = \sin(x) - \sin x \times \cos^2(x).$$
2. En déduire une primitive sur $\mathbb{R}$ de la fonction $x \mapsto \sin^3(x)$.
3. Déterminer la primitive qui s'annule en π.

77 1. On considère la fonction h définie sur $\mathbb{R}$ par :
$$h(x) = (1 + 2x)e^{2x}.$$
En développant $h(x)$, identifier une forme $u'v + uv'$ et en déduire une primitive de h sur $\mathbb{R}$.
2. Procéder de la même façon pour déterminer une primitive de g telle que $g(x) = (-\sin(x) + \cos(x))e^x$.

78 En remarquant que $\dfrac{1}{x\ln(x)} = \dfrac{\frac{1}{x}}{\ln(x)}$, déterminer la primitive de $x \mapsto \dfrac{1}{x\ln(x)}$ qui prend la valeur 1 en e.

79 À l'aide de l'extrait Xcas ci-dessous, **TICE** déterminer la primitive de $x \mapsto \dfrac{x}{x^2 + 1}$ qui s'annule en 1.

```
deriver(ln(sqrt(x^2+1)))
```
$$\frac{x}{x^2 + 1}$$

80 On considère une fonction F de la forme $F(x) = axe^{1-x}$.
1. Déterminer le réel a de sorte que F soit une primitive de la fonction $f(x) = (2 - 2x)e^{1-x}$.
2. Déterminer l'ensemble des primitives de f sur $\mathbb{R}$. En particulier, donner la primitive qui prend en 0 la valeur 2,75.

Étude complète d'une fonction primitive

81 On considère la fonction f définie sur $\mathbb{R}$ par :
$$f(t) = te^{t-1} + 1.$$
1. Montrer que, pour tout réel t, f est une primitive de $(t + 1)e^{t-1}$.
2. Étudier les variations de f sur $\mathbb{R}$ et dresser son tableau de variations sur $\mathbb{R}$.
3. Étudier les limites de f en $+\infty$ et en $-\infty$.

82 On considère la fonction F définie sur $]0 ; +\infty[$ par :
$$F(x) = (x + 1)\ln(x + 1) - 3x + 7.$$
On note $\mathscr{C}$ la courbe représentative de la fonction F dans le repère $(O ; \vec{i}, \vec{j})$.
1. Montrer que, pour tout réel x, appartenant à l'intervalle $]0 ; +\infty[$, F est une primitive de la fonction $f(x) = \ln(x + 1) - 2$.
2. En déduire les variations de F sur l'intervalle $]0 ; +\infty[$ et dresser son tableau de variations.
3. Calculer le coefficient directeur de la tangente à la courbe $\mathscr{C}$ au point d'abscisse 0.

83 Soit f la fonction définie sur $\mathbb{R}$ par :
$$f(x) = x + \ln(4) + \frac{2}{e^x + 1}.$$
1. Déterminer la limite de f en $+\infty$ et en $-\infty$.
2. Étudier le sens de variation de la fonction f et dresser son tableau de variations.
3. **a)** Montrer que, pour tout réel x, $f(x) = x + 2 + \ln(4) - \dfrac{2e^x}{e^x + 1}$.
b) En déduire l'ensemble des primitives de f sur $\mathbb{R}$.

84 On considère la fonction $g : x \mapsto \dfrac{1}{x(x^2 - 1)}$ sur $]1 ; +\infty[$.
1. Déterminer les nombres réels a, b et c tels que l'on ait , pour tout $x > 1$, $g(x) = \dfrac{a}{x} + \dfrac{b}{x + 1} + \dfrac{c}{x - 1}$.
2. En déduire l'ensemble des primitives de g sur $]1 ; +\infty[$.
3. Soit G une primitive quelconque de g sur $]1 ; +\infty[$. Déterminer la limite de G en $+\infty$ et en 1.

85 Les propositions suivantes sont-elles vraies ou fausses ?
1. Soit l'équation différentielle (E) : $y' = 2y - 10$.
Proposition 1 : Les fonctions $x \mapsto e^{2x} + 5$ et $x \mapsto 5$ sont les seules fonctions dérivables sur $\mathbb{R}$ et solutions de (E).
Proposition 2 : Les solutions sont de la forme $x \mapsto e^{2x} + 5k$, avec k réel.
2. Considérons l'équation (F) : $y = y' + x^2$.
Proposition 3 : La fonction $x \mapsto e^x - x^2$ est solution.
Proposition 4 : Si un polynôme P est solution, alors il est du second degré.

86 On a représenté ci-dessous, **Algo** dans un repère orthonormal, la courbe représentative de la fonction f dérivable sur $\mathbb{R}$, solution de l'équation différentielle (E) : $y' + y = 0$ et telle que $f(0) = e$.

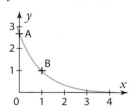

1. Déterminer $f(x)$ pour tout x réel.
2. Soit c un réel donné de l'intervalle $[1 ; e]$.
Résoudre dans $\mathbb{R}$ l'équation $e^{1-x} = c$ d'inconnue x.
3. Étudier la limite en $+\infty$ de la fonction $x \mapsto e^{1-x}$.
4. On considère l'algorithme écrit en langage **Python**.

```python
from math import*
def fonction_solution(x):
    return(e**(1-x))
p = int(input( "p=", ))
x = 0
while fonction_solution(x)>10**(-p):
    x = x + 1
print(x)
```

Pourquoi est-on certain que, pour n'importe quel entier naturel p rentré, l'algorithme va s'arrêter ?

Modéliser avec des équations différentielles

87 Dans un environnement où la température est maintenue à zéro degré Celsius, la vitesse de refroidissement d'un objet est proportionnelle à la température de cet objet. Dans une pièce où la température est maintenue à 0 °C, un objet chauffé à 100 °C voit sa température chuter à 45 °C en dix minutes.

On note $T(t)$ la température (en °C) de l'objet après t minutes.

1. Établir l'équation différentielle vérifiée par la fonction T. Déterminer la fonction T solution.

2. En combien de temps la température de cet objet atteindra-t-elle 25 °C ? Arrondir à la minute.

88 Le nombre de bactéries B **Algo** ✏ **SVT** d'une culture passe de 600 (à l'instant 0) à 1 800 en 2 heures. On suppose que le taux de croissance est directement proportionnel au nombre de bactéries présentes.

1. Trouver :

a) une équation avec des conditions qui traduisent le problème.

b) une formule qui permet de calculer le nombre de bactéries $B(t)$ au temps t.

c) le nombre de bactéries après 4 heures.

d) le temps t nécessaire pour que le nombre de bactéries dépasse 12 000.

2. Compléter l'algorithme ci-contre afin qu'il donne le résultat attendu à la question **1. d)** (à la demi-heure près).

```
t ← 0
B ← 600
Tant que ...
12 000
t ← ...
Fin tant que
```

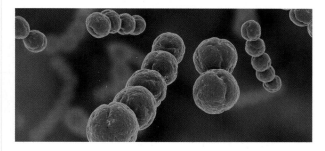

89 La température en degrés Celsius d'une pièce de fonte est une fonction du temps t, exprimé en heures, depuis sa sortie du four, et la température est de 1 400 °C à la sortie du four. On admet que cette fonction f, définie et dérivable sur l'intervalle $[0 ; +\infty[$, est une solution sur cet intervalle de l'équation différentielle $y' + 0{,}065y = 1{,}95$.

1. a) Résoudre sur $[0 ; +\infty[$ l'équation différentielle $y' + 0{,}065y = 1{,}95$.

b) Donner $f(0)$ et vérifier que la fonction f est définie sur l'intervalle $[0 ; +\infty[$ par $f(t) = 1\,370e^{-0{,}065t} + 30$.

2. a) Étudier mathématiquement le sens de variation de la fonction f sur l'intervalle $[0 ; +\infty[$.

b) Pourquoi ce résultat était-il prévisible ?

D'après Bac Sti2d, France métropolitaine, 2017.

90 Dans une économie keynésienne simple, **SES** la consommation C s'exprime par l'égalité : $C = 360 + 0{,}8Y$ et $I = 120$, où Y est le revenu et I l'investissement. Lorsque le marché est hors de l'équilibre, on peut supposer que le taux d'ajustement du revenu Y vérifie l'équation :
$$\frac{dY}{dt} = 0{,}25\,(C + I - Y).$$
À la période initiale, le revenu Y_0 est égal à 2 000.

1. Écrire l'équation différentielle vérifiée par la fonction Y.

2. Déterminer la fonction Y.

3. Étudier la limite de la fonction Y en $+\infty$ et en déduire une conclusion sur la stabilité de l'équilibre de cette économie.

91 **1.** Soit l'équation différentielle $y' = -0{,}7y$. **SES** La solution f de cette équation, telle que $f(0) = e^{2{,}1}$, représente la fonction de demande d'un produit. Elle met en correspondance le prix $f(x)$, exprimé en milliers d'euros, et la quantité x, exprimée en tonnes, que sont prêts à acheter les consommateurs à ce prix. Donner l'expression de $f(x)$.

2. La fonction g définie par $g(x) = 0{,}5x + 0{,}7$ est la fonction d'offre de ce produit. Elle met en correspondance le prix $g(x)$, exprimé en milliers d'euros, et la quantité x, exprimée en tonnes, que sont prêts à vendre à ce prix les producteurs. On appelle h la fonction définie par $h(x) = f(x) - g(x)$.

a) Calculer $h'(x)$ où h' désigne la fonction dérivée de la fonction h sur l'intervalle $[0 ; 5]$.

b) Étudier le signe de $h'(x)$ pour x appartenant à l'intervalle $[0 ; 5]$. En déduire que la fonction h est strictement monotone sur cet intervalle.

c) Justifier que l'équation $h(x) = 0$ admet une solution unique α sur l'intervalle $[0 ; 5]$ et donner à l'aide d'une calculatrice une valeur approchée de α à 10^{-3} près.

3. On appelle prix d'équilibre du marché le prix pour lequel la quantité demandée par les consommateurs est égale à celle offerte par les producteurs. On note p_0 le prix d'équilibre et q_0 la quantité échangée sur le marché à ce prix. Dans la situation étudiée, on a donc $f(q_0) = g(q_0)$. Déduire des questions précédentes la valeur de q_0, puis calculer p_0.

92 Lors de la fabrication du clinker, un constituant du ciment, une grande quantité de CO_2 est libérée. Dans une cimenterie, sa fabrication s'effectue de 7 h 30 à 20 h, dans une pièce de 900 000 dm³. À 20 h, le taux volumique de CO_2 dans la pièce est de 0,6 %.

1. Justifier que le volume de CO_2 présent dans cette pièce à 20 h est de 5 400 dm³.

2. Pour diminuer ce taux durant la nuit, l'entreprise a installé une colonne de ventilation. Le volume de CO_2, exprimé en dm³, est alors modélisé par une fonction du temps t écoulé après 20 h, exprimé en minutes. t varie dans l'intervalle $[0 ; 690]$. On admet que cette fonction V, définie et dérivable sur l'intervalle $[0 ; 690]$ est une solution, sur cet intervalle, de l'équation différentielle (E) : $y' + 0{,}01y = 4{,}5$.

a) Déterminer la solution générale de l'équation différentielle (E).

b) Vérifier que, pour tout réel t de l'intervalle $[0 ; 690]$, $V(t) = 4\,950e^{-0{,}01t} + 450$.

3. Quel sera, au dm³ près, le volume de CO_2 dans cette pièce à 21 h ?

Exercices (d'entraînement)

93 En biologie, un modèle proposé pour **SVT** la croissance d'êtres vivants est le suivant : tout individu de taille maximale M admet une vitesse de croissance proportionnelle à la taille manquante. Autrement dit, si on note $C(t)$ la taille à l'instant t, cette fonction est solution de l'équation différentielle $C'(t) = k(M - C(t))$ où k est un réel positif.

1. En supposant $C(0) = 0$, exprimer, en fonction de k et de M, les solutions de cette équation différentielle.

2. Vérifier que C est croissante et calculer sa limite en $+\infty$.

3. Une espèce de maïs a une taille maximum de 180 cm et met 15 jours pour atteindre la moitié de celle-ci. Au bout de combien de jours sera-t-elle à moins de 10 cm de sa taille maximale ?

94 La loi de Newton dit que la vitesse **Physique** de refroidissement d'un objet est proportionnelle à la différence entre sa température T et la température ambiante T_0 (supposée constante), ce qui se traduit par l'équation : $T' = \alpha(T - T_0)$, où α est appelé constante de proportionnalité et est déterminée par des expériences en laboratoire. Si la température initiale est 100 °C, alors on établit que $\alpha = -0,1$. La pièce est supposée maintenue à une température de 20 °C.

1. Écrire l'équation différentielle vérifiée par la fonction T dans cette situation.

2. a) Vérifier que la fonction constante égale à 20 est solution de l'équation.

b) En déduire la solution T.

95 On considère l'équation différentielle **Algo** $100y' + 12y = 0$ avec pour condition initiale $y(0) = 100$.

1. Résoudre cette équation différentielle.

2. On considère l'algorithme suivant, en langage

Python . Indiquer à quoi correspondent les valeurs de a et de b obtenues en sortie de cet algorithme ?

```
from math import*
def f(x):
        return(100*exp(-0.12*x))
a=0
b=5
while(abs(b-a)>0,01)0:
        m=(a+b)/2
        if f(m)>80:
                a=m
        else:
                b=m
print(a,b)
```

Équation différentielle $y' = ay + \varphi$ ou s'y ramenant
Méthode **10** p. 215

96 On considère les équations différentielles suivantes définies sur $\left]\dfrac{-\pi}{2} ; \dfrac{\pi}{2}\right[$:

(E) : $y' + (1 + \tan(x))y = \cos(x)$

(F) : $y' + y = 1$

1. a) Trouver une fonction constante solution de (F).

b) Donner l'ensemble des solutions de (F).

2. Soit f et g deux fonctions dérivables sur $\left]\dfrac{-\pi}{2} ; \dfrac{\pi}{2}\right[$ et telles que $f(x) = g(x) \cos(x)$.

Démontrer que f est solution de (E) si et seulement si g est solution de (F).

3. En déduire la solution f de (E) telle que $f(0) = 0$.

97 Soit l'équation différentielle (E) : $y' + 3y = e^{2x}$.

1. Déterminer le réel a tel que la fonction $x \mapsto p(x)$ définie sur $\mathbb{R}$ par $p(x) = ae^{2x}$ soit une solution particulière de (E).

2. Résoudre sur $\mathbb{R}$ l'équation (E).

3. Déterminer la solution particulière vérifiant que $y(0) = 1$.

98 Soit f la fonction définie sur $\mathbb{R}$ par :

$$f(x) = \dfrac{9}{2}e^{-2x} - 3e^{-3x}.$$

A ▶ Soit l'équation différentielle (E) : $y' + 2y = 3e^{-3x}$.

1. Résoudre l'équation différentielle (E') : $y' + 2y = 0$.

2. En déduire que la fonction h définie sur $\mathbb{R}$ par $h(x) = \dfrac{9}{2}e^{-2x}$ est solution de (E').

3. Vérifier que la fonction g définie sur $\mathbb{R}$ par $g(x) = -3e^{-3x}$ est solution de l'équation (E).

4. En remarquant que $f = g + h$, montrer que f est une solution de (E).

B ▶ On nomme $\mathscr{C}_f$ la courbe représentative de f dans un repère orthonormal (O, $\vec{i}, \vec{j}$) d'unité 1 cm.

1. Montrer que, pour tout x de $\mathbb{R}$, on a $f(x) = 3e^{-2x}\left(\dfrac{3}{2} - e^{-x}\right)$.

2. Déterminer la limite de f en $+\infty$ puis la limite de f en $-\infty$.

3. Étudier les variations de la fonction f et dresser le tableau de variations de f.

4. Calculer les coordonnées des points d'intersection de la courbe $\mathscr{C}_f$ avec les axes du repère.

D'après Bac S, Antilles Guyane, 2008.

Travailler le Grand Oral

99 **Oral** Présenter le travail suivant.

1. Trouver un exemple de situation en sciences physiques (chute verticale, …) ou en SES (offre et demande, équation logistique) pouvant être modélisé par une équation différentielle ou un système d'équations différentielles.

2. Expliquer le modèle et la méthode de résolution.

100 **Oral** Présenter le travail suivant : rechercher des équations différentielles d'ordre supérieur à 1 et proposer un exposé sur une méthode de résolution d'une de ces équations.

101 Temps de refroidissement Algo

La grand-mère de Théo sort un gratin du four, le plat étant alors à 100 °C.

Elle conseille à son petit-fils de ne pas le toucher afin de ne pas se brûler, et de laisser le plat se refroidir dans la cuisine dont la température ambiante est supposée constante à 20 °C.

Théo lui rétorque que quand il sera à 37 °C il pourra le toucher sans risque ; et sa grand-mère lui répond qu'il lui faudra attendre 30 minutes pour cela.

La température du plat est donnée par une fonction g dépendant du temps t, exprimé en minutes, qui est solution de l'équation différentielle :

$$(E) : y' + 0{,}04y = 0{,}8.$$

1. a) Trouver une fonction constante solution de (E).
b) En déduire les solutions de l'équation différentielle (E).
c) Donner sa solution g définie par la condition initiale $g(0) = 100$.
2. En utilisant l'expression de $g(t)$ trouvée, répondre aux questions suivantes.
a) La grand-mère de Théo a-t-elle bien évalué le temps nécessaire pour atteindre 37 °C ?
b) Quelle est la valeur exacte du temps nécessaire pour obtenir cette température ? En donner une valeur arrondie à la seconde près.
c) Écrire un algorithme qui permet de trouver la minute à partir de laquelle le plat est à une température de 30 °C. Programmer cet algorithme sur la calculatrice.

Bac STI2D, Polynésie, 2013.

102 Équation de la forme $y' = ay + \varphi$ où φ est une fonction

On cherche à résoudre l'équation (E) $y' = y + e^x$.
1. Montrer que la fonction $g(x) = xe^x$ est solution de l'équation (E).
2. a) Montrer l'équivalence suivante : une fonction f est solution de (E) si et seulement si $f - g$ est solution de l'équation $y' = y$.
b) En déduire la forme de la fonction $f - g$, puis celle de f.
3. Déterminer la fonction solution de (E) qui prend en 1 la valeur 2.

103 Déterminer une primitive

On considère la fonction f définie sur $\mathbb{R}$ par :
$$f(x) = (-x^2 + x + 2)e^x.$$
Soit F une primitive de f sur $\mathbb{R}$, F' désigne la dérivée de F sur $\mathbb{R}$.
1. Déterminer $F'(-1)$ et $F'(2)$.
2. On admet qu'il est possible de trouver deux nombres réels a et b tels que, pour tout réel x, $F(x) = (ax^2 + bx - 1)e^x$.
a) Exprimer $F'(x)$ en fonction de x et de a et b.
b) En utilisant les résultats trouvés à la question **1.**, démontrer que, pour tout x de $\mathbb{R}$:
$$F(x) = (-x^2 + 3x - 1)e^x.$$

104 Un modèle de bénéfice SES

Une entreprise étudie la progression de ses bénéfices ou pertes, évalués au premier janvier de chaque année, depuis le 1er janvier 2009.

Chaque année est identifiée par son rang. À l'année 2009, est attribué le rang 0 et à l'année 2009 + n le rang n. Ainsi, 2011 a le rang 2.

Le tableau suivant indique pour chaque rang d'année x_i le bénéfice ou la perte réalisé(e), exprimé(e) en milliers d'euros et noté(e) y_i.

x_i	0	1	2	3	4	5
y_i	$-25{,}000$	$-3{,}111$	$9{,}892$	$17{,}788$	$22{,}598$	$25{,}566$

On cherche à approcher ces bénéfices par une fonction.
On fait l'hypothèse que la fonction f solution de l'équation $2y' + y = 30$ permettra une bonne modélisation.
1. Déterminer la fonction f.
2. On considère que l'approximation des bénéfices par f est satisfaisante si la somme des carrés des écarts entre les valeurs observées y_i et les valeurs approchées x_i est inférieure à 0,5. L'approximation par f est-elle satisfaisante ? (Le résultat obtenu à l'aide de la calculatrice constituera une justification acceptable pour cette question.)
3. En considérant toujours ce modèle :
a) En quelle année le bénéfice évalué au 1er janvier dépassera-t-il 29 800 euros ?
b) Ce bénéfice atteindra-t-il 30 000 euros ?
Justifier.

105 QCM

On considère l'équation (E3) : $2y' + y = 10$.
On appelle g la fonction solution de (E3) telle que :
$$g(2) = 11.$$
Choisir la bonne réponse.
1. La limite de g en $-\infty$ est égale à :
a $+\infty$ **b** $-\infty$ **c** 0 **d** 10

2. La courbe représentative de g admet au point d'abscisse 2 une tangente parallèle à la droite d'équation :
a $y = -x$ **b** $y = x$ **c** $y = \frac{1}{2}x$ **d** $y = \frac{-1}{2}x$

Exercices (bilan)

106 Fonctionnement d'un stimulateur cardiaque

Le stimulateur cardiaque est un appareil destiné à certaines personnes dont le rythme du cœur est devenu trop lent. Implanté sous la peau, l'appareil envoie des impulsions électriques régulières au cœur lorsque le rythme cardiaque est insuffisant. Un stimulateur cardiaque est constitué de deux composants :

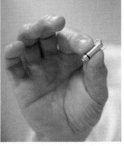

• un condensateur de capacité C égale à 4×10^{-7} farad ;
• un conducteur ohmique de résistance R égale à 2×10^6 ohms.
Une fois le condensateur chargé, la tension à ses bornes est égale à 5,6 volts. Il se décharge ensuite dans le conducteur ohmique.

A ▶ La tension U, en volts, aux bornes du condensateur est une fonction dépendant du temps t, en secondes. On admet que $u(0) = 5,6$ et que cette fonction u, définie et dérivable sur l'intervalle $[0 ; +\infty[$, vérifie pour tout nombre t de l'intervalle $[0 ; +\infty[$ la relation $u'(t) + \dfrac{1}{RC} \times u(t) = 0$, où u' désigne la fonction dérivée de la fonction u.

1. a) Vérifier que la fonction u est solution sur l'intervalle $[0 ; +\infty[$ de l'équation différentielle $y' + 1,25y = 0$.
b) Résoudre l'équation différentielle $y' + 1,25y = 0$.
c) Montrer que, pour tout nombre réel t de l'intervalle $[0 ; +\infty[$, on a $u(t) = 5,6e^{-1,25t}$.
2. a) Étudier mathématiquement le sens de variation de la fonction u sur l'intervalle $[0 ; +\infty[$.
b) Ce résultat était-il prévisible ? Justifier la réponse.

B ▶ En réalité, lorsque la tension U aux bornes du condensateur a perdu 63 % de sa valeur initiale $u(0)$, le stimulateur cardiaque envoie une impulsion électrique au cœur, ce qui provoque un battement. On considère que le condensateur se recharge instantanément et que la tension mesurée à ses bornes est à nouveau égale à 5,6 volts.

1. a) Vérifier que la tension aux bornes du condensateur qui déclenche l'envoi d'une impulsion électrique au cœur est de 2,072 volts.
b) Résoudre dans l'intervalle $]0 ; +\infty[$ l'équation :
$$5,6e^{-1,25t} = 2,072.$$
c) Interpréter le résultat trouvé.
2. Chez l'adulte en bonne santé, le pouls au repos se situe entre 50 et 80 pulsations par minute. On admet que le stimulateur cardiaque d'un patient souffrant d'insuffisance envoie une impulsion électrique au cœur toutes les 0,8 seconde.

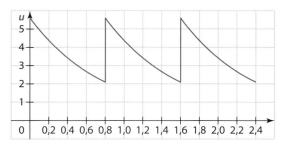

Ce rythme correspond-il à celui d'un adulte au repos et en bonne santé ? Justifier la réponse.

Bac STI2D, France métropolitaine, La Réunion, 2017.

107 Satellites ⟨Algo ✍⟩

En raison des frottements avec l'atmosphère résiduelle terrestre, les satellites en orbite basse perdent progressivement de l'altitude et finissent par se consumer dans les couches les plus denses de l'atmosphère. Cet évènement est appelé rentrée atmosphérique. Le temps, exprimé en jours, avant la rentrée atmosphérique dépend des caractéristiques du satellite et de l'altitude h de son orbite, exprimée en kilomètres. Pour un satellite donné, ce temps est modélisé par une fonction T de la variable h, définie et dérivable sur l'intervalle $[0 ; +\infty[$. Les trois parties de cet exercice peuvent être traitées de manière indépendante.

A ▶ Étude d'un premier satellite

On admet que la fonction T, associée à ce premier satellite, est une solution de l'équation différentielle (E) suivante dans laquelle y désigne une fonction de la variable h définie et dérivable sur $[0 ; +\infty[$ et y' la fonction dérivée de y :
$$(E) : 40y' - y = 0.$$
1. Résoudre l'équation différentielle (E) sur $[0 ; +\infty[$.
2. Déterminer la fonction T solution de l'équation différentielle (E) qui vérifie la condition $T(800) = 2\,000$.

B ▶ Étude d'un deuxième satellite

Dans cette partie, on admet que la fonction T, associée à un deuxième satellite, est définie sur l'intervalle $[0 ; +\infty[$ par :
$$T(h) = K \times 0,012e^{0,025(h-150)}.$$
Le nombre réel K est appelé coefficient balistique du satellite.

On considère l'algorithme suivant, en langage **Python** 🐍.

```
from math import*
def fonction_coefficient(K,h):
    return(K*0.012*exp(0.025*(h-150)))
K=0
while fonction_coefficient(K,500)<1400:
    K=K+0.5
print(K)
```

1. Quel est le rôle de cet algorithme ?
2. Quelle valeur K affiche-t-il en sortie ?

C ▶ Hubble

Le satellite Hubble a un coefficient balistique K égal à 11. La fonction T, associée à ce satellite, est donc définie sur l'intervalle $[0 ; +\infty[$ par $T(h) = 0,132e^{0,025(h-150)}$.
1. L'orbite du satellite Hubble est située à l'altitude h de 575 km. Calculer le temps $T(h)$ restant avant la rentrée atmosphérique du satellite Hubble. Arrondir au jour près.
2. On souhaite étudier l'effet d'une augmentation de 10 km de l'altitude h sur le temps restant avant la rentrée atmosphérique du satellite Hubble.
a) Montrer que $T(h + 10) = e^{0,25} \times T(h)$.
b) En déduire qu'augmenter l'altitude h de 10 km revient à augmenter d'environ 28 % le temps restant avant la rentrée atmosphérique du satellite Hubble.

D'après Bac STI2D, Antilles-Guyane, 2019.

Déterminer la primitive d'une fonction

Fonctions usuelles

Fonction f	Primitive F avec k réel
$f(x) = a$	$F(x) = ax + k$
$f(x) = x^n$, n entier négatif non nul sauf -1	$F(x) = \dfrac{1}{n+1} x^{n+1} + k$
$f(x) = \dfrac{1}{\sqrt{x}}$	$F(x) = 2\sqrt{x} + k$
$f(x) = e^x$	$F(x) = e^x + k$
$f(x) = \dfrac{1}{x}$	$F(x) = \ln|x| + k$
$f(x) = \sin(x)$	$F(x) = -\cos(x) + k$
$f(x) = \cos(x)$	$F(x) = \sin(x) + k$

Fonctions composées

Forme de la fonction	Primitive à une constante près
$u'u^n, n \in \mathbb{Z}$, $n \neq 0$ et $n \neq -1$	$\dfrac{u^{n+1}}{n+1}$
$\dfrac{u'}{u^2}$	$\dfrac{-1}{u}$
$\dfrac{u'}{2\sqrt{u}}$	$\sqrt{u}$
$\dfrac{u'}{u}$	$\ln|u|$
$u'e^u$	e^u
$(v' \circ u) \times u'$	$v \circ u$

Résoudre une équation différentielle

$y' = f$

Trouver une solution revient à trouver une primitive de f.

$y' = ay$

Les solutions sont de la forme $x \mapsto Ke^{ax}$, avec K réel.

$y' = ay + b$

- Une solution particulière constante est de la forme
$$x \mapsto \dfrac{-b}{a}.$$
- Les solutions générales sont de la forme
$$x \mapsto \dfrac{-b}{a} + Ke^{ax},$$
avec K réel.

$y' = ay + \varphi$

- Une solution particulière constante est de la forme $x \mapsto P(x)$.
- Les solutions générales sont de la forme $x \mapsto P(x) + Ke^{ax}$, avec K réel.

Je dois être capable de...

▶ Montrer qu'une fonction y est solution d'une équation différentielle **Méthode 1** → 1, 2, 37, 38

▶ Déterminer une primitive **Méthode 2** **Méthode 3** **Méthode 4** **Méthode 7** → 4, 6, 8, 14, 42, 44, 48, 55, 76

▶ Résoudre l'équation $y' = ay$ ou $y' = ay + b$ **Méthode 5** **Méthode 6** → 10 à 13, 58, 66

▶ Étudier une fonction solution d'une équation $y' = ay + b$ **Méthode 8** → 18, 19, 69, 70

▶ Modéliser des phénomènes **Méthode 9** → 20, 21, 71, 72

▶ Résoudre une équation $y' = ay + \varphi$ (a réel non nul, φ fonction) **Méthode 10** → 22, 23, 96, 97

Parcours d'exercices

▶ **EXOS** QCM interactifs lienmini.fr/maths-s07-07

QCM — Pour les exercices suivants, choisir la (les) bonne(s) réponse(s).

	A	B	C	D
108 La fonction h définie sur $\mathbb{R}$ par $h(x) = x\,e^{-2x}$ est une primitive de :	e^{-2x}	$-2e^{-2x}$	$-2x\,e^{-2x}$	$(1-2x)e^{-2x}$
109 La fonction h définie sur $]0\,;+\infty[$ par $h(x) = x^2\ln(x)$ est une primitive de :	$x(1+2\ln(x))$	$x(1+\ln(x))$	$x - 2x\ln(x)$	$2x\ln(x)$
110 La solution f de l'équation différentielle $y' = 2y - 6$ et qui vérifie la condition initiale $f(0) = 1$ est :	$f(x) = -2e^{-2x} + 3$	$f(x) = -2e^{2x} + 3$	$f(x) = -2e^{-2x} - 3$	$f(x) = -2e^{2x} - 3$
111 Une solution g de l'équation différentielle $y'' + y = -3$ est définie sur $\mathbb{R}$ par :	$g(t) = \cos(t) + 3$	$g(t) = \cos(t) + \sin(t) - 3$	$g(t) = \cos(3t) + \sin(3t)$	$g(t) = 2\cos(t) - \sin(t)$
112 La fonction $f(x) = \cos(x)$ est solution de l'équation différentielle :	$y' + y = 0$	$y' - y = 0$	$y'' + y = 0$	$y'' - y = 0$
113 On considère l'équation (E1) : $y' = 2 - 2y$. On appelle u la fonction solution de (E1) telle que $u(0) = 0$. On a alors $u\left(\dfrac{\ln 2}{2}\right)$ égal à :	$\dfrac{1}{2}$	$\dfrac{-1}{2}$	1	-1

Pour les exercices **114** et **115**, on considère l'équation (E2) : $y' = -y + 2$.
On appelle f la fonction solution de (E2) telle que $f(\ln 2) = 1$.

	A	B	C	D
114 La limite de f en $+\infty$ est égale à :	$+\infty$	$-\infty$	0	2
115 La courbe représentative de f admet au point d'abscisse 0 une tangente de coefficient directeur :	2	-2	0	$\dfrac{1}{2}$

116 Découvrir une primitive

1. On considère la fonction f définie sur $\mathbb{R}$ par :
$$g(x) = x\,e^{x-1} + 1.$$
Pour tout réel x, on pose $G(x) = (ax + b)e^{x-1} + x$ où a et b sont des nombres réels.
Déterminer les valeurs de a et de b de sorte que G soit une primitive de g sur $\mathbb{R}$.

2. Déterminer une primitive de la fonction h définie sur $\mathbb{R}$ par $h(x) = \dfrac{1}{e^x + 1}$.

(On pourra vérifier que $h(x) = 1 - \dfrac{e^x}{e^x + 1}$.) p. 212

117 Culture de microbes **SVT**

Dans une culture de microbes, le nombre de microbes à un instant t, exprimé en heures, peut être considéré comme une fonction y à valeurs réelles de la variable t. La vitesse de prolifération à l'instant t du nombre des microbes est la dérivée y' de cette fonction. On a constaté que $y'(t) = ky(t)$, où k est un coefficient réel strictement positif. On désigne par N le nombre de microbes à l'instant $t = 0$.

1. Déterminer l'unique solution de l'équation différentielle $y' = ky$ telle que $y(0) = N$.

2. Sachant qu'au bout de deux heures, le nombre de microbes a quadruplé, calculer, en fonction de N, le nombre de microbes au bout de trois heures.

3. Quelle est la valeur de N sachant que la culture contient 6 400 microbes au bout de cinq heures ?   p. 211

118 Étude d'une fonction

On considère les deux équations différentielles :
$$(1) : y' = 2y \text{ et } (2) : y' = y.$$

1. Résoudre chacune de ces équations différentielles, sur l'ensemble $\mathbb{R}$ des nombres réels.

2. Le graphique ci-contre représente une partie de la courbe représentative $\mathscr{C}$ d'une fonction f et d'une de ses tangentes T, dans un repère orthonormal. Cette fonction f est définie sur $\mathbb{R}$ par :
$$f(x) = f_1(x) - f_2(x),$$
où f_1 est une solution de l'équation (1) et f_2 une solution de l'équation (2).

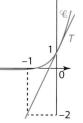

a) À partir des données lues sur le graphique, donner $f(0)$, puis montrer que la droite T a pour équation $y = 3x + 1$. En déduire $f'(0)$.

b) À l'aide des valeurs de $f(0)$ et de $f'(0)$ trouvées à la question précédente, déterminer les fonctions f_1 et f_2. En déduire que, pour tout nombre réel x, $f(x) = 2e^{2x} - e^x$.

c) Déterminer la limite de f en $-\infty$ puis, en mettant e^x en facteur dans l'expression de $f(x)$, déterminer la limite de f en $+\infty$.

---

d) Calculer la valeur exacte de l'abscisse du point d'intersection de la courbe $\mathscr{C}$ avec l'axe des abscisses. p. 211

119 Primitive et aire sous une courbe **Algo**

On considère la fonction f définie sur $\mathbb{R}$ par :
$$f(x) = (x + 2)e^{\frac{1}{2}x}.$$

1. a) Soit u et v les fonctions définies sur $\mathbb{R}$ par :
$$u(x) = x \text{ et } v(x) = e^{\frac{1}{2}x}.$$
Vérifier que $f = 2(u'v + uv')$.

b) En déduire une primitive de f sur $\mathbb{R}$.

2. On donne l'algorithme suivant où les variables k et n sont des nombres entiers naturels et la variable s est un nombre réel.

```
Saisir n
s ← 0
Pour k allant de 0 à n-1
    s ← s + 1/n f(k/n)
Fin pour
```

On note s_n le nombre calculé à la fin de cet algorithme lorsque l'utilisateur entre un entier naturel strictement positif comme valeur de n.

a) Justifier que s_3 représente l'aire, exprimée en unités d'aire, du domaine en vert sur le graphique ci-dessous où les trois rectangles ont la même largeur.

b) Que dire de la valeur de s_n fournie par l'algorithme proposé lorsque n devient grand ?

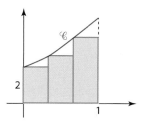

 p. 209

D'après Bac S, France métropolitaine, 2013

120 Problème ouvert (1)

Résoudre l'équation $y'(x) + y(x) = g(x)$ avec $y(0) = 0$ en utilisant la définition suivante pour $g(x)$:
- $g(x) = 1$ si $x \leqslant 2$;
- $g(x) = 0$ si $x > 2$. p. 215

121 Problème ouvert (2)

Déterminer une équation différentielle vérifiée par la famille de fonctions suivantes :
$$y(x) = C_1 e^{2x} + C_2 e^x \text{ avec } C_1 \text{ et } C_2 \in \mathbb{R}. \quad \text{p. 215}$$

122 Deux modèles pour une même étude

Algo

On cherche à modéliser de deux façons différentes l'évolution du nombre, exprimé en millions, de foyers français possédant un téléviseur à écran plat en fonction de l'année. Les parties **A** et **B** sont indépendantes.

A ▶ Un modèle discret

Soit u_n le nombre, exprimé en millions, de foyers possédant un téléviseur à écran plat l'année n. On pose $n = 0$ en 2005, $u_0 = 1$ et, pour tout $n \geqslant 0$, $u_{n+1} = \frac{1}{10}u_n(20 - u_n)$.

1. On considère l'algorithme suivant en langage **Python** qui donne la liste de certaines valeurs de la suite (u_n).

```python
from math import*
N = int(input())
L = [ ]
u = 1
L.append(u)
for i in range (1,N) :
        u = (((u*(20 - u))/10)
        L.append(u)
print(L)
```

a) À quoi correspond l'instruction `L.append(u)` ?
b) Combien de nombres seront dans la liste L si on rentre au départ un entier N égal à 50 ?
2. Soit f la fonction définie sur $[0 ; 20]$ par $f(x) = \frac{1}{10}x(20 - x)$.
a) Étudier les variations de f sur $[0 ; 20]$.
b) En déduire que, pour tout $x \in [0 ; 10]$, $f(x) \in [0 ; 10]$.
3. Montrer par récurrence que, pour tout $n \in \mathbb{N}$,
$0 \leqslant u_n \leqslant u_{n+1} \leqslant 10$.
4. Montrer que la suite $(u_n)_{n \geqslant 0}$ est convergente et déterminer sa limite.
5. Modifier l'algorithme afin qu'il s'arrête dès que u_n dépasse 5.

B ▶ Un modèle continu

Soit $g(x)$ le nombre, exprimé en millions, de tels foyers l'année x. On pose $x = 0$ en 2005, $g(0) = 1$ et g est une solution qui ne s'annule pas sur $[0 ; +\infty[$ de l'équation différentielle (E) : $y' = \frac{1}{20}y(10 - y)$.

1. On considère une fonction y qui ne s'annule pas sur $[0 ; +\infty[$ et on pose $z = \frac{1}{y}$.

a) Montrer que y est solution de (E) si et seulement si z est solution de l'équation différentielle (E1) : $z' = -\frac{1}{2}z + \frac{1}{20}$.

b) Résoudre l'équation (E1) et en déduire les solutions de l'équation (E).

2. Montrer que g est définie sur $[0 ; +\infty[$ par :
$$g(x) = \frac{10}{9e^{\frac{-1}{2}x} + 1}.$$

3. Étudier les variations de g sur $[0 ; +\infty[$.
4. Calculer la limite de g en $+\infty$ et interpréter le résultat.
5. Écrire un algorithme qui permet de calculer en quelle année le nombre de foyers possédant un tel équipement a dépassé un million.

D'après Bac S, Pondichéry, 2008.

123 Progression d'une épidémie

Algo

Dans cet exercice, on étudie une épidémie dans une population.
Au début de l'épidémie on constate que 0,01 % de la population est contaminé.
Pour t appartenant à $[0 ; 30]$, on note $y(t)$ le pourcentage de personnes touchées par la maladie après t jours.
On a donc $y(0) = 0,01$.
On admet que la fonction y ainsi définie sur $[0 ; 30]$ est dérivable, strictement positive et vérifie :
$$(E) : y' = 0,05y(10 - y).$$
1. On considère la fonction f définie sur $[0 ; 30]$ par :
$$f = \frac{1}{y}.$$

Démontrer que y est solution de (E) si et seulement si f satisfait aux conditions $f(0) = 100$ et $f' = -0,5f + 0,05$.
2. a) Déterminer une expression de f, puis en déduire celle de la fonction y.
b) Indiquer à quoi sert l'algorithme suivant, en langage **Python**, dans le contexte de cette étude.

```python
from math import*
def epi(x):
        return(1/(99.9*exp(-0.5*x)+0.1))
x = 1
while epi(x)<5:
        x = x + 1
print(x)
```

3. a) Calculer le pourcentage (arrondi à l'unité) de la population infectée après 30 jours.
b) Étudier la limite de y en $+\infty$ et l'interpréter.

D'après Bac S, Amérique Nord, 2009.

124 Équations de la forme $y' = ay + \varphi$

On considère l'équation différentielle (E) :
$$2y' - y = \cos(x).$$
1. Déterminer une solution particulière g sous la forme $g(x) = a\cos(x) + b\sin(x)$.
2. En déduire l'ensemble des solutions de (E).

125 Sans aide

Résoudre sur $\mathbb{R}$ les équations différentielles suivantes.
a) $2y' - y = \cos x$
b) $y' - 2y = xe^{2x}$

126 En économie
SES

On considère une fonction f qui modélise sur l'intervalle [0 ; 14] la fonction coût total de production, en euros, d'un produit.

Les lois de la logistique ont permis d'établir que la fonction $P = \dfrac{1}{f}$ est solution de l'équation différentielle $P' = -0{,}4P + 0{,}02$ avec $P(0) = \dfrac{4}{5}$.

1. Déterminer la fonction P, puis vérifier que la fonction f s'écrit $f(q) = \dfrac{20}{1 + 15e^{-0,4q}}$.

Préciser la valeur de $f(0)$.

2. Étudier les variations de f sur [0 ; 14].

3. On donne ci-dessous la représentation graphique Γ de la fonction f.

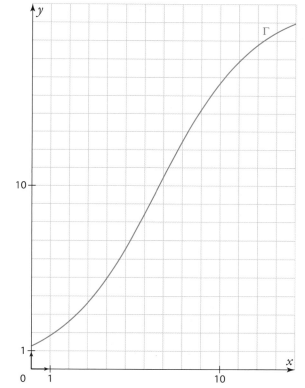

Pour tout q dans l'intervalle [0 ; 14], le quotient $\dfrac{f(q)}{q}$ est appelé coût moyen de production de q tonnes de produit.

a) Pour q dans l'intervalle [0 ; 14], soit Q le point d'abscisse q de la représentation graphique Γ de la fonction f. Montrer que le coefficient directeur de la droite (OQ) est égal au coût moyen $\dfrac{f(q)}{q}$.

b) L'entreprise cherche à minimiser le coût moyen de production.

Par lecture graphique, indiquer la valeur de q qui réalise ce minimum et la valeur de ce minimum.

127 Équation différentielle et changement de variable

On considère l'équation différentielle (E) $y' = -\dfrac{1}{20}y(3 - \ln y)$.

1. Démontrer l'équivalence suivante :
une fonction f, dérivable, strictement positive sur [0 ; +∞[, vérifie, pour tout t de [0 ; +∞[, $f'(t) = -\dfrac{1}{20}f(t)[3 - \ln f(t)]$

si et seulement si la fonction $g = \ln(f)$ vérifie, pour tout t de [0 ; +∞[, $g'(t) = \dfrac{1}{20}g(t) - \dfrac{3}{20}$.

2. Donner la solution générale de l'équation différentielle :
$$(H) : z' = \frac{1}{20}z - \frac{3}{20}.$$

3. En déduire qu'il existe un réel C tel que, pour tout t de [0 ; +∞[:
$$f(t) = \exp\left(3 + C\exp\left(\frac{t}{20}\right)\right).$$

(la notation exp désigne la fonction exponentielle).

4. Dans cette question on considère la solution f définie par :
$$f(t) = \exp\left(3 - 3\exp\left(\frac{t}{20}\right)\right).$$

a) Déterminer la limite de la fonction f en +∞.

b) Déterminer le sens de variation de f sur [0 ; +∞[.

c) Résoudre dans [0 ; +∞[l'inéquation $f(t) < 0{,}02$.

128 Équation différentielle du second ordre

On désigne par f une fonction dérivable sur ℝ et par f' sa fonction dérivée. Ces fonctions vérifient les propriétés suivantes :
- pour tout nombre réel x, $(f'(x))^2 - (f(x))^2 = 1$ (1)
- $f'(0) = 1$ (2)
- la fonction f' est dérivable sur ℝ (3)

1. a) Démontrer que, pour tout nombre réel x, $f'(x) \neq 0$.

b) Calculer $f(0)$.

2. En dérivant chaque membre de l'égalité de la propriété (1), démontrer que :
pour tout nombre réel x, $f''(x) = f(x)$, où f'' désigne la fonction dérivée seconde de la fonction f. (4)

3. On pose $u = f' + f$ et $v = f' - f$.

a) Calculer $u(0)$ et $v(0)$.

b) Démontrer que $u' = u$ et $v' = -v$.

c) En déduire les fonctions u et v.

d) En déduire que, pour tout réel x :
$$f(x) = \frac{e^x - e^{-x}}{2}.$$

4. a) Étudier les limites de la fonction f en +∞ et en −∞.

b) Dresser le tableau de variations de la fonction f.

5. a) Soit m un nombre réel.

Démontrer que l'équation $f(x) = m$ a une unique solution α dans ℝ.

b) Déterminer cette solution lorsque $m = 3$ (on en donnera la valeur exacte puis une valeur approchée décimale à 10^{-2} près).

Exercices (vers le supérieur)

129 QCM
(PACES)

Choisir la bonne réponse.

1. On considère l'équation différentielle suivante :
$$y''(x) + y'(x) - 2y(x) = e^{-x}(x^2 + x + 1).$$
Dans ce cas précis on cherche une solution particulière de la forme :

a $e^{-x}(x^2 + x + 1)$
b $e^{-x}(ax^3 + bx^2 + cx)$
c $e^{-x}(ax^2 + bx + c)$
d $x^2 e^{-x}(ax^2 + bx + c)$

2. Pour tout $x \in \mathbb{R}$, on définit l'équation différentielle (E) : $y'(x) - y(x) = e^x - 2x$.

On a déterminé une solution de l'équation sans second membre Ke^x, avec K réel.

On cherche une solution particulière $y_p(x)$ en posant :

a $y_p(x) = k(x)(e^x - 2x)$,

où k est une fonction de x.

b $y_p(x) = k(x)e^x$,

où k est une fonction de x.

c $y_p(x) = a(e^x - 2x)$, avec a réel.
d $y_p(x) = e^x - 2x$

130 Commande d'une substance radioactive

En gynécologie, on utilise une substance radioactive, le 51 Cr, dont la période radioactive (demi-vie) est de 27,8 jours, pour localiser le placenta chez une femme enceinte. Ce produit doit être spécialement commandé dans un laboratoire médical.

Si l'examen requiert 35 unités du produit et qu'il faut compter deux jours pour la livraison, quel est le nombre minimum d'unités à commander ?

131 Équation logistique
(BCPST)

Un biologiste observe la croissance d'une population de bactéries en milieu fermé. La population initiale est de 100 bactéries. La capacité maximale du milieu est de 1 000 bactéries. Soit $N(t)$ le nombre de bactéries à l'instant t (exprimé en heures).

Les observations faites conduisent à modéliser la situation par l'équation différentielle :
$$N'(t) = 0,07N(t)(1 - 10^{-3}N(t)).$$
On suppose que, pour tout t, $N(t)$ est non nul.

On pose $P(t) = \dfrac{1}{N(t)}$. Montrer que P est solution d'une équation différentielle de la forme $y' = ay + b$.

En déduire l'expression de P, puis celle de N.

132 Réaction chimique
Chimie

Dans une réaction chimique, l'évolution de la concentration $C(t)$ d'une substance, en fonction du temps t, est souvent modélisé par une équation différentielle $C'(t) = -kC^n(t)$ où k est une constante positive appelée constante de réaction et n est un entier égal à 0 ; 1 ou 2 appelé ordre de la réaction.

Résoudre cette équation différentielle pour chacune des trois valeurs de n et avec une concentration initiale C_0 pour $t = 0$.

133 Croissance d'une population

On considère un milieu, ayant une capacité d'accueil maximale de 10 000 individus, qui contient initialement 1 000 individus. Ici $p(t)$ représente le nombre d'individus après t années. On utilise le modèle de croissance logistique (on rappelle l'équation : $p' = kp(M - p)$ avec $k > 0$ et $p(0) = p_0$) avec un taux de croissance $k = 0,0001$.

1. Déterminer la taille de la population en fonction du temps.
2. Quelle est la taille de la population après 2 ans ? 5 ans ?
3. Après combien de temps atteint-on la taille limite ?
4. Donner un graphe de cette fonction.

134 Vrai ou faux ? (1)

Répondre par vrai ou faux sans justifier.

1. On considère l'équation différentielle (E) : $y' - 3y = e^{3x}$. Soit f la solution de (E) définie sur $\mathbb{R}$ telle que $f(0) = 1$ et g la fonction définie sur $\mathbb{R}$ par $g(x) = f(x)e^{-3x}$. On a alors :
a) $f'(0) = 4$.
b) Quel que soit $x \in \mathbb{R}$, $g'(x) = 1$.
c) Quel que soit $x \in \mathbb{R}$, $f(x) = xe^{3x}$.

2. a) $y = Ce^{2x}$, avec C réel, est solution générale de l'équation $y' + 2y = 0$.

b) $y = \dfrac{x^2}{2} - 1$ est solution générale de l'équation $y' + 2y = x^2 + x - 2$.

c) $y = \dfrac{x^2}{2} - 1 + 10e^{2x}$ est solution générale de l'équation $y' + 2y = x^2 + x - 2$.

d) $y = \dfrac{1}{4}(\sin 2x - \cos 2x)$ est solution générale de l'équation $y' + 2y = \sin 2x$.

3. On considère l'équation différentielle (E) : $y' + 2y = e^{-x}\sin x$.

Soit f la fonction définie par $f(x) = \dfrac{-1}{2}e^{-x}(\cos x - \sin x)$.

a) f est dérivable sur et $f'(x) = e^{-x}\cos x$.
b) f est l'unique solution de (E) qui s'annule en 0.
c) Si g est une solution de (E), la courbe représentant g possède une tangente au point d'abscisse 0 dont une équation est $y = (1 - 2x)\,g(0)$.

135 Vrai ou faux ? (2)

Les affirmations suivantes sont-elles vraies ou fausses ?

1. Soit la fonction f définie sur $]0 ; +\infty[$ par $f(x) = \dfrac{x + 1}{x^2 + 2x}$.

Affirmation 1 : La fonction $F(x) = x + \dfrac{\ln(x^2 + 2x)}{2}$ est une primitive de f sur $]0 ; +\infty[$

2. On considère la fonction g définie sur $\mathbb{R}$ par $g(x) = \dfrac{1 - e^{-2x}}{1 + e^{-2x}}$.

Affirmation 2 : la fonction g est paire.

Affirmation 3 : la fonction g s'écrit $g(x) = \dfrac{e^x - e^{-x}}{e^x + e^{-x}}$ et une primitive de g sur $\mathbb{R}$ est $\ln(e^x + e^{-x})$.

3. Affirmation 4 : Si une fonction continue sur $\mathbb{R}$ est impaire, alors sa primitive sur $\mathbb{R}$ qui s'annule en 0 est paire.

136 Croissance d'une population de rongeurs (BCPST)

1. On a étudié en laboratoire l'évolution d'une population de petits rongeurs. La taille de la population, au temps t (exprimé en heures), est notée $g(t)$ (exprimée en centaines d'individus). Le modèle utilisé pour décrire cette évolution consiste à prendre pour g une solution, sur l'intervalle $[0 \, ; +\infty[$, de l'équation différentielle (E1) $y' = \dfrac{y}{4}$.

a) Résoudre l'équation différentielle (E1).
b) Déterminer l'expression de $g(t)$ lorsque, à la date $t = 0$, la population comprend 100 rongeurs, c'est-à-dire $g(0) = 1$.
c) Après combien d'années la population dépassera-t-elle 300 rongeurs pour la première fois ?
2. En réalité, dans un secteur observé d'une région donnée, un prédateur empêche une telle croissance en tuant une certaine quantité de rongeurs. On note $u(t)$ le nombre des rongeurs vivant au temps t (exprimé en années) dans cette région, et on admet que la fonction u, ainsi définie, satisfait aux conditions (E2) :

$u'(t) = \dfrac{u(t)}{4} - \dfrac{u^2(t)}{12}$, pour tout nombre réel t positif ou nul, et $u(0) = 1$.

a) On suppose que, pour tout réel positif t, on a $u(t) > 0$. On considère, sur l'intervalle $[0 \, ; +\infty[$, la fonction h définie par $\dfrac{1}{u}$.
Démontrer que la fonction u satisfait aux conditions (E2) si et seulement si la fonction h satisfait aux conditions (E3)

$h'(t) = -\dfrac{h(t)}{4} + \dfrac{1}{12}$, pour tout nombre réel t positif ou nul, et $h(0) = 1$.

b) Donner les solutions de l'équation différentielle $y' = -\dfrac{y}{4} + \dfrac{1}{12}$.

En déduire l'expression de la fonction h, puis celle de la fonction u.
c) Dans ce modèle, comment se comporte la taille de la population étudiée lorsque t tend vers $+\infty$?

137 Approche d'une solution par la méthode d'Euler (MPSI)

Utiliser la méthode d'Euler pour approximer la solution de l'équation différentielle $y' = y - x$, avec comme conditions initiales $y(0) = 2$, $n = 10$ et $h = 0,1$.
Que peut-on dire de cette approximation ?

138 Démontrer l'unicité d'une solution (Démo)

Montrer que l'équation différentielle $xy'(x) + y(x) = 0$ possède une unique solution sur $\mathbb{R}$.

139 Résoudre par disjonction de cas

Le but de cet exercice est d'étudier certaines solutions sur $\mathbb{R}$ de l'équation différentielle $y'(x) = |y(x) - x|$ et de donner l'allure des courbes correspondantes (encore appelées courbes intégrales de cette équation).
1. Étudier les solutions y telles que pour tout $x \in \mathbb{R}$, $y(x) \geqslant x$, et donner l'allure des courbes intégrales.
2. Étudier de même les courbes intégrales qui restent dans le demi-plan d'équation $y \leqslant x$.

140 Équations et conditions

On se propose de déterminer toutes les fonctions f, définies sur $\mathbb{R}$, qui sont solutions de l'équation différentielle suivante :

$$(E) : f'(x) - 3f(x) = \dfrac{3}{1 + e^{-3x}}$$

et qui vérifient $f(0) = 0$.
Soit une fonction f, définie sur $\mathbb{R}$, solution de l'équation différentielle (E).
On désigne par f' sa dérivée.
On note h la fonction définie sur $\mathbb{R}$ par $h(x) = e^{-3x} f(x)$.
On désigne par h' la dérivée de h.
1. a) Exprimer $h'(x)$ en fonction de $h'(x)$ et de $f(x)$ pour tout réel x.
b) Expliquer pourquoi la dérivée $h'(x)$ vérifie, pour tout réel x, $h'(x) = \dfrac{3e^{-3x}}{1 + e^{-3x}}$.

2. Déterminer alors toutes les fonctions h possibles. Justifier la réponse.
3. En déduire toutes les fonctions f solutions de (E).
4. Déterminer la fonction f_0, solution de (E), qui vérifie $f_0(0) = 0$.

Concours Geipi, 2007.

141 Chute d'une goutte d'eau

On s'intéresse à la chute d'une goutte d'eau qui se détache d'un nuage sans vitesse initiale. Un modèle très simplifié permet d'établir que la vitesse instantanée verticale, exprimée en $m \cdot s^{-1}$, de chute de la goutte en fonction de la durée de chute t est donnée par la fonction v définie solution de l'équation (E) $y' = \dfrac{-1}{q} y + 9{,}81$ et $y(0) = 0$, la constante q étant dépendante de la masse de la goutte et d'un coefficient lié au frottement de l'air.
1. a) Déterminer une solution constante g de l'équation (E).
b) Montrer qu'une fonction f est solution de (E) si et seulement si $f - g$ est solution de l'équation $y' = \dfrac{-1}{q} y$.

En déduire la solution v satisfaisant au problème.
2. a) Montrer que $\lim\limits_{t \to +\infty} v(t) = 9{,}81q$.

Cette limite s'appelle vitesse limite de la goutte.
b) Un scientifique affirme qu'au bout d'une durée de chute égale à $5q$, la vitesse de la goutte dépasse 99 % de sa vitesse limite.
Cette affirmation est-elle correcte ?

Travaux pratiques

1 Méthode d'Euler pour approcher la courbe d'une solution d'équation différentielle

A ▶ Courbe d'Euler et solution de l'équation différentielle $y' = 3y + 5$ avec $y(0) = 1$

1. Présentation de la méthode

Grâce à l'équation de la tangente à une courbe en un point, on sait que, pour une fonction f dérivable en x_0, et pour un réel h assez petit, $f(x_0 + h) \approx f(x_0) + h f'(x_0)$.

La méthode d'Euler utilise cette approximation et l'égalité $f'(x) = 3f(x) + 5$, pour tout x réel, pour reproduire des couples $(x_n \, ; y_n)$ représentant des points tels que $y_n \approx f(x_n)$.

Pour obtenir les valeurs successives $y_1 \, ; y_2 \, ; \dots \, ; y_n$, les calculs s'enchaînent de la manière suivante.

> - Conditions initiales $y(0) = 1$, on choisit le pas h, fixe et petit.
> - On calcule $y'(0)$ en utilisant l'équation différentielle $y'(0) = 3y(0) + 5$.
> - On calcule $y(1)$ en utilisant l'approximation affine $y(1) = y(0) + y'(0) \times h$.
> - On calcule $y'(1)$ en utilisant l'équation différentielle $y'(1) = 3y(1) + 5$.
> - On calcule $y(2)$ en utilisant l'approximation affine $y(2) = y(1) + y'(1) \times h$.
> - …
> - On calcule $y'(i)$ en utilisant l'équation différentielle $y'(i) = 3y(i) + 5$.
> - On calcule $y(i+1)$ en utilisant l'approximation affine $y(i + 1) = y(i) + y'(i) \times h$.
> - …
> - On s'arrête à $y(n) = y(n - 1) + y'(n - 1) \times h$.

L'ensemble des points $A_i(x_i \, ; y_i)$ donne une courbe représentant la fonction $y(t)$, avec une bonne approximation lorsque h est petit.

2. Mise en œuvre

a) Écrire un algorithme qui permet, prenant les valeurs initiales, la valeur de n et le pas h, de calculer les couples $(x_i \, ; y_i)$ pour tout entier i de 1 à n.

b) On souhaite traduire cet algorithme en **Python** et en utilisant des listes.

Compléter le programme ci-dessous, dans lequel la fonction `methode_euler` prend pour arguments les coordonnées d'un point de départ, un pas h et un nombre d'itérations n.

Elle doit renvoyer la liste des abscisses et celle des ordonnées des points de la courbe d'Euler.

```python
def méthode_euler(x, y, h, n):
    X_liste=[x]
    Y_liste=[y]
    for …
        …
    return X_liste, Y_liste
```

c) Voici une mise en œuvre de la fonction `methode_euler` permettant de récupérer les deux listes de coordonnées, dans deux variables X et Y :

`X,Y=méthode_euler(0,1,0.1,100)`

Si on souhaite les points d'abscisses négatives alors on peut rappeler la fonction `méthode_euler` pour récupérer les coordonnées dans deux variables X1 et Y1, avec h négatif :

`X1,Y1=méthode_euler(0,1,-0.1,100)`.

Reprendre l'algorithme de la question **2. b)** et le compléter afin d'obtenir l'ensemble des points $A_i(x_i \, ; y_i)$.

B ▶ Pour aller plus loin

Reprendre l'algorithme précédent pour obtenir l'ensemble des points $A_i(x_i \, ; y_i)$ de la courbe solution de l'équation différentielle $y' = 2y + x\cos(x)$ et $y(\pi) = 0$. (Ne pas oublier d'exprimer l'angle en radians.)

2 Étude d'un exemple de dynamique de population

A ▶ Présentation

Le modèle de Verhulst de croissance d'une population est un modèle pour lequel la croissance initiale est presque exponentielle puis ralentit, devenant presque linéaire pour atteindre une position asymptotique où il n'y a quasiment plus de croissance.

La fonction associée, dite fonction logistique, est représentée par une courbe en forme de S et admettant en $+\infty$ l'asymptote $y = K$.

La constante K est interprétée comme le nombre maximum d'individus que l'environnement peut supporter.

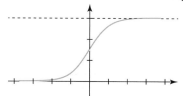

Une fonction logistique est solution d'une équation :

$$N'(t) = rN(t)\left(1 - \frac{N(t)}{K}\right)$$

(avec r qui s'appelle le taux de croissance intrinsèque et K qu'on appelle la capacité biotique).

Pierre François Verhulst, 1804-1849, mathématicien belge, a présenté ce modèle en 1838.

1. En utilisant l'équation, prouver que N' s'annule lorsque $N = 0$ et $N = K$; que $N' > 0$ lorsque N est compris entre 0 et K ; enfin que $N' < 0$ sinon.

2. Justifier ce bilan : aussi longtemps que la population $N(t)$ reste inférieure à sa capacité biotique K, elle ne cesse de croître. À l'inverse, si $N(t)$ est supérieure à cette capacité, $N(t)$ décroît.

B ▶ Exemple : un problème économique, le nombre de franchises

En mars 2019, deux ingénieurs ont mis au point un produit alimentaire révolutionnaire composé pour l'essentiel d'insectes. Ils sont parvenus à créer leur start-up et à commercialiser le produit.

Devant le succès croissant de ce produit, la société a décidé de se développer en formant un réseau de franchises.

Elle prévoit que le nombre de franchises croîtra de façon logistique avec un taux de croissance intrinsèque r égal à 0,4 et une capacité maximale de franchises K égale à 1 000 (fixée par la législation en vigueur).

L'objectif est de retrouver l'expression de la fonction logistique associée.

1. On compte initialement 100 franchises.

En notant $N(t)$ le nombre de franchises à la date t, écrire l'équation différentielle logistique associée.

2. On suppose que, pour tout t, $N(t)$ est non nul.

On pose $P(t) = \dfrac{1}{N(t)}$.

Vérifier que $P'(t) = \dfrac{-N'(t)}{N^2(t)}$ puis montrer que P est solution d'une équation différentielle de la forme $y' = ay + b$.

En déduire l'expression de $P(t)$, puis celle de $N(t)$.

Montrer que les solutions sont les fonctions de la forme $N(t) = \dfrac{1000}{1 + 9e^{-0,4t}}$.

3. Combien de temps faudra-t-il pour que la société puisse compter 500 franchises ?

Travaux pratiques

3 La radioactivité et les équations différentielles $y' = ay$

Parmi tous les types de noyaux atomiques existant dans la nature, certains sont instables, c'est-à-dire qu'ils se transforment spontanément en d'autres noyaux ; cette transformation s'accompagne simultanément de l'émission d'une particule et d'un rayonnement électromagnétique.
Ce phénomène s'appelle **radioactivité**.

A ▶ Simulation de l'évolution du nombre de noyaux restants

Modélisation : On considère un nombre n de noyaux radioactifs.
On suppose qu'à chaque étape (représentant un intervalle de temps), chaque noyau se désintégrera avec une probabilité p, et ce indépendamment des autres noyaux.

1. Le programme suivant, écrit en langage **Python** , doit permettre de renvoyer le nombre de noyaux restants après une étape.
Le compléter.

```python
from random import*
def compte_noyaux_restants(n,p):
    N=n
    for i in range(n):
        if … p:
            N=N-1
    return N
```

2. Compléter le programme suivant afin qu'il permette de créer la liste contenant le nombre de noyaux restants à chaque étape jusqu'à ce qu'il n'en reste plus que 1 % du nombre initial.

```python
def Liste_nb_noyaux_restants(n,p):
    L=[ ]
    N=n
    while …:
        L.append(n)
        N=compte_noyaux_restants(n,p)
    return L
```

3. Dans le cas d'un échantillon contenant au départ 40 000 noyaux instables, la probabilité de désintégration de chacun est de $\frac{1}{10}$.

Le programme suivant permet de représenter graphiquement la courbe d'évolution du nombre de noyaux restants.

a) Expliquer la commande `plot(range(m),L,"r.")`.

b) Quel type de courbe obtient-on ?

```python
from pylab import*
n = 40000
L=Liste_nb_noyaux_restants(n,1/10)
m=len(L)
plot(range(m),L, "r." )
show( )
```

Coup de pouce Pour tracer un graphique, il faut solliciter en début de programme la bibliothèque `from pylab import*`.
Les instructions auront la structure suivante :
```
from pylab import*
instructions
show()
```

B ▶ Étude mathématique

La probabilité que présente un noyau radioactif de se désintégrer pendant l'unité de temps s'appelle la constante radioactive λ. Elle s'exprime comme l'inverse d'un temps, en s^{-1}.

Ce caractère probabiliste fait qu'on ne connaît jamais le moment où un noyau donné va se désintégrer. En revanche, on peut statistiquement prédire le comportement d'un grand nombre de noyaux.

Le comportement d'un échantillon de matière radioactive a conduit à considérer que le nombre $N(t)$ de noyaux présents dans le corps radioactif à la date t définit une fonction N solution de l'équation différentielle $N' = -\lambda \times N$, où λ est la constante radioactive caractéristique de la matière considérée. L'équation $N' = -\lambda \times N$ avec condition initiale $N(0) = N_0$ a pour solution la fonction $t \mapsto N_0 e^{-\lambda t}$.

1. Étudier le sens de variation de la fonction $t \mapsto N_0 e^{-\lambda t}$.
Tracer l'allure de sa représentation graphique.

2. a) La tangente au point d'abscisse 0 de la représentation graphique de la fonction $t \mapsto N(t)$ coupe l'axe des abscisses en un temps noté τ qui est appelé constante de temps.

Montrer que $\tau = \dfrac{1}{\lambda}$.

b) Est-il vrai d'affirmer qu'après 5 constantes de temps, 99 % des atomes se sont désintégrés ?

3. On appelle demi-vie $t_{\frac{1}{2}}$ d'un échantillon de noyaux radioactifs la durée nécessaire pour que la moitié des noyaux radioactifs de l'échantillon présents à la date t soit désintégrée à la date $t + t_{\frac{1}{2}}$.

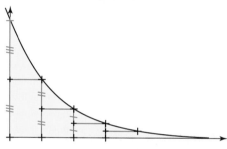

Montrer que $t_{\frac{1}{2}} = \dfrac{\ln(2)}{\lambda}$. Exprimer cette demi-vie en valeur approchée, à l'unité près, en secondes, puis en heures, puis en jours. Donner ensuite une relation entre τ et $t_{\frac{1}{2}}$.

C ▶ La méthode de datation au carbone 14

Utiliser un échantillon radioactif en tant qu'horloge, c'est demander de pouvoir déterminer une date t, connaissant la constante λ caractéristique de la matière radioactive. Un échantillon de la matière radioactive est un moyen de mesurer le nombre $N(t)$ de noyaux radioactifs présents à la date t que l'on cherche ainsi que le nombre N_0 de noyaux à la date $t = 0$.

La méthode de datation au carbone 14 repose sur l'hypothèse que la teneur en carbone 14 de tous les organismes vivants reste identique au cours du temps. On a donc un moyen de connaître N_0. Lorsqu'un organisme vivant meurt, son carbone 14 n'est plus renouvelé. Le carbone 14 qu'il contient se désintègre de manière exponentielle, en étant divisé par 2 tous les 5 570 ans.

1. Déterminer la constante radioactive λ (en année^{-1}) du carbone 14.

2. On analyse des fragments d'os trouvés dans une grotte. Des mesures montrent qu'ils ont perdu 30 % de leur teneur en carbone. Déterminer l'âge de ces fragments d'os.

3. On a retrouvé dans le Massif Central des morceaux de bois carbonisés lors d'une éruption volcanique. La mesure de la radioactivité au carbone 14 de ce bois carbonisé donne 4,8 désintégrations par gramme et par minute, alors qu'un bois vivant en donne 13,5. Évaluer la date de l'éruption volcanique.

4. On estime que, pour un organisme mort il y a plus de 35 000 ans, la plus grande partie des noyaux de carbone 14 ont été désintégrés et que le comptage ne peut donc plus se pratiquer. Contrôler cette affirmation par un calcul.

8

Calcul intégral

La bibliothèque publique de Tromsø en Norvège est constituée de façades en verre. Pour établir le devis de nettoyage, le prestataire a besoin de connaître la surface à nettoyer.

Comment calculer l'aire sous l'arc ? ↳ TP p. 273

▶ VIDÉO
Calcul d'aire
lienmini.fr/maths-s08-01

Pour prendre un bon départ

 EXOS
Prérequis
lienmini.fr/maths-s08-02

Les rendez-vous
 Sésamath

1 Calculer des aires

a) Déterminer un encadrement de l'aire exprimée en unités d'aire pour chaque figure ci-dessous.

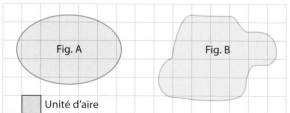

☐ Unité d'aire

b) Écrire les formules des aires des figures suivantes.

2 Déterminer graphiquement le signe d'une fonction

On considère les fonctions f et g dont une représentation graphique est tracée ci-contre.

Déterminer graphiquement :
a) le signe de la fonction f sur $[-3\,;4]$,
b) le signe de la fonction g sur $[-3\,;4]$,
c) la position relative de $\mathscr{C}_f$ par rapport à $\mathscr{C}_g$ sur $[-3\,;4]$.

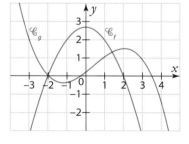

3 Déterminer le signe d'une fonction

On considère les fonctions $f : x \mapsto x^2 + 2x - 3$ et $g : x \mapsto x - 1$ définies sur l'ensemble des réels.

1. Étudier le signe des fonctions f et g sur l'ensemble des réels.
2. Étudier la position relative de $\mathscr{C}_f$ par rapport à $\mathscr{C}_g$ sur l'ensemble des réels.

4 Justifier qu'une fonction est continue

Déterminer sur quel ensemble les fonctions suivantes sont continues.

a) $f : x \mapsto x^2 - 2x + 1$ **b)** $g : x \mapsto \dfrac{1}{2x - 1}$ **c)** $h : x \mapsto \sqrt{3 - 2x}$ **d)** $k : x \mapsto |x|$

5 Déterminer une primitive

Déterminer une primitive des fonctions suivantes.

a) $f : x \mapsto 5x^4 - x^3 + x$ **c)** $k : x \mapsto \dfrac{1}{\sqrt{3 - 2x}}$ **e)** $j(x) = \dfrac{1}{x}$ sur $\mathbb{R}_+^*$

b) $g : x \mapsto \dfrac{2x}{(3 + x^2)^3}$ **d)** $h(x) = x^2 \mathrm{e}^{x^3 + 1}$ **f)** $k(x) = \dfrac{3x}{x^2 + 1}$

Activités

1 ▸ Évaluer l'intégrale d'une fonction continue positive

A ▸ Aire sous la courbe d'une fonction

Dans chacun des cas, donner la valeur de l'aire sous chacune des courbes entre les abscisses 0 et 4, en unités d'aire.

a) $f(x) = x$

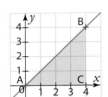

b) $f(x) = 0,5x + 1$

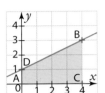

c) $f(x) = \sqrt{4 - (x - 2)^2}$

B ▸ Approximation de l'aire sous la courbe par la méthode des rectangles

On considère la fonction f sur $[0 ; 24]$ définie par $f(x) = e^{-x \ln\left(\frac{9}{24}\right) + \ln(10)}$ représentée en bleu ci-dessous.

Pour estimer l'aire $\mathcal{A}$ sous la courbe de f entre 0 et 24, on découpe l'aire de deux manières différentes.

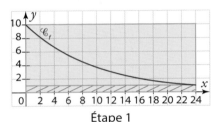

Étape 1

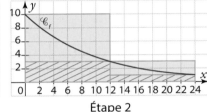

Étape 2

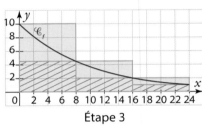

Étape 3

1. Proposer un schéma de l'étape 4 puis décrire la construction des rectangles.

2. On note U_n la somme des aires des rectangles hachurés et V_n la somme des aires des rectangles colorés à l'étape n. On a donc $U_1 = 24 \times f(24)$ et $V_1 = 24 \times f(0)$. Exprimer U_2 et V_2 en fonction de f, puis U_3 et V_3.

3. L'intervalle $[0 ; 24]$ est maintenant découpé en 12. Comment pensez-vous que les deux suites (U_n) et (V_n) évoluent ? Et si le découpage augmente, que se passe-t-il ?

4. Proposer un programme **Python** 🐍 permettant de déterminer U_n et V_n. Que peut-on dire de $\lim\limits_{x \mapsto \infty} U_n$ et $\lim\limits_{x \mapsto \infty} V_n$?

▶**Remarque** Ce nombre, correspondant à l'aire $\mathcal{A}$, se note $\int_0^{24} f(x)\,dx$.

C ▸ Déterminer $\int_0^1 x^2\,dx$ par la méthode des rectangles

On considère la fonction $g(x) = x^2$ sur $[0 ; 1]$ et les suites (U_n) et (V_n) représentant les suites des sommes des rectangles définis comme précédemment.

1. Modifier le programme **Python** pour proposer une valeur approchée de $\int_0^1 x^2\,dx$.

2. On admet que pour tout $n \in \mathbb{N}^* : \sum\limits_{k=1}^{n} k^2 = \dfrac{n(n+1)(2n+1)}{6}$.

a) Exprimer U_1 et V_1 en fonction de g, puis U_2 et V_2 et enfin U_3 et V_3.

b) Démontrer que $U_n = \dfrac{1^2 + 2^2 + 3^2 + ... + (n-1)^2}{n^3}$. En déduire que $U_n = \dfrac{(n-1)(2n-1)}{6n^2}$.

c) Démontrer que $V_n = \dfrac{1^2 + 2^2 + 3^2 + ... + n^2}{n^3}$. En déduire que $V_n = \dfrac{(n+1)(2n+1)}{6n^2}$.

3. Justifier l'encadrement $U_n \leqslant \int_0^1 x^2\,dx \leqslant V_n$ pour tout entier $n \geqslant 2$. Déterminer $\int_0^1 x^2\,dx$ en appliquant l'encadrement avec n très grand.

➡ Cours 1 p. 242

20 min

2 Relier les notions d'intégrale et de primitive

A ▶ Intégrale d'une fonction affine

On considère la fonction $f(t) = \dfrac{1}{2}t + 2$ sur $\mathbb{R}^+$. M est un point de coordonnées $(x\,;0)$, $x \geqslant 0$ et N le point de la courbe de f d'abscisse t.

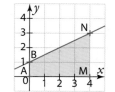

1. Montrer que l'aire $\mathcal{A}(x)$ du trapèze AMNB est égale à $\mathcal{A}(x) = \dfrac{1}{4}x^2 + 2x$.

2. Exprimer, à l'aide d'une intégrale, cette aire sous la courbe de la fonction f entre 0 et x.

3. Calculer la dérivée de la fonction $\mathcal{A}$. Quel lien peut-on faire entre la fonction f et $\mathcal{A}$?

B ▶ Intégrale de la fonction racine carrée

On considère la fonction f définie sur $\mathbb{R}_+$ par $f(t) = \sqrt{t}$ et dont la courbe représentative est notée $\mathscr{C}$. Soit un réel $x > 0$, on désigne par $\mathscr{S}_x$ la surface sous $\mathscr{C}$ pour $0 \leqslant t \leqslant x$. On note $\mathcal{A}(x)$ l'aire de la surface $\mathscr{S}_x$.

1. Justifier la notation $\mathcal{A}(x) = \displaystyle\int_0^x \sqrt{t}\ \mathrm{d}t$.

2. Soit $h \in \mathbb{R}$, tel que $x + h \in \mathbb{R}_+$. Si $h > 0$, représenter l'allure de $\mathscr{C}$ et la surface d'aire $\mathcal{A}(x+h) - \mathcal{A}(x)$.

3. Démontrer que $\sqrt{x} \leqslant \dfrac{\mathcal{A}(x+h) - \mathcal{A}(x)}{h} \leqslant \sqrt{x+h}$ et déterminer un encadrement de $\dfrac{\mathcal{A}(x+h) - \mathcal{A}(x)}{h}$ lorsque $h < 0$.

4. Démontrer que $x \mapsto \mathcal{A}(x)$ est dérivable pour tout $x > 0$ et en donner la fonction dérivée.

➔ **Cours 2 p. 244**

15 min

3 Introduire l'intégration par partie

On considère la fonction $f : x \mapsto x\mathrm{e}^{-x}$.

1. Justifier que la fonction f est dérivable sur $\mathbb{R}$. Peut-on donner directement une primitive de f ?

2. Calculer sa dérivée et montrer que pour tout $x \in \mathbb{R}$, $f(x) = \mathrm{e}^{-x} - f'(x)$. Donner une primitive de e^{-x} et en déduire une primitive de f.

3. Soit u et v des fonctions dérivables sur $[a\,;b]$ et leurs dérivées u' et v' continues. Montrer que $\displaystyle\int_a^b uv' = [uv]_a^b - \int_a^b u'v$.

➔ **Cours 2 p. 244**

15 min

4 Comprendre la valeur moyenne

Une station météo relève la température et la quantité d'eau tombée et affiche les données suivantes.

Jour	1	2	3	4	5
Quantité d'eau en mm	12	24	52	64	8

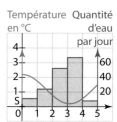

Température en °C / Quantité d'eau par jour

1. Donner la valeur moyenne de cette série et son interprétation géométrique.

2. La courbe des températures est modélisée par $f(x) = 1{,}2 + \cos(x)$ sur $[0\,;5]$.

a) Exprimer l'aire sous la courbe.

b) Quelle est la hauteur du rectangle de longueur 5 qui a la même aire que celle sous la courbe ?

➔ **Cours 4 p. 248**

Cours

1 Intégrale d'une fonction continue positive

Définition Unité d'aire

Dans un repère orthogonal $(O ; \vec{i}, \vec{j})$,

l'unité d'aire, notée u.a., est l'aire du rectangle ayant pour côté [OI] et [OJ]

● **Exemple**

Dans le repère orthogonal $(O ; \vec{i}, \vec{j})$ ci-contre, l'unité d'aire est l'aire du rectangle OIKJ. Si OI = 3 cm et OJ = 1 cm alors 1 u.a. = 3 cm².

Définition Intégrale d'une fonction continue et positive sur un intervalle

Soit f une fonction continue et positive sur un intervalle $[a ; b]$.

L'intégrale de a à b de la fonction f est l'aire de la surface (aussi appelée domaine sous la courbe de f sur $[a ; b]$) délimitée par :

● la courbe, ● l'axe des abscisses, ● les droites d'équations $x = a$ et $x = b$, exprimée en unité d'aire.

On la note $\int_a^b f(x)\mathrm{d}x$.

● **Exemple**

Soit f la fonction constante définie par $f(x) = 2$.

Alors $\int_{-1}^{3} f(x) \, = \text{Aire(ABCD)} = 2 \times 4 = 8$ u.a.

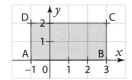

▶ **Remarques**

① $\int_a^b f(x)\mathrm{d}x$ est un nombre réel positif.

② $\int_a^a f(x)\mathrm{d}x = 0$ car cette intégrale est l'aire d'un segment.

③ $\int_a^b f(x)\mathrm{d}x$ ne dépend que des valeurs de a, b et f. La variable x est dite « muette » on peut la remplacer par une autre lettre : $\int_a^b f(x)\mathrm{d}x = \int_a^b f(t)\mathrm{d}t = \int_a^b f(u)\mathrm{d}u \ldots$

Propriété Méthode des rectangles

Soit f une fonction continue et positive sur un intervalle $[a ; b]$. On partage l'intervalle $[a ; b]$ en n intervalles de même amplitude et on construit des rectangles « inférieurs » et « supérieurs ».
On note $\mathscr{A}_i$, resp. $\mathscr{A}_s$, l'aire des rectangles inférieurs (resp. supérieurs).

Alors $\lim\limits_{n \to +\infty} \mathscr{A}_i = \lim\limits_{n \to +\infty} \mathscr{A}_s = \int_a^b f(x)\mathrm{d}x$.

De plus, si la fonction est monotone : $\mathscr{A}_i \leqslant \int_a^b f(x)\mathrm{d}x \leqslant \mathscr{A}_s$.

● **Exemple** Pour $n = 4$

$\mathscr{A}_i$

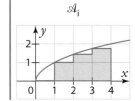

$\int_a^b f(x)\mathrm{d}x$

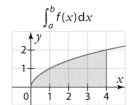

$\mathscr{A}_s$

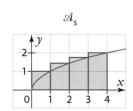

EXOS
Méthodes
lienmini.fr/maths-s08-03

Les rendez-vous
Sésamath

Exercices (résolus)

Méthode 1 Déterminer une intégrale par calcul d'aire

Énoncé

Calculer les intégrales suivantes.

a) $\int_0^6 0,5x\,dx$ **b)** $\int_{-2}^4 (3-0,5x)\,dx$

Solution

a) On trace la courbe représentative de f définie par $f(x) = 0,5x$ [1] sur $[0 ; 6]$ et f est une fonction linéaire continue et positive sur $[0 ; 6]$. [2]

$\int_0^6 0,5x\,dx$ est donc l'aire du triangle rectangle OAB. [3]

D'où $\int_0^6 0,5x\,dx = \dfrac{OA \times AB}{2} = \dfrac{6 \times 3}{2} = 9$.

b) On trace la courbe représentative de g définie par $g(x) = 3 - 0,5x$ sur $[-2 ; 4]$ et on identifie le domaine sous la courbe. [1]

g est continue et positive sur $[-2 ; 4]$ et $\int_{-2}^4 3 - 0,5x\,dx$ est l'aire du trapèze ABCD. [2]

D'où $\int_{-2}^4 (3-0,5x)\,dx = \dfrac{AD \times (AB + DC)}{2} = \dfrac{6 \times (4+1)}{2} = 15$. [3]

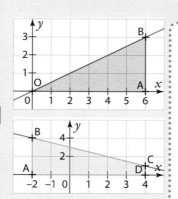

Conseils & Méthodes

[1] Tracer la courbe représentative de f dans un repère orthogonal et identifier le domaine sous la courbe.

[2] Vérifier que la fonction est continue et positive sur l'intervalle défini par les bornes de l'intégrale.

[3] Déterminer l'aire du domaine sous la courbe.

À vous de jouer !

1 Calculer $\int_2^5 2x\,dx$.

2 Calculer $\int_{-4}^{-1} -2u - 1\,du$.

➡ **Exercices 32 à 39 p. 254**

Méthode 2 Estimer une intégrale par la méthode des rectangles

Énoncé

En divisant l'intervalle $[1 ; 6]$ en 5 intervalles de même amplitude, encadrer $\int_1^6 \ln(x)\,dx$.

Solution

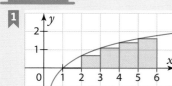

$\mathscr{A}_i = 0 + \ln(2) + \ln(3) + \ln(4) + \ln(5)$
$\mathscr{A}_i = \ln(120)$

$\mathscr{A}_s = \ln(2) + \ln(3) + \ln(4) + \ln(5) + \ln(6)$
$\mathscr{A}_s = \ln(720)$

[2] On en déduit $\ln(120) \leqslant \int_1^6 f(x)\,dx \leqslant \ln(720)$.

Conseils & Méthodes

[1] Tracer la courbe représentative de f et tracer les rectangles inférieurs et supérieurs.

[2] Calculer l'aire des rectangles inférieurs et supérieurs.

À vous de jouer !

3 En divisant l'intervalle $[1 ; 6]$ en 10 intervalles égaux, encadrer $\int_1^6 \ln(x)\,dx$.

4 Soit $1^2 + 2^2 + \cdots + n^2 = \dfrac{n(n+1)(2n+1)}{6}$.
Diviser $[-2 ; 2]$ en 10 intervalles égaux, estimer $\int_{-2}^2 x^2\,dx$.

➡ **Exercices 40 à 42 p. 254**

Cours

2 Intégrale et primitive

Théorème Existence d'une primitive

Soit f une fonction continue et positive sur un intervalle $[a\,;b]$.

La fonction F définie sur $[a\,;b]$ par $F(x) = \int_a^x f(t)\,d(t)$, t est dérivable sur $[a\,;b]$ et a pour dérivée f.

▶ **Remarque** La fonction F est la primitive de f sur $[a\,;b]$ qui s'annule en a.

Théorème Condition suffisante d'existence d'une primitive d'une fonction

Toute fonction continue sur un intervalle de $\mathbb{R}$ admet des primitives sur cet intervalle.

● **Démonstration**

On admet qu'il existe $m \in \mathbb{R}$ tel que, pour tout $x \in [a\,;b]$, $f(x) \geqslant m$. On considère alors la fonction g définie sur $[a\,;b]$ par $g(x) = f(x) - m \cdot g$ est positive sur $[a\,;b]$. D'après le théorème d'existence d'une primitive pour les fonctions continues et positives, la fonction définie par $G(x) = \int_a^x g(t)\,dt$, pour $a \in [a\,;b]$, est une primitive de g.

La fonction $F : x \longmapsto G(x) + mx$ est donc dérivable sur $[a\,;b]$ et $F'(x) = G'(x) + m = (f(x) - m) + m = f(x)$.

La fonction F est donc une primitive de f.

● **Exemples**

La fonction ln est continue sur $[1\,;20]$, donc ln admet des primitives sur $[1\,;20]$.

D'après le théorème d'existence d'une primitive, la fonction F définie sur $[1\,;20]$ par $F(x) = \int_1^x \ln(t)\,dt$ est la primitive de la fonction ln qui s'annule en 1.

Propriété Calcul d'une intégrale à l'aide d'une primitive

Soit f une fonction continue et positive sur un intervalle $[a\,;b]$. Soit F une primitive de f sur $[a\,;b]$

On a $\int_a^b f(x)\,dx = F(b) - F(a)$. On notera communément $[F(x)]_a^b = F(b) - F(a)$.

Définition Généralisation de la définition de l'intégrale

Soit une fonction continue sur un intervalle $[a\,;b]$ et F une primitive quelconque de f sur $[a\,;b]$.

L'intégrale de f entre a et b est le nombre réel défini par $\int_a^b f(x)\,dx = [F(x)]_a^b = F(b) - F(a)$.

▶ **Remarque** $\int_a^b f(x)\,dx = -\int_b^a f(x)\,dx$ car $F(b) - F(a) = -(F(a) - F(b))$: le cas où $a > b$ devient possible.

Théorème Intégration par parties

Soit u et v deux fonctions dérivables sur $[a\,;b]$ qui admettent des dérivées u' et v' continues.

Alors $\int_a^b u(x)v'(x)\,dx = [u(x)v(x)]_a^b - \int_a^b u'(x)v(x)\,dx$.

● **Démonstration**

La dérivée du produit uv est donnée par $(uv)' = u'v + uv'$.

Alors uv est une primitive de $u'v + uv'$ sur $[a\,;b]$. Donc

$[u(x)v(x)]_a^b = \int_a^b (u'(x)v(x) + u(x)v'(x))\,dx$

$= \int_a^b (u'(x)v(x))\,dx + \int_a^b (u(x)v'(x))\,dx$, d'où la formule.

▶ **Remarque**

L'intérêt du théorème est de se ramener à une intégrale $\int_a^b u'(t)v(t)\,dt$ plus facilement calculable que $\int_a^b u(t)v'(t)\,dt$.

● EXOS
Méthodes
lienmini.fr/maths-s08-03
Les rendez-vous
Sésamath

Exercices (résolus)

Méthode 3 · Calculer des intégrales à l'aide d'une primitive

Énoncé

Déterminer chacune des intégrales suivantes et interpréter leurs valeurs de manière géométrique.

a) $\int_{-1}^{4}(-x^2+3x+4)\,dx$ **b)** $\int_{0}^{1}\dfrac{t^2}{(t^3+1)^2}\,dt$

Solution

a) La fonction $x \mapsto -x^2+3x+4$ admet pour primitive la fonction

$F : x \mapsto -\dfrac{1}{3}x^3 + \dfrac{3}{2}x^2 + 4x$. **1**

$\int_{-1}^{4}(-x^2+3x+4)\,dx = \left[-\dfrac{1}{3}x^3 + \dfrac{3}{2}x^2 + 4x\right]_{-1}^{4} = \dfrac{125}{6}$. **2**

b) La fonction $g : t \mapsto \dfrac{t^2}{(t^3+1)^2}$ est définie et continue sur $[0\,;1]$.

On reconnaît une expression ressemblant à $-\dfrac{u'}{u^2}$ avec $u(t) = t^3 + 1$.

Elle admet la fonction $G : x \mapsto \dfrac{-1}{3}\dfrac{1}{x^3+1}$ comme primitive. **3** $\int_{0}^{1}\dfrac{t^2}{(t^3+1)^2}\,dt = G(1) - G(0) = \dfrac{1}{6}$.

Conseils & Méthodes

1 Chercher une primitive de f notée F.

2 Calculer l'intégrale c'est calculer $F(4) - F(-1)$.

3 Un candidat de primitive est $\dfrac{1}{u}$.

$\left(\dfrac{1}{u(x)}\right)' = \dfrac{-3x^2}{(x^3+1)^2}$ d'où la primitive de g.

À vous de jouer !

5 Calculer les intégrales suivantes.

a) $\int_{-1}^{4}(x-1)^2\,dx$ **b)** $\int_{2}^{3}\dfrac{3x^2-1}{x^3-x}\,dx$

6 Calculer les intégrales suivantes.

a) $\int_{2}^{3}\dfrac{1}{(2x-3)^2}\,dx$ **b)** $\int_{0}^{1}2xe^{x^2}\,dx$ **c)** $\int_{1}^{2}xe^{-x^2}\,dx$

➜ Exercices 43 à 52 p. 255

Méthode 4 · Calculer une intégrale avec une intégration par parties

Énoncé

Calculer l'intégrale suivante avec la méthode d'intégration par parties : $\int_{1}^{e} x\ln(x)\,dx$.

Solution

On pose $u(x) = \ln(x)$ et $v'(x) = x$. **1**

$u' : x \mapsto \dfrac{1}{x}$ et $v : x \mapsto \dfrac{x^2}{2}$.

Les fonctions u, v, u' et v' sont continues. **2**

Par intégration par parties, on a:

$\int_{1}^{e}u(x)v'(x)\,dx = \left[\dfrac{x^2}{2}\ln(x)\right]_{1}^{e} - \int_{1}^{e}\dfrac{x}{2}\,dx = \dfrac{1}{4}(e^2+1)$. **3**

Conseils & Méthodes

1 On ne reconnaît pas une forme usuelle pour le calcul de primitive. Dans le produit, on recherche quelle fonction a une forme usuelle pour le calcul de primitive. Ici, on ne connaît pas la primitive de ln mais celle de x donc on pose $u'(x) = x$.

2 Définir u, v, u' et v' et vérifier que les fonctions sont continues.

3 Appliquer la formule.

À vous de jouer !

7 Calculer les intégrales suivantes avec la méthode d'intégration par parties.

a) $\int_{0}^{\pi} x\cos(x)\,dx$ **b)** $\int_{1}^{e}\dfrac{\ln(x)}{x^2}\,dx$

8 Calculer les intégrales suivantes avec la méthode d'intégration par parties.

a) $\int_{1}^{e} x^2\ln(x)\,dx$ **b)** $\int_{0}^{\pi}\left(2x+\dfrac{\pi}{2}\right)\cos(x)\,dx$

➜ Exercices 53 à 59 p. 255

3 Propriétés

On considère dans cette section deux fonctions f et g continues sur un intervalle $[a\,;b]$.

Propriété Linéarité de l'intégrale

Soit $\lambda \in \mathbb{R}$.
$$\int_a^b (\lambda f(t))\,dt = \lambda \int_a^b f(t)\,dt \text{ et } \int_a^b (f(t) + g(t))\,dt = \int_a^b f(t)\,dt + \int_a^b g(t)\,dt.$$

● **Démonstration**

On pose F une primitive de f et G une primitive de g. Ainsi, la fonction $x \mapsto \lambda F(x)$ est une primitive de la fonction $t \mapsto \lambda f(t)$. $\int_a^b (\lambda f(t))\,dt = \lambda F(b) - (\lambda F(a)) = \lambda(F(b) - F(a)) = \lambda \int_a^b f(t)\,dt.$

Propriété Relation de Chasles

Soit a, b, c trois réels.
$$\int_a^c f(t)\,dt = \int_a^b f(t)\,dt + \int_b^c f(t)\,dt$$

● **Démonstration**

On considère F une primitive de f. Peu importe l'ordre des trois valeurs a, b, c dans l'intervalle, on a :
$\int_a^c f(t)\,dt + \int_c^b f(t)\,dt = F(c) - F(a) + F(b) - F(c) = F(b) - F(a) = \int_a^b f(t)\,dt.$

▶ **Remarque** Si f est continue et positive et $a \leqslant b \leqslant c$, la relation de Chasles est la simple traduction de l'additivité des aires de deux domaines adjacents.
$\mathcal{A}_{totale} = \mathcal{A}_1 + \mathcal{A}_2$ ou $\int_a^c f(x)\,dx = \int_a^b f(x)\,dx + \int_b^c f(x)\,dx$

Propriété Intégrales et inégalités

Soit a et b deux réels. Si, pour tout $x \in [a\,;b]$, $f(x) \geqslant g(x)$, alors $\int_a^b f(t)\,dt \geqslant \int_a^b g(t)\,dt$.

En particulier : si $f \geqslant 0$ sur $[a\,;b]$ alors $\int_a^b f(x)\,dx \geqslant 0$.

● **Démonstration**

Si, pour tout $x \in [a\,;b]$, $f(x) \geqslant g(x)$, alors pour tout $x \in [a\,;b]$, $f(x) - g(x) \geqslant 0$. La fonction $f - g$ est donc continue et positive sur $[a\,;b]$. D'où, $\int_a^b (f(t) - g(t))\,dt \geqslant 0$ par définition de l'intégrale d'une fonction continue et positive. Ensuite, par linéarité de l'intégrale, on a $\int_a^b f(t)\,dt - \int_a^b g(t)\,dt \geqslant 0$.
On obtient alors $\int_a^b f(t)\,dt \geqslant \int_a^b g(t)\,dt$.

▶ **Remarque** Attention, les réciproques de ces deux propriétés sont fausses.

① $\int_0^4 (t^2 - 2t)\,dt = \left[\dfrac{x^3}{3} - x^2 \right]_0^4 = \dfrac{16}{3} \geqslant 0$. Pourtant la fonction $t \mapsto t^2 - 2t$ n'est pas positive sur $[0\,;4]$: l'image de 1 par cette fonction est -1.

② $\int_0^2 (1 - t^2)\,dt = \left[x - \dfrac{x^3}{3} \right]_0^2 = -\dfrac{2}{3}$ et $\int_0^2 t^2\,dt = \left[\dfrac{x^3}{3} \right]_0^2 = \dfrac{8}{3}$. Ainsi, $\int_0^2 (1 - t^2)\,dt \leqslant \int_0^2 t^2\,dt$, pourtant la fonction $t \mapsto 1 - t^2$ n'est pas tout le temps inférieure à la fonction $t \mapsto t^2$ sur $[0\,;2]$.

Propriété Inégalité en fonction des bornes d'intégration

Soit $[a\,;b]$ un intervalle de $\mathbb{R}$ et M un réel. Si $f(x) \leqslant M$, alors $\int_a^b f(t)\,dt \leqslant M|b - a|$.

De même, si $m \in \mathbb{R}$ est tel que pour tout x entre a et b, $f(x) \geqslant m$, alors $\int_a^b f(t)\,dt \geqslant m|b - a|$.

● EXOS
Méthodes
lienmini.fr/maths-s08-03
Les rendez-vous
Sésamath

Exercices résolus

Méthode 5 — Utiliser la linéarité de l'intégrale

Énoncé

On considère la fonction f définie sur $\mathbb{R}$ par $f(x) = xe^x$.

1. Montrer que F définie par $F(x) = (x-1)e^x$ est une primitive de f sur $\mathbb{R}$.

2. Déterminer $\int_0^1 (3t-2)e^x \, dx$.

Solution

1. F est dérivable comme produit de deux fonctions dérivables sur $\mathbb{R}$. Pour tout $x \in \mathbb{R}$, on a : $F'(x) = e^x + (x-1)e^x = xe^x = f(x)$. **1** F est donc une primitive de f sur $\mathbb{R}$.

2. $\int_0^1 (3t-2)e^t \, dt = \int_0^1 (3te^t - 2e^t)\, dt = \int_0^1 (3te^t)\, dt - \int_0^1 (2e^t)\, dt = 3\int_0^1 te^t \, dt - 2\int_0^1 e^t \, dt$. **2**

Or $\int_0^1 te^t \, dt = \int_0^1 f(x)\, dx = [F(x)]_0^1 = F(1) - F(0) = 1$. **3** $\quad \int_0^1 e^x \, dx = [e^x]_0^1 = e - 1$. **3**

Finalement, $\int_0^1 (3tt-2)e^t \, d = 3 - 2(e-1) = 5 - 2e$.

Conseils & Méthodes

1 Vérifier que F est dérivable et que $F' = f$.

2 Décomposer l'intégrale en utilisant la linéarité.

3 Calculer chaque terme séparemment.

À vous de jouer !

9 On considère f et g deux fonctions telles que $\int_0^1 f(t)\, dt = 3$ et $\int_0^1 g(t)\, dt = -5$. Calculer $\int_0^1 (2f(t) - g(t))\, dt$.

10 Calculer $\int_1^2 \ln(t)\, dt + \int_1^2 \left(t + \ln\left(\frac{1}{t}\right)\right) dt$

↪ Exercices 60 à 65 p. 256

Méthode 6 — Majorer (ou minorer) une intégrale

Énoncé

Soit f la fonction définie sur $\mathbb{R}$ par $f(x) = e^{-x^2}$.

1. Démontrer que pour tout réel $x \geqslant 1$, $0 \leqslant f(x) \leqslant e^{-x}$.

2. En déduire un encadrement de $\int_1^2 f(x)\, dx$.

Solution

1. Une exponentielle est positive donc $f(x) \geqslant 0$. **1**

Si $x \geqslant 1$, $x^2 \geqslant x$ donc $-x^2 \leqslant -x$. **2**

La fonction exponentielle est croissante, donc $e^{-x^2} \leqslant e^{-x}$. On en déduit $0 \leqslant f(x) \leqslant e^{-x}$.

2. $0 \leqslant f(x) \leqslant e^{-x}$ et les 3 fonctions $x \mapsto 0$; f et $x \mapsto e^{-x^2}$ sont continues.

On en déduit que $\int_1^2 0\, dx \leqslant \int_1^2 f(x)\, dx \leqslant \int_1^2 e^{-x}\, dx$. **3**

$\int_1^2 e^{-x}\, dx = [-e^{-x}]_1^2 = e^{-1} - e^{-2} \leqslant e^{-1}$ puisque $e^{-2} > 0$. On a donc $0 \leqslant \int_1^2 f(x)\, dx \leqslant \frac{1}{e}$.

Conseils & Méthodes

1 Utiliser les propriétés de la fonction exponentielle.

2 Utiliser l'hypothèse $x \geqslant 1$.

3 À partir de l'inégalité de la fonction, en déduire l'inégalité des intégrales.

À vous de jouer !

11 On considère une fonction f telle que, pour tout $x \in [2\,;4]$, $\frac{1}{2}x - \frac{1}{2} \leqslant f(x) \leqslant \frac{1}{2}x - \frac{1}{4}$. En déduire un encadrement de $\int_2^4 f(t)\, dt$.

12 Pour $n \in \mathbb{N}$, on considère une fonction f_n telle que, pour tout $x \in [0\,;1]$, $e^{-n} \leqslant f_n(x) \leqslant \frac{1}{n}$. En déduire la convergence de la suite $\left(\int_0^1 f_n(t)\, dt \right)$.

↪ Exercices 66 et 67 p. 256

Valeur moyenne d'une fonction

Définition Valeur moyenne

Soit f une fonction continue sur un intervalle $[a\,;b]$, on appelle **valeur moyenne de f** sur $[a\,;b]$ le nombre réel μ tel que : $\mu = \dfrac{1}{b-a}\displaystyle\int_a^b f(x)\mathrm{d}x$

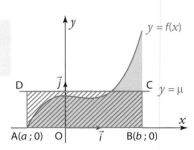

▶**Remarque Interprétation graphique dans le cas d'une fonction continue positive**

Lorsque f est une fonction positive, on peut dire que l'aire sous la courbe de la fonction f entre a et b est donc égale à l'aire du rectangle ABCD de « largeur » $b-a$ et de « hauteur » μ.

5 Calculs d'aires à l'aide des intégrales

Propriété Aire sous la courbe d'une fonction continue et négative

Soit f une fonction continue et négative sur un intervalle $[a\,;b]$ et $\mathscr{C}$ sa courbe représentative.
L'aire du domaine $\mathscr{D}$, délimité par la courbe $\mathscr{C}$, l'axe des abscisses et les droites d'équations $x=a$ et $x=b$, est égale à :

$$-\int_a^b f(x)\mathrm{d}x \text{ (exprimée en unités d'aire).}$$

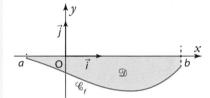

● **Démonstration**

Par symétrie, l'aire du domaine $\mathscr{D}$ est égale à l'aire du domaine E, c'est-à-dire l'aire sous la courbe de la fonction g définie sur l'intervalle $[a\,;b]$ par $g(x) = -f(x)$.

g étant continue et positive, l'aire de $\mathscr{D}$ est donc égale à :

$$\int_a^b g(x)\mathrm{d}x \text{ (exprimée en u.a.).}$$

La primitive de g, G, est égale à l'opposé de la primitive de F : $G = -F$.

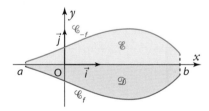

▶**Remarque**

Pour calculer l'aire comprise entre la courbe et l'axe des abscisses, on décompose l'intervalle en sous-intervalles où la fonction est de signe constant.

$$\mathscr{A}_{totale} = \mathscr{A}_1 + \mathscr{A}_2 = \int_a^c f(x)\mathrm{d}x - \int_c^b f(x)\mathrm{d}x$$

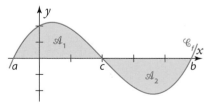

Propriétés Aire entre deux courbes

Soit f et g deux fonctions continues sur un intervalle I telles que $f(x) \leqslant g(x)$ pour tout $x \in [a\,;b]$.
L'aire, exprimée en unités d'aire, du domaine délimité par les courbes représentatives des fonctions f et g et les droites d'équations $x=a$ et $x=b$ est égale à :

$$\int_a^b (g(x)-f(x))\mathrm{d}x$$

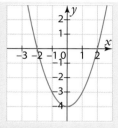

⊙ EXOS
Méthodes
lienmini.fr/maths-s08-03
Les rendez-vous
Sésamath

Exercices (résolus)

Méthode 7 Calcul d'aire à l'aide d'une intégrale

Énoncé

Soit f définie sur $\mathbb{R}$ par $f(x) = x^2 - 4$. Calculer :

a) l'aire $\mathcal{A}$ comprise entre la courbe et l'axe des abscisses entre les droites d'équations $x = -2$ et $x = 2$.

b) l'aire $\mathcal{B}$ comprise entre la courbe et l'axe des abscisses entre les droites d'équations $x = -5$ et $x = 1$.

Solution

a) f est négative entre -2 et 2. **[1]** $\mathcal{A} = -\displaystyle\int_{-2}^{2}(x^2-4)dx$ **[2]**

Une primitive de $x^2 - 4$ est $\dfrac{x^3}{3} - 4x$ donc :

$\mathcal{A} = -\displaystyle\int_{-2}^{2}(x^2-4)dx = -\left[\dfrac{x^3}{3} - 4x\right]_{-2}^{2} = -\left(-8+\dfrac{8}{3}\right)+\left(8-\dfrac{8}{3}\right) = \dfrac{32}{3}.$ **[3]**

b) f est positive sur $[-5\,;-2]$ et négative sur $[-2\,;1]$. **[1]**

$\mathcal{B} = \displaystyle\int_{-5}^{-2}(x^2-4)dx - \int_{-2}^{1}(x^2-4)dx$ **[4]**

$\mathcal{B} = \left[\dfrac{x^3}{3} - 4x\right]_{-5}^{-2} - \left[\dfrac{x^3}{3} - 4x\right]_{-2}^{1} = 36$ **[3]**

Conseils & Méthodes

[1] Déterminer le signe de $f(x)$ entre -2 et 2.
[2] Écrire l'égalité entre aire et intégrale. f étant négative, c'est l'opposé de l'intégrale de f qui est égale à l'aire.
[3] Vérifier que le résultat est positif.
[4] Décomposer l'intervalle $[-5\,;1]$ en sous-intervalles sur lesquels la fonction est de signe constant, puis calculer l'intégrale ou son opposé sur chacun des intervalles.

À vous de jouer !

13 Soit f définie sur $\mathbb{R}$ par $f(x) = \dfrac{1}{x}$.

Calculer l'aire comprise entre la courbe et l'axe des abscisses entre les droites d'équations $x = -5$ et $x = -3$.

14 Soit g définie sur $\mathbb{R}$ par $g(x) = -\left(\dfrac{3}{4}x - \dfrac{1}{2}\right)^3 + 1$.

1. Montrer que la solution de $g(x) = 0$ est $x = 2$.
2. Calculer l'aire comprise entre la courbe et l'axe des abscisses entre les droites d'équations $x = -3$ et $x = 4$.

↪ Exercices 75 à 78 p. 257

Méthode 8 Calculer une aire entre deux courbes

Énoncé

Soit f et g définies sur $]0\,;+\infty[$ par $f(x) = x$ et $g(x) = x^2$. Déterminer l'aire entre les deux courbes et entre $x = 0$ et $x = 1$.

Solution

Sur $[0\,;1]$, on a $x < x^2$ donc $f(x) \leqslant g(x)$. **[1]**

L'aire du domaine délimité par $\mathscr{C}_f$, $\mathscr{C}_g$ et les droites $x = 0$ et $x = 1$

est égale à $\mathcal{A} = \displaystyle\int_{0}^{1}(x - x^2)dx = \left[\dfrac{x^2}{2} - \dfrac{x^3}{3}\right]_{0}^{1} = \dfrac{1}{6}$ u.a. **[2]**

Conseils & Méthodes

[1] Comparer $f(x)$ et $g(x)$ pour connaître la position relative des deux courbes.
[2] Écrire une égalité entre intégrales et aire et on calcule les intégrales

À vous de jouer !

15 Soit f et g deux fonctions définies sur $\mathbb{R}$ par :
$$f(x) = x^2 - 1 \text{ et } g(x) = x + 1.$$
Déterminer l'aire $\mathcal{A}$, en u.a., du domaine compris entre les courbes représentatives de f et de g sur l'intervalle $[-1\,;2]$.

16 Soit f et g deux fonctions définies sur $\mathbb{R}$ par :
$$f(x) = 0{,}25x^2 - x - 3 \text{ et } g(x) = 0{,}5x^2 - x + 9.$$
Déterminer l'aire $\mathcal{A}$, en u.a., du domaine compris entre les courbes représentatives de f et g sur l'intervalle $[-4\,;4]$.

↪ Exercices 79 à 82 p. 257

Exercices (résolus)

EXOS
Méthodes
lienmini.fr/maths-s08-03
Les rendez-vous Sésamath

Méthode 9 Étudier une suite d'intégrales

→ Cours 3 p. 246

Énoncé

Pour $n \in \mathbb{N}^*$, on considère les fonctions $f_n : t \mapsto \dfrac{1}{1+t^n}$

et on pose $I_n = \displaystyle\int_0^1 f_n(t)\,dt$.

On donne les représentations graphiques de f_1, f_2, f_{10} et f_{100}.

1. a) Interpréter de manière géométrique l'intégrale I_n.

b) Conjecturer graphiquement le sens de variation de la suite (I_n) ainsi que sa convergence éventuelle.

2. Montrer que pour tout $t \in [0\,;\,1]$ et tout $n \in \mathbb{N}^*$,

on a : $1 - t^n \leqslant \dfrac{1}{1+t^n} \leqslant 1$.

3. Calculer $\displaystyle\int_0^1 (1-t^n)\,dt$ et en déduire un encadrement de I_n.

4. Montrer que la suite (I_n) converge et donner sa limite.

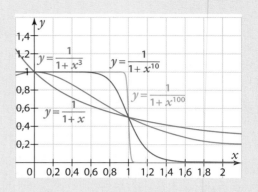

Solution

1. a) Si $t \in [0\,;\,1]$, $\dfrac{1}{1+t^n} \geqslant 0$ pour tout entier n.

I_n est l'intégrale d'une fonction positive donc correspond à l'aire sous la courbe représentative de la fonction f_n sur $[0\,;\,1]$. **1**

b) On peut conjecturer que si $n < m$, alors $f_n(x) < f_m(x)$ pour $x \in [0\,;\,1]$. $I_n < I_m$ d'où la conjecture de croissance de (I_n). **2**

La courbe représentative de f_n semble se rapprocher de la droite horizontale d'équation $y = 1$ sur $[0\,;\,1]$, dont l'aire sous la courbe vaut 1 u.a..

2. 3 Pour tout $t \in [0\,;\,1]$ et tout $n \in \mathbb{N}^*$, on a $t^n \geqslant 0$,

d'où : $\quad 1 + t^n \geqslant 1$

Donc : $\quad \dfrac{1}{1+t^n} \leqslant 1$. **4**

Conseils & Méthodes

1 L'interprétation d'une intégrale d'une fonction positive est une aire.

2 Utiliser la définition d'une suite croissante.

3 Établir séparément chaque inégalité pour obtenir un encadrement.

4 Construire l'inégalité à partir d'une inégalité simple.

5 Construire l'inégalité en étudiant le signe de la différence.

6 Pour obtenir une inégalité entre intégrales, il est possible d'intégrer une inégalité sur les fonctions.

On étudie le signe de $1 - t^n - \dfrac{1}{1+t^n}$. **5** $1 - t^n - \dfrac{1}{1+t^n} = \dfrac{(1-t^n)(1+t^n)-1}{1+t^n} = \dfrac{-(t^n)^2}{1+t^n} < 0$ pour $t \in [0\,;\,1]$

donc $\quad 1 - t^n \leqslant \dfrac{1}{1+t^n}$. D'où pour $t \in [0\,;\,1] : 1 - t^n \leqslant \dfrac{1}{1+t^n} \leqslant 1$.

3. Une primitive de la fonction $t \mapsto 1 - t^n$ est $t \mapsto t - \dfrac{t^{n+1}}{n+1}$ d'où $\displaystyle\int_0^1 (1-t^n)\,dt = \left[x - \dfrac{x^{n+1}}{n+1} \right]_0^1 = 1 - \dfrac{1}{n+1}$.

Comme pour $t \in [0\,;\,1], 1 - t^n \leqslant \dfrac{1}{1+t^n} \leqslant 1$, on obtient : $\displaystyle\int_0^1 (1-t^n)\,dt \leqslant \int_0^1 \dfrac{1}{1+t^n}\,dt \leqslant \int_0^1 1\,dt$. **6**

I_n vérifie l'encadrement $1 - \dfrac{1}{n+1} \leqslant I_n \leqslant 1$.

4. On a $\displaystyle\lim_{n \to +\infty} \dfrac{1}{n+1} = 0$, d'où $\displaystyle\lim_{n \to +\infty} 1 - \dfrac{1}{n+1} = 1$. D'après le théorème des gendarmes, la suite (I_n) converge vers 1.

À vous de jouer !

17 Pour $n \in \mathbb{N}^*$, on pose $u_n = \displaystyle\int_0^{\frac{\pi}{4}} t^n \cos(t)\,dt$. Démontrer que la suite (u_n) est décroissante et minorée par 0. Que peut-on dire quant à sa convergence ?

18 On pose $u_n = \displaystyle\int_0^1 (t-1)^n e^t\,dt$, pour $n \in \mathbb{N}^*$. Démontrer que la suite (u_n) est décroissante et minorée par 0. Que peut-on dire quant à sa convergence ?

→ Exercices 119 à 122 p. 260

● EXOS
Méthodes
lienmini.fr/maths-s08-03
Les rendez-vous
Sésamath

Exercices résolus

Méthode 10 Interpréter une intégrale

➜ Cours 3 p. 246

Énoncé

On considère la fonction f définie sur l'intervalle [0,5 ; 18] par :

$$f(x) = 4\ln(3x+1) - x + 3.$$

1. On note F la fonction définie sur l'intervalle [0,5 ; 18] par :

$$F(x) = \frac{4}{3}(3x+1)\ln(3x+1) - \frac{x^2}{2} - x.$$

a) Vérifier que F est une primitive de f sur [0,5 ; 18].

b) Calculer la valeur exacte de l'intégrale $\int_1^8 f(x)dx$ et donner une valeur approchée de cette intégrale à 10^{-1} près.

2. On admet que le bénéfice réalisé par une entreprise lorsqu'elle fabrique x centaines de pièces est égal à $f(x)$, en milliers d'euros, pour une production comprise entre 50 pièces et 1800 pièces.
Déterminer la valeur moyenne du bénéfice lorsque la production varie entre 100 et 800 pièces. On donnera une valeur approchée de ce bénéfice à 100 euros près.

D'après Bac ES 2012

Solution

1. a) $F(x) = \frac{4}{3}(3x+1)\ln(3x+1) - \frac{x^2}{2} - x$ est dérivable sur [0,5 ; 18] et

$F'(x) = \frac{4}{3}(3x+1) \times \frac{3}{3x+1} + 4\ln(3x+1) - \frac{2x}{2} - 1$ **1**

$F'(x) = 4 + 4\ln(3x+1) - x - 1$

$F'(x) = f(x)$ F est une primitive de f sur [0,5 ; 18].

b) $\int_1^8 f(x)dx = F(8) - F(1) = \frac{100}{3}\ln(25) - \frac{64}{2} - 8 - \frac{16}{3}\ln(4) + \frac{1}{2} + 1 = \frac{100}{3}\ln(25) - \frac{16}{3}\ln(4) - 38,5.$

$\int_1^8 f(x)dx \approx 61,4$ à 10^{-1} près.

2. x est exprimé en centaines de pièces donc une production entre 100 et 800 pièces correspond à $1 \leqslant x \leqslant 8$. **2**

La valeur moyenne de la fonction f est égale à $\mu = \frac{1}{8-1}\int_1^8 f(x)dx$ ou encore $\mu = \frac{1}{7}\left[\frac{100}{3}\ln(25) - \frac{16}{3}\ln(4) - 38,5\right]$; $\mu \approx 8,772\,755$.

f s'exprime en milliers d'euros donc $\mu \approx 8,772\,755$ milliers d'euros ou $\mu \approx 8\,772,755$ euros. **2**

Une valeur approchée de ce bénéfice à 100 euros près est 8 700 euros.

Conseils & Méthodes

1 Calculer la dérivée de F.

2 Étudier les unités du problème.

À vous de jouer !

19 L'entreprise NVIDIO, spécialisée dans la fabrication de cartes graphiques, contrôle la qualité des condensateurs. D'après le cahier des charges, un condensateur est supposé conforme si l'énergie consommée est inférieure à 20 J. Cette énergie (en Joules) correspond à l'aire de la surface sous la courbe de la puissance instantanée p (exprimée en Watts) entre 0 et 10 secondes. Expérimentalement, on établit que la puissance instantanée d'un condensateur est donnée par la fonction :

$$f(t) = 20te^{-t}.$$

1. Montrer que $F(t) = (-20x - 20)e^{-x}$ est une primitive de f.
2. Les condensateurs ainsi fabriqués correspondent-ils au cahier des charges ?

20 On note f la fonction définie sur $[0 ; +\infty[$ par :
$$f(x) = (x+8)e^{-0,5x}.$$
La fonction f modélise la demande d'un produit informatique. $f(x)$ représente la quantité, en milliers, d'objets lorsque le prix unitaire est de x centaines d'euros.
1. Étudier les variations de f
2. Montrer que F définie par :
$$F(x) = (-2x - 20)e^{-0,5x}$$
est une primitive de f sur $[0 ; +\infty[$.
3. Calculer la demande pour un un prix unitaire de 200 euros à un produit près.
4. Déterminer la valeur moyenne de la demande, à 10 produits près, pour un prix compris entre 200 et 400 euros.

D'après bac ES Liban juin 2008

➜ Exercices 123 à 126 p. 261

● VIDÉO

Démonstration
lienmini.fr/maths-s08-04

ØLJEN
Les maths en finesse

La propriété à démontrer

Soit f une fonction continue positive et croissante sur $[a ; b]$.

Déterminer la dérivée de la fonction $F_a : x \mapsto \int_a^x f(t)dt$.

▷ On souhaite démontrer cette propriété.

▶ Comprendre avant de rédiger

On ne peut pas utiliser les théorèmes de dérivation classique. On revient donc à la définition de la fonction dérivée.

On détermine $\lim\limits_{h \to 0} \dfrac{F_a(x_0 + h) - F_a(x_0)}{h}$ Cette limite est obtenue en calculant la limite à gauche puis à droite. Cela signifie que la fonction F_a est une primitive de f.

▶ Rédiger

Étape ① On s'intéresse à la limite à droite.

$\int_{x_0}^{x_0+h} f(t)dt$ correspond à l'aire de la surface hachurée en bleu.

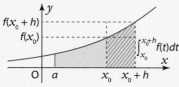

Par croissance de f, l'aire de la surface sous la courbe de f entre x_0 et $x_0 + h$ est encadrée par l'aire du rectangle de dimensions h et $f(x_0)$ et celle du rectangle de dimensions h et $f(x_0 + h)$.

Étape ② On s'intéresse à la limite à gauche.
Cette fois $x_0 + h < x_0$, on obtient un encadrement de $\int_{x_0}^{x_0+h} f(t)dt$ par une aire de rectangle.

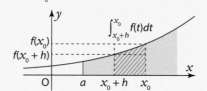

Étape ③
On conclut. $F_a(a) = \int_a^a f(t)dt = 0$, F_a est la primitive de f qui s'annule en a.

La démonstration rédigée

Soit $x_0 \in [a ; b]$ et $h \neq 0$ tel que $x_0 + h \in [a ; b]$.

Si $h > 0$: d'après la relation de Chasles, on a :

$$F_a(x_0 + h) - F_a(x_0) = \int_a^{x_0+h} f(t)dt - \int_a^{x_0} f(t)dt = \int_{x_0}^{x_0+h} f(t)dt.$$

f est croissante, on a l'encadrement suivant :

$$hf(x_0) \leqslant \int_{x_0}^{x_0+h} f(t)dt \leqslant hf(x_0 + h)$$

D'où : $f(x_0) \leqslant \dfrac{F_a(x_0 + h) - F_a(x_0)}{h} \leqslant f(x_0 + h)$.

f est continue, $\lim\limits_{h \to 0} f(x_0 + h) = f(x_0)$. Ainsi :

$$\lim\limits_{h \to 0^+} \dfrac{F_a(x_0 + h) - F_a(x_0)}{h} = f(x_0).$$

Si $h < 0$: d'après la relation de Chasles, on a :

$$F_a(x_0) - F_a(x_0 + h) = -\int_{x_0}^{x_0+h} f(t)dt.$$

f est croissante, on a l'encadrement suivant :

$$-hf(x_0 + h) \leqslant -\int_{x_0}^{x_0+h} f(t)dt \leqslant -hf(x_0)$$

$f(x_0 + h) \leqslant \dfrac{F_a(x_0 + h) - F_a(x_0)}{h} \leqslant f(x_0)$ et donc

$$\lim\limits_{h \to 0^-} \dfrac{F_a(x_0 + h) - F_a(x_0)}{h} = f(x_0).$$

La limite à gauche est égale à la limite à droite de 0 donc $\lim\limits_{h \to 0} \dfrac{F_a(x_0 + h) - F_a(x_0)}{h} = f(x_0)$. Ainsi F_a est dérivable en x_0 et $F_a'(x_0) = f(x_0)$. F_a est dérivable sur $[a ; b]$ et $F_a' = f$.

▶ Pour s'entraîner

Démontrer le théorème d'existence d'une primitive dans le cas où la fonction est continue, positive et décroissante sur l'intervalle $[a ; b]$.

◆ DIAPORAMA
Calculs et automatismes
lienmini.fr/maths-s08-06

Exercices calculs et automatismes

21 Calcul d'intégrale (1)

Choisir la (les) bonne(s) réponse(s).

$\int_{-1}^{1}(2t+1)dt$ est égale à :

a l'aire sous la courbe entre −1 et 1.

b $\int_{0}^{1}(2t+1)dt + \int_{-1}^{0}(2t+1)dt$.

c 2.

d 0.

22 Calcul d'intégrale (2)

Les affirmations suivante sont-elles vraies ou fausses ? V F

a) $\int_{0}^{\ln(3)}\dfrac{e^x}{e^x+2}dx$ est égale à $-\ln\left(\dfrac{3}{5}\right)$. ☐ ☐

b) $\int_{-2}^{2}x^2-4\,dx$ est l'aire entre la courbe et l'axe des abscisses entre − 2 et 2. ☐ ☐

23 Calcul d'intégrale (3)

L'affirmation suivante est-elle vraie ou fausse ? V F

$\int_{-2}^{2}\dfrac{x}{x^4+1}dx$ vaut 0. ☐ ☐

24 Propriété de l'intégrale

L'expression suivante est-elle vraie ou fausse ? V F

$3\int_{0}^{\pi}\cos^2(x)dx + \int_{0}^{\pi}3\sin^2(x)dx = 3$ ☐ ☐

25 Inégalité

L'expression suivante est-elle vraie ou fausse ? V F

$\int_{0}^{\pi}\cos^6(x)dx \geqslant 4$ ☐ ☐

26 Intégration par parties

Choisir la (les) bonne(s) réponse(s).

Soit $I = \int_{-1}^{-2}(x-2)e^x\,dx$. Alors :

a $I = [(x-2)e^x]_{-1}^{-2} - \int_{-1}^{-2}e^x\,dx$

b $I = [e^x]_{-1}^{-2} - \int_{-1}^{-2}(x-2)e^x\,dx$

c $I = -5e^{-2} + 4e^{-1}$

d $I = 4e^{-1} + 5e^{-2}$

Pour les exercices **27** à **31**, on considère les fonctions f et g définies sur $\mathbb{R}$ par $f(x) = 0{,}5(x-2)(x+3)$ et $g(x) = -x-1$.

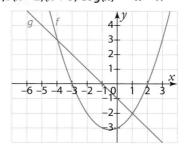

27 Calcul d'intégrale (4)

Choisir la (les) bonne(s) réponse(s).

$\int_{-1}^{2}g(x)dx$ est égale à :

a 4,5.

b l'aire d'un demi-carré de côté 3.

c $\left[\dfrac{x^2}{2}+x\right]_{-1}^{2}$.

d $\int_{-4}^{1}(x+1)dx$.

28 Calcul d'intégrale (5)

Choisir la (les) bonne(s) réponse(s).

$\int_{-4}^{2}g(x)dx$ est égale à :

a $2\times\int_{-1}^{2}g(x)dx$.

b l'aire d'un carré de côté 3.

c 9.

d 0.

29 Aire sous la courbe

Choisir la (les) bonne(s) réponse(s).

L'aire de la surface entre la courbe de f et l'axe des abscisses entre $x = -4$ et $x = 3$ est :

a $\int_{-4}^{3}f(x)dx$.

b $2\times\int_{-4}^{-0,5}f(x)dx$.

c $\dfrac{47}{4}$ u.a.

d $2\times\int_{-4}^{-3}(0{,}5x^2+0{,}5x-3)dx - \int_{-3}^{2}(0{,}5x^2+0{,}5x-3)dx$.

30 Estimer une intégrale

Les expressions suivantes sont-elles vraies ou fausses ? V F

a) $\int_{-1}^{1}f(x)\,dx < \int_{-1}^{1}g(x)\,dx$ ☐ ☐

b) $\int_{1}^{2}f(x)\,dx < \int_{1}^{2}g(x)\,dx$ ☐ ☐

31 Aire entre deux courbes

Choisir la (les) bonne(s) réponse(s).

L'aire comprise entre la courbe de f et de g entre $x = -4$ et $x = 0$ est égale à :

a $\int_{-4}^{0}[f(x)-g(x)]dx$.

b $\int_{-4}^{0}[g(x)-f(x)]dx$.

c $[-0{,}5x^2-1{,}5x-0{,}5]_{-4}^{0}$.

d $\dfrac{2}{3}$ u.a.

Exercices d'application

Déterminer une intégrale par calcul d'aire
Méthode 1 p. 243

32 On considère la fonction f affine par morceaux représentée ci-dessous.

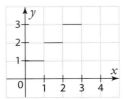

1. Calculer l'aire sous la courbe de la fonction f entre 0 et 3.
2. On considère la fonction g définie sur $[0,3]$ par $g(x) = f(x) + 2$. Calculer l'aire sous la courbe de la fonction g entre 0 et 3.

33 Dans le plan muni d'un repère orthonormé d'origine O, on considère le point A sur la droite d'équation $y = \dfrac{1}{2}x$ et d'abscisse 2 ainsi que le point B sur la droite d'équation $y = -2x$ et d'abscisse -2.
Déterminer l'aire du triangle OAB.

34 Calculer $\displaystyle\int_1^3 (-x + 4)\,dx$.

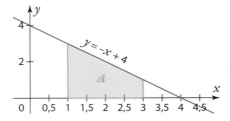

35 Calculer $\displaystyle\int_{-0,5}^2 (x + 2)\,dx$.

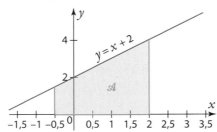

36 Calculer les intégrales suivantes.

a) $\displaystyle\int_0^1 x\,dx$ **b)** $\displaystyle\int_1^3 (2t + 1)\,dt$ **c)** $\displaystyle\int_2^4 (-y + 3)\,dy$

37 Calculer l'aire sous la courbe des fonctions suivantes sur $[0 ; 3]$.
a) $x \mapsto x$.
b) $x \mapsto 2$.
c) $x \mapsto -x + 3$.

38 On considère la fonction f définie sur $[-1 ; 4]$ par
$$f(t) = \begin{cases} 1 \text{ si } t \in [-1 ; 2] \\ -t + 3 \text{ si } t \in]2 ; 3] \\ t - 3 \text{ si } t \in]3 ; 4] \end{cases}$$

1. Construire la courbe représentative de f sur $[-1 ; 4]$.
2. Justifier que f est continue et positive sur $[-1 ; 4]$.
3. Déterminer alors graphiquement $\displaystyle\int_{-1}^4 f(t)\,dt$.

39 Calculer les aires suivantes.
a)

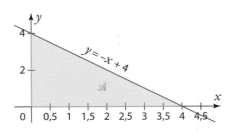

b)

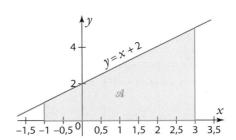

Estimer une intégrale par la méthode des rectangles
Méthode 2 p. 243

40 On considère la fonction inverse sur $[1 ; 2]$.
1. On partage l'intervalle $[1 ; 2]$ en cinq intervalles de même amplitude.
Quelle est la longueur d'un intervalle ?
2. Quelle est l'aire du rectangle coloré en rouge ? Quelle est l'aire du rectangle hachuré ?
3. En considérant deux séries de rectangles, déterminer un encadrement de l'aire sous la courbe de la fonction inverse sur $[1 ; 2]$.

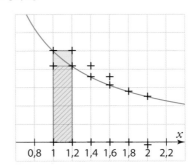

41 La fonction $f : x \mapsto \sqrt{x}$ a été encadré par deux séries de quatre rectangles de base 1 comme sur le graphique ci-dessous. Estimer $\int_0^4 f(x)\,dx$.

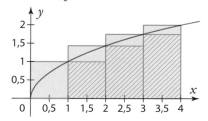

42 **1.** Tracer l'allure de la courbe de la fonction logarithme sur l'intervalle [5 ; 10].

2. En partageant [5 ; 10] en dix intervalles de même amplitude, déterminer un encadrement de $\int_5^{10} \ln(t)\,dt$.

Calculer des intégrales à l'aide d'une primitive
 3 p. 245

43 Soit la fonction $f : x \mapsto 3x^2 - 6x - 4$.

1. Vérifier que $F : x \mapsto x^3 - 3x^2 - 4x$ est une primitive de f.

2. En déduire la valeur de $\int_{-1}^2 f(x)\,dx$.

44 Calculer chaque intégrale.

a) $\int_1^2 x^2\,dx$ **b)** $\int_1^3 x^3\,dx$ **c)** $\int_2^{10} \frac{1}{x}\,dx$

45 Déterminer les valeurs des intégrales suivantes à l'aide des fonctions usuelles utilisées.

a) $\int_0^4 (t-3)\,dx$ **c)** $\int_{-1}^1 \frac{3}{4}(1-x^2)\,dx$

b) $\int_0^{11}(1-x)\,dx$ **d)** $\int_{-1}^4 (2t^3 - 3t^2 - 4t + 2)\,dt$

46 Déterminer les valeurs des intégrales suivantes à l'aide des fonctions usuelles utilisées.

a) $\int_1^4 \left(\frac{1}{2\sqrt{t}} - \frac{1}{t}\right)dt$ **b)** $\int_0^1 e^{1-2x}\,dx$ **c)** $\int_1^3 \frac{1}{u^2}\,du$

47 Calculer chacune des intégrales suivantes en reconnaissant une écriture de la forme $u'f(u)$.

a) $\int_0^1 2te^{t^2}\,dt$ **b)** $\int_0^{\ln(2)} 3t^2 e^{t^3}\,dt$

c) $\int_1^e \frac{2}{2t^3}\,dt$ **d)** $\int_1^e (t^2-1)\left(\frac{1}{3}t^3 - t\right)^{-1}dt$

e) $\int_{-1}^2 (1-2t)e^{-t^2+t+1}\,dt$

48 Déterminer les valeurs des intégrales suivantes.

a) $\int_0^1 xe^{x^2+2}\,dx$ **b)** $\int_{-1}^1 x(2-x^2)^3\,dx$

c) $\int_{-2}^{-1} t(t^2-1)\,dt$ **d)** $\int_{-1}^2 \frac{x}{\sqrt{x^2+5}}\,dx$

49 Déterminer les valeurs des intégrales suivantes.

a) $\int_1^e \frac{x}{1+x^2}\,dx$ **b)** $\int_4^{15} \frac{3}{x-4}\,dx$

c) $\int_1^2 \frac{x^3}{x^4+1}\,dx$ **d)** $\int_0^{\ln 3} \frac{e^x}{e^x+2}\,dx$

50 f est la fonction définie sur [2 ; 3] par $f(x) = \frac{1}{x} - \frac{1}{x^2}$. Calculer $\int_2^3 f(t)\,dt$.

51 Effectuer le calcul des intégrales suivantes.

a) $\int_{-1}^2 4t(2t^2+3)^2\,dt$ **b)** $\int_{-7}^{-2} \frac{t}{(t^2-1)^5}\,dt$

52 On considère la fonction f définie sur [−1 ; 0] par $f(x) = 2xe^x$.

1. Déterminer la dérivée de f sur [−1 ; 0].

2. En déduire la valeur de $I = \int_{-1}^0 (2x+2)e^x\,dx$.

3. Justifier pourquoi I correspond à l'aire sous la courbe de la fonction $x \mapsto (2x+2)e^x$ sur [−1 ; 0].

Calculer une intégrale avec une intégration par parties
 4 p. 245

53 Calculer $\int_0^1 xe^x\,dx$ en posant $u(x) = e^x$ et $v'(x) = x$.

54 Calculer $\int_1^2 \frac{\ln(x^2)}{x}\,dx$ en posant $v'(x) = \frac{1}{x^2}$ et $u(x) = \ln(x)$.

55 Calculer les intégrales suivantes.

a) $\int_0^{10} (2t+1)e^{-t}\,dt$ **b)** $\int_{-\frac{1}{3}}^0 (4-3t)e^{3t+1}\,dt$

56 Calculer les intégrales suivantes.

a) $\int_{-\pi}^{\pi} (3t-2)\sin(t)\,dt$ **b)** $\int_{-2\pi}^{\frac{\pi}{2}} 2x\cos(x)\,dx$

57 Calculer les intégrales suivantes.

a) $\int_0^{\pi} (x^2 - 2x + 1)\sin(3x)\,dx$

b) $\int_{\frac{\pi}{6}}^{\frac{\pi}{3}} \left(t + \frac{\pi}{2}\right)\cos\left(t - \frac{\pi}{6}\right)dt$

58 Calculer les intégrales suivantes.

a) $\int_0^{\pi} (x^2 - 2x + 1)\sin(3x)\,dx$ **b)** $\int_{\frac{\pi}{6}}^{\frac{\pi}{3}} t + \frac{\pi}{2}\cos\left(t - \frac{\pi}{6}\right)dt$

59 **1.** Déterminer $\int_1^5 \ln(x)\,dx$ en posant $u'(x) = 1$ et $v(x) = \ln(x)$.

2. Déterminer une primitive de la fonction logarithme.

3. Déterminer $\int_1^5 (\ln(x))^2\,dx$.

Utiliser la linéarité de l'intégrale

 p. 247

60 On considère les intégrales suivantes.

$I = \int_0^\pi x\cos^2(x)\,dx$ et $J = \int_0^\pi x\sin^2(x)\,dx$. Calculer $I + J$.

61 On considère deux fonctions f et g, continues sur un segment $[a\,;b]$.

$\int_a^b tf(t)\,dt = 2e$, $\int_a^b f(t)\,dt = 10 + 3e$ et $\int_a^b g(t)\,dt = 1 - e$.

Déterminer les intégrales suivantes.

a) $\int_a^b (f(t) - g(t))\,dt$ **b)** $\int_a^b (3f(t))\,dt$

c) $\int_a^b (3f(t) - g(t))\,dt$ **d)** $\int_a^b (f(t) + t)^2\,dt - \int_a^b f(t)^2\,dt$

62 Soit $t \in [0\,;1]$.

1. Justifier que $\int_0^1 t^3\,dt \leq \int_0^1 t^2\,dt$.

2. A-t-on l'inégalité $\int_2^3 t^3\,dt \leq \int_2^3 t^2\,dt$?

Démo

63 Montrer que $\int_0^2 (2t^2 - 4t)\,dt \leq \int_2^3 t^3\,dt$.

64 f est une fonction continue et on considère quatre réels a, b, c et d.

1. On suppose $\int_a^c f(t)\,dt = 2e$ et $\int_c^d f(t)\,dt = -e$. Donner alors $\int_a^d f(t)\,dt$.

2. On suppose $\int_a^d f(t)\,dt = 5\sqrt{2}$ et $\int_c^d f(t)\,dt = 5$. Donner alors $\int_a^c f(t)\,dt$.

3. On suppose $\int_a^c f(t)\,dt = \ln(2)$, $\int_a^d f(t)\,dt = 3$ et $\int_b^d f(t)\,dt = 2 - \ln(2)$. Donner alors $\int_b^c f(t)\,dt$.

4. On suppose $\int_a^b f(t)\,dt = -2$, $\int_a^d f(t)\,dt = e$ et $\int_c^d f(t)\,dt = e + 2$. Donner alors $\int_b^c f(t)\,dt$.

65 Calculer les sommes suivantes.

a) $I = \int_{-1}^1 e^{-t}\,dt + \int_{-2}^{-1} e^{-t}\,dt + \int_0^2 e^{-t}\,dt$

b) $J = \int_1^2 \dfrac{t}{t^3 + 2t^2 - 3t}\,dt + \int_2^1 \dfrac{t}{t^3 + 2t^2 - 3t}\,dt$

Encadrer une intégrale

 p. 247

66 Donner le signe des intégrales suivantes sans les calculer.

a) $\int_{-2}^{-1} \dfrac{1}{x}\,dx$ **b)** $\int_{-3}^{-1} 2x^2 + 1\,dx$

c) $\int_0^1 2x e^x\,dx$ **d)** $\int_{\frac{1}{2}}^1 \ln(x)\,dx$

67 Donner un exemple de fonction f répondant à chaque situation.

a) $\int_0^\pi f(t)\,dt = 0$ **b)** $\int_{-1}^2 f(t)\,dt \geqslant 0$ **c)** $\int_{-1}^1 f(t)\,dt = 3$

Utiliser la relation de Chasles

68 On considère la fonction f définie sur $[-1\,;4]$ par :

$$f(t) = \begin{cases} 1 & \text{si } t \in [-1\,;2] \\ -t + 3 & \text{si } t \in \,]2\,;3] \\ t - 3 & \text{si } t \in \,]3\,;4] \end{cases}$$

Calculer alors $\int_{-1}^4 f(t)\,dt$.

69 On considère la fonction g définie sur $[-6\,;6]$ de période égale à 2. Sur $[-1\,;1]$, la fonction g est égale à $|x|$.

1. Construire la courbe représentative de g sur $[-6\,;6]$.

2. Calculer alors $\int_0^1 g(t)\,dt$.

3. En déduire $\int_{-1}^1 g(t)\,dt$ puis $\int_{-6}^6 g(t)\,dt$.

70 Soit f définie sur $[0\,;3]$ par :

$$f(x) = \begin{cases} x^2 & \text{si } 0 \leqslant x \leqslant 1 \\ \dfrac{1}{x} & \text{si } 1 \leqslant x \leqslant 2 \\ \dfrac{-x + 3}{2} & \text{si } 2 \leqslant x \leqslant 3 \end{cases}$$

Calculer l'intégrale de f sur $[0\,;3]$.

Calculer la valeur moyenne d'une fonction

71 Pour chacune des fonctions suivantes, déterminer les valeurs moyennes sur les intervalles demandés et interpréter à chaque fois le résultat de manière géométrique.

a) $f : x \mapsto x^2 + 3$ sur $[-2\,;2]$.

b) $g : x \mapsto \dfrac{x}{(x^2 - 3)}$ sur $[e\,;4]$.

72 Calculer $\int_1^3 g(x)\,dx$ sachant que la valeur moyenne de g sur $[1\,;3]$ est égale à $\ln(2)$.

73 Calculer $\int_0^{\frac{\pi}{4}} f(x)\,dx$ sachant que la valeur moyenne de f sur $\left[-\dfrac{\pi}{4}\,;\dfrac{\pi}{4}\right]$ est égale à $\dfrac{2}{\pi}$ et que la fonction f est paire.

74 Donner la valeur moyenne de toute fonction linéaire sur un segment $[a\,;b]$.

Calculer une aire à l'aide d'une intégrale

 p. 249

75 **1.** Représenter dans un repère orthogonal, la fonction f définie sur $\mathbb{R}$ par $f(x) = x - 1$.

2. Calculer les intégrales suivantes.

a) $\int_{-2}^{1} f(x)\,dx$ **b)** $\int_{1}^{3} f(x)\,dx$

3. Déterminer le signe de f sur $[-2 ; 3]$.

4. Déterminer l'aire entre la courbe de f et l'axe des abscisses entre -2 et 1.

5. Déterminer l'aire entre la courbe de f et l'axe des abscisses entre -2 et 3.

76 On considère la fonction h définie sur $\mathbb{R}$ par :

$h(x) = 0{,}5(x + 2)(x - 1)(x - 4)$

dont une représentation est donnée ci-contre.

1. Déterminer le signe de h sur $[-2 ; 4]$.

2. Déterminer l'aire entre la courbe de h et l'axe des abscisses entre 1 et 4.

3. Déterminer l'aire entre la courbe de h et l'axe des abscisses entre -2 et 4.

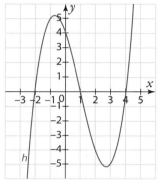

77 On considère la fonction f définie sur $\mathbb{R}$ par :

$$f(x) = \frac{1}{4}x^2 - \frac{1}{2}x - \frac{15}{4}.$$

1. Déterminer le signe de f sur $[-5 ; 6]$.

2. Déterminer l'aire sous la courbe de f et l'axe des abscisses entre -5 et 6.

3. Calculer $\int_{-5}^{6} f(x)\,dx$. Comparer les résultats aux questions **2.** et **3.**.

78 Déterminer l'aire de chaque surface proposée.

a)

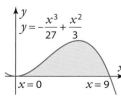

$y = (x + 3)^2$

$x = -2 \qquad x = -1$

b)

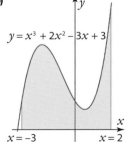

$y = x^3 + 2x^2 - 3x + 3$

$x = -3 \qquad x = 2$

c)

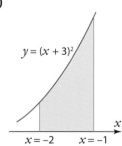

$y = -\dfrac{x^3}{27} + \dfrac{x^2}{3}$

$x = 0 \qquad x = 9$

d)

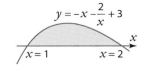

$y = -x - \dfrac{2}{x} + 3$

$x = 1 \qquad x = 2$

Calculer une aire entre deux courbes

 p. 249

79 On considère deux fonctions f et g définies sur $\mathbb{R}$ par :

$$f(x) = \frac{3}{4}x - 1 \text{ et } g(x) = -\frac{1}{4}x + 1$$

Les courbes représentatives $\mathscr{C}_f$ et $\mathscr{C}_g$ de ces deux fonctions ont été tracées sur la figure suivante.

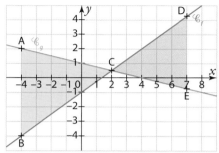

1. Résoudre $f(x) > g(x)$ en déterminant le ou les intervalles de x pour lesquels l'inégalité est vraie.

2. Déterminer l'aire du triangle ABC.

3. Déterminer l'aire entre les deux droites représentant les deux fonctions entre 2 et 7.

80 On considère deux fonctions f et g définies sur $\mathbb{R}$ par :

$$f(x) = \frac{1}{2}x^2 + \frac{1}{2}x - 2 \text{ et } g(x) = 0{,}5x$$

Les courbes représentatives $\mathscr{C}_f$ et $\mathscr{C}_g$ de ces deux fonctions ont été tracées sur la figure suivante.

1. Déterminer les coordonnées des deux points d'intersection A et B des deux courbes.

2. Résoudre $f(x) < g(x)$.

2. Déterminer l'aire entre les deux courbes entre l'abscisse de A et l'abscisse de B.

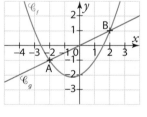

81 Calculer l'aire de la surface entre les courbes définies par $y = 1 - x^2$ et $y = x^2 - 1$ entre -1 et 1.

82 Soit $f : x \mapsto x^2 - 8x + 15$ et $g : x \mapsto -2x^2 + 10x - 9$ deux fonctions définies sur $\mathbb{R}$ dont une représentation graphique est donnée ci-dessous.

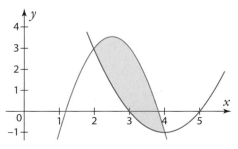

1. Déterminer la position relative de $\mathscr{C}_f$ et $\mathscr{C}_g$.

2. Calculer l'aire du domaine hachuré.

Exercices d'entraînement

Calcul d'intégral à l'aide d'une primitive

83 Effectuer le calcul des intégrales suivantes.

a) $\int_{-1}^{2} 4t(2t^2 + 3)^2\,dt$ **b)** $\int_{-7}^{2} \dfrac{t}{(t^2 - 1)^5}\,dt$

84 Effectuer le calcul des intégrales trigonométriques suivantes.

a) $\int_{0}^{\frac{\pi}{2}} 3\cos(x)\,(\sin(x))^2\,dx$ **b)** $\int_{\frac{\pi}{4}}^{\frac{\pi}{3}} \dfrac{\cos(x)}{\sqrt{\sin(x)}}\,dx$

85 Effectuer le calcul des intégrales suivantes.

a) $\int_{0}^{1} e^t(e^t - 1)^2\,dt$ **b)** $\int_{0}^{1} \dfrac{e^{-t} + 2}{e^{-t} - 2t}\,dt$

86 On considère la fonction f définie sur $[-1\,;0]$ par
$$f(x) = 2xe^x.$$
1. Déterminer la dérivée de f sur $[-1\,;0]$.

2. En déduire la valeur de $I = \int_{-1}^{0} (2x + 2)e^x\,dx$.

3. Justifier pourquoi I correspond à l'aire sous la courbe de la fonction $x \mapsto (2x + 2)e^x$ sur $[-1\,;0]$.

87 Soit la suite (u_n) définie par $u_n = \int_{0}^{1} x^{2n}\,dx$.

1. Déterminer u_0 et u_1.

2. Exprimer u_n en fonction de n.

3. Pour quelle valeur de $n \in \mathbb{N}$ a-t-on $u_n = \dfrac{1}{9}$?

88 La fonction f est définie sur $\mathbb{R}$ par $f(x) = \dfrac{1}{e^{-x} + 1}$.

1. Démontrer que pour tout réel x, $f(x) = 1 - \dfrac{e^{-x}}{e^{-x} + 1}$.

2. Calculer $\int_{0}^{\ln(2)} f(x)\,dx$.

89 On considère la fonction f définie sur $[0\,;1]$ par
$$f(x) = \dfrac{1}{4}\ln\left(\dfrac{2 + x}{2 - x}\right).$$

1. Justifier que f est dérivable sur $[0\,;1]$ et calculer sa dérivée.

2. En déduire la valeur de $\int_{0}^{1} \dfrac{1}{4 - t^2}\,dt$.

90 Soit F la fonction définie sur $\mathbb{R}$ par $F(x) = \int_{1}^{x} (4t + 2)\,dt$.
1. Déterminer $F'(x)$.
2. Exprimer $F(x)$ en fonction de x.
3. Résoudre $F(x) = 0$.

Intégration par parties

91 Calculer les intégrales suivantes à l'aide de deux intégrations par parties successives.

a) $\int_{0}^{1} t^2 e^t\,dt$ **b)** $\int_{0}^{\frac{\pi}{4}} t^2 \cos(t)\,dt$

92 Déterminer une primitive de la fonction $x \mapsto x^2 e^x$.

93 On considère les intégrales $I = \int_{0}^{\pi} e^t \sin(t)\,dt$ et $J = \int_{0}^{\pi} e^t \cos(t)\,dt$.

1. Exprimer I en fonction de J et J en fonction de I.
2. En déduire les valeurs de ces deux intégrales.

94 Soit a, b et c trois réels.
1. Dériver la fonction $x \mapsto (ax^2 + bx + c)e^x$.
2. En déduire une primitive de la fonction $f: x \mapsto (x^2 + x + 1)e^x$.
3. Retrouver le résultat précédent en appliquant deux fois une intégration par parties.

95 On considère les fonctions f et g définies sur $\mathbb{R}$ par :
$$f(t) = \dfrac{e^{-t}}{e^t + 1} \text{ et } g(t) = \dfrac{1}{(e^t + 1)^2}.$$
1. Démontrer que pour tout réel t, on a :
$$g(t) = 1 - \dfrac{e^t}{e^t + 1} - \dfrac{e^t}{(e^t + 1)^2}.$$

2. a) Déterminer les intégrales $\int_{0}^{1} \dfrac{e^t}{e^t + 1}\,dt$ et $\int_{0}^{1} \dfrac{e^t}{(e^t + 1)^2}\,dt$.

b) En déduire $\int_{0}^{1} g(t)\,dt$.

3. a) En utilisant une intégration par parties, exprimer $\int_{0}^{1} f(t)\,dt$ en fonction de $\int_{0}^{1} g(t)\,dt$.

b) En déduire la valeur exacte de $\int_{0}^{1} f(t)\,dt$.

c) Interpréter ce résultat de manière géométrique.

96 On considère la fonction f définie sur $\mathbb{R}_+$ par :
$$f(t) = t^3 e^{-\frac{t^2}{2\pi}}.$$
1. En intégrant par parties, démontrer que :
$$\lim_{x \to +\infty} \int_{0}^{x} f(t)\,dt = 2\pi^2.$$
2. Interpréter ce résultat de manière géométrique.

Étudier une fonction définie par une intégrale

97 On s'intéresse à la fonction $F : x \mapsto \int_{0}^{x} 2e^{-3t}\,dt$ définie sur $\mathbb{R}_+$. Déterminer $F'(x)$.

98 On s'intéresse à la fonction définie sur $\mathbb{R}_+$ par :
$$F : x \mapsto \int_{0}^{x} \dfrac{1}{\sqrt{t^2 + 1}}\,dt.$$
1. Déterminer $F'(x)$.
2. Déterminer le sens de variation de la fonction $F : x \mapsto \int_{2}^{x} \dfrac{\ln(t^2)}{t - 1}\,dt$ sur $[2\,;+\infty[$.

99 On considère la fonction $F : x \mapsto \int_{x}^{x^2} \dfrac{1}{\ln(t)}\,dt$.

1. Donner l'ensemble de définition de cette fonction.
2. Déterminer sa dérivée F'.

Calculer l'aire d'une surface

100 On considère la fonction f définie sur $[-2 ; 0]$ par :
$$f(x) = -2xe^{1-x^2}.$$
1. Vérifier le signe de $f(x)$ sur sur $[-2 ; 0]$.
2. En déduire l'aire sous la courbe de f sur cet intervalle.

101 On considère la fonction f définie sur $[e^{-1} ; 1]$ par :
$$f(x) = -x\ln(x).$$
1. Déterminer la dérivée de f et donner le tableau de variations de la fonction sur $[e^{-1} ; 1]$.
2. Déterminer la dérivée de la fonction $g : x \mapsto x^2(2\ln(x) - 1)$ et en déduire une primitive de f sur $[e^{-1} ; 1]$.
3. En déduire l'aire sous la courbe représentative de f sur cet intervalle.

102 On considère la fonction f définie sur $\mathbb{R}$ par :
$$f(x) = \begin{cases} e^{x-2} \text{ si } x \leqslant 2 \\ e^{2-x} \text{ si } x > 2 \end{cases}$$

1. Vérifier la continuité de f sur $\mathbb{R}$.

2. Calculer l'intégrale $\int_0^4 f(x)\,dx$.

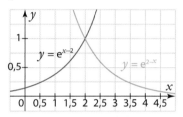

103 Calculer l'aire de chaque surface colorée.
a)

b)

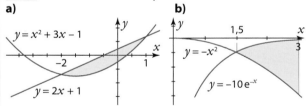

104 On considère les intégrales suivantes.
$$I = \int_1^e \ln(t)\,dt \text{ et } J = \int_1^e \ln(t)^2\,dt.$$
1. Exprimer J en fonction de I.
2. Résoudre $\ln(x) > \ln^2(x)$ sur $\mathbb{R}+$
3. Déterminer l'aire de la surface comprise entre les courbes représentant la fonction $x \mapsto \ln(x)$ et $x \mapsto \ln^2(x)$ entre 1 et e.

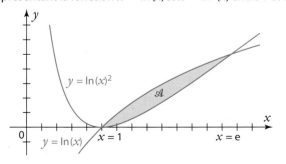

105 On considère deux fonctions f et g définies sur $\mathbb{R}$ par $f(x) = \frac{1}{2}x^2 - \frac{1}{2}x - 3$ et $g(x) = -\frac{1}{2}(x - 3)(x + 2)$ de courbes représentatives $\mathscr{C}_f$ et $\mathscr{C}_g$.
1. Déterminer les coordonnées des deux points d'intersection A et B des deux courbes.
2. Sur quel intervalle la courbe $\mathscr{C}_f$ est-elle au-dessus de $\mathscr{C}_g$?
2. Déterminer l'aire entre les deux courbes entre l'abscisse de A et l'abscisse de B.

106 Soit f et g définies sur $\mathbb{R}_+$ par :
$$f(x) = \frac{x^2}{2} \text{ et } g(x) = \frac{8}{x + 2}.$$
On s'intéresse au domaine $\mathscr{D}$ compris entre les courbes $\mathscr{C}_f$ et $\mathscr{C}_g$, l'axe des ordonnées et la droite d'équation $x = a$ ($a > 0$).
1. a) Montrer que 2 est racine du polynôme :
$N(x) = x^3 + 2x^2 - 16$.
b) Déterminer 3 réels b, c et d tels que $N(x) = (x - 2)(bx^2 + cx + d)$.
c) En déduire le signe de $f(x) - g(x)$ sur $[0 ; +\infty[$.
2. On suppose que $a < 2$. Déterminer l'aire du domaine $\mathscr{D}$.
3. On suppose que $a \geqslant 2$. Déterminer l'aire du domaine $\mathscr{D}$.

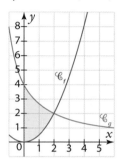

107 Soit f et g définies sur $\mathbb{R}_+^*$ par : **TICE**
$$f(x) = \ln(x) \text{ et } g(x) = \frac{1}{x} - 1.$$
On définit :
• le domaine $\mathscr{D}$ compris entre les courbes $\mathscr{C}_f$ et $\mathscr{C}_g$, les droites $x = e^{-1}$ et $x = 1$.
• le domaine $\mathscr{E}$ compris entre les courbes $\mathscr{C}_f$ et $\mathscr{C}_g$, les droites $x = 1$ et $x = a$ ($a > 1$).

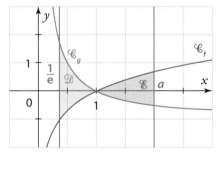

On cherche a tel que les aires $\mathscr{D}$ et $\mathscr{E}$ soient égales.
1. a) Réaliser la figure à l'aide d'un logiciel de géométrie dynamique et proposer une une valeur possible de a.
b) Donner le tableau de signes de $f(x) - g(x)$ sur $[0 ; +\infty[$.
2. Soit $h(x) = x\ln(x) + x - 1$ une fonction définie sur $\mathbb{R}_+^*$.
a) Calculer $h'(x)$. Que peut-on dire de h ?
b) Étudier les variations de la fonction h.
c) En déduire les positions relatives de $\mathscr{C}_f$ et $\mathscr{C}_g$.
3. Déterminer l'aire du domaine $\mathscr{D}$.
4. a) Montrer que l'aire du domaine $\mathscr{E}$ est égale à $(a - 1)\ln(a)$.
b) Étudier les variations de la fonction $k(x) = (x - 1)\ln(x)$.
c) Déterminer a telle que les aires $\mathscr{D}$ et $\mathscr{E}$ soient égales.

Exercices d'entraînement

Utiliser les propriétés de l'intégrale

108 On considère la fonction $f : x \longmapsto \dfrac{1}{1+x^2}$ définie sur l'intervalle $[0 ; 1]$. On note $\mathscr{A}$ l'aire sous la courbe représentative de f sur $[0 ; 1]$.

1. Justifier que f est continue, positive et décroissante sur $[0 ; 1]$.

2. a) Établir que, pour $x \in [0 ; 1]$, $\dfrac{1}{2} \leqslant f(x) \leqslant 1$.

b) En déduire un encadrement de $\mathscr{A}$.

3. Encadrer f sur $\left[0 ; \dfrac{1}{2}\right]$ puis sur $\left[\dfrac{1}{2} ; 1\right]$. En déduire un encadrement plus précis de $\mathscr{A}$.

4. En partageant l'intervalle $[0 ; 1]$ en cinq intervalles de même longueur, donner un encadrement plus précis de $\mathscr{A}$.

109 On considère la fonction f définie sur $\mathbb{R}$ par :
$$f(x) = \begin{cases} 2x \text{ si } x \leqslant 2 \\ 4 \text{ si } x > 2 \end{cases}$$
Soit $n \in \mathbb{N}$. On définit la suite (u_n) par $u_n = \displaystyle\int_0^n f(t)\,dt$.

1. Calculer u_0, u_1, u_3

2. Exprimer u_n en fonction de n.

110 On considère la fonction f définie sur $[0 ; 3]$ par :
$$f(x) = \begin{cases} 2x\sqrt{x^2 + 1} \text{ si } x \in [1 ; 3] \\ \dfrac{4}{\sqrt{x+1}} \text{ si } x \in [0 ; 1[\end{cases}$$

1. Vérifier la continuité de f sur $[0 ; 3]$.

2. Calculer l'intégrale $\displaystyle\int_0^3 f(x)\,dx$.

111 Soit $t \geqslant 0$.   **Démo**

1. Démontrer que pour tout $t \geqslant 0$, $1 - t \leqslant \dfrac{1}{1+t} \leqslant 1 - t + t^2$.

2. En déduire un encadrement de $\ln(1 + x)$ pour tout réel x positif.

112 On considère la fonction f définie sur $\mathbb{R}$ par :
$$f(x) = \begin{cases} -xe^{x^2} \text{ si } x \leqslant 0 \\ xe^{x^2} \text{ si } x > 0 \end{cases}$$

1. Vérifier la continuité de f sur $\mathbb{R}$.

2. Calculer l'intégrale $\displaystyle\int_{-2}^2 f(x)\,dx$.

113 On s'intéresse aux intégrales suivantes.
$$I = \int_0^{\ln(8)} \dfrac{e^x + 3}{e^x + 4}\,dx \text{ et } J = \int_0^{\ln(8)} \dfrac{1}{e^x + 4}\,dx.$$

1. Calculer $I - 3J$ et $I + J$.

2. En déduire les valeurs de chacune des deux intégrales.

114 On considère la fonction f définie sur $\mathbb{R}$ par :
$$f(x) = |2x - 4|.$$

1. Exprimer f comme fonction affine par morceaux sur $\mathbb{R}$.

2. a) Calculer $\displaystyle\int_{-1}^2 4 - 2x\,dx$ et $\displaystyle\int_2^3 2x - 4\,dx$.

b) En déduire, à l'aide de la relation de Chasles, $\displaystyle\int_{-1}^3 |2x - 4|\,dx$.

115 Soit (I_n) la suite définit pour tout $n \in \mathbb{N}^*$ par :
$$I_n = \int_0^n x^2\,dx.$$

1. Déterminer pour tout $n \in \mathbb{N}^*$ une relation entre I_n et I_{n+1}.

2. Quelle est la nature de la suite (I_n) ?

116 Soit f la fonction définie sur $[e ; e^2]$ par $f : x \longmapsto \dfrac{\ln(x)}{x^2}$.

1. Étudier les variations de la fonction f.

2. Établir un encadrement de $f(x)$ sur $[e ; e^2]$.

3. En déduire que $\dfrac{2(e-1)}{e^3} \leqslant \displaystyle\int_e^{e^2} f(t)\,dt \leqslant \dfrac{e-1}{e}$.

117 On considère sur $[0 ; 1]$ la fonction f **Démo** définie par :
$$f(t) = \dfrac{t}{1+t^2}.$$

1. Démontrer que pour tout $t \in [0 ; 1]$, $f(t) \leqslant t$.

2. En déduire que $\displaystyle\int_0^1 f(t)\,dt \leqslant \dfrac{1}{2}$.

118 Démontrer que :
$$\dfrac{1}{e} \leqslant \int_0^1 e^{-t^2}\,dt \leqslant 1.$$

Étudier une suite d'intégrales   *Méthode* **9** p. 250

119 On considère pour tout entier naturel n, l'intégrale
$$I_n = \int_0^1 t^n e^{-t}\,dt.$$

Déterminer, en utilisant la méthode d'intégration par parties, une relation de récurrence reliant I_{n+1} à I_n. On précisera I_0.

120 Étudier le sens de variation de la suite de terme général $u_n = \displaystyle\int_1^2 (2 - t)^n e^t\,dt$.

121 Pour tout $n \in \mathbb{N}^*$, on considère la fonction f_n définie sur $\mathbb{R}$ par :
$$f_n(x) = (1 - x)^n e^{-x}.$$
On note $\mathscr{C}_n$ la courbe représentative de f_n dans un repère orthogonal du plan d'origine O.

1. Démontrer que le point $A(0 ; 1)$ appartient à $\mathscr{C}_n$ quelque soit $n \in \mathbb{N}^*$.

2. On note, pour tout $n \in \mathbb{N}^*$, $I_n = \displaystyle\int_0^1 f_n(t)\,dt$.

a) Interpréter I_n de manière géométrique. En déduire que $I_n \geqslant 0$ pour tout $n \in \mathbb{N}^*$.

b) Déterminer le sens de variation de la suite (I_n).

c) En déduire que cette suite converge.

122 Pour tout $n \in \mathbb{N}^*$, on pose : $u_n = \int_0^1 (1-t)^n e^t\, dt$.

1. a) Justifier que $u_n \geqslant 0$ pour tout $n \in \mathbb{N}^*$.

b) Déterminer les variations de la suite (u_n). Converge-t-elle ?

2. a) Montrer que pour tout $n \in \mathbb{N}^*$ et tout $t \in [0 \,;\, 1]$, on a
$(1-t)^n e^t \leqslant e(1-t)^n$.

b) En déduire que $u_n \leqslant \dfrac{e}{n+1}$, pour $n \in \mathbb{N}^*$.

c) Que peut-on en déduire quant à la limite de la suite ?

Interpréter une intégrale p. 246

123 La concentration dans le sang d'un médicament en fonction du temps peut être modélisée par f, définie sur $[0 \,;\, +\infty[$ par $f(t) = 4te^{-t}$, où t est exprimé en heures et $f(t)$ en grammes par litre de sang.

1. Déterminer une primitive de la fonction f sur $[0 \,;\, +\infty[$.

2. Déterminer alors la concentration moyenne du médicament dans le sang pendant la première heure.

124 Afin d'installer un barrage hydroélectrique sur une rivière, une étude s'est intéressée au débit (en 10^6 m³) de cette rivière sur une période de 70 jours. Il peut être modélisé par la fonction définie par $f(t) = 45e^{0,01t}$, où t désigne le nombre de jours depuis le début de l'étude. Déterminer le débit moyen de cette rivière au cours de l'étude.

125 Une entreprise est chargée de construire un pont par-dessus une voie ferrée pour laisser passer une autoroute. La longueur totale du pont est de 8 m ; sa hauteur de 6 m. L'ouverture est limitée par un arc de parabole de hauteur $h = 4$ m et d'axe de symétrie (Oy).

Démo

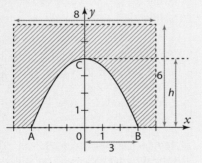

Les points A et B sont tels que $OA = OB = 3$ m.
Pour des raisons de sécurité, l'aire de l'ouverture doit être inférieure ou égale au tiers de l'aire totale de la façade.

1. On considère le repère orthonormé d'axes (Ox) et (Oy) où 1 cm représente 1 m. Une équation de la parabole dans ce repère est de la forme: $y = ax^2 + c$. Déterminer c, puis a.

2. Déterminer l'aire de l'ouverture formée par l'arc.

3. Vérifier que cette ouverture correspond aux normes du cahier des charges exposées dans l'énoncé.

D'après Bac pro Travaux publics 1993

126 Un supermarché souhaite acheter des fruits à un fournisseur. Celui-ci propose des prix au kg, dégressifs en fonction du poids de fruits commandés. Pour une commande de x kg de fruit, le prix $P(x)$ en € par kg de fruits est donné pour $x \in [100 \,;\, +\infty[$ par la formule :
$$P(x) = \frac{x + 300}{x + 100}.$$

Par exemple si le supermarché achète 300 kg de fruits, ils lui sont vendus $P(300) = \dfrac{600}{400} = 1,50$ € le kg. Dans ce cas, le supermarché devra payer $300 \times 1,5 = 450$ € au fournisseur pour cette commande.

A ▶ Étude du prix proposé par le fournisseur

1. Calculer $\lim\limits_{x \to +\infty} P(x)$.

2. Montrer que $P'(x) = \dfrac{-200}{(x+100)^2}$ sur $[100 \,;\, +\infty[$.

3. Dresser le tableau de variations de la fonction P.

B ▶ Étude de la somme S à dépenser par le supermarché
On appelle $S(x)$ la somme en euros à dépenser par le supermarché pour une commande de x kg de fruits (ces fruits étant vendus par le fournisseur au prix de $P(x)$ € par kg). Pour $x \in [100 \,;\, +\infty[$, cette somme est donc égale à : $S(x) = xP(x)$

1. Calculer $\lim\limits_{x \to +\infty} S(x)$.

2. Montrer que pour tout x appartenant à $[100 \,;\, +\infty[$:
$$S'(x) = \frac{x^2 + 200x + 30\,000}{(x+100)^2}.$$

3. Montrer que pour tout x appartenant à $[100 \,;\, +\infty[$:
$$S(x) = x + 200 - 20\,000 \times \frac{1}{x+100}.$$

4. En déduire une primitive T de S sur $[100 \,;\, +\infty[$.

C ▶ Étude de différentes situations

1. Le magasin dispose d'un budget de 900 € pour la commande de fruits. Préciser, au kg près, le poids maximum de fruits que le magasin peut commander sans dépasser son budget. On justifiera la réponse.

2. Le supermarché estime acheter régulièrement, selon les saisons, entre 400 et 600 kg de fruits à ce fournisseur. Déterminer la valeur moyenne de S sur $[400 \,;\, 600]$ et donner le résultat arrondi à l'unité.

D'après Bac ES Amérique du nord 2011

Travailler le Grand Oral

127 Effectuer des recherches sur les densités de probabilités et leur lien entre le calcul intégral. Que permet de faire cette théorie pour les probabilités ?

128 Effectuer un exposé afin de présenter l'évolution du calcul intégral, du XVIIᵉ au XXᵉ siècles. On pourra évoquer les noms de Leibniz, Simpson, Riemann et Lebesgue.

129 Aire et intégrale

Une chaîne de parfumerie projette de commander à une entreprise de menuiserie, un certain nombre de consoles de présentation de produits de beauté.
Le graphique ci-dessous représente la face latérale de la console dans le plan muni d'un repère orthonormal d'unité graphique égale à 2 cm.

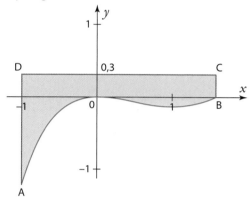

1. On fait l'hypothèse que la courbe qui joint le point A au point B est la courbe représentative d'une fonction numérique f définie sur l'intervalle $]-1 ; 1,59]$ par :
$$f(x) = ax^2 + bx + c + d\,xe^{-x}$$
où a, b, c, d désignent quatre constantes réelles.
a) Exprimer pour tout réel $x \in [-1 ; 1,59]$, $f'(x)$ en fonction de x.
b) Sachant que la courbe représentative de f passe par les points de coordonnées $(0 ; 0)$ et $(1 ; \dfrac{1}{e} - \dfrac{1}{2})$ et qu'elle admet en ces points une tangente horizontale, déterminer les valeurs des réels a, b, c, d.
2. On admet désormais que la courbe qui joint le point A au point B est la courbe représentative de la fonction numérique f définie sur l'intervalle $[-1 ; 1,59]$ par :
$$f(x) = \frac{1}{2}x^2 - x + xe^{-x}$$
a) Déterminer la valeur exacte de l'intégrale $\int_{-1}^{1,59} xe^{-x}\,dx$.
b) On note $\mathscr{A}$ l'aire en cm² de la face latérale ABCD de la console. Déterminer l'approximation de la valeur de $\mathscr{A}$ à l'unité près la plus proche.

D'après concours admisson en formation des ingénieurs 2012

130 Suite et intégrale

La famille de fonctions f_n est définie pour $n \in \mathbb{N}^*$ et $t \in [0 ; 1]$ par :
$$f_n(t) = \frac{t+1}{t+2}e^{-\frac{t}{n}}.$$

On note $\mathscr{C}_n$, pour $n \in \mathbb{N}^*$, la courbe représentative de la fonction f_n et on considère ensuite la suite $(u_n)_{n \in \mathbb{N}^*}$ définie pour $n \in \mathbb{N}^*$ par $u_n = \int_0^1 f_n(t)\,dt$.
1. Sur le graphique suivant on a représenté les courbes $\mathscr{C}_1$, $\mathscr{C}_2$ et $\mathscr{C}_3$.

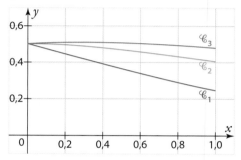

a) Que représentent les nombres u_1, u_2 et u_3 pour les courbes $\mathscr{C}_1$, $\mathscr{C}_2$ et $\mathscr{C}_3$?
b) À l'aide du graphique dire quel semble être le sens de variation de la suite $(u_n)_{n \in \mathbb{N}^*}$. Pourquoi ?
2. Démontrer que le sens de variation de la suite $(u_n)_{n \in \mathbb{N}^*}$ est celui observé à la question précédente.
3. Vérifier que $\dfrac{t+1}{t+2} = 1 - \dfrac{1}{t+2}$.
4. Déterminer alors $J = \int_0^1 \dfrac{t+1}{t+2}\,dt$.
5. Montrer alors que $Je^{-\frac{1}{n}} \leq u_n \leq J$, pour tout $n \in \mathbb{N}^*$.
6. En déduire que (u_n) est convergente. Déterminer sa limite.

D'après concours Admisson en formation des ingénieurs 2015

131 Suite d'intégrale

On considère la fonction f définie sur l'intervalle $[0 ; 1]$ par $f(x) = e^{-x^2}$ et on définit la suite (u_n) par :
$$\begin{cases} u_0 = \int_0^1 f(x)\,dx \\ n \in \mathbb{N}^*, u_n = \int_0^1 x^n f(x)\,dx \end{cases}$$

1. a) Démontrer que, pour tout réel x de l'intervalle $[0 ; 1]$, $\dfrac{1}{e} \leq f(x) \leq 1$.
b) En déduire que $\dfrac{1}{e} \leq u_0 \leq 1$.
2. Calculer u_1.
3. a) Démontrer que pour tout entier naturel n, $0 \leq u_n$.
b) Étudier les variations de la suite (u_n).
c) En déduire que la suite (u_n) est convergente.
4. a) Démontrer que, pour tout entier naturel n, $u_n \leq \dfrac{1}{n+1}$.
b) En déduire la limite de la suite (u_n).

D'apres Bac

Existence d'une primitive

Soit f une fonction continue et positive sur un intervalle $[a\,;b]$.
La fonction F définie sur $[a\,;b]$ par :

$F(x) = \displaystyle\int_a^x f(t)\,dt$ est dérivable sur $[a\,;b]$

et a pour dérivée f.

Définition de l'intégrale

$$\int_a^b f(x)\,dx = [F(x)]_a^b = F(b) - F(a)$$

Calcul d'aire

- Aire sous la courbe d'une fonction positive

$$\int_a^b f(x)\,dx$$

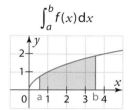

- Aire sous la courbe d'une fonction négative

$$-\int_a^b f(x)\,dx$$

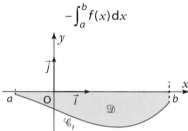

- Aire entre deux courbes

$$\int_a^b (g(x) - f(x))\,dx$$

Valeur moyenne

$$\mu = \frac{1}{b-a}\int_a^b f(x)\,dx$$

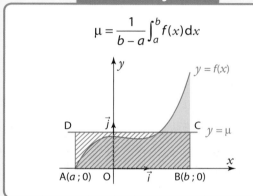

Intégration par parties

$$\int_a^b u(x)v'(x)\,dx = [u(x)v(x)]_a^b - \int_a^b u'(x)v(x)\,dx$$

Propriétés

- **Relation de Chasles**

$$\int_a^c f(x)\,dx = \int_a^b f(x)\,dx + \int_b^c f(x)\,dx.$$

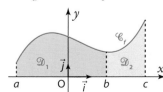

- **Inégalités**

Si, pour tout $x \in [a\,;b]$, $f(x) \geqslant g(x)$,

alors $\displaystyle\int_a^b f(t)\,dt \geqslant \int_a^b g(t)\,dt$.

En particulier : si $f \geqslant 0$ alors $\displaystyle\int_a^b f(x)\,dx \geqslant 0$.

Je dois être capable de ...

Je dois être capable de ...	Méthodes	Parcours d'exercices
▶ Estimer une intégrale	**1** **2** →	1, 2, 32, 33, 3, 4, 40, 41
▶ Calculer des intégrales	**3** **4** **5** →	5, 6, 43, 44, 7, 8, 53, 54, 9, 10, 60, 61
▶ Encadrer une intégrale	**6** →	11, 12, 66, 67
▶ Calculer une aire	**7** **8** →	13, 14, 75, 76, 15, 16, 79, 80
▶ Étudier une suite d'intégrales	**9** →	17, 18, 119, 120
▶ Interpréter une intégrale	**10** →	19, 20, 123, 126

▶ **EXOS**
QCM interactifs
lienmini.fr/maths-s08-07

QCM Choisir la (les) bonne(s) réponse(s).

	A	B	C	D
132 $g(x) = -x - 2$, $f(x) = \frac{1}{3}x$	L'aire $\mathcal{A}$ du triangle ABC est égale à $\int_{-5}^{-1,5}[f(x) - g(x)]\,dx$	L'aire $\mathcal{A}$ du triangle ABC est égale à $\int_{-5}^{-1,5}[g(x) - f(x)]\,dx$	L'aire $\mathcal{A}$ du triangle ABC est égale à $\dfrac{31}{6}$	L'aire $\mathcal{A}$ du triangle ABC est égale à $\dfrac{49}{6}$
133 Soit $I = \int_{0}^{\ln(2)} 3e^x\,dx$, alors :	$I = 3$	$I = 6$	$I = -3$	$I = 3\ln(2)$
134 Une primitive F de $f(x) = xe^{-x}dx$ définie sur $\mathbb{R}$ est :	$F(x) = \dfrac{1}{2}x^2 e^{-x}$	$F(x) = -(1 + x)e^{-x}$	$F(x) = -xe^{-x}$	$F(x) = \int_{0}^{x} f(t)\,dt$
135 $\int_{0}^{1}(xe^{-x^2})\,dx$ est :	positive	négative	$0,5(e - 1)$	$0,5(1 - e)$
136 $\int_{-2}^{-1}\dfrac{1}{(2u + 1)}\,du$ vaut :	$-\dfrac{\ln(3)}{2}$	$-\dfrac{\ln(2)}{3}$	$\dfrac{-\ln(3)}{3}$	$\dfrac{\ln(3)}{2}$
137 Si $f(x) \geqslant g(x)$ pour tout $x \in [0\,;3]$, alors :	$\int_{0}^{3}f(x)\,dx \leqslant \int_{0}^{3}g(x)\,dx$	$\int_{0}^{3}f(x)\,dx \geqslant \int_{0}^{3}g(x)\,dx$	on ne peut pas comparer $\int_{0}^{3}f(x)\,dx$ et $\int_{0}^{3}g(x)\,dx$	$\int_{2}^{3}f(x)\,dx \geqslant \int_{2}^{3}g(x)\,dx$
138 On peut écrire :	$0 \leqslant \int_{-1}^{2}e^{-x^2}\,dx \leqslant 1$	$-1 \leqslant \int_{-1}^{2}e^{-x^2}\,dx \leqslant 0$	$0 \leqslant \int_{-1}^{2}e^{-x^2}\,dx \leqslant 3$	$-3 \leqslant \int_{-1}^{2}e^{-x^2}\,dx \leqslant 0$
139 $\int_{0}^{6}|3x - 6|\,dx$ vaut :	3	12	30	36
140 $\int_{0}^{\frac{\pi}{2}} x\cos(x)\,dx$ vaut :	$\dfrac{\pi}{8} - 1$	$\dfrac{\pi}{4} - 1$	$\dfrac{\pi}{2} - 1$	$1 - \dfrac{\pi}{2}$

141 Aire sous la courbe

Soit la fonction $f : x \mapsto ke^{-kx}$ pour tout $x \in [0 ; +\infty[$, où k est un nombre réel strictement positif. On appelle $\mathscr{C}_f$ sa représentation graphique dans le repère orthonormé $(O ; \vec{i}, \vec{j})$.

On considère le point A de $\mathscr{C}_f$ d'abscisse 0 et le point B de $\mathscr{C}_f$ d'abscisse 1. Le point $\mathscr{C}$ a pour coordonnées (1 ; 0).

1. Déterminer une primitive de f sur $[0 ; +\infty[$.

2. Exprimer, en fonction de k, l'aire du triangle OCB et celle de la surface D délimitée par l'axe des ordonnées, $\mathscr{C}_f$ et le segment [OB].

3. Montrer qu'il existe une unique valeur du réel k strictement positive telle que l'aire de la surface D vaut le double de celle du triangle OCB.

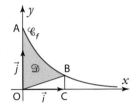

Méthode **3** p. 245, Méthode **7** p. 249

D'après Bac S Polynésie 20 juin 2018

142 Bénéfice d'une entreprise

Dans une entreprise, on a modélisé le bénéfice réalisé, en milliers d'euros, pour la vente de x centaines d'appareils par la fonction $f : x \mapsto -2x + (e^2 - 1)\ln(x) + 2$ définie sur l'intervalle $]0 ; +\infty[$. La courbe de f est donnée ci-dessous.

1. Vérifier que $f(1) = f(e^2) = 0$.

2. Parmi les courbes proposées ci-contre, une seule correspond à celle d'une primitive de f. Déterminer la courbe qui convient en expliquant votre choix.

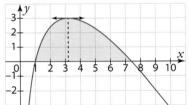

3. En déduire, par une lecture graphique, une valeur approchée (en u.a.) de l'aire du domaine coloré dans la figure de l'énoncé.

4. a) Démontrer que la fonction $x \mapsto x\ln(x)$ est une primitive de $x \mapsto \ln(x)$ sur $]0 ; +\infty[$.

b) En déduire une primitive de f sur $]0 ; +\infty[$.

c) Déterminer la valeur moyenne du bénéfice de l'entreprise sur l'intervalle où ce bénéfice est positif ou nul.

 Méthode **3** p. 245, Méthode **7** p. 249, Méthode **10** p. 251

D'après Bac ES Polynésie juin 2007

143 Aire entre deux courbes

Soit $f : x \mapsto e^{-x}(-\cos(x) + \sin(x) + 1)$ et $g : x \mapsto -e^{-x}\cos(x)$ deux fonctions définies sur l'ensemble des réels.

On note $\mathscr{C}_f$ et $\mathscr{C}_g$ leur représentation graphique dans un repère orthonormé. L'unité graphique est de 2 centimètres.

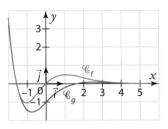

1. Étudier la position relative de $\mathscr{C}_f$ par rapport à $\mathscr{C}_g$ sur l'ensemble des réels.

2. Soit H la fonction définie sur l'ensemble des réels par
$$H(x) = \left(-\frac{\cos(x)}{2} - \frac{\sin(x)}{2} - 1\right)e^{-x}.$$

a) Vérifier que H est une primitive de la fonction $x \mapsto (\sin(x) + 1)e^{-x}$ sur l'ensemble des réels.

On note D la surface délimitée par les courbes $\mathscr{C}_f$ et $\mathscr{C}_g$ ainsi que les droites d'équation $x = -\frac{\pi}{2}$ et $x = \frac{3\pi}{2}$.

b) Calculer, en unités d'aire, l'aire de la surface D, puis en donner une valeur approchée à 10^{-2} près en cm².

 Méthode **3** p. 245, Méthode **7**, Méthode **8** p. 249, Méthode **9** p. 250

D'après Bac S Antilles-Guyanne 19 juin 2018

144 Suite d'intégrale

Soit n un entier naturel non nul. on appelle f_n la fonction définie sur $[0 ; +\infty[$ par $f_n(x) = \ln(1 + x^n)$ et on pose $I_n = \int_0^1 \ln(1 + x^n)\,dx$.

On note $\mathscr{C}_n$ la courbe représentative de f_n dans un repère orthonormé $(O ; \vec{i}, \vec{j})$

1. a) Déterminer la limite de f_1 en $+\infty$.

b) Étudier les variations de f_1 sur $[0 ; +\infty[$.

c) À l'aide d'une intégration par parties, calculer I_1 et interpréter graphiquement le résultat (on pourra utiliser le résultat suivant : pour $x \in [0 ; 1]$, $\frac{x}{x+1} = 1 - \frac{1}{x+1}$).

2. a) Montrer que pour tout entier naturel non nul on a $0 \leqslant I_n \leqslant \ln(2)$.

b) Étudier les variations de la suite (I_n).

c) En déduire que (I_n) est convergente.

3. Soit $g : x \mapsto \ln(1 + x) - x$ définie sur $[0 ; +\infty[$.

a) Étudier le sens de variation de g sur $[0 ; +\infty[$.

b) En déduire le signe de g sur $[0 ; +\infty[$. Montrer alors que pour tout entier naturel non nul, et pour tout $x > 0$, on a $\ln(1 + x^n) \leqslant x^n$.

c) En déduire la limite de la suite (I_n).

 Méthode **3**, Méthode **4** p. 245, Méthode **6** p. 247, Méthode **9** p. 250

D'après Bac S Pondichery 21 avril 2010

145 Intégration par parties et linéarité

1. On considère les intégrales suivantes.

$$I = \int_2^3 \frac{1}{\sqrt{t^2 - 3}} \, dt$$

$$J = \int_2^3 \frac{t^2}{\sqrt{t^2 - 3}} \, dt$$

$$K = \int_2^3 \sqrt{t^2 - 3} \, dt.$$

a) Vérifier que $J = K + 3I$.

b) Montrer, à l'aide d'une intégration par parties, que $K = 3\sqrt{6} - 2 - J$.

2. On introduit la fonction $f : x \mapsto \ln(x + \sqrt{x^2 - 3})$.

a) Justifier que est f est dérivable sur [2 ; 3] et donner sa dérivée.

b) En déduire la valeur de I.

3. Déterminer J et K.

146 Linéarité

On considère les intégrales suivantes.

$$I = \int_0^1 \frac{1}{t^2 - 9} \, dt$$

$$J = \int_0^1 \frac{t^2}{t^2 - 9} \, dt$$

1. Vérifier que $J = 1 + 9I$.

2. On introduit la fonction $f : x \mapsto \ln\left(\frac{3+x}{3-x}\right)$.

a) Justifier que est f est dérivable sur [0 ; 1] et donner sa dérivée.

b) En déduire la valeur de I, puis celle de J.

147 Fonctions rationnelles

1. On considère la fonction $f : x \mapsto \frac{x}{x+1}$.

a) Montrer qu'il existe deux réels a et b tels que, pour tout $x \in [0 ; 1]$, $f(x) = a + \frac{b}{x+1}$.

b) En déduire la valeur de l'intégrale $\int_0^1 f(x) \, dx$.

2. On considère la fonction $g : x \mapsto \frac{1}{x(x+1)}$.

a) Déterminer deux réels a et b tels que, pour tout $x \in [2 ; 3]$, $f(x) = \frac{a}{x} + \frac{b}{x+1}$.

b) En déduire la valeur de l'intégrale $\int_2^3 g(x) \, dx$.

3. Calculer l'intégrale $\int_2^3 \frac{1}{1 - x^2} \, dx$.

148 Dérivée d'une fonction intégrale

Pour tout réel $x > 0$, on pose

$$f(x) = \int_x^{2x} \frac{\cos(t)}{t} \, dt.$$

1. Montrer que pour $x > 0$, $f(x) = F(2x) - F(x)$, où $F(x) = \int_1^x \frac{\cos(t)}{t} \, dt$.

2. En déduire que la fonction f est dérivable sur $\mathbb{R}_+^*$ et donner une expression de sa dérivée sans signe intégral.

149 Étude d'une fonction définie par une intégrale

On considère, pour tout $x \in \mathbb{R}$, la fonction F définie par :

$$F(x) = \int_0^x e^{-t} \ln(1 + e^t) \, dt = \int_0^x f(t) \, dt.$$

1. Étudier la fonction en répondant aux questions suivantes.

a) Vérifier $\frac{1}{1 + e^t} = 1 - \frac{e^t}{1 + e^t}$ pour tout réel t.

b) Calculer, en fonction de x, l'intégrale $\int_0^x \frac{1}{1 + e^t} \, dt$.

2. Démontrer que F est dérivable et de dérivée continue.

3. Déterminer une expression sans signe intégrale de $F(x)$ en fonction de x. On pourra utiliser une intégration par parties.

Vérifier que $F(x) = \ln\left(\frac{e^x}{1 + e^x}\right) - f(x) + 2\ln(2)$.

4. Déterminer la limite de F lorsque x tend vers $+\infty$. Déterminer ensuite $\lim\limits_{x \to -\infty} (F(x) - x)$. Que peut-on en déduire sur le comportement asymptotique de F ?

150 Suite et aire

Soit f la fonction définie sur $]0 ; +\infty[$ par $f(x) = \frac{1 + 2\ln(x)}{x^2}$ et g la fonction définie sur $\mathbb{R}_+^*$ par $g(x) = 1 - x + 2\ln(x)$.

1. a) Étudier les variations de g.

b) Montrer que l'équation $g(x) = 0$ admet une solution unique dans chacun des intervalles $]0 ; 2[$ et $]2 ; 4[$.
Soit α la solution appartenant $]2 ; 4[$.
Donner un encadrement de α d'amplitude 10^{-2}.

2. a) Montrer que $f(x) - \frac{1}{x} = \frac{g(x)}{x^2}$.

b) Montrer que, pour tout réel $x \geq 4$, la double inégalité suivante est vraie : $0 < f(x) \leq \frac{1}{x}$.

3. Soit $\mathcal{D}$ la partie du plan définie par les inégalités suivantes.

$$\begin{cases} 1 \leq x \leq \alpha \\ 0 \leq y \leq f(x) \end{cases}$$

a) Déterminer l'aire de $\mathcal{D}$, notée $\mathcal{A}(\alpha)$, en unités d'aire. On utilisera une intégration par parties.

b) Montrer que $\mathcal{A}(\alpha) = 2 - \frac{2}{\alpha}$ et donner une valeur approchée de $\mathcal{A}(\alpha)$ à 10^{-2} près.

4. Soit la suite (I_n) définie pour n supérieur ou égal à 1 par :

$$I_n = \int_n^{n+1} f(x) \, dx.$$

a) Montrer que, pour tout n supérieur ou égal à 4, la double inégalité suivante est vraie : $0 \leq I_n \leq \ln\left(\frac{n+1}{n}\right)$.

b) En déduire que la suite (I_n) converge et déterminer sa limite.

c) Soit $S_n = I_1 + I_2 + I_3 + \dots + I_n$. Calculer S_n puis la limite de la suite (S_n).

D'après Bac S 2003 Asie

151 Encadrer une intégrale

On considère la fonction f définie sur $\left[0 ; \dfrac{1}{2}\right]$ par $f(t) = \dfrac{e^{-t}}{1-t}$.

1. Démontrer que, pour tout $t \in \left[0 ; \dfrac{1}{2}\right]$, $1 \leqslant f(t) \leqslant \dfrac{2}{\sqrt{e}}$.

2. a) Simplifier, pour $x \in \left[0 ; \dfrac{1}{2}\right]$ l'expression :
$$(1+x)e^{-x} + x^2 f(x).$$

b) Calculer $\displaystyle\int_0^{\frac{1}{2}} (1+t)e^{-t}\,dt$.

3. Donner un encadrement de $\displaystyle\int_0^{\frac{1}{2}} f(t)\,dt$.

4. Déduire un encadrement de $\displaystyle\int_0^{\frac{1}{2}} t^2 f(t)\,dt$.

152 Une suite définie par une intégrale

On considère la suite (u_n) définie pour tout $n \in \mathbb{N}^*$ par :
$$u_n = \int_0^n \dfrac{e^{-\frac{t}{n}}}{1+t}\,dt.$$

1. Justifier pourquoi $\displaystyle\int_0^n e^{-\frac{t}{n}}\ln(1+t)\,dt$ est positive.

2. Démontrer à l'aide d'une intégration par parties que, pour tout $n \in \mathbb{N}^*$, $u_n \geqslant \dfrac{1}{e}\ln(n+1)$.

3. En déduire la limite de la suite (u_n).

153 Convergence d'une suite **Démo**

1. Démontrer que pour tout entier naturel n non nul, on a l'inégalité :
$$\int_1^n \ln(t)\,dt \leqslant \ln(n!) \leqslant \int_1^{n+1} \ln(t)\,dt.$$

2. En déduire que la suite de terme général $\left(\dfrac{\ln(n!)}{\ln(n^n)}\right)$ converge et déterminer sa limite.

154 Dérivées

Soit f une fonction continue définie sur $\mathbb{R}$ et deux réels a et b. On définit sur $\mathbb{R}$ la fonction g par :
$$g(x) = \int_{x+a}^{x+b} f(t)\cos(t-x)\,dt.$$

1. Montrer que g est dérivable sur $\mathbb{R}$ et calculer $g'(x)$ pour $x \in \mathbb{R}$.

2. On suppose que f' est continue.
Montrer que $g'(x) = \displaystyle\int_{x+a}^{x+b} f'(t)\cos(t-x)\,dt$.

155 Étude de la fonction cosh

La fonction cosinus hyperbolique notée cosh est la fonction définie sur $\mathbb{R}$ par :
$$\cosh(x) = \dfrac{e^x + e^{-x}}{2}.$$

1. Démontrer à l'aide d'une intégration par parties que
$\cosh(x) = 1 + \displaystyle\int_0^x (x-t)\cosh(t)\,dt$, pour $x \in \mathbb{R}$.

2. Démontrer que pour $x \in \mathbb{R}$,
$$\cosh(x) = 1 + \dfrac{x}{2} + \int_0^x \dfrac{(x-t)^3}{6}\cosh(t)\,dt.$$

156 Suite récurrente

Soit $n > 1$ un entier naturel.
Pour $p \in \{1 ; \ldots ; n\}$, on pose :
$$I_p = \int_0^1 x^p(1-x)^{n-p}\,dx.$$
Déterminer une relation de récurrence entre I_p et I_{p+1}.

157 Constante d'Euler

1. Pour $n \in \mathbb{N}$, on note $S_n = \displaystyle\sum_{k=1}^n \dfrac{1}{k}$.

a) Justifier, pour $x \in [k ; k+1]$, l'encadrement $\dfrac{1}{k+1} \leqslant \dfrac{1}{x} \leqslant \dfrac{1}{k}$.

b) Calculer $\displaystyle\sum_{k=1}^{n-1} \int_k^{k+1} \dfrac{1}{x}\,dx$.

c) Déduire des questions précédentes l'encadrement
$$\sum_{k=1}^{n-1} \dfrac{1}{k+1} \leqslant \ln(n) \leqslant \sum_{k=1}^{n-1} \dfrac{1}{k}.$$

2. On pose $u_n = S_n - \ln(n)$.
a) En utilisant la question précédente, montrer que pour tout $n \in \mathbb{N}$, on a $0 \leqslant u_n \leqslant 1$.
b) Démontrer l'inégalité $\ln(1+X) \leqslant X$, pour $X > 0$.
c) En calculant la différence $u_n - u_{n-1}$, démontrer que la suite (u_n) est décroissante.
d) En déduire alors la convergence de la suite.
e) Donner une valeur approchée de sa limite.
On appelle constante d'Euler, notée γ, la limite de cette suite.

Euler

158 Intégrale impropre (MPSI) (PCSI)

Soit la fonction $f : x \mapsto \dfrac{1}{\sqrt{x}}$ définie sur $]0 ; +\infty[$.

1. a) Calculer $\displaystyle\int_{\frac{1}{n}}^1 f(x)\,dx$ pour tout $n > 1$.

b) En déduire $\displaystyle\lim_{n \to +\infty} \int_{\frac{1}{n}}^1 f(x)\,dx$.

Cette limite est la valeur de $\displaystyle\int_0^1 f(x)\,dx$.

Que représente cette valeur géométriquement ?

2. a) Calculer $\displaystyle\int_1^n f(x)\,dx$ pour tout $n > 1$.

b) En déduire l'éventuelle valeur de $\displaystyle\int_1^{+\infty} f(x)\,dx$.

Que peut on en déduire géométriquement ?

3. En utilisant le même principe, calculer les intégrales suivantes.

a) $\displaystyle\int_0^{+\infty} e^{-x}\,dx$

b) $\displaystyle\int_{-\infty}^0 \dfrac{e^x}{\sqrt{e^x}}\,dx$

c) $\displaystyle\int_0^{+\infty} \dfrac{x}{x^2+1}\,dx$

159 Irrationalité de e (MPSI) (PCSI)

On considère, pour tout $n \in \mathbb{N}$, l'intégrale :

$$I_n = \int_0^1 t^n e^{1-t}\, dt.$$

1. Montrer que pour $n \in \mathbb{N}$, $\dfrac{1}{n+1} \leqslant I_n \leqslant \dfrac{e}{n+1}$.

2. Établir la relation $I_{n+1} = (n+1)I_n - 1$, pour $n \in \mathbb{N}$.

3. On pose $J_n = e \times n! - I_n$.

a) Montrer que J_n est un entier naturel.

b) Montrer que si $n > 1$, I_n n'est pas un entier.

c) En déduire que $e \times n!$ n'est pas entier.

3. Montrer que e n'est pas rationnel.

160 Valeur moyenne (Démo)

Soit f une fonction continue sur un segment $[a\,;b]$ et telle que :

$$\frac{1}{b-a}\int_a^b f(x)\,dx = 1$$

et

$$\frac{1}{b-a}\int_a^b f^2(x)\,dx = 1.$$

Montrer alors que pour tout $x \in [a\,;b]$, $f(x) = 1$. On pourra considérer la fonction $g = (1-f)^2$.

161 Égalités en puissance

On considère une fonction f continue sur un segment $[a\,;b]$ et telle que :

$$\int_a^b (f(t))^2\, dt = \int_a^b (f(t))^3\, dt = \int_a^b (f(t))^4\, dt.$$

En développant $(f^2 - f)^2$, démontrer que f est constante, égale à 1, ou à la fonction nulle sur $[a\,;b]$.

162 Lemme de Riemann-Lebesgue (MPSI)

On considère une fonction f continue et dont la dérivée est continue sur un segment $[a\,;b]$.

1. Soit $n \in \mathbb{N}$.

En utilisant une intégration par parties, dont on vérifiera les hypothèses, montrer que l'on a :

$$\int_a^b f(t)\sin(nt)\,dt = u_n + \frac{1}{n}\int_a^b f'(t)\cos(nt)\,dt$$

où u_n est une quantité dont on explicitera la valeur.

2. a) Justifier que la fonction f' est majorée par un réel M sur $[a\,;b]$.

b) En utilisant l'inégalité triangulaire démontrer que :

$$\left| \frac{1}{n}\int_a^b f'(t)\cos(nt)\,dt \right| \leqslant \frac{M(b-a)}{n}.$$

3. Déterminer la limite de (u_n) et en déduire que :

$$\lim_{n\to+\infty} \int_a^b f(t)\sin(nt)\,dt = 0.$$

Riemann Lebesque

163 Série harmonique (Algo)

On considère la suite (H_n) définie pour tout entier n par :

$$H_n = 1 + \frac{1}{2} + \frac{1}{3} + \ldots + \frac{1}{n}.$$

Cette suite est appelé la série harmonique.

1. a) Soit k un entier naturel non nul.

Montrer que $\displaystyle\int_k^{k+1}\frac{1}{x}\,dx \leqslant \frac{1}{k}$.

b) En déduire que $\displaystyle\int_1^{n+1}\frac{1}{x}\,dx \leqslant H_n$.

c) En déduire $\displaystyle\lim_{n\to+\infty} H_n$.

2. a) Soit k un entier naturel tel que $k \geqslant 2$.

Montrer que $\displaystyle\int_{k-1}^{k}\frac{1}{x}\,dx \geqslant \frac{1}{k}$.

b) En déduire que $1 + \displaystyle\int_1^{n}\frac{1}{x}\,dx \geqslant H_n$.

3. Déduire que $\ln(n) \leqslant H_n \leqslant 1 + \ln(n)$.

4. Soit la suite (U_n) définie par $U_n = H_n - \ln(n)$ pour tout entier n. On considère le programme **Python** suivant.

```python
import math
def H(n) :
    s = ...
    for i in range(1, ...) :
        s = ...
    return s
def U(n) :
    return H(n) - math.log(n)
```

a) Compléter les pointillés afin que la fonction **H(n)** renvoie la valeur de H_n pour une valeur de n entrée.

b) Écrire et exécuter ce programme dans un IDE Python, l'utiliser pour calculer U_{100}, $U_{1\,000}$ puis $U_{10\,000}$. La suite U_n semble-t-elle converger ? Vers quelle valeur approximativement ?

▶ **Remarque** Cette valeur est appelée constante d'Euler-Mascheroni.

164 Intégrales de Wallis (MPSI)

On pose, pour $n \in \mathbb{N}$:

$$W_n = \int_0^{\frac{\pi}{2}} \sin^n(t)\,dt.$$

1. Calculer W_0 et W_1.

2. On considère à présent $n > 1$.

a) En utilisant une intégration par parties, montrer que :

$$W_n = (n-1)\int_0^{\frac{\pi}{2}} \sin^{n-2}(t)\cos^2(t)\,dt.$$

b) En déduire la relation, pour $n > 1$:

$$nW_n = (n-1)W_{n-2}.$$

3. Démontrer par récurrence sur $n \in \mathbb{N}$ que :

$$W_{2n} = \frac{(2n)!}{2^{2n}(n!)^2} \times \frac{\pi}{2}$$

et

$$W_{2n+1} = \frac{2^{2n}(n!)^2}{(2n+1)!}.$$

165 Développement en série de l'exponentielle

Le but de l'exercice est de démontrer la convergence suivante : pour tout $x \in \mathbb{R}$,

$$\lim_{n \to +\infty} \sum_{k=0}^{n} \frac{x^k}{k!} = e^x$$

1. Soit $x > 0$, pour tout $t \in [0 \,; x]$, on note pour tout $n \in \mathbb{N}$

$$f_n(t) = \frac{(x-t)^n}{n!} e^t.$$

a) Montrer que :

$$0 \leqslant f_n(t) \leqslant \frac{(x-t)^n}{n!} e^x$$

b) En déduire alors que $\displaystyle\int_0^x f_n(t)\,dt \leqslant \frac{x^{n+1}}{(n+1)!} e^x$.

c) Montrer que la suite de terme général $\displaystyle\int_0^x f_n(t)\,dt$ converge vers 0 lorsque n tend vers $+\infty$.

2. Démontrer par un raisonnement par récurrence sur n que :

$$e^x = \sum_{k=0}^{n} \frac{x^k}{k!} + \int_0^x \frac{(x-t)^n}{n!} e^t\,dt.$$

3. En déduire alors le résultat.

166 Suite d'intégrales

Soit f la fonction définie sur $\mathbb{R}$ par :
$$f(x) = (2x^3 - 4x^2)e^{-x}.$$
On désigne par $\mathscr{C}_f$ la courbe représentative de la fonction f dans un repère orthonormal $(O \,; \vec{i}, \vec{j})$. (Unité graphique : 2 cm).

1. Déterminer les limites de la fonction f en $+\infty$ et en $-\infty$ en justifiant soigneusement.
2. Calculer $f'(x)$ en fonction de x.
3. Déterminer les variations de f et dresser le tableau de variations complet de la fonction f.

Pour tout entier naturel n, on pose :

$$I_n = \int_0^1 x^n e^{-x}\,dx.$$

4. Montrer que $I_1 = 1 - 2e^{-1}$.

5. Démontrer que $I_n = nI_{n-1} - \dfrac{1}{e}$ pour $n \geqslant 2$.

6. Déterminer la valeur exacte de I_2 et I_3.

7. Déterminer l'aire, exprimée en cm^2, du domaine délimité par l'axe des abscisses, la courbe $\mathscr{C}_f$ et les droites d'équation $x = 0$ et $x = 1$.

D'après concours école de santé de Bron

167 Placements avec un taux d'intérêt instantané variable

A ▶ Somme de départ

La somme S_0 est placée pour tout réel t positif au taux d'intérêt instantané $i(t)$ où t représente la durée du placement, exprimée en années.
Soit la fonction S qui à chaque réel t positif associe la somme $S(t)$, disponible au bout de t années.
On suppose que la fonction S est :
• dérivable sur $[0 \,; +\infty[$,
• solution de l'équation différentielle $y' = i(t)y$.
On a $y(0) = S_0$.
1. Déterminer la fonction S lorsque la fonction i est une fonction constante sur $[0 \,; +\infty[$, c'est-à-dire telle qu'il existe un réel strictement positif b pour tout t de $[0 \,; +\infty[$ tel que $i(t) = b$.
2. On suppose que la fonction i est continue sur $[0 \,; +\infty[$.
Soit I la primitive de i sur $[0 \,; +\infty[$ qui s'annule en 0.
a) Exprimer $I(t)$ à l'aide d'une intégrale pour tout t de $[0 \,; +\infty[$.
b) Soit ϕ la fonction définie sur $[0 \,; +\infty[$ par $\phi(t) = e^{-I(t)} S(t)$.
Montrer que ϕ est dérivable sur $[0 \,; +\infty[$ et calculer $\phi'(t)$ pour tout t de $[0 \,; +\infty[$.
En déduire l'expression de $S(t)$ en fonction de S0 et de $I(t)$ pour tout t de $[0 \,; +\infty[$.

B ▶ Application numérique

Soit a et b deux réels strictement positifs. On pose pour tout t de $[0 \,; +\infty[$: $i(t) = b(1 + a\sin(t) \times e^{-t})$.

1. Calculer $\displaystyle\int_0^t \sin(x) \times e^{-x}\,dx$, pour tout t de $[0 \,; +\infty[$ en utilisant le théorème d'intégration par parties.
2. Quelle est la somme $S(t)$ obtenue au bout de t années de placement ?

168 Série et intégrale

Soit f la fonction définie sur $]0 \,; +\infty[$ par :

$$f(x) = \frac{\ln(x)}{x}.$$

1. Donner la fonction dérivée de f. En déduire le sens de variation de f.

2. Calculer et simplifier $f(e)$, $f(e^2)$ et $f\left(\dfrac{1}{e}\right)$.

3. Donner une équation de la tangente à la courbe représentative de f au point d'abscisse $\dfrac{1}{e}$.

4. On considère la suite (u_n) définie pour $n \geqslant 3$ par :

$$u_n = \sum_{k=3}^{n} \frac{\ln(k)}{k}.$$

Comparer u_n à $\displaystyle\int_1^{n+1} f(t)\,dt$ et en déduire $\displaystyle\lim_{n \to +\infty} u_n$.

5. Montrer qu'il existe un seul couple d'entiers naturels non nuls $x < y$ tels que : $e^{x\ln(y)} = e^{y\ln(x)}$.

D'après concours école de santé de Bron

Travaux pratiques

Algo — TICE — **55** min — Chercher Raisonner

1 Méthodes numériques de calcul intégral

Lorsqu'une intégrale ne peut pas se calculer avec les méthodes de calcul traditionnel, on se contente d'en chercher une valeur approchée.

Différentes méthodes numériques sont possibles.

On considère une fonction f continue sur $[a\,;b]$ et on découpe l'intervalle $[a\,;b]$ en n intervalles de la forme $[x_0\,;x_1]$, $[x_1\,;x_2]$, …, $[x_{n-1}\,;x_n]$, avec $x_0 = a$ et $x_n = b$.

Ainsi, pour tout $k \in \{0\,;1\,;\dots\,;n\}$, $x_k = a + k \times \dfrac{b-a}{n}$.

Commencer par importer **math**, **numpy** et **matplotlib.pyplot** puis écrire sous **Python** la fonction f de paramètre x qui renvoie $(x+1)\,\mathrm{e}^{-x} + 1$.

Calculer à l'aide d'une intégration par parties la valeur exacte de $I = \int_0^1 f(x)\,\mathrm{d}x$. On vérifiera que chaque méthode fonctionne en comparant avec I les valeurs approchées calculées.

A ▸ Méthode des rectangles

On approche la valeur de l'intégrale $I = \int_a^b f(x)\,\mathrm{d}x$ par la somme

des aires des rectangles de dimensions $\dfrac{b-a}{n}$ et $f(x_k)$. On note

I_n cette aire.

1. Donner l'aire du k-ième rectangle puis en déduire la formule de calcul de I_n en fonction de n.

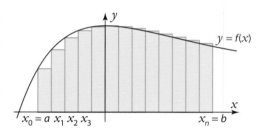

2. On propose ci-contre un programme en langage **Python** définissant la fonction **rectangle(f,a,b,n)**.
a) Que renvoie l'appel de la fonction **rectangle(f,0,1,10)** ?
b) Écrire le programme afin de calculer la valeur approchée I_n de I. Donner alors I_{10}, I_{100} et $I_{1\,000}$.

```
def rectangle(f,a,b,n):
    S=0
    for k in range(0,n):
        S=S+f(a+k*(b-a)/n)
    return S*(b-a)/n
```

B ▸ Méthode des trapèzes

Afin de gagner en efficacité on remplace les rectangles par des trapèzes, construits sur le même principe. On note J_n la somme des aires des n trapèzes.

1. Donner l'aire du k-ième trapèze puis en déduire la formule de calcul de J_n en fonction de n.

2. Sur le même modèle que celui de la partie précédente, écrire en langage **Python** une fonction **trapeze(f,a,b,n)** qui donne une valeur approchée J_n de I, avec la méthode des trapèzes.

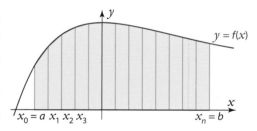

C ▸ Comparaison des méthodes

Les méthodes de calcul classiques ne permettent pas de déterminer l'intégrale :

$$I = \int_0^1 \mathrm{e}^{-\frac{x^2}{2}}\,\mathrm{d}x.$$

1. Donner une valeur de I_n avec la méthode des rectangles ainsi qu'une valeur de J_n avec la méthode des trapèzes. On prendra $n = 10$, $n = 100$, $n = 1\,000$.

2. Le programme suivant renvoie la liste des valeurs approchées I_n pour $n \in \{1, 2, \dots, N\}$ avec N un entier fixé. Écrire de la même manière une fonction **liste_trapeze(f,a,b,N)** qui renvoie la liste des valeurs approchées J_n.

```
def liste_rectangle(f,a,b,N):
    L=[]
    for k in range(1,N+1):
        L=L+[rectangle(f,a,b,k)]
    return L
```

3. Représenter sur un même graphique les suites (I_n) et (J_n).

4. En définissant les erreurs de chaque méthode comme $|I - I_n|$ et $|I - J_n|$, écrire une liste des erreurs. Qu'en déduire quant à l'efficacité des deux méthodes ?

2 Méthode de Monte Carlo

Développées sous l'impulsion de Von Neumann et Ulam, les méthodes de Monte Carlo permettent d'approximer des intégrales avec des simulations probabilistes.

A ▶ Aire d'un quart de cercle

Soit, dans un plan muni d'un repère orthonormé $(O ; \vec{i}, \vec{j})$, un carré $\mathscr{C}$ de côté 1 et le quart de disque $\mathscr{A}$ de centre O et de rayon 1.

1. Calculer l'aire du quart de disque $\mathscr{A}$.

2. Soit $M(x ; y)$ un point du plan, où x et y sont deux nombres aléatoires compris entre 0 et 1.

a) Justifier que le point M est dans le carré $\mathscr{C}$.

b) À quelle condition sur x et y, M est-il dans le quart de cercle $\mathscr{A}$?

c) Calculer l'aire de $\mathscr{A}$ et l'aire de $\mathscr{C}$.
En déduire la probabilité que le point M soit dans $\mathscr{A}$.

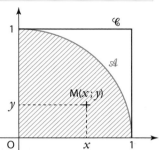

Le programme suivant, écrit en langage **Python** 🐍, simule n points $M(x ; y)$ où x et y sont pris aléatoirement entre 0 et 1.

3. Compléter les pointillés afin que le programme compte (avec la variable C) le nombre de points à l'intérieur du quart de cercle.

4. Justifier que la valeur retournée par la fonction $\left(\dfrac{C}{n}\right)$ se rapproche de l'aire de $\mathscr{A}$ lorsque n tend vers l'infini.

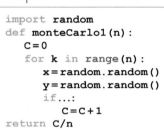

```python
import random
def monteCarlo1(n):
    C=0
    for k in range(n):
        x=random.random()
        y=random.random()
        if...:
            C=C+1
    return C/n
```

B ▶ Généralités et application à d'autres calculs d'aire

Soit une fonction f définie sur un intervalle contenant $[0 ; 1]$ et telle que, pour tout $x \in [0 ; 1]$, $f(x) \in [0 ; 1]$.
Soit $M(x ; y)$ où x et y sont prises aléatoirement entre 0 et 1. Ce point appartient donc au carré de côté 1.

1. Exprimer l'aire de la surface sous la courbe de f entre les droites d'équations $x = 0$ et $x = 1$ en fonction de $f(x)$.
En déduire la probabilité que le point M soit sous la courbe de f en fonction de $f(x)$.

2. À quelle condition sur x, y et $f(x)$ le point M est sous la courbe de f ?

3. À partir des questions précédentes et en modifiant le programme de la partie **A**, écrire deux fonctions **monteCarlo2** et **monteCarlo3** :

a) **monteCarlo2** approche la valeur de $\displaystyle\int_0^1 x^2 \, dx$ (figure ①).

b) **monteCarlo3** approche celle de $\displaystyle\int_0^1 \frac{1}{\sqrt{2\pi}} e^{-\frac{x^2}{2}} \, dx$ (figure ②).

①
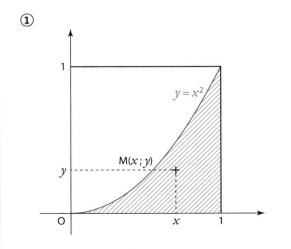

②
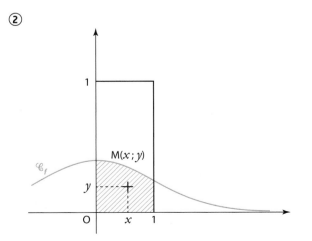

Histoire des maths — **TICE** — **55** min — **Chercher Raisonner**

3 Quadrature de la parabole par la méthode d'Archimède

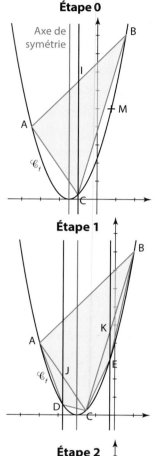

Étape 0

A ▶ Construction du triangle de base [AB] d'aire maximale

Soit la parabole d'équation $y = (x + 2)^2$ et A et B les points de la parabole d'abscisses respectives −4 et 1.

1. À l'aide de **GeoGebra**, tracer cette parabole, placer les points A, B et I le milieu de [AB].

2. Placer C le point de la parabole et de la droite passant par I et parallèle à l'axe de symétrie de la parabole.

Quelle est la valeur de l'aire de ABC (notée a_0) affichée par le logiciel ?

3. Créer un point M libre sur la parabole et afficher l'aire du triangle ABM. Vérifier que ABC est bien le triangle de base [AB] d'aire maximale.

4. Calculer $\dfrac{4}{3}a_0$ et comparer ce nombre à l'aire $\mathscr{A}$ du secteur bleu clair.

B ▶ Démonstration de l'égalité $\mathscr{A} = \dfrac{4}{3}$ Aire (ABC)

Archimède démontre ce résultat : il approche l'aire $\mathscr{A}$ en construisant une suite (a_n) des sommes d'aires de triangles construits à l'intérieur de ce domaine.

1. On recommence le procédé de construction de triangles (vu en **A**) avec les deux secteurs de parabole de bases [AC] et [CB].

a) Tracer les triangles ACD et CBE d'aire maximale dans ces deux secteurs et constater que ACD et CBE ont la même aire.

b) On note a_1 la somme des aires de ces deux triangles. Vérifier que $a_1 = \dfrac{1}{4}a_0$.

Étape 1

c) On construit les triangles d'aire maximale dans chacun des secteurs de parabole de bases [AD], [DC], [CE] et [EB]. On note a_2 la somme des aires de ces quatre triangles.

Calculer l'aire des quatre triangles puis $\dfrac{a_1}{a_2}$.

d) On note (a_n) l'aire des triangles obtenus à l'étape n. Quelle semble être la nature de la suite (a_n) ?

e) Que représente $a_0 + a_1 + \dots + a_n$?

2. Quelle que soit la parabole, on peut construire avec le même procédé de tels triangles. On note a_0 l'aire de ABC et an la somme des aires des triangles construits à l'étape n. On admet que la suite (a_n) est toujours une suite géométrique de même raison q.

a) D'après l'exemple précédent, préciser la raison q puis exprimer a_n en fonction de a_0 et n.

b) Exprimer $a_0 + a_1 + a_2 + \dots + a_n$ en fonction de a_0 et n.

c) Déterminer $\lim\limits_{n \to \infty} (a_0 + a_1 + a_2 + \dots + a_n)$ et conclure que $\mathscr{A} = \dfrac{4}{3}a_0$.

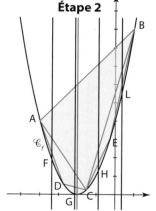

Étape 2

4 │ Calculer une surface

La bibliothèque publique de Tromsø emploie un prestataire pour nettoyer sa façade. Pour établir un devis, il doit établir la surface à nettoyer.

On cherche donc à calculer la surface de la façade du bâtiment de la bibliothèque de Tromsø. Elle se compose d'un rectangle surmonté par une surface délimitée par une courbe.

A ▸ 1ᵉ approximation : la courbe est une parabole

On définit un repère $(O\,;\vec{i},\vec{j})$ orthonormé d'unité 10 mètres. La hauteur [OC] de la parabole est égale à 20 mètres et sa largeur [AB] est égale à 40 m.

1. La parabole est la courbe représentative d'une fonction f de la forme $f(x) = b - ax^2$ avec a et b deux réels positifs. Déterminer a et b.

2. Déterminer l'aire de la façade en u.a. puis en m².

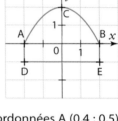

B ▸ 2ᵉ approximation : la courbe est une fonction de type $f(x) = (ax + b)e^{2x}$

On définit un repère orthonormé $(O\,;\vec{i},\vec{j})$ d'unité 20 mètres. A, B et C sont les points de coordonnées A (0,4 ; 0,5), B(−0,8 ; 0,5) et C(0 ; 1). Le point C est le point le plus haut de la courbe.

1. Ouvrir Géogebra et réaliser les opérations suivantes.

a) Créer deux curseurs a et b.

b) Placer les points A, B et C.

c) Créer la fonction f définie par $f(x) = (ax + b)e^{2x}$.

d) Trouver a et b tel que la courbe de f passe par A, B et C.

2. Le point C est le point le plus haut de la courbe.

a) Montrer que f est dérivable et calculer $f'(x)$.

b) Déterminer une relation entre a et b.

c) En déduire la fonction f.

3. La façade du bâtiment de la bibliothèque de Tromsø se compose d'un rectangle surmonté par une surface délimitée par une courbe d'équation $f(x) = (-2x + 1)e^{2x}$. Déterminer la surface de la façade du bâtiment.

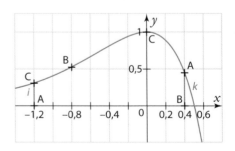

Algèbre et géométrie

Euclide
(vers 300 av. J.-C.)

Blaise Pascal
(1623–1662)

Jacques Bernoulli
(1654–1705)

William Rowan Hamilton
(1805– 1865)

Vers 300 avant J-C, les *Eléments* d'Euclide présentent des prémices du raisonnement par récurrence.

↳ Dicomaths p. 461

En 1665, Pascal publie dans son *Traité du triangle arithmétique* la 1e utilisation explicite du raisonnement par récurrence. Il y démontre les relations entre les coefficients binomiaux.

↳ Dicomaths p. 463

En 1686, Jacques Bernoulli montre par récurrence la formule de la somme des n premiers entiers naturels en mettant en avant le passage du rang n au rang $n+1$.

↳ Dicomaths p. 460

Au début du XIXᵉ siècle, Hamilton invente le mot « vecteur » à l'occasion de sa découverte des quaternions et Grassmann étend cette notion de vecteur à l'espace et lui associe plusieurs règles de calcul comme le produit scalaire.

↳ Dicomaths p. 462

Mon parcours au lycée

Dans les classes précédentes
• J'ai étudié les différents ensembles de nombres, les suites numériques et j'ai appris à résoudre des équations du 2nd degré.

En Terminale générale
• Je vais étudier la combinatoire et le dénombrement.
• Je vais approfondir mes connaissances sur le calcul vectoriel en étudiant des vecteurs, des droites, des plans de l'espace avec leurs équations paramétriques.
• Je vais aussi découvrir les notions d'orthogonalité et de distance dans l'espace.

Edouard Lucas
(1842-1891)

Giuseppe Peano
(1858-1932)

James Clerk Maxwell
(1831-1879)

Au milieu du XIXᵉ siècle, Edouard Lucas, invente des jeux basés sur la combinatoire tels que *La Pipopipette* ou les fameuses *tours de Hanoï* tandis que son ami Henri Delannoy étudie les carrés magiques et les échiquiers arithmétiques.

↪ **Dicomaths** p. 463

En 1889, Peano formalise le raisonnement par récurrence dans son *Arithmetices principia, nova methodo exposita*.

↪ **Dicomaths** p. 463

À la fin du XIXᵉ siècle, des scientifiques tels que Heaviside, Gibbs, Maxwell, rapprochent les mathématiques et la physique en définissant notamment la structure d'espace vectoriel.

↪ **Dicomaths** p. 463

Au XXIᵉ siècle, les « mathématiques discrètes » se développent du fait de l'essor de l'informatique et de l'intelligence artificielle.
La combinatoire revêt plusieurs formes : algébrique, analytique, probabiliste, topologique, géométrique etc.

Domaines professionnels

✓ Un·e **créateur·trice de jeux** se servira de la combinatoire pour déterminer les probabilités de gagner ou de perdre une partie.

✓ Un·e **chercheur·se** se servira de la combinatoire en théorie des nombres ou en théorie des graphes.

✓ Un·e **ingénieur·e** appliquera le calcul vectoriel pour simuler le mouvement mécanique d'un objet dans l'espace.

✓ Un·e **physicien·ne** utilisera les vecteurs pour représenter des forces, des vitesses, des accélérations ou encore un champ électrique, un champ magnétique etc.

✓ Un·e **architecte** utilisera les plans et intersections de plan pour concevoir un projet en 3D.

9

Vecteurs, droites et plans de l'espace

On sait étudier le barycentre d'un système pondéré, c'est-à-dire le point d'équilibre de ce système dans le plan.

Dans l'espace existe-t-il le même phénomène d'équilibre entre les astres et les planètes ?

↳ TP 1 p. 304

▶ **VIDÉO**

Barycentre du système Terre-Lune
lienmini.fr/maths-s09-01

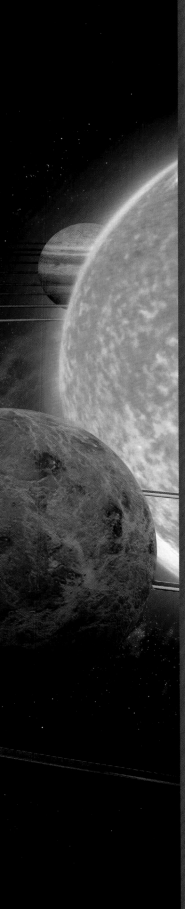

Pour prendre un bon départ

 EXOS
Prérequis
lienmini.fr/maths-s09-02

 Les rendez-vous
Sésamath

1 Calculer des coordonnées de vecteurs

On considère les points A(1 ; 2), B(–2 ; 3) et C(2 ; –1)
Donner les coordonnées des vecteurs suivants.

a) $\overrightarrow{AB}$ **b)** $\overrightarrow{CB}$ **c)** $-2\overrightarrow{CA}$ **d)** $\overrightarrow{BA} + 3\overrightarrow{AC}$

2 Construire des points et déterminer leurs coordonnées

On considère les points M(–2 ; 1), N(0 ; –3) et P(1 ; –2)
Dans chacun des cas suivants, construire les points F, G et H et déterminer leurs coordonnées par le calcul.

a) F avec $\overrightarrow{MF} = -2\overrightarrow{NP} + 3\overrightarrow{MP}$

b) G avec $\overrightarrow{GN} = \overrightarrow{NM} - 2\overrightarrow{PM}$

c) H avec $\overrightarrow{PH} = 5\overrightarrow{PN} + 2\overrightarrow{PM}$

3 Déterminer si des vecteurs dans le plan sont colinéaires

1. Parmi les vecteurs $\vec{u}\begin{pmatrix}1\\2\end{pmatrix}$, $\vec{v}\begin{pmatrix}-2\\4\end{pmatrix}$, $\vec{w}\begin{pmatrix}-1\\-2\end{pmatrix}$ et $\vec{t}\begin{pmatrix}3\\6\end{pmatrix}$,

quels sont ceux qui sont colinéaires ?

2. Même question avec les vecteurs $\vec{u}\begin{pmatrix}2\\-1\end{pmatrix}$ $\vec{v}\begin{pmatrix}4\\2\end{pmatrix}$, $\vec{w}\begin{pmatrix}-1\\2\end{pmatrix}$ et $\vec{t}\begin{pmatrix}-4\\-2\end{pmatrix}$.

4 Résoudre des systèmes

Résoudre les systèmes suivants.

a) $\begin{cases}-3x + 4y = -1 \\ 2x - y = 2\end{cases}$ **b)** $\begin{cases}x - 5y = 1 \\ 3x - 4y = 0\end{cases}$

c) $\begin{cases}4x - 5y = -3 \\ -3x - 7y = 0\end{cases}$ **d)** $\begin{cases}y = -2x + 3 \\ y = 4 - 2x\end{cases}$

5 Utiliser la relation de Chasles

On considère les points A, B, C, D et E tels que $2\overrightarrow{AB} - 3\overrightarrow{AC} = \overrightarrow{CD}$ et $\overrightarrow{BC} = 2\overrightarrow{CE}$.

1. Exprimer le vecteur $\overrightarrow{AD}$ en fonction des vecteurs $\overrightarrow{AB}$ et $\overrightarrow{AC}$.

2. Exprimer le vecteur $\overrightarrow{AE}$ en fonction des vecteurs $\overrightarrow{AB}$ et $\overrightarrow{AC}$.

3. Les points A, D et E sont-ils alignés ? Justifier.

6 Déterminer l'équation d'une droite

Déterminer une équation cartésienne de la droite d dans chacun des cas suivants.

a) d passe par A(–1 ; 2) et a pour vecteur directeur $\vec{u}\begin{pmatrix}1\\2\end{pmatrix}$.

b) d passe par les points A(3 ; 2) et B(–2 ; 0).

c) d passe par le point B(3 ; 5) et a pour vecteur directeur $\vec{u}\begin{pmatrix}-1\\-3\end{pmatrix}$.

d) d passe par les points C(–3 ; 1) et D(–2 ; –1).

Activités

TICE 15 min

1 Découvrir les vecteurs dans l'espace

1. Ouvrir la fenêtre 3D de **GeoGebra**. Chercher l'icône correspondant à la construction d'un cube, pour voir les instructions à suivre.

2. Cliquer sur le point origine du repère (nommé A), puis sur un point de l'axe des abscisses (en rouge) nommé B (par exemple B(3, 0, 0)). Le cube ABCDEFGH peut alors se construire.

3. Construire alors les vecteurs $\overrightarrow{AB}$, $\overrightarrow{AD}$ et $\overrightarrow{AE}$ (**u**, **v** et **w** dans **GeoGebra**)

4. Taper $\boxed{u + v}$ dans la ligne de saisie. Qu'observe-t-on ?

5. Taper $\boxed{u + 2v}$ dans la ligne de saisie. Qu'observe-t-on ?

Faire tourner la figure pour conclure sur le point obtenu en termes de plan.

6. Taper $\boxed{u + v + w}$ dans la ligne de saisie. Qu'observe-t-on ?

7. Construire un représentant du vecteur **u + v** à partir du point E. Qu'observe-t-on ?

➥ **Cours 1** p. 280

15 min

2 Utiliser des combinaisons linéaires de vecteurs

Dans un cube ABCDEFGH, on considère les points M et N définis par les relations suivantes.

$\overrightarrow{BM} = \dfrac{1}{2}\overrightarrow{BG} - \dfrac{1}{4}\overrightarrow{BC}$ et $\overrightarrow{DN} = \dfrac{1}{3}\overrightarrow{DC} + 2\overrightarrow{DH}$

1. Démontrer que $\overrightarrow{AM} = \overrightarrow{AB} + \dfrac{1}{4}\overrightarrow{AD} + \dfrac{1}{2}\overrightarrow{AE}$.

▶**Remarque** On dit que $\overrightarrow{AM}$ est une combinaison linéaire des vecteurs $\overrightarrow{AB}$, $\overrightarrow{AD}$ et $\overrightarrow{AE}$.

2. Démontrer de même que $\overrightarrow{AN} = \dfrac{1}{3}\overrightarrow{AB} + \overrightarrow{AD} + 2\overrightarrow{AE}$.

3. Calculer alors le vecteur $4\overrightarrow{AM} - \overrightarrow{AN}$.

4. En déduire que le vecteur $\overrightarrow{AB}$ est une combinaison linéaire des vecteurs $\overrightarrow{AM}$ et $\overrightarrow{AN}$ (on dit que A appartient au plan (BMN) et on note A $\in$ (BMN)).

➥ **Cours 1** p. 280

10 min

3 Découvrir les plans de l'espace

1. Dans un cube ABCDEFGH, placer les points M et N définis par $\overrightarrow{AM} = \dfrac{1}{3}\overrightarrow{AE}$ et $\overrightarrow{CN} = \dfrac{2}{3}\overrightarrow{CG}$.

2. Exprimer le vecteur $\overrightarrow{BM}$ en fonction des vecteurs $\overrightarrow{BA}$ et $\overrightarrow{BF}$.

3. Exprimer le vecteur $\overrightarrow{BN}$ en fonction des vecteurs $\overrightarrow{BC}$ et $\overrightarrow{BF}$.

4. En déduire la somme $\overrightarrow{BM} + \overrightarrow{BN}$ en fonction des vecteurs $\overrightarrow{BA}$, $\overrightarrow{BC}$ et $\overrightarrow{BF}$.

5. Quel autre vecteur représente également cette somme ?

6. En déduire la section du plan (BMN) sur chacune des faces du cube.

➥ **Cours 3** p. 284

4 ▸ Utiliser des coordonnées dans l'espace

On considère un cube ABCDEFGH et on pose :
$\vec{i} = \overrightarrow{AB}$ et $\vec{j} = \overrightarrow{AD}$.

1. Donner les coordonnées des points A, B, C, D, P, M et N du plan (ABC) dans le repère (A ; $\vec{i}$, $\vec{j}$).

▶**Remarque** On ne peut pas donner les coordonnées des autres points car ils ne sont pas dans le plan (ABC).

2. Exprimer les vecteurs $\overrightarrow{AP}$, $\overrightarrow{AM}$ et $\overrightarrow{AN}$ en fonction des vecteurs $\vec{i}$ et $\vec{j}$.

3. Le point R de l'espace est construit pour que son projeté orthogonal sur le plan (ABC) soit le point N.
On pose $\vec{k} = \overrightarrow{AE}$.

a) Démontrer que $\overrightarrow{AR} = 4\vec{i} + 3\vec{j} + 5\vec{k}$.

▶**Remarque** On dit alors que le point R a pour coordonnées (4 ; 3 ; 5) dans le repère (A ; $\vec{i}$, $\vec{j}$, $\vec{k}$) de l'espace.

b) Donner de même les coordonnées des points E, F, G, H, Q, S et T.

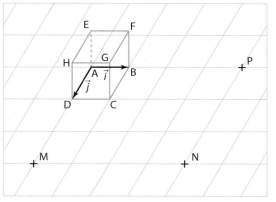

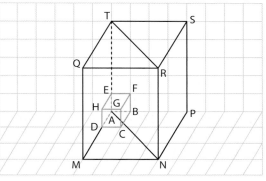

➥ **Cours 4** p. 286

5 ▸ Découvrir les représentations paramétriques de droites de l'espace

Dans un repère de l'espace, on considère les points M_t de coordonnées $(2 - t \,; -1 + 3t \,; 2t)$ où t décrit l'ensemble $\mathbb{R}$.

A ▶ Conjecture

1. Pour $t = 0$ et pour $t = 1$, donner les coordonnées des points $M_0 = A$ et $M_1 = B$.

2. Calculer les coordonnées des points $M_2 = C$ et $M_{-3} = D$.

3. Démontrer que les points A, B, C et D sont alignés.

4. Choisir une autre valeur de t et vérifier si le point M_t est aussi aligné avec les précédents.

B ▶ Démonstration

1. Démontrer que pour tout réel t, on a l'égalité : $\overrightarrow{AM_t} = t\,\overrightarrow{AB}$.

2. En déduire l'ensemble de tous les points M_t.

3. Quel est l'ensemble des points M_t dans chacun des cas suivants ?

a) $t \in [0\,;1]$ **b)** $t \in \left[0\,;+\infty\right[$ **c)** $t \in [-1\,;1]$

➥ **Cours 4** p. 288

1 Les vecteurs de l'espace

Définition Vecteurs

Soient A et B deux points de l'espace, la transformation qui à tout point M de l'espace associe l'unique point M' tel que ABM'M soit un parallélogramme s'appelle **la translation de vecteur** $\overrightarrow{AB}$.
Comme, dans le plan, les vecteurs $\overrightarrow{AB}$ et $\overrightarrow{MM'}$ sont égaux et on dit également qu'ils sont deux **représentants** d'un vecteur unique noté $\vec{u}$.

● **Exemple**

Dans le cube ABCDEFGH, les vecteurs $\overrightarrow{AH}$ et $\overrightarrow{BG}$ sont égaux car ABGH est un rectangle.

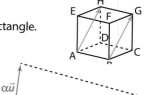

Propriété Combinaison linéaire

Étant donné trois vecteurs $\vec{u}$, $\vec{v}$ et $\vec{w}$ de l'espace non **colinéaires**.
On dit que $\vec{w}$ est une **combinaison linéaire** des vecteurs $\vec{u}$ et $\vec{v}$ s'il existe des réels α et β tels que $\vec{w} = \alpha\vec{u} + \beta\vec{v}$.

▶ **Remarques**

① On dit aussi que les trois vecteurs sont **coplanaires**.
② Dans le cas où $\vec{v} = \alpha\vec{u}$ on dit que les vecteurs $\vec{u}$ et $\vec{v}$ sont **colinéaires**.

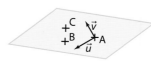

Définition Droite de l'espace

Une droite de l'espace est définie :
• soit par la donnée de deux points distincts,
• soit par la donnée d'un point et d'un vecteur non nul.

Propriété Caractérisation d'une droite de l'espace

La droite passant par le point A et de vecteur directeur $\vec{u}$ est l'ensemble des points M de l'espace tels que les vecteurs $\overrightarrow{AM}$ et $\vec{u}$ soient colinéaires.

Définition Plan de l'espace

Un plan de l'espace est défini :
• soit par trois points non alignés (ABC),
• soit par un point et deux vecteurs non colinéaires (A ; $\vec{u}$, $\vec{v}$).

● **Exemple**

Dans le cube ABCDEFGH, le plan (AFH) est déterminé par les trois points A, F et H ou bien par le point A et les vecteurs non colinéaires $\overrightarrow{AF}$ et $\overrightarrow{AH}$.

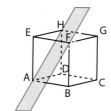

Propriété Caractérisation d'un plan de l'espace

Le plan défini par le point A et les vecteurs non colinéaires $\vec{u}$ et $\vec{v}$ est l'ensemble des points M tels que le vecteur $\overrightarrow{AM}$ soit une combinaison linéaire des vecteurs $\vec{u}$ et $\vec{v}$.

● **Exemple**

Dans le cube ABCDEFGH et le plan (ABD), le point C appartient à ce plan car le vecteur $\overrightarrow{AC}$ s'écrit comme une combinaison linéaire de $\overrightarrow{AB}$ et $\overrightarrow{AD}$ soit $\overrightarrow{AC} = \overrightarrow{AB} + \overrightarrow{AD}$.

EXOS
Méthodes
lienmini.fr/maths-s09-03

Les rendez-vous
Sésamath

Exercices (résolus)

Méthode 1 Représenter des combinaisons linéaires

Énoncé

On considère un triangle ABC, construire le point M défini par $\overrightarrow{AM} = \dfrac{1}{3}\overrightarrow{AB} - 2\overrightarrow{AC}$.

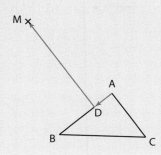

Solution

À partir du point A **1 2**, on construit le vecteur $\dfrac{1}{3}\overrightarrow{AB}$, puis, à partir du point D obtenu, on construit le vecteur $-2\overrightarrow{AC}$. **3**

Le point d'arrivée est le point M cherché.

Conseils & Méthodes

1 Faire attention au point origine.

2 Construire des vecteurs colinéaires.

3 Construire une somme de vecteurs.

À vous de jouer !

1 On considère trois points A, B et C non alignés, construire le point P défini par :

$$\overrightarrow{BP} = -\dfrac{1}{2}\overrightarrow{AB} + 3\overrightarrow{BC}.$$

2 On considère un cube ABCDEFGH, construire le point M défini par :

$$\overrightarrow{AM} = \dfrac{1}{3}\overrightarrow{AB} + \dfrac{1}{2}\overrightarrow{BC} + \overrightarrow{AE}.$$

➜ Exercices 34 à 37 p. 292

Méthode 2 Caractériser des plans dans l'espace

Énoncé

Dans un cube ABCDEFGH, donner une caractérisation du plan (CEG) à l'aide d'un point et de deux vecteurs non colinéaires, puis justifier que le point A appartient à ce plan.

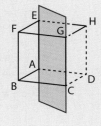

Solution

Le plan (CEG) est défini par les trois points C, E et G donc les vecteurs $\overrightarrow{CE}$ et $\overrightarrow{CG}$ ne sont pas colinéaires et par conséquent le plan (CEG) est l'ensemble des points M tels que :

$$\overrightarrow{CM} = a\overrightarrow{CE} + b\overrightarrow{CG}$$

Le point A appartient à ce plan car :
$$\overrightarrow{CA} = \overrightarrow{GE} = \overrightarrow{CE} - \overrightarrow{CG}.$$

Conseils & Méthodes

1 Observer les points qui définissent le plan.

2 En déduire deux vecteurs non colinéaires de ce plan.

3 Déterminer graphiquement une combinaison linéaire pour montrer que le point donné appartient au plan.

À vous de jouer !

3 On considère une pyramide SABCD de base le carré ABCD de centre le point O et le point I milieu de la hauteur [SO].

1. Donner une caractérisation du plan (SAC).

2. Justifier que le point I appartient à ce plan.

4 Dans un cube ABCDEFGH :

1. Donner une caractérisation du plan (BEG) à l'aide d'un point et de deux vecteurs non colinéaires.

2. Justifier que le point P centre de la face ABFE appartient au plan (BEG).

➜ Exercices 38 à 40 p. 292

Cours

2 Positions relatives de droites et de plans dans l'espace

Propriété Positions relatives de deux droites

Deux droites de l'espace sont soit coplanaires (c'est-à dire incluses dans un même plan) soit non coplanaires.

d et *d'* sont coplanaires et sécantes en M ou strictement parallèles ou confondues	*d* et *d'* sont non coplanaires
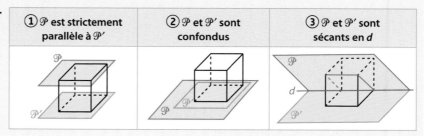	

Exemple Dans le cube ABCDEFGH les droites (AB) et (CE) ne sont pas coplanaires.

Propriété Positions relatives d'une droite et d'un plan

Soit *d* une droite et $\mathcal{P}$ un plan. Il existe trois configurations pour les positions relatives de *d* et de $\mathcal{P}$.

① *d* est strictement parallèle à $\mathcal{P}$	② *d* est incluse dans $\mathcal{P}$	③ *d* est sécante à $\mathcal{P}$

Propriété Positions relatives de deux plans

Soit $\mathcal{P}$ et $\mathcal{P}'$ deux plans. Il existe trois configurations pour les positions relatives de $\mathcal{P}$ et de $\mathcal{P}'$.

① $\mathcal{P}$ est strictement parallèle à $\mathcal{P}'$	② $\mathcal{P}$ et $\mathcal{P}'$ sont confondus	③ $\mathcal{P}$ et $\mathcal{P}'$ sont sécants en *d*

Théorème Théorème du toit

Si deux plans $\mathcal{P}$ et $\mathcal{P}'$ contiennent respectivement deux droites *d* et *d'* parallèles entre elles alors leur intersection *d''* est parallèle à ces deux droites.

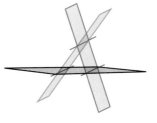

Propriétés Parallélisme de droites et de plans

① Une droite est strictement parallèle à un plan si et seulement si elle est parallèle à une droite de ce plan.

② Deux plans sont parallèles si et seulement si deux droites sécantes de l'un sont parallèles à deux droites sécantes de l'autre.

③ Si une droite est parallèle à un plan alors tout plan contenant cette droite et sécant au plan, coupe ce dernier selon une droite parallèle à la première.

● EXOS
Méthodes
lienmini.fr/maths-s09-03

Les rendez-vous
Sésamath

Exercices (résolus)

Méthode

3 Décrire la position relative
de deux droites, d'une droite et d'un plan, de deux plans

Énoncé

Dans le cube ABCDEFGH, quelles sont les positions relatives de (AB) et (CD) ? (AD) et (BF) ? (ABC) et (EFH) ? (BCF) et (ADG) ?

Solution

(AB) et (CD) sont dans le même plan (ABC), elles sont parallèles car ABCD est un carré. **1** (AD) et (BF) ne sont pas dans un même plan, elles sont non coplanaires. (ABC) et (EFH) sont parallèles car ils correspondent à des faces opposées du cube. **2** (BCF) et (ADG) ont deux points communs, les points G et F donc ils sont sécants selon la droite (FG).

Conseils & Méthodes

1 Observer la figure et repérer les droites et les plans.

2 Repérer les parallélismes éventuels.

À vous de jouer !

5 ABCDEFGH est un cube, donner les positions relatives de :
a) (AB) et (FH)　　**b)** (AF) et (CH)　　**c)** (CFH) et (AB)

6 ABCD est un tétraèdre, donner les positions relatives de :
a) (AB) et (CD)　　**b)** (AC) et (BCD)　　**c)** (AC) et (BD)

↳ Exercices 41 à 43 p. 292

Méthode

4 Construire la section d'un solide par un plan dans l'espace

Énoncé

On considère le cube ABCDEFGH. Les points I et J sont les milieux des segments [AD] et [FG] et le point K est tel que $\overrightarrow{AK} = \dfrac{2}{3}\overrightarrow{AE}$. On cherche à construire la section du plan (IJK) sur le cube, c'est-à-dire que l'on cherche où le plan va couper ou non les faces du cube.

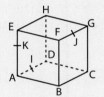

Conseils & Méthodes

1 Prolonger les droites en dehors du cube.

2 Chercher les droites sécantes avec les arêtes du cube.

1. Construire le point d'intersection L des droites (EH) et (IK).
2. En déduire l'intersection des plans (IJK) et (EFG).
3. Construire alors la section du plan (IJK) sur le cube.

Solution

1. On prolonge les droites (EH) et (IK) pour obtenir L **1** .
2. Les points L et J appartiennent aux deux plans (IJK) et (EFG) donc la droite (JL) est leur droite d'intersection.
3. On trace la parallèle à (JL) passant par I et la parallèle à (IK) passant par J.
On place les intersections avec les arêtes du cube et on obtient la section IKMJNP, qui est un hexagone **2** .

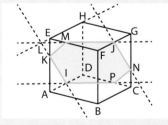

À vous de jouer !

7 SABCD est une pyramide dont la base ABCD est un carré de centre le point O.
Déterminer les intersections suivantes.

a) (SAB) et (SBC)　　**b)** (SAC) et (SBD)
c) (SB) et (AC)　　　**d)** (SAB) et (SCD)

8 SABCD est une pyramide dont la base ABCD est un parallélogramme. Les points M et N sont sur la face SAB et le point P sur la face SCD.

1. Déterminer l'intersection des plans (MNP) et (SAB), puis celle des plans (MNP) et (SCD).

2. Construire la section du plan (MNP) sur la pyramide.

↳ Exercices 44 à 45 p. 292

3 Décomposition de vecteurs dans l'espace

Propriété Relation de Chasles

Comme dans le plan, si A, B et C sont trois points de l'espace alors on a :

$$\vec{AC} = \vec{AB} + \vec{BC}.$$

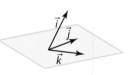

● **Exemple**

Dans un triangle ABC, on place les points M et N tels que $\vec{AM} = \dfrac{1}{2}\vec{AB}$ et $\vec{BN} = \dfrac{2}{3}\vec{BC}$.

Exprimons le vecteur $\vec{MN}$ en fonction des vecteurs $\vec{AB}$ et $\vec{AC}$:

$$\vec{MN} = \vec{MA} + \vec{AB} + \vec{BN} = -\frac{1}{2}\vec{AB} + \vec{AB} + \frac{2}{3}\vec{BC} = \frac{1}{2}\vec{AB} + \frac{2}{3}\vec{BA} + \frac{2}{3}\vec{AC} = -\frac{1}{6}\vec{AB} + \frac{2}{3}\vec{AC}.$$

Définition Base

Trois vecteurs $\vec{i}$, $\vec{j}$ et $\vec{k}$ constituent une base de l'espace si et seulement si chacun de ces trois vecteurs n'est pas une combinaison linéaire des deux autres.

● **Exemple**

Dans un cube ABCDEFGH, aucun des vecteurs $\vec{AB}$, $\vec{AD}$ et $\vec{AG}$ n'est une combinaison linéaire des deux autres donc $(\vec{AB}, \vec{AD}, \vec{AG})$ est une base de l'espace.

Propriété Décomposition d'un vecteur dans une base

Soit $(\vec{i}, \vec{j}, \vec{k})$ une base de l'espace, tout vecteur $\vec{u}$ peut s'écrire comme une combinaison linéaire unique des vecteurs $\vec{i}$, $\vec{j}$ et $\vec{k}$.

On a : $$\vec{u} = x\vec{i} + y\vec{j} + z\vec{k}$$

et on dit que $\begin{pmatrix} x \\ y \\ z \end{pmatrix}$ sont les **coordonnées** du vecteur $\vec{u}$ dans la base $(\vec{i}, \vec{j}, \vec{k})$.

● **Démonstration**

On suppose qu'il existe deux décompositions pour le même vecteur.

Soit les triplets $(x ; y ; z)$ et $(x' ; y' ; z')$ de réels tels que $\vec{u} = x\vec{i} + y\vec{j} + z\vec{k} = x'\vec{i} + y'\vec{j} + z'\vec{k}$

ce qui implique que $(x - x')\vec{i} + (y - y')\vec{j} + (z - z')\vec{k} = \vec{0}$

et donc que $(x - x')\vec{i} = -(y - y')\vec{j} - (z - z')\vec{k}$

or comme $(\vec{i}, \vec{j}, \vec{k})$ est une base alors $\vec{i}$ ne peut pas être une combinaison linéaire de $\vec{j}$ et $\vec{k}$.

On obtient donc une contradiction et par conséquent l'hypothèse de deux décompositions est fausse, et elle est unique.

● **Exemple**

Dans le cube ABCDEFGH muni de la base $(\vec{AB}, \vec{AD}, \vec{AE})$, on peut décomposer les vecteurs ainsi :

$\vec{AG} = \vec{AC} + \vec{AE} = \vec{AB} + \vec{AD} + \vec{AE}$ et $\vec{BH} = \vec{BA} + \vec{AH} = -\vec{AB} + \vec{AD} + \vec{AE}$

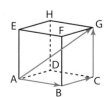

● EXOS
Méthodes
lienmini.fr/maths-s09-03

Les rendez-vous
Sésamath

Exercices (résolus)

Méthode 5 — Exprimer un vecteur comme une combinaison linéaire de vecteurs

Énoncé

Dans le triangle ABC, le point M est le milieu du segment [AB] et le point N est défini par $\overrightarrow{BN} = \frac{2}{3}\overrightarrow{AC}$.

Exprimer le vecteur $\overrightarrow{MN}$ en fonction des vecteurs $\overrightarrow{AB}$ et $\overrightarrow{AC}$.

Solution

Le point N est défini à l'aide du point B donc on va écrire

$\overrightarrow{MN} = \overrightarrow{MB} + \overrightarrow{BN}$. 1 2

Du coup on va écrire une relation pour le point M à l'aide du point B : $\overrightarrow{MB} = \frac{1}{2}\overrightarrow{AB}$. Finalement $\overrightarrow{MN} = \frac{1}{2}\overrightarrow{AB} + \frac{2}{3}\overrightarrow{AC}$. 3

Conseils & Méthodes

1 Observer les relations données.

2 Repérer lesquelles on va transformer à l'aide de la relation de Chasles.

3 Repérer quels vecteurs on veut à l'arrivée pour transformer de manière efficace.

À vous de jouer !

9 On considère trois points A, B et C non alignés et les points M et N définis par $\overrightarrow{AM} = 2\overrightarrow{BC}$ et $\overrightarrow{BN} = -3\overrightarrow{BA}$.

Exprimer le vecteur $\overrightarrow{MN}$ en fonction des vecteurs $\overrightarrow{AB}$ et $\overrightarrow{AC}$.

10 Dans le cube ABCDEFGH, M et N sont les milieux respectifs des segments [AB] et [FG]. Exprimer le vecteur $\overrightarrow{MN}$ en fonction des vecteurs $\overrightarrow{AB}$, $\overrightarrow{AD}$ et $\overrightarrow{AE}$.

11 Dans le tétraèdre ABCD, I et J sont les milieux respectifs des segments [BC] et [AD].

Exprimer le vecteur $\overrightarrow{IJ}$ en fonction des vecteurs $\overrightarrow{AB}$, $\overrightarrow{AC}$ et $\overrightarrow{AD}$.

↳ Exercices 46 à 52 p. 292

Méthode 6 — Décomposer un vecteur dans une base par lecture graphique

Énoncé

Dans le cube ABCDEFGH, lire la décomposition du vecteur donné dans la base donnée.

a) $\overrightarrow{EG}$ dans la base $(\overrightarrow{AB}, \overrightarrow{BD})$.

b) $\overrightarrow{CF}$ dans la base $(\overrightarrow{AB}, \overrightarrow{BD}, \overrightarrow{CG})$.

Solution

a) $\overrightarrow{EG} = \overrightarrow{AC} = \overrightarrow{AB} + \overrightarrow{AD} = 2\overrightarrow{AB} + \overrightarrow{BD}$

1 2 3

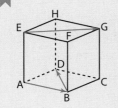

b) $\overrightarrow{CF} = \overrightarrow{CB} + \overrightarrow{CG}$

$= \overrightarrow{DA} + \overrightarrow{CG} = -\overrightarrow{AB} - \overrightarrow{BD} + \overrightarrow{CG}$ 1 2 3

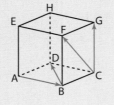

Conseils & Méthodes

1 Repérer les plans définis par les points donnés.

2 Observer les parallélismes éventuels.

3 Repérer les vecteurs égaux entre eux et utiliser la relation de Chasles.

À vous de jouer !

12 Dans le cube ABCDEFGH, lire la décomposition du vecteur $\overrightarrow{DF}$ dans la base $(\overrightarrow{AB}, \overrightarrow{AD}, \overrightarrow{AE})$.

13 Dans le cube ABCDEFGH, on place le point O centre du rectangle BFHD, lire la décomposition du vecteur $\overrightarrow{OC}$ dans la base $(\overrightarrow{AB}, \overrightarrow{AD}, \overrightarrow{AE})$.

↳ Exercices 46 à 52 p. 292

4 Répérage dans l'espace

Propriété Repère

On appelle repère $(O ; \vec{i} , \vec{j} , \vec{k})$ de l'espace le quadruplet où O est un point de l'espace appelé **origine** et où le triplet $(\vec{i} , \vec{j} , \vec{k})$ est une **base** de l'espace.

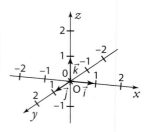

• **Exemple** Dans un cube ABCDEFGH, $(\overrightarrow{AB}, \overrightarrow{AD}, \overrightarrow{AE})$ est une base et A un point de l'espace donc $(A ; \overrightarrow{AB}, \overrightarrow{AD}, \overrightarrow{AE})$ est un repère de l'espace.

Corollaire Coordonnées d'un point

Dans un repère $(O ; \vec{i} , \vec{j} , \vec{k})$, pour tout point M de l'espace il existe un triplet $(x ; y ; z)$ **unique** tel que $\overrightarrow{OM} = x\vec{i} + y\vec{j} + z\vec{k}$ où x s'appelle l'**abscisse**, y l'**ordonnée** et z la **cote**.

• **Exemple** Dans le cube ABCDEFGH muni du repère $(A ; \overrightarrow{AB}, \overrightarrow{AD}, \overrightarrow{AE})$ les coordonnées des autres sommets du cube sont $C(1 ; 1 ; 0)$, $F(1 ; 0 ; 1)$, $G(1 ; 1 ; 1)$ et $H(0 ; 1 ; 1)$ car par exemple : $\overrightarrow{AC} = 1\overrightarrow{AB} + 1\overrightarrow{AD} + 0 \cdot \overrightarrow{AE}$.

▶**Remarque** Les opérations sur les coordonnées dans l'espace sont les mêmes que celles dans le plan.

Propriété Coordonnées d'un vecteur

Comme dans le plan si $A(x_A , y_A , z_A)$ et $B(x_B , y_B , z_B)$ alors $\overrightarrow{AB} \begin{pmatrix} x_B - x_A \\ y_B - y_A \\ z_B - z_A \end{pmatrix}$.

• **Exemple** Dans le cube ABCDEFGH muni du repère $(A ; \overrightarrow{AB}, \overrightarrow{AD}, \overrightarrow{AE})$, on a les coordonnées des vecteurs $\overrightarrow{GH} \begin{pmatrix} 0-1 \\ 1-1 \\ 1-1 \end{pmatrix} = \begin{pmatrix} -1 \\ 0 \\ 0 \end{pmatrix}$ et $\overrightarrow{FC} \begin{pmatrix} 1-1 \\ 1=0 \\ 0-1 \end{pmatrix} = \begin{pmatrix} 0 \\ 1 \\ -1 \end{pmatrix}$.

Propriété Représentation paramétrique d'une droite

Dans un repère $(O ; \vec{i} , \vec{j} , \vec{k})$, la droite passant par le point $A (x_A ; y_A ; z_A)$ et de vecteur directeur $\vec{u} \begin{pmatrix} a \\ b \\ c \end{pmatrix}$ admet comme représentation paramétrique le système $\begin{cases} x = x_A + ka \\ y = y_A + kb \\ z = z_A + kc \end{cases}$ où k est un réel.

• **Démonstration**

$\overrightarrow{AM}$ et $\vec{u}$ colinéaires équivaut à $\overrightarrow{AM} = k\vec{u} \Leftrightarrow \begin{pmatrix} x - x_A \\ y - y_A \\ z - z_A \end{pmatrix} = k \begin{pmatrix} a \\ b \\ c \end{pmatrix} \Leftrightarrow \begin{cases} x - x_A = ka \\ y - y_A = kb \\ z - z_A = kc \end{cases}$.

▶**Remarque** On peut trouver une autre représentation paramétrique de la même droite en changeant de point et/ou en prenant un autre vecteur directeur colinéaire au précédent.

• **Exemple** Une représentation paramétrique de la droite de l'espace passant par le point $A(-1 ; 2 ; -3)$ et de vecteur directeur $\vec{u} \begin{pmatrix} 1 \\ -4 \\ -2 \end{pmatrix}$ est $\begin{cases} x = -1 + k \\ y = 2 - 4k \\ z = -3 - 2k \end{cases}$ où k est un réel.

● EXOS
Méthodes
lienmini.fr/maths-s09-03

Les rendez-vous
Sésamath

Exercices (résolus)

Méthode 7 Déterminer une base ou un repère d'un plan ou de l'espace par le calcul

Énoncé

Dans un cube ABCDEFGH, démontrer que le triplet ($\overrightarrow{AB}$, $\overrightarrow{BH}$, $\overrightarrow{CG}$) est bien une base de l'espace.

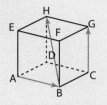

Solution

On suppose qu'il existe deux réels a et b tels que $\overrightarrow{CG} = a\overrightarrow{AB} + b\overrightarrow{BH}$ (1) **1** **2**
et on considère le repère (A ; $\overrightarrow{AB}$, $\overrightarrow{AD}$, $\overrightarrow{AE}$). Dans ce repère. les vecteurs ont pour coordonnées :

$\overrightarrow{CG} \begin{pmatrix} 0 \\ 0 \\ 1 \end{pmatrix}$, $\overrightarrow{AB} \begin{pmatrix} 1 \\ 0 \\ 0 \end{pmatrix}$ et $\overrightarrow{BH} \begin{pmatrix} -1 \\ 1 \\ 1 \end{pmatrix}$ ce qui donne en identifiant les coordonnées

dans la relation (1) le système : $\begin{cases} 0 = a - b \\ 0 = b \\ 1 = b \end{cases}$. Donc ce système n'a pas de solution

et les réels a et b n'existent pas, donc ce triplet est bien une base de l'espace. **3**

> **Conseils & Méthodes**
>
> **1** Observer la figure.
>
> **2** Écrire une combinaison linéaire des trois vecteurs.
>
> **3** Déterminer par le calcul si les coefficients existent ou pas.

À vous de jouer !

14 Dans le cube ABCDEFGH, démontrer que le triplet ($\overrightarrow{AG}$, $\overrightarrow{BE}$, $\overrightarrow{BH}$) est bien une base de l'espace.

15 Dans le tétraèdre ABCD, démontrer si le triplet ($\overrightarrow{AB}$, $\overrightarrow{BC}$, $\overrightarrow{DC}$) est une base de l'espace.

↪ **Exercices 53 à 58** p. 293

Méthode 8 Déterminer une représentation paramétrique d'une droite

Énoncé

Donner une représentation paramétrique de la droite (AB) où A(0 ; 1 ; 2) et B(−2 ; 1 ; 3).

Solution

$\overrightarrow{AB} \begin{pmatrix} -2 \\ 0 \\ 1 \end{pmatrix}$ **1** Et la colinéarité donne $\overrightarrow{AM} = k\overrightarrow{AB}$ **2**

D'où le système $\begin{cases} x - 0 = -2k \\ y - 1 = 0k \\ z - 2 = 1k \end{cases}$ **3** Donc une représentation est $\begin{cases} x = -2k \\ y = 1 \\ z = 2 + 1k \end{cases}$

> **Conseils & Méthodes**
>
> **1** Calculer les coordonnées d'un vecteur directeur de la droite.
>
> **2** Exprimer la colinéarité de ce vecteur avec le vecteur $\overrightarrow{AM}$ par exemple.
>
> **3** En déduire le système par comparaison des coordonnées.

À vous de jouer !

16 Donner une représentation paramétrique de la droite (DK) où D(2 ; 3 ; 0) et K(5 ; 6 ; 1).

17 Donner une représentation paramétrique de la droite (CG) où C(−3 ; 4 ;−2) et G(−1 ; −1 ; 2).

18 Donner une représentation paramétrique de la droite (NY) où N(−2 ; −1 ; 0) et Y(−3 ; 1 ; −4).

19 Donner une représentation paramétrique de la droite d passant par le point G(2 ; 9 ; 0) et de vecteur directeur $\vec{u} \begin{pmatrix} 1 \\ -2 \\ -1 \end{pmatrix}$.

↪ **Exercices 71 à 78** p. 294

Exercices résolus

➜ Cours 2 p. 282, 3 p. 284, 4 p. 286

Méthode 9
Étudier géométriquement des problèmes de configuration dans l'espace

Énoncé

Dans le cube ABCDEFGH, démontrer que le point P symétrique du point D par rapport au point C appartient au plan (BEG) en utilisant :

a) le calcul vectoriel. **b) les coordonnées.** **c) des positions relatives.**

Solution

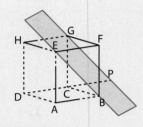

a) On a $\overrightarrow{BP} = \overrightarrow{BC} + \overrightarrow{CP} = \overrightarrow{AD} + \overrightarrow{DC} = \overrightarrow{AC} = \overrightarrow{EG}$ donc le point P appartient à la droite parallèle à la droite (EG) passant par B qui est bien incluse dans le plan (BEG). **1**

b) Dans le repère $(A ; \overrightarrow{AB}, \overrightarrow{AD}, \overrightarrow{AE})$, les points ont pour coordonnées : B(1 ; 0 ; 0), E(0 ; 0 ; 1),

G(1 ; 1 ; 1) et P(2 ; 1 ; 0) d'où $\overrightarrow{EG}\begin{pmatrix}1\\1\\0\end{pmatrix}$ et $\overrightarrow{BP}\begin{pmatrix}1\\1\\0\end{pmatrix}$ sont égaux et on conclut de même. **2**

c) Le plan (ACE) contient deux droites parallèles (EG) et (AC), le plan (ABC) contient la droite (AC) et le plan (BEG) contient la droite (EG) donc d'après le théorème du toit, ces deux plans sont sécants selon une droite qui est à la fois parallèle à (AC) et à (EG). **3**
Mais comme le point B appartient à ces deux plans, alors cette droite d'intersection passe aussi par B. De plus dans le plan (ABC), cette droite coupe la droite (CD) en un point X tel que ABXC est un parallélogramme et donc comme ABCD est aussi un parallélogramme, on en déduit que le point X est le point P donné.

Conseils & Méthodes

1 Utiliser la relation de Chasles pour décomposer les vecteurs.

2 Choisir astucieusement un repère dans lequel donner les coordonnées de points puis de vecteurs.

3 Utiliser le théorème du toit

À vous de jouer !

20 On considère un cube ABCDEFGH et les points M et N qui sont définis par :

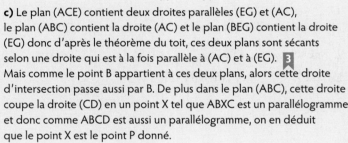

$\overrightarrow{AM} = \dfrac{1}{4}\overrightarrow{AD}$ et $\overrightarrow{EN} = \dfrac{1}{4}\overrightarrow{EF}$.

On cherche à démontrer que la droite (MN) est parallèle au plan (BDH).

1. À l'aide du calcul vectoriel :

a) exprimer le vecteur $\overrightarrow{MN}$ en fonction des vecteurs $\overrightarrow{DB}$ et $\overrightarrow{DH}$.

b) en déduire le parallélisme.

2. À l'aide des coordonnées dans le repère $(A ; \overrightarrow{AB}, \overrightarrow{AD}, \overrightarrow{AE})$:

a) exprimer les coordonnées des vecteurs $\overrightarrow{MN}$, $\overrightarrow{DB}$ et $\overrightarrow{DH}$.

b) montrer que $\overrightarrow{MN}$ est une combinaison linéaire de $\overrightarrow{DB}$ et $\overrightarrow{DH}$.

c) conclure.

21 On considère un tétraèdre ABCD, le point I milieu du segment [CD] et le point K tel que $4\overrightarrow{AK} = 2\overrightarrow{AB} + \overrightarrow{AC} + \overrightarrow{AD}$. Démontrer que les points B, I et K sont alignés en utilisant :

a) des coordonnées dans le repère $(A ; \overrightarrow{AB}, \overrightarrow{AC}, \overrightarrow{AD})$.

b) une équation de la droite (BI).

22 On considère un cube ABCDEFGH et les points I et J milieux des arêtes [AB] et [FG]. On cherche à étudier la position relative de la droite (IJ) et du plan (ACE).

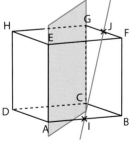

1. À l'aide du calcul vectoriel :

a) exprimer le vecteur $\overrightarrow{IJ}$ en fonction des vecteurs $\overrightarrow{AC}$ et $\overrightarrow{AE}$.

b) en déduire la position relative cherchée.

2. À l'aide des coordonnées dans le repère $(A ; \overrightarrow{AB}, \overrightarrow{AD}, \overrightarrow{AE})$:

a) exprimer les coordonnées des vecteurs $\overrightarrow{IJ}$, $\overrightarrow{AC}$ et $\overrightarrow{AE}$.

b) conclure.

➜ Exercices 65 à 70 p. 294

◐ EXOS
Méthodes
lienmini.fr/maths-s09-03

Les rendez-vous
Sésamath

Exercices (résolus)

Méthode 10 Chercher l'intersection de droites dans l'espace

➥ **Cours 2** p. 284, **3** p. 285, **4** p. 286

Énoncé

On considère les droites d et d' dont les représentations paramétriques sont :

$$d\begin{cases} x = 9 + k \\ y = -1 + 2k \\ z = -3k \end{cases} \text{ et } d'\begin{cases} x = t \\ y = 2 - t \\ z = -1 + t \end{cases} \text{ où } k \text{ et } t \text{ sont des réels.}$$

1. Vérifier si les droites sont parallèles ou non.

2. Déterminer si leur point d'intersection existe, sinon conclure.

Solution

1. Un vecteur directeur de d est le vecteur $\vec{u}\begin{pmatrix} 1 \\ 2 \\ -3 \end{pmatrix}$ et un vecteur

directeur de d' est le vecteur $\vec{u'}\begin{pmatrix} 1 \\ -1 \\ 1 \end{pmatrix}$ **1**. Ces deux vecteurs

ne sont pas colinéaires donc les droites ne sont pas parallèles et par conséquent elles sont sécantes ou non coplanaires **2**.

2. On cherche à déterminer s'il existe une valeur de k et une valeur de t qui vérifient les trois équations suivantes.

$$\begin{cases} 9 + k = t \\ -1 + 2k = 2 - t \\ -3k = -1 + t \end{cases}$$ Pour cela, on peut, par exemple, résoudre

Conseils & Méthodes

1 Observer les équations.

2 Vérifier que les droites ne sont pas parallèles.

3 Déterminer en premier les valeurs des paramètres si possible en résolvant des systèmes.

4 Déduire les coordonnées du point d'intersection dans le cas de droites sécantes. Sinon les deux droites ne sont pas coplanaires.

le système formé des deux premières équations : $\begin{cases} 9 + k = t \\ -1 + 2k = 2 - t \end{cases} \Leftrightarrow \begin{cases} 9 + k = t \\ -1 + 2k = 2 - (9 + k) \end{cases} \Leftrightarrow \begin{cases} 9 + k = t \\ -1 + 2k = -7 - k \end{cases} \Leftrightarrow \begin{cases} t = 7 \\ k = -2 \end{cases}$ **3**

Si ces deux valeurs ne vérifient pas la troisième équation alors les droites ne sont pas coplanaires et dans le cas contraire, elles sont sécantes en un point qu'on détermine en remplaçant les valeurs de k ou de t dans les représentations paramétriques des droites. Ici on vérifie que $-3(-2) = -1 + 7$ donc les droites sont sécantes au point de coordonnées $(7 ; -5 ; 6)$. **4**

À vous de jouer !

23 On considère les droites d et d' dont les représentations paramétriques sont :

$$d\begin{cases} x = 1 - 2k \\ y = 2 + k \\ z = 3k \end{cases} \text{ et } d'\begin{cases} x = 2 - 4t \\ y = -2t \\ z = -1 + t \end{cases} \text{ où } k \text{ et } t \text{ sont réels.}$$

1. Vérifier si les droites sont parallèles ou non.

2. Déterminer si leur point d'intersection existe, sinon conclure.

24 On considère les droites d et d' dont les représentations paramétriques sont :

$$d\begin{cases} x = 4 - k \\ y = -3 + k \\ z = -k \end{cases} \text{ et } d'\begin{cases} x = 2t \\ y = 3 - 2t \\ z = -1 + 2t \end{cases} \text{ où } k \text{ et } t \text{ sont réels.}$$

1. Vérifier si les droites sont parallèles ou non.

2. Déterminer si leur point d'intersection existe, sinon conclure.

25 On considère les droites d et d' dont les représentations paramétriques sont :

$$d\begin{cases} x = -2 - 3k \\ y = k \\ z = -1 - 2k \end{cases} \text{ et } d'\begin{cases} x = 1 + 3t \\ y = -3 + t \\ z = 1 + 2t \end{cases} \text{ où } k \text{ et } t \text{ sont réels.}$$

1. Vérifier si les droites sont parallèles ou non.

2. Déterminer si leur point d'intersection existe, sinon conclure.

➥ **Exercices 65 à 70** p. 296

La propriété à démontrer

Si deux plans $\mathcal{P}$ et $\mathcal{P}'$ contiennent respectivement deux droites d et d' parallèles entre elles alors leur intersection Δ est parallèle à ces deux droites.

On souhaite démontrer cette propriété en utilisant les combinaisons linéaires et des définitions du cours.

▶ Comprendre avant de rédiger

- Faire une figure avec les plans et les droites.
- Traduire les définitions de plan et de droite à l'aide de vecteurs.
- Penser à la combinaison linéaire des vecteurs

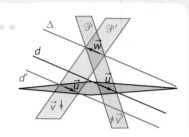

▶ Rédiger

	La démonstration rédigée
Étape ❶ Définir des vecteurs directeurs pour les droites et pour les plans.	Les droites d et d' sont parallèles donc elles ont le même vecteur directeur $\vec{u}$. Les plans $\mathcal{P}$ et $\mathcal{P}'$ sont définis par les couples de vecteurs non colinéaires $(\vec{u},\vec{v})$ et $(\vec{u'},\vec{v'})$.
Étape ❷ Définir un vecteur directeur de la droite d'intersection.	On appelle $\vec{w}$ un vecteur directeur de la droite Δ.
Étape ❸ Déterminer une combinaison linéaire pour ce vecteur car la droite d est dans le plan $\mathcal{P}$. *Remarquer que le vecteur $\vec{w}$ appartient aux deux plans.*	Dans le plan $\mathcal{P}$, le vecteur $\vec{w}$ peut s'écrire comme une combinaison linéaire des vecteurs $\vec{u}$ et $\vec{v}$ c'est-à-dire qu'il existe deux réels a et b tels que : $\vec{w} = a\vec{u} + b\vec{v}$.
Étape ❹ Faire de même pour le même vecteur dans le plan $\mathcal{P}'$.	De même, dans le plan $\mathcal{P}'$, le vecteur $\vec{w}$ peut s'écrire comme combinaison linéaire des vecteurs $\vec{u'}$ et $\vec{v'}$ c'est-à-dire qu'il existe deux réels a' et b' tels que : $\vec{w} = a'\vec{u} + b'\vec{v'}$.
Étape ❺ En déduire une relation vectorielle.	On en déduit que $(a - a')\vec{u} + b\vec{v} = b'\vec{v'}$.
Étape ❻ Chercher une contradiction.	Or les plans $\mathcal{P}$ et $\mathcal{P}'$ étant sécants, l'un de ces trois vecteurs ne peut pas être une combinaison linéaire des deux autres, donc : $a - a' = b = b' = 0$.
Étape ❼ Conclure.	Par conséquent $\vec{w}$ et $\vec{u}$ sont colinéaires c'est-à-dire que la droite Δ est parallèle aux deux droites d et d'.

▶ Pour s'entraîner

Démontrer la propriété suivante.

Un point M de l'espace appartient au plan (ABC) si et seulement s'il existe deux réels a et b tels que
$$\overrightarrow{AM} = a\overrightarrow{AB} + b\overrightarrow{AC}$$

DIAPORAMA
Calculs et automatismes
lienmini.fr/maths-s09-04

Exercices · calculs et automatismes

26 Positions relatives de droites et de plans

Choisir la (les) bonne(s) réponse(s).
Dans un cube ABCDEFGH,

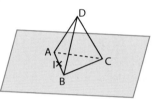

1. les droites (CD) et (EH) sont :
- **a** sécantes.
- **b** parallèles.
- **c** non coplanaires.

2. la droite (AB) et le plan (CFH) sont :
- **a** sécants.
- **b** parallèles.
- **c** tels que la droite est incluse dans le plan.

3. les plans (CFH) et (ABD) sont :
- **a** sécants.　**b** parallèles.　**c** confondus.

4. les plans (FCH) et (BDE) sont :
- **a** sécants.　**b** parallèles.　**c** confondus.

27 Utiliser les bons symboles

On considère un tétraèdre
ABCD et le point I milieu du
segment [AB].
**Les affirmations sui-
vantes sont-elles vraies
ou fausses ?
Les corriger avec le bon
symbole si elles sont fausses.**

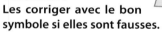

	V	F
1. $I \subset (AB)$	□	□
2. $B \notin (CDI)$	□	□
3. $(CI) \subset (ABC)$	□	□
4. $D \in (BI)$	□	□
5. $(DI) \not\subset (BCI)$	□	□
6. $B \in (ADI)$	□	□

28 Lecture d'un schéma

Choisir la (les) bonne(s) réponse(s).
Dans un cube ABCDEFGH, l'intersection des plans donnés
est :

1. pour les plans (ABF) et (BCH) :
- **a** (AB)　**b** (BE)　**c** (BC).

2. pour les plans (EFG) et (ABC) :
- **a** (BF)　**b** vide　**c** (CE).

3. pour les plans (BDE) et (CFH) :
- **a** ∅　**b** (BH)　**c** (CF).

29 Représentations paramétriques de droites (1)

Choisir la (les) bonne(s) réponse(s).
Pour déterminer une représentation paramétrique d'une
droite :
- **a** il faut trois points.
- **b** il faut un vecteur et un point.
- **c** il faut un vecteur et deux points.
- **d** il faut deux points.

30 Représentations paramétriques de droites (2)

On donne les droites d et d' avec leur représentations
paramétriques respectives.

$$d \begin{cases} x = -1 + 3t \\ y = 2t \\ z = 3 - t \end{cases} \quad \text{et} \quad d' \begin{cases} x = 2 + k \\ y = -2 + 3k. \\ z = 1 + k \end{cases}$$

**Les affirmations suivantes sont-elles
vraies ou fausses ?**

	V	F
1. La droite d passe par le point (3 ; 2 ; 3).	□	□
2. La droite d' passe par le point (3 ; 1 ; 2).	□	□
3. La droite d' a pour vecteur directeur $\begin{pmatrix} 2 \\ -2 \\ 1 \end{pmatrix}$.	□	□
4. La droite d a pour vecteur directeur $\begin{pmatrix} -3 \\ -2 \\ 1 \end{pmatrix}$.	□	□

31 Colinéarité ou non ?

Les vecteurs donnés ci-dessous sont-ils colinéaires
ou non ?

1. $\vec{AB} \begin{pmatrix} -2 \\ 1 \\ 2 \end{pmatrix}$ et $\vec{u} \begin{pmatrix} 2 \\ -1 \\ 2 \end{pmatrix}$.

2. $\vec{CD} = 2\vec{u} - 4\vec{v}$ et $\vec{FG} = -\vec{u} + 2\vec{v}$.

3. $\vec{NG} = -3\vec{AB} + 4\vec{AC}$ et $\vec{GP} = \dfrac{3}{2}\vec{AB} - 2\vec{AC}$.

4. $\vec{BD} = -\vec{BC} + 2\vec{AC}$ et $\vec{EF} = -\vec{AC} + 2\vec{BC}$.

32 Propriété et réciproque　`Logique`

**Les propriétés suivantes sont-elles vraies
ou fausses ?**

	V	F
1. Si les vecteurs $\vec{AB}$ et $\vec{CD}$ sont colinéaires alors les points A, B, C et D sont alignés.	□	□
2. La propriété réciproque de la question **1.**	□	□

33 Vecteur directeur d'une droite

On considère la droite de représentation paramétrique :
$$\begin{cases} x = -1 + 2k \\ y = 3 + k \\ z = -3k \end{cases}$$

Choisir la (les) bonne(s) réponse(s).
Un vecteur directeur de la droite est :

a $\vec{u} \begin{pmatrix} -1 \\ 3 \\ 0 \end{pmatrix}$　**b** $\vec{u} \begin{pmatrix} -2 \\ -1 \\ 3 \end{pmatrix}$　**c** $\vec{u} \begin{pmatrix} 1 \\ 4 \\ -3 \end{pmatrix}$　**d** $\vec{u} \begin{pmatrix} 4 \\ 2 \\ -6 \end{pmatrix}$

Exercices d'application

Représenter des combinaisons linéaires de vecteurs

Méthode 1 p. 281

34 On considère un triangle ABC.
Construire le point Z tel que $\vec{BZ} = 2\vec{AB} - 3\vec{CB}$.

35 On considère un parallélogramme DEFG.
Construire le point K tel que $\vec{DK} = 2\vec{DE} + 2\vec{DG} - \vec{DF}$.

36 On considère le cube ABCDEFGH.
Construire le point X tel que $\vec{AX} = 2\vec{AB} + \vec{BH} - \frac{1}{2}\vec{EF}$.

37 Dans le tétraèdre ABCD.
Construire le point G tel que $\vec{AG} = \frac{1}{2}\vec{AD} - \frac{1}{2}\vec{CD} + \frac{1}{3}\vec{CB}$.

Caractériser des plans dans l'espace

Méthode 2 p. 281

38 On considère le tétraèdre ABCD, le point M appartenant à la face ABC et le point N sur la face ACD.
1. Donner une caractérisation du plan (CMN).
2. Justifier si le point A appartient ou non à ce plan.

39 Dans le cube ABCDEFGH, on place le point M milieu du segment [AB].
1. Donner une caractérisation du plan (CEM).
2. Justifier que le milieu N du segment [GH] appartient à ce plan.

40 Dans le cube ABCDEFGH, on place le point R milieu du segment [EH].
1. Démontrer que les points B, R et G définissent bien un plan.
2. En donner une caractérisation.
3. Démontrer que le milieu du segment [AE] appartient à ce plan.

Décrire des positions relatives dans l'espace sans coordonnées

Méthode 3 p. 283

41 Dans un cube ABCDEFGH, donner les positions relatives des droites :
a) (CF) et (AE). **b)** (AC) et (DH).
c) (BF) et (AC). **d)** (AH) et (CD).

42 Dans un cube ABCDEFGH, donner les positions relatives de la droite et du plan :
a) (AB) et (CDE). **b)** (CE) et (DGH).
c) (BF) et (DEG). **d)** (EG) et (ABC).

43 Dans un cube ABCDEFGH, donner les positions relatives des plans :
a) (ABG) et (DEH). **b)** (ACH) et (BEG).
c) (ABE) et (FGH). **d)** (CEF) et (DGH).

Construire des sections dans l'espace

Méthode 4 p. 283

44 Dans un cube ABCDEFGH, on considère les points M et N définis par les relations $\vec{HM} = \frac{2}{3}\vec{HD}$ et $\vec{FN} = \frac{3}{4}\vec{FG}$.
Construire la section du plan (EMN) sur le cube.

45 Dans une pyramide SABCD à base carrée ABCD, on place les points P et Q milieux respectifs des segments [SD] et [AB].
Construire la section du plan (CPQ) sur la pyramide.
On justifiera toutes les étapes de la construction.

Décomposer des vecteurs

Méthode 5 et Méthode 6 p. 285

46 On considère trois points de l'espace A, B et C non alignés et les points M et N définis par :
$$\vec{AM} = \frac{1}{2}\vec{AB} \text{ et } \vec{BN} = 3\vec{AC} - 2\vec{AB}$$
1. Exprimer les vecteurs $\vec{CM}$ et $\vec{CN}$ en fonction des vecteurs $\vec{AB}$ et $\vec{AC}$.
2. En déduire que les points C, M et N sont alignés.

47 Dans un triangle, on considère le point I milieu du segment [AC] et les points M et N définis par $\vec{AM} = 3\vec{AB}$ et $\vec{BN} = 2\vec{BC}$.
1. Exprimer les vecteurs $\vec{BI}$ et $\vec{MN}$ en fonction des vecteurs $\vec{BA}$ et $\vec{BC}$.
2. Que peut-on en déduire pour les droites (BI) et (MN) ?

48 Dans l'espace, on considère les points A, B, C, D et E et le réel k tels que $\vec{AD} = \frac{1}{2}\vec{AB} - \frac{2}{3}\vec{BC}$ et $\vec{AE} = k\vec{AB} + \vec{BC}$.
Pour quelle valeur du réel k les points A, D et E sont-ils alignés ?

49 Dans un cube ABCDEFGH, les points J, M, P et Q sont les milieux des segments [BC], [EF], [GH] et [EH].
Dans chacun des cas décomposer le vecteur donné en fonction des vecteurs $\vec{AB}$, $\vec{AD}$ et $\vec{AE}$.
a) $\vec{BH}$ **b)** $\vec{BP}$ **c)** $\vec{BQ}$ **d)** $\vec{GJ}$ **e)** $\vec{CE}$ **f)** $\vec{AM}$

50 Dans un tétraèdre ABCD, on considère les points E et F milieux respectifs des segments [AB] et [AC] et on construit les points M et N tels que $\vec{CM} = \frac{1}{2}\vec{BC}$ et $\vec{AN} = \vec{DE}$.

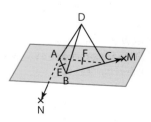

1. Déterminer la nature des quadrilatères MCEF et ADEN.
2. Montrer que $\vec{CE} = \vec{DN} - 2\vec{DF}$
3. Que peut-on en déduire pour les vecteurs $\vec{CE}$, $\vec{DF}$ et $\vec{DN}$?

51 On considère un cube ABCDEFGH et les milieux I et J des segments [BE] et [FG].

1. Montrer que $2\vec{IJ} = \vec{BG} + \vec{EF}$.

2. En déduire que les vecteurs $\vec{IJ}$, $\vec{EF}$ et $\vec{BG}$ ne forment pas une base de l'espace.

52 On considère une pyramide ABCDE de base le parallélogramme BCDE. Le point O est le centre du parallélogramme, le point I est le milieu du segment [AO] et le point J est tel que $\vec{AJ} = \dfrac{1}{3}\vec{AB}$.

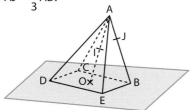

1. Justifier les relations suivantes
$2\vec{AI} = \vec{IC} + \vec{IE}$, $2\vec{JA} + \vec{JB} = \vec{0}$ et $\vec{DB} = \vec{DC} + \vec{DE}$.

2. En déduire que la droite (IJ) passe par le point D.

Déterminer des vecteurs formant une base

 Méthode **7** p. 287

53 On considère un cube ABCDEFGH.

1. Démontrer que les vecteurs $\vec{AB}$, $\vec{BD}$ et $\vec{EG}$ ne forment pas une base de l'espace.

2. Démontrer que les vecteurs $\vec{AE}$, $\vec{BG}$ et $\vec{FH}$ forment une base de l'espace.

54 On considère un cube ABCDEFGH et les milieux M, N, P et Q respectivement des segments [CD], [EH], [BF] et [GH].

1. Démontrer que les vecteurs $\vec{MN}$, $\vec{BP}$ et $\vec{AC}$ ne forment pas une base de l'espace.

2. Démontrer que les vecteurs $\vec{NP}$, $\vec{BG}$ et $\vec{CE}$ forment une base de l'espace.

55 On considère trois vecteurs $\vec{i}$, $\vec{j}$ et $\vec{k}$ qui forment une base de l'espace.
On pose : $\vec{u} = \vec{i} - \vec{j} + 2\vec{k}$, $\vec{v} = 2\vec{i} - 3\vec{j} + \vec{k}$
et $\vec{w} = -\vec{i} + 2\vec{j} + \vec{k}$.
Démontrer que les vecteurs $\vec{u}$, $\vec{v}$ et $\vec{w}$ forment une base de l'espace.

56 On considère trois vecteurs $\vec{i}$, $\vec{j}$ et $\vec{k}$ qui forment une base de l'espace.
On pose, $\vec{u} = -\vec{i} - \vec{j} + 3\vec{k}$, $\vec{v} = 2\vec{i} + 3\vec{j} - 2\vec{k}$
et $\vec{w} = \vec{i} + 2\vec{j} + \vec{k}$.
Démontrer que les vecteurs $\vec{u}$, $\vec{v}$ et $\vec{w}$ forment une base de l'espace.

57 On considère trois vecteurs $\vec{i}$, $\vec{j}$ et $\vec{k}$ qui forment une base de l'espace.
On pose $\vec{u} = \vec{i} - \vec{j}$, $\vec{v} = 2\vec{i} + \vec{k}$ et $\vec{w} = 2\vec{j} + \vec{k}$.

1. Calculer le vecteur $2\vec{u} - \vec{v} + \vec{w}$.

2. Que peut-on en déduire pour les vecteurs $\vec{u}$, $\vec{v}$ et $\vec{w}$?

58 On considère trois vecteurs $\vec{i}$, $\vec{j}$ et $\vec{k}$ qui forment une base de l'espace. On pose :
$\vec{u} = \vec{i} - \vec{j} + \vec{k}$, $\vec{v} = 2\vec{i} + \vec{k}$ et $\vec{w} = 3\vec{i} - \vec{j}$.

1. Montrer que les vecteurs $\vec{u}$ et $\vec{v}$ ne sont pas colinéaires.

2. Peut-on trouver deux réels a et b tels que $\vec{w} = a\vec{u} + b\vec{v}$?

3. Que peut-on en déduire pour les vecteurs $\vec{u}$, $\vec{v}$ et $\vec{w}$?

Repérage dans l'espace

59 On considère un cube ABCDEFGH et les milieux M, N, P et Q respectivement des segments [CD], [EH], [BF] et [GH]. Donner les coordonnées des vecteurs suivants dans le repère (A ; $\vec{AB}$, $\vec{AD}$, $\vec{AE}$).

a) $\vec{AF}$ **b)** $\vec{AQ}$ **c)** $\vec{MP}$

d) $\vec{CN}$ **e)** $\vec{EM}$ **f)** $\vec{NQ}$

60 Dans l'espace muni d'un repère, on donne les points suivants A(1 ; – 2 ; 3), B(– 1 ; 2 ; 0), C(3 ; 1 ; – 2), D(0 ; – 1 ; 1) et E(2 ; 0 ; – 1). Déterminer les coordonnées des vecteurs suivants.

a) $\vec{u} = 2\vec{AB} + \vec{CE}$ **b)** $\vec{v} = \vec{AD} - 3\vec{BC}$

c) $\vec{w} = -2\vec{BD} + \vec{EA}$ **d)** $\vec{t} = 3\vec{CA} - \vec{DC}$

61 Dans l'espace muni d'un repère d'origine O, on donne les points suivants A(2 ; 0 ; – 1), B(1 ; – 4 ; 8) et C(7 ; – 12 ; 22). Déterminer si les vecteurs $\vec{OA}$, $\vec{OB}$ et $\vec{OC}$ forment une base de l'espace.

62 Dans l'espace muni d'un repère, on donne les points suivants A(0 ; 1 ; – 1), B(2 ; 1 ; 0), C(– 3 ; – 1 ; 1) et D(7 ; 3 ; – 1). Déterminer si les vecteurs $\vec{AB}$, $\vec{AC}$ et $\vec{AD}$ forment une base de l'espace.

63 Dans l'espace muni d'un repère on donne les vecteurs
$\vec{u}\begin{pmatrix} -2 \\ -1 \\ 1 \end{pmatrix}$, $\vec{v}\begin{pmatrix} -1 \\ 1 \\ -2 \end{pmatrix}$ et $\vec{w}\begin{pmatrix} 1 \\ -2 \\ -1 \end{pmatrix}$.
Les trois vecteurs forment-ils une base de l'espace ou non ? Justifier.

64 Dans l'espace muni d'un repère on donne les vecteurs
$\vec{u}\begin{pmatrix} -2 \\ 3 \\ -1 \end{pmatrix}$, $\vec{v}\begin{pmatrix} 1 \\ -1 \\ -2 \end{pmatrix}$ et $\vec{w}\begin{pmatrix} 4 \\ -2 \\ -18 \end{pmatrix}$.
Peut-on trouver deux réels a et b tels que $\vec{w} = a\vec{u} + b\vec{v}$?

Exercices d'application

Déterminer des positions relatives dans l'espace avec des coordonnées

Méthode **9** p.288 Méthode **10** p. 289

65 Dans l'espace muni d'un repère, on donne les points suivants : A(−1 ; 0 ; 3), B(7 ; 1 ; 3), C(3 ; −1 ; 5) et D(1 ; 1 ; 2). Montrer que les droites (AB) et (CD) sont sécantes.

66 Dans l'espace muni d'un repère, on donne les points suivants :
A(−1 ; 0 ; 5), B(2 ; 1 ; 3), C(1 ; 1 ; 1), D(4 ; −2 ; 1) et E(1 ; 0 ; 1).
1. Montrer que les points A, B et C définissent un plan.
2. Déterminer si le vecteur $\overrightarrow{DE}$ est combinaison linéaire des vecteurs $\overrightarrow{AB}$ et $\overrightarrow{AC}$.
3. En déduire la position de la droite (DE) et du plan (ABC).

67 Dans l'espace muni d'un repère, on donne les points suivants A(2 ; 1 ; 5), B(4 ; 2 ; 4), C(3 ; 3 ; 5) et D(0 ; 3 ; 7).
1. Montrer que les droites (AD) et (BC) sont parallèles.
2. Déterminer si le vecteur $\overrightarrow{AD}$ est combinaison linéaire des vecteurs $\overrightarrow{AB}$ et $\overrightarrow{CD}$.
3. En déduire la position relative des droites (AB) et (CD).

68 Dans l'espace muni d'un repère, on donne les points suivants :
A(1 ; 2 ; −3), B(−1 ; 0 ; 2), C(2 ; −1 ; 1) , D(−3 ; 2 ; 1), E(1 ; 0 ; 1) et F(0 ; 1 ; −1).
Déterminer si les plans (ABC) et (DEF) sont parallèles ou sécants.

69 Dans l'espace muni d'un repère, on donne le point A(0 ; 2 ; −1) et les vecteurs $\vec{u}\begin{pmatrix}-2\\3\\-1\end{pmatrix}$, $\vec{v}\begin{pmatrix}1\\-1\\2\end{pmatrix}$ et $\vec{w}\begin{pmatrix}1\\-3\\-4\end{pmatrix}$.

1. Calculer les coordonnées du vecteur $\vec{a} = 2\vec{u} + 3\vec{v} + \vec{w}$.
2. En déduire la position relative entre le plan défini par le point A et les vecteurs $\vec{u}$ et $\vec{v}$, et le plan défini par l'origine O et les vecteurs $\vec{u}$ et $\vec{w}$.

70 Déterminer la position relative entre la droite définie par le point A(−2 ; 5 ; −3) et le vecteur directeur $\vec{u} = -2\vec{i} + 3\vec{j}$ et le plan défini par l'origine O et les vecteurs $\vec{i}$ et $\vec{j}$.

Déterminer des représentations paramétriques de droites

Méthode **8** p. 287

71 On donne le point A(1 ; −2 ; −1) et le vecteur $\vec{u}\begin{pmatrix}-1\\1\\2\end{pmatrix}$.

1. Déterminer une représentation paramétrique de la droite passant par le point A et de vecteur directeur $\vec{u}$.
2. Montrer que le point B(0 ; −1 ; 1) appartient à cette droite.
3. Le point C(1 ; 2 ; 3) appartient-il à cette droite ?

72 Déterminer les éléments caractéristiques (un point et un vecteur directeur) des droites suivantes.
a) $\begin{cases}x = -2k\\y = -1+k\\z = -3-4k\end{cases}$ **b)** $\begin{cases}x = -2-k\\y = -3k\\z = -4-k\end{cases}$

c) $\begin{cases}x = -k+3\\y = k+1\\z = -4k\end{cases}$ **d)** $\begin{cases}x = k\\y = 1\\z = 2-k\end{cases}$

73 Donner une représentation paramétrique de la droite (AB) dans chacun des cas suivants.
a) A(1 ; 0 ; −2) et B(0 ; −1 ; 1).
b) A(−3 ; 1 ; 2) et B(−1 ; 0 ; −1).
c) A(−2 ; 1 ; 1) et B(−1 ; −1 ; −1).
d) A(2 ; 0 ; 2) et B(0 ; 1 ; 1).

74 On considère la droite d dont une représentation paramétrique est $\begin{cases}x = 2+k\\y = -1+2k\\z = -3k\end{cases}$

Dire si les points suivants appartiennent ou non à la droite d.
a) A(2 ; −1 ; −3)
b) B(3 ; 1 ; −3)
c) C(1 ; −3 ; 3)
d) D(0 ; −3 ; 6)

75 On considère les points A(−1 ; 2 ; −3) et B(2 ; 0 ; 1).
1. Donner une représentation paramétrique de la droite (AB).
2. On veut vérifier que le point C(5 ; −2 ; 5) appartient à la droite (AB), de deux manières différentes :
a) à l'aide de la colinéarité de vecteurs.
b) à l'aide de la représentation paramétrique de la droite.
3. Donner alors une autre représentation paramétrique de la droite (AB) à partir du point C.

76 On donne les points M(−4 ; 1 ; 2) et N(−1 ; 2 ; 5).
Donner une représentation paramétrique de chacun des objets géométriques suivants.
a) La droite (MN).
b) Le segment [MN].
c) La demi-droite [MN).

77 Dans un repère (O ; $\vec{i}$, $\vec{j}$, $\vec{k}$), donner une représentation paramétrique de chacune des droites correspondant aux axes de coordonnées.

78 Dans un cube ABCDEFGH, on considère le repère (A ; $\overrightarrow{AB}$, $\overrightarrow{AD}$, $\overrightarrow{AE}$).
Déterminer les équations des droites suivantes.
a) (CE)
b) (FH)
c) (BG)

Des vecteurs dans tous les sens

79 Dans le cube ABCDEFGH, déterminer si les vecteurs $\overrightarrow{AE}$, $\overrightarrow{FH}$ et $\overrightarrow{BG}$ forment ou non une base de l'espace.

80 On considère un cube ABCDEFGH et les points P et Q définis par $\overrightarrow{CP} = \dfrac{2}{3}\overrightarrow{CG}$ et $\overrightarrow{EQ} = \dfrac{3}{2}\overrightarrow{EG}$.

1. Décomposer le vecteurs $\overrightarrow{AP}$ en fonction des vecteurs $\overrightarrow{AC}$ et $\overrightarrow{AE}$.

2. Décomposer le vecteur $\overrightarrow{AQ}$ en fonction des deux mêmes vecteurs.

3. Que peut-on en déduire pour les points A, P et Q ?

4. Montrer que les vecteurs $\overrightarrow{AC}$, $\overrightarrow{FB}$ et $\overrightarrow{PC}$ ne forment pas une base de l'espace.

5. Montrer que les vecteurs $\overrightarrow{AC}$, $\overrightarrow{EH}$ et $\overrightarrow{QC}$ forment une base de l'espace.

81 On donne les points A(1 ; 0 ; 2), B$\left(2 ; 1 ; \dfrac{3}{2}\right)$, C(−1 ; 3 ; 2) et D(−1 ; −7 ; 4).
Montrer que les vecteurs $\overrightarrow{AB}$, $\overrightarrow{AD}$ et $\overrightarrow{AC}$ ne forment pas une base de l'espace.

82 On considère un tétraèdre ABCD et les points I et J milieux des segments [AB] et [AC].

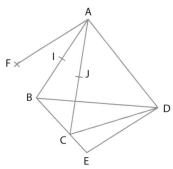

Les points E et F sont tels que $\overrightarrow{CE} = \dfrac{1}{2}\overrightarrow{BC}$ et $\overrightarrow{AF} = \overrightarrow{DE}$.

1. Préciser la nature des quadrilatères ECIJ et ADEF.

2. Démontrer que $\overrightarrow{IJ} = \overrightarrow{DF} - 2\overrightarrow{DJ}$.

3. Que peut-on en déduire pour les vecteurs $\overrightarrow{DI}$, $\overrightarrow{DJ}$ et $\overrightarrow{DF}$?

4. Que peut-on en déduire pour les points D, F, I et J ?

83 On considère un cube ABCDEFGH et les points milieux I, J et K des segments [AD], [BC] et [FG].

1. Donner les coordonnées des vecteurs $\overrightarrow{HI}$, $\overrightarrow{AK}$ et $\overrightarrow{HJ}$ dans le repère (D ; $\overrightarrow{DA}$, $\overrightarrow{DC}$, $\overrightarrow{DH}$).

2. Existe-t-il deux réels a et b tels que $\overrightarrow{AK} = a\overrightarrow{HI} + b\overrightarrow{HJ}$?

3. Que peut-on en conclure ?

84 Soit un cube ABCDEFGH et les milieux I, J, K et L respectifs des segments [AE], [BG], [EG] et [AB]. On veut démontrer par deux méthodes que les vecteurs $\overrightarrow{IJ}$, $\overrightarrow{IK}$ et $\overrightarrow{IL}$ ne forment pas une base de l'espace.

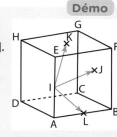

Démo

A ▶ Avec les vecteurs

1. Démontrer vectoriellement que le milieu M du segment [IJ] est aussi le milieu du segment [KL].

2. En déduire le résultat cherché.

B ▶ Avec les coordonnées

1. Donner les coordonnées des points I, J, K et L dans le repère (A ; $\overrightarrow{AB}$, $\overrightarrow{AD}$, $\overrightarrow{AE}$).

2. Calculer les coordonnées des vecteurs $\overrightarrow{IJ}$, $\overrightarrow{IK}$ et $\overrightarrow{IL}$.

3. En déduire le résultat cherché.

85 Dans un tétraèdre ABCD, les points I et J sont les milieux des segments [BC] et [AD], le point G est le centre de gravité du triangle BCD et le vecteur $\vec{u}$ est défini par $\vec{u} = \overrightarrow{AB} + \overrightarrow{AC} + \overrightarrow{AD}$.
On se propose de démontrer par deux méthodes que les vecteurs $\vec{u}$, $\overrightarrow{DG}$ et $\overrightarrow{IJ}$ ne forment pas une base de l'espace.

A ▶ Sans repère

1. Démontrer que $2\overrightarrow{IJ} = -\overrightarrow{AB} + \overrightarrow{AD} - \overrightarrow{AC}$.

2. Démontrer que $3\overrightarrow{DG} = \overrightarrow{AB} - 2\overrightarrow{AD} + \overrightarrow{AC}$.

3. Conclure.

B ▶ Avec le repère (A ; $\overrightarrow{AB}$, $\overrightarrow{AC}$, $\overrightarrow{AD}$)

1. Donner les coordonnées des points I, J et G.

2. En déduire les coordonnées des vecteurs $\vec{u}$, $\overrightarrow{DG}$ et $\overrightarrow{IJ}$.

3. Conclure.

86 On considère un cube ABCDEFGH et on cherche à construire le point M tel que :
$\overrightarrow{MA} + \overrightarrow{MB} + \overrightarrow{MC} + \overrightarrow{MD} + \overrightarrow{ME} + \overrightarrow{MF} + \overrightarrow{MH} = \vec{0}$.

1. Dans un parallélogramme PQRS, rappeler pourquoi $\overrightarrow{PR} = \overrightarrow{PQ} + \overrightarrow{PS}$.

2. En regroupant les vecteurs dans la relation initiale, montrer que $\overrightarrow{AM} = \dfrac{3}{7}\overrightarrow{AG}$.

87 On considère un tétraèdre ABCD et E le milieu du segment [AB]. On place le point F tel que BCFD soit un parallélogramme et le point G centre de gravité du triangle ACD.

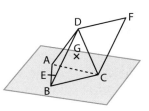

👍 **Coup de pouce** $\overrightarrow{GA} + \overrightarrow{GC} + \overrightarrow{GD} = \vec{0}$.

1. Exprimer le vecteur $\overrightarrow{FB}$ en fonction des vecteurs $\overrightarrow{FC}$ et $\overrightarrow{FD}$.

2. Démontrer que $\overrightarrow{GF} + 2\overrightarrow{GE} = \vec{0}$.

3. En déduire que les points E, F et G sont alignés et préciser la position du point G sur la droite (EF).

D'autres représentations d'une droite

88 Montrer que les deux droites d et d' données par les représentations paramétriques suivantes sont confondues.

a) $d \begin{cases} x = -1 + 5k \\ y = -3 - k \\ z = -4k \end{cases}$ et $d' \begin{cases} x = 9 + 5k' \\ y = -5 - k' \\ z = -8 - 4k' \end{cases}$ où k et k' sont réels

b) $d \begin{cases} x = -2k \\ y = 2 - 4k \\ z = -3 + 2k \end{cases}$ et $d' \begin{cases} x = -2 + k' \\ y = -2 + 2k' \\ z = -1 - k' \end{cases}$ où k et k' sont réels

89 Montrer que le système suivant définit une droite et en donner une représentation paramétrique.

$$\begin{cases} x + y + z = 1 \\ -x + y - z = -1 \end{cases}$$

Des intersections de droites

90 On considère les droites d et d' données par leurs représentations paramétriques suivantes.

$d \begin{cases} x = 1 - 2k \\ y = 3 + 4k \\ z = -5 + 6k \end{cases}$ et $d' \begin{cases} x = -5 + t \\ y = 15 - 2t \\ z = 13 + 3t \end{cases}$ où k et t sont réels.

Déterminer quelle est leur position relative.

91 On considère les droites d et d' données par les représentations paramétriques suivantes.

$d \begin{cases} x = 1 - 2k \\ y = -k \\ z = -1 + k \end{cases}$ et $d' \begin{cases} x = 3 + h \\ y = 2 - h \\ z = 2h \end{cases}$ où k et h sont réels.

1. Démontrer que les droites d et d' ne sont pas parallèles.

2. Donner deux points A et B de la droite d.

3. Donner deux points C et D de la droite d'.

4. Montrer que les vecteurs $\overrightarrow{AB}$, $\overrightarrow{AC}$ et $\overrightarrow{AD}$ forment une base de l'espace.

5. En déduire la position relative des deux droites.

92 On donne les points F(1 ; -1 ; 2) et G(4 ; 5 ; -3) et la droite d dont une représentation paramétrique est :

$\begin{cases} x = -4 + k \\ y = -11 + 2k \\ z = -1 - k \end{cases}$ où k est un réel.

1. Déterminer une représentation paramétrique de la droite (FG).

2. Justifier que les droites d et (FG) ne sont pas parallèles.

3. Déterminer les coordonnées de leur point d'intersection H.

93 On considère les points A(1 ; 2 ; 3), B(0 ; 1 ; 2) et les vecteurs $\vec{u} \begin{pmatrix} 1 \\ -2 \\ -1 \end{pmatrix}$ et $\vec{v} \begin{pmatrix} 2 \\ 2 \\ 2 \end{pmatrix}$.

1. Déterminer une représentation paramétrique de la droite d passant par A et de vecteur directeur $\vec{u}$.

2. Déterminer une représentation paramétrique de la droite d' passant par B et de vecteur directeur $\vec{v}$.

3. Le point M(6 ; -8 ; -2) appartient-il aux droites d et d' ?

4. Déterminer la position relative des deux droites.

94 On considère les droites d_1, d_2, et d_3 données par leur représentation paramétriques suivantes.

$d_1 \begin{cases} x = -k_1 \\ y = 3 + k_1 \\ z = 1 + 2k_1 \end{cases}$ $d_2 \begin{cases} x = 3 + 3k_2 \\ y = -3k_2 \\ z = -3 - 4k_2 \end{cases}$ et $d_3 \begin{cases} x = -2 + 4k_3 \\ y = 1 + 4k_3 \\ z = 1 \end{cases}$

où k_1, k_2 et k_3 sont réels.

1. Montrer que ces trois droites sont concourantes en un même point que l'on déterminera.

2. Ces trois droites sont-elles coplanaires ? Justifier.

95 On donne deux droites d_1 et d_2 dont les représentations paramétriques sont :

$d_1 \begin{cases} x = 2 + k_1 \\ y = 1 - k_1 \\ z = 5 + 2k_1 \end{cases}$ et $d_2 \begin{cases} x = 3 + 3k_2 \\ y = 3 + 2k_2 \\ z = 1 - k_2 \end{cases}$ où k_1 et k_2 sont réels.

1. Montrer que les deux droites ne sont pas coplanaires.

2. Donner un point et un vecteur directeur d'une droite d_3 qui est parallèle à d_1 et sécante à d_2.

3. Donner alors une représentation paramétrique de cette droite d_2.

96 Montrer que les deux droites d et d' données par les représentations paramétriques suivantes ne sont pas coplanaires :

$d \begin{cases} x = -2 + k \\ y = 1 + k \\ z = 4 + 3k \end{cases}$ et $d' \begin{cases} x = k' \\ y = -2k' \\ z = 8 + 3k' \end{cases}$ où k et k' sont réels.

97 On considère les points G(1 ; 2 ; -4) et K(-3 ; 4 ; 1) et la droite d dont une représentation paramétrique est :

$\begin{cases} x = -7 - 4k \\ y = 6 + 2k \\ z = 6 + 5k \end{cases}$ où k est un réel.

Déterminer la position relative des droites d et (GK).

98 Dans un cube ABCDEFGH d'arête 1, on place le point I milieu du segment [AE].
On munit l'espace du repère (A ; $\overrightarrow{AB}$, $\overrightarrow{AD}$, $\overrightarrow{AE}$).

1. Donner une représentation paramétrique de la droite (GI).

2. Déterminer les coordonnées du point d'intersection de la droite (GI) avec le plan (ABC).

Avec des vecteurs ou avec des droites

99 ABCD est un tétraèdre. Le point I est le milieu du segment [AC], le point G est le centre de gravité du triangle BCD et le point J est défini par $\overrightarrow{AJ} = \overrightarrow{AB} + \overrightarrow{AD}$.

On considère le repère $(A ; \overrightarrow{AB}, \overrightarrow{AC}, \overrightarrow{AD})$.

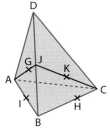

1. Donner une représentation paramétrique de la droite (GI).

2. Montrer que les points I, J et G sont alignés.

3. Le point $E\left(\dfrac{2}{3} ; 0 ; 0\right)$ appartient-il à la droite (GI) ?

100 On considère un tétraèdre ABCD, les points I, J et K milieux respectifs des segments [AB], [BD] et [CJ] et les points G et H définis par $\overrightarrow{AG} = \dfrac{2}{3}\overrightarrow{AJ}$ et $\overrightarrow{BH} = \dfrac{2}{3}\overrightarrow{BC}$.

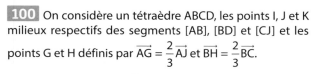

1. Déterminer les coordonnées des points de la figure dans le repère $(B ; \overrightarrow{BC}, \overrightarrow{BD}, \overrightarrow{BA})$.

2. a) Montrer qu'il existe des réels a et b tels que $\overrightarrow{IK} = a\overrightarrow{IG} + b\overrightarrow{IH}$.

b) Que peut-on en déduire pour les points G, H, I et K ?

3. a) Déterminer les représentations paramétriques des droites (IG) et (HK).

b) Déterminer leur position relative.

c) Que peut-on en déduire ?

101 On considère un cube ABCDEFGH et les points J et K de l'espace définis par :

$$\overrightarrow{AJ} = 3\overrightarrow{AC} \text{ et } \overrightarrow{AK} = \dfrac{3}{2}\overrightarrow{AE}$$

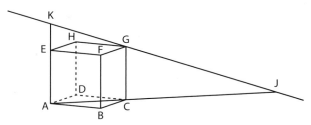

1. a) Exprimer les vecteurs $\overrightarrow{JK}$ et $\overrightarrow{JG}$ en fonction des vecteurs $\overrightarrow{AC}$ et $\overrightarrow{AE}$.

b) En déduire que les points J, K et G sont alignés.

2. a) Déterminer les coordonnées des points J et K dans le repère $(A ; \overrightarrow{AB}, \overrightarrow{AD}, \overrightarrow{AE})$.

b) Donner une représentation paramétrique de la droite (JK).

c) Vérifier que le point G appartient à (JK).

102 On considère un tétraèdre ABCD et les points M, N et P définis par :

- $\overrightarrow{AM} = -\overrightarrow{AB}$

- $\overrightarrow{AN} = \overrightarrow{AC} - \dfrac{1}{2}\overrightarrow{AD}$

- $\overrightarrow{AP} = 2\overrightarrow{AB} + 3\overrightarrow{AC} - \dfrac{3}{2}\overrightarrow{AD}$.

1. Construire la figure.

2. a) Démontrer que :

$$\overrightarrow{MP} = 3\overrightarrow{AB} + 3\overrightarrow{AC} - \dfrac{3}{2}\overrightarrow{AD}$$

b) Exprimer de même le vecteur $\overrightarrow{NP}$ en fonction des vecteurs $\overrightarrow{AB}, \overrightarrow{AC}$ et $\overrightarrow{AD}$.

c) En déduire que les points M, N et P sont alignés.

3. a) Donner les coordonnées des points M, N et P dans le repère $(A ; \overrightarrow{AB}, \overrightarrow{AC}, \overrightarrow{AD})$.

b) Donner une représentation paramétrique de la droite (MN).

c) Vérifier que le point P appartient à (MN).

Travailler le Grand Oral

103 On considère un plan défini par un point $A(x_A ; y_A ; z_A)$

et par les vecteurs $\vec{u}\begin{pmatrix} a \\ b \\ c \end{pmatrix}$ et $\vec{v}\begin{pmatrix} p \\ q \\ r \end{pmatrix}$ non colinéaires.

Quelle serait une représentation paramétrique de ce plan ?

104 Dans l'étude des cristaux, on rencontre des solides qui ont différentes formes possibles.

1. Quelles sont-elles ?

2. Construire un rhomboèdre.

Exercices (bilan)

105 Une position

On considère le cube ABCDEFGH et les points I et J milieux respectifs des segments [AB] et [CG]. On se place dans le repère $(A ; \overrightarrow{AB}, \overrightarrow{AD}, \overrightarrow{AE})$.

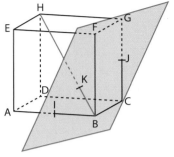

1. Déterminer si les droites (BH) et (IJ) sont sécantes ou non.

2. On note K le point d'intersection du plan (FIJ) et de la droite (BH).

a) Justifier qu'il existe deux réels a et b tels que $\overrightarrow{FK} = a\overrightarrow{FI} + b\overrightarrow{FJ}$.

b) En déduire que les coordonnées du point K sont $K\left(1 - \dfrac{a}{2} ; b ; 1 - a - \dfrac{b}{2}\right)$.

c) Donner une représentation paramétrique de la droite (BH), puis en déduire les coordonnées du point K.

3. a) Justifier que les droites (FK) et (IJ) sont sécantes et déterminer les coordonnées de leur point d'intersection L.

b) Déterminer la position du point L sur le segment [IJ].

106 Distance minimale

Dans un repère $(O ; \vec{i}, \vec{j}, \vec{k})$ d'unité 1 cm, on considère les points A(0 ; – 1 ; 5), B(2 ; – 1 ; 5), C(11 ; 0 ; 1) et D(11 ; 4 ; 4). Un point M se déplace sur la droite (AB) dans le sens de A vers B à la vitesse de 1 cm par seconde, et un point N se déplace sur la droite (CD) dans le sens de C vers D à la même vitesse. On note M_t et N_t les positions des points M et N au bout de t secondes.

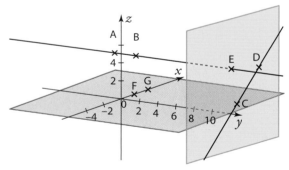

1. Montrer que les coordonnées des points M_t et N_t en fonction de t sont $M_t (t ; -1 ; 5)$ et $N_t (11 ; 0,8t ; 1 + 0,6t)$.

2. Soit $\mathcal{P}$ le plan passant par le point C et dirigé par les vecteurs $\vec{j}$ et $\vec{k}$.

a) Montrer que la droite (CD) est incluse dans le plan $\mathcal{P}$.

b) Soit E(11 ; – 1 ; 5).

Déterminer deux réels a et b tels que $\overrightarrow{CE} = a\vec{j} + b\vec{k}$.

c) Vérifier que la droite (AB) coupe le plan $\mathcal{P}$ en E.

d) Les droites (AB) et (CD) sont-elles sécantes ?

3. a) Montrer que :
$$M_t N_t^2 = 2t^2 - 25,2t + 138$$

b) À quel instant la longueur $M_t N_t$ est-elle minimale ?

107 Dans le cube

Dans le cube ABCDEFGH, on note Z le point d'intersection du plan (AFH) et de la droite (CE). On se place dans le repère $(D ; \overrightarrow{DA}, \overrightarrow{DC}, \overrightarrow{DH})$.

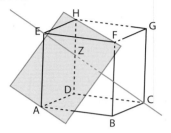

1. Justifier qu'il existe deux a et b tels que :
$\overrightarrow{AZ} = a\overrightarrow{AF} + b\overrightarrow{AH}$.

2. Donner les coordonnées du point Z en fonction de a et b.

3. Déterminer une représentation paramétrique de la droite (CE).

4. Calculer alors les coordonnées du point Z.

108 Droites concourantes

On considère le tétraèdre ABCD et les points M, N et P tels que les quadrilatères ABMC, ABND et ACPD sont des parallélogrammes.

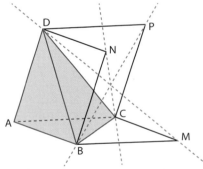

On cherche à démontrer que les droites (DM), (CN) et (BP) sont concourantes.

On se place dans le repère $(A ; \overrightarrow{AB}, \overrightarrow{AC}, \overrightarrow{AD})$.

1. Calculer les coordonnées des points M, N et P.

2. Déterminer une représentation paramétrique de chacune des droites (DM), (CN) et (BP).

3. En déduire que ces droites sont concourantes en un point Q dont on donnera les coordonnées.

109 Une section

Dans le cube ABCDEFGH, on place les points M et N milieux respectifs des segments [EH] et [CF].

Le point P est défini par $\overrightarrow{HP} = \dfrac{1}{4}\overrightarrow{HG}$.

1. Justifier que les droites (MP) et (FG) sont sécantes en un point Q. Le construire.

2. De même, justifier que les droites (CG) et (NQ) sont sécantes en un point R, et que les droites (BF) et (NQ) sont sécantes en un point S.

3. En déduire la construction de la section du cube par le plan (MNP).

Préparer le BAC — L'essentiel

Droite de l'espace

Une droite est définie :
- soit par deux points distincts A et B,

- soit par un point A et un vecteur directeur non nul $\vec{u}$.

Plan de l'espace

Un plan est défini :
- soit par trois points non alignés A, B et C,

- soit par un point A, et deux vecteurs non colinéaires $\vec{u}$ et $\vec{v}$.

Positions relatives de droites et de plans

- Positions de deux droites d et d'
  - soit coplanaires (soit sécantes, soit parallèles, soit confondues),
  - soit non coplanaires.
- Positions d'une droite d et un plan $\mathscr{P}$
  - soit strictement parallèles,
  - soit d est incluse dans le plan $\mathscr{P}$,
  - soit d et $\mathscr{P}$ sont sécants en un point M,
- Positions de deux plans $\mathscr{P}$ et $\mathscr{P}'$
  - soit strictement parallèles,
  - soit confondus,
  - soit sécants en une droite d.

Relation de Chasles

A, B et C sont trois points distincts tels que :
$$\vec{AC} = \vec{AB} + \vec{BC}$$

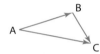

Représentation paramétrique d'une droite

d passe par $A(x_A ; y_A ; z_A)$ et a comme vecteur directeur $\vec{u}\begin{pmatrix} a \\ b \\ c \end{pmatrix}$.

$M(x, y)$ appartient à d

si $\begin{cases} x = x_A + ka \\ y = y_A + kb \\ z = z_A + kc \end{cases}$ avec k réel.

Base, repère et coordonnées

- $\vec{w}$ est une **combinaison linéaire** de $\vec{u}$ et $\vec{v}$. $\vec{w} = \alpha\vec{u} + \beta\vec{v}$ avec α et β réels.
- Un **repère** $(O ; \vec{i}, \vec{j}, \vec{k})$ est formé :
  - d'une **origine** O
  - et d'une base $(\vec{i}, \vec{j}, \vec{k})$ avec les vecteurs $\vec{i}, \vec{j}, \vec{k}$ non combinaison linéaire les uns des autres.

- $\vec{u}\begin{pmatrix} x \\ y \\ z \end{pmatrix}$ s'écrit $\vec{u} = x\vec{i} + y\vec{j} + z\vec{k}$ dans la base $(\vec{i}, \vec{j}, \vec{k})$ avec x, y et z réels.
- Si $A(x_A, y_A, z_A)$ et $B(x_B, y_B, z_B)$ alors :
$$\vec{AB}\begin{pmatrix} x_B - x_A \\ y_B - y_A \\ z_B - z_A \end{pmatrix}.$$

Je dois être capable de...

Parcours d'exercices

▶ Représenter des combinaisons linéaires et caractériser des plans dans l'espace
Décrire la position relative de deux droites, d'une droite et d'un plan, de deux plans

 Méthode **1** Méthode **2** Méthode **3**

→ 1, 2, 3, 4, 5, 6, 34, 35, 38, 39, 41, 42

▶ Construire la section d'un solide par un plan dans l'espace

 Méthode **4**

→ 7, 8, 44, 45

▶ Exprimer un vecteur comme une combinaison linéaire de vecteurs
Décomposer un vecteur dans une base par lecture graphique et déterminer une base ou un repère du plan ou de l'espace par le calcul

 Méthode **5** Méthode **6** Méthode **7**

→ 9, 10, 12, 13, 14, 15, 46, 47, 53, 54

▶ Déterminer une représentation paramétrique d'une droite

 Méthode **8**

→ 16, 17, 71, 72

> **EXOS**
> QCM interactifs
> lienmini.fr/maths-s09-05

QCM Pour les exercices suivants, choisir la (les) bonne(s) réponse(s).

	A	**B**	**C**	**D**
110 Le vecteur $\vec{u}\begin{pmatrix}4\\-6\\2\end{pmatrix}$ est colinéaire avec le vecteur :	$\vec{v_1}\begin{pmatrix}-2\\3\\-1\end{pmatrix}$	$\vec{v_2}\begin{pmatrix}3\\-4,5\\1,5\end{pmatrix}$	$\vec{v_3}\begin{pmatrix}-2\\3\\1\end{pmatrix}$	$\vec{v_4}\begin{pmatrix}-2,4\\3,6\\-1,2\end{pmatrix}$
111 Soit $\vec{u}\begin{pmatrix}1\\-1\\3\end{pmatrix}$, $\vec{v}\begin{pmatrix}2\\7\\-4\end{pmatrix}$ et $\vec{w}\begin{pmatrix}1\\17\\-17\end{pmatrix}$ alors :	$\vec{v}=1,5\vec{u}+0,5\vec{w}$	$\vec{w}=-3\vec{u}+\vec{v}$	$3\vec{u}+2\vec{v}+\vec{w}=\vec{0}$	ils forment une base
112 Soit la représentation paramétrique de la droite d donnée par $\begin{cases}x=-3+4k\\y=5k\\z=2-k\end{cases}$ avec k réel.	$A(-3\,;5\,;2)$ appartient à la droite d	$B(1\,;5\,;1)$ appartient à la droite d	$\vec{u}\begin{pmatrix}4\\5\\-1\end{pmatrix}$ est un vecteur directeur de d	$\vec{v}\begin{pmatrix}4\\0\\-1\end{pmatrix}$ est un vecteur directeur de d
113 On donne les points A(1 ; 2 ; 1), B(1 ; 1 ; 1) et C(3 ; –1 ; 3). La parallèle à la droite (BC) passant par A a pour représentation paramétrique :	$\begin{cases}x=1+k\\y=2-k\\z=1+k\end{cases}$	$\begin{cases}x=-2-2k\\y=5+2k\\z=-2-2k\end{cases}$	$\begin{cases}x=1+k\\y=-2+2k\\z=1+k\end{cases}$	$\begin{cases}x=1+2k\\y=1-2k\\z=1+2k\end{cases}$

Pour les exercices 114 à 116 on considère un cube ABCDEFGH muni du repère $(B\,;\overrightarrow{BA},\overrightarrow{BC},\overrightarrow{BF})$.

114 Les coordonnées du milieu de [DF] sont :	$(0,5\,;-0,5\,;0,5)$	$(0,5\,;-0,5\,;-0,5)$	$(-0,5\,;-0,5\,;0,5)$	$(0,5\,;0,5\,;0,5)$
115 Les coordonnées du milieu de [AH] sont :	$(1\,;0,5\,;0,5)$	$(0\,;-0,5\,;-0,5)$	$(0\,;-0,5\,;-0,5)$	$(1\,;-0,5\,;-0,5)$
116 Les coordonnées du vecteur $\overrightarrow{CE}$ sont :	$\begin{pmatrix}1\\1\\0\end{pmatrix}$	$\begin{pmatrix}1\\-1\\1\end{pmatrix}$	$\begin{pmatrix}0\\-1\\1\end{pmatrix}$	$\begin{pmatrix}-1\\1\\1\end{pmatrix}$

117 Inclusion

On considère les points A(0 ; 1 ; 0), B(0 ; 0 ; – 1) et C(1 ; 0 ; 2), ainsi que la droite d de représentation para-

métrique $\begin{cases} x = 1 - k \\ y = 2k \\ z = 2 - k \end{cases}$

1. Vérifier que le point C appartient à la droite.

2. Vérifier que le point D(0 ; 2 ; 1) appartient aussi à la droite.

3. Démontrer qu'il existe deux réels a et b tels que $\overrightarrow{AD} = a\overrightarrow{AB} + b\overrightarrow{AC}$.

4. En déduire que la droite d est incluse dans le plan (ABC).   **3** p. 283

118 Alignement

Dans un cube ABCDEFGH, le point I est le milieu du segment [AE], le point J le centre du carré CDHG et les points M et N sont définis par $\overrightarrow{EM} = \frac{1}{3}\overrightarrow{EH}$ et $\overrightarrow{AN} = \frac{1}{3}\overrightarrow{AC}$, et de plus K est le milieu du segment [MN].

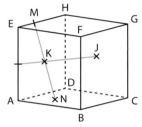

1. Donner les coordonnées des points I et J dans le repère (A ; $\overrightarrow{AB}$, $\overrightarrow{AD}$, $\overrightarrow{AE}$).

2. Déterminer une représentation paramétrique de la droite (IJ).

3. Calculer les coordonnées des points M, N et K.

4. Démontrer que les points I, J et K sont alignés. **5** p. 285 **8** p. 287

119 Encore une intersection

Dans un cube ABCDEFGH, on place les points M, N et P tels que M est le milieu du segment [BC], $\overrightarrow{CN} = \frac{2}{3}\overrightarrow{CD}$ et $\overrightarrow{EP} = \frac{1}{4}\overrightarrow{EH}$.

On se place dans le repère (A ; $\overrightarrow{AB}$, $\overrightarrow{AD}$, $\overrightarrow{AE}$).

1. Déterminer une représentation paramétrique de la droite (AD), ainsi que de la droite (MN).

2. Déterminer les coordonnées du point L, intersection des droites (AD) et (MN).

3. Donner une représentation paramétrique de la droite (PL).

4. Déterminer les coordonnées du point d'intersection K des droites (PL) et (DH).

5. Justifier que la droite (KL) est la droite d'intersection des plans (MNP) et (EFG).

6. En donner une représentation paramétrique.

3 p. 283 **8** p. 287 **9** p. 288 **10** p. 289

120 Parallélisme

Dans un cube ABCDEFGH, on considère les points P et Q tels que : $\overrightarrow{AP} = \frac{1}{3}\overrightarrow{AB}$ et $\overrightarrow{AQ} = \frac{2}{3}\overrightarrow{AD}$.

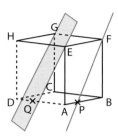

1. Exprimer chacun des vecteurs $\overrightarrow{EG}$, $\overrightarrow{EQ}$ et $\overrightarrow{PF}$ en fonction des vecteurs $\overrightarrow{AB}$, $\overrightarrow{AD}$ et $\overrightarrow{AE}$.

2. Démontrer que les vecteurs $\overrightarrow{EG}$, $\overrightarrow{EQ}$ et $\overrightarrow{PF}$ ne forment pas une base de l'espace.

3. En déduire la position relative de la droite (PF) et du plan (EGQ). **5** p. 285 **6** p. 285

121 Vrai-Faux

Les affirmations suivantes sont-elles vraies ou fausses ? Dans tous les cas donner une démonstration de la réponse choisie.

En cas de réponse fausse démontrer avec un contre-exemple, éventuellement sous forme d'une figure

V F

1. Si $\mathcal{P}_1$, $\mathcal{P}_2$ et $\mathcal{P}_3$ sont trois plans distincts de l'espace vérifiant $\mathcal{P}_1 \cap \mathcal{P}_2 \neq \varnothing$ et $\mathcal{P}_2 \cap \mathcal{P}_3 \neq \varnothing$, alors on peut conclure que $\mathcal{P}_1$ et $\mathcal{P}_3$ vérifient $\mathcal{P}_1 \cap \mathcal{P}_3 \neq \varnothing$. ☐ ☐

2. Si $\mathcal{P}_1$, $\mathcal{P}_2$ et $\mathcal{P}_3$ sont trois plans distincts de l'espace vérifiant $\mathcal{P}_1 \cap \mathcal{P}_2 \cap \mathcal{P}_3 = \varnothing$, alors on peut conclure que $\mathcal{P}_1$, $\mathcal{P}_2$ et $\mathcal{P}_3$ sont tels que $\mathcal{P}_1 \cap \mathcal{P}_2 = \varnothing$ et $\mathcal{P}_2 \cap \mathcal{P}_3 = \varnothing$. ☐ ☐

3. Si $\mathcal{P}_1$, $\mathcal{P}_2$ et $\mathcal{P}_3$ sont trois plans distincts de l'espace vérifiant $\mathcal{P}_1 \cap \mathcal{P}_2 \neq \varnothing$ et $\mathcal{P}_1 \cap \mathcal{P}_3 = \varnothing$, alors on peut conclure que $\mathcal{P}_2$ et $\mathcal{P}_3$ vérifient $\mathcal{P}_2 \cap \mathcal{P}_3 \neq \varnothing$. ☐ ☐

4. Si $\mathcal{P}_1$ et $\mathcal{P}_2$ sont deux plans distincts et d une droite de l'espace vérifiant $\mathcal{P}_1 \cap d \neq \varnothing$ et $\mathcal{P}_1 \cap \mathcal{P}_2 = \varnothing$, alors on peut conclure que $\mathcal{P}_2 \cap d \neq \varnothing$. ☐ ☐

 3 p. 283

👍 **Coup de pouce** On rappelle les notations suivantes
- $\mathcal{P}_1 \cap \mathcal{P}_2$ désigne l'ensemble des points communs aux plans $\mathcal{P}_1$ et $\mathcal{P}_2$.
- L'écriture $\mathcal{P}_1 \cap \mathcal{P}_2 = \varnothing$ signifie que les plans $\mathcal{P}_1$ et $\mathcal{P}_2$ n'ont aucun point commun.

Exercices (vers le supérieur)

122 Lieu

On donne les représentations paramétriques de deux droites d et d' suivantes.

$$d\begin{cases} x = 4 - 3k \\ y = 5 - 8k \\ z = 7 - k \end{cases} \text{ et } d'\begin{cases} x = 2 + k' \\ y = 3 - 2k' \\ z = 5 - k' \end{cases} \text{ où } k \text{ et } k' \text{ sont réels.}$$

On considère un point A sur la droite d et un point A' sur la droite d'.

1. Donner les coordonnées du milieu L du segment [AA'] en fonction de k et de k'.

2. On donne le point K(3 ; 4 ; 6) et les vecteurs

$$\vec{u}\begin{pmatrix} -\dfrac{3}{2} \\ -4 \\ -\dfrac{1}{2} \end{pmatrix} \text{ et } \vec{v}\begin{pmatrix} \dfrac{1}{2} \\ -1 \\ -\dfrac{1}{2} \end{pmatrix}.$$

Montrer que les vecteurs $\overrightarrow{KL}$, $\vec{u}$ et $\vec{v}$ ne forment pas une base de l'espace.

3. En déduire le lieu du point L quand A et A' varient sur les deux droites.

123 Trafic aérien

On modélise une tour de contrôle de trafic aérien, chargée de surveiller deux routes aériennes représentées par deux droites d et d' de l'espace.

On utilise un repère $(O ; \vec{i}, \vec{j}, \vec{k})$ et le plan $(O ; \vec{i}, \vec{j})$ représente le sol. Les représentations paramétriques des deux droites sont :

$$d\begin{cases} x = 3 + k \\ y = 9 + 3k \\ z = 2 \end{cases} \text{ et } d'\begin{cases} x = 0,5 + 2k' \\ y = 4 + k' \\ z = 4 - k' \end{cases} \text{ où } k \text{ et } k' \text{ sont réels.}$$

1. Démontrer que les deux droites ne sont pas coplanaires.

2. On veut installer, au sommet S(3 ; 4 ; 0,1) de la tour, un appareil de surveillance qui émet un rayon représenté par la droite Δ. On appelle $\mathscr{P}_1$ le plan contenant le point S et la droite d, et $\mathscr{P}_2$ le plan contenant le point S et la droite d'.

a) Montrer que d' est sécante au plan $\mathscr{P}_1$.

b) Montrer que d est sécante au plan $\mathscr{P}_2$.

3. Un technicien affirme qu'il est possible de choisir la direction de la droite Δ pour qu'elle coupe chacune des deux droites d et d'.

Cette affirmation est-elle vraie ou fausse ? Justifier.

124 Position et section

La pyramide SABCD a pour base le carré ABCD de centre O. Le point E est le milieu du segment [SO] et le point F est défini par $\overrightarrow{SF} = \dfrac{1}{3}\overrightarrow{SD}$.

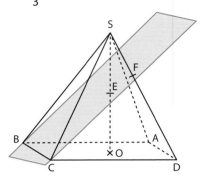

1. Justifier que les points S, B, D, O, E et F appartiennent à un même plan.

2. a) Montrer que $\overrightarrow{BF} = -\overrightarrow{SB} + \dfrac{1}{3}\overrightarrow{SD}$.

b) Démontrer que $\overrightarrow{BE} = -\dfrac{3}{4}\overrightarrow{SB} + \dfrac{1}{4}\overrightarrow{SD}$.

c) En déduire que les points B, E et F sont alignés.

3. a) Étudier la position relative du plan (BEC) avec les plans (ABC) et (SCD).

b) Étudier la position relative des plans (BEC) et (SAD).

c) Construire la section du plan (BEC) sur la pyramide SABCD.

125 Paramètre   (MPSI et PCSI)

On donne trois points A, B et C non alignés de l'espace. À tout réel t différent de -1, on associe le point M_t défini par $\overrightarrow{AM_t} = \dfrac{1 + 2t}{1 + t}\overrightarrow{AB} + \dfrac{1 - t}{1 + t}\overrightarrow{AC}$.

1. Étudier les points associés aux valeurs 0, 1 et $-\dfrac{1}{2}$ du paramètre t.

2. Déterminer les réels a et b tels que :
$$\dfrac{1 + 2t}{1 + t} = a + b\dfrac{1 - t}{1 + t}$$

3. Soit le point D tel que $\overrightarrow{AD} = \dfrac{3}{2}\overrightarrow{AB}$.

Exprimer le vecteur $\overrightarrow{DM_t}$ en fonction de $\overrightarrow{AB}$ et $\overrightarrow{AC}$.

4. Étudier les variations de la fonction f définie par $f(t) = \dfrac{1 - t}{1 + t}$

et en déduire l'ensemble des valeurs prises par $\dfrac{1 - t}{1 + t}$ quand t varie.

5. En déduire l'ensemble des points M_t.

126 Système particulier   (MPSI et PCSI)

Montrer que le système suivant définit une droite et en donner une représentation paramétrique.

$$\begin{cases} (b^2 + c^2)x - aby - acz = 0 \\ (b + c)x - ay - az = 0 \end{cases}$$

où a, b et c sont trois réels non nuls avec $b \neq c$

127 Section

On considère un cube ABCDEFGH d'arête de longueur 1.
On se place dans le repère (A ; $\overrightarrow{AB}$, $\overrightarrow{AD}$, $\overrightarrow{AE}$).
On considère les points I :

$\left(1 ; \dfrac{1}{3} ; 0\right)$, $J\left(0 ; \dfrac{2}{3} ; 1\right)$, $K\left(\dfrac{3}{4} ; 0 ; 1\right)$ et L$(a ; 1 ; 0)$ où $a \in [0 ; 1]$.

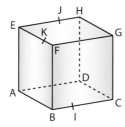

A ▶ **1.** Déterminer une représentation paramétrique de la droite (IJ).
2. Démontrer que la droite (KL) a pour représentation

paramétrique $\begin{cases} x = \dfrac{3}{4} + k\left(a - \dfrac{3}{4}\right) \\ y = k \\ z = 1 - k \end{cases}$ où $k \in \mathbb{R}$

3. Démontrer que les droites (IJ) et (KL) sont sécantes si et seulement si $a = \dfrac{1}{4}$.
4. En déduire les coordonnées du point L.

B ▶ **1.** Démontrer que le quadrilatère IKJL est un parallélogramme.
2. Construire sur la figure, le point M intersection du plan (IJK) et de la droite (BF).
3. De même construire le point N intersection du plan (IJK) et de la droite (DH).
4. En déduire la section du plan (IJK) sur le cube.

128 Représentations paramétriques

On considère les droites d et d' de représentations paramétriques suivantes.

$d\begin{cases} x = 1 \\ y = 2 - k \\ z = 4 - 3k \end{cases}$ et $d'\begin{cases} x = 2 - t \\ y = -3 + 4t \\ z = 1 \end{cases}$ où k et t sont réels

1. Montrer que les droites sont sécantes en un point A dont on donnera les coordonnées.
2. Justifier que le point B(3 ; –7 ; 2) n'appartient pas au plan défini par les deux droites d et d'.
3. À tout point M de la droite d', on associe la fonction f définie par :

$$f(t) = BM^2$$

a) Exprimer $f(t)$ en fonction du paramètre t.
b) Déterminer la valeur t_0 pour laquelle cette fonction admet un minimum.
c) Donner les coordonnées du point M_0 qui correspond à cette valeur t_0.
d) Que représente-t-il pour la droite d' ?

129 Aire maximale

On considère un tétraèdre régulier ABCD d'arête 8 cm et un point M quelconque du segment [AC] distinct de A et de C. On définit le plan $\mathscr{P}$ passant par ce point M et parallèle aux droites (AD) et (BC).

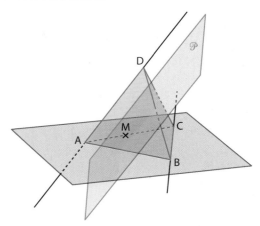

1. Déterminer les points d'intersection des droites (AB) et (CD) avec le plan $\mathscr{P}$.
2. Quelle est la nature de la section du plan $\mathscr{P}$ sur le tétraèdre ABCD ?
3. On pose AM = x.
Déterminer l'aire $\mathscr{A}(x)$ de cette section en fonction de x.
4. Où doit-on placer le point M pour que cette aire soit maximale ?

130 Mouvement d'un point   (MPSI et PCSI)

On décrit la position d'un point M en mouvement dans l'espace par ses coordonnées $(x(t) ; y(t) ; z(t))$ dans un repère $(O ; \vec{i}, \vec{j}, \vec{k})$ où les fonctions $x(t)$, $y(t)$ et $z(t)$ s'appellent les équations horaires du mouvement et où t représente le temps. Au point M, à l'instant t :

• le vecteur vitesse est défini par le vecteur $\vec{v}\begin{pmatrix} x'(t) \\ y'(t) \\ z'(t) \end{pmatrix}$

• le vecteur accélération est défini par le vecteur $\vec{a}\begin{pmatrix} x''(t) \\ y''(t) \\ z''(t) \end{pmatrix}$.

1. Montrer que le point M dont le mouvement en fonction du temps est donné par $\begin{cases} x(t) = 2t \\ y(t) = 3 + t \\ z(t) = -4 + 3t \end{cases}$

est animé d'un mouvement rectiligne uniforme c'est-à-dire que sa vitesse est constante.
2. Montrer que le point N dont le mouvement en fonction du temps est donné par $\begin{cases} x(t) = 4 + 2t - t^2 \\ y(t) = -2 \\ z(t) = 3 \end{cases}$

est animé d'un mouvement rectiligne uniformément varié c'est-à-dire que son accélération est constante.

Travaux pratiques

1 Barycentre d'un système de points pondérés

A ▶ Avec deux points

On considère une balance représentée par le segment [AB] de longueur 10 cm et on suspend une masse de $m_A = 2$ kg en A et une masse de $m_B = 6$ kg en B.
On cherche le point d'équilibre G de ce système.
La deuxième loi de Newton appliquée à un solide en rotation

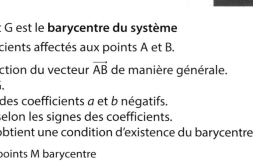

permet d'écrire la relation : $m_A \overrightarrow{GA} + m_B \overrightarrow{GB} = \vec{0}$. On dit que le point G est le **barycentre du système** de points pondérés $\{(A, m_A), (B, m_B)\}$ où les masses sont les coefficients affectés aux points A et B.

1. À l'aide de la relation de Chasles, exprimer le vecteur $\overrightarrow{AG}$ en fonction du vecteur $\overrightarrow{AB}$ de manière générale.
2. En déduire, dans l'exemple donné, la position exacte du point G.
3. En mathématique dans le système $\{(A, a), (B, b)\}$ on peut avoir des coefficients a et b négatifs.
À l'aide de la question précédente, étudier la position du point G selon les signes des coefficients.
4. Étudier le cas où $a + b = 0$. Que se passe-t-il pour le point G ? (On obtient une condition d'existence du barycentre.)

▶**Remarque** On peut ainsi définir la droite (AB) comme l'ensemble des points M barycentre du système pondéré $\{(A, \alpha), (B, 1 - \alpha)\}$.

B ▶ Avec plusieurs points

1. Avec trois points, on définit de même le barycentre G du système $\{(A, a), (B, b), (C, c)\}$ par $a\overrightarrow{GA} + b\overrightarrow{GB} + c\overrightarrow{GC} = \vec{0}$.
On note H le barycentre du système $\{(A, a), (B, b)\}$ quand il existe, montrer qu'alors G est le barycentre du système $\{(H, a + b), (C, c)\}$.

▶**Remarque** Ceci est la propriété d'associativité du barycentre qui dit : « On ne change pas le barycentre d'un système de points pondérés si on remplace un certain nombre de points par leur propre barycentre. » et cela permet de construire le point G pas à pas.

2. Construire le barycentre du système $\{(A, 1), (B, 2), (C, 3)\}$.
3. De même avec quatre points, construire le barycentre du système $\{(A, -1), (B, 3), (C, 2), (D, 1)\}$.

C ▶ Terre – Lune

On sait que la distance Terre-Lune vaut 384 400 km et que la masse de la Terre est 81 fois plus grande que celle de la Lune. On note A et B les centres des deux sphères et G leur barycentre.

1. Montrer que le barycentre est situé à environ 4688 km du centre de la Terre.
2. Sachant que le rayon de la Terre est de 6 424 km, représenter un schéma de la situation Terre-Lune avec leur barycentre.

2 Utilisations du barycentre d'un système de points pondérés

1. On souhaite étudier le cas particulier du barycentre du système $\{(A, 1), (B, 1), (C, 1)\}$.
Montrer que dans ce cas le barycentre de ce système est le centre de gravité du triangle ABC.

▶**Remarque** Dans le cas des coefficients égaux le barycentre s'appelle **isobarycentre**.

2. On considère un tétraèdre ABCD. Le point I est le milieu du segment [AB] et le point E est tel que BCED soit un parallélogramme. Le point G est l'isobarycentre des points A, C et D.
a) Écrire le point E comme barycentre des points B, C et D.
b) Montrer que G est le barycentre du système $\{(E, 1), (I, 2)\}$.
c) En déduire que les points I, E et G sont alignés et préciser la position du point G sur la droite (IE).
3. On considère le triangle ABC et les points I, J et K définis comme les symétriques respectifs de B par rapport à C, de C par rapport à A et de A par rapport à B.
a) Exprimer les points A, B et C comme barycentres des points I, J et K.
b) En déduire que les triangle ABC et IJK ont le même centre de gravité.
4. On considère un tétraèdre ABCD et le point G isobarycentre des quatre sommets.
On appelle « médiane » la droite joignant un sommet et le centre de gravité de la face triangulaire opposée et on appelle « bimédiane » la droite joignant les milieux de deux arêtes opposées (c'est-à-dire sans point commun).
Démontrer que le point G appartient aux sept droites ainsi définies en utilisant seulement l'associativité du barycentre.

3 Fonction vectorielle de Leibniz

On définit la fonction vectorielle $\vec{f}$ de Leibniz, la fonction qui à tout point M de l'espace associe le point $\vec{f}(M)$ défini par $\vec{f}(M) = \sum_{i=1}^{n} \alpha_i \overrightarrow{MA_i}$ où $(A_i, \alpha_i)_{1 \le i \le n}$ est une famille de points pondérés.

A ▶ Cas où $\sum_{i=1}^{n} \alpha_i = 0$ et $\alpha_1 \ne 0$

1. Montrer qu'alors $\vec{f}(M) = \sum_{i=1}^{n} \alpha_i \overrightarrow{G_1A_i}$ où G_1 est le barycentre du système de points pondérés $(A_i, \alpha_i)_{2 \le i \le n}$.
2. En déduire que la fonction est constante et vaut $\vec{f}(M) = \alpha_1 \overrightarrow{G_1A_1}$.

B ▶ Cas où $\sum_{i=1}^{n} \alpha_i = 0$

1. Montrer que : $\vec{f}(M) = \left(\sum_{i=1}^{n} \alpha_i \right) \overrightarrow{MG}$ où G est le barycentre du système de points pondérés $(A_i, \alpha_i)_{1 \le i \le n}$.

2. Application : on donne un triangle équilatéral ABC de côté 8 et on appelle G le barycentre du système $\{(A, 2), (B, 1), (C, 1)\}$.
a) À l'aide de la relation précédente, réduire la somme vectorielle $2\overrightarrow{MA} + \overrightarrow{MB} + \overrightarrow{MC}$.
b) Déterminer l'ensemble des points M tels que $\|2\overrightarrow{MA} + \overrightarrow{MB} + \overrightarrow{MC}\| = 8\sqrt{7}$.
c) Montrer que cet ensemble passe par le point B et le construire précisément.
d) En déduire l'ensemble des points M tels que $8\sqrt{3} \le \|2\overrightarrow{MA} + \overrightarrow{MB} + \overrightarrow{MC}\| \le 8\sqrt{7}$.

10

Produit scalaire et plans de l'espace

▶ VIDÉO

Un parallèle particulier
lienmini.fr/maths-s10-01

L e site de Teotihuacan au Mexique se trouve dans une région
 remarquable du globe terrestre. À cette latitude, des phénomènes
naturels importants se produisent.

Quelle est la particularité mathématique de cette latitude ?

↪ TP 3 p. 333

Pour prendre un bon départ

EXOS
Prérequis
lienmini.fr/maths-s10-02

Les rendez-vous Sésamath

1 Calculer des produits scalaires dans le plan

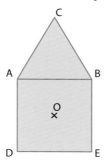

On considère le triangle équilatéral ABC de côté 6 et ABED est un carré de centre O.
Calculer les produits scalaires suivants.

a) $\overrightarrow{AB} \cdot \overrightarrow{OE}$

b) $\overrightarrow{AC} \cdot \overrightarrow{DE}$

c) $\overrightarrow{CB} \cdot \overrightarrow{OD}$

d) $\overrightarrow{CO} \cdot \overrightarrow{OE}$

2 Déterminer un vecteur normal à une droite

Pour chacune des droites suivantes, donner un vecteur normal.

a) $2x - 3y + 1 = 0$

b) $-3x + y - 2 = 0$

c) $y = -4x + 1$

d) $y = 3 + x$

3 Déterminer une équation cartésienne d'une droite

Déterminer une équation cartésienne de la droite dans chacun des cas suivants.

a) Droite passant par A(1 ; 2) et de vecteur normal $\vec{n}\begin{pmatrix} -1 \\ -3 \end{pmatrix}$.

b) Droite passant par A(– 1 ; 0) et B(– 2 ; – 1).

c) Droite passant par A(– 2 ; 3) et perpendiculaire à la droite d'équation $3x + 2y = 0$.

d) Droite passant par l'origine et perpendiculaire à la droite d'équation $y = 2x - 3$.

4 Déterminer le projeté orthogonal sur une droite

Dans chacun des cas, déterminer les coordonnées du projeté orthogonal du point A sur la droite d donnée.

a) A(2 ; 1) et $d : -x + 2y + 2 = 0$

b) A(– 1 ; – 2) et $d : y = -3x - 4$

c) A(1 ; – 1) et $d : -3x + 2y + 2 = 0$

d) A(0 ; 1) et $d : y = 2x - 5$

25 min

1 | Découvrir le produit scalaire dans l'espace

On considère le cube ABCDEFGH de côté a et les points P et Q milieux respectifs des segments [CD] et [FG].

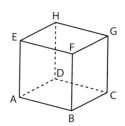

1. On souhaite calculer le produit scalaire $\vec{AD} \cdot \vec{AH}$ en fonction de a.

a) Justifier que les points A, D et H sont dans un même plan.

b) Dans ce plan, calculer le produit scalaire cherché.

2. En considérant que la valeur d'un produit scalaire dans l'espace est la même que la valeur du même produit scalaire dans le plan, répondre aux deux questions précédentes pour calculer les produits scalaires suivants : $\vec{BD} \cdot \vec{BH}$, $\vec{AG} \cdot \vec{BF}$, $\vec{BF} \cdot \vec{PG}$ et $\vec{AB} \cdot \vec{CG}$.

3. On souhaite maintenant considérer le cas général des vecteurs dans l'espace.

a) Calculer les produits scalaires : $\vec{AD} \cdot \vec{AC}$, $\vec{AD} \cdot \vec{CQ}$ et $\vec{AD} \cdot \vec{AQ}$.

b) En déduire une propriété du produit scalaire dans l'espace.

4. On s'intéresse aux propriétés de l'orthogonalité.

a) Développer, puis calculer le produit scalaire : $(\vec{AB} + \vec{BF} + \vec{FG}) \cdot (\vec{HE} + \vec{EF})$.

b) Que peut-on en déduire ?

5. On considère à présent l'angle entre les diagonales du cube.

a) Calculer le produit scalaire $\vec{AG} \cdot \vec{BH}$.

b) Déterminer une valeur approchée, en degré et arrondie à 0,01, de l'angle entre les deux diagonales (AG) et (BH).

➥ Cours 1 p. 310

10 min

2 | Imaginer les équations de plans de l'espace

On considère un cube ABCDEFGH et le repère $(A ; \vec{AB}, \vec{AD}, \vec{AE})$.

A ▶ Des plans particuliers du cube

1. Vérifier que les coordonnées des points A, B, C et D ont une relation commune.

◉ Remarque Cette relation est l'équation du plan (ABC).

2. De même, donner les équations des plans constitués par les faces du cube.

3. Dans le plan (ABC) muni du repère $(A, \vec{AB}, \vec{AD})$, donner une équation cartésienne de la droite (BD).

4. Observer que les coordonnées des points F et H vérifient aussi cette relation.

◉ Remarque Cette relation est donc une équation du plan (BDF).

B ▶ Étude du plan (AFH)

1. Calculer les produits scalaires $\vec{CE} \cdot \vec{AF}$ et $\vec{CE} \cdot \vec{AH}$.

2. Que peut-on en déduire à propos de la droite (CE) et du plan (AFH) ?

3. En déduire que toutes les droites (AM) où $M(x ; y ; z)$ est un point quelconque du plan (AFH) sont orthogonales à la droite (CE) et que le produit scalaire $\vec{CE} \cdot \vec{AM}$ est nul.

4. Traduire à l'aide des coordonnées que : $\vec{CE} \cdot \vec{AM} = 0$.

◉ Remarque L'équation obtenue s'appelle une équation cartésienne du plan (AFH).

➥ Cours 2 p. 312

3 Observer un projeté orthogonal dans l'espace

On considère le plan $\mathscr{P}$ d'équation cartésienne $2x - y + 3z - 1 = 0$ et le point A(-1 ; 2 ; -3).

1. Donner un vecteur normal $\vec{n}$ au plan $\mathscr{P}$.

2. Donner une représentation paramétrique de la droite d passant par le point A et de vecteur directeur $\vec{n}$.

3. Justifier que chercher les coordonnées du point d'intersection H entre la droite d et le plan $\mathscr{P}$ revient

à résoudre le système : $\begin{cases} 2x - y + 3z - 1 = 0 \\ x = -1 + 2k \\ y = 2 - k \\ z = -3 + 3k \end{cases}$

4. En substituant les trois dernières lignes du système précédent dans la première, on obtient une équation à une inconnue k, qu'il suffit ensuite de remplacer dans les trois dernières équations. Résoudre ce système et donner les coordonnées du point d'intersection H.

5. Donner les coordonnées de 3 points du plan $\mathscr{P}$.

6. Calculer les distances entre ces points et le point A.

7. Vérifier que la distance AH est la plus petite.

▶**Remarque** Le point H est le projeté orthogonal du point A sur le plan $\mathscr{P}$.

↪ **Cours 2 p. 312**

---

4 Manipuler le tétraèdre régulier

On considère un tétraèdre régulier ABCD, c'est-à-dire que toutes ses arêtes ont la même longueur.
Le point G est le centre de gravité du triangle BCD, c'est-à-dire que :
$\vec{GB} + \vec{GC} + \vec{GD} = \vec{0}$ et le point H est défini par : $\vec{AH} = \dfrac{3}{4}\vec{AG}$.

1. Démontrer que : $\vec{HA} + \vec{HB} + \vec{HC} + \vec{HD} = \vec{0}$.

2. Démontrer que : $\vec{AB} \cdot \vec{CD} = 0$.

3. Que peut-on en déduire pour les arêtes opposées du tétraèdre régulier ?

4. Démontrer que : $\vec{AG} \cdot \vec{BC} = 0$, puis que : $\vec{AG} \cdot \vec{BD} = 0$.

5. Que peut-on en déduire sur la position relative de la « médiane » AG du tétraèdre par rapport à la face opposée BCD ?

 Coup de pouce Dans un polyèdre, une médiane est unedroite passant par un sommet et le centre de gravité de la face opposée.

↪ **Cours 2 p. 312**

Cours

1 Produit scalaire dans l'espace

Définition Produit scalaire dans l'espace

Étant donné trois points non alignés A, B et C de l'espace, et les vecteurs $\vec{u}$ et $\vec{v}$ définis par : $\vec{u} = \overrightarrow{AB}$ et $\vec{v} = \overrightarrow{AC}$, alors le produit scalaire $\vec{u} \cdot \vec{v}$ est défini de la même façon que le produit scalaire des vecteurs $\overrightarrow{AB}$ et $\overrightarrow{AC}$ dans le plan (ABC).

Propriétés Différentes expressions du produit scalaire

- Avec le cosinus : $\vec{u} \cdot \vec{v} = \|\vec{u}\| \times \|\vec{v}\| \times \cos(\widehat{\vec{u}, \vec{v}}) = \overrightarrow{AB} \cdot \overrightarrow{AC} = AB \times AC \times \cos(\widehat{BAC})$
- Avec le projeté : $\overrightarrow{AB} \cdot \overrightarrow{AC} = \pm AB \times AH$ où H est le projeté orthogonal du point C sur la droite (AB).
- Avec les coordonnées : $\vec{u} \cdot \vec{v} = xx' + yy' + zz'$
- Avec les normes : $\vec{u} \cdot \vec{v} = \dfrac{1}{2}\left(\|\vec{u}^2\| + \|\vec{v}^2\| - \|\vec{u} - \vec{v}^2\|\right)$

Propriétés Opérations avec les vecteurs

- Symétrie : $\vec{u} \cdot \vec{v} = \vec{v} \cdot \vec{u}$
- Bilinéaire : $\vec{u} \cdot (\vec{v} + \vec{w}) = \vec{u} \cdot \vec{v} + \vec{u} \cdot \vec{w}$ et $\vec{u} \cdot (k\vec{v}) = k(\vec{u} \cdot \vec{v})$
- Identité remarquable : $\|\vec{u} + \vec{v}^2\| = \|\vec{u}^2\| + \|\vec{v}^2\| + 2\vec{u} \cdot \vec{v}$
- Formules de polarisation : $\vec{u} \cdot \vec{v} = \dfrac{1}{2}\left(\|\vec{u} + \vec{v}^2\| - \|\vec{u}^2\| - \|\vec{v}^2\|\right) = \dfrac{1}{4}\left(\|\vec{u} + \vec{v}^2\| - \|\vec{u} - \vec{v}^2\|\right)$

Propriétés Orthogonalité ou perpendicularité vectorielle

- **Deux droites sont orthogonales si leurs vecteurs directeurs sont orthogonaux. Elles ne sont donc pas sécantes car sinon on dit qu'elles sont perpendiculaires.**
- **Une droite et un plan sont orthogonaux si un vecteur directeur de la droite est orthogonal à deux vecteurs de base du plan.**
- **Deux plans sont perpendiculaires si deux vecteurs définissant l'un sont orthogonaux à deux vecteurs définissant l'autre.**

Définition Base et repère orthonormés

Une base est dite orthonormée si ses vecteurs sont deux à deux orthogonaux et si leurs normes sont égales. Un repère est dit orthonormé si sa base est orthonormée.

Propriété Distance entre deux points de l'espace

Étant donné les points $A(x_A\,;\,y_A\,;\,z_A)$ et $B(x_B\,;\,y_B\,;\,z_B)$ dans un repère orthonormé alors la distance AB est donnée par la formule : $AB = \sqrt{(x_B - x_A)^2 + (y_B - y_A)^2 + (z_B - z_A)^2}$.

● **Démonstration**

$AB = \sqrt{\|\overrightarrow{AB}^2\|} = \sqrt{\overrightarrow{AB} \cdot \overrightarrow{AB}} = \sqrt{(x_B - x_A)^2 + (y_B - y_A)^2 + (z_B - z_A)^2}$.

● **Exemple**

Calculer la distance AB pour A(1 ; −2 ; −1) et B(−3 ; 1 ; −4).

$AB = \sqrt{(-3 - 1)^2 + (1 - (-2))^2 + (-4 - (-1))^2} = \sqrt{16 + 9 + 9} = \sqrt{34}$.

● EXOS
Méthodes
lienmini.fr/maths-s10-03

Les rendez-vous
Sésamath

Exercices résolus

Méthode 1 — Calculer un produit scalaire

Énoncé

1. On donne les vecteurs $\vec{u}\begin{pmatrix} 3 \\ 2 \\ -1 \end{pmatrix}$ et $\vec{v}\begin{pmatrix} 1 \\ 2 \\ 4 \end{pmatrix}$, calculer le produit scalaire $\vec{u}\cdot\vec{v}$.

2. On donne les vecteurs $\vec{u}$ et $\vec{v}$ tels que : $\|\vec{u}\| = 2\sqrt{3}$, $\|\vec{v}\| = 3$ et $(\widehat{\vec{u},\vec{v}}) = 60°$. Calculer le produit scalaire $\vec{u}.\vec{v}$.

3. Dans un cube ABCDEFGH d'arête 4, calculer le produit scalaire $\overrightarrow{AC}\cdot\overrightarrow{AG}$.

Solution

1. $\boxed{1}$ $\vec{u}\cdot\vec{v} = 3 \times 1 + 2 \times 2 + (-1) \times 4 = 3$

2. $\boxed{2}$ $\vec{u}\cdot\vec{v} = \|\vec{u}\| \times \|\vec{v}\| \times \cos(\widehat{\vec{u},\vec{v}}) = 2\sqrt{3} \times 3 \times \dfrac{1}{2} = 3\sqrt{3}$

3. $\boxed{3}$ Le projeté du point G sur la droite (AC) est le point C

donc $\overrightarrow{AC}\cdot\overrightarrow{AG} = AC^2 = 16$.

Conseils & Méthodes

$\boxed{1}$ L'énoncé donne les coordonnées des vecteurs : on utilise donc la formule avec les coordonnées des vecteurs pour calculer le produit scalaire.

$\boxed{2}$ Avec les angles, on utilise la formule du cosinus pour calculer le produit scalaire.

$\boxed{3}$ Avec le cube, on utilise le projeté donc la formule de la projection.

À vous de jouer !

$\boxed{1}$ On donne les vecteurs $\vec{u}\begin{pmatrix} -2 \\ -2 \\ 1 \end{pmatrix}$ et $\vec{v}\begin{pmatrix} 3 \\ 0 \\ -3 \end{pmatrix}$, calculer le produit scalaire $\vec{u}\cdot\vec{v}$.

$\boxed{2}$ Dans un cube ABCDEFGH d'arête a, calculer le produit scalaire $\overrightarrow{AC}\cdot\overrightarrow{AF}$ en fonction de a.

➥ Exercices 22 à 27 p. 318

Méthode 2 — Utiliser le produit scalaire pour calculer un angle ou une longueur

Énoncé

On considère les vecteurs $\vec{u}\begin{pmatrix} 3 \\ 2 \\ -1 \end{pmatrix}$ et $\vec{v}\begin{pmatrix} 1 \\ 2 \\ 4 \end{pmatrix}$. Déterminer si ces deux vecteurs sont orthogonaux et dans le cas contraire

donner une valeur de leur angle en degré, arrondi à 0,01 près.

Solution

$\vec{u}\cdot\vec{v} = 3 \times 1 + 2 \times 2 + (-1) \times 4 = 3 \neq 0$ donc les vecteurs ne sont pas orthogonaux. $\boxed{1}$

On utilise la relation : $\vec{u}\cdot\vec{v} = \|\vec{u}\| \times \|\vec{v}\| \times \cos(\widehat{\vec{u},\vec{v}})$ dans laquelle on calcule

d'abord les normes : $\boxed{2}$ $\|\vec{u}\| = \sqrt{3^2 + 2^2 + (-1)^2} = \sqrt{14}$ et $\|\vec{v}\| = \sqrt{1^2 + 2^2 + 4^2} = \sqrt{21}$

et par conséquent : $\cos(\widehat{\vec{u},\vec{v}}) = \dfrac{3}{\sqrt{14}\sqrt{21}} = \dfrac{3}{7\sqrt{6}}$, donc : $(\widehat{\vec{u},\vec{v}}) \approx 79,92°$.

Conseils & Méthodes

$\boxed{1}$ Savoir déduire de l'énoncé quelles formules on va utiliser.

$\boxed{2}$ Faire attention aux calculs des normes.

À vous de jouer !

$\boxed{3}$ On donne le vecteur $\overrightarrow{AB}\begin{pmatrix} 3 \\ 0 \\ -3 \end{pmatrix}$, le produit scalaire

$\overrightarrow{AB}\cdot\overrightarrow{AC} = 6$ et l'angle $(\overrightarrow{AB}, \overrightarrow{AC}) = 60°$.
Déterminer la longueur AC.

$\boxed{4}$ On donne les vecteurs $\vec{u}\begin{pmatrix} -1 \\ -3 \\ 0 \end{pmatrix}$ et $\vec{v}\begin{pmatrix} 3 \\ -2 \\ 1 \end{pmatrix}$.

Donner la valeur en degré, arrondie à 0,01 près, de l'angle qu'ils forment.

➥ Exercices 28 à 35 p. 318

2 Plans de l'espace

Définition Vecteur normal

Étant donné le plan $(A, \vec{u}, \vec{v})$, un vecteur $\vec{n}$ est dit vecteur normal au plan s'il est orthogonal aux deux vecteurs $\vec{u}$ et $\vec{v}$, ou bien, si pour tout point M du plan les vecteurs $\overrightarrow{AM}$ et $\vec{n}$ sont orthogonaux.

▶ **Remarque** Deux plans sont perpendiculaires si tout vecteur normal à l'un est orthogonal à tout vecteur normal de l'autre.

● Exemple

Dans le cube ABCDEFGH les plans (ABC) et (ADE) sont perpendiculaires car un vecteur normal à (ABC) est le vecteur $\overrightarrow{CG}$ et un vecteur normal à (ADE) est le vecteur $\overrightarrow{DC}$, or ces deux vecteurs sont orthogonaux.

Propriété Équation cartésienne d'un plan

Le plan passant par le point $A(x_A ; y_A ; z_A)$ et dont un vecteur normal est le vecteur $\vec{n}\begin{pmatrix} a \\ b \\ c \end{pmatrix}$ a pour équation cartésienne : $ax + by + cz + d = 0$.

● Démonstration

Pour tout point M du plan on a $\overrightarrow{AM} \cdot \vec{n} = 0 \Leftrightarrow a(x - x_A) + b(y - y_A) + c(z - z_A) = 0$
$\Leftrightarrow ax + by + cz - (ax_A + by_A + cz_A) = 0$ qui est bien de la forme annoncée.

▶ **VIDÉO**
Démonstration
lienmini.fr/maths-s10-04

ØLJEN
Les maths en finesse

● Exemple

Donner de deux façons différentes l'équation cartésienne du plan passant par le point $A(-1 ; 2 ; 3)$ et de vecteur normal $\vec{n}\begin{pmatrix} 2 \\ -3 \\ 1 \end{pmatrix}$.

L'équation est de la forme $2x - 3y + z + d = 0$ et le plan passe par le point A, d'où : $2(-1) - 3 \times 2 + 3 + d = 0$ ce qui donne l'équation $2x - 3y + z + 5 = 0$.
Ou bien $\overrightarrow{AM} \cdot \vec{n} = 0 \Leftrightarrow 2(x - (-1)) + (-3)(y - 2) + 1(z - 3) = 0 \Leftrightarrow 2x - 3y + z + 5 = 0$.

▶ **Remarque** Un plan a une infinité d'équations cartésiennes et deux plans de l'espace sont soit confondus, soit parallèles, soit sécants selon une droite.

Définition Projeté orthogonal d'un point

Le projeté orthogonal d'un point sur une droite (ou un plan) est le point d'intersection de la droite (ou du plan) et de la perpendiculaire à cette droite (ou à ce plan) passant par le point donné.

Propriété Distance d'un point à un plan

On appelle distance d'un point M à un plan, la longueur MH où H est le projeté orthogonal de M sur le plan. Cette distance est la plus courte distance entre le point M et un point du plan.

● Démonstration

Soit A un point quelconque du plan distinct de H. La droite (AH) est perpendiculaire à la droite (MH) car (MH) est orthogonale à toutes les droites du plan. Donc comme le triangle AHM est rectangle en H, on a d'après le théorème de Pythagore : $AM^2 = AH^2 + HM^2$ et par conséquent : $AM > MH$.

▶ **VIDÉO**
Démonstration
lienmini.fr/maths-s10-05

ØLJEN
Les maths en finesse

● EXOS
Méthodes
lienmini.fr/maths-s10-03
Les rendez-vous
Sésamath

Exercices résolus

Méthode 3 — Déterminer une équation cartésienne d'un plan

Énoncé

On considère le point A(-2 ; 3 ; 1) et le vecteur $\vec{n}\begin{pmatrix}-1\\2\\1\end{pmatrix}$. Déterminer une équation cartésienne du plan passant par le point A et de vecteur normal $\vec{n}$.

Conseils & Méthodes

1 Vérifier le lien entre les coefficients d'une équation de plan et le vecteur normal.

2 Le produit scalaire permet d'arriver à l'équation du plan.

Solution

1 On sait à l'aide du vecteur normal qu'une équation cartésienne est de la forme : $-x + 2y + z + d = 0$. Le plan passe par le point A donc ses coordonnées vérifient l'équation, ce qui donne : $-(-2) + 2 \times 3 + 1 + d = 0$.

D'où $d = -9$ et une équation cartésienne du plan est : $-x + 2y + z - 9 = 0$.

2 On utilise qu'un point M appartient au plan si et seulement si $\overrightarrow{AM} \cdot \vec{n} = 0$, ce qui donne :
$-1(x-(-2)) + 2(y-3) + 1(z-1) = 0 \Leftrightarrow -x + 2y + z - 9 = 0$

À vous de jouer !

5 Déterminer une équation cartésienne du plan passant par C(-2 ; 1 ; -3) et de vecteur normal $\vec{n}\begin{pmatrix}2\\-3\\-4\end{pmatrix}$.

6 Déterminer une équation cartésienne du plan passant par G(1 ; 1 ; 1) et de vecteur normal $\vec{n}\begin{pmatrix}0\\-3\\5\end{pmatrix}$.

↳ Exercices 36 à 43 p. 319

Méthode 4 — Déterminer la distance entre un point et son projeté orthogonal sur un plan

Énoncé

1. Calculer les coordonnées du projeté orthogonal H du point A(2 ; 1 ; 3) sur le plan d'équation cartésienne $x - 3y + 2z - 1 = 0$.

2. Déterminer la distance du point A au plan donné.

Conseils & Méthodes

1 Faire le lien entre vecteur normal et vecteur directeur.

2 Trouver les conditions à remplir par les coordonnées pour satisfaire l'appartenance à la fois à la droite et au plan.

3 Vérifier les calculs de distance entre deux points.

Solution

1. Un vecteur normal est $\vec{n}\begin{pmatrix}1\\-3\\2\end{pmatrix}$ **1** et $\begin{cases}x = 2 + k\\y = 1 - 3k\\z = 3 + 2k\end{cases}$ est une représentation paramétrique

de la droite. **2** Le point d'intersection vérifie ces trois équations et celle du plan $\begin{cases}x = 2 + k\\y = 1 - 3k\\z = 3 + 2k\\x - 3y + 2z - 1 = 0\end{cases}$

On remplace les trois premières dans la dernière pour trouver k soit

$(2 + k) - 3(1 - 3k) + 2(3 + 2k) - 1 = 0$ d'où $k = -\dfrac{2}{7}$ et les coordonnées de H sont : $\left(\dfrac{12}{7} ; \dfrac{13}{7} ; \dfrac{17}{7}\right)$.

2. **3** La distance entre le point et le plan est : $AH = \sqrt{\left(2 - \dfrac{12}{7}\right)^2 + \left(1 - \dfrac{13}{7}\right)^2 + \left(3 - \dfrac{17}{7}\right)^2} = \sqrt{\dfrac{4}{49} + \dfrac{36}{49} + \dfrac{16}{49}} = \dfrac{\sqrt{56}}{7} = \dfrac{4\sqrt{14}}{7}$.

À vous de jouer !

7 Déterminer la distance entre C(1 ; 2 ; -1) et le plan d'équation cartésienne : $2x - 3y + z - 1 = 0$.

8 Déterminer la distance entre B(-1 ; 2 ; 1) et la droite de représentation paramétrique : $\begin{cases}x = 2 + 3k\\y = -1 + k\\z = -2k\end{cases}$

↳ Exercices 44 à 48 p. 319

Exercices (résolus)

Méthode 5 Résoudre des problèmes de grandeurs et de mesures dans l'espace

↪ Cours 1 p. 310

Énoncé

On considère les points A(– 7 ; – 15 ; 3), B(– 4 ; 20 ; – 1), C(4 ; 5 ; 30) et D(25 ; 0 ; 2).

1. Montrer que ABCD est un tétraèdre régulier.
2. Calculer sa hauteur.
3. En déduire son volume.

Conseils & Méthodes

1 Avec les coordonnées des points, on peut calculer des longueurs.

2 Exploiter les propriétés de la figure pour déduire les éléments de calcul.

3 Utiliser les propriétés des triangles remarquables.

Solution

1. **1** $AB = \sqrt{(-7-(-4))^2+(-15-20)^2+(3-(-1))^2} = \sqrt{9+1\,225+16} = \sqrt{1\,250} = 25\sqrt{2}$

$AC = \sqrt{(-7-4)^2+(-15-5)^2+(3-30)^2} = \sqrt{121+400+729} = \sqrt{1\,250} = 25\sqrt{2}$

$AD = \sqrt{(-7-25)^2+(-15-0)^2+(3-2)^2} = \sqrt{1\,024+225+1} = \sqrt{1\,250} = 25\sqrt{2}$

$BC = \sqrt{(-4-4)^2+(20-5)^2+(-1-30)^2} = \sqrt{64+225+961} = \sqrt{1\,250} = 25\sqrt{2}$

$BD = \sqrt{(-4-25)^2+(20+0)^2+(-1-2)^2} = \sqrt{841+400+9} = \sqrt{1\,250} = 25\sqrt{2}$

$CD = \sqrt{(4-25)^2+(5-0)^2+(30-2)^2} = \sqrt{441+25+784} = \sqrt{1\,250} = 25\sqrt{2}$

Toutes les arêtes ont la même longueur donc le tétraèdre est régulier.

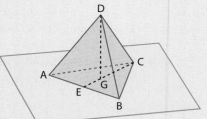

2. **2** Le projeté orthogonal du sommet D du tétraèdre est le centre de gravité G du triangle ABC pris comme base, qui est équilatéral donc son centre de gravité est aux deux tiers sur une médiane (CE) à partir d'un sommet.

3 La médiane d'un triangle équilatéral est aussi hauteur donc à l'aide du théorème de Pythagore on trouve qu'elle mesure : $25\sqrt{2} \times \dfrac{\sqrt{3}}{2}$.

Donc la distance du sommet au centre de la base est :

$$\frac{2}{3} \times 25\sqrt{2} \times \frac{\sqrt{3}}{2} = 25\sqrt{2} \times \frac{\sqrt{3}}{3}.$$

Pour trouver la hauteur du tétraèdre on utilise à nouveau le théorème de Pythagore ce qui donne :

$$h^2 = (25\sqrt{2})^2 - \left(25\sqrt{2} \times \frac{\sqrt{3}}{3}\right)^2 = (25\sqrt{2})^2\left(1-\frac{3}{9}\right) = (25\sqrt{2})^2 \times \frac{6}{9} \text{ et donc : } h = 25\sqrt{2} \times \frac{\sqrt{6}}{3}.$$

3. L'aire de la base est :

$$\mathscr{A} = \frac{1}{2} \times 25\sqrt{2} \times 25\sqrt{2} \times \frac{\sqrt{3}}{2} = 25^2 \times \frac{\sqrt{3}}{2}.$$

Le volume du tétraèdre est donc :

$$V = \frac{1}{3} \times 25^2 \times \frac{\sqrt{3}}{2} \times 25\sqrt{2} \times \frac{\sqrt{6}}{3} = \frac{25^3}{3}.$$

À vous de jouer !

9 On considère les points I(2 ; – 2 ; – 4), J(2 ;– 2 ; 0), K(2 ; 2 ; – 4) et L(6 ; – 2 ; – 4).
1. Démontrer que le tétraèdre IJKL est trirectangle en I.
2. Calculer le volume de ce tétraèdre.

10 On donne les points A(2 ; 1 ; – 2), B(0 ; – 1 ; 3) et C(– 2 ; 3 ; 2).
Calculer les angles du triangle ABC, arrondis à 0,01 près, en degré.

↪ Exercices 49 à 51 p. 320

EXOS
Méthodes
lienmini.fr/maths-s10-03

Les rendez-vous
Sésamath

Exercices (résolus)

Méthode 6 — Déterminer une intersection de droites et de plans

→ Cours 2 p. 312

Énoncé

On considère la droite d de représentation paramétrique : $\begin{cases} x = 1 - 2k \\ y = 4k \\ z = -2 + k \end{cases}$ où k est un réel et le plan $\mathscr{P}$ d'équation cartésienne : $3x - y + 2z - 3 = 0$.

1. Justifier que la droite et le plan sont sécants.

2. Déterminer les coordonnées de leur point d'intersection.

Conseils & Méthodes

1 Savoir utiliser l'orthogonalité des vecteurs.

2 Remplacer les équations de la droite dans celle du plan pour trouver la valeur de k.

Solution

1. **1** $\vec{n} \begin{pmatrix} 3 \\ -1 \\ 2 \end{pmatrix}$ est un vecteur normal au plan et $\vec{u} \begin{pmatrix} -2 \\ 4 \\ 1 \end{pmatrix}$ un vecteur directeur de la droite.

Ces deux vecteurs ne sont pas orthogonaux car leur produit scalaire vaut : $\vec{u} \cdot \vec{v} = -8$ donc la droite et le plan se coupent.

2. Les coordonnées du point d'intersection vérifient le système composé des trois équations de la droite et de celle du plan.

2 On résout le système de quatre équations à quatres inconnues, ce qui donne :
$3(1 - 2k) - (4k) + (-2 + k) - 3 = 0 \Leftrightarrow k = -0,5$. Les coordonnées du point d'intersection sont donc $(2 ; -2 ; -2,5)$.

À vous de jouer !

11 On donne le plan d'équation $x + y - 2z = 0$ et la droite de représentation paramétrique : $\begin{cases} x = 2 + 2k \\ y = 1 - k \\ z = k \end{cases}$

1. Justifier que la droite et le plan sont sécants.
2. Donner les coordonnées de leur point d'intersection.

12 On donne le plan d'équation $-x + 3y - 4z + 1 = 0$ et la droite de représentation paramétrique $\begin{cases} x = -1 + 3k \\ y = 1 + 2k \\ z = 3 - k \end{cases}$

1. Justifier que la droite et le plan sont sécants.
2. Donner les coordonnées de leur point d'intersection.

→ Exercices 52 à 59 p. 320

Méthode 7 — Étudier des problèmes de position relative dans l'espace

→ Cours 2 p. 312

Énoncé

ABCD est un tétraèdre régulier, montrer que les arêtes opposées, par exemple (AB) et (CD), sont orthogonales.

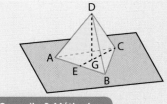

Solution

$\overrightarrow{AB} \cdot \overrightarrow{CD} = \overrightarrow{AB} \cdot (\overrightarrow{CB} + \overrightarrow{BD}) = \overrightarrow{AB} \cdot \overrightarrow{CB} + \overrightarrow{AB} \cdot \overrightarrow{BD}$ or le tétraèdre étant régulier **1**
toutes ses arêtes ont la même longueur et donc toutes ses faces sont des triangles équilatéraux. Par conséquent chacun des produits scalaires se calcule facilement par projection, ce qui donne :

2 $\overrightarrow{AB} \cdot \overrightarrow{CB} = \dfrac{1}{2}CB^2$ et $\overrightarrow{AB} \cdot \overrightarrow{BD} = -\dfrac{1}{2}BD^2$ d'où : $\overrightarrow{AB} \cdot \overrightarrow{CD} = 0$ et comme

les droites ne sont pas coplanaires, **3** elles sont bien orthogonales.

Conseils & Méthodes

1 Connaître les propriétés des positions relatives dans l'espace.

2 Calculer des produits scalaires.

3 Connaître les propriétés d'orthogonalité dans l'espace.

À vous de jouer !

13 Dans un cube ABCDEFGH, **Démo**
démontrer que les droites (BH) et (EG) sont orthogonales.

14 On considère les points D(3 ; 2 ; 2), E(1 ; 1 ; 2), F(2 ; 0 ; −1), M(−3 ; 0 ; 1), N(−1 ; 2 ; −2) et P(3 ; 1 ; 1). Démontrer que les plans (DEF) et (MNP) sont sécants.

→ Exercices 60 à 63 p. 321

La propriété à démontrer

La distance la plus courte entre un point de l'espace et un plan est la distance entre ce point et son projeté orthogonal sur le plan.

◯ On souhaite démontrer cette propriété en utilisant la propriété de position relative entre un plan et une droite et le théorème de Pythagore.

▶ Comprendre avant de rédiger

Faire un schéma au brouillon pour visualiser la situation.

Utiliser les positions relatives dans l'espace et l'orthogonalité.

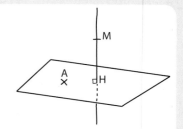

▶ Rédiger

La démonstration rédigée

Étape ①
Faire une figure et la détailler.

→ On considère le plan $\mathscr{P}$, un point M de l'espace n'appartenant pas au plan et un point A appartenant au plan. On appelle H le projeté orthogonal du point M sur le plan $\mathscr{P}$.

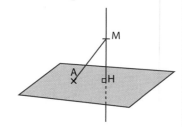

Étape ②
Donner une propriété des droites perpendiculaire à un plan.

→ La droite (MH) est perpendiculaire au plan donc elle est orthogonale à toutes les droites du plan.

Étape ③
En déduire la position des deux droites.

→ Par conséquent elle est perpendiculaire à la droite (AH) qui est bien dans le plan.

Étape ④
Appliquer un théorème connu.

→ Le triangle AMH est rectangle en H donc d'après le théorème de Pythagore : $AM^2 = AH^2 + MH^2$.

Étape ⑤
En déduire une inégalité.

→ Comme $AH \neq 0$ alors $AM > MH$ pour tout point A du plan.

Étape ⑥
Conclure.

→ Donc MH est bien la plus courte distance.

▶ Pour s'entraîner

Démontrer que deux droites sont orthogonales si et seulement si leurs parallèles passant par un même point sont perpendiculaires entre elles.

◆ DIAPORAMA
Calculs et automatismes
lienmini.fr/maths-s10-06

Exercices calculs et automatismes

15 Produit scalaire

Choisir la (les) bonne(s) réponse(s).
Dans le cube ABCDEFGH de côté a,
déterminer les produits scalaires :

a) $\vec{AC} \cdot \vec{AD}$ **a** $-a^2$ **b** a^2 **c** $-a^2\sqrt{2}$ **d** $a^2\sqrt{2}$

b) $\vec{BD} \cdot \vec{BH}$ **a** $2a^2$ **b** a^2 **c** $a^2\sqrt{2}$ **d** $a^2\sqrt{6}$

c) $\vec{AC} \cdot \vec{AH}$ **a** $-a^2$ **b** a^2 **c** 0 **d** $a^2\sqrt{2}$

d) $\vec{DF} \cdot \vec{BH}$ **a** $-a^2$ **b** $-3a^2$ **c** $-2a^2$ **d** 0

16 Équation de plan

Choisir la (les) bonne(s) réponse(s).
Retrouver une équation cartésienne du plan passant par le point A et de vecteur normal le vecteur $\vec{n}$ donnés.

a) $A(2\ ;1\ ;0)$ et $\vec{n}\begin{pmatrix} -2 \\ 1 \\ -1 \end{pmatrix}$.

a $2x - y + z + 3 = 0$ **b** $-2x + y - z + 3 = 0$
c $2x - y + z = 0$ **d** $2x + y - 1 = 0$

b) $A(-1\ ;1\ ;-2)$ et $\vec{n}\begin{pmatrix} 1 \\ -2 \\ -1 \end{pmatrix}$.

a $x + 2y - z = 0$ **b** $-x + 2y + z - 1 = 0$
c $-x + 2y - z + 1 = 0$ **d** $-x + y - 2z + 1 = 0$

c) $A(1\ ;-2\ ;0)$ et $\vec{n}\begin{pmatrix} -1 \\ -1 \\ 1 \end{pmatrix}$.

a $x + y + z - 2 = 0$ **b** $x + y - z + 1 = 0$
c $x + y - z = 0$ **d** $x - 2y + 1 = 0$

d) $A(1\ ;0\ ;0)$ et $\vec{n}\begin{pmatrix} 1 \\ 0 \\ -1 \end{pmatrix}$.

a $x - z + 1 = 0$ **b** $-x + y + z + 1 = 0$
c $x + y - z + 1 = 0$ **d** $-x + z + 1 = 0$

17 Produits scalaires

On considère le cube ABCDEFGH.

Les affirmations suivantes sont-elles vraies ou fausses ?

	V	F
a) $\vec{AB} \cdot \vec{AC} = AB^2$	☐	☐
b) $\vec{AD} \cdot \vec{AC} = AC^2$	☐	☐
c) $\vec{BC} \cdot \vec{AC} = \vec{EF} \cdot \vec{GE}$	☐	☐
d) $\vec{AC} \cdot \vec{AH} = \vec{AC} \cdot \vec{AD}$	☐	☐
e) $\vec{BD} \cdot \vec{BH} = FH^2$	☐	☐
f) $\vec{BH} \cdot \vec{CE} = 0$	☐	☐

18 Orthogonale ou non

On donne trois droites et leurs représentations respectives :

$$d_1\begin{cases} x = 1 - 2k \\ y = 3 \\ z = -2 + 3k \end{cases}, \quad d_2\begin{cases} x = -t \\ y = 2 + t \\ z = -1 + 2t \end{cases} \text{ et } d_3\begin{cases} x = 1 \\ y = 2s \\ z = 3 - s \end{cases}$$

où k, t et s sont des réels.

Choisir la (les) bonne(s) réponse(s).
Quelles sont les droites qui sont orthogonales entre elles ?

a d_1 et d_2 **b** d_1 et d_3 **c** d_2 et d_3 **d** Aucune

19 Perpendiculaire ou non

On donne trois plans et leurs équations cartésiennes respectives : $P_1 : 3y + 2z - 1 = 0$, $P_2 : x - 2y + 3z = 0$ et $P_3 : -2x + y + z - 1 = 0$.

Choisir la (les) bonne(s) réponse(s).
Quels sont les plans qui sont perpendiculaires entre eux ?

a P_1 et P_2 **b** P_1 et P_3 **c** P_2 et P_3 **d** Aucun

20 Orthogonaux ou non

Dans chacun des cas suivants, dire si les vecteurs $\vec{u}$ et $\vec{v}$ sont orthogonaux.

a) $\vec{u}\begin{pmatrix} 1 \\ -2 \\ 3 \end{pmatrix}$ et $\vec{v}\begin{pmatrix} 3 \\ 3 \\ -1 \end{pmatrix}$ **b)** $\vec{u}\begin{pmatrix} -3 \\ 4 \\ 24 \end{pmatrix}$ et $\vec{v}\begin{pmatrix} 4 \\ -3 \\ 1 \end{pmatrix}$

c) $\vec{u}\begin{pmatrix} -2 \\ -3 \\ 5 \end{pmatrix}$ et $\vec{v}\begin{pmatrix} 4 \\ -4 \\ -1 \end{pmatrix}$ **d)** $\vec{u}\begin{pmatrix} 0 \\ 2 \\ -1 \end{pmatrix}$ et $\vec{v}\begin{pmatrix} -3 \\ 3 \\ -6 \end{pmatrix}$

21 Quelle méthode ?

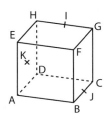

Choisir la (les) bonne(s) réponse(s).
On considère le cube ABCDEFGH et les milieux I et J des segments [GH] et [BC]. Le point K est le centre du carré ADHE. Dans chacun des cas dire la méthode qu'il est préférable d'utiliser pour calculer le produit scalaire demandé.

a) Pour $\vec{EH} \cdot \vec{EI}$:
a par projection.   **b** avec les carrés scalaires.
c avec les coordonnées.   **d** avec le cosinus.

b) Pour $\vec{IE} \cdot \vec{IF}$:
a par projection.   **b** avec les carrés scalaires.
c avec les coordonnées.   **d** avec le cosinus.

c) Pour $\vec{BK} \cdot \vec{BI}$:
a par projection.   **b** avec des décompositions.
c avec les coordonnées.   **d** avec le cosinus.

d) Pour $\vec{FG} \cdot \vec{BI}$:
a par projection.   **b** avec des décompositions.
c avec les coordonnées.   **d** avec les carrés scalaires.

Exercices (d'application)

Calculer un produit scalaire ▪1 p. 311

22 Dans un cube ABCDEFGH d'arête a et tel que M et N sont les milieux des segments [BF] et [FG]. Exprimer chaque produit scalaire en fonction de a.

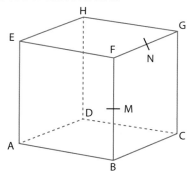

a) $\overrightarrow{BD} \cdot \overrightarrow{HF}$ **b)** $\overrightarrow{AG} \cdot \overrightarrow{BD}$

c) $\overrightarrow{DG} \cdot \overrightarrow{AC}$ **d)** $\overrightarrow{AB} \cdot \overrightarrow{AN}$

e) $\overrightarrow{BM} \cdot \overrightarrow{BH}$ **f)** $\overrightarrow{BG} \cdot \overrightarrow{AM}$

23 Dans l'espace muni d'un repère orthonormé $(O \,;\, \vec{i} \,,\, \vec{j} \,,\, \vec{k})$, calculer les produits scalaires suivants.

a) $\vec{u} \cdot \vec{v}$ où $\vec{u}\begin{pmatrix} 1 \\ -2 \\ -1 \end{pmatrix}$ et $\vec{v}\begin{pmatrix} 0 \\ 1 \\ -3 \end{pmatrix}$

b) $\overrightarrow{AB} \cdot \overrightarrow{AC}$ où A(1 ; 0 ; 2), B(−2 ; 3 ; −1) et C(1 ; −1 ; 0)

c) $\vec{u} \cdot \vec{v}$ où $\vec{u} = 3\vec{i} - \vec{j} + 2\vec{k}$ et $\vec{v} = -2\vec{j} - 3\vec{k}$

d) $\overrightarrow{AB} \cdot \overrightarrow{CD}$ où A(−1 ; 2 ; 3), B(2 ; −3 ; 0), C(1 ; 1 ; 1) et D(4 ; 0 ; −1)

24 Dans chacun des suivants, déterminer la ou les valeurs du réel t pour que les vecteurs $\vec{u}$ et $\vec{v}$ soient orthogonaux.

a) $\vec{u}\begin{pmatrix} t \\ -2 \\ 1 \end{pmatrix}$ et $\vec{v}\begin{pmatrix} t+1 \\ -t \\ 2 \end{pmatrix}$ **b)** $\vec{u}\begin{pmatrix} t-1 \\ -2 \\ 1 \end{pmatrix}$ et $\vec{v}\begin{pmatrix} t+1 \\ 1 \\ -1 \end{pmatrix}$

c) $\vec{u}\begin{pmatrix} 2t \\ -2 \\ 1 \end{pmatrix}$ et $\vec{v}\begin{pmatrix} t+1 \\ -t \\ 2 \end{pmatrix}$ **d)** $\vec{u}\begin{pmatrix} t \\ -2 \\ 0 \end{pmatrix}$ et $\vec{v}\begin{pmatrix} -t \\ -t \\ 2 \end{pmatrix}$.

25 Dans un repère orthonormé, on considère les quatre points A(−1 ; −3 ; −2), B(0 ; 4 ; 2), C(1 ; 1 ; 1) et D(2 ; 2 ;−1).
1. Déterminer si les droites (AB) et (BD) sont perpendiculaires.
2. Déterminer si les droites (AB) et (CD) sont orthogonales.

26 Dans un repère orthonormé   **Démo**

$(O \,;\, \vec{i} \,,\, \vec{j} \,,\, \vec{k})$, on considère les vecteurs $\vec{e_1}\begin{pmatrix} 52/57 \\ 17/57 \\ 16/57 \end{pmatrix}$,

$\vec{e_2}\begin{pmatrix} -23/57 \\ 44/57 \\ 28/57 \end{pmatrix}$ et $\vec{e_3}\begin{pmatrix} 4/57 \\ 32/57 \\ -47/57 \end{pmatrix}$.

Montrer que la base $(\vec{e_1} \,,\, \vec{e_2} \,,\, \vec{e_3})$ est orthonormée.

27 Vérifier que l'algorithme ci-dessous   **Algo**
montre si deux vecteurs sont orthogonaux ou non.

```
xu = float(input("xu ="))
yu = float(input("yu ="))
zu = float(input("zu ="))
xv = float(input("xv ="))
yv = float(input("yv ="))
zv = float(input("zv ="))
p = xu*xv+yu*yv+zu*zv
if p==0 :
print ("les vecteurs sont orthogonaux")
else :
print ("les vecteurs ne sont pas orthogonaux")
```

Utiliser un produit scalaire ▪2 p. 311

28 On considère les vecteurs $\vec{u}\begin{pmatrix} 1 \\ -1 \\ 1 \end{pmatrix}$ et $\vec{v}\begin{pmatrix} 2 \\ 3 \\ -1 \end{pmatrix}$. Parmi les vecteurs suivants, déterminer ceux qui sont à la fois orthogonaux à $\vec{u}$ et à $\vec{v}$.

a) $\vec{u_1}\begin{pmatrix} -2 \\ 3 \\ 5 \end{pmatrix}$ **b)** $\vec{u_2}\begin{pmatrix} 2 \\ -3 \\ -5 \end{pmatrix}$ **c)** $\vec{u_3}\begin{pmatrix} 3 \\ -2 \\ 0 \end{pmatrix}$ **d)** $\vec{u_4}\begin{pmatrix} -1 \\ -4 \\ -2 \end{pmatrix}$

29 On considère les vecteurs $\vec{u}\begin{pmatrix} 1 \\ 1 \\ 1 \end{pmatrix}$ et $\vec{v}\begin{pmatrix} 1 \\ -2 \\ 2 \end{pmatrix}$. Parmi les vecteurs suivants, déterminer ceux qui sont à la fois orthogonaux à $\vec{u}$ et à $\vec{v}$.

a) $\vec{u_1}\begin{pmatrix} -1 \\ 2 \\ 3 \end{pmatrix}$ **b)** $\vec{u_2}\begin{pmatrix} 2 \\ -5 \\ -3 \end{pmatrix}$ **c)** $\vec{u_3}\begin{pmatrix} 2 \\ -2 \\ -3 \end{pmatrix}$ **d)** $\vec{u_4}\begin{pmatrix} -4 \\ 1 \\ 3 \end{pmatrix}$

30 On donne le vecteur $\vec{u}\begin{pmatrix} 2 \\ \sqrt{2} \\ \sqrt{2} \end{pmatrix}$ dans un repère orthonormé $(O \,;\, \vec{i} \,,\, \vec{j} \,,\, \vec{k})$.

1. Calculer les produits scalaires $\vec{u} \cdot \vec{i}$, $\vec{u} \cdot \vec{j}$ et $\vec{u} \cdot \vec{k}$.
2. En déduire les valeurs en radians des angles entre ce vecteur et les vecteurs du repère.

31 Dans le cube ABCDEFGH d'arête 1, les points I et J sont les centres des carrés EFGH et ABFE.
Déterminer l'angle $\widehat{DJI}$ en degrés, arrondi à 0,1 près. On pourra se placer dans le repère $(A \,;\, \overrightarrow{AB} \,,\, \overrightarrow{AD} \,,\, \overrightarrow{AE})$.

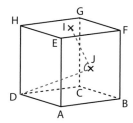

32 ABCD est un tétraèdre régulier d'arête 2 et les points I et J sont les milieux des segments [BC] et [CD].

1. Calculer les longueurs AI, AJ et IJ.

2. Calculer le produit scalaire $\overrightarrow{AI} \cdot \overrightarrow{AJ}$ à l'aide d'une décomposition des deux vecteurs.

3. En déduire la valeur, arrondie au dixième de degré près, de l'angle $\widehat{IAJ}$.

33 Démo ABCDEFGH est un cube et on note θ l'angle géométrique entre les vecteurs $\overrightarrow{AE}$ et $\overrightarrow{BH}$.

Démontrer que $\cos\theta = \dfrac{\sqrt{3}}{3}$.

34 Les points M, N et P de l'espace et le point P' est le projeté orthogonal du point P sur la droite (MN) et : MN = 3, MP = 4, MP' = 2.

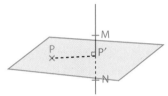

1. Calculer $\overrightarrow{MN} \cdot \overrightarrow{MP}$.

2. En déduire une valeur arrondie à l'unité de l'angle $\widehat{PMN}$.

3. Calculer la valeur de la longueur NP.

35 Dans le cube ABCDEFGH d'arête 1 et de centre le point O, calculer l'angle en degré, arrondi à 0,01, entre les deux diagonales (AG) et (DF).

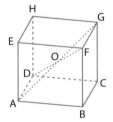

Déterminer une équation cartésienne d'un plan

Méthode **3** p. 313

36 On considère les plans $\mathscr{P}$ et $\mathscr{P}'$ d'équations cartésiennes $-x + 2y + z = 0$ et $2x + 3y - 4z + 2 = 0$.

1. Déterminer un vecteur normal à chacun de ces deux plans.

2. En déduire leur position relative.

37 On considère les plans $\mathscr{P}$ et $\mathscr{P}'$ d'équations cartésiennes $x - y + 2z - 1 = 0$ et $2x - z = 0$

1. Donner un vecteur normal à chaque plan.

2. En déduire leur position relative.

38 Dans chacun des cas suivants, déterminer une équation cartésienne du plan passant par le point A et de vecteur normal $\vec{n}$.

a) $A(3 ; -1 ; 2)$ et $\vec{n}\begin{pmatrix} -1 \\ 0 \\ 4 \end{pmatrix}$.   **b)** $A(1 ; -1 ; 0)$ et $\vec{n}\begin{pmatrix} -1 \\ -1 \\ 2 \end{pmatrix}$.

c) $A(-2 ; 1 ; 2)$ et $\vec{n}\begin{pmatrix} -1 \\ -2 \\ 0 \end{pmatrix}$.   **d)** $A(\sqrt{2} ; 3 ; 0)$ et $\vec{n}\begin{pmatrix} 0 \\ 0 \\ 3 \end{pmatrix}$.

39 On considère les points $A(-4 ; 2 ; 2)$, $B(1 ; 1 ; -1)$ et $C(3 ; -1 ; 1)$.

Déterminer une équation cartésienne du plan passant par B et de vecteur normal $\overrightarrow{AC}$.

40 Pour chacun des plans ci-dessous, donner un vecteur normal.

a) $2x + y - 3z + 1 = 0$

b) $-3x + y - 2z = 0$

c) $x - 2z + 4 = 0$

d) $3y + 5z = 0$

41 Déterminer une équation cartésienne du plan $\mathscr{P}'$ parallèle au plan $\mathscr{P}$ d'équation cartésienne $2x - 3y + 7z - 4 = 0$ et passant par le point $D(4 ; -2 ; -3)$.

42 Déterminer une équation cartésienne du plan médiateur du segment [AB] où $A(-1 ; 3 ; 1)$ et $B(0 ; 5 ; -3)$.

👉 **Coup de pouce** Le plan médiateur est le plan qui passe par le milieu du segment et qui lui est orthogonal.

43 On donne les points $A(1 ; 1 ; 1)$, $B(2 ; -1 ; 0)$ et $C(0 ; -1 ; 2)$.

1. Justifier que les points A, B et C définissent bien un plan de l'espace.

2. Déterminer une équation cartésienne du plan (ABC).

Déterminer la distance entre un point et son projeté orthogonal

Méthode **4** p. 313

44 On considère le point $A(-6 ; 2 ; -1)$ et le plan $\mathscr{P}$ d'équation cartésienne $-5x + y - z - 6 = 0$.

1. Montrer que le point $H(-1 ; 1 ; 0)$ est le projeté orthogonal du point A sur le plan $\mathscr{P}$.

2. Déterminer la distance du point A au plan.

45 Déterminer dans chacun des cas les coordonnées du projeté orthogonal du point A sur le plan d'équation cartésienne donnée

a) $A(1 ; 2 ; 3)$ et $2x - 3y + 4z - 5 = 0$

b) $A(1 ; 1 ; 1)$ et $x + y + z - 1 = 0$

c) $A(-1 ; -4 ; 3)$ et $x + 2y - 11z - 21 = 0$

Exercices d'application

46 Déterminer dans chacun des cas les coordonnées du projeté orthogonal du point sur le plan donné et calculer la distance du point au plan.

a) A(0 ; 1 ; 2) et $3x - y + z + 10 = 0$

b) O(0 ; 0 ; 0) et $5x - 2y + z - 3 = 0$

47 On considère les points A(3 ; –1 ; 4) **Démo** et B(0 ; 5 ; 1) et le plan $\mathscr{P}$ d'équation cartésienne $x - 2y + z - 1 = 0$.
Montrer que la droite (AB) est orthogonale au plan $\mathscr{P}$.

48 On donne le point D(5 ; 6 ; 1) et le plan d'équation cartésienne $2x - 3y = 0$.

1. Déterminer un vecteur normal au plan.

2. Déterminer une représentation paramétrique de la droite perpendiculaire au plan passant par le point D.

3. En déduire les coordonnées du projeté orthogonal du point D sur le plan.

4. Calculer la distance du point D au plan.

Résoudre des problèmes de grandeurs et de mesures dans l'espace

 p. 314

49 On considère la figure suivante.

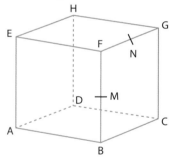

1. Calculer le produit scalaire $\overrightarrow{EM} \cdot \overrightarrow{EN}$.

2. En déduire l'angle $\widehat{MEN}$ en degrés et arrondi à 0,01 près.

50 On considère les points A(3 ; 3 ; 5), B(3 ; 3 ; –1), C(3 ; 1 ; –1) et D(1 ; 3 ; –1).

1. Montrer que le triangle BCD est rectangle.

2. Montrer que la droite (AB) est perpendiculaire au plan (BCD).

3. Calculer la longueur AB.

4. Calculer le volume du tétraèdre ABCD.

51 ABCDEFGH est un cube de côté a et le point M est le milieu du segment [AB].

1. Démontrer que le triangle DHM est rectangle.

2. Déterminer la valeur de l'angle $\widehat{DMH}$ en degré, arrondie à 0,01 près.

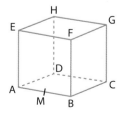

Déterminer une intersection de droites et de plans

 p. 315

52 Déterminer si le point d'intersection du plan $\mathscr{P}$ et de la droite d existe et si tel est le cas le déterminer.

a) $x - y + z + 1 = 0$ et $\begin{cases} x = 1 - 2k \\ y = -1 + k \\ z = 3k \end{cases}$ où k est un réel.

b) $x - 3y + z - 1 = 0$ et $\begin{cases} x = 1 + k \\ y = -3k \\ z = 1 + k \end{cases}$ où k est un réel.

c) $x + y - 2z - 3 = 0$ et $\begin{cases} x = 1 + k \\ y = 2 + k \\ z = k \end{cases}$ où k est un réel.

d) $x + y - 2z + 2 = 0$ et $\begin{cases} x = 5 + k \\ y = 1 + k \\ z = 4 + k \end{cases}$ où k est un réel.

53 Déterminer si le point d'intersection du plan $\mathscr{P}$ et de la droite d existe et si tel est le cas le déterminer.

a) $x + y - 2z - 3 = 0$ et $\begin{cases} x = 1 + k \\ y = 2 + k \\ z = k \end{cases}$ où k est un réel.

b) $x + y - 2z + 2 = 0$ et $\begin{cases} x = 5 + k \\ y = 1 + k \\ z = 4 - k \end{cases}$ où k est un réel.

c) $x + y + 2z + 1 = 0$ et $\begin{cases} x = 1 + 2k \\ y = 1 + k \\ z = 2 - 3k \end{cases}$ où k est un réel.

d) $x - y + z = 0$ et $\begin{cases} x = -1 - k \\ y = -3 + k \\ z = 1 - k \end{cases}$ où k est un réel.

e) $2x + y + z + 3 = 0$ et $\begin{cases} x = 1 + 2k \\ y = 2 + 3k \\ z = -k \end{cases}$ où k est un réel.

54 On considère la droite de représentation paramétrique :
$$\begin{cases} x = 1 \\ y = 3 - k \\ z = -2 + 3k \end{cases}$$ où k est un réel.

On considère le plan d'équation cartésienne : $3x - 2y + z + 3 = 0$.

1. Justifier que la droite et le plan sont sécants.

2. Déterminer les coordonnées de leur point d'intersection.

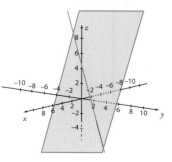

55 Dans chacun des cas suivants, déterminer les coordonnées du point d'intersection de la droite et du plan donnés, s'il existe.

a) $\begin{cases} x = -7 + k \\ y = 4 + 2k \\ z = -5 - k \end{cases}$ où k est un réel et $2x + 3y - z + 6 = 0$.

b) $\begin{cases} x = -1 - 2k \\ y = 2 - k \\ z = -3 + 5k \end{cases}$ où k est un réel et $x + 5y + z + 6 = 0$.

c) $\begin{cases} x = 6 + k \\ y = -1 + 2k \\ z = -3 - k \end{cases}$ où k est un réel et $x + y + 3z - 1 = 0$.

56 Dans chacun des cas suivants, déterminer, si elle existe, une représentation paramétrique de la droite d'intersection des deux plans donnés.
a) $x + y + 2z - 3 = 0$ et $x - 4y + 5z - 6 = 0$
b) $-x + y + 2z + 1 = 0$ et $x - y - 2z + 5 = 0$
c) $-x + 2z + 1 = 0$ et $y - 2z + 4 = 0$

57 Dans chacun des cas suivants, déterminer si les deux plans sont sécants et si tel est le cas, donner une représentation paramétrique de leur droite d'intersection.
a) $x - y + 3z - 2 = 0$ et $2x + y - z - 1 = 0$
b) $x + y + z - 4 = 0$ et $2x + 2y + 2z = 8$
c) $2x - 3y + z - 4 = 0$ et $x + 2y - z + 1 = 0$
d) $x - 3y + 2 - 5 = 0$ et $2x + y + 7z - 1 = 0$

58 On donne les deux plans $\mathscr{P}$ et $\mathscr{P}'$ d'équations cartésiennes respectives $3x - 2y + 4z - 1 = 0$ et $2x + y - z + 3 = 0$.
1. Vérifier que ces deux plans sont sécants.
2. Déterminer un vecteur directeur de leur droite d'intersection.
3. Donner une représentation paramétrique de cette droite

59 On considère les plans $\mathscr{P}$ et $\mathscr{P}'$ d'équations cartésiennes respectives $2x - 3y + z - 4 = 0$ et $-2x + 3y - z = 0$.
1. Déterminer leur position relative.
2. On considère la droite d de représentation paramétrique
$\begin{cases} x = k \\ y = 1 - k \\ z = 3 - k \end{cases}$ où k est un réel.
a) Déterminer les coordonnées du point A intersection de la droite d et du plan $\mathscr{P}$.
b) Déterminer les coordonnées du point B intersection de la droite d et du plan $\mathscr{P}'$.
3. Calculer la distance AB.
4. Justifier que cette distance n'est pas la plus courte distance entre les deux plans.

Étudier des problèmes de position relative dans l'espace p. 315

60 ABCDEFGH est un parallélépipède rectangle et les points I, J, K et L sont les milieux des arêtes [AB], [CD], [EF] et [GH]. Le point P est le milieu du segment [EK]. AB = 2 et BC = BF = 1.

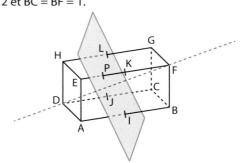

1. Démontrer que : $\overrightarrow{DF} \cdot \overrightarrow{IP} = \overrightarrow{AF} \cdot \overrightarrow{IP}$, puis en déduire la valeur de ce produit scalaire.
2. Calculer $\overrightarrow{DF} \cdot \overrightarrow{LP}$.
3. Que peut-on en déduire pour la droite (DF) par rapport au plan (ILP) ?

61 Dans le cube ABCDEFGH d'arête 1, on place les points I et J milieux des segments [BC] et [EH], et le point K centre de la face CDHG.

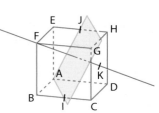

1. Montrer que les points A, G, I et J appartiennent à un même plan.
2. Montrer que : $\overrightarrow{IJ} = \overrightarrow{CH}$.
3. En déduire que : $\overrightarrow{FK} \cdot \overrightarrow{IJ} = 0$.
4. Montrer que la droite (FK) est orthogonale au plan (AIJ).

Démo

62 On considère les points A(-1 ; 1 ; 2), B(1 ; 0 ; -1), C(0 ; 3 ; 1) et D(-8 ; 2 ; -3).
1. Démontrer que les points A, B et C définissent bien un plan.
2. Démontrer que le vecteur $\overrightarrow{AD}$ est un vecteur normal au plan (ABC).

63 On considère les points A(1 ; 0 ; 2), B(-3 ; 1 ; -2), C(2 ; 1 ; 1), D(0 ; -3 ; 2) et l'origine O.
1. Démontrer que les points O, A et B définissent bien un plan
2. Démontrer que le vecteur $\overrightarrow{CD}$ est un vecteur normal au plan (OAB).

Géométrie avec le produit scalaire

64 Soit quatre points quelconques **Démo**
de l'espace, démontrer que $AB^2 - BC^2 + CD^2 - DA^2 = 2\overrightarrow{AC} \cdot \overrightarrow{DB}$.

65 On considère un tétraèdre ABCD tel que la droite (AB) est orthogonale au plan (BCD).
1. Comparer les produits scalaires $\overrightarrow{AC} \cdot \overrightarrow{CD}$ et $\overrightarrow{BC} \cdot \overrightarrow{CD}$.
2. En déduire l'équivalence suivante :
ACD est rectangle en C $\Leftrightarrow$ BCD est rectangle en C.

Plans dans l'espace

66 Dans un cube ABCDEFGH
muni du repère
$(A ; \overrightarrow{AB}, \overrightarrow{AD}, \overrightarrow{AE})$, on place le
point I milieu du segment [EF] et
le point J centre du carré ADHE.
1. Montrer que : $\overrightarrow{IG} \cdot \overrightarrow{IA} = -\dfrac{1}{4}$.

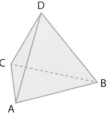

2. En déduire une valeur arrondie
à 0,1 degré de l'angle $\widehat{AIG}$.
3. Montrer que la droite (BJ) est orthogonale à (IG) et à (IA).
4. Déterminer une équation cartésienne du plan (AIG).
5. Déterminer une équation cartésienne du plan passant par J et parallèle au plan (AIG).

67 Dans un cube ABCDEFGH, les points M, N et P sont
définis par : $\overrightarrow{AM} = \dfrac{2}{3}\overrightarrow{AB}$, $\overrightarrow{AN} = \dfrac{2}{3}\overrightarrow{AD}$ et $\overrightarrow{CP} = \dfrac{2}{3}\overrightarrow{CG}$.

On choisit le repère $(B ; \overrightarrow{BA}, \overrightarrow{BC}, \overrightarrow{BF})$.
1. Démontrer que le vecteur $\overrightarrow{AP}$ est normal au plan (EMN).
2. En déduire une équation cartésienne du plan (EMN).

68 On considère les points A(a ; 0 ; 0), B(0 ; b ; 0) et
C(0 ; 0 ; c) où a, b et c sont des réels non nuls.
1. Déterminer une équation cartésienne du plan (ABC).
2. Quel est le volume du tétraèdre OABC ?

69 Vérifier que l'algorithme en **Python** 🐍 **Algo** 🖊
ci-dessous permet de dire si un point appartient à un plan ou non.

```
xA = float(input("xA ="))
yA = float(input("yA ="))
zA = float(input("zA ="))
a = float(input("a ="))
b = float(input("b ="))
c = float(input("c ="))
d = float(input("d ="))
p = xA*a+yA*b+zA*c+d
if p==0 :
print ("le point A appartient au plan")
else :
print ("le point A n'appartient pas au plan")
```

70 Dans un tétraèdre ABCD régulier d'arête a, on considère le repère $(A ; \overrightarrow{AB}, \overrightarrow{AC}, \overrightarrow{AD})$.

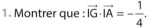
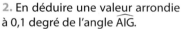

1. Déterminer une équation cartésienne du plan (BCD).

2. On place les points I et J tels que : $\overrightarrow{AI} = \dfrac{1}{3}\overrightarrow{AB}$ et J milieu
du segment [AD].
Donner une représentation paramétrique de la droite (IJ).
3. Déterminer les coordonnées du point K intersection de la droite (IJ) et du plan (BCD).

Intersections en tout genre

71 Dans l'espace muni d'un repère orthonormé, on donne
les points A(1 ; –1 ; 3), B(0 ; 3 ; 1), C(2 ; 1 ; 3), D(6 ; –7 ; –1)
et E(4 ; – 6 ; 2).
1. Montrer que A, B et C définissent un plan.
2. Déterminer une équation cartésienne du plan (ABC).
3. Montrer que la droite (DE) est orthogonale au plan (ABC).
4. Déterminer une représentation paramétrique de la droite (DE).
5. Déterminer les coordonnées du point F intersection de la droite (DE) et du plan (ABC).

72 On considère les droites d et d' **Démo**

dont les représentations paramétriques sont : $\begin{cases} x = -1 + 3k \\ y = 1 + 3k \\ z = -3 + k \end{cases}$

et $\begin{cases} x = 2 - k' \\ y = 1 + 2k' \\ z = -3k' \end{cases}$ où k et k' sont des réels.

Démontrer que ces deux droites sont orthogonales et non perpendiculaires.

73 On considère le plan $\mathscr{P}$ d'équation cartésienne
$2x - y + 3z - 1 = 0$ et la droite d de représentation paramé-

trique : $\begin{cases} x = 2 - k \\ y = -1 + k \\ z = k \end{cases}$ où k est un réel.

1. Montrer que la droite d est parallèle au plan.
2. Justifier que la droite d n'est pas incluse dans le plan.
3. Justifier que le point A(1 ; 0 ; 1) appartient à la droite.
4. Déterminer une équation cartésienne du plan $\mathscr{P}'$ passant par le point A et orthogonale à la droite d.
5. Donner une représentation paramétrique de la droite d'intersection des plans $\mathscr{P}$ et $\mathscr{P}'$.

Projetés orthogonaux

74 **1.** Déterminer une équation cartésienne du plan $\mathscr{P}$ passant par le point A(1 ; 0 ; 1) et de vecteur normal $\vec{n}\begin{pmatrix} -1 \\ 1 \\ 1 \end{pmatrix}$.

2. On donne le plan $\mathscr{P}'$ d'équation cartésienne $x + 2y - z + 1 = 0$ et le point B(0 ; 1 ; 1).
Démontrer que les deux plans sont perpendiculaires.

3. a) Déterminer les coordonnées du point K, projeté orthogonal du point B sur le plan $\mathscr{P}$.
b) En déduire la distance d du point B au plan $\mathscr{P}$.

4. a) Déterminer les coordonnées du point K', projeté orthogonal du point B sur le plan $\mathscr{P}'$.
b) En déduire la distance d' du point B au plan $\mathscr{P}'$.

5. Donner une représentation paramétrique de la droite D d'intersection des deux plans.

6. Déterminer les coordonnées du point H de D tel que la droite (BH) soit orthogonale à la droite D.

7. Vérifier que : $BH^2 = d^2 + d'^2$.

8. Expliquer le résultat obtenu.

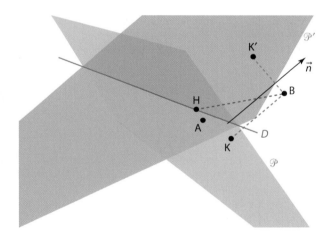

75 On considère un cube ABCDEFGH et les points suivants :
M milieu du segment [BF],
I milieu du segment [BC],
P centre de la face ADHE,
N défini par la relation $\overrightarrow{CN} = \frac{1}{2}\overrightarrow{GC}$.
On munit l'espace du repère ortho-normé (A ; $\overrightarrow{AB}$, $\overrightarrow{AD}$, $\overrightarrow{AE}$).

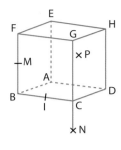

1. Justifier que le vecteur $\vec{n}\begin{pmatrix} 1 \\ 2 \\ 2 \end{pmatrix}$ est un vecteur normal au plan (MNP).

En déduire une équation cartésienne du plan (MNP).
2. Déterminer une représentation paramétrique de la droite d passant par le point G et orthogonale au plan (MNP).
3. Déterminer les coordonnées du point K projeté orthogonal du point G sur le plan (MNP).
En déduire la distance du point G au plan (MNP).
4. On admet que les points M, E, D et I appartiennent à un même plan et que le quadrilatère MEDI a pour aire $\frac{9}{8}$ u.a.

Calculer le volume de la pyramide GMEDI.

76 On considère la droite d passant par le point A(−2 ; 8 ; 4) et de vecteur directeur $\vec{u}\begin{pmatrix} 1 \\ 5 \\ -1 \end{pmatrix}$ et la droite d' passant par le point B(5 ; 1 ; −3) et de vecteur directeur $\vec{v}\begin{pmatrix} 2 \\ 1 \\ 1 \end{pmatrix}$.

1. Donner une représentation paramétrique pour chacune des droites d et d'.
2. Démontrer qu'elles ne sont pas coplanaires.
3. Vérifier que le point H(−3 ; 3 ; 5) est sur d et que le point K(3 ; 0 ; −4) est sur d'.
4. Démontrer que (HK) est la perpendiculaire commune aux droites d et d'.
5. Calculer la distance entre ces deux droites.

Travailler le Grand Oral

77 Le méthane, de formule atomique CH_4, a une molécule dont les quatre atomes d'hydrogène sont sur les sommets d'un tétraèdre régulier.
L'atome de carbone est situé au centre de la sphère circonscrite à ce tétraèdre.
1. Existe-t-il d'autres molécules de cette forme ?
2. Déterminer l'angle entre l'atome central et les atomes périphériques.

78 Quatre points

On considère les points de l'espace A(5 ; – 5 ; 2), B(– 1 ; 1 ; 0), C(0 ; 1 ; 2) et D(6 ; 6 ; – 1).

1. Déterminer la nature du triangle BCD et calculer son aire.

2.a) Montrer que le vecteur $\vec{n}\begin{pmatrix} -2 \\ 3 \\ 1 \end{pmatrix}$ est normal au plan (BCD).

b) Déterminer une équation cartésienne du plan (BCD).

3. Déterminer une représentation paramétrique de la droite *d* orthogonale au plan (BCD) et passant par le point A.

4. Déterminer les coordonnées du point H, intersection de la droite *d* et du plan (BCD).

5. Déterminer le volume du tétraèdre ABCD.

6. Déterminer une valeur approchée au dixième de degré près de l'angle $\widehat{BAC}$.

79 Deux plans

L'espace est muni d'un repère orthonormal (O ; $\vec{i}$, $\vec{j}$, $\vec{k}$) et on considère les plans $\mathscr{P}$ et $\mathscr{P}'$ d'équations cartésiennes respectives : $x + y - 1 = 0$ et $y + z - 2 = 0$.

1. Justifier que les plans $\mathscr{P}$ et $\mathscr{P}'$ sont sécants et vérifier que la droite *d* de représentation paramétrique $\begin{cases} x = 1 - k \\ y = k \\ z = 2 - k \end{cases}$ est leur droite d'intersection.

2.a) Déterminer une équation du plan $\mathscr{R}$ passant par le point O et orthogonal à la droite *d*.

b) Démontrer que le point H(0 ; 1 ; 1) est le point d'intersection du plan $\mathscr{R}$ et de la droite *d*.

3.a) Vérifier que les points A$\left(-\dfrac{1}{2} ; 0 ; \dfrac{1}{2}\right)$ et B(1 ; 1 ; 0) appartiennent au plan $\mathscr{R}$.

b) On appelle A' et B' les points symétriques des points A et B par rapport au point H. Justifier que le quadrilatère ABA'B' est un losange.

c) Vérifier que le point S(2 ; – 1 ; 3) appartient à la droite *d*.

d) Calculer le volume de la pyramide SABA'B'.

80 Parallélisme

L'espace est rapporté à un repère orthonormé(O ; $\vec{i}$, $\vec{j}$, $\vec{k}$).
On considère les points A(10 ; 0 ; 1), B(1 ; 7 ; 1) et C(0 ; 0 ; 5).

1.a) Démontrer que les droites (OA) et (OB) ne sont pas perpendiculaires.

b) Déterminer la mesure, de l'angle $\widehat{AOB}$, arrondie au dixième de degré.

2. Vérifier que $7x + 9y - 70z = 0$ est une équation cartésienne du plan (OAB).

3. Donner une représentation paramétrique de la droite (CA).

4. Soit D le milieu du segment [OC]. Déterminer une équation du plan $\mathscr{P}$ parallèle au plan (OAB) passant par D.

5. Le plan $\mathscr{P}$ coupe la droite (CB) en E et la droite (CA) en F. Déterminer les coordonnées du point F. On admet que le point E a pour coordonnées $\left(\dfrac{1}{2} ; \dfrac{7}{2} ; 3\right)$.

6. Démontrer que la droite (EF) est parallèle à la droite (AB).

D'après Bac 2019

81 Dans un cube

Dans le cube ABCDEFGH d'arête 1, on place les points I, J et K milieux respectifs des segments [BC], [BF] et [FH]. L'espace est rapporté au repère (A ; $\overrightarrow{AB}$, $\overrightarrow{AD}$, $\overrightarrow{AE}$).

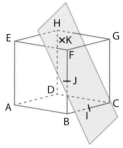

1. Déterminer les coordonnées des points I, J et K.

2.a) Démontrer que le vecteur $\vec{n}\begin{pmatrix} 2 \\ 1 \\ 1 \end{pmatrix}$ est orthogonal aux vecteurs $\overrightarrow{IJ}$ et $\overrightarrow{IK}$.

b) En déduire qu'une équation cartésienne du plan (IJK) est : $4x + 2y + 2z - 5 = 0$.

3.a) Déterminer une représentation paramétrique de la droite (CD).

b) En déduire que le point R$\left(\dfrac{3}{4} ; 1 ; 0\right)$ est le point d'intersection de la droite (CD) et du plan (IJK).

4.a) Dessiner le cube et placer le point R.

b) Construire la section du cube par le plan (IJK).

82 Distance

On considère les points A(3 ; 0 ; 0), B(0 ; 6 ; 0), C(0 ; 0 ; 4) et D(– 5 ; 0 ; 1).

1. Vérifier que le vecteur $\vec{n}\begin{pmatrix} 4 \\ 2 \\ 3 \end{pmatrix}$ est normal au plan (ABC).

2. Déterminer une équation cartésienne du plan (ABC).

3. Déterminer une représentation paramétrique de la droite *d* orthogonale au plan (ABC) et passant par le point D.

4. En déduire les coordonnées du point H projeté orthogonal du point D sur le plan (ABC).

5. En déduire la distance du point D au plan (ABC).

83 Points non alignés

On considère les points A(– 2 ; 0 ; 1), B(1 ; 2 ; – 1) et C(– 2 ; 2 ; 2).

1.a) Calculer le produit scalaire $\overrightarrow{AB} \cdot \overrightarrow{AC}$, puis donner les longueurs AB et AC.

b) En déduire une valeur approchée au degré de l'angle $\widehat{BAC}$.

c) En déduire que les points A, B et C ne sont pas alignés.

2. Vérifier qu'une équation cartésienne du plan (ABC) est : $2x - y + 2z + 2 = 0$.

3. Montrer que les plans $\mathscr{P} : x + y - 3z + 3 = 0$ et $\mathscr{P}' : x - 2y + 6z = 0$ sont sécants selon une droite *d* dont une représentation paramétrique est : $\begin{cases} x = -2 \\ y = -1 + 3k \\ z = k \end{cases}$ où *k* est un réel.

4. Démontrer que la droite *d* et le plan (ABC) sont sécants en un point dont on donnera les coordonnées.

Préparer le BAC L'essentiel

Produit scalaire

$$\vec{u} \cdot \vec{v} = \|\vec{u}\| \times \|\vec{v}\| \times \cos(\widehat{\vec{u}, \vec{v}})$$

$$= \overrightarrow{AB} \cdot \overrightarrow{AC}$$

$$= AB \times AC \times \cos(\widehat{BAC})$$

$$= \pm AB \times AH$$

$$= xx' + yy' + zz'$$

$$= \frac{1}{2}\left(\|\vec{u}\|^2 + \|\vec{v}\|^2 - \|\vec{u} - \vec{v}\|^2\right)$$

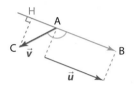

Vecteur normal au plan

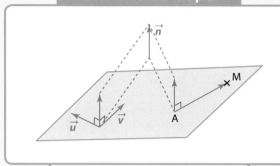

Équation cartésienne du plan

$$A(x_A \,;\, y_A \,;\, z_A) \text{ et } \vec{n}\begin{pmatrix} a \\ b \\ c \end{pmatrix}$$

$$ax + by + cz + d = 0$$

Projeté orthogonal d'un point à une droite ou un plan

Point d'intersection de la droite (ou du plan) et de la perpendiculaire à cette droite (ou à ce plan) passant par le point donné.

Opérations avec les vecteurs

- $\vec{u} \cdot \vec{v} = \vec{v} \cdot \vec{u}$
- $\vec{u} \cdot (\vec{v} + \vec{w}) = \vec{u} \cdot \vec{v} + \vec{u} \cdot \vec{w}$
- $\vec{u} \cdot (k\vec{v}) = k(\vec{u} \cdot \vec{v})$
- $\|\vec{u} + \vec{v}\|^2 = \|\vec{u}\|^2 + \|\vec{v}\|^2 + 2\vec{u} \cdot \vec{v}$
- $\vec{u} \cdot \vec{v} = \frac{1}{4}\left(\|\vec{u} + \vec{v}\|^2 - \|\vec{u} - \vec{v}\|^2\right)$

Distance entre deux points de l'espace

$$AB = \sqrt{(x_B - x_A)^2 + (y_B - y_A)^2 + (z_B - z_A)^2}$$

Distance d'un point à un plan

Distance entre le point et son projeté orthogonal sur le plan, plus courte distance entre le point et un point quelconque du plan.

Je dois être capable de...

▶ Calculer un produit scalaire et l'utiliser pour calculer un angle ou une longueur

▶ Déterminer une équation cartésienne d'un plan

▶ Déterminer la distance entre un point et son projeté orthogonal sur un plan

▶ Résoudre des problèmes de grandeurs et de mesures dans l'espace

▶ Déterminer une intersection entre un plan et une droite quelconques

Parcours d'exercices

→ 1, 2, 22, 23, 3, 4, 28, 29

→ 5, 6, 36, 37

→ 7, 9, 44, 45

→ 10, 11, 49, 50, 14, 15, 60, 61

→ 12, 13, 52, 53

▶ EXOS
QCM interactifs
lienmini.fr/maths-s10-07

QCM Pour les exercices suivants, choisir la (les) bonne(s) réponse(s).

Pour les exercices 84 à 91 , on considère le cube cube ABCDEFGH d'arête 2 et les milieux I et J des segments [GH] et [BC]. Le point K est le centre du carré ADHE.

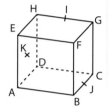

	A	B	C	D
84 $\vec{EH} \cdot \vec{EI}$ vaut :	0	2	4	1
85 $\vec{IE} \cdot \vec{IF}$ vaut :	1	3	4	9
86 $\vec{BI} \cdot \vec{BK}$ vaut :	0,5	1,5	3	6
87 $\vec{KB} \cdot \vec{KI}$ vaut :	−4	−1	0	4
88 Un vecteur normal au plan (BIK) est :	$\vec{u_1}\begin{pmatrix} 0 \\ \sqrt{2} \\ -\sqrt{2} \end{pmatrix}$	$\vec{u_2}\begin{pmatrix} 0 \\ -2 \\ 2 \end{pmatrix}$	$\vec{u_3}\begin{pmatrix} 2 \\ 4 \\ 4 \end{pmatrix}$	$\vec{u_4}\begin{pmatrix} 1 \\ \sqrt{2} \\ -\sqrt{2} \end{pmatrix}$
89 Une équation cartésienne du plan (BIK) est :	$-x + y + 1 = 0$	$-x + z + 1 = 0$	$-y + z = 0$	$y - z + 1 = 0$
90 L'intersection de la droite (EJ) et du plan (BIK) est :	le point (4 ; 2 ; 2).	la droite (EJ).	inexistante.	le point $\left(\frac{2}{3} ; \frac{1}{3} ; \frac{1}{3}\right)$.
91 L'intersection de la droite (BH) et du plan (BIK) est :	la droite (BH).	le point (1 ; 1 ; 1).	inexistante.	le point (2 ; 0 ; 0).
92 Soit les points A(0 ; 3 ; 1), B(− 2 ; 1 ;3), C(2 ; 0 ; 3) et le plan $\mathcal{P}$ d'équation cartésienne $x + 4y - 2z + 4 = 0$. Ces plans sont :	sécants en un point.	confondus.	parallèles.	sécants selon une droite.
93 L'ensemble des points de l'espace vérifiant $y = x$ est :	un plan contenant l'axe (Oz).	une droite passant par l'origine.	un plan orthogonal à l'axe (Ox).	une droite orthogonale à l'axe (Oz).

94 Distance

On considère un cube ABCDEFGH d'arête 1.

1. a) Simplifier le vecteur $\overrightarrow{AB} + \overrightarrow{AD} + \overrightarrow{AE}$.

b) En déduire le produit scalaire $\overrightarrow{AG} \cdot \overrightarrow{BD}$.

c) Démontrer de même que $\overrightarrow{AG} \cdot \overrightarrow{BE} = 0$.

d) Démontrer que la droite (AG) est orthogonale au plan (BDE).

2. Démontrer que le centre de gravité K du triangle BDE est le point d'intersection de la droite (AG) et du plan (BDE).
Préciser sa position sur le segment [AG].

3. Répondre aux questions suivantes à l'aide du repère $(A ; \overrightarrow{AB}, \overrightarrow{AD}, \overrightarrow{AE})$.

a) Donner une équation cartésienne du plan (BDE).

b) Donner une représentation paramétrique de la droite d passant par le point H et orthogonale au plan (BDE).

c) Déterminer les coordonnées du point d'intersection L de la droite d et du plan (BDE).

d) En déduire la distance du point H au plan (BDE).

> 🔧 **1** p. 311 🔧 **3** , 🔧 **4** p. 313 🔧 **6** p. 315

95 Aire variable

Dans un cube ABCDEFGH d'arête 1, on place le point M de la demi-droite [AE) défini par :

$$\overrightarrow{AM} = \frac{1}{a}\overrightarrow{AE}$$

où a est un réel strictement positif.

1. Déterminer le volume du tétraèdre ABDM en fonction de a.

2. Soit K le point défini par la relation :

$$a^2\overrightarrow{KM} + \overrightarrow{KB} + \overrightarrow{KD} = \vec{0}.$$

a) Exprimer $\overrightarrow{BK}$ en fonction de $\overrightarrow{BM}$ et $\overrightarrow{BD}$.

b) Calculer $\overrightarrow{BK} \cdot \overrightarrow{AM}$ et $\overrightarrow{BK} \cdot \overrightarrow{AD}$.
En déduire que : $\overrightarrow{BK} \cdot \overrightarrow{MD} = 0$.

c) Démontrer que : $\overrightarrow{DK} \cdot \overrightarrow{MB} = 0$.

d) Démontrer que le point K est l'orthocentre du triangle BDM.

3. a) Démontrer que : $\overrightarrow{AK} \cdot \overrightarrow{MB} = \overrightarrow{AK} \cdot \overrightarrow{MD} = 0$.

b) Que peut-on en déduire pour la droite (AK) ?

4. Montrer que le triangle BDM est isocèle et que son aire vaut $\dfrac{\sqrt{a^2 + 2}}{2a}$.

> 🔧 **1** p. 311 🔧 **5** p. 314

96 Intersection

On considère les points de l'espace A(1 ; –1 ; 3), B(0 ; 3 ; 1), C(6 ; –7 ; –1), D(2 ; 1 ; 3) et E(4 ; –6 ; 2).

1. Montrer que les points A, B et D définissent un plan.

2. Montrer que la droite (CE) est orthogonale au plan (ABD).

3. Déterminer une équation cartésienne du plan (ABD).

4. Déterminer une représentation paramétrique de la droite (CE).

5. Déterminer les coordonnées du point F intersection de la droite (CE) et du plan (ABD).

> 🔧 **3** p. 313 🔧 **5** p. 314 🔧 **6** p. 315

97 Un volume

Dans un cube ABCDEFGH d'arête 1, on considère les points $M\left(1 ; 1 ; \dfrac{3}{4}\right)$, $N\left(0 ; \dfrac{1}{2} ; 1\right)$ et $P\left(1 ; 0 ; -\dfrac{5}{4}\right)$ dans le repère $(A ; \overrightarrow{AB}, \overrightarrow{AD}, \overrightarrow{AE})$.

1. Démontrer que les points M, N et P ne sont pas alignés.

2. Démontrer que le triangle MNP est rectangle en M.

3. a) Déterminer les coordonnées d'un vecteur normal $\vec{n}$ au plan (MNP).

b) En déduire une équation cartésienne du plan (MNP).

4. Donner une représentation paramétrique de la droite d passant par le point F et de vecteur directeur $\vec{n}$.

5. Démontrer que le point $K\left(\dfrac{4}{7} ; \dfrac{24}{35} ; \dfrac{23}{35}\right)$ est l'intersection de la droite d et du plan (MNP).

6. Calculer le volume du tétraèdre FMNP.

> 🔧 **2** p. 311 🔧 **3** p. 313 🔧 **6** p. 315

98 Pyramide

Dans une pyramide SABDE à base carrée ABDE de centre O, on place le point C tel que le repère $(O ; \overrightarrow{OA}, \overrightarrow{OB}, \overrightarrow{OC})$ soit orthonormé et S(0 ; 0 ; 3).

1. Montrer que le point U de cote 1 appartenant à la droite (SB) a pour coordonnées $\left(0 ; \dfrac{2}{3} ; 1\right)$.

2. a) Soit V le point d'intersection de la droite (SD) et du plan (AEU). Démontrer que les droites (UV) et (BD) sont parallèles.

b) Déterminer les coordonnées du point V.

3. a) Démontrer que le point $K\left(\dfrac{5}{6} ; -\dfrac{1}{6} ; 0\right)$ est le pied de la hauteur issue de U du trapèze AUVE.

b) Démontrer que l'aire de ce trapèze est $\dfrac{5\sqrt{43}}{18}$.

> 🔧 **1** p. 311 🔧 **6** p. 315

Exercices vers le supérieur

99 Distance minimale

On considère les plans d'équations cartésiennes respectives $\mathscr{P}_1 : -2x + y + z - 6 = 0$ et $\mathscr{P}_2 : x - 2y + 4z - 9 = 0$.

1. Montrer que les deux plans sont perpendiculaires.

2. Montrer que la droite d d'intersection de ces deux plans a pour représentation paramétrique : $\begin{cases} x = -7 + 2k \\ y = -8 + 3k \\ z = k \end{cases}$ où k est un réel.

3. On prend un point M quelconque de la droite d et on donne le point A(-9 ; -4 ; -1).

a) Vérifier que A n'appartient à aucun des deux plans.

b) Exprimer AM^2 en fonction de k.

c) Étudier les variations de la fonction f définie par : $f(x) = 2x^2 - 2x + 3$.

d) En déduire pour quel point M la distance AM est minimale. On appelle H ce point.

4. Déterminer une équation cartésienne du plan orthogonal à la droite d passant par A.

5. Démontrer que H est le projeté orthogonal de A sur la droite d.

100 Perpendiculaire commune

On considère la droite d qui est l'axe des abscisses et la droite d' de représentation paramétrique : $\begin{cases} x = -k \\ y = 3 + 3k \\ z = 1 - k \end{cases}$ où k est un réel. On appelle Δ la perpendiculaire commune aux deux droites.

1. Justifier que d et d' ne sont pas coplanaires.

2. Montrer qu'il existe deux réels a et b tels que le vecteur $\vec{w} = a\vec{j} + b\vec{k}$ soit un vecteur directeur de la droite Δ.

3. Vérifier que le plan d'équation cartésienne $-3y + z = 0$ contient la droite d.

4. Déterminer les coordonnées du point d'intersection A de la droite d' et du plan.

5. Justifier que la droite passant par le point A et de vecteur directeur $\vec{w}$ est sécante à la droite d en un point B, que l'on déterminera, et qu'elle est la perpendiculaire commune cherchée.

6. Calculer la distance entre les deux droites d et d'.

101 Droite ou plan ?

On considère l'ensemble (E) des points M(x ; y ; z) de l'espace dont les coordonnées vérifient le système : $\begin{cases} x = 1 - k + 4t \\ y = 2 + 2k - t \\ z = -1 + k + 2t \end{cases}$ où k et t sont des réels.

Ainsi que le point A(1 ; 2 ; -1) et les vecteurs $\vec{u} \begin{pmatrix} -1 \\ 2 \\ 1 \end{pmatrix}$ et $\vec{v} \begin{pmatrix} 4 \\ -1 \\ 2 \end{pmatrix}$.

1. Montrer que le vecteur $\overrightarrow{AM}$ est combinaison linéaire des vecteurs $\vec{u}$ et $\vec{v}$.

2. En déduire quel est l'ensemble (E).

3. En donner alors une équation cartésienne.

102 Tétraèdre

On considère le cube ABCDEFGH d'arête 1 et on note K le point d'intersection de la droite (CE) avec le plan (AFH).

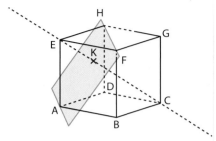

On se place dans le repère (D ; $\overrightarrow{DA}$, $\overrightarrow{DC}$, $\overrightarrow{DH}$).

1. Déterminer une représentation paramétrique de la droite (CE).

2. Déterminer une équation cartésienne du plan (AFH).

3. En déduire les coordonnées du point K.

4. Montrer que K est le projeté orthogonal du point E sur le plan (AFH).

5. Calculer la distance du point E au plan (AFH).

6. Démontrer que la droite (HK) est perpendiculaire à la droite (AF). Qu'en déduit-on pour le point K dans le triangle AFH ?

7. On dit qu'un tétraèdre est de type 1 si ses faces ont même aire, qu'il est de type 2 si les arêtes opposées sont orthogonales deux à deux et qu'il est de type 3 s'il est à la fois de type 1 et de type 2.

De quel(s) type(s) est le tétraèdre EAFH ?

D'après Bac 2019

103 Trois plans

On considère les plans d'équations cartésiennes respectives :
$\mathscr{P}_1 : 4x + y + z + 10 = 0$, $\mathscr{P}_2 : 2x + y + 3 = 0$
et $\mathscr{P}_3 : 2x - y + 2z - 1 = 0$.

1. Déterminer un vecteur normal pour chacun des trois plans.

2. Étudier la position relative des plans $\mathscr{P}_1$ et $\mathscr{P}_2$.

3. Donner une représentation paramétrique de la droite d, intersection de ces deux plans.

4. Étudier la position relative de la droite d et du plan $\mathscr{P}_3$.

5. Déterminer alors la nature de l'intersection des trois plans.

104 Piège

On considère les plans donnés par leurs équations cartésiennes respectives $\mathscr{P}_1 : 2x - 3y - z + 4 = 0$ et $\mathscr{P}_2 : x + 2y - 4z - 5 = 0$.

1. Montrer que ces deux plans sont perpendiculaires.

2. Vérifier que les points A(1 ; 1 ; 3) et B(-1 ; -1 ; 5) appartiennent au plan $\mathscr{P}_1$.

3. Vérifier que les points C(1 ; 6 ; 2) et D(-3 ; 0 ; -2) appartiennent au plan $\mathscr{P}_2$.

4. Étudier la position relative entre les droites (AB) et (CD). Sont-elles orthogonales ? Parallèles ?

105 Plan médiateur

On donne les points A(1 ; 2 ; 2) et B(– 3 ; – 1 ; 1). On note (E) l'ensemble des points M de l'espace tels que : MA = MB.

1. Démontrer que l'ensemble (E) est le plan d'équation cartésienne : $4x + 3y + z + 1 = 0$.

2. Montrer que le milieu du segment [AB] appartient à cet ensemble.

3. Montrer qu'un vecteur normal à (E) est colinéaire à $\overrightarrow{AB}$.

4. En déduire une définition et une caractérisation de l'ensemble (E), appelé plan médiateur du segment [AB].

106 Théorème   Histoire des maths   Démo
de De Gua de Malves

Démontrer le théorème suivant, appelé *théorème de Pythagore dans l'espace* :

« Dans un tétraèdre ABCD trirectangle en A, le carré de l'aire de la face BCD est égal à la somme des carrés des aires des trois autres faces ».

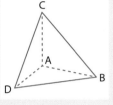

!**Coup de pouce** Un tétraèdre ABCD est trirectangle en A quand les triangles ABC, ACD et ABD sont rectangles et isocèles en A.

107 Représenter

Représenter l'ensemble des points M de l'espace dont les coordonnées vérifient le système : $\begin{cases} 0 \leqslant x \leqslant 4 \\ 0 \leqslant y \leqslant 4 \\ 0 \leqslant z \leqslant 4 \\ 0 \leqslant x + y + z \leqslant 8 \end{cases}$

108 Point variable

L'espace est muni du repère (A , $\overrightarrow{AB}$, $\overrightarrow{AD}$, $\overrightarrow{AE}$). ABCDEFGH est un cube et I, J et K sont les milieux des segments [AB], [DH] et [GH].

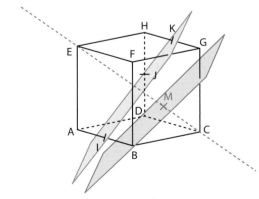

1. Démontrer que le vecteur $\overrightarrow{CE}$ est un vecteur normal du plan (IJK).

2. Démontrer que la droite (BD) est parallèle au plan (IJK).

3. Quelle est la position d'un point M sur la droite (CE) pour que le plan (BDM) soit parallèle au plan (IJK) ?

109 Trois méthodes   Démo

ABCDEFGH est un cube d'arête 1 et les points P et Q sont les centres de gravité des triangles DEH et CDH. On veut démontrer de trois façons différentes que la droite (PQ) est orthogonale aux droites (DG) et (AH).

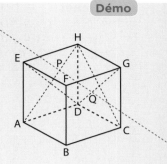

A ▶ Avec le repère
(A ; $\overrightarrow{AB}$, $\overrightarrow{AD}$, $\overrightarrow{AE}$)

1. Donner les coordonnées des points C, E et H, ainsi que du milieu K de l'arête [EH].

2. En déduire les coordonnées des points P et Q. Conclure.

B ▶ Avec une étude géométrique

On note O le centre du carré CDHG.

1. Démontrer que (OK) est parallèle à (PQ) et à (CE).

2. Démontrer que (DG) est perpendiculaire au plan (CEH) et que (AH) est perpendiculaire au plan (CDE).

3. En déduire que (CE) est orthogonale à (DG) et à (AH).

C ▶ Avec le calcul vectoriel

1. Démontrer que : $3\overrightarrow{DP} = 2\overrightarrow{DH} + \overrightarrow{DA}$ et que : $3\overrightarrow{DQ} = \overrightarrow{DC} + \overrightarrow{DH}$.

2. En déduire que : $3\overrightarrow{PQ} = \overrightarrow{DC} - \overrightarrow{DH} - \overrightarrow{DA}$.

3. Calculer : $\overrightarrow{PQ} \cdot \overrightarrow{DG}$ et $\overrightarrow{PQ} \cdot \overrightarrow{AH}$. Conclure.

110 Double pyramide

On relie les centres de chaque face d'un cube ABCDEFGH pour former un solide IJKLMN.

Plus précisément, les points I, J, K, L, M et N sont les centres respectifs des faces carrées ABCD, BCGF, CDHG, ADHE, ABFE et EFGH (donc les milieux des diagonales de ces carrés).

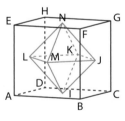

1. Sans utiliser de repère (et donc de coordonnées) dans le raisonnement mené, justifier que les droites (IN) et (ML) sont orthogonales.

2. Dans la suite, on considère le repère orthonormé (A ; $\overrightarrow{AB}$, $\overrightarrow{AD}$, $\overrightarrow{AE}$) dans lequel, par exemple, le point N a pour coordonnées $\left(\dfrac{1}{2} ; \dfrac{1}{2} ; 1\right)$.

a) Donner les coordonnées des vecteurs $\overrightarrow{NC}$ et $\overrightarrow{ML}$.

b) En déduire que les droites (NC) et (ML) sont orthogonales.

c) Déduire une équation cartésienne du plan (NCI).

3. a) Montrer qu'une équation cartésienne du plan (NJM) est : $x - y + z = 1$.

b) La droite (DF) est-elle perpendiculaire au plan (NJM) ?

c) Montrer que l'intersection des plans (NJM) et (NCI) est une droite dont on donnera un point et un vecteur directeur. Nommer la droite ainsi obtenue en utilisant deux points de la figure.

D'après Bac 2019

111 Bicoin

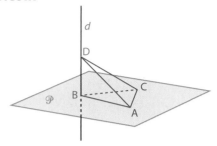

A ▶ Dans un plan $\mathcal{P}$, on considère un triangle ABC rectangle en A.

Soit d la droite orthogonale au plan $\mathcal{P}$ et passant par le point B.

On considère un point D de cette droite distinct du point B.

1. Montrer que la droite (AC) est orthogonale au plan (BAD).

2. On appelle « bicoin » un tétraèdre dont les quatre faces sont des triangles rectangles.

Montrer que le tétraèdre ABCD est un « bicoin ».

3. a) Justifier que l'arête [CD] est la plus longue arête du « bicoin » ABCD.

b) On note I le milieu de l'arête [CD].

Montrer que le point I est équidistant des 4 sommets du « bicoin » ABCD.

B ▶ Dans un repère orthonormé de l'espace, on considère le point A(3 ; 1 ; –5) et la droite d de représentation

paramétrique $\begin{cases} x = 2t + 1 \\ y = -2t + 9 \text{ où } t \in \mathbb{R}. \\ z = t - 3 \end{cases}$

1. Déterminer une équation cartésienne du plan $\mathcal{P}$ orthogonal à la droite d et passant par le point A.

2. Montrer que le point d'intersection du plan $\mathcal{P}$ et de la droite d est le point B(5 ; 5 ; –1).

3. Justifier que le point C(7 ; 3 ; –9) appartient au plan $\mathcal{P}$ puis montrer que le triangle ABC est un triangle rectangle isocèle en A.

4. Soit t un réel différent de 2 et M le point de paramètre t appartenant à la droite d.

a) Justifier que le triangle ABM est rectangle.

b) Montrer que le triangle ABM est isocèle en B si et seulement si le réel t vérifie l'équation $t^2 - 4t = 0$.

c) En déduire les coordonnées des points M_1 et M_2 de la droite d tels que les triangles rectangles ABM_1 et ABM_2 soient isocèles en B.

C ▶ On donne le point D(9 ; 1 ; 1) qui est un des deux points solutions de la question **4. c)** de la partie **B** ▶.

Les quatre sommets du tétraèdre ABCD sont situés sur une sphère.

En utilisant les résultats des questions des parties **A** ▶ et **B** ▶ précédentes, déterminer les coordonnées du centre de cette sphère et calculer son rayon.

D'après Bac 2019

112 Des drones

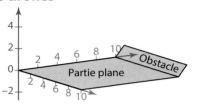

Alex et Élisa, deux pilotes de drones, s'entrainent sur un terrain constitué d'une partie plane qui est bordée par un obstacle.

On considère un repère orthonormé $(O \; ; \vec{i} \, , \vec{j} \, , \vec{k})$, une unité correspondant à dix mètres. Pour modéliser le relief de la zone, on définit six points O, P, Q, T, U et V par leurs coordonnées dans ce repère : O(0 ; 0 ; 0), P(0 ; 10 ; 0), Q(0 ; 11 ; 1), T(10 ; 11 ; 1), U(10 ; 10 ; 0) et V(10 ; 0 ; 0).

La partie plane est délimitée par le rectangle OPUV et l'obstacle par le rectangle PQTU.

Les deux drones sont assimilables à deux points et on suppose qu'ils suivent des trajectoires rectilignes :

• le drone d'Alex suit la trajectoire portée par la droite (AB) avec A(2 ; 4 ; 0,25) et B(2 ; 6 ; 0,75),

• le drone d'Élisa suit la trajectoire portée par la droite (CD) avec C(4 ; 6 ; 0,25) et D(2 ; 6 ; 0,25).

A ▶ **Étude de la trajectoire du drone d'Alex**

1. Déterminer une représentation paramétrique de (AB).

2. a) Justifier que le vecteur $\vec{n}$ (0 ; 1 ; –1) est un vecteur normal au plan (PQU).

b) En déduire une équation cartésienne du plan (PQU).

3. Démontrer que la droite (AB) et le plan (PQU) sont sécants au point I de coordonnées $\left(2 \; ; \dfrac{37}{3} \; ; \dfrac{7}{3}\right)$.

4. Expliquer pourquoi, en suivant cette trajectoire, le drone d'Alex ne rencontre pas l'obstacle.

B ▶ **Distance minimale entre les deux trajectoires**

Pour éviter une collision entre leurs deux appareils, Alex et Élisa imposent une distance minimale de 4 mètres entre les trajectoires de leurs drones.

Pour vérifier que cette consigne est respectée, on considère un point M de la droite (AB) et un point N de la droite (CD).

Il existe deux réels a et b tels que $\overrightarrow{AM} = a\overrightarrow{AB}$ et $\overrightarrow{CN} = b\overrightarrow{CD}$. On s'intéresse donc à la distance MN.

1. Démontrer que les coordonnées du vecteur $\overrightarrow{MN}$ sont $(2 - 2b \; ; 2 - 2a \; ; -0{,}5a)$.

2. On admet que les droites (AB) et (CD) ne sont pas coplanaires. On admet également que la distance MN est minimale lorsque la droite (MN) est perpendiculaire à la fois à la droite (AB) et à la droite (CD).

Démontrer alors que la distance MN est minimale lorsque $a = \dfrac{16}{17}$ et $b = 1$.

3. En déduire la valeur minimale de la distance MN puis conclure.

D'après Bac 2019

113 Produit vectoriel (MPSI) (PCSI) Algo

On donne $\vec{u}\begin{pmatrix} a \\ b \\ c \end{pmatrix}$ et $\vec{v}\begin{pmatrix} a' \\ b' \\ c' \end{pmatrix}$ et on définit $\vec{n}\begin{pmatrix} bc' - b'c \\ ca' - c'a \\ ab' - a'b \end{pmatrix}$.

1. Démontrer que $\vec{n}$ est orthogonal aux vecteurs $\vec{u}$ et $\vec{v}$.

2. Démontrer l'équivalence :
$$\vec{n} = \vec{0} \Leftrightarrow \vec{u} \text{ et } \vec{v} \text{ sont colinéaires.}$$

▶ **Remarque** Le vecteur $\vec{n}$ est appelé produit vectoriel des vecteurs $\vec{u}$ et $\vec{v}$ et on écrit : $\vec{n} = \vec{u} \wedge \vec{v}$. Il est utilisé pour déterminer la force qui s'exerce sur une particule soumise à un champ magnétique.

3. On donne les points A(3 ; 0 ; 1), B(0 ; −1 ; −2) et C(1 ; −1 ; 0).

a) Justifier que les trois points définissent un plan.

b) Déterminer à l'aide de ce qui précède un vecteur normal au plan (ABC).

c) En déduire une équation cartésienne du plan (ABC).

4. Vérifier que l'algorithme écrit en **Python** ci-contre répond au problème précédent et le faire tourner pour vérifier l'équation du plan (ABC).

```
xu = float(input("xu="))
yu = float(input("yu="))
zu = float(input("zu="))
xv = float(input("xv="))
yv = float(input("yv="))
zv = float(input("zv="))
xA = float(input("xA="))
yA = float(input("yA="))
zA = float(input("zA="))
a = yu*zv-zu*yv
b = zu*xv-xu*zv
c = xu*yu-yu*xv
d = -a*xA-b*yA-c*zA
if a**2+b**2+c**2==0 :
    print ("plan indéfini")
else :
    print ("a=",a)
    print ("b=",b)
    print ("c=",c)
    print ("d=",d)
```

▶ **PYTHON**
Équation du plan
lienmini.fr/maths-s10-08

114 Droites sécantes ?

Soit un cube ABCDEFGH d'arête 1, avec I le milieu du segment [EF], J le milieu du segment [EH] et K le point tel que $\overrightarrow{AK} = \frac{1}{4}\overrightarrow{AD}$. On note $\mathscr{P}$ le plan passant par I et parallèle au plan (FHK). L'espace est muni du repère (A ; $\overrightarrow{AB}$, $\overrightarrow{AD}$, $\overrightarrow{AE}$)

1. a) Montrer que $\vec{n}\begin{pmatrix} 4 \\ 4 \\ -3 \end{pmatrix}$ est normal au plan (FHK).

b) En déduire qu'une équation cartésienne du plan (FHK) est $4x + 4y - 3z - 1 = 0$.

c) Déterminer une équation du plan $\mathscr{P}$.

d) Calculer les coordonnées de M', point d'intersection du plan $\mathscr{P}$ et de la droite (AE).

2. Soit Δ la droite passant par E et orthogonale au plan $\mathscr{P}$.

a) Déterminer une représentation paramétrique de Δ.

b) Calculer les coordonnées du point L, intersection de la droite Δ et du plan (ABC).

c) Les droites Δ et (BC) sont-elles sécantes ? Qu'en est-il des droites Δ et (CG) ? Justifier vos réponses.

D'après Bac 2019

115 Section de cube

Dans l'espace on considère le cube ABCDEFGH de centre Ω et d'arête de longueur 6. Les points P, Q et R sont définis par : $\overrightarrow{AP} = \frac{1}{3}\overrightarrow{AB}$, $\overrightarrow{AQ} = \frac{1}{3}\overrightarrow{AE}$ et $\overrightarrow{HR} = \frac{1}{3}\overrightarrow{HE}$.

Dans tout ce qui suit on utilise le repère orthonormé (O ; $\vec{i}$, $\vec{j}$, $\vec{k}$) avec $\vec{i} = \frac{1}{6}\overrightarrow{AB}$, $\vec{j} = \frac{1}{6}\overrightarrow{AD}$ et $\vec{k} = \frac{1}{6}\overrightarrow{AE}$.

1. a) Donner les coordonnées des points P, Q, R et Ω.

b) Déterminer les réels b et c tels que : $\vec{n}\begin{pmatrix} 1 \\ b \\ c \end{pmatrix}$ soit un vecteur normal au plan (PQR).

c) En déduire qu'une équation du plan (PQR) est : $x - y + z - 2 = 0$.

2. a) On note Δ la droite perpendiculaire au plan (PQR) passant par le point Ω. Donner une représentation paramétrique de la droite Δ.

b) En déduire que Δ coupe (PQR) au point I$\left(\frac{8}{3} ; \frac{10}{3} ; \frac{8}{3}\right)$.

c) Calculer la distance ΩI.

3. On considère les points J(6 ; 4 ; 0) et K(6 ; 6 ; 2).

a) Justifier que J appartient au plan (PQR).

b) Vérifier que les droites (JK) et (QR) sont parallèles.

c) Tracer la section du cube par le plan (PQR).

116

Soit ABCDEFGH un cube, I le centre du carré ADHE et J un point quelconque du segment [CG]. La section du cube par le plan (FIJ) est le quadrilatère FKLJ. On se place dans le repère (A ; $\overrightarrow{AB}$, $\overrightarrow{AD}$, $\overrightarrow{AE}$).

A ▶ Le point J a pour coordonnées $\left(1 ; 1 ; \frac{2}{5}\right)$.

1. Démontrer que I a pour coordonnées $\left(0 ; \frac{1}{2} ; \frac{1}{2}\right)$.

2. a) Démontrer que $\vec{n}\begin{pmatrix} -1 \\ 3 \\ 5 \end{pmatrix}$ est normal au plan (FIJ).

b) Démontrer qu'une équation cartésienne du plan (FIJ) est : $-x + 3y + 5z - 4 = 0$.

3. Soit d la droite orthogonale au plan (FIJ) passant par B.

a) Déterminer une représentation paramétrique de d.

b) On note M le point d'intersection de la droite d et du plan (FIJ). Démontrer que M$\left(\frac{6}{7} ; \frac{3}{7} ; \frac{5}{7}\right)$.

4. a) Calculer $\overrightarrow{BM} \cdot \overrightarrow{BF}$.

b) En déduire une valeur au degré près de l'angle $\widehat{MBF}$.

B ▶ J est quelconque : ses coordonnées sont (1 ; 1 ; a) où a est un réel entre 0 et 1.

1. Montrer que la section du cube par le plan (FIJ) est un parallélogramme.

2. On admet alors que L$\left(0 ; 1 ; \frac{a}{2}\right)$. Pour quelle(s) valeur(s) de a le quadrilatère FKLJ est-il un losange ?

D'après Bac 2019

Travaux pratiques

1 Étudier la position relative de deux plans

On considère les plans $\mathcal{P}$ et $\mathcal{P}'$ d'équations cartésiennes : $4x - 3y + 2z = 0$ et $-2x + y - 5z + 2 = 0$.
On cherche à étudier l'intersection de ces deux plans.

A ▶ Rechercher l'intersection

1. Donner un vecteur normal à chacun des plans $\mathcal{P}$ et $\mathcal{P}'$. En déduire qu'ils sont sécants.
2. Donner le système vérifié par les coordonnées des points communs aux deux plans, et le résoudre en cherchant d'abord à exprimer les inconnues x et y en fonction de z.
3. À quoi ce système correspond-il graphiquement ?
4. Donner les paramètres (un point et un vecteur) qui permettent de définir cet ensemble.
5. Vérifier que ce point appartient bien aux deux plans et que le vecteur est orthogonal aux deux vecteurs normaux aux deux plans.

B ▶ Rechercher un vecteur orthogonal à deux autres

On considère un vecteur $\vec{u}\begin{pmatrix} a \\ b \\ c \end{pmatrix}$ orthogonal aux deux vecteurs normaux.

1. Déterminer le système vérifié par les coordonnées de ce vecteur.
2. Expliquer pourquoi ce système admet une infinité de solutions.
3. Résoudre ce système en fixant par exemple l'inconnue c et en exprimant les inconnues a et b en fonction de c. Les coordonnées des vecteurs cherchés s'expriment en fonction de c.
4. Que peut-on en déduire pour tous les vecteurs solutions du problème cherché ?
5. Comparer avec un vecteur directeur de la droite d'intersection. Quelle remarque peut-on faire ? Était-ce prévisible ?

2 Autour de la sphère

A ▶ Équation

On considère la sphère S de centre A(-1 ; 2 ; 1) et de rayon $R = 2$.
1. Rappeler la relation vérifiée par l'ensemble des points M(x ; y ; z) de la sphère sous forme d'équation.
2. On donne maintenant l'équation $x^2 + y^2 + 2y + z^2 - 4z - 4 = 0$. En s'inspirant de la relation précédente, transformer cette équation pour l'écrire sous la même forme.
3. En déduire qu'il s'agit bien d'une sphère et en donner le centre et le rayon.

B ▶ Position de cette sphère avec un plan

1. Montrer que l'ensemble des points vérifiant l'équation : $x^2 - 4x + y^2 + 6y + z^2 + 2z + 5 = 0$ est une sphère dont on précisera le centre B et le rayon r.
2. On donne le plan $\mathcal{P}$ d'équation cartésienne $x + y + z = 0$. Vérifier que B n'appartient pas au plan $\mathcal{P}$ et déterminer les coordonnées de son projeté orthogonal H sur ce plan.
3. Calculer la distance BH et en déduire si la sphère et le plan se coupent ou non.

▶ **Remarque** Quand un plan et une sphère se coupent leur intersection est un cercle de centre le projeté orthogonal du centre de la sphère sur le plan.

4. Étudier si le plan $\mathcal{P}'$ d'équation $-2x + 2y + z + 2 = 0$ coupe la sphère ou non.
5. Que peut-on en déduire ?

▶ **Remarque** Quand un plan et une sphère se coupent en un seul point, on dit que le plan est tangent à la sphère.

3 Sphère circonscrite à un tétraèdre

A ▶ Cas général

On considère le tétraèdre ABCD et on cherche la sphère circonscrite au tétraèdre c'est-à-dire la sphère qui passe par les quatre sommets.

1. Construire le centre G du cercle circonscrit au triangle ABC. Ce point est équidistant des points A, B et C.

2. Démontrer que les points appartenant à la droite d perpendiculaire au plan (ABC) passant par G sont équidistants des points A, B et C.

3. On considère le plan médiateur du segment [AD], c'est-à-dire l'ensemble des points de l'espace équidistants de A et de D. Il est perpendiculaire au segment [AD] et passe par son milieu.

En déduire que le point d'intersection O de ce plan et de la droite d est équidistant des quatre sommets A, B, C et D et conclure.

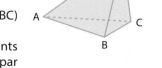

B ▶ Cas de la Terre

Dans le cas où le tétraèdre est régulier, le centre du cercle circonscrit au tétraèdre est situé aux trois quarts de sa hauteur, qui correspond également au rayon de la sphère.

1. En déduire la distance GO en fonction du rayon R de la Terre.

2. Dans le triangle GOA rectangle en G, calculer l'angle $\widehat{GAO}$.

3. La latitude correspondant au plan (ABC) est l'angle que fait la droite (OA) avec le plan équatorial.

En déduire la latitude du plan (ABC).

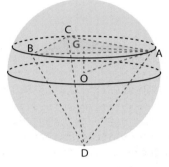

4 Fonction scalaire de Leibniz

On définit la fonction scalaire f de Leibniz, la fonction qui à tout point M de l'espace associe le point f(M) défini par :

$$f(M) = \sum_{i=1}^{n} \alpha_i MA_i^2 \text{ où } (A_i, \alpha_i)_{1 \leqslant i \leqslant n} \text{ est une famille de points pondérés.}$$

A ▶ $\sum_{i=1}^{n} \alpha_i = 0$

Montrer qu'alors : $f(M) = f(A) + 2\overrightarrow{MA} \cdot \vec{u}$ où $\vec{u} = \vec{f}(A)$ avec $\vec{f}$ fonction vectorielle de Leibniz et A un point quelconque.

B ▶ $\sum_{i=1}^{n} \alpha_i \neq 0$

Montrer qu'alors : $f(M) = f(G) + \left(\sum_{i=1}^{n} \alpha_i \right) MG^2$ où G est le barycentre du système de points pondérés $(A_i, \alpha_i)_{1 \leqslant i \leqslant n}$.

C ▶ Applications

1. On considère le système {(A , 1), (B , 2), (C , – 3)}.

a) Exprimer f(M) à l'aide du point A du système.

b) Déterminer l'ensemble des points M de l'espace tels que f(M) = k, selon que le vecteur $\vec{u} = \vec{f}(A)$ soit nul ou non.

2. On considère le système {(A , 3), (B , 2), (C , – 1)}.

a) Exprimer f(M) à l'aide du barycentre G du système {(A , 3), (B , 2), (C , – 1)}.

b) Déterminer l'ensemble des points M de l'espace tels que f(M) = k selon les valeurs de la constante k.

11

Dénombrement

▶ VIDÉO WEB

Triangle de Pascal
lienmini.fr/maths-s11-01

Le triangle de Pascal cache de nombreux secrets sur les nombres : les nombres triangulaires, des sommes remarquables, les puissances de 2, le nombre π, ou bien encore la suite de Fibonacci…

Quels sont les liens entre ce triangle et les développements de $(a + b)^n$?
↳ TP 3 p. 361

Pour prendre un bon départ

 EXOS
Prérequis
lienmini.fr/maths-s11-02

 Les rendez-vous Sésamath

1 Connaître les notations mathématiques

1. Compléter les phrases suivantes par le symbole $\in$ ou $\notin$.

a) $2,3 \dots \mathbb{N}$ **b)** $\pi \dots \mathbb{R}$ **c)** $\dfrac{2}{3} \dots \mathbb{N}$ **d)** $-4,151246 \dots \mathbb{Z}$

2. Compléter les phrases suivantes par le symbole $\subset$ ou $\not\subset$.

a) $\mathbb{N} \dots \mathbb{R}$ **b)** $\mathbb{Q} \dots \mathbb{N}$ **c)** $\mathbb{D} \dots \mathbb{Q}$ **d)** $\mathbb{Z} \dots \mathbb{D}$

2 Construire des ensembles ou des uplets

1. Les lettres du mot MATHEMATIQUES sont prises dans un ensemble contenant 9 éléments.
Donner cet ensemble.

2. Les nombres 421 et 142 sont formés par des chiffres ordonnés pris dans deux listes (triplets ici).
Donner ces deux triplets.

3 Construire un tableau

Dans un jeu de 25 quilles, les quilles sont de couleurs et de formes différentes.
Parmi les 11 quilles bleues, 8 ont une forme cylindrique et on compte 4 quilles rouges de forme cubique.

1. Compléter le tableau à double entrée ci-dessous.

	Quilles bleues	Quilles rouges	Total
Forme cylindrique			
Forme cubique			
Total			25

2. Combien de quilles rouges de forme cylindrique y a-t-il ?

4 Construire un diagramme

Dans un CDI contenant 5 000 livres, on compte 1 200 manuels scolaires et, parmi ceux-ci, 135 sont de maths.

1. Compléter le diagramme suivant par les effectifs.

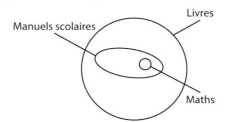

2. En déduire le nombre de livres n'étant pas des manuels scolaires présents au CDI.

Activités

1 Construire des ensembles avec un ensemble

1. On considère l'ensemble E = {a ; b ; c} constitué de trois éléments distincts.

a) Un singleton est un ensemble (qui s'écrit entre accolades) à 1 élément.
Combien de singletons peut-on construire à partir des éléments de l'ensemble E ?

b) Une paire est un ensemble à 2 éléments (donc distincts et la notion d'ordre n'intervient pas).
Combien de paires peut-on construire à partir des éléments de l'ensemble E ?

c) Combien d'ensemble(s) à 3 éléments peut-on construire à partir des éléments de l'ensemble E ?

2. On considère cette fois l'ensemble F = {a ; b ; c ; d}.

a) Combien de singletons peut-on construire à partir des éléments de l'ensemble F ?

b) Combien de paires peut-on construire à partir des éléments de l'ensemble F ?

c) Combien d'ensemble à 3 éléments peut-on construire à partir des éléments de l'ensemble F ?

d) Combien d'ensemble(s) à 4 éléments peut-on construire à partir des éléments de l'ensemble F ?

3. On considère un ensemble G à n éléments G = {a_1 ; a_2 ; ... ; a_n}.

a) Combien de singletons peut-on construire à partir des éléments de l'ensemble G ?

b) Combien de paires peut-on construire à partir des éléments de l'ensemble G ?

c) Combien d'ensemble à 3 éléments peut-on construire à partir des éléments de l'ensemble G ?

d) Continuer à compter les ensembles possibles à partir des éléments de G jusqu'à construire un ensemble à n éléments.

 Cours 1 p. 338 et 3 p. 342

2 Construire p-listes (ou p-uplets) avec un ensemble

1. On considère l'ensemble E = {a ; b ; c} constitué de trois éléments distincts.

a) Un 1-uplet est une liste (qui s'écrit entre parenthèses) à 1 élément.
Combien de 1-uplets peut-on construire à partir des éléments de l'ensemble E ?

b) Un 2-uplet est une liste à 2 éléments (donc pas forcément distincts et la notion d'ordre intervient), appelée paire ou couple.
Combien de couples peut-on construire à partir des éléments de l'ensemble E ?

c) Un 3-uplet est une liste à 3 éléments, appelée triplet.
Combien de 3-uplets peut-on construire à partir des éléments de l'ensemble E ?

2. On considère cette fois l'ensemble F = {a ; b ; c ; d}.

a) Combien de 1-uplets peut-on construire à partir des éléments de l'ensemble F ?

b) Combien de couples peut-on construire à partir des éléments de l'ensemble F ?

c) Combien de 3-uplets peut-on construire à partir des éléments de l'ensemble F ?

d) Combien de 4-uplets peut-on construire à partir des éléments de l'ensemble F ?

 Cours 1 p. 338

3 Construire des arbres

A ▶ Sans remise

1. Une urne contient quatre boules : une noire, une bleue, une rouge et une verte.
On tire une boule au hasard dans l'urne, puis une deuxième et enfin une troisième.

a) Compléter l'arbre ci-dessous représentant cette situation.

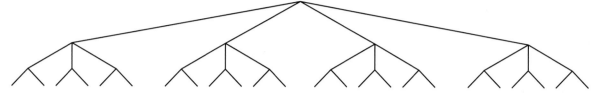

b) Combien de tirages possibles a-t-on au total ?

2. Une autre urne contient cinq boules : une noire, une bleue, une rouge, une verte et une blanche.
On tire une boule au hasard dans l'urne, puis une deuxième et enfin une troisième.

a) Construire l'arbre représentant cette situation.

b) Combien de tirages possibles a-t-on au total ?

B ▶ Avec remise

1. Une urne contient quatre boules : une noire, une bleue, une rouge et une verte.
On tire une boule au hasard, on la remet dans l'urne, puis une deuxième que l'on remet également et enfin une troisième.

a) Compléter l'arbre ci-dessous représentant cette situation.

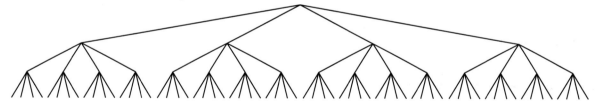

b) Combien de tirages possibles a-t-on au total ?

2. Une autre urne contient cinq boules : une noire, une bleue, une rouge, une verte et une blanche.
On tire une boule au hasard, on la remet dans l'urne, puis une deuxième que l'on remet également et enfin une troisième.

a) Représenter cette situation par un arbre.

b) Combien de tirages possibles a-t-on au total ?

C ▶ Comparaison de *p*-uplet et d'un ensemble

Prenons quatre lettres *a*, *b*, *c* et *d*.

1. Donner le nombre d'ensembles de 3 lettres, le nombre de listes de 3 lettres sans remise et le nombre de listes de 3 lettres avec remise.

2. Quelles sont les différences de construction entre un ensemble de 3 lettres, une liste de 3 lettres sans remise et une liste de 3 lettres avec remise ?

3. Expliquer comment passer d'une liste de 3 lettres sans remise à un ensemble de 3 lettres.

↪ Cours 2 p. 340

Cours

1 Définitions

Définition Ensemble

Un ensemble E est une collection d'objets distincts x qu'on appelle éléments.
On dit alors que x appartient à E (respectivement x n'appartient pas à E) et on note $x \in$ E
(respectivement $x \notin$ E).

● **Exemples**
- E = $\{a \, ; \, b \, ; \, c\}$ est un ensemble à 3 éléments.
- Les ensembles $\mathbb{N}$, $\mathbb{Z}$, $\mathbb{R}$ et $\mathbb{Q}$ ont une infinité d'éléments.

▶ **Remarques**
- Pour lister un ensemble d'éléments isolés les uns des autres, on utilise des accolades.
- L'ensemble qui ne contient aucun élément s'appelle l'ensemble vide et se note $\varnothing$.
- Deux ensembles A et B dont l'intersection est vide sont dits disjoints et on écrit $A \cap B = \varnothing$.
- L'ordre n'intervient pas : $\{a \, ; \, b\} = \{b \, ; \, a\}$ et il n'y a pas répétition d'un élément $\{a \, ; \, a\} = \{a\}$.

Définition Partie

On appelle partie d'un ensemble E un ensemble F tel que tous les éléments de F appartiennent aussi à E.
On dit que F est **inclus** dans E et on note $F \subset$ E (on dit aussi que F est un **sous-ensemble** de E).
La **réunion** $A \cup B$ de deux ensembles A et B est l'ensemble des éléments appartenant à A **ou** à B.
L'**intersection** $A \cap B$ des ensembles A et B est l'ensemble des éléments appartenant à A **et** à B.

● **Exemple**

L'ensemble F = $\{a \, ; \, b\}$ est inclus dans l'ensemble E précédent ($F \subset$ E),
c'est une partie de E.
Avec A = $\{a \, ; \, b \, ; \, c \, ; \, d \, ; \, e\}$ et B = $\{b \, ; \, e \, ; \, f \, ; \, g\}$
$A \cup B = \{a \, ; \, b \, ; \, c \, ; \, d \, ; \, e \, ; \, f \, ; \, g\}$ et $A \cap B = \{b \, ; \, e\}$

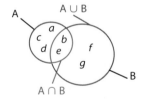

▶ **Remarques**
- Une partie à 1 élément s'appelle un singleton, une partie à 2 éléments une paire.
- L'ensemble $\mathscr{P}$(E) est l'ensemble de toutes les parties de E, c'est-à-dire de tous les sous-ensembles possibles de E.

● **Exemple**
L'ensemble des parties de E = $\{a \, ; \, b \, ; \, c\}$ est $\mathscr{P}$(E) = $\{\varnothing \, ; \, \{a\} \, ; \, \{b\} \, ; \, \{c\} \, ; \, \{a \, ; \, b\} \, ; \, \{a \, ; \, c\} \, ; \, \{b \, ; \, c\} \, ; \, E\}$.

Définition p-liste ou p-uplet

On appelle p-uplet ou p-liste d'un ensemble E une collection ordonnée d'objets qu'on appelle, selon les
cas, éléments, coordonnées, composantes ou termes. Un p-uplet s'écrit avec des parenthèses.

▶ **Remarques**
- Un 2-uplet s'appelle un couple, un 3-uplet s'appelle un triplet.
- L'ordre intervient $(a \, , \, b) \neq (b \, , \, a)$ et les objets peuvent être identiques : $(a \, , \, a)$ existe (il suffit de penser
aux coordonnées).

Définition Principe multiplicatif

L'ensemble noté $E \times F$, appelé **produit cartésien**, est l'ensemble des couples $(x \, , \, y)$ tels que $x \in$ E et $y \in$ F.

● **Exemple**
E = $\{a \, ; \, b \, ; \, c\}$ et F = $\{f \, ; \, g\}$, alors $E \times F = \{(a \, , \, f) \, ; \, (a \, , \, g) \, ; \, (b \, , \, f) \, ; \, (b \, , \, g) \, ; \, (c \, , \, f) \, ; \, (c \, , \, g)\}$.

EXOS
Méthodes
lienmini.fr/maths-s11-03

Les rendez-vous
Sésamath

Exercices (résolus)

Méthode 1 Déterminer des ensembles

Énoncé

On considère les ensembles E = {h ; e ; l} et F = {d ; i ; e ; r}.

1. Déterminer les ensembles E ∪ F, E ∩ F et E × F.

2. Déterminer toutes les paires existantes à partir de l'ensemble E.

Solution

1. **1** Les ensembles ont seulement la lettre *e* en commun donc :

E ∪ F = {h ; e ; l ; d ; i ; r}, E ∩ F = {e} **2** et

E × F = {(h , d) ; (h , i) ; (h , e) ; (h , r) ; (e , d) ; (e , i) ; (e , e) ; (e , r) ; (l , d) ; (l , i) ; (l , e) ; (l , r)}.

2. **3** Les paires sont (h , h), (h , e), (h , l), (e , h), (l , h), (e , e) (l , l), (l , e), (e , l).

Conseils & Méthodes

1 Comparer les éléments des deux ensembles.

2 Identifier les éléments communs aux deux ensembles.

3 Bien faire attention s'il s'agit d'un ensemble (on ne peut pas répéter les éléments) ou d'une liste (on peut répéter les éléments).

À vous de jouer !

1 On considère les ensembles A = {n ; a ; t ; h} et B = {y ; a ; g ; l ; v ; n}.
1. Déterminer les ensembles A ∪ B, A ∩ B et A × B.
2. Déterminer tous les triplets existants à partir de l'ensemble A.

2 On donne l'ensemble des couples {(d , v) ; (d , g) ; (d , i) ; (k , v) ; (k , i) ; (k , g)}.
Déterminer de quels ensembles il est le produit cartésien.

⮡ Exercices 26 à 28 p. 348

Méthode 2 Utiliser un diagramme pour déterminer une partie d'un ensemble

Énoncé

Dans une station de sports d'hiver, on interroge au hasard 20 touristes. Parmi eux, 14 déclarent pratiquer le ski de piste, 7 déclarent pratiquer le ski de fond et enfin 4 déclarent pratiquer les deux sports.

1. Construire un diagramme représentant cette situation.

2. Combien de touristes ne pratiquent ni le ski de piste, ni le ski de fond ?

Solution

1. **1** On vérifie que le total des touristes faisant du ski de fond est 7, que celui des touristes faisant du ski de piste est 14 et que le total est bien 20. **2**

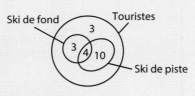

2. Il y a donc 3 touristes qui ne pratiquent aucun sport.

Conseils & Méthodes

1 Commencer par construire un diagramme en mettant en évidence les intersections d'ensembles.

2 Vérifier les totaux de chaque catégorie et le total de touristes.

À vous de jouer !

3 Parmi 40 secrétaires, 8 connaissent le russe, 15 l'anglais et 9 l'allemand. D'autre part, 4 parlent l'anglais et l'allemand, 5 l'anglais et le russe, 2 l'allemand et le russe et 2 les trois langues. Combien de secrétaires ne connaissent aucune de ces trois langues ?

4 Un lycée compte 150 élèves en terminale. 110 sont des filles, et, parmi elles, 40 suivent la spécialité maths. Par ailleurs, 20 garçons ne la suivent pas.
Représenter les données par un tableau à double entrée et le compléter.

⮡ Exercices 29 à 32 p. 348

② Dénombrement

Propriété   Principe additif

Le nombre d'éléments de la réunion E ∪ F d'un ensemble E à *n* éléments et d'un ensemble F à *p* éléments, tels que E et F soient disjoints, est *n* + *p*.

● **Exemple**
Soit A = {*a* ; *b* ; *c* ; *d* ; *e*} et B = {*f* ; *g* ; *h*}. Le nombre d'éléments de A ∪ B est 5 + 3 = 8.

Propriété   Principe multiplicatif

Le nombre d'éléments de l'ensemble E × F d'un ensemble E à *n* éléments et un ensemble F à *p* éléments est *n* × *p*.

● **Exemple**
Pour E = {*a* ; *b* ; *c*} et F = {*f* ; *g*}, le nombre d'éléments de E × F est 3 × 2 = 6.

Propriété   Nombre de *p*-uplets d'un ensemble à *n* éléments

Le nombre de *p*-uplets d'un ensemble à *n* éléments est n^p.

Définition   Permutations d'un ensemble à *n* éléments

On appelle permutations d'un ensemble à *n* éléments tous les ordres possibles dans les *n*-uplets constitués des éléments de l'ensemble.

Propriété   Nombre de permutations d'un ensemble à *n* éléments

Le nombre de permutations d'un ensemble à *n* éléments s'écrit *n*!, se lit « factorielle *n* » et est défini par *n*! = *n* × (*n* − 1) × (*n* − 2) × … × 3 × 2 × 1.

● **Exemple**
Soit E = {*a* ; *b* ; *c*}. Tous les triplets possibles sont : (*a* , *b* , *c*), (*a* , *c* , *b*), (*b* , *a* , *c*), (*b* , *c* , *a*), (*c* , *a* , *b*), (*c* , *b* , *a*). Cela correspond à 3 choix pour la première composante, puis 2 choix pour la deuxième et 1 dernier choix pour la troisième. On a 3! = 3 × 2 × 1 = 6.
On peut représenter cette situation par l'arbre ci-contre.

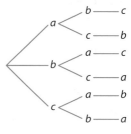

Propriétés   Factorielle

$$0! = 1 \qquad\qquad n! = n \times (n-1)! \qquad\qquad (n+1)! = (n+1) \times n!$$

Propriété   Nombre de *p*-uplets d'éléments distincts d'un ensemble à *n* éléments

Le nombre de *p*-uplets d'éléments distincts d'un ensemble à *n* éléments est $\dfrac{n!}{(n-p)!}$.

● **Exemple**
Soit E = {*a* ; *b* ; *c* ; *d*}. Tous les couples d'éléments distincts possibles sont : (*a* , *b*), (*b* , *a*), (*a* , *c*), (*c* , *a*), (*a* , *d*), (*d* , *a*), (*b* , *c*), (*c* , *b*), (*b* , *d*), (*d* , *b*), (*c* , *d*), (*d* , *c*).
Ce qui donne par le calcul $\dfrac{4!}{(4-2)!} = \dfrac{4!}{2!} = \dfrac{4 \times 3 \times 2 \times 1}{2 \times 1} = 12$.

⊙ EXOS
Méthodes
lienmini.fr/maths-s11-03

Les rendez-vous
Sésamath

Exercices (résolus)

Méthode 3 Dénombrer des ensembles simples

Énoncé

1. On lance 7 fois une pièce de 1 euro pour jouer à pile ou face. Déterminer le nombre de résultats possibles.

2. Deux joueurs jouent aux dominos, chacun recevant 7 dominos au hasard parmi les 28 dominos composant le jeu. Combien de distributions possibles y a-t-il ?

3. On dispose de quatre gâteaux. Chacun des 4 invités en choisit un pour le manger. Combien de choix possibles y a-t-il ?

Solution

1. Il y a répétition de 2 choix (pile ou face) et ceci 7 fois de suite, **1** donc le nombre de résultats possibles est $2^7 = 128$.

2. Il ne peut pas y avoir répétition car deux joueurs ne peuvent pas avoir le même domino **1** et on s'arrête après 14 tirages **2** donc le nombre de distributions est :

$$28 \times 27 \times 26 \times 25 \times 24 \times 23 \times 22 \times 21 \times 20 \times 19 \times 18 \times 17 \times 16 \times 15 = \frac{28!}{(28-14)!}.$$

3. Il ne peut y avoir répétition **1** et il y a autant de gâteaux que d'invités donc le nombre de choix est $4! = 24$.

Conseils & Méthodes

1 Reconnaître s'il y a répétition ou non.

2 Reconnaître le moment où l'épreuve s'arrête.

À vous de jouer !

5 Vingt personnes votent pour élire un président et ils ont le choix entre M. A ou Mme B.
Quel est le nombre de répartitions de votes possibles ?

6 À l'aide des lettres du mot LIVRE, on souhaite écrire des mots de trois lettres, ayant un sens ou non.
Combien de mots peut-on composer ?

➥ Exercices 33 à 48 p. 348-349

Méthode 4 Utiliser le principe multiplicatif

Énoncé

Une cantine scolaire propose à ses élèves un menu à composer au choix. Ils peuvent choisir entre 4 entrées, 3 plats chauds, puis du fromage ou un yaourt et enfin un dessert ou un fruit.
Combien de menus peuvent-ils composer à la cantine ?

Solution

1 On peut construire un arbre qui aura 4 branches pour les entrées, puis 3 branches pour les plats, puis 2 branches pour le fromage ou le yaourt et encore 2 branches pour le dessert ou le fruit. **2**

Ce qui donne un nombre de menus de : $4 \times 3 \times 2 \times 2 = 48$. **3**

Conseils & Méthodes

1 Représenter si besoin la situation par un arbre.

2 Déterminer quand arrêter l'arbre en fonction de ce qui compose un menu.

3 Pour calculer, on fait le produit du nombre de branches représentant chaque choix.

À vous de jouer !

7 Huit nageurs de la finale olympique du 100 m nage libre prennent le départ.
Combien de podiums différents sont envisageables ?

8 Gaëlle a dans son armoire 4 jupes, 5 chemisiers et 3 vestes. Elle choisit au hasard une jupe, un chemisier et une veste.
De combien de façons différentes peut-elle s'habiller ?

➥ Exercices 49 à 52 p. 350

3 Combinaisons

Définition Combinaison

Une combinaison de p éléments parmi n éléments, notée $\binom{n}{p}$, est le nombre de parties à p éléments d'un ensemble à n éléments.

Propriété Nombre de parties à p éléments d'un ensemble à n éléments

On calcule une combinaison de la manière suivante : $\binom{n}{p} = \dfrac{n!}{(n-p)! \times p!}$.

Propriétés Combinaisons

$$\binom{n}{0} = \binom{n}{n} = 1 \qquad \binom{n}{1} = \binom{n}{n-1} = n \qquad \binom{n}{p} = \binom{n}{n-p}$$

Propriété Relation et triangle de Pascal

On a la relation $\binom{n}{p} + \binom{n}{p+1} = \binom{n+1}{p+1}$

qui peut s'illustrer par le triangle de Pascal.

	0	1	2	3	...
0	1				
1	1	1			
2	1	2	1		
3	1	3	3	1	
...					

◉ DOCUMENT

Triangle de Pascal
lienmini.fr/maths-s11-04

◉ Démonstration Par le calcul :

$$\binom{n}{p} + \binom{n}{p+1} = \frac{n!}{p! \times (n-p)!} + \frac{n!}{(p+1)! \times (n-p-1)!}$$

$$= \frac{n!}{(p+1)! \times (n-p)!}\big[(p+1) + (n-p)\big]$$

$$= \frac{n! \times (n+1)}{(p+1)! \times (n-p)!} = \binom{n+1}{p+1}$$

◉ VIDÉO

Démonstration
lienmini.fr/maths-s11-05

➜ « Apprendre à démontrer » p. 346

◉ Remarque

On peut faire le lien avec les identités remarquables $(a+b)^2 = a^2 + 2ab + b^2$ et $(a+b)^3 = a^3 + 3a^2b + 3ab^2 + b^3$.

Propriété Nombre de parties d'un ensemble à n éléments

Le nombre de parties d'un ensemble à n éléments est 2^n. De plus, $\displaystyle\sum_{p=0}^{n} \binom{n}{p} = 2^n$.

◉ Démonstration Par dénombrement : on compte le nombre de parties d'un ensemble à n éléments.

Il y a $\binom{n}{0}$ parties à 0 élément, $\binom{n}{1}$ parties à 1 élément, ..., et plus généralement $\binom{n}{p}$ parties à p éléments, pour tout entier p compris entre 0 et n. Donc on obtient la somme des $\binom{n}{p}$ pour p allant de 0 à n.

◉ VIDÉO

Démonstration
lienmini.fr/maths-s11-06

EXOS
Méthodes
lienmini.fr/maths-s11-03

Les rendez-vous
Sésamath

Exercices (résolus)

Méthode 5 Dénombrer des combinaisons

Énoncé

Au bridge, chaque joueur possède une main de 13 cartes extraites d'un jeu de 52 cartes.

1. Combien de mains peut-on distribuer au bridge ?

2. Combien de mains ne contiennent qu'un seul cœur ?

Solution

1. Le nombre de mains est $\binom{52}{13}$. **1**

2. Le cœur est à choisir parmi les 13 autres cœurs et les 12 autres cartes

parmi les 39 restantes, qui ne sont pas de cœur. Ce qui donne $\binom{13}{1} \times \binom{39}{12}$. **2**

Conseils & Méthodes

1 Reconnaître les tirages simultanés.

2 Distinguer les cas selon les couleurs pour appliquer le principe multiplicatif.

À vous de jouer !

9 Au Scrabble®, un joueur tire au hasard 7 lettres parmi 100 lettres et 2 jokers.
Combien de tirages possibles existe-t-il ?

10 Au poker, chaque joueur reçoit une main de 5 cartes parmi 52 cartes.
Combien de mains possibles y a-t-il ?

➥ Exercices 53 à 60 p. 350-351

Méthode 6 Utiliser les combinaisons

Énoncé

Dans une classe d'un lycée, on interroge au hasard 20 élèves.

14 déclarent aimer les maths, 7 déclarent aimer la physique et enfin 4 déclarent aimer les deux matières.

On choisit au hasard 4 de ces élèves parmi les 20 élèves. Parmi tous les choix possibles :

1. Combien comporte 4 élèves qui aiment les maths ?

2. Combien comporte exactement 2 élèves qui n'aiment que les maths et 2 autres qui n'aiment que la physique ?

Solution

1. On peut représenter la situation par un diagramme **1**

Il s'agit de combinaisons car on prend 4 élèves parmi 20 et il ne peut y avoir ni ordre, ni répétition. **2**

Comme 14 élèves aiment les maths, alors le nombre de choix est :

$$\binom{14}{4} = \frac{14!}{10!4!} = \frac{14 \times 13 \times 12 \times 11}{4 \times 3 \times 2} = 1\,001.$$

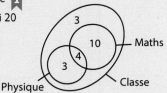

Conseils & Méthodes

1 Reconnaître dans l'énoncé qu'il y a des intersections. On représente donc la situation par un diagramme.

2 Remarquer s'il s'agit d'une combinaison ou non.

2. Seuls 10 élèves n'aiment que les maths et 3 que la physique donc le nombre de choix est $\binom{10}{2} \times \binom{3}{2} = \frac{10 \times 9}{2} \times 3 = 135$.

À vous de jouer !

11 De combien de façons peut-on choisir 3 femmes et 2 hommes parmi 10 femmes et 5 hommes ?

12 Dans une classe de 32 élèves, on compte 19 garçons et 13 filles. On doit élire 2 délégués.

1. Quel est le nombre de choix possibles ?

2. Et si on impose que soient élus un garçon et une fille ?

➥ Exercices 53 à 60 p. 350-351

Exercices résolus

EXOS
Méthodes
lienmini.fr/maths-s11-03

Les rendez-vous
Sésamath

Méthode 7 Utiliser une représentation adaptée

→ Cours 1 p. 338

Énoncé

Deux options sont offertes aux élèves d'une classe de 40 élèves : espagnol ou musique.
25 élèves ont choisi l'espagnol et 18 la musique.
Par ailleurs, 10 élèves ont choisi les deux options.
On choisit au hasard un élève de cette classe.

1. Représenter cette situation par un diagramme ou par un tableau à double entrée.

2. En utilisant une des deux représentations précédentes, déterminer le nombre d'élèves qui :
a) n'étudient aucune des deux matières.
b) étudient uniquement l'espagnol.
c) étudient uniquement une des deux matières.

Solution

1. 📑 1

	Espagnol	Pas l'espagnol	Total
Musique	10	8	18
Pas la musique	15	7	22
Total	25	15	40

Conseils & Méthodes

1 Déterminer la ou les représentations adaptées : un diagramme, un arbre ou un tableau. Ici, il n'y a pas de tirages successifs : la représentation par un arbre n'est donc pas possible.

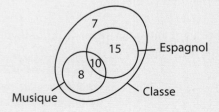

2. a) 7 élèves n'étudient aucune des deux matières.

b) 15 élèves étudient uniquement l'espagnol.

c) 22 élèves étudient uniquement une des deux matières.

À vous de jouer !

13 Lors d'une table ronde pour étudier un nouveau produit qu'un fabricant de biscuits souhaite mettre sur le marché, un animateur demande à 18 personnes de répondre par oui ou non à au moins une des deux questions suivantes :
• « Aimez-vous le biscuit que vous avez goûté ? »
• « L'achèteriez-vous ? »
Dix personnes ont répondu « oui » à la première question, trois personnes ont répondu « non » à la deuxième question et cinq personnes ont répondu « non » à l'une des deux questions.

1. Représenter cette situation.

2. Combien de personnes ont répondu « oui » aux deux questions ?

14 Une urne contient cinq boules numérotées de 1 à 5. On tire successivement et sans remise trois boules de l'urne.
On note le numéro de chaque boule tirée suivant l'ordre dans lequel elles ont été tirées et on forme ainsi un numéro à trois chiffres.

1. Représenter cette situation.

2. Écrire l'ensemble de tous les nombres qui peuvent être obtenus.

3. Combien de nombres peuvent être obtenus ?

→ Exercices 49 à 52 p. 350

EXOS
Méthodes
lienmini.fr/maths-s11-03

 Les rendez-vous
Sésamath

Exercices résolus

Méthode 8 Dénombrer dans différents cas

↳ Cours 3 p. 342

Énoncé

Un sac contient 20 jetons indiscernables au toucher. Parmi ceux-ci, il y a huit jetons blancs avec le numéro 0, cinq jetons rouges avec le numéro 7, quatre jetons blancs avec le numéro 2 et trois jetons rouges avec le numéro 5. On tire simultanément quatre jetons du sac.

1. Combien de tirages possibles y a-t-il ?

2. Combien de tirages y a-t-il avec les quatre numéros identiques ?

3. Combien de tirages y a-t-il avec uniquement des jetons blancs ?

4. Combien de tirages y a-t-il avec des jetons de la même couleur ?

5. Combien de tirages y a-t-il qui permettent de former le nombre 2 020 ?

6. Combien de tirages y a-t-il qui comportent au moins un jeton portant un numéro différent des autres ?

Solution

1. Il s'agit d'un tirage simultané donc le nombre de tirages possibles est $\binom{20}{4} = 4\,845$.

2. Si les quatre numéros sont identiques, il s'agit donc du numéro 0, du 7 ou du 2, et le nombre de tirages est $\binom{8}{4} + \binom{5}{4} + \binom{4}{4} = 70 + 5 + 1 = 76$. **1** **2**

3. Il y a 12 jetons blancs donc le nombre de tirages est $\binom{12}{4} = 495$.

4. Les jetons sont de la même couleur s'ils sont tous blancs ou tous rouges, donc le nombre de tirages est $\binom{12}{4} + \binom{8}{4} = 565$. **2**

5. Pour former le nombre 2 020, il faut tirer 2 jetons avec le numéro 2 et 2 jetons avec le numéro 0, donc le nombre de tirages est $\binom{8}{2} \times \binom{4}{2} = 28 \times 6 = 168$. **2**

6. Avoir au moins un jeton portant un numéro différent des autres est le contraire d'avoir tous les numéros identiques, c'est-à-dire le contraire de la question 2., ce qui donne 4 845 – 76 = 4 769.

Conseils & Méthodes

1 Faire attention à tous les cas possibles.

2 Distinguer les « ou » (questions 2. et 4.) et les « et » (question 5.).

À vous de jouer !

15 Dans un lot de 20 pièces fabriquées, quatre sont mauvaises. On en prélève un lot de quatre simultanément.

1. Combien de lots comportent 4 bonnes pièces ?

2. Combien de lots comportent au moins une mauvaise pièce ?

3. Combien de lots comportent au moins deux mauvaises pièces ?

16 Un jury est composé de 10 membres tirés au sort parmi 9 hommes et 11 femmes.

1. Combien de jurys différents peut-on former ?

2. Combien de jurys peut-on former ne comportant que des femmes ?

3. Combien de jurys peut-on former comportant autant de femmes que d'hommes ?

4. Combien de jurys peut-on former comportant un seul homme ou une seule femme ?

17 Un conseil est formé de cinq hommes et huit femmes. Un bureau de quatre membres doit être désigné et il doit comporter au moins une femme.

1. Combien de bureaux peuvent être formés ?

2. Combien de bureaux comportant exactement un homme peuvent être formés ?

3. Combien de bureaux comportant au moins un homme peuvent être formés ?

4. Combien de bureaux comportant exactement deux femmes peuvent être formés ?

5. Combien de bureaux comportant deux hommes et deux femmes peuvent être formés ?

↳ Exercices 61 à 64 p. 351

Exercices — apprendre à démontrer

▶ VIDÉO
Démonstration
lienmini.fr/maths-s11-05

La propriété à démontrer

$$\binom{n}{p} + \binom{n}{p+1} = \binom{n+1}{p+1} \text{ (relation de Pascal)}$$

On souhaite démonter cette propriété.

▶ Comprendre avant de rédiger

Deux méthodes permettent de démontrer cette propriété :
• par le calcul, en vérifiant la formule de calcul d'une combinaison.
• avec la méthode combinatoire, en distinguant les cas et en comptant des parties.

▶ Rédiger

Méthode 1 : par le calcul

On utilise les combinaisons et on observe les factorielles communes pour factoriser astucieusement puis réduire au même dénominateur.

Attention à la réduction au même dénominateur qui doit être le plus simple possible.

→

Les démonstrations rédigées

$$\binom{n}{p} + \binom{n}{p+1} = \frac{n!}{p! \times (n-p)!} + \frac{n!}{(p+1)! \times (n-p-1)!}$$

$$= \frac{n!}{(p+1)! \times (n-p)!}\Big[(p+1) + (n-p)\Big]$$

$$= \frac{n! \times (n+1)}{(p+1)! \times (n-p)!} = \binom{n+1}{p+1}$$

Méthode 2 : par la méthode combinatoire

Étape ❶

On distingue deux cas de parties en fixant un élément.

→ Dans un ensemble à $n + 1$ éléments, on considère un élément a fixé.
Pour dénombrer les parties à $p + 1$ éléments, on peut distinguer deux cas :
– les parties qui contiennent a ;
– celles qui ne le contiennent pas.

Étape ❷

On détermine le nombre de parties qui contiennent cet élément.

→ Pour les parties qui contiennent a on choisit p éléments parmi les n éléments distincts de a qui sont donc au nombre de $\binom{n}{p}$.

Étape ❸

De même, on détermine le nombre de parties qui ne contiennent pas cet élément.

→ Les parties qui ne contiennent pas a sont les parties à $p + 1$ éléments à choisir parmi les n éléments distincts de a qui sont donc au nombre de $\binom{n}{p+1}$.

Étape ❹

On en déduit leur somme et on compare avec la combinaison cherchée.

→ La somme de ces deux cas $\binom{n}{p} + \binom{n}{p+1}$ donne finalement les parties à $p + 1$ éléments d'un ensemble à $n + 1$ éléments, c'est-à-dire $\binom{n+1}{p+1}$.

▶ Pour s'entraîner

De la même façon, démontrer la relation $\binom{n}{p} = \binom{n-2}{p} + 2\binom{n-2}{p-1} + \binom{n-2}{p-2}$.

► DIAPORAMA
Calculs et automatismes
lienmini.fr/maths-s11-07

Exercices — calculs et automatismes

18 Avec des factorielles

Simplifier les écritures suivantes.

a) $\dfrac{17!}{15!}$ **b)** $\dfrac{6! - 5!}{5!}$ **c)** $\dfrac{7! \times 5!}{10!}$

d) $\dfrac{9!}{6! \times 3!}$ **e)** $\dfrac{16!}{12!5!}$ **f)** $\dfrac{16!}{(8!)^2}$

19 Autre écriture

À l'aide de la notation factorielle, donner une autre écriture des nombres suivants.

a) $4 \times 5 \times 6 \times 7 \times 8 \times 9 \times 10$ **b)** $\dfrac{9 \times 8 \times 7 \times 6 \times 5}{3 \times 2}$

c) $n(n + 1)(n + 2)$ **d)** $\dfrac{1}{n(n - 1)}$

e) $\dfrac{10 \times 9 \times 8 \times 7}{6 \times 5 \times 4}$ **f)** $\dfrac{(n + 1)n(n - 1)(n - 2)}{4 \times 3 \times 2}$

20 Avec des combinaisons

Simplifier les écritures suivantes.

a) $\dbinom{6}{2}$ **b)** $\dbinom{15}{4}$ **c)** $\dbinom{7}{3}$

d) $\dfrac{\dbinom{7}{5}}{\dbinom{9}{6}}$ **e)** $\dfrac{\dbinom{9}{2}}{\dbinom{5}{2}}$ **f)** $\dfrac{\dbinom{7}{4}}{\dbinom{10}{7}}$

g) $\dfrac{\dbinom{5}{3} \times \dbinom{6}{4}}{\dbinom{9}{3}}$ **h)** $\dfrac{\dbinom{5}{2} \times \dbinom{6}{3}}{\dbinom{7}{4}}$

21 Développements

Choisir le développement correct.

1. $(a + b)^2 =$

a $a^2 + b^2$ b $a^2 + ab + b^2$
c $a^2 + 2ab + b^2$ d $2(a + b)$

2. $(a - b)^2 =$

a $a^2 - b^2$ b $a^2 - 2ab + b^2$
c $a^2 + 2ab - b^2$ d $a^2 + b^2$

3. $(a - b)(a + b) =$

a $a^2 - 2ab + b^2$ b $a^2 + b^2$
c $a^2 - b^2$ d $(a - b)^2$

4. $(a + b)^2 - (a - b)^2 =$

a $2b^2$ b $4ab$
c $2a^2$ d $2a^2 + 2b^2$

22 Combinaisons

Dire, pour les exemples suivants, si on utilise ou non les combinaisons pour déterminer toutes les possibilités.

a) On lance deux dés en même temps et on additionne les résultats obtenus.

b) On pioche trois boules dans une urne contenant 25 boules.

c) On distribue cinq cartes à chacun des joueurs autour d'une table.

d) On aligne les lettres de l'alphabet pour fabriquer des mots de sept lettres.

e) On lance un dé, on note son numéro, on le relance et on fabrique ainsi un nombre à deux chiffres.

f) On pioche sept lettres dans le sac de lettres pour jouer au Scrabble®.

23 Représentation graphique

Pour chaque cas, déterminer quelle(s) représentation(s) graphique(s) utiliser.

1. On lance une pièce plusieurs fois de suite.

a arbre   b tableau   c diagramme

2. On étudie dans une classe les élèves qui portent des lunettes ou non selon leur sexe.

a arbre   b tableau   c diagramme

3. Dans la population mondiale, on étudie les personnes âgées et, parmi celles-ci, celles qui ont plus de 95 ans.

a arbre   b tableau   c diagramme

24 Calcul mental

Effectuer mentalement les calculs suivants.

a) $5 \times 6 \times 7$ **b)** $8 \times 7 \times 6 \times 5$

c) $\dfrac{9 \times 8 \times 7 \times 6}{4 \times 3 \times 2}$ **d)** $\dfrac{12 \times 11 \times 10 \times 9}{6 \times 5 \times 4 \times 3 \times 2}$

e) $\displaystyle\sum_{k=0}^{10}(k + 1)$ **f)** $\displaystyle\sum_{k=2}^{5} k^2$

25 Lecture graphique

On a étudié les modes de transport utilisés par les habitants d'une ville. À l'aide du diagramme suivant répondre aux questions posées.

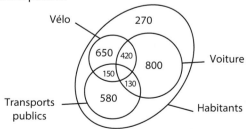

1. Combien d'habitants y a-t-il dans cette ville ?
2. Combien d'habitants prennent le vélo ou les transports ?
3. Combien d'habitants ne prennent que la voiture ?

Exercices d'application

Déterminer des ensembles p. 339

26 Combien y a-t-il de sous-ensembles à 3 éléments de l'ensemble E = {a ; b ; c ; d ; e ; f} ?
Écrire tous ces sous-ensembles.

27 On considère les deux ensembles suivants :
M = {m ; a ; g ; n ; r ; d} et S = {s ; e ; a ; m ; t ; h}.
Déterminer les ensembles suivants.
a) M ∪ S **b)** M ∩ S

28 On considère l'ensemble C des chiffres de 0 à 9 et l'ensemble L composé des deux lettres m et s.
1. Déterminer tous les sous-ensembles de C comportant 2 éléments.
2. Déterminer l'ensemble C × L.

Utiliser un diagramme p. 339

29 Un centre accueille 100 adolescents pour un séjour sportif. Parmi eux, 60 sont venus pour un stage d'escalade, 45 pour un stage d'équitation et 18 pour pratiquer ces deux sports.
1. Représenter les données par un diagramme.
2. Combien d'adolescents vont pratiquer l'escalade ?
3. Combien d'adolescents vont pratiquer l'équitation ?

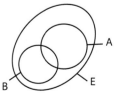

30 Dans un ensemble E, on considère les deux parties A et B incluses dans E.

1. Recopier le diagramme et colorier les éléments de E qui appartiennent à A mais pas B.
2. Recopier le diagramme et colorier les éléments de E qui appartiennent à B mais pas A.
3. Recopier le diagramme et colorier les éléments de E qui n'appartiennent pas à A.

31 Dans un tournoi de bridge comportant 320 paires de joueurs, 90 paires sont composées uniquement d'hommes et 60 paires uniquement de femmes.
1. Représenter la situation par un diagramme.
2. Déterminer le nombre de paires composées d'un joueur et d'une joueuse.
3. Compléter le diagramme pour vérifier la cohérence des résultats.

32 Dans une maison de retraite, 100 personnes âgées jouent à différents jeux de société. 34 préfèrent le Scrabble®, 21 le bridge et 26 le yams. Par ailleurs, 10 jouent au bridge et au yams, 9 jouent au yams et au Scrabble® et 12 jouent au bridge et au Scrabble®. Sans oublier les 4 personnes qui jouent à tous les jeux.
1. Recopier et compléter le diagramme suivant.

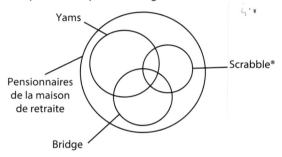

2. En déduire le nombre de personnes qui ne jouent à aucun de ces jeux.
3. Déterminer le nombre de personnes qui ne jouent qu'à un seul jeu.
4. Déterminer le nombre de personnes qui jouent exactement à deux jeux.

Tirages successifs avec remise p. 341

33 À l'issue d'un concours inter-lycées, les 15 représentants d'une équipe et les 12 d'une autre se serrent la main.
Combien de poignées de mains ont été échangées ?

34 Un questionnaire à choix multiples, autorisant une seule réponse par question, comprend 15 questions.
Pour chaque question, on propose 4 réponses possibles.
Combien y a-t-il de façons de répondre à ce QCM ?

35 En 1961, Raymond Queneau a écrit **Français** une œuvre majeure de la littérature combinatoire intitulée *Cent mille milliards de poèmes*. L'ouvrage est composé de 10 pages découpées horizontalement. Chaque page est ainsi formée de 14 bandes de papier contenant chacune 14 vers. Le lecteur peut composer son propre poème de 14 vers en prenant le premier vers de l'une des 10 pages, puis le deuxième vers de l'une des 10 pages, et ainsi de suite jusqu'au quatorzième vers.
Justifier le titre de l'ouvrage.

36 En informatique, on utilise le système binaire pour coder les caractères. Un bit (*binary digit* : chiffre binaire) est un élément qui prend la valeur 0 ou la valeur 1. Un octet est composé de 8 bits.
Combien de caractères un octet peut-il coder ?

37 Combien de numéros de téléphone à 10 chiffres peut-on former ?

Tirages successifs sans remise Méthode **3** p. 341

38 Dans une compétition sportive, on attribue une médaille d'or, une médaille d'argent et une médaille de bronze aux trois premiers arrivés.
Sachant qu'au départ, il y a 38 athlètes, combien de distributions possibles de médailles y a-t-il ?

39 Cinq élèves se mettent en rang.
Combien de manières y a-t-il de les disposer les uns derrière les autres ?

40 Un groupe de 35 élèves de terminale doivent constituer un bureau de l'association « Interact ». Ce bureau est constitué d'un président, d'un secrétaire et d'un trésorier.
Combien de bureaux possibles y a-t-il ?

41 Combien d'anagrammes du mot MATH existe-t-il ?

42 Sept amis, quatre garçons et trois filles, se rendent à un concert. Ils s'assoient les uns à côté des autres dans la même rangée.
1. Quel est le nombre de dispositions possibles ?
2. Combien y en a-t-il avec les garçons d'un côté et les filles de l'autre ?
3. Combien y en a-t-il avec les filles et les garçons intercalés ?

43 Combien y a-t-il de nombres de trois chiffres dans lesquels un chiffre est répété deux fois ?

44 Dans une course de chevaux de 23 partants, combien d'arrivées possibles y a-t-il : au tiercé dans l'ordre ? au quinté dans l'ordre ?

45 1. Dénombrer les anagrammes du mot MATRICE.
2. Combien y en a-t-il qui commencent et finissent par une consonne ?
3. Combien y en a-t-il qui commencent et finissent par une voyelle ?
4. Combien y en a-t-il qui commencent par une consonne et finissent par une voyelle ?
5. Combien y en a-t-il qui commencent par une voyelle et finissent par une consonne ?

46 Un jeu fonctionne de la façon suivante : on creuse six trous, on attribue la valeur 500 à l'un d'entre eux, à deux autres la valeur 200 et aux trois derniers la valeur 100. On prend trois boules de couleurs différentes et on vise les trous. Chaque boule peut ou non tomber dans un trou (il ne peut pas y avoir plus d'une boule dans un trou). Quand on a lancé les trois boules, on totalise les points obtenus.
1. Quels sont les résultats possibles ?
2. Déterminer de combien de façons on peut obtenir chacun de ces résultats.

47 On découpe un rectangle en six cases carrées comportant les lettres A, B, C, D, E et F comme sur la figure ci-dessous.

A	B	C
D	E	F

On dispose également de six plaques carrées, de même taille que les cases et comportant également les six lettres A, B, C, D, E et F.
1. On place les plaques sur les cases à raison d'une seule par case.
a) Combien de positions possibles y a-t-il uniquement pour la disposition des plaques ?
b) Combien de positions possibles y a-t-il pour la disposition et la correspondance avec les lettres du rectangle ?
2. On dispose les plaques en coïncidence avec les lettres du rectangle et on colorie en bleu le périmètre ainsi obtenu, puis on mélange les plaques.
De combien de façons peut-on reconstituer un rectangle avec les plaques de telle sorte que son périmètre soit bleu ?

48 Le jeu de la grenouille est constitué de 14 trous. On doit lancer, d'une distance de 5 à 6 mètres, 8 palets, un par un, dans ces trous pour obtenir un certain nombre de points. La gueule de la grenouille rapporte 2 000 points, le tourniquet 1 000 points, les deux trous sous les ponts rapportent chacun 200 points, les deux trous avec les trappes rapportent 500 points et les autres trous rapportent 10 ; 20 ; 40 ; 50 ; 60 ; 70 ; 80 ou 90 points.

1. Quel est le nombre total de points que l'on peut obtenir ?
2. Déterminer de combien de façons chacun d'entre eux peut être obtenu .

Exercices d'application

Représentations Méthode **4** p. 341 Méthode **7** p. 344

49 Un restaurant propose à ses clients un menu qui se compose d'une entrée à choisir parmi trois entrées, un plat principal à choisir parmi quatre plats possibles et d'un dessert à choisir parmi trois desserts possibles.

1. Représenter par un arbre toutes les possibilités de menus.
2. Déterminer le nombre de menus différents que peut composer un client.

50 Une usine fabrique des skis de piste. Sur les 1 000 paires de skis fabriquées, 150 présentent un défaut de carre et 40 présentent un défaut de fixation. De plus, le sérieux de l'usine montre qu'en général 820 paires n'ont aucun des deux défauts.
1. Recopier et compléter le tableau ci-dessous.

	Défaut de carre	Pas de défaut de carre	Total
Défaut de fixation			
Pas de défaut de fixation			
Total			

2. En déduire le nombre de paires de skis qui ne présentent qu'un seul et unique défaut.
3. En déduire le nombre de paires de skis présentant les deux défauts.

51 Dans une urne, on a placé des jetons avec lettres suivantes : S, E, A, M, T et H.
On tire un jeton de l'urne et on note la lettre obtenue, puis on en tire un deuxième et on place la lettre à droite de la première, et on recommence une troisième fois de la même façon.
1. Représenter la situation par un arbre.
2. Combien de mots de 3 lettres ayant un sens ou non peut-on ainsi former ?
3. Combien de mots ne comportant que des consonnes peut-on former ?

52 Dans un club de natation, les nageurs ont le choix entre trois nages : le crawl, la brasse ou le dos, mais ne peuvent en pratiquer qu'une seule.
Parmi les 250 membres du club, il y a 160 filles et le reste de garçons. 60 filles préfèrent nager le dos, alors que, parmi les garçons, 10 préfèrent la brasse et 70 le crawl.
Le crawl est la nage préférée par 120 des nageurs (ou nageuses) du club.
1. Recopier et compléter le tableau ci-dessous.

	Crawl	Brasse	Dos	Total
Filles				
Garçons				
Total				

2. Combien de filles du club nagent la brasse ?

Tirages simultanés Méthode **5** et Méthode **6** p. 343

53 Une grille de loto comporte 49 numéros. Pour jouer, on doit choisir 6 numéros.
De combien de manières peut-on remplir une grille ?

54 On cherche à constituer un groupe de 6 personnes choisies parmi 25 femmes et 32 hommes.
1. Combien de façons y a-t-il de constituer ce groupe ?
2. Combien y en a-t-il ne comportant que des hommes ?
3. Combien y en a-t-il ne comportant que des personnes de même sexe ?
4. Combien y en a-t-il comportant au moins une femme et au moins un homme ?

55 Une urne contient 8 boules blanches et 7 boules noires. On extrait simultanément 2 boules de cette urne. En imaginant les boules numérotées pour les différencier, déterminer :
a) le nombre de tirages de 2 boules.
b) le nombre de tirages bicolores.
c) le nombre de tirages de 2 boules blanches.

56 Yann et Assia font partie d'un club d'échecs de 20 personnes. On doit former un groupe de 6 d'entre elles pour représenter le club lors d'un tournoi.
1. Combien de groupes de 6 personnes peut-on constituer ?
2. Dans combien de groupes peut figurer Yann ?
3. Yann et Assia ne pouvant pas être ensemble, combien de groupes peut-on alors former ?

57 Un capitaine de tennis dispose de cinq joueuses. Pour faire une équipe de double, il doit choisir deux d'entre elles.
1. Combien d'équipes de double peut-il former avec ses cinq joueuses ?
2. Parmi ses joueuses il y en a une qui est indispensable, combien d'équipes peut-il alors former ?

58 Lors d'une compétition de jeux vidéo en ligne, on compte 12 joueurs professionnels parmi les 30 participants. On désire réaliser un sondage sur les habitudes de jeux : pour cela on choisit un échantillon de 4 personnes parmi les participants.

1. Combien d'échantillons différents y a-t-il ?

2. Combien d'échantillons y a-t-il ne contenant aucun joueur professionnel ?

3. Combien d'échantillons y a-t-il contenant au moins un joueur professionnel ?

59 Au jeu du 421, on jette trois dés simultanément. Le but est de réaliser des combinaisons qui rapportent un certain nombre de points.

1. De combien de façons peut-on obtenir le plus grand score avec un 421 ?

2. De combien de façons peut-on obtenir le plus petit score avec un 221, appelé nénette ?

3. De combien de façons peut-on obtenir un brelan, où les trois dés sont identiques ?

60 Dans un jeu de Scrabble®, la répartition des 102 lettres est la suivante.

A	B	C	D	E	F	G	H	I
9	2	2	3	15	2	2	2	8
J	K	L	M	N	O	P	Q	R
1	1	5	3	6	6	2	1	6
S	T	U	V	W	X	Y	Z	Joker
6	6	6	2	1	1	1	1	2

Chaque joueur tire 7 lettres simultanément qu'il dispose sur son chevalet.

1. Combien de tirages peut-on obtenir comprenant 3 voyelles et 4 consonnes ?

2. Combien de tirages existe-t-il comprenant seulement des consonnes et un joker ?

3. Combien de tirages existe-t-il comprenant deux lettres E et des consonnes ?

4. Combien de tirages existe-t-il permettant d'écrire le mot TIRAGES ?

Utiliser les dénombrements Méthode 8 p. 345

61 On lance cinq dés distincts A, B, C, D et E ayant chacun six faces numérotées de 1 à 6.

1. Dénombrer tous les résultats possibles.

2. Dénombrer les résultats ayant un 1 sur trois faces.

3. Dénombrer les résultats ne comportant aucune face numérotée 1.

4. En déduire les résultats ayant au moins une face numérotée 1.

5. Dénombrer les résultats comportant exactement un seul 1 sur une face d'un des dés.

62 On dispose de huit boules dans un sac : trois noires, deux rouges et trois vertes.

1. On tire simultanément trois boules du sac.

a) Combien de tirages possibles existe-t-il ?

b) Combien de tirages comportent exactement deux boules noires ?

c) Combien de tirages comportent au moins une boule noire ?

2. On tire simultanément deux boules du sac.

Combien de tirages comportent deux boules de la même couleur ?

63 Une boîte contient six jetons blancs numérotés de 1 à 6 et trois jetons noirs numérotés de 7 à 9.

On tire trois jetons sans remise de la boîte.

1. Combien d'ensembles différents de trois jetons peut-on former ?

2. Combien de nombres différents de trois chiffres peut-on former ?

3. Combien d'ensembles différents de trois jetons dont deux sont blancs et un est noir peut-on former ?

64 On a placé dans une urne opaque cinq jetons noirs, trois jetons blancs et un jeton rouge, indiscernables au toucher.

1. On tire un jeton de l'urne, on le remet et on en tire un second.

a) Combien de tirages possibles y a-t-il ?

b) Combien de tirages y a-t-il comportant le jeton rouge ?

c) Combien de tirages y a-t-il ne comportant que des jetons blancs ?

2. On tire 1 jeton de l'urne, puis un second sans remettre le premier.

a) Combien de tirages possibles y a-t-il ?

b) Combien de tirages y a-t-il comportant le jeton rouge ?

c) Combien de tirages y a-t-il ne comportant que des jetons blancs ?

3. On tire les 2 jetons simultanément dans l'urne.

a) Combien de tirages possibles y a-t-il ?

b) Combien de tirages y a-t-il comportant le jeton rouge ?

c) Combien de tirages y a-t-il ne comportant que des jetons blancs ?

Exercices d'entraînement

Représentations

65 On jette un dé à six faces, trois fois de suite et on note successivement les chiffres obtenus sur la face supérieure.

1. Représenter la situation par un arbre.
2. Combien de résultats possibles y a-t-il ?
3. Combien de résultats y a-t-il comportant 3 chiffres identiques ?
4. Combien de résultats y a-t-il comportant 3 chiffres distincts deux à deux ?
5. Combien de résultats y a-t-il comportant exactement 2 chiffres identiques ?

66 Dans un groupe de 1 000 personnes, on constate que 179 d'entre elles ont un groupe sanguin avec un rhésus négatif. De plus, parmi ces personnes, 33 sont du groupe AB et 74 du groupe B. Le groupe O est représenté avec 350 personnes de rhésus positif et 90 de rhésus négatif. Le rhésus négatif se trouve chez 12 personnes du groupe B et 5 personnes du groupe AB. Enfin l'effectif le plus courant correspond aux 381 personnes de groupe A et de rhésus positif.

1. Représenter la situation par un tableau à double entrée.
2. Combien de personnes sont du groupe AB et de rhésus positif ?
3. Combien de personnes sont de groupe A ou de rhésus positif ?

67 Un quartier résidentiel vient de sortir de terre et il comporte 335 appartements. Parmi ceux-ci, on compte 155 appartements qui comportent une cave dont 55 comportent également un garage. 20 appartements seulement ne comportent ni cave, ni garage.

1. Représenter la situation par un diagramme.
2. Combien d'appartements comportent un garage mais n'ont pas de cave ?
3. Combien d'appartements comportent une cave ou un garage ?

Dénombrer dans différents cas

68 Sept équipes s'affrontent lors d'un tournoi sportif. Chaque équipe doit rencontrer une fois et une seule toutes les autres.
Combien de matchs doit-on organiser ?

69 Le jeu de Master Mind® se joue à deux joueurs. L'un dispose cinq pions dans cinq trous, les pions étant choisis parmi 8 couleurs. L'autre joueur doit deviner la disposition choisie par l'autre.

1. Combien de dispositions peut-on constituer ?
2. Le constructeur annonce 59 049 combinaisons possibles. Vérifier qu'en autorisant des trous vides cette annonce est correcte.

70 Combien d'anagrammes peut-on former avec les lettres du mot TABLE ?

71 Un sac contient 5 jetons verts (numérotés de 1 à 5) et 4 jetons rouges (numérotés de 1 à 4).

1. On tire successivement et au hasard 3 jetons du sac, en remettant le jeton tiré à chaque fois.
Combien de possibilités y a-t-il d'obtenir :
a) uniquement 3 jetons verts ?
b) aucun jeton vert ?
c) au plus 2 jetons verts ?
d) exactement 1 jeton vert ?
2. Cette fois-ci, on ne remet pas le jeton tiré.
Répondre aux quatre mêmes questions.
3. Enfin, on tire les 3 jetons simultanément.
Répondre aux quatre mêmes questions.

72 Un candidat à un examen connaît quatre questions d'histoire sur les dix possibles et sept questions de géographie sur les onze possibles. Un examinateur lui pose une question d'histoire et une question de géographie.

1. Combien de choix possibles a-t-il ?
2. Dans combien de cas le candidat connaît-il les deux questions ?
3. Dans combien de cas le candidat connaît-il seulement la question d'histoire ?
4. Dans combien de cas le candidat connaît-il seulement la question de géographie ?
5. Dans combien de cas le candidat ne connaît-il aucune des deux questions ?

73 Un jeu de 32 cartes est formé des cartes 7, 8, 9, 10, valet, dame, roi, as dans chacune des quatre couleurs trèfle, carreau, cœur et pique.

1. Combien de mains de 5 cartes peut-on former avec un jeu de 32 cartes ?
2. Combien de mains de 5 cartes contiennent :
a) exactement un roi, une dame et deux valets ?
b) l'as de pique et au moins deux trèfles ?
c) exactement un roi et deux carreaux ?

👍 **Coup de pouce** Penser au cas du roi de carreau.

d) exactement trois cartes de couleur noire ?

74 Au poker, on distribue des mains de 5 cartes.
Combien y a-t-il de mains contenant :
a) un carré ? **b)** une paire ?
c) deux paires distinctes ?
d) un full (trois cartes de même valeur et deux autres de même valeur) ?
e) un brelan (trois cartes de même valeur, sans full, ni carré) ?

75 Dans un jeu de 52 cartes, on tire cinq cartes simultanément.

1. Combien de tirages y a-t-il comportant exactement cinq piques ?
2. Combien de tirages y a-t-il comportant exactement deux trèfles ?
3. Combien de tirages y a-t-il comportant exactement deux As et trois cœurs ?

Exercices d'entraînement

76 À partir d'un jeu de 32 cartes, on veut obtenir une main de 4 cartes comportant exactement deux cœurs.

1. Tirage simultané : on tire les 4 cartes simultanément dans le jeu.
Combien de tirages possibles y a-t-il ?
2. Tirages successifs sans remise : on tire les cartes l'une après l'autre sans remettre la carte tirée dans le jeu.
Combien de tirages possibles y a-t-il ?
3. Tirages successifs avec remise : on tire les cartes l'une après l'autre en remettant la carte tirée dans le jeu.
Combien de tirages possibles y a-t-il ?

Démonstrations
Démo

77 Démontrer l'égalité suivante :
$$n \times \binom{n-1}{p-1} = p \times \binom{n}{p}.$$

78 Démontrer l'égalité suivante :
$$(n-p) \times \binom{n}{p} = (p+1) \times \binom{n}{p+1}.$$

79 Démontrer l'égalité suivante :
$$\binom{n}{2} - \binom{n-p}{2} - \binom{n-q}{2} + \binom{n-p-q}{2} = pq.$$

80 **1.** En utilisant deux fois la relation de Pascal, démontrer la relation suivante :
$$\binom{n}{p} = \binom{n-2}{p} + 2\binom{n-2}{p-1} + \binom{n-2}{p-2}$$

2. De même, en utilisant plusieurs fois la relation de Pascal, démontrer l'égalité suivante :
$$\binom{n}{p} = \binom{n-3}{p} + 3\binom{n-3}{p-1} + 3\binom{n-3}{p-2} + \binom{n-3}{p-3}$$

Travailler le Grand Oral

83 Combien y a-t-il de zéros à la fin de $n!$?

Algorithmes
Algo

81 **1.** Vérifier que l'algorithme ci-dessous donne les permutations d'un ensemble et expliquer quels sont les deux cas étudiés ici.

```python
def permutliste(seq, er=False):
    p = [seq]
    n = len(seq)
    for k in range(0,n-1):
        for i in range(0,len(p)):
            z = p[i][:]
            for c in range(0,n-k-1):
                z.append(z.pop(k))
                if er==False or (z not in
                                       p):
                    p.append(z[:])
    return p
def permutchaine(ch, er=False):
    return[' '.join(z) for z in
permutliste(list(ch), er)]
```

2. On considère un ensemble à 4 éléments : 1, 2, 3 et 4.
a) Donner la liste de toutes les permutations possibles.
b) Faire tourner l'algorithme précédent pour vérifier les résultats obtenus.

▶ **PYTHON**
Permutations d'un ensemble
lienmini.fr/maths-s11-09

82 **1.** Vérifier que l'algorithme ci-dessous donne les parties d'un ensemble et expliquer quels sont les deux cas étudiés ici.

```python
def partiesliste(seq):
    p = []
    i, imax = 0, 2**len(seq)-1
    while i <= imax:
        s = []
        j, jmax = 0, len(seq)-1
        while j <= jmax:
            if (i>>j)&1 == 1:
                s.append(seq[j])
            j += 1
        p.append(s)
        i += 1
    return p
def partieschaine(ch):
    return[' '.join(z) for z in
partiesliste(list(ch))]
```

2. On considère un ensemble à 4 éléments : 1, 2, 3 et 4.
a) Donner la liste de toutes les parties possibles.
b) Faire tourner l'algorithme précédent pour vérifier les résultats obtenus.

▶ **PYTHON**
Parties d'un ensemble
lienmini.fr/maths-s11-10

84 À quoi sert l'étude des nombres premiers ?

Exercices bilan

85 Sondage

Un sondage auprès de 150 personnes a donné les résultats suivants : 50 personnes consomment régulièrement du café, 80 personnes préfèrent le thé et 35 personnes boivent du thé et consomment du café régulièrement.

1. Représenter les résultats de ce sondage dans un tableau à double entrée.

2. Combien de personnes boivent du thé mais ne consomment pas de café ?

3. Combien de personnes consomment du café mais ne boivent pas de thé ?

4. Combien de personnes ne boivent pas de thé et ne consomment pas de café ?

5. Combien de personnes boivent du thé ou consomment du café ?

86 Prévention

Une campagne de prévention routière s'intéresse à l'état des pneus et des amortisseurs. Sur les 300 véhicules examinés, 120 présentent une usure des pneus, 100 présentent une usure des amortisseurs et 60 véhicules présentent les deux types de défauts.

1. Représenter les données par un diagramme.

2. Combien de véhicules présentent une usure des pneus mais pas des amortisseurs ?

3. Combien de véhicules présentent une usure des amortisseurs mais pas des pneus ?

4. Combien de véhicules ne présentent aucun défaut ?

5. Combien de véhicules présentent au moins un des deux défauts ?

87 Des animaux

Une pension animalière a recensé ses 2 000 clients selon qu'ils sont propriétaires de chiens et/ou de chats. 300 possèdent les deux espèces, 1 160 ont un chien et 840 n'en ont pas.

1. Représenter les données par un diagramme.

2. Combien de clients ont un chien mais pas de chat ?

3. Combien de clients ont un chat mais pas de chien ?

88 Histoire de dés

On joue avec deux dés. Le dé n° 1 est cubique et ses six faces sont numérotées de 1 à 6. Le dé n° 2 est tétraédrique et ses faces sont notées A, B, C et D. On lance les deux dés en même temps.

Combien de résultats possibles y a-t-il ?

89 Alphabet

L'alphabet grec est composé de 24 lettres permettant d'écrire des mots. Un mot est une liste de caractères distincts ou non, ayant un sens ou non, par exemple « αβγ » ou « εηθ » sont deux mots.

Un mot simple est un mot dont les caractères sont tous distincts, par exemple « αβγ » est un mot simple, mais « θθε » n'est pas un mot simple.

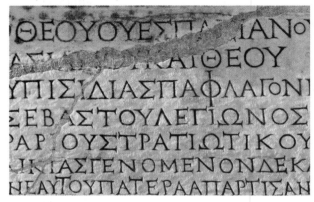

La longueur d'un mot est le nombre de caractères qui le composent, par exemple « μαθημαΤΙΚά » a pour longueur 10.

1. Justifier que le nombre de mots possibles de longueur 1 est 24 et que le nombre de mots possibles de longueur 2 est 576.

2. Déterminer le nombre de mots simples possibles de longueur 1 et le nombre de mots simples possibles de longueur 2.

3. Donner le nombre de mots possibles de longueur inférieure ou égale à 3 et le nombre de mots simples possibles de longueur inférieure ou égale à 3.

4. Donner le nombre de mots possibles de longueur inférieure ou égale à 5 et le nombre de mots simples possibles de longueur inférieure ou égale à 5.

90 Test

Dans un test d'aptitude, on pose à chaque candidat une série de quatre questions indépendantes auxquelles il doit répondre par « vrai » ou « faux ». Un candidat répond au hasard à ce test.

Déterminer le nombre de possibilités qu'il a de répondre au questionnaire.

91 Puissances de dix

On considère un entier naturel p.

1. Combien de nombres entiers inférieurs à 10^p existe-t-il ?

2. Parmi ces nombres, combien sont tels que la somme de leurs chiffres vaut exactement 3 ?

92 Nombres à dix chiffres

1. Combien de nombres entiers y a-t-il comportant exactement 10 chiffres ?

2. Combien de nombres entiers y a-t-il comportant 10 chiffres tous différents ?

3. Combien de nombres entiers de 10 chiffres y a-t-il tels que deux chiffres consécutifs ne soient pas de même parité ?

Définitions

- **Ensemble :** collection d'objets distincts.
- **Partie :** une partie d'un ensemble est telle que tous ses éléments appartiennent aussi à l'ensemble.
- **Liste ou *p*-uplet d'un ensemble :** collection ordonnée d'objets qui peuvent se répéter.
- **Produit cartésien E × F :** ensemble des couples (x, y) tels que $x \in E$ et $y \in F$.

Propriétés

- **Principe additif :** le nombre d'éléments de $E \cup F$ est (E et F étant disjoints) :
$$n + p.$$

- **Principe multiplicatif :** le nombre d'éléments de $E \times F$ est :
$$np.$$

- Nombre de *p*-uplets d'un ensemble à *n* éléments :
$$n^p.$$

- Nombre de permutations d'un ensemble à *n* éléments :
$$n!$$

- Nombre de *p*-uplets d'éléments distincts d'un ensemble à *n* éléments :
$$\frac{n!}{(n-p)!}.$$

- Nombre de parties à *p* éléments d'un ensemble à *n* éléments :
$$\binom{n}{p} = \frac{n!}{(n-p)! \times p!}.$$

- Nombre de parties d'un ensemble à *n* éléments :
$$2^n.$$

Combinaison

- $\binom{n}{0} = \binom{n}{n} = 1$

- $\binom{n}{1} = \binom{n}{n-1} = n$

- $\binom{n}{p} = \binom{n}{n-p}$

Relation de Pascal

$$\binom{n}{p} + \binom{n}{p+1} = \binom{n+1}{p+1}$$

Factorielles

- $0! = 1$
- $(n+1)! = (n+1) \times n!$

Préparer le BAC Je me teste

Je dois être capable de...		Parcours d'exercices
▶ Déterminer des ensembles	Méthode 1	1, 2, 26, 27
▶ Déterminer une partie d'un ensemble	Méthode 2	3, 4, 29, 30
▶ Dénombrer des ensembles simples	Méthode 3	5, 6, 33, 38
▶ Utiliser le principe multiplicatif	Méthode 4	7, 8, 49, 51
▶ Dénombrer des combinaisons	Méthode 5	9, 10, 53, 54
▶ Utiliser les combinaisons	Méthode 6	11, 12, 55, 58
▶ Utiliser une représentation adaptée	Méthode 7	13, 14, 50, 52
▶ Dénombrer dans différents cas	Méthode 8	15, 16, 61, 62

EXOS
QCM interactifs
lienmini.fr/maths-s11-08

QCM

Pour les exercices suivants, choisir la (les) bonne(s) réponse(s).

	A	B	C	D
93 Le nombre de codes possibles pour le code à trois chiffres de 0 à 9 au dos d'une carte bancaire est :	3	600	1 000	30
94 Le nombre de résultats possibles quand on lance un dé cubique trois fois de suite est :	1 000	18	216	120
95 Le nombre de groupes de quatre personnes qu'on peut former à l'aide d'un ensemble de 15 personnes est :	4×15	$\binom{15}{4}$	15^4	4^{15}
96 Quand un groupe de 18 personnes s'échange des poignées de mains, le nombre de poignées de mains est de :	18×17	18^2	$\binom{18}{2}$	2^{18}
97 Parmi tous les entiers d'exactement cinq chiffres, combien y en a-t-il qui ne contiennent que des chiffres pairs ?	5^5	4×5^4	$\binom{10}{5}$	$5!$
98 Dans un bureau de 27 personnes, combien de façons y a-t-il de choisir un président, un trésorier, un secrétaire et un vice-président ?	27×4	27^4	$\binom{27}{4}$	$27 \times 26 \times 25 \times 24$
99 Le calcul de $\binom{7}{5}$ vaut :	21	35	42	20

100 Intersection

Dans un club de 30 joueurs de tennis, 20 aiment jouer au fond du court et 15 aiment jouer en montant au filet. Combien de joueurs y a-t-il :
a) jouant au fond du court et aimant monter au filet ?
b) jouant seulement au fond du court mais ne montant jamais au filet ?
c) jouant seulement au filet et ne restant jamais au fond du court ? p. 339

101 Rangement

On dispose de deux objets distincts que l'on souhaite ranger dans quatre cases vides de sorte qu'il y ait au plus un objet par case.
Combien de rangements possibles y a-t-il ? p. 341

102 Encore des maths

À l'aide des lettres du mot MATHS, combien peut-on écrire de mots, ayant un sens ou non, en utilisant toutes les lettres une fois et une seule ? p. 341

103 Au tiercé

Lors d'un tiercé, il y a vingt chevaux au départ de la course. Pour une fois, on souhaite jouer le tiercé dans le désordre (pas d'ex-aequo possible).
Combien de possibilités y a-t-il ? p. 341

104 Choix

Dans un jeu télévisé, un candidat doit répondre à sept questions sur un total de dix.
1. Combien de choix possibles a-t-il ?
2. Combien de choix a-t-il sachant qu'il doit répondre aux trois premières questions ?
3. Combien de choix a-t-il s'il doit répondre à trois des quatre premières questions ? p. 341

105 Bridge

Dans un jeu de 52 cartes, on forme des mains de 13 cartes.
1. Combien de mains y a-t-il qui contiennent les 4 rois ?
2. Combien de mains y a-t-il qui contiennent au moins un roi ?
3. Combien de mains y a-t-il qui contiennent le roi de trèfle et au moins quatre piques ?
4. Combien de mains y a-t-il qui contiennent exactement 5 cartes d'une couleur, 4 cartes d'une autre couleur, 3 cartes d'une troisième couleur et 1 seule carte de la quatrième couleur ? p. 343

106 Équation

Résoudre dans l'ensemble des entiers naturels les équations suivantes.
a) $\binom{n+1}{2} + \binom{n+1}{3} = \frac{5}{3}n^2 - \frac{4}{3}n$.
b) $5n = \binom{n}{1} + \binom{n}{2} + \binom{n}{3}$ p. 343

107 Somme (1)

On utilise les deux chiffres 1 et 3 (éventuellement plusieurs fois chacun).
1. Combien de nombres de trois chiffres peut-on former ?
2. Quelle est leur somme ? p. 341

108 Somme (2)

On utilise les trois chiffres 1, 3 et 7 (éventuellement plusieurs fois chacun).
1. Combien de nombres de trois chiffres peut-on former ?
2. Quelle est leur somme ? p. 341

109 Gâteaux

Trois personnes choisissent chacune un gâteau parmi cinq et le mangent. Deux d'entre elles se partagent les deux gâteaux restants.
Combien de répartitions possibles y a-t-il ?
(On ne tiendra pas compte de l'ordre dans lequel les gâteaux sont mangés par les personnes qui en mangent deux.) p. 345

110 Jeu de dés

On jette trois dés de couleurs différentes dont les faces sont numérotées de 1 à 6.
1. Combien de résultats possibles y a-t-il ?
2. Dans combien de cas obtient-on deux résultats pairs ?
3. Dans combien de cas obtient-on des résultats tous distincts ?
4. Dans combien de cas obtient-on deux résultats égaux ? p. 345

111 Second degré

On considère les polynômes du second degré de la forme $ax^2 + bx + c$ (avec a non nul).
1. Combien de polynômes peut-on former si on souhaite que les coefficients a, b et c soient des chiffres ?
2. Parmi les polynômes précédents, combien admettent 0 comme racine ? p. 343

112 Digicode

Un clavier de 12 touches permet de composer le code d'entrée d'un immeuble, à l'aide d'une lettre parmi A, B et C, et de 3 chiffres distincts ou non parmi les entiers de 1 à 9.

1. Combien de codes différents peut-on former ?
2. Combien de codes y a-t-il sans le chiffre 1 ?
3. Combien de codes y a-t-il comportant au moins une fois le chiffre 1 ?
4. Combien de codes y a-t-il comportant des chiffres distincts ?
5. Combien de codes y a-t-il comportant au moins deux chiffres identiques ?

113 Variations autour de crayons

1. Une maman veut ranger 3 des 5 crayons de couleur de sa fille dans une boîte à 3 cases.
Combien de rangements possibles a-t-elle ?
2. La maman ne dispose plus que de 3 crayons de couleur.
Combien de rangements possibles a-t-elle alors ?
3. La fille prend une poignée de 3 crayons de couleur parmi les cinq crayons.
Combien de poignées possibles y a-t-il ?

114 Au tarot

Dans un jeu de tarot, il y a 21 atouts. On en tire (simultané-ment) cinq au hasard.
Combien de tirages y a-t-il pour lesquels :
a) au moins un atout est un multiple de cinq ?
b) il y a exactement un multiple de cinq et un multiple de trois ?
c) on a tiré le 1 ou le 21 ?

115 En colonie

Une colonie de vacances compte 30 filles, 25 garçons et 5 moniteurs. Cette colonie possède un mini-bus de 12 places pour les excursions.

1. Sachant que deux moniteurs doivent accompagner l'excursion, quel est le nombre de remplissages possibles du mini-bus ?
2. Sachant que seul l'un des moniteurs connaît le lieu de l'excursion et doit donc venir, quel est le nombre de remplissages possibles du mini-bus ?
3. Sachant que deux des moniteurs ne peuvent pas être ensemble, quel est le nombre de remplissages possibles du mini-bus ?

116 Podium

Lors de la finale du 100 m des mondiaux d'athlétisme huit coureurs s'élancent. Trois de ces coureurs sont américains. Les trois premiers arrivés montent sur le podium dans leur ordre d'arrivée.

1. Combien de podiums possibles y a-t-il ?
2. Combien de podiums y a-t-il entièrement américains ?
3. Combien de podiums y a-t-il comprenant au moins un Américain ?
4. Combien de podiums y a-t-il comprenant exactement deux Américains ?

117 Droites

Dans un plan, on considère n droites telles que deux d'entre elles ne soient pas parallèles et que trois d'entre elles ne soient pas concourantes en un point.
Combien y a-t-il de points d'intersection de ces droites prises deux à deux ?

118 Région d'un disque

On place n points sur un cercle et on les relie par des seg-ments tels que deux d'entre eux ne soient pas parallèles et que trois d'entre eux ne soient pas concourants en un point.
1. Combien de régions y a-t-il ainsi définies dans le disque ?
2. Écrire les premiers termes de cette suite.

119 À la poste

Un postier doit affranchir une lettre à 2,40 €. Pour cela, il a à sa disposition une pochette avec : un timbre à 2 €, deux timbres à 1 €, cinq timbres à 0,20 € et quatre timbres à 0,10 €.
Calculer le nombre de combinaisons différentes possibles lui permettant d'affranchir sa lettre.

120 Maths et musique

Dans une classe de 34 étudiants, 26 aiment les maths, 20 sont sportifs et 7 sont musiciens. Aucun étudiant ne déteste les maths, le sport et la musique. De plus, 4 sont des matheux musiciens, 15 sont des matheux sportifs et 3 sont des musiciens sportifs.
Y a-t-il un élève satisfaisant les idéaux grecs, c'est-à-dire matheux, musicien et sportif ?

121 Sélectionneur

Un sélectionneur d'une équipe de football dispose de 20 joueurs dont 3 gardiens de but.
Combien d'équipes différentes de 11 joueurs, dont 1 gardien, peut-il former ?

122 Proverbe ?

Combien d'expressions différentes, ayant un sens ou non, peut-on former en utilisant tous les mots du proverbe : « pluie en novembre, Noël en décembre » ?

123 Gouvernement et sport

Le gouvernement est composé de 23 membres.

1. Combien d'équipes de football (composées de 11 joueurs chacune) peut-on composer sans tenir compte de la place des joueurs ?

2. Combien d'équipes de football peut-on composer en tenant compte de la place des joueurs ?

3. Comme il y a 9 femmes, on décide de faire des doubles mixtes. Combien d'équipes peut-on former ?

124 Second degré

Trouver l'entier n vérifiant la condition donnée dans chacun des cas suivants.

a) $\dbinom{n}{2} = 36$ **b)** $3 \times \dbinom{n}{4} = 14 \times \dbinom{n}{2}$

125 Lecture

Dans une bibliothèque, vingt livres sont exposés sur une étagère rectiligne et répartis au hasard. Parmi ces livres, quatre sont du même auteur « A », les autres sont d'auteurs tous différents.

Déterminer le nombre de façons de ranger ces vingt livres pour que les quatre livres de « A » se retrouvent côte à côte.

126 Anagrammes

Combien d'anagrammes peut-on former avec les mots suivants ?

a) ARBRE   **b)** ENSEMBLE   **c)** SESAMATH

127 Au restaurant

Dans le bouchon Chez Didier, trois collègues souhaitent se partager sept douzaines d'huîtres pour les fêtes.

Combien de répartitions possibles des huîtres y a-t-il sachant que chacun des amis doit en avoir au moins une ?

128 Au bridge

Au cours d'une partie de bridge, les cartes restantes des 4 joueurs sont réparties comme sur le schéma ci-dessous.

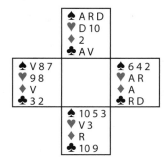

Sachant qu'au bridge, les joueurs sont obligés de fournir la couleur demandée, de combien de manières différentes cette partie peut-elle se terminer ?

129 Dans le TGV

Vingt-trois personnes attendent un TGV. Un train arrive avec cinq voitures vides dont une réservée aux voyageurs de première classe.

1. Sans faire de distinction entre la première et la deuxième classe, calculer le nombre de manières possibles de répartir les personnes dans ce train.

2. Un peu plus tard dans la journée, seules sept personnes parmi 35 voyageurs possèdent un ticket donnant accès à une voiture de première classe. Calculer alors le nombre de manières de répartir les personnes dans les cinq voitures en tenant compte de la distinction entre les deux classes.

130 Dans une entreprise

Dans une entreprise espagnole, on parle comme langue le castillan. Le siège social, à Madrid, emploie p catalans et q basques. Chaque matin, les employés se saluent deux par deux :

– en catalan si les deux employés sont catalans ;

– en basque si les deux employés sont basques ;

– en castillan lorsqu'un employé est catalan et l'autre est basque.

1. Combien de saluts en catalan y a-t-il ?

2. Combien de saluts en basque y a-t-il ?

3. Combien de saluts en castillan y a-t-il ?

4. En déduire la relation $\dbinom{p+q}{2} = \dbinom{p}{2} + pq + \dbinom{q}{2}$.

5. Démontrer également cette relation par le calcul.

131 Démonstration (1)   Démo

Montrer que $\displaystyle\sum_{k=p}^{n} \dbinom{k}{p} = \dbinom{n+1}{p+1}$.

132 Intersection et réunion

On considère les ensembles A, B et C.

Pour les questions suivantes, on pourra s'aider d'un diagramme.

1. Enlever la parenthèse dans $A \cap (B \cup C)$.

2. De même dans $A \cup (B \cap C)$.

3. Comment énonce-t-on ces propriétés ?

133 Démonstration (2)   Démo

1. Démontrer que $\dbinom{n}{p}\dbinom{p}{k} = \dbinom{n}{k}\dbinom{n-k}{p-k}$ où les entiers vérifient $0 \leqslant p \leqslant k \leqslant n$.

2. En déduire la valeur de $\displaystyle\sum_{k=0}^{p} \dbinom{n}{k}\dbinom{n-k}{p-k}$.

134 Démonstration (3)   Démo

Une urne contient p boules rouges et n boules blanches.

1. En calculant de deux manières différentes le nombre de tirages de k boules de l'urne, montrer que

$$\sum_{j=0}^{k} \dbinom{p}{j}\dbinom{n}{k-j} = \dbinom{n+p}{k}.$$

2. En déduire $\displaystyle\sum_{k=0}^{n} \dbinom{n}{k}^2$.

Travaux pratiques

1   Combinaisons avec répétition

A ▶ Différences d'énoncés

Voici deux énoncés.
• **Énoncé 1 :** on lance simultanément 5 dés cubiques équilibrés.
Quel est le nombre de façons d'obtenir exactement 3 fois le chiffre 6 ?
• **Énoncé 2 :** on lance simultanément 5 dés cubiques équilibrés.
On note les numéros des faces du dessus sans tenir compte de l'ordre.
Quel est le nombre de lancers possibles ?
1. Quelles différences peut-on noter entre ces deux énoncés ?
2. Vérifier que la réponse dans le cas de l'énoncé 1 est 250.

Formule : On définit le nombre de p combinaisons avec répétition d'un ensemble à n éléments par « Gamma np »
qui vaut $\Gamma_n^p = \begin{pmatrix} n + p - 1 \\ p \end{pmatrix}$.
C'est le nombre de p combinaisons (avec répétition) de $n + p - 1$ éléments.

B ▶ Exemples

1. L'énoncé 2 correspond à un cas de combinaisons avec répétition car les dés sont indiscernables.
Vérifier qu'alors la réponse est 35.
2. Autre exemple : les pièces d'un jeu de domino sont fabriquées en disposant côte à côte deux éléments choisis
parmi l'ensemble {blanc ; 1 ; 2 ; 3 ; 4 ; 5 ; 6}.
Combien de pièces y a-t-il dans un jeu de domino ?

2   Promenade aléatoire

Un homme travaille à Manhattan, dans un quartier où les avenues sont orientées
nord-sud et les rues est-ouest.
Il travaille à sept pâtés de maisons à l'est et huit pâtés de maisons au nord de son
domicile.
Pour aller à son travail chaque jour il parcourt donc la longueur de quinze pâtés
de maison (il ne se dirige ni au sud ni à l'ouest).
On suppose qu'il existe une voie le long de chaque pâté de maisons et qu'il peut
prendre n'importe lesquelles dans ce schéma rectangulaire.

Le dessin ci-contre illustre la situation, un trajet a été représenté en pointillés.
1. Proposer un codage permettant de décrire le trajet représenté.
2. Combien de trajets différents l'homme peut-il emprunter ?
3. L'homme prétend que le nombre de trajets est aussi le nombre de suites
de 8 entiers naturels dont la somme est 8.
A-t-il raison ?

3 Triangle de Pascal et binôme de Newton

A ▶ Algorithme

Décrire ce que fait l'algorithme suivant.

```python
def entrer_entier(a=""):
    verification=0
    while verification==0:
        x=input("Entrer un nombre entier")
        try:
            x=int(x)
            verification=1
            return(x)
        except:
            verification=0
def factorielle(n):
    x=1
    if n<1:
        return(1)
    else:
        for i in range(n):
            x=x*(i+1)
        return(x)
def combinaison(n,p):
    x=(factorielle(n))/(factorielle(p)*factorielle(n-p))
    x=int(x)
    return(x)
def triangle_pascal(n):
    for i in range(n):
        for j in range(i+1):
            x=combinaison(i,j)
            print(x, end=" ")
        print()
n=entrer_entier("n")
triangle_pascal(n)
```

▶ PYTHON
Triangle de Pascal
lienmini.fr/maths-s11-11

Histoire des Maths

Pascal n'a jamais inventé ce triangle, il le reconnaît lui-même. Il était connu des mathématiciens européens depuis plus d'un siècle, et des mathématiciens arabes, chinois et indiens environ 2000 ans avant.

▶ DOCUMENT
Triangle de Pascal
lienmini.fr/maths-s11-04

	0	1	2	3	4	5	...
0	1						
1	1	1					
2	1	2	1				
3	1	3	3	1			
4	1	4	6	4	1		
5	1	5	10	10	5	1	
...							

B ▶ Développements

1. Développer $(a + b)^2$, $(a + b)^3$, puis $(a + b)^4$.

2. Quelle remarque peut-on faire sur les coefficients obtenus ?
Et sur les puissances de a et de b ?

3. En déduire le développement de $(a + b)^5$ et de $(a + b)^6$.

Probabilités

**Christiaan Huygens
(1629-1695)**

**Antoine Deparcieux
(1703-1768)**

En 1713, Jacques Bernoulli publie son *Ars Conjectandi* où il approfondit des travaux de Huygens.
Il y étudie pour la première fois la distribution binomiale et la loi des grands nombres.

↳ **Dicomaths** p. 462

En 1746, Deparcieux présente son *Essai sur les probabilités de la durée de vie humaine* où l'on trouve certaines des premières tables de mortalité, servant aux compagnies d'assurance-vie.

↳ **Dicomaths** p. 461

Mon parcours au lycée

Dans les classes précédentes
• J'ai calculé des probabilités dans des cas simples, des probabilités conditionnelles et des probabilités de deux événements indépendants.
• J'ai étudié la notion de variable aléatoire ainsi que ses paramètres : espérance, variance et écart-type.

En Terminale générale
• Je vais étudier le schéma de Bernoulli et la loi binomiale.
• Je vais approfondir mes connaissances sur les variables aléatoires en étudiant la somme de deux variables aléatoires (et les paramètres qui lui sont associés) puis en étudiant la loi des grands nombres et ses applications.

Adrien Marie Legendre (1752–1833)

Irénée Jules Bienaymé (1796–1878)

Pafnouti Tchebychev (1821–1894)

Au XXᵉ siècle, la loi des grands nombres s'applique dans de nombreux domaines notamment en physique statistique et en biostatistiques.

Au début du XIXᵉ siècle, la statistique inférentielle émerge du fait notamment de l'approche probabiliste de la théorie des erreurs de Lagrange et Laplace et de la méthode des moindres carrés imaginée par Legendre puis par Gauss, qui l'applique à la prédiction de la position d'un astéroïde.

↳ **Dicomaths** p. 462

Dans les années 1830, Quételet introduit des méthodes statistiques en sociologie et étudie la distribution de données autour de la moyenne.
En 1867, Bienaymé et Tchebychev démontrent l'inégalité de Bienaymé-Tchebychev et parlent de fréquences d'échantillons.

↳ **Dicomaths** p. 460, p. 464

Domaines professionnels

- ✓ Un·e **créateur·trice de jeux** se servira de la loi binomiale pour déterminer la probabilité qu'un joueur gagne un certain nombre k de parties parmi n parties jouées.
- ✓ Un·e **ingénieur·e** concevra des tests pour vérifier la fiabilité d'une machine automatique.
- ✓ Un·e **sociologue** se servira de la loi des grands nombres pour étudier un caractère concernant une population ou pour comparer deux populations à travers ce critère.
- ✓ Un·e **professeur·e** vérifiera la dispersion ou l'homogénéité de ses notes lors d'un examen grâce à la loi normale.
- ✓ Un **médecin** étudiera la pertinence d'un protocole de traitement.
- ✓ Un·e **statisticien·ne** dans un institut de sondages fera des estimations concernant le nombre de votants pour tel ou tel candidat lors d'élections.

Succession d'épreuves indépendantes et loi binomiale

► VIDÉO WEB

La planche de Galton
lienmini.fr/maths-s12-01

Dans cet extrait de l'émission *Défis Cobayes*, les candidats sont interrogés sur la répartition des billes dans cet étrange instrument qu'est la planche de Galton.

Comment expliquer la répartition des billes dans les réceptacles ? ↳ TP 4 p. 399

1 Utiliser un arbre pondéré

Dans un supermarché, 22 % des paiements se font à la caisse automatique dont 74 % correspondent à des courses de moins de dix articles.

Pour les paiements en caisse non automatique, 11 % correspondent à des courses de moins de dix articles.

Pour un paiement effectué dans ce magasin, on considère les événements :

• A : « le paiement a été fait en caisse automatique »

• M : « le paiement correspond à des courses de moins de dix articles ».

1. Recopier et compléter l'arbre ci-contre représentant la situation :

2. a) Calculer $p(A \cap M)$ puis $p(M)$.

b) En déduire $p_M(A)$.

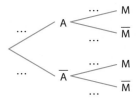

2 Représenter une succession de deux épreuves indépendantes

On considère l'expérience aléatoire consistant à lancer un dé équilibré à quatre faces numérotées de 1 à 4 puis une pièce équilibrée à PILE ou FACE.

1. Représenter cette succession de deux épreuves indépendantes par un arbre ou un tableau.

2. Déterminer la probabilité que le résultat du dé soit inférieur ou égal à 3 et que la pièce tombe sur PILE.

3 Modéliser par une variable aléatoire

Un jeu de grattage coutant 1 € rapporte :

• 100 € avec une probabilité 0,005 ;

• 20 € avec une probabilité 0,01 ;

• 5 € avec une probabilité 0,02 ;

• 1 € avec une probabilité 0,1 ;

• 0 € avec une probabilité 0,865.

On considère la variable aléatoire G donnant le gain algébrique à ce jeu (tenant compte du prix du ticket).

1. Donner la loi de probabilité de G sous forme de tableau.

2. a) Calculer E(G), l'espérance de G, puis σ(G), son écart-type.

b) Ce jeu est-il équitable ?

3. Calculer $p(G \geqslant 15)$.

4 Savoir dénombrer

Calculer sans calculatrice.

a) $3 !$ **b)** $5 !$ **c)** $\binom{1000}{0}$ **d)** $\binom{36}{36}$ **e)** $\binom{5}{3}$ **f)** $\binom{6}{4}$

Activités

1 Observer des tirages indépendants ou non

A ▶ Avec des boules

Dans une urne opaque contenant 11 boules indiscernables au toucher : six de couleur orange et cinq de couleur verte, une magicienne annonce qu'elle va tirer quatre boules sans remise et qu'elle va obtenir quatre boules vertes. Quelle est la probabilité qu'elle réalise l'exploit annoncé sans « tricher » ?

B ▶ Avec des dés

Une magicienne annonce qu'elle va lancer 11 fois de suite deux dés équilibrés à six faces numérotées de 1 à 6 et :
• sur le premier lancer, la somme des résultats affichés par les deux dés sera 2 ;
• sur le deuxième lancer, la somme des résultats affichés par les deux dés sera 3 ;
• etc. jusqu'au dernier lancer où la somme des résultats affichés par les deux dés sera 12.
Déterminer la probabilité qu'elle réalise ce nouvel exploit sans « tricher » ?

➥ **Cours 1** p. 368

---

2 Reconnaître un schéma de Bernoulli

Dans un ordinateur, plusieurs programmes peuvent être lancés simultanément.
L'ordonnanceur du système d'exploitation gère la file d'attente pour que le processeur traite les taches demandées par chaque programme.
On s'intéresse à un ordonnanceur qui alloue aléatoirement des plages de 2 ms de traitement aux programmes. Un programme nécessitant 8 ms de traitement, par exemple, devra donc être traité 4 fois pour être complètement exécuté.
L'ordonnanceur tire au sort l'un des programmes en cours d'exécution et oblige son traitement pendant 2 ms puis il recommence (avec la possibilité de reprendre le même programme qu'à la plage précédente) jusqu'à l'exécution complète de chacun des programmes.

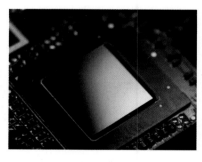

1. On considère deux programmes P1 et P2 nécessitant respectivement 6 ms et 12 ms de traitement.

a) Représenter par un arbre les trois premières plages allouées par l'ordonnanceur selon que c'est le programme P1 ou le programme P2 qui est traité.

b) Quelle est la probabilité que le programme P1 soit au moins à moitié exécuté à l'issue de ces trois plages ?

c) Dans cette modélisation, les épreuves successives considérées sont-elles identiques ? Indépendantes ?

2. a) Représenter par un arbre les quatre premières plages allouées par l'ordonnanceur.

b) Lorsque l'on réalise *n* fois de manière indépendante une même expérience à deux issues, on dit que la succession de ces *n* épreuves est un schéma de Bernoulli.

Les quatre épreuves successives de la question **2. a)** sont-elles un schéma de Bernoulli ? Expliquer pourquoi.

➥ **Cours 2** p. 370

3 Découvrir la loi binomiale

En 2019, le basketteur LeBron James avait les taux de réussite suivants : 54,8 % au tir à deux points et 34,3 % au tir à trois points.

1. Lors d'un match, le temps restant ne laisse que quatre possessions du ballon à son équipe. Lebron James compte tirer quatre fois. Selon vous, quel type de tir doit-il choisir pour maximiser ses chances de marquer au moins 6 points en quatre tirs du même type (à deux points ou à trois points) ?

2. On considère que LeBron James choisit de faire quatre tirs à deux points.

a) Justifier que chacun de ces tirs est une épreuve de Bernoulli. Préciser la probabilité d'un succès.

b) Quelle hypothèse doit-on faire sur ces quatre tirs pour pouvoir les assimiler à un schéma de Bernoulli ?

Dans la suite, on considère que cette hypothèse est vérifiée.

c) Représenter ce schéma de Bernoulli par un arbre.

d) On considère la variable aléatoire D donnant le nombre de tirs réussis sur les quatre. Calculer $p(D \geqslant 3)$.

Info : On dit que D suit la loi binomiale de paramètres $n = 4$ et $p = 0,548$.

3. On considère maintenant que James choisit de faire quatre tirs à trois points.

a) Reprendre les questions **2. a)** à **c)** pour cette nouvelle succession d'épreuves.

b) On considère la variable aléatoire T donnant le nombre de tirs réussis sur les quatre. Calculer $p(T \geqslant 2)$.

4. Répondre à la question **1** à l'aide des réponses aux questions **2 d)** et **3 b)**.

↪ Cours 3 p. 372

4 Trouver une probabilité avec la loi binomiale

En 2019, le basketteur LeBron James avait 54,8 % de réussite au tir à deux points. On considère que James fait huit tirs supposés indépendants à deux points et on appelle D la variable aléatoire donnant le nombre de succès c'est-à-dire le nombre de tirs réussis.

1. a) Quelle loi suit D ?

b) Sans essayer de le tracer, évaluer combien de chemins possède l'arbre représentant le schéma de Bernoulli associé à ces huit tirs.

2. Pour quelle valeur de k, l'événement $D = k$ correspond-il à l'événement « marquer exactement 12 points » ?

3. a) Justifier que 28 chemins de l'arbre de **1. b)** correspondent à cet événement $D = k$.

👍 Coup de pouce Choisir un chemin correspondant à cet événement revient à choisir … positions pour les pondérations égales à 0,548 parmi les huit pondérations présentes sur le chemin.

b) Quelle est la probabilité associée à chacun de ces 28 chemins (c'est-à-dire le produit des huit pondérations écrites sur les branches) ?

c) En déduire la probabilité de marquer exactement 12 points pour James.

↪ Cours 3 p. 372

Cours

1 Succession d'épreuves indépendantes

Définition Univers associé à une succession d'épreuves indépendantes

Soit une succession de n épreuves indépendantes dont les univers associés sont respectivement $\Omega_1, \Omega_2, ..., \Omega_n$.

L'univers associé à cette succession de n épreuves est le produit cartésien $\Omega_1 \times \Omega_2 \times ... \times \Omega_n$.

▶**Remarque**

Si les n épreuves indépendantes sont identiques et que l'on note Ω l'univers associé à chacune d'elle, l'univers associé à cette succession est noté Ω^n.

● **Exemples**

On lance successivement et dans cet ordre trois dés équilibrés numérotés respectivement de 1 à 4, de 1 à 6 et de 1 à 8 et on note les trois résultats obtenus.
- Le résultat de chaque lancer n'a pas d'influence sur les autres donc les trois épreuves sont indépendantes.
- L'univers associé à cette succession de trois épreuves indépendantes est
$\{1\,;2\,;3\,;4\} \times \{1\,;2\,;3\,;4\,;5\,;6\} \times \{1\,;2\,;3\,;4\,;5\,;6\,;7\,;8\}$.
- $(2\,;5\,;7)$, par exemple, est une issue associée à cette succession de trois épreuves indépendantes, elle correspond à l'obtention d'un 2 au premier dé, d'un 5 au deuxième et d'un 7 au troisième.
- En revanche, $(5\,;2\,;7)$ n'est pas une issue associée à cette succession de trois épreuves indépendantes.

▶**Remarque** Dans le cas où les épreuves sont indépendantes, la notion de « succession » est parfois artificielle. Par exemple, si l'on lance **simultanément** trois dés équilibrés numérotés respectivement de 1 à 4, de 1 à 6 et de 1 à 8 et que l'on considère le triplet des résultats obtenus dans cet ordre, la modélisation est identique à celle de l'exemple précédent.

Propriété Probabilité d'une issue associée à une succession d'épreuves indépendantes

Soit une succession de n épreuves indépendantes.

La probabilité d'obtenir une issue $(x_1\,;x_2\,;...\,;x_n)$ est $p((x_1\,;x_2\,;...\,;x_n)) = p(x_1) \times p(x_2) \times ... \times p(x_n)$.

▶**Remarque** En toute rigueur, on ne devrait pas écrire toutes les probabilités avec le même p car elles ne sont pas associées à la même expérience aléatoire.

● **Exemple**

Dans l'exemple précédent, la probabilité de $(2\,;5\,;7)$ est $p((2\,;5\,;7)) = p(2) \times p(5) \times p(7) = \dfrac{1}{4} \times \dfrac{1}{6} \times \dfrac{1}{8} = \dfrac{1}{192}$.

▶**Remarque**

Dans le cas où les épreuves ne sont pas indépendantes, on les représente à l'aide d'un arbre pondéré.

● **Exemple**

On tire au sort successivement deux boules sans remise dans une urne contenant 2 boules rouges et 3 boules vertes.
On représente cette situation par l'arbre ci-contre à l'aide duquel on peut calculer des probabilités en appliquant les règles vues en Première.
Par exemple la probabilité d'obtenir exactement une boule rouge est
$0,4 \times 0,75 + 0,6 \times 0,5 = 0,6$ (voir *).

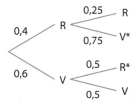

▶**Remarque** On peut également représenter une succession d'épreuves indépendantes à l'aide d'un arbre pondéré mais dès qu'il y a plus de trois ou quatre épreuves cela devient généralement assez compliqué.

❍ EXOS
Méthodes
lienmini.fr/maths-s12-03

Les rendez-vous
Sésamath

Exercices (résolus)

Méthode 1 — Modéliser une succession d'épreuves

Énoncé

1. Dans le public d'un concert regroupant 237 enfants et 478 adultes, on tire au sort deux tickets (sans remise) pour faire gagner deux lots. On regarde si les personnes tirées au sort sont des adultes (A) ou des enfants (E).
a) Ces deux tirages successifs sont-ils indépendants ?
b) Représenter la situation par un arbre pondéré puis déterminer la probabilité qu'il y ait au moins un enfant tiré au sort.

2. Dans un casino, une roulette est constituée de 18 portions rouges, 18 portions noires et une portion verte de mêmes tailles.
On lance cinq fois cette roulette et on regarde pour chacun des lancers la couleur de la portion obtenue, rouge (R), noire (N) ou verte (V).
a) Ces cinq lancers successifs sont-ils indépendants ?
b) Donner l'univers associé à cette succession d'épreuves.
c) Déterminer la probabilité de l'issue (R ; N ; V ; R ; R).

Conseils & Méthodes

1 Lorsque l'on doit se demander quel est le résultat de la 1re épreuve pour trouver une probabilité associée à la 2e épreuve, c'est que les tirages ne sont pas indépendants. C'est le cas ici, puisque la probabilité que le 2e tirage donne un adulte est $\dfrac{477}{714}$ ou $\dfrac{478}{714}$ selon que le 1er tirage ait donné un adulte ou non.

2 On utilise les règles d'utilisation des arbres pondérés pour calculer des probabilités.

3 Commencer par donner l'univers associé à chacune des épreuves puis conclure en donnant le produit cartésien.

Solution

1. a) Ces deux tirages successifs ne sont pas indépendants car le résultat du premier a de l'influence sur le résultat du second.

b) En utilisant l'arbre ci-contre, la probabilité qu'il y ait au moins un enfant tiré au sort est

$\dfrac{478}{715}\times\dfrac{237}{714}+\dfrac{237}{715}\times\dfrac{478}{714}+\dfrac{237}{715}\times\dfrac{236}{714}\approx 0,55$

(voir * dans l'arbre) **2**.

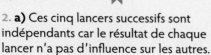

2. a) Ces cinq lancers successifs sont indépendants car le résultat de chaque lancer n'a pas d'influence sur les autres.

b) L'univers associé à chacune de ces épreuves est {R ; N ; V} donc l'univers associé à cette succession de cinq épreuves indépendantes est $\underbrace{\{R\,;\,N\,;\,V\}\times\ldots\times\{R\,;\,N\,;\,V\}}_{5\text{ fois}}=\{R\,;\,N\,;\,V\}^5$. **3**

c) $p(R)=\dfrac{18}{37}$, $p(N)=\dfrac{18}{37}$ et $p(V)=\dfrac{1}{37}$ donc

$p((R\,;\,N\,;\,V\,;\,R\,;\,R))=p(R)\times p(N)\times p(V)\times p(R)\times p(R)=p(R)^3\times p(N)\times p(V)=\left(\dfrac{18}{37}\right)^3\times\left(\dfrac{18}{37}\right)\times\left(\dfrac{1}{37}\right)\approx 0,0015.$

À vous de jouer !

1 On considère un tirage au sort dans une urne contenant cinq boules rouges et six boules noires.
1. On tire trois boules dans l'urne avec remise.
a) Ces trois tirages successifs sont-ils indépendants ?
b) Calculer la probabilité d'obtenir une boule rouge puis deux boules noires, dans cet ordre.
2. Mêmes questions pour trois tirages sans remise.

2 On tire avec remise six personnes dans une population contenant 87 % de droitiers (D), 12 % de gauchers (G) et 1 % d'ambidextres (A) et on regarde si elles sont droitières, gauchères ou ambidextres.
Donner l'univers associé à cette succession de six épreuves indépendantes puis calculer la probabilité de l'issue (D ; D ; G ; D ; D ; A).

➜ Exercices 32 à 38 p. 382

2 Épreuve, loi et schéma de Bernoulli

Définition Épreuve de Bernoulli

Une expérience aléatoire à deux issues, succès (noté S) et échec (noté $\overline{S}$ ou E), est dite épreuve (ou expérience) de Bernoulli.

● Exemple

Lorsqu'une personne visionne une vidéo sur Internet, elle peut lui attribuer un pouce vert, un pouce rouge ou ne rien faire.
● L'expérience consistant à regarder si l'internaute attribue un pouce vert, un pouce rouge ou ne fait rien n'est pas une expérience de Bernoulli car il y a trois issues.
● L'expérience consistant à regarder si l'internaute attribue un pouce vert ou non est une expérience de Bernoulli (en considérant qu'un pouce vert correspond à un succès) car il y a deux issues.

Définition Loi de Bernoulli

Soit $p \in]0\,;1[$. La loi de la variable aléatoire X donnée ci-contre est appelée loi de Bernoulli de paramètre p, ce qui se note $\mathscr{B}(p)$.

x_i	0	1
$p(X = x_i)$	$1 - p$	p

Propriété Loi de Bernoulli : espérance, variance et écart-type

Pour X, variable aléatoire suivant la loi $\mathscr{B}(p)$, on a :
● **l'espérance : $E(X) = p$,**
● **la variance : $V(X) = p(1 - p)$,**
● **l'écart-type : $\sigma(X) = \sqrt{p(1-p)}$.**

● Démonstration

● $E(X) = (1 - p) \times 0 + p \times 1 = p.$
● $V(X) = (1 - p)(0 - E(X))^2 + p(1 - E(X))^2 = (1 - p)(0 - p)^2 + p(1 - p)^2 = (1 - p)p^2 + p(1 - p)^2$
$\quad = (1 - p)p(p + (1 - p)) = p(1 - p)$
● $\sigma(X) = \sqrt{V(X)} = \sqrt{p(1-p)}.$

● Exemple

Lorsque l'on appelle un service d'assistance téléphonique, la probabilité de parler à un conseiller est 0,1 (le reste du temps, la demande est traitée par un robot). On considère la variable aléatoire X donnant le nombre de conseiller (0 ou 1) auquel on parle lors d'un appel à ce service.
● X suit la loi donnée dans le tableau, c'est-à-dire la loi de Bernoulli de paramètre 0,1.
● Son espérance est donc $E(X) = 0,1$.
● Son écart-type est $\sigma(X) = \sqrt{0,1 \times 0,9} = 0,3$.

x_i	0	1
$p(X = x_i)$	0,9	0,1

Définition Schéma de Bernoulli

La répétition de n épreuves de Bernoulli identiques et indépendantes est appelée schéma de Bernoulli.

● Exemple

On considère la répétition de cinq appels au service d'assistance téléphonique de l'exemple précédent.
● On considère que les appels sont indépendants et que le fait de parler à un conseiller est un succès (S).
● Cette succession de cinq épreuves de Bernoulli identiques et indépendantes est un schéma de Bernoulli.
● La probabilité de l'issue (E ; S ; E ; E ; E), c'est-à-dire de ne parler à un conseiller qu'au deuxième appel, est $p(E) \times p(S) \times p(E) \times p(E) \times p(E) = 0,9^4 \times 0,1 = 0,065\,61$.

▶**Remarque** Généralement, on représente un schéma de Bernoulli par un arbre pondéré et on y calcule des probabilités à l'aide de la formule des probabilités totales.

● EXOS
Méthodes
lienmini.fr/maths-s12-03

Les rendez-vous
Sésamath

Exercices (résolus)

Méthode 2 Identifier, représenter et utiliser un schéma de Bernoulli

Énoncé

Gloria a remarqué que quand un client entre dans sa librairie, la probabilité qu'il achète un livre est 0,67. On admet que les achats des clients sont indépendants les uns des autres.

Quatre clients entrent dans la librairie. On s'intéresse au fait qu'ils achètent un livre ou non.

1. Justifier que l'on peut associer la situation de l'énoncé à un schéma de Bernoulli dont on précisera n, le nombre de répétitions, et p, la probabilité d'un succès.
2. Représenter ce schéma de Bernoulli par un arbre.
3. Calculer la probabilité que deux des quatre clients achètent un livre.

Solution

1. En considérant que l'achat d'un livre par le client est un succès, **1** on réalise $n = 4$ fois, de manière indépendante, la même expérience de Bernoulli **2** pour laquelle la probabilité d'un succès (S) est $p = 0,67$ donc cette situation correspond bien à un schéma de Bernoulli avec $n = 4$ et $p = 0,67$.

2. **3**

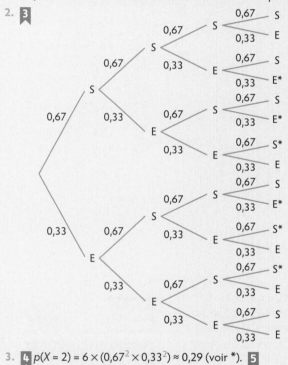

3. **4** $p(X = 2) = 6 \times (0,67^2 \times 0,33^2) \approx 0,29$ (voir *). **5**

Conseils & Méthodes

1 On associe le succès à l'événement qui nous intéresse (ici, « le client achète ») de sorte que l'on ait affaire à une expérience à deux issues, succès S et échec E (ou $\overline{S}$).

2 Pour justifier qu'une succession d'expériences est un schéma de Bernoulli, il y a trois arguments à donner : **1.** l'expérience réalisée est la même, **2.** c'est une expérience de Bernoulli, **3.** toutes les réalisations sont indépendantes.

3 Dans l'arbre, les sous-arbres partant d'un même nœud sont identiques et correspondent à l'arbre représentant l'épreuve de Bernoulli (avec les pondérations 0,67 et 0,33 ici).

4 Identifier les chemins associés au nombre de succès souhaité et appliquer les méthodes de calculs.

5 Chacun des six chemins correspondant à 2 succès (et donc 2 échecs) porte 2 pondérations 0,67 et 2 pondérations 0,33, ce qui correspond à une probabilité $0,67^2 \times 0,33^2$ pour chaque chemin.

À vous de jouer !

3 On lance 3 fois successivement une pièce truquée de sorte que la probabilité d'obtenir PILE est 0,75 et on s'intéresse au nombre de PILE obtenus.

1. Justifier que l'on peut associer la situation à un schéma de Bernoulli. Préciser n le nombre de répétitions et p la probabilité d'un succès.
2. Représenter ce schéma de Bernoulli par un arbre.
3. Calculer la probabilité d'obtenir exactement une fois PILE.

4 Sylvain joue cinq fois de suite à un jeu vidéo sur son téléphone pour lequel sa probabilité de succès est 0,1.

1. Quelle hypothèse doit-on faire sur chaque partie pour que ces cinq parties soient assimilables à un schéma de Bernoulli ?
2. Quelle est la probabilité qu'il perde ces cinq parties ?

➡ Exercices 49 à 51 p. 384

3 Loi binomiale

a Définition et calculs de probabilités

Définition Loi binomiale

Soit $n \in \mathbb{N}^*$ et $p \in]0 ; 1[$. On considère le schéma de Bernoulli pour lequel n est le nombre de répétitions et p la probabilité d'un succès.

La loi de la variable aléatoire donnant le nombre de succès sur les n répétitions est appelée loi binomiale de paramètres n et p et se note $\mathcal{B}(n ; p)$.

● Exemple

On lance trois fois successivement une pièce de monnaie non équilibrée dont la probabilité de tomber sur PILE est 0,4 et on considère la variable aléatoire X donnant le nombre de PILE obtenus.

● En considérant que « tomber sur PILE » est un succès, X donne le nombre de succès lorsque l'on répète $n = 3$ fois de manière indépendante la même épreuve de Bernoulli dont la probabilité d'un succès est $p = 0,4$, donc la variable aléatoire X suit la loi binomiale de paramètres $n = 3$ et $p = 0,4$, notée plus simplement $\mathcal{B}(3 ; 0,4)$.

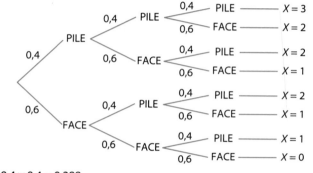

● On peut déterminer les probabilités associées à X à l'aide d'un arbre pondéré. La probabilité d'obtenir 2 PILE est
$p(X = 2) = 0,4 \times 0,4 \times 0,6 + 0,4 \times 0,6 \times 0,4 + 0,6 \times 0,4 \times 0,4 = 0,288$.

Propriété Probabilités et loi binomiale

Soit X une variable aléatoire suivant la loi $\mathcal{B}(n ; p)$.

Pour tout entier k dans $[0 ; n]$, on a $p(X = k) = \binom{n}{k} \times p^k \times (1 - p)^{n-k}$.

● Démonstration

● Sur un arbre représentant le schéma de Bernoulli associé à X, chaque chemin (de n branches) correspondant à k succès « contient » k branches dont les pondérations sont p et $n - k$ branches dont les pondérations sont $1 - p$: la probabilité lui étant associée est donc $p^k \times (1 - p)^{n-k}$.

● Le nombre de chemins correspondant à k succès est égal au nombre de façons de placer k pondérations p sur n branches soit $\binom{n}{k}$.

▶ VIDÉO
Démonstration
lienmini.fr/maths-s12-04

ØLJEN
Les maths en finesse

Il en résulte que la probabilité d'obtenir k succès est $p(X = k) = \binom{n}{k} \times p^k \times (1 - p)^{n-k}$.

● Exemple

Dans l'exemple précédent, on retrouve $p(X = 2) = \binom{3}{2} \times 0,4^2 \times 0,6^{3-2} = 3 \times 0,4^2 \times 0,6 = 0,288$.

▶**Remarque** Pour calculer des probabilités avec la loi binomiale, on peut utiliser la formule précédente ou utiliser les fonctions avancées de la calculatrice. ↪ **TP 1** p. 398

❖ EXOS
Méthodes
lienmini.fr/maths-s12-03

Les rendez-vous
Sésamath

Exercices (résolus)

Méthode 3 Reconnaître la loi binomiale et calculer une probabilité de la forme $p[X = k]$

Énoncé

Une urne contient neuf boules rouges et une verte. On y tire onze boules avec remise et on considère la variable aléatoire V donnant le nombre de boules vertes obtenues.

1. Donner la loi de V.
2. Calculer $p(V = 2)$.

Solution

1. En considérant que l'obtention d'une boule verte est un succès, V donne le nombre de succès quand on réalise $n = 11$ fois, de manière indépendante, la même expérience de Bernoulli dont la probabilité d'un succès est $p = 0,1$ **2** donc V suit la loi $\mathcal{B}(11 ; 0,1)$.

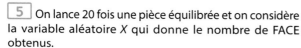

2. $p(V = 2) = \binom{11}{2} \times 0,1^2 \times (1 - 0,1)^{11-2} = 55 \times 0,1^2 \times 0,9^9 \approx 0,21$ **3**

Conseils & Méthodes

1 La justification est la même que pour un schéma de Bernoulli en précisant que V donne le nombre de succès.

2 La probabilité d'un succès est $p = \dfrac{1}{10}$.

3 On utilise la formule du cours ou la calculatrice (↪ **TP 1** p. 398).

À vous de jouer !

5 On lance 20 fois une pièce équilibrée et on considère la variable aléatoire X qui donne le nombre de FACE obtenus.
1. Justifier que X suit une loi binomiale.
2. Calculer $p(X = 11)$.

6 On tire 15 cartes avec remise dans un jeu complet de 52 cartes et on considère la variable aléatoire T qui donne le nombre de trèfles obtenus.
1. Justifier que T suit une loi binomiale.
2. Calculer $p(T = 5)$.

↪ **Exercices 52 à 56** p. 384

Méthode 4 Calculer des probabilités avec la loi binomiale

Les calculatrices « lycée » permettent de calculer des probabilités de la forme $p(X = k)$ et $p(X \leqslant k)$ (ainsi que $p(X \geqslant k)$ et $p(k \leqslant X \leqslant k')$ pour la numworks) mais il faut pouvoir calculer tous types de probabilités avec la loi binomiale.

Énoncé

Pour la variable aléatoire X qui suit la loi binomiale de paramètres $n = 50$ et $p = 0,23$, calculer :

a) $p(X < 12)$. **b)** $p(X \geqslant 4)$. **c)** $p(5 < X \leqslant 8)$.

Solution

a) $p(X < 12) = p(X \leqslant 11) \approx 0,512$. **1**

b) **2** $p(X \geqslant 4) = p(\overline{X \leqslant 3}) = 1 - p(X \leqslant 3) \approx 0,999$.

c) $p(5 < X \leqslant 8) = p(6 \leqslant X \leqslant 8) = p(X \leqslant 8) - p(X \leqslant 5)$ **3** $\approx 0,14$.

On peut aussi remarquer que
$p(5 < X \leqslant 8) = p(X = 6) + p(X = 7) + p(X = 8) \approx 0,14$.

Conseils & Méthodes

1 X prend des valeurs entières : les événements $X < 12$ et $X \leqslant 11$ sont donc identiques.

2 $X \geqslant 4$ est l'événement contraire de $X \leqslant 3$.

3 On a $\underbrace{0 ; ... ; 4 ; 5}_{X \leqslant 5} ; \underbrace{6 ; 7 ; 8}_{5 < X \leqslant 8} ; 9 ; ... ; 50$
donc $p(5 < X \leqslant 8)$ est égal à $p(X \leqslant 8) - p(X \leqslant 5)$.

À vous de jouer !

7 On considère la variable aléatoire X qui suit la loi $\mathcal{B}(20 ; 0,36)$.
Calculer $p(X > 6)$ et $p(3 \leqslant X < 12)$.

8 On considère la variable aléatoire Y qui suit la loi $\mathcal{B}(30 ; 0,85)$.
Calculer $p(Y < 24)$ et $p(21 < Y < 25)$.

↪ **Exercices 57 à 63** p. 385

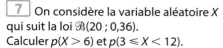

Cours

(b) Espérance, variance et écart-type

Propriété Loi binomiale : espérance, variance et écart-type

Pour X, variable aléatoire suivant la loi $\mathcal{B}(n\,;p)$, on a :
- l'espérance $E(X) = np$
- la variance $V(X) = np(1-p)$
- l'écart-type $\sigma(X) = \sqrt{np(1-p)}$

Démonstrations

⮕ Exercice 138 p. 397 : démonstration calculatoire.
⮕ Chapitre 13 p. 416 avec une somme de variables aléatoires.

Exemple

La variable aléatoire X suivant la loi $\mathcal{B}(20\,;0,6)$ a pour espérance $E(X) = 20 \times 0,6 = 12$, pour variance $V(X) = 20 \times 0,6 \times 0,4 = 4,8$ et pour écart-type $\sigma(X) = \sqrt{4,8} \approx 2,19$.

▶**Remarque** Plus l'écart-type de X est petit plus les valeurs proches de son espérance sont probables.

Propriété Forme du diagramme en barres associé

Pour X, variable aléatoire suivant la loi $\mathcal{B}(n\,;p)$, le diagramme en barres associé à X est en forme de cloche, approximativement centré sur son espérance $E(X)$.

Exemple

Le diagramme en barres associé à la loi $\mathcal{B}(20\,;0,6)$, sur lequel k varie de 0 à 20 en abscisses, montre, pour chaque valeur de k, la hauteur de la barre correspondant à $p(X=k)$.
Par exemple, pour $k = 10$, la hauteur de la barre est $p(X=10) \approx 0,12$.
Le diagramme est en forme de cloche et approximativement centré sur 12 : l'espérance correspondant à cette loi.

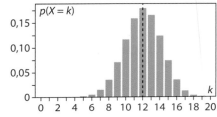

Ce diagramme est quasiment symétrique par rapport à la droite d'équation $x = 12$ tracée en pointillés.

▶**Remarque** Pour des variables aléatoires suivant des lois binomiales de même paramètre n, plus p est éloigné de 0,5 plus l'écart-type est petit et, en conséquence, plus la cloche est « étroite et haute » (attention aux échelles sur les axes quand on compare).

Exemples

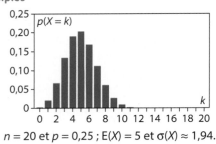

$n = 20$ et $p = 0,25$; $E(X) = 5$ et $\sigma(X) \approx 1,94$.

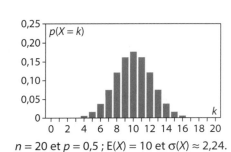

$n = 20$ et $p = 0,5$; $E(X) = 10$ et $\sigma(X) \approx 2,24$.

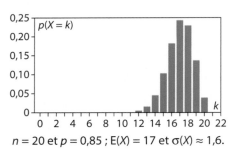

$n = 20$ et $p = 0,85$; $E(X) = 17$ et $\sigma(X) \approx 1,6$.

◆ **EXOS**
Méthodes
lienmini.fr/maths-s12-03

Les rendez-vous
Sésamath

Exercices (résolus)

Méthode 5 — Utiliser l'espérance et l'écart-type de la loi binomiale

Énoncé

On donne les diagrammes en barres associés à deux lois binomiales $\mathcal{B}_1$ (à gauche) et $\mathcal{B}_2$ (à droite).

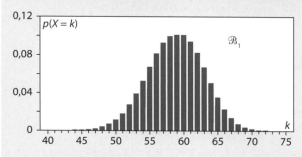

1. Soit X_1 suivant la loi $\mathcal{B}_1$. Estimer graphiquement $E(X_1)$.
2. Les paramètres de $\mathcal{B}_1$ sont $p_1 = 0{,}74$ et n_1. Déterminer une valeur possible pour n_1.
3. $\mathcal{B}_2$ admet pour paramètres $n_2 = n_1$ (trouvé à la question précédente) et p_2.
L'écart-type associé à la loi $\mathcal{B}_2$ est-il plus ou moins grand que celui associé à la loi $\mathcal{B}_1$?

Solution

1. Le graphique ci-contre semble centré sur 59 **1**.

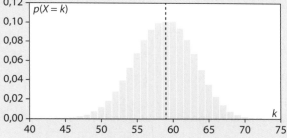

On peut donc penser que $E(X_1) \approx 59$.

2. Comme $E(X_1) = n_1 p_1$ **2**, on a $n_1 = \dfrac{E(X_1)}{p_1}$ or $\dfrac{59}{0{,}74} \approx 79{,}7$ donc, comme n_1 est entier, on peut penser que $n_1 = 80$.

Conseils & Méthodes

1 L'espérance est la valeur sur laquelle le graphique en forme de cloche semble centré en abscisse.

2 On utilise $E(X) = np$ pour trouver n_1 inconnu à partir de $E(X_1)$ et p_1 connus.

3 On compare les graphiques (les échelles sur les axes des deux graphiques sont identiques) :
- sur le 1er graphique, la plus grande probabilité est environ 0,1 contre 0,09 sur le 2e : le 1er graphique est donc plus haut.
- le 2e graphique semble plus large.

3. On constate que le graphique associé à la loi $\mathcal{B}_2$ est moins haut et plus large que celui associé à $\mathcal{B}_1$ **3** donc on peut penser que l'écart-type associé à $\mathcal{B}_2$ est plus grand que celui associé à $\mathcal{B}_1$.

À vous de jouer !

9 On donne les diagrammes en barres associés à deux lois binomiales $\mathcal{B}_1$ et $\mathcal{B}_2$ de paramètres $n = 30$ et p différents.

Laquelle a la plus grande espérance ? Le plus grand écart-type ?

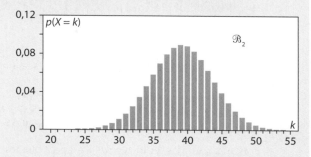

10 On donne le diagramme en barres associé à une loi $\mathcal{B}(n \,;\, 0{,}22)$ et X suivant cette loi.

1. Évaluer $E(X)$ puis n, qui est un multiple de 10.
2. En déduire $V(X)$.

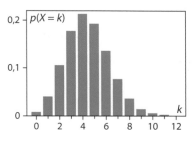

→ Exercices 70 à 71 p. 386

Cours

(c) Intervalles de fluctuation

Définition Intervalle de fluctuation

Soit X une variable aléatoire suivant une loi binomiale, $\alpha \in \,]0\,;1[$ et a et b réels.

Un intervalle $[a\,;b]$ tel que $p(a \leqslant X \leqslant b) \geqslant 1 - \alpha$ est appelé **intervalle de fluctuation** au seuil de $1 - \alpha$ (ou au risque α) associé à X.

• Exemple

Pour X suivant la loi $\mathcal{B}(43\,;0,2)$ et $\alpha = 0,05$, on a $p(X \leqslant 13) \approx 0,964 \geqslant 0,95$ donc $[0\,;13]$ est un intervalle de fluctuation au seuil de $1 - \alpha = 0,95$ associé à X : on est sûr à au moins 95 % qu'il n'y aura pas plus de 13 succès sur les 43 répétitions.

▶**Remarque** Lorsque l'on cherche à trouver un intervalle de fluctuation associé à une loi binomiale de paramètres n et p, suivant le contexte, on peut être amené à chercher des intervalles de la forme $[0\,;b]$, $[a\,;n]$ ou $[a\,;b]$ « centré », de préférence les moins grands possibles.

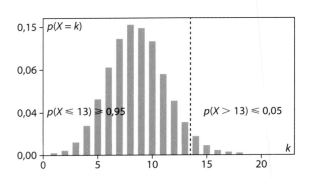

Propriété Intervalle de fluctuation centré

Soit X, une variable aléatoire suivant une loi binomiale, $\alpha \in \,]0\,;1[$ et a et b réels.

Si $p(X < a) \leqslant \dfrac{\alpha}{2}$ et $p(X > b) \leqslant \dfrac{\alpha}{2}$ alors l'intervalle $[a\,;b]$ est un intervalle de fluctuation au seuil de $1 - \alpha$

associé à X. Dans ce cas, on dit que c'est un intervalle de **fluctuation centré** (ou bilatéral).

• Démonstration

Il s'agit de montrer que $p(X < a) \leqslant \dfrac{\alpha}{2}$ et $p(X > b) \leqslant \dfrac{\alpha}{2}$ implique $p(a \leqslant X \leqslant b) \geqslant 1 - \alpha$. ↪ Exercice 134 p. 396 pour une démonstration.

• Exemple

On reprend X suivant la loi $\mathcal{B}(43\,;0,2)$ de l'exemple précédent et $\alpha = 0,05$ c'est-à-dire $\dfrac{\alpha}{2} = 0,025$.

$[4\,;14]$ est un intervalle de fluctuation centré au seuil de $1 - \alpha = 0,95$ associé à X car $p(X < 4) \approx 0,018 < 0,025$ et $p(X > 14) \approx 0,016 < 0,025$: on est donc sûr à au moins 95 % d'avoir entre 4 et 14 succès sur les 43 répétitions.

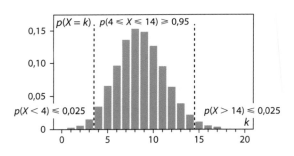

Propriété Intervalle de fluctuation centré particulier

L'intervalle $[a\,;b]$ tel que a et b soient les plus petits entiers vérifiant respectivement $p(X \leqslant a) > \dfrac{\alpha}{2}$

et $p(X \leqslant b) \geqslant 1 - \dfrac{\alpha}{2}$ est un intervalle de fluctuation centré au seuil de $1 - \alpha$ associé à X.

• Démonstration

↪ Exercice 134 p. 396

▶**Remarque** C'est cette dernière propriété que l'on utilise en pratique pour trouver un intervalle de fluctuation centré à un seuil donné.

EXOS
Méthodes
lienmini.fr/maths-s12-03

Les rendez-vous
Sésamath

Exercices résolus

Méthode 6 — Prévoir si un événement sera vérifié à un seuil donné

Énoncé

Une troupe de théâtre joue pour la première fois et on considère que le nombre de spectateurs présents ce jour-là est donné par une variable aléatoire X qui suit une loi binomiale de paramètres $n = 100$ et $p = 0,15$.
Pour des questions logistiques, la troupe ne jouera pas s'il y a moins de dix personnes.
La troupe est-elle « sûre » de pouvoir jouer au seuil de 95 % ?

Solution

La troupe pourra jouer si $X \geq 10$ **1** donc on calcule
$p(X \geq 10) = 1 - p(X < 10) = 1 - p(X \leq 9) \approx 0,945 < 0,95$ **2**
donc la troupe n'est pas « sûre » de pouvoir jouer au seuil de 95 %.

Conseils & Méthodes

1 On fait le lien entre la situation concrète et l'intervalle puis le seuil considéré.

2 Pour un intervalle I, on calcule si $p(X \in I)$ est supérieur ou égal au seuil considéré.

À vous de jouer !

11 Un restaurateur considère que son nombre quotidien de clients est donné par une variable aléatoire C suivant la loi $\mathcal{B}(50 \,; 0,75)$.
Est-il sûr au seuil de 95 % de pouvoir accueillir tous les clients se présentant sachant qu'il a 43 places dans son restaurant ?

12 On considère que le nombre d'élèves dans la classe de Dounia l'année prochaine est donné par une variable aléatoire E suivant la loi $\mathcal{B}(36 \,; 0,92)$.
Est-elle sûre au seuil de 99 % d'avoir au moins 29 élèves dans sa classe l'année prochaine ?

↳ Exercices 72 à 74 p. 386

Méthode 7 — Vérifier qu'un intervalle est un intervalle de fluctuation centré

Énoncé

On considère une variable aléatoire X suivant la loi binomiale de paramètres $n = 80$ et $p = 0,36$.
1. L'intervalle [16 ; 39] est-il un intervalle de fluctuation centré au seuil de 99 % ?
2. L'intervalle [18 ; 40] est-il un intervalle de fluctuation centré au risque de 1 % ?

Solution

1. Ici, $1 - \alpha = 0,99$ donc $\alpha = 0,01$ et $\dfrac{\alpha}{2} = 0,005$. **1** De plus :

• $p(X < 16) = p(X \leq 15) \approx 0,0006 \leq 0,005$ **2**

• $p(X > 39) = 1 - p(X \leq 39) \approx 0,007 > 0,005$ **2** donc [16 ; 39] n'est pas un intervalle de fluctuation centré au seuil de 99 %.

2. Ici on a $\alpha = 0,01$ donc on a toujours $\dfrac{\alpha}{2} = 0,005$. **1**

De plus, $p(X < 18) = p(X \leq 17) \approx 0,003 \leq 0,005$ et $p(X > 40) = 1 - p(X \leq 40) \approx 0,004 \leq 0,005$ **2** donc [18 ; 40] est un intervalle de fluctuation centré au risque de 1 %.

Conseils & Méthodes

1 Déterminer α puis calculer $\dfrac{\alpha}{2}$.

2 On vérifie si $p(X < a) \leq \dfrac{\alpha}{2}$ et $p(X > b) \leq \dfrac{\alpha}{2}$.

À vous de jouer !

13 On considère une variable aléatoire Y suivant la loi $\mathcal{B}(10 \,; 0,45)$.
L'intervalle [3 ; 9] est-il un intervalle de fluctuation centré au seuil de 90 % ?

14 On considère une variable aléatoire Z suivant la loi $\mathcal{B}(89 \,; 0,21)$.
L'intervalle [11 ; 26] est-il un intervalle de fluctuation centré au risque de 5 % ?

↳ Exercices 75 à 76 p. 386

Exercices (résolus)

EXOS
Méthodes
lienmini.fr/maths-s12-03

Les rendez-vous
Sésamath

▶ **Remarque** Pour les méthodes 8, 9 et 10, on se reportera au **TP 1** p. 398 pour l'obtention des différentes commandes de la calculatrice utilisées.

Méthode 8 — Déterminer le plus petit entier k tel que $p(X \leqslant k) \geqslant p$

➥ **Cours 3** p. 372

Énoncé

On considère une variable aléatoire X qui suit la loi binomiale de paramètres $n = 50$ et $p = 0,63$.
Déterminer le plus petit entier k tel que $p(X \leqslant k) \geqslant 0,95$.

Solution

• **TI-83 Premium CE** : On tabule la fonction $k \mapsto p(X \leqslant k)$

en appuyant sur [f(x)] puis en tapant

∎\Y₁=binomFRép(50,0.63,X) **1**.

Ensuite, on affiche le tableau de valeurs. On obtient :

X	Y₁
35	0.8805
36	0.931
37	0.9635
38	0.9825

Conseils & Méthodes

1 x s'obtient avec [X,T,Θ,n].

2 x s'obtient avec [X,θ,T].

3 x s'obtient avec la touche [x,n,t] (cut :).

• **Casio GRAPH 90+** : On tabule la fonction $k \mapsto p(X \leqslant k)$ dans le menu **7:Table** du menu principal, en tapant
Y1=BinomialCD(x,50,0.63) **2**.

Ensuite, on affiche le tableau de valeurs. On obtient :

X	Y1
35	0.8805
36	0.931
37	0.9635
38	0.9824

• **NUMWORKS** : Dans le menu Fonctions, on tabule la fonction $k \mapsto (p \leqslant k)$ en écrivant `f(x)=binomcdf(x,50,0.63)` **3**
où binomcdf s'obtient avec la touche [paste] puis le menu Probabilités > Loi Binomiale.
Ensuite, on affiche le tableau de valeurs et on obtient :

35	0.8805196
36	0.9310107
37	0.9635405
38	0.9824891

• **Conclusion** On constate que $p(X \leqslant 36) < 0,95$ et $p(X \leqslant 37) \geqslant 0,95$ donc $k = 37$.

À vous de jouer !

15 On considère une variable aléatoire Y qui suit la loi binomiale de paramètres $n = 100$ et $p = 0,22$.
Déterminer le plus petit entier k tel que $p(Y \leqslant k) \geqslant 0,99$.

16 On considère une variable aléatoire Z qui suit la loi binomiale de paramètres $n = 30$ et $p = 0,81$.
Déterminer le plus grand entier k tel que $p(Z \leqslant k) < 0,02$.

➥ **Exercices 93 à 96** p. 389

EXOS
Méthodes
lienmini.fr/maths-s12-03
Les rendez-vous Sésamath

Exercices résolus

Méthode 9 · Déterminer le plus grand entier k tel que $p(X \geqslant k) \geqslant p$

→ Cours 3 p. 372

Énoncé

On considère une variable aléatoire X qui suit la loi binomiale de paramètres $n = 30$ et $p = 0,78$.
Déterminer le plus grand entier k tel que $p(X \geqslant k) \geqslant 0,9$.

Solution

$p(X \geqslant k) \geqslant 0,9 \Leftrightarrow 1 - p(X < k) \geqslant 0,9$ **1**
$\Leftrightarrow 1 - p(X \leqslant k - 1) \geqslant 0,9$
$\Leftrightarrow - p(X \leqslant k - 1) \geqslant -0,1$
$\Leftrightarrow p(X \leqslant k - 1) \leqslant 0,1$.

En tabulant $p(X \leqslant x)$ avec la calculatrice,
on obtient :

NORMAL FLOTT AUTO RÉEL DEGRÉ MP	
APP SUR + POUR △Tb1	
X	Y1
15	6.9E⁻⁴
16	0.0024
17	0.0073
18	0.02
19	0.0485
20	0.1039
21	0.1975
22	0.3333
23	0.5008
24	0.6739
25	0.8213
X=15	

donc la plus grande valeur de x telle que $p(X \leqslant x) \leqslant 0,1$ est 19.
On en déduit que $k - 1 = 19$ **2** puis $k = 20$.

Conseils & Méthodes

1 On se ramène à la Méthode **8** en considérant la probabilité de l'événement contraire.

2 On trouve le plus grand $k - 1$ possible puis on en déduit le plus grand k possible.

À vous de jouer !

17 Soit Y qui suit la loi $\mathcal{B}(35 ; 0,12)$.
Déterminer le plus grand entier k tel que $p(Y \geqslant k) > 0,8$.

18 Soit Z qui suit la loi $\mathcal{B}(78 ; 0,25)$.
Déterminer le plus petit entier k tel que $p(Z \geqslant k) \leqslant 0,02$.

→ Exercices 97 à 99 p. 389

Méthode 10 · Déterminer un intervalle de fluctuation centré

→ Cours 3 p. 372

Énoncé

On considère une variable aléatoire X qui suit la loi binomiale de paramètres $n = 40$ et $p = 0,2$ et $\alpha = 0,05$.
Déterminer un intervalle de fluctuation centré au seuil de $1 - \alpha$ associé à X.

Solution

• **1** On a $p(X \leqslant 2) \approx 0,008 \leqslant 0,025$
et $p(X \leqslant 3) \approx 0,0285 > 0,025$ donc $a = 3$ **2**

• On a $p(X \leqslant 12) \approx 0,957 \leqslant 0,975$ et $p(X \leqslant 13) \approx 0,981 \geqslant 0,975$
donc $b = 13$. **3**

$[3 ; 13]$ est un intervalle de fluctuation centré associé à X au seuil de $0,95$.

Conseils & Méthodes

1 On utilise la Méthode **8**.

2 $\dfrac{\alpha}{2} = 0,025$ donc on cherche le plus petit entier a tel que $p(X \leqslant a) > 0,025$.

3 $1 - \dfrac{\alpha}{2} = 0,975$ donc on cherche le plus petit entier b tel que $p(X \leqslant b) \geqslant 0,975$.

À vous de jouer !

19 Soit Y qui suit la loi $\mathcal{B}(27 ; 0,36)$ et $\alpha = 0,1$.
Déterminer un intervalle de fluctuation centré au seuil de $1 - \alpha$ associé à Y.

20 Soit Z qui suit la loi $\mathcal{B}(98 ; 0,77)$ et $\alpha = 0,01$.
Déterminer un intervalle de fluctuation centré au seuil de $1 - \alpha$ associé à Z.

→ Exercices 100 à 102 p. 390

Exercices **apprendre à démontrer**

ØLJEN
Les maths en finesse

La propriété à démontrer

Soit X une variable aléatoire suivant la loi $\mathcal{B}(n\,;p)$.

Pour tout entier k dans $[0\,;n]$, on a $P(X = k) = \dbinom{n}{k} \times p^k \times (1-p)^{n-k}$.

▶ On souhaite démontrer cette propriété.

▶ Comprendre avant de rédiger

Traçons l'arbre associé à cette loi binomiale dans le cas où $n = 3$.

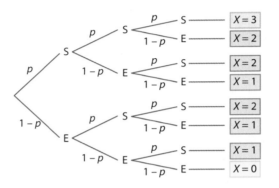

On constate que sur les chemins correspondant à :
- 0 succès, il y a :
0 pondération p et $3 - 0 = 3$ pondérations $1 - p$,
- 1 succès, il y a :
1 pondération p et $3 - 1 = 2$ pondérations $1 - p$.
- etc.

Ainsi, on sait que :
- $p(X = 0) =$ (nombre de chemins correspondant à 0 succès) $\times p^0 \times (1-p)^3$;
- $p(X = 1) =$ (nombre de chemins correspondant à 1 succès) $\times p^1 \times (1-p)^2$;
- etc.

Il reste à comprendre que le nombre de chemins correspondant à 1 succès, par exemple, est le nombre de façons de placer 1 pondération p sur les 3 branches d'un chemin ce qui revient à choisir une position parmi les trois c'est-à-dire $\dbinom{3}{1}$ c'est-à-dire 3.

▶ Rédiger

Étape ❶ On commence par constater que les chemins correspondant à k succès ont tous les mêmes pondérations.

Attention
Elles sont placées dans des ordres différents.

Étape ❷ Le produit des pondérations est donc identique pour chacun des chemins.

Étape ❸ On dénombre ensuite le nombre de chemins correspondant à k succès.

Étape ❹ On conclut.

La démonstration rédigée

Sur un arbre représentant le schéma de Bernoulli associé à X, chaque chemin (de n branches) correspondant à k succès « contient » k branches dont les pondérations sont p et $n–k$ branches dont les pondérations sont $1 - p$.

La probabilité lui étant associée est donc $p^k \times (1 - p)^{n-k}$.

Le nombre de chemins correspondant à k succès est égal au nombre de façons de placer k pondérations p sur n branches soit $\dbinom{n}{k}$.

La probabilité d'obtenir k succès est
$P(X = k) = \dbinom{n}{k} \times p^k \times (1-p)^{n-k}$.

▶ Pour s'entraîner

On considère l'expérience aléatoire consistant à lancer un dé équilibré à six faces numérotées de 1 à 6 jusqu'à obtenir un 1 et on appelle X le nombre de lancers nécessaires. **Déterminer $p(X = k)$ pour $k \in \mathbb{N}^*$.**

Exercices · calculs et automatismes

21 Répétition d'épreuves indépendantes

Une personne lance un dé équilibré à six faces numérotées de 1 à 6 puis une pièce équilibrée trois fois de suite et enfin tire une boule dans une urne contenant 3 boules rouges et 5 boules vertes.

Quelle est la probabilité qu'il obtienne dans cet ordre : le nombre 3 puis PILE, FACE, PILE puis une boule verte ?

22 Épreuve de Bernoulli (1)

On tire au sort une boule dans une urne et on note sa couleur. Dans quel(s) cas ci-dessous cette expérience aléatoire est-elle une expérience de Bernoulli ?

Choisir la (les) bonne(s) réponse(s).

a L'urne contient 10 boules : 3 jaunes, 2 vertes et 5 orange.
b L'urne contient 20 boules : 13 jaunes et 7 orange.
c L'urne contient 20 boules rouges numérotées : 10 avec des nombres pairs et 10 avec des nombres impairs.
d L'urne contient une seule boule jaune.

23 Épreuve de Bernoulli (2)

On tire au sort une boule dans une urne et on regarde si la boule est jaune ou non. Dans quel(s) cas ci-dessous cette expérience aléatoire est-elle une expérience de Bernoulli ?

Choisir la (les) bonne(s) réponse(s).

a L'urne contient 10 boules : 3 jaunes, 2 vertes et 5 orange.
b L'urne contient 20 boules : 13 jaunes et 7 orange.
c L'urne contient 20 boules rouges numérotées : 10 avec des nombres pairs et 10 avec des nombres impairs.
d L'urne contient une seule boule.

24 Loi de Bernoulli

L'affirmation suivante est-elle vraie ou fausse ?

Toute variable aléatoire ne prenant que deux valeurs suit une loi de Bernoulli.

V ☐ F ☐

25 Schéma de Bernoulli

Méthode. Comment faire pour justifier qu'une succession d'épreuves est un schéma de Bernoulli ?

26 Loi binomiale (1)

Choisir la (les) bonne(s) réponse(s).

On répète 10 fois de manière indépendante la même épreuve de Bernoulli de paramètre $p = 0,2$. La variable aléatoire de E donnant le nombre d'échecs :

a ne suit pas une loi binomiale.
b suit la loi binomiale de paramètres $n = 10$ et $p = 0,2$.
c suit la loi binomiale de paramètres $n = 10$ et $p = 0,8$.
d suit la loi binomiale de paramètres $n = 0,2$ et $p = 10$.

27 Loi binomiale (2)

On considère une variable aléatoire Y suivant la loi binomiale de paramètres $n = 4$ et $p = 0,1$. Calculer $p(Y = 1)$.

28 Loi binomiale (3)

On considère une variable aléatoire T suivant la loi binomiale de paramètres $n = 10$ et $p = 0,9$.
Calculer $p(T = 1)$ en donnant la réponse sous forme d'écriture scientifique.

29 Espérance de la loi binomiale (1)

On considère une variable aléatoire X qui suit la loi binomiale de paramètres $n = 200$ et $p = 0,63$. Quelle est l'espérance de X ?

Choisir la (les) bonne(s) réponse(s).

a 63   **b** 126   **c** 200   **d** 630

30 Espérance de la loi binomiale (2)

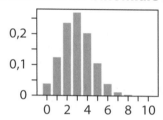

On considère une variable aléatoire Z suivant une loi binomiale représentée par le diagramme en barres ci-dessus. Quelle est son espérance ?

Choisir la (les) bonne(s) réponse(s).

a 8   **b** 3   **c** 0,26   **d** 10

31 Intervalle de fluctuation

En tabulant $p(X \leq k)$ pour une variable aléatoire X suivant une loi binomiale, on obtient le tableau ci-contre.

X	Y₁
0	0.0016
1	0.0142
2	0.0617
3	0.1727
4	0.3519
5	0.5643
6	0.7548
7	0.8868
8	0.9578
9	0.9876
10	0.9972

Les affirmations suivantes sont-elles vraies ou fausses ?

V F

a) L'intervalle [1 ; 9] est un intervalle de fluctuation au seuil de 95 %.   ☐ ☐

b) L'intervalle [1 ; 9] est le plus petit intervalle de fluctuation au seuil de 95 %.   ☐ ☐

Succession d'épreuves, indépendantes ou non

Méthode 1 p. 369

32 Une urne contient 20 boules de quatre couleurs différentes : 7 rouges, 10 vertes, 2 jaunes et 1 bleue.
On tire deux boules sans remise dans cette urne et on note à chaque fois la couleur obtenue.
1. Cette succession de deux épreuves est-elle une succession d'épreuves indépendantes ?
2. La représenter par un arbre.
3. a) Déterminer la probabilité d'obtenir deux boules rouges.
b) Déterminer la probabilité d'obtenir une boule verte et une boule jaune (sans tenir compte de l'ordre du tirage).
c) Déterminer la probabilité que la première boule soit jaune sachant que la deuxième est rouge.
d) Déterminer la probabilité que la première boule soit verte sachant que la deuxième est bleue.

33 Le samedi soir, Laura et Hitomi vont au cinéma, au concert ou au théâtre sans jamais faire la même activité deux samedis de suite. Le choix entre les deux activités possibles pour le samedi suivant est équiprobable.
1. On considère l'expérience aléatoire dont le résultat est l'activité faite par Laura et Hitomi un samedi.
Expliquer pourquoi la succession de cette expérience aléatoire les trois semaines à venir n'est pas une succession d'épreuves indépendantes.
2. Représenter cette succession de trois épreuves par un arbre sachant que samedi dernier, elles sont allées au théâtre.
3. Déterminer la probabilité qu'elles aillent deux fois au cinéma au cours des trois prochains samedis.

34 Dans un jeu télévisé, on tire au sort des boules sans remise parmi 20 : 17 boules blanches numérotées, qui donnent le droit de deviner un mot, et 3 boules noires, qui font passer la main à l'équipe adverse.
On considère la succession des trois premiers tirages de boules dans ce jeu selon qu'elles sont noires ou non.
1. Est-ce une succession de trois épreuves indépendantes ?
2. Représenter la situation par un arbre.
3. Quelle est la probabilité de devoir passer la main exactement une fois sur les trois premiers tirages ?

35 Une urne contient 100 boules de cinq couleurs différentes : 23 blanches, 12 grises, 9 noires, 45 orange et 11 violettes.
On tire trois boules avec remise dans cette urne et on note à chaque fois la couleur obtenue.
1. Expliquer pourquoi cette succession de trois épreuves est une succession d'épreuves indépendantes.
2. Donner l'univers associé à cette succession de trois épreuves indépendantes.
3. Déterminer la probabilité d'obtenir une boule blanche puis une boule grise puis une boule violette.

36 On lance cinq fois successivement un dé équilibré à 4 faces dont les sommets sont numérotés de 1 à 4.
1. Cette succession de cinq épreuves est-elle une succession de cinq épreuves indépendantes ?
2. Déterminer l'univers associé à cette succession de cinq épreuves.
3. On suppose que ce dé est truqué de sorte que $p(1) = 0,4$ et les autres issues sont équiprobables de probabilité 0,2. Calculer la probabilité d'obtenir, dans cet ordre 1-3-1-2-4.

37 Le programme de la salle de sport d'Audrey est le suivant aux heures où elle peut s'y rendre :
• lundi : pilate une semaine sur quatre/*step* deux semaines sur quatre/musculation une semaine sur quatre ;
• mardi : zumba deux semaines sur cinq/*cycling* trois semaines sur cinq ;
• mercredi : fitness une semaine sur six/yoga deux semaines sur six/tai chi trois semaines sur six.

On admet que les activités sont indépendantes d'un jour sur l'autre. Audrey se rend à la salle de sport trois jours de suite du lundi au mercredi.
1. Déterminer l'univers associé à la succession des trois épreuves consistant à regarder l'activité proposée chacun de ces trois jours.
2. Calculer la probabilité qu'Audrey fasse ses trois activités préférées : pilate, *cycling* et yoga.

38 Le 01/09/19 ont eu lieu les matchs de football Reims-Lille à 15 h, Strasbourg-Monaco à 17h et Marseille-Saint Étienne à 21h, pour le compte de la 4e journée de ligue 1. Avant le premier match, un site de paris en ligne annonçait les probabilités suivantes pour les trois matchs :
• victoire de Reims : 34 % /victoire de Lille : 32 %/match nul : 34 % ;
• victoire de Strasbourg : 40 %/victoire de Monaco : 34 %/match nul : 26 %;
• victoire de Marseille : 55 %/victoire de Saint-Étienne : 22 %/match nul : 23 %.
1. Expliquer en quoi le fait que les cotes soient données avant le début du premier match permet de penser que le site de paris considère que les résultats de ces trois matchs sont indépendants.
2. On admet que les résultats de ces trois matchs sont en effet indépendants. Donner l'univers associé à cette succession de trois épreuves indépendantes.
3. En déduire la probabilité qu'avait attribué ce site au résultat finalement obtenu de cette succession d'épreuves c'est-à-dire victoire de Reims, match nul et victoire de Marseille.

Épreuve et loi de Bernoulli

39 Dans un lycée, 71 % des élèves de Première ont choisi la spécialité mathématiques.
On tire au sort un élève de Première dans ce lycée et on regarde s'il a opté pour la spécialité mathématiques ou non. Expliquer en quoi cette expérience aléatoire est une épreuve de Bernoulli, préciser à quoi peut correspondre un succès puis donner la probabilité p d'un succès.

40 En 2018, 87,9 % des TGV sont arrivés à l'heure (source SNCF).
1. Expliquer pourquoi l'expérience aléatoire correspondant au fait de prendre un TGV et de regarder s'il est à l'heure ou non à l'arrivée est une épreuve de Bernoulli.
2. Préciser la probabilité p d'un succès (pour 2018).

41 Fiona joue à Pierre-Feuille-Ciseau. Expliquer pourquoi le choix de son adversaire (pierre, feuille ou ciseaux) à ce jeu n'est pas assimilable à une épreuve de Bernoulli.

42 « Inventer » une épreuve de Bernoulli pour laquelle la probabilité d'un succès est 0,3.

43 **1.** Expliquer pourquoi l'expérience aléatoire consistant à lancer une pièce et à regarder si elle tombe sur PILE est une épreuve de Bernoulli.
2. Donner la probabilité d'un succès « obtenir PILE » dans le cas où la pièce est équilibrée.
3. Donner la probabilité d'un succès « obtenir PILE » dans le cas où la pièce a deux fois plus de chance de tomber sur FACE que sur PILE.

44 On considère une pièce truquée de sorte qu'elle ait deux chances sur trois de tomber sur PILE.
On lance une seule fois cette pièce et on considère la variable aléatoire X donnant le nombre de FACE obtenu. Justifier que X suit la loi de Bernoulli et préciser la valeur de p.

45 **1.** On lance un dé équilibré à 12 faces numérotées de 1 à 12 et on considère la variable aléatoire X donnant le chiffre des dizaines du résultat obtenu. Justifier que X suit une loi de Bernoulli et préciser son paramètre p.
2. On lance deux dés équilibrés, l'un à quatre faces numérotées de 1 à 4 et l'autre à huit faces numérotées de 1 à 8. On considère la variable aléatoire Y donnant le chiffre des dizaines de la somme des deux nombres obtenus. Préciser la loi de Y.

46 On considère la fonction **Python**  Algo
ci-dessous.

```python
def bernoulli1():
    if random.random() <= 0.63:
        x=1
    else:
        x=0
    return x
```

Justifier que la variable aléatoire X donnant la valeur renvoyée par la fonction **bernoulli1** suit une loi de Bernoulli et donner le paramètre de cette loi.

47 On considère la fonction **Python** Algo
ci-dessous.

```python
def bernoulli2():
    if random.random() <= 0.41:
        x=0
    else:
        x=1
    return x
```

Justifier que la variable aléatoire X donnant la valeur renvoyée par la fonction **bernoulli2** suit une loi de Bernoulli et donner le paramètre de cette loi.

48 Écrire une fonction **Python** Algo
bernoulli de paramètre p flottant entre 0 et 1 et renvoyant 0 ou 1 de sorte que la fonction simule une variable aléatoire suivant la loi de Bernoulli de paramètre p et renvoie sa valeur.

Schéma de Bernoulli p. 371

49 Quand elle joue avec son bilboquet, Samira arrive à planter la boule sur le socle avec une probabilité 0,78.
1. Quelle hypothèse doit-on faire pour pouvoir assimiler la répétition de 3 « lancers » de bilboquet à un schéma de Bernoulli ?
2. Sous cette hypothèse, représenter ce schéma de Bernoulli par un arbre.
3. Calculer la probabilité :
a) qu'elle plante exactement une fois la boule sur le socle.
b) qu'elle plante au moins deux fois la boule sur le socle.

50 La probabilité qu'un appel aux pompiers soit injustifié est 0,19.
1. Quelle hypothèse doit-on faire pour pouvoir assimiler la répétition de quatre appels aux pompiers, selon qu'ils sont injustifiés ou non, à un schéma de Bernoulli ?
2. Sous cette hypothèse, représenter ce schéma de Bernoulli par un arbre.
3. Calculer la probabilité :
a) qu'exactement deux des quatre appels soit injustifiés.
b) qu'au moins un appel soit justifié.

51 Lorsqu'il fait ses devoirs, Ismaël n'éteint jamais son téléphone.
Quand il reçoit un message, il y a deux chances sur trois qu'il le regarde, indépendamment du fait qu'il ait regardé ou non les messages précédents.
Pendant tout le temps qu'il a consacré à ses devoirs, il a reçu 4 messages.
1. Justifier que cette situation est assimilable à un schéma de Bernoulli en spécifiant à quel événement correspond un succès.
2. Représenter ce schéma de Bernoulli par un arbre.
3. Calculer la probabilité qu'il ait regardé au moins 3 messages.

Loi binomiale, définition et calcul de $p(X = k)$ p. 373

52 On donne le tableau ci-dessous dans lequel les valeurs sont arrondies à 10^{-3}.

k	$\binom{4}{k}$	$0,42^k$	$0,58^k$
0	1	1	1
1	4	0,42	0,58
2	6	0,176	0,336
3	4	0,074	0,195
4	1	0,031	0,113

Soit X une variable aléatoire suivant la loi binomiale de paramètres $n = 4$ et $p = 0,42$ et Y une variable aléatoire suivant la loi binomiale de paramètres $n = 4$ et $p = 0,58$.
À l'aide de ce tableau, donner des valeurs approchées de :
a) $p(X = 1)$
b) $p(X = 2)$.
c) $p(Y = 1)$
d) $p(Y = 2)$.

53 On donne le tableau ci-dessous dans lequel les valeurs sont arrondies à 10^{-2}.

k	$\binom{10}{k}$	$0,34^k$	$0,66^k$
0	1	1	1
1	10	0,34	0,66
2	45	0,12	0,44
3	120	0,04	0,29
4	210	0,01	0,19
5	252	0	0,13
6	210	0	0,08
7	120	0	0,05
8	45	0	0,04
9	10	0	0,02
10	1	0	0,02

Soit X une variable aléatoire suivant la loi binomiale de paramètres $n = 10$ et $p = 0,34$ et Y une variable aléatoire suivant la loi binomiale de paramètres $n = 10$ et $p = 0,66$.
À l'aide de ce tableau, donner des valeurs approchées de :
a) $p(X = 2)$. **b)** $p(X = 4)$. **c)** $p(Y = 9)$. **d)** $p(Y = 2)$.

54 À la roulette, la probabilité que la boule tombe sur rouge est $\dfrac{18}{37}$.
On joue 20 fois successivement à la roulette en misant systématiquement sur le rouge et on appelle X la variable aléatoire donnant le nombre de parties gagnées.
1. Quelle loi suit X ? Justifier.
2. Calculer la probabilité de gagner neuf parties.

55 À l'arrivée d'un train Paris-Toulon dont le départ a eu lieu à 7 h 07 du matin, on demande à 10 passagers tirés au hasard s'ils ont dormi ou non durant le voyage et on considère la variable aléatoire X donnant le nombre de personnes ayant dormi parmi eux.
Pour un train partant à cette heure, on considère que la probabilité qu'un passager s'endorme est 0,68.
On considère par ailleurs que les endormissements des uns et des autres sont indépendants.
1. Justifier que X suit une loi binomiale et en donner les paramètres.
2. Calculer $p(X = 8)$, $p(X = 9)$ et $p(X = 10)$.
3. Quelle est la probabilité que 8 personnes ou plus se soient endormies parmi les 10 ?

56 On considère que la probabilité qu'un élève de Terminale ait 18 ans ou plus durant l'année scolaire est 0,67.
1. Dans une classe de Terminale de 35 élèves, quelle est la loi suivie par la variable aléatoire M donnant le nombre d'élèves de la classe encore mineurs à la fin de l'année ? Justifier.
2. Calculer $p(M = 10)$, $p(M = 11)$ et $p(M = 12)$.
3. En déduire la probabilité qu'il y ait entre 10 et 12 élèves de la classe encore mineurs à la fin de l'année scolaire.

Calculs de probabilités avec la loi binomiale

 p. 373

57 On considère une variable aléatoire X qui suit la loi binomiale de paramètres $n = 100$ et $p = 0,78$. Calculer :
a) $p(X < 75)$.
b) $p(X > 79)$.
c) $p(X \geqslant 74)$.
d) $p(73 < X \leqslant 81)$.

58 On considère une variable aléatoire Y qui suit la loi binomiale de paramètres $n = 27$ et $p = 0,32$. Calculer :
a) $p(Y < 8)$.
b) $p(Y \geqslant 13)$.
c) $p(7 < Y < 14)$.
d) $p(9 < Y)$.

59 On considère une variable aléatoire Z qui suit la loi binomiale de paramètres $n = 45$ et $p = 0,44$. Calculer :
a) $p(Z > 16)$.
b) $p(10 < Z \leqslant 18)$.
c) $p(13 \leqslant Z \leqslant 20)$.
d) $p(13 < Z < 20)$.

60 On considère une variable aléatoire T qui suit la loi binomiale de paramètres $n = 789$ et $p = 0,04$. Calculer :
a) $p(T \in [27 ; 32])$.
b) $p(T \in [30 ; 789])$.
c) $p(T \in [0 ; 40[)$.
d) $p(T \in]19 ; 41])$.

61 La probabilité de gagner à un jeu de grattage est de 0,1. On considère 1 000 joueurs ayant joué à ce jeu dont on suppose que leurs résultats (« gagné » ou « perdu ») sont indépendants et on appelle G la variable aléatoire donnant le nombre de gagnants parmi ces 1 000 joueurs.
Déterminer la probabilité qu'il y ait :
a) plus de 100 gagnants ;
b) moins de 85 gagnants ;
c) entre 95 (inclus) et 105 (inclus) gagnants ;
d) entre 90 (exclu) et 110 (exclu) gagnants.

62 Dans une population, la proportion de personnes végétariennes est de 12 %.
On suppose cette population suffisamment grande pour pouvoir assimiler le tirage d'une personne dans cette population à un tirage avec remise.
Une cantine servant

250 repas à des personnes issues de cette population prévoit 32 repas végétariens.
Quelle est la probabilité que ce ne soit pas suffisant ?

63 En France, la proportion de personnes utilisant un fauteuil roulant est estimée à environ 2 %.
On suppose que la population française est suffisamment grande pour pouvoir assimiler le tirage d'une personne dans cette population à un tirage avec remise.
Dans un train, dont les 1 250 places ont été réservées, il est prévu 30 places pouvant accueillir les personnes en fauteuil roulant.
Quelle est la probabilité qu'il n'y ait pas assez de places pour les personnes en fauteuil roulant ?

Espérance, variance et écart-type par le calcul

64 **1.** On considère une variable aléatoire X qui suit la loi binomiale de paramètres $n = 20$ et $p = 0,83$.
Calculer l'espérance, la variance puis l'écart-type de X.
2. Même question avec Y suivant la loi binomiale de paramètres $n = 100$ et $p = 0,79$.

65 Écrire une fonction **Python** Algo ✍
nommée `param_binom` de paramètres n et p et qui renvoie la liste composée, dans cet ordre, de $E(X)$, $V(X)$ et $\sigma(X)$ où X suit la loi binomiale de paramètres n et p.

👍 **Coup de pouce** `math.sqrt(x)` donne $\sqrt{x}$.

66 On considère deux jeux dans lesquels soit on perd, soit on gagne 4 €.
Précisement :
• le jeu n° 1 coûte 2 € et la probabilité de gagner est 0,1 ;
• le jeu n° 2 coûte 1 € et la probabilité de gagner est 0,05.
Comme elle dispose de 20 €, Sineha prévoit d'acheter :
soit 10 tickets du jeu n° 1 (option 1),
soit 20 tickets du jeu n° 2 (option 2). On appelle X le nombre de tickets gagnants avec l'option 1 et Y avec l'option 2.

1. Montrer que $E(X) = E(Y)$ et l'interpréter dans les termes de l'énoncé.
2. a) Calculer $\sigma(X)$ puis $\sigma(Y)$.
b) Interpréter ces deux écarts-types.

67 On considère une variable aléatoire X suivant une loi binomiale de paramètres n et p inconnus et vérifiant $E(X) = 43,2$ et $V(X) = 27,648$.
1. Montrer que $1 - p = 0,64$.
2. En déduire p puis n.

68 On considère une variable aléatoire Y suivant une loi binomiale de paramètres $n = 25$ et p inconnu et vérifiant $\sigma(Y) = 1,5$.
Déterminer la ou les valeurs possibles pour p.

69 On considère une variable aléatoire Z suivant une loi binomiale de paramètres n et p inconnus et vérifiant $E(Z) = 2$ et $0,15 \leqslant p \leqslant 0,16$.
1. Donner un encadrement de n puis en déduire sa valeur.
2. En déduire p.

Exercices d'application

Espérance, variance et écart-type : aspect graphique

Méthode **5** p. 375

70 On donne ci-dessous le diagramme en barres associé à une loi binomiale $\mathcal{B}$ de paramètres n inconnu et $p = 0,4$.

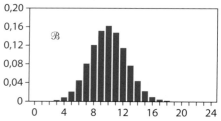

1. a) Soit X suivant la loi $\mathcal{B}$.
On admet que $E(X) \in \mathbb{N}$. Donner une valeur possible pour $E(X)$.
b) En déduire une valeur possible pour n.
2. On donne ci-dessous le diagramme en barres associé à une loi binomiale $\mathcal{B}'$ de même paramètre n que $\mathcal{B}$ (mais p différent). Comparer les écarts-types associés aux lois $\mathcal{B}$ et $\mathcal{B}'$.

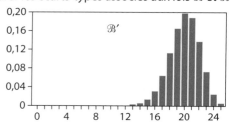

71 On donne ci-dessous le diagramme en barres associé à une loi binomiale $\mathcal{B}$ de paramètres $n = 10$ et p inconnu.

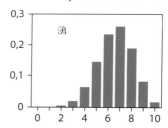

1. Parmi les trois réels ci-dessous, lequel est susceptible d'être la valeur de p ?
a) 0,66 **b)** 0,16 **c)** 0,87
2. On donne ci-dessous le diagramme en barres associé à une loi binomiale $\mathcal{B}'$ de même paramètre n que $\mathcal{B}$ (mais p différent).

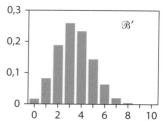

Juana affirme que les écarts-types associés aux lois $\mathcal{B}$ et $\mathcal{B}'$ sont les mêmes. Pourquoi ?

Vérification du respect d'un seuil

Méthode **6** p. 377

72 Quand Munir va faire ses courses, il prévoit toujours la même liste de 30 articles.
Malheureusement, pour chaque article, indépendamment les uns des autres, il a remarqué que la probabilité que l'article soit en rayon est 0,9.
Peut-il être « sûr », au seuil de 99 % de trouver :
a) moins de 28 articles ?
b) au moins 23 articles ?
c) entre 21 et 29 articles ?

73 On considère la variable aléatoire X suivant la loi binomiale de paramètres $n = 30$ et $p = 0,67$.
1. L'intervalle $[2 ; 24]$ est-il un intervalle de fluctuation associé à X au seuil de 0,95 ?
2. L'intervalle $[13 ; 26]$ est-il un intervalle de fluctuation associé à X au risque de 1 % ?

74 Une athlète de haut niveau finit toujours ses entraînements quotidiens par un « 100 m ». Elle a remarqué que la probabilité qu'elle le court en moins de 13 secondes est 0,94 indépendamment de son temps les autres jours.

Sur 61 entraînements, peut-elle être sûre au seuil de 95 % de courir :
a) entre 53 et 60 « 100 m » en moins de 13 secondes ?
b) moins de 59 « 100 m » en moins de 13 secondes ?
c) plus de 53 « 100 m » en moins de 13 secondes ?
d) au moins 4 « 100 m » en plus de 13 secondes ?

Vérification qu'un intervalle est un intervalle de fluctuation centré

Méthode **7** p. 377

75 On considère la variable aléatoire X suivant la loi binomiale de paramètres $n = 109$ et $p = 0,24$.
1. L'intervalle $[18 ; 35]$ est-il un intervalle de fluctuation centré associé à X au seuil 95 % ?
2. L'intervalle $[15 ; 38]$ est-il un intervalle de fluctuation centré associé à X au risque de 1 % ?

76 On considère la variable aléatoire Y suivant la loi binomiale de paramètres $n = 49$ et $p = 0,31$.
1. L'intervalle $[9 ; 21]$ est-il un intervalle de fluctuation centré associé à Y au seuil 95 % ?
2. a) L'intervalle $[10 ; 21]$ est-il un intervalle de fluctuation centré associé à Y au seuil 90 % ?
b) Sans calcul, l'intervalle $[9 ; 22]$ est-il un intervalle de fluctuation centré associé à Y au risque de 10 % ?

Successions d'épreuves

77 On considère la liste **Python** L suivante. **Algo**

```
L=[random.randint(2,i+3) for i in range(1,4)]
```

1. Expliquer pourquoi cette ligne de code permet de simuler une succession de trois épreuves indépendantes.

> 👍 **Coup de pouce** `random.randint(a,b)` renvoie un entier au hasard entre a et b.

2. Donner l'univers associé à cette succession d'épreuves.
3. Calculer la probabilité de l'événement « `L=[2,3,4]` ».

78 À l'arrêt du bus amenant Kajanan au lycée, le panneau indique le temps d'attente 0 minute pendant 15 secondes (quand le bus est à l'arrêt pour embarquer les passagers) et 1, 2, 3, 4 ou 5 minutes le reste du temps, chacune pendant 60 secondes.

1. On considère l'épreuve consistant à se présenter à cet arrêt de bus et à regarder le temps d'attente indiqué en minutes. Déterminer les probabilités des différentes issues.
2. On s'intéresse à la succession de cette épreuve chaque jour d'une semaine (du lundi au vendredi), que l'on suppose indépendante d'un jour à l'autre.
a) Donner l'univers associé à cette répétition de cinq épreuves.
b) Calculer la probabilité que Kajanan doive attendre 2 minutes lundi, 4 mardi, 3 mercredi, 3 jeudi et 0 vendredi. Arrondir à 10^{-6}.

79 Dans le jeu télévisé Fort-Boyard, **Algo**
une certaine année, le taux de réussite à l'épreuve :
1) de la chambre froide est 70 %   2) de la balance est 65 %
3) du roi du silence est 38 % 4) du train fantôme est 59 %.
Une équipe commence le jeu par ces 4 épreuves dans cet ordre (on suppose que les résultats sont indépendants).
1. Quelle est la probabilité que l'équipe réussisse toutes les épreuves sauf la deuxième ?
2. Quelle est la probabilité que l'équipe réussisse les deux premières épreuves et manque les deux suivantes ?
3. Le présentateur annonce que la probabilité que l'équipe réussisse un « sans-faute » sur les 5 premières épreuves est de 7 %. Quel est le taux de réussite à la cinquième épreuve (non connue ici) ? Arrondir au % près.
4. Quelles sont les valeurs présentes dans la liste `L` de l'algorithme ci-dessous (où `alea()` renvoie un réel aléatoire entre 0 et 1) pour qu'il simule ces 5 épreuves selon qu'elles sont réussies ou non ?

```
L=[…]
Pour i dans L
    Si alea() ⩽ i
        Afficher "Succès à l'épreuve"
    Sinon
        Afficher "Échec à l'épreuve"
    Fin si
Fin pour
```

80 Pour aller au travail, Mathilde prend d'abord un bus devant chez elle : la probabilité qu'elle ait le bus de 7 h 15 est de 0,75 et celui de 7 h 20 est de 0,25.
Ensuite, elle prend le métro soit à 7 h 30 soit à 7 h 35 : la probabilité qu'elle prenne le métro à 7 h 30 est de 0,9 si elle a eu le bus de 7 h 15, et de 0,3 si elle a eu celui de 7 h 20.
Enfin, si elle a eu le métro de 7 h 30, elle arrive toujours à l'heure au travail et si elle a eu le métro de 7 h 35, elle arrive à l'heure avec une probabilité de 0,85.
1. Représenter cette situation par un arbre (utiliser des événements B 7h15, B 7h20, M 7h30, M 7h35 et T).
2. Calculer la probabilité que Mathilde arrive à l'heure.
3. Si Mathilde se lève n minutes plus tôt qu'actuellement,
elle augmente sa probabilité d'avoir le bus de 7 h 15 de $\dfrac{n}{100}$.
Combien de minutes plus tôt doit-elle se lever pour que la probabilité qu'elle soit à l'heure soit d'au moins 0,98 ?

Loi binomiale

81 On considère une fonction   **Démo** **Algo** ✍

Python `bernoulli` de paramètre p telle que `bernoulli(p)` renvoie 1 avec une probabilité p et 0 avec une probabilité $1 - p$.
Justifier que la fonction ci-dessous permet de simuler une variable aléatoire suivant la loi $\mathcal{B}(n\,;p)$.

```
def binomiale(n,p) :
    L=[bernoulli(p) for i in range(n)]
    return sum(L)
```

On admettra que les valeurs renvoyées par `bernoulli(p)` sont indépendantes.

> 👍 **Coup de pouce** `sum(L)` renvoie la somme des valeurs des éléments de la liste L.

82 Lors d'une communication électronique, **NSI**
tout échange d'information se fait par l'envoi d'une suite de 0 ou de 1, appelés bits. Une suite de 8 bits est appelée octet. Par exemple, 10010110 est un octet.
On se place dans le cas où l'on envoie successivement 8 bits qui forment un octet, on suppose la transmission de chaque bit indépendante de la transmission des autres bits et on admet que la probabilité qu'un bit soit mal transmis est égale à 0,01.
On note X la variable aléatoire égale au nombre de bits mal transmis dans l'octet lors de cette communication.
1. Quelle est la loi de probabilité suivie par la variable X ? Justifier.
2. Déterminer la probabilité qu'exactement deux bits de l'octet soient mal transmis.
3. Que peut-on penser de l'affirmation suivante : « La probabilité que le nombre de bits mal transmis de l'octet soit au moins égal à trois est négligeable » ?

D'après Bac.

83 Dans une usine, les produits passent deux tests indépendants.

La probabilité qu'un produit défectueux passe le premier test est 0,12 et la probabilité qu'il passe le deuxième test est 0,08.

Un produit qui passe les deux tests est mis en vente, les autres sont détruits.

1. Quelle est la probabilité qu'un produit défectueux soit mis en vente ?

2. Sur 100 produits défectueux indépendants les uns des autres, quelle est la probabilité qu'au moins trois soient mis en vente ? Justifier.

84 On considère le programme **Python** **Algo** ci-dessous.

```python
import random
L=[random.randint(1,10) for i in range(5)]
for a in L:
    if a < 7:
        print("succès")
    else:
        print("échec")
```

1. Soit X la variable aléatoire donnant le nombre de fois où le programme affiche succès.
Quelle est la loi de X ? Justifier.

2. Modifier le programme de sorte que plutôt que d'afficher succès ou échec, le programme créé une liste T telle que :
• `T[i]=1` si `L[i]<7` ;
• `T[i]=0` sinon.
Par exemple, si L = [9,7,3,1,8] alors T=[0,0,1,1,0].

Utiliser l'expression de $p(X = 0)$ ou $p(X = k)$

85 On considère une variable aléatoire X qui suit une loi binomiale de paramètres n inconnu et $p = 0,25$.

1. Pour quelle valeur de n a-t-on $p(X = n) \approx 9,5 \times 10^{-7}$.

2. Pour quelle valeur de n a-t-on $p(X = 0) \approx 0,0001$?

86 On considère une variable aléatoire Y qui suit une loi binomiale de paramètres n inconnu et $p = 0,44$.

1. Déterminer la plus petite valeur de n pour laquelle $p(Y = 0) < 10^{-5}$.

2. Déterminer la plus petite valeur de n pour laquelle $p(Y \geqslant 1) > 0,99$.

87 On considère une variable aléatoire qui suit une loi binomiale de paramètres n inconnu et $p = 0,89$.

1. Déterminer la plus grande valeur de n pour laquelle $p(Z = n) > 0,01$.

2. Déterminer la plus petite valeur de n pour laquelle $p(Z < n) > 0,75$.

88 Une conceptrice de jeu vidéo est en train de créer un niveau dans lequel elle met n fois le même obstacle.

Les tests ont montré que la probabilité qu'un joueur dépasse cet obstacle sans le toucher est 0,95.

Combien d'obstacles pourra-t-elle mettre au maximum dans ce niveau si elle souhaite qu'un joueur ait plus de 50 % de chance de finir le niveau sans toucher l'obstacle ?

89 Au loto, la probabilité d'obtenir le plus gros gain lors d'un tirage est $\dfrac{1}{19\,068\,840}$.

1. Combien de fois faut-il jouer au loto pour avoir au moins 1 % de chance de gagner au moins une fois le plus gros gain ?

2. À raison de trois tirages par semaine, combien d'années faudrait-il jouer pour avoir au moins 1 % de chance de gagner au moins une fois le plus gros gain ?

Comparaisons de lois binomiales

90 On considère deux jeux de grattage rapportant 0 ou 10 € :
• un ticket du premier jeu coûte 5 € et la probabilité de gagner est 0,45.
• un ticket du deuxième jeu coûte 2 € et la probabilité de gagner est 0,18.

1. Quel jeu faut-il privilégier pour « gagner » le plus d'argent si l'on joue un grand nombre de fois ?

2. Avec 100 €, combien de tickets de chaque jeu peut-on acheter ?

3. On considère les variables aléatoires G_1 donnant le nombre de tickets gagnants quand on en achète 20 du premier jeu et G_2 donnant le nombre de tickets gagnants quand on en achète 50 du deuxième jeu.

a) Calculer $E(G_1)$ et $E(G_2)$ puis interpréter ces valeurs dans des termes concrets.

b) Est-il plus « risqué » d'acheter 20 tickets du premier jeu ou 50 tickets du deuxième ?

c) Vaut-il mieux acheter 20 tickets du premier jeu ou 50 tickets du deuxième si l'on souhaite au moins rentrer dans ses frais ?

91 Zack doit choisir un nouveau bassiste pour son groupe de rock dont le prochain concert est dans 30 jours. Il auditionne deux bassistes :
• Tristane qui annonce pouvoir faire 20 répétitions mais dont la réputation prétend qu'elle ne se présente pas aux répétitions 40 % du temps ;
• Rob qui annonce pouvoir faire 15 répétitions mais dont la réputation prétend qu'il ne se présente pas aux répétitions 20 % du temps.
On admet l'hypothèse d'indépendance sur les présences aux répétitions d'un jour à l'autre et on appelle T et R les variables aléatoires donnant le nombre de répétitions assurées respectivement par Tristane et Rob dans le cas où ils sont choisis.

Déterminer lequel des deux bassistes choisir pour intégrer le groupe de Zack dans chacun des cas suivants :
a) Tristane et Rob ont besoin d'au moins 10 répétitions pour être au point pour le concert.
b) Tristane et Rob ont besoin d'au moins 15 répétitions pour être au point pour le concert.

92 Dans un jeu vidéo de danse, Medhi hésite entre deux épreuves proposées par le jeu :
• épreuve 1 : on propose 10 postures (indépendantes) et la probabilité de réussir chaque posture est 0,5 ;
• épreuve 2 : on propose 50 postures (indépendantes) et la probabilité de réussir chaque posture est 0,9.
1. Quelle épreuve doit-il choisir si l'épreuve est validée si l'on manque 3 postures ou moins ?
2. Même question si l'épreuve est validée si l'on manque 7 postures ou moins ?

Déterminer un entier k avec $p(X \leqslant k)$
 p. 378

93 On considère une variable aléatoire X qui suit la loi binomiale de paramètres $n = 54$ et $p = 0,45$.
Déterminer le plus petit entier k tel que :
a) $p(X \leqslant k) \geqslant 0,005$. **b)** $p(X \leqslant k) > 0,995$.

94 On considère une variable aléatoire Y qui suit la loi binomiale de paramètres $n = 36$ et $p = 0,71$.
Déterminer le plus petit entier k tel que :
a) $p(Y \leqslant k) \geqslant 0,025$. **b)** $p(Y \leqslant k) > 0,975$.

95 Soit F la variable aléatoire donnant le nombre de FACE obtenus lorsque l'on lance 20 fois la même pièce truquée dont la probabilité d'obtenir FACE est 0,36.
1. Déterminer le plus petit intervalle $[0 ; k]$ avec k entier tel que $p(F \in [0 ; k]) \geqslant 0,95$.
2. Compléter les pointillés sans calcul supplémentaire :
On peut être sûr au seuil de 95 % que la fréquence de FACE obtenus sera inférieure ou égale à … %.

96 On considère une fonction **Python** 🐍   `Algo`
`proba_binomiale` telle que
`proba_binomiale(n,p,k)` renvoie $p(X = k)$
où X suit la loi binomiale de paramètres n et p.
1. Compléter la fonction `cumul_binomiale` ci-dessous de sorte que `cumul_binomiale(n,p,k)` renvoie $p(X \leqslant k)$ où X suit la loi binomiale de paramètres n et p.

```
def cumul_binomiale(n,p,k) :
    proba=…
    for i in range(…) :
        proba=…
    return proba
```

2. Compléter la fonction `seuil_binomiale` ci-dessous de sorte que `seuil_binomiale(n,p,s)` renvoie le plus petit entier k tel que $p(X \leqslant k) \geqslant s$ où X suit la loi binomiale de paramètres n et p.

```
def seuil_binomiale(n,p,s) :
    i = 0
    while cumul_binomiale(n,p,…) < s :
        i = …
    return i
```

Déterminer un entier k avec $p(X \geqslant k)$
 p. 379

97 Soit X qui suit la loi $\mathcal{B}(45 ; 0,78)$. Déterminer le plus grand k tel que :
a) $p(X \geqslant k) > 0,9$. **b)** $p(X \geqslant k) \geqslant 0,05$.

98 Soit Y qui suit la loi $\mathcal{B}(80 ; 0,125)$.
1. Déterminer le plus grand entier k tel que $p(Y \geqslant k) > 0,99$.
2. Déterminer le plus petit entier k' tel que $p(Y \geqslant k') \leqslant 0,02$.

99 Soit J la variable aléatoire donnant le nombre de boules jaunes obtenues lorsque l'on tire 40 fois avec remise une boule dans une urne en contenant 7 jaunes et 13 vertes.
1. Déterminer le plus petit intervalle $[k ; 40]$ avec k entier tel que $p(J \in [k ; 40]) \geqslant 0,99$.
2. Compléter les pointillés sans calcul supplémentaire :
On peut être sûr au seuil de 99 % que la fréquence de boules jaunes obtenues sera supérieure ou égale à … %.

Exercices d'entraînement

Déterminer un intervalle de fluctuation centré

 p. 379

100 Soit X qui suit la loi $\mathcal{B}(50 ; 0,12)$ et $\alpha = 0,05$.
Déterminer un intervalle de fluctuation centré au seuil de $1 - \alpha$ associé à X.

101 Soit Y qui suit la loi $\mathcal{B}(200 ; 0,3)$ et $\alpha = 0,01$.
Déterminer un intervalle de fluctuation centré au risque de α associé à Y.

102 Soit P la variable aléatoire donnant **Algo** ✍
le nombre de nombres pairs obtenus lorsque l'on lance 25 fois la commande **Python** 🐍 `random.randint(1,11)`.
1. Déterminer un intervalle de fluctuation centré au seuil de 95 % associé à P.
2. En déduire sans calcul un encadrement de la fréquence de nombres pairs obtenus au risque de 5 %.

Problèmes de seuil

103 Dans un lycée, 237 élèves ont réservé un repas à la cantine. Les statistiques montrent que lorsqu'un élève a réservé, 7 % du temps il ne mange pas à la cantine.
1. Le personnel de la cantine ne voulant pas gâcher de nourriture souhaite savoir quel est le nombre minimal k de repas à préparer tout en restant sûr à au moins 95 % que tous les élèves se présentant auront un repas. Déterminer k.
2. Même question avec un risque que certains élèves n'aient pas de repas inférieur à 1 %.

104 Dans une équipe de football, un défenseur discute d'une clause dans son contrat : il aura une prime s'il reçoit n cartons jaunes ou moins sur les 38 matchs de la saison.
Il a remarqué que la probabilité qu'il prenne un carton jaune lors d'un match est de 0,15.
1. En admettant que les cartons jaunes reçus d'un match à l'autre soient indépendants, quelle doit être la plus petite valeur de n pour qu'il soit sûr au seuil de 99 % de toucher cette prime ?
2. Même question avec un risque de ne pas recevoir la prime inférieur à 10 %.

105 À l'élection présidentielle de 2017, François Fillon a obtenu 20,01 % des suffrages exprimés au 1er tour.
On considère un sondage sur 1 000 personnes (supposément indépendantes) réalisé avant cette élection et F la variable aléatoire donnant la fréquence d'intention de vote pour F. Fillon dans ce sondage.
1. Déterminer un intervalle de la forme $[0 ; f]$ le plus petit possible tel que $p(F \in [0 ; f]) \geqslant 0,99$.
2. En 2016, la plupart des sondages créditent F. Fillon d'au moins 25 % d'intention de vote puis, à partir de février 2017, ils le créditent d'entre 17 % et 21 % d'intention de vote. Que peut-on en penser ?

106 **Enseignement scientifique**
Dans un organisme vivant, il y a un atome de carbone 14 pour 10^{12} atomes de carbone 12.
Lorsque l'organisme meurt, son nombre d'atomes de carbone 12 reste constant alors que ses atomes de carbone 14, étant radioactifs, se désintègrent de sorte qu'après 11 460 ans, la probabilité qu'un atome de carbone 14 soit non désintégré est 0,25.
On prélève 2 μg de matière contenant 100 000 atomes de carbone 14 (supposés indépendants) sur un organisme à sa mort.
1. Déterminer un intervalle de fluctuation centré au seuil de 95 % du nombre d'atomes de carbone 14 non désintégrés après 11 460 ans dans ce prélèvement.

👍 **Coup de pouce** Commencer à tabuler avec un pas de 10 000 puis un pas de 1 000, etc.

2. Donner une approximation du nombre d'atomes de carbone 12 pour un atome de carbone 14 dans ce prélèvement après 11 460 ans.

Trouver *n* ou *p*

107 Une compagnie aérienne doit remplir un avion de 180 fauteuils.
Comme elle sait que le taux de défection habituel (on suppose que les défections sont

indépendantes les unes des autres) des personnes ayant acheté un billet est de 9 %, elle décide de mettre plus de 180 billets en vente.
1. Déterminer le nombre de billets à vendre pour être sûr au seuil de 95 % de ne pas vendre trop de billets (c'est-à-dire qu'il n'y aura pas plus de 180 personnes qui prendront finalement le vol).
2. Déterminer le nombre de billets à vendre pour qu'il y ait moins d'1 % de chance que trop de billets ait été vendus.

108 Une équipe d'ingénieurs travaille sur un nouveau modèle d'aspirateur-robot.
Des études statistiques ont montré qu'un appareil fonctionnant normalement pendant deux ans sera confronté à 15 000 obstacles.
Lorsqu'il rencontre un obstacle, l'aspirateur soit le détecte, soit se cogne avec une probabilité p : on considère qu'au bout de 3 000 chocs, l'aspirateur risque de tomber en panne. Comme la garantie dure deux ans, l'équipe doit améliorer le système de détection des obstacles de sorte que la probabilité que l'aspirateur endure plus de 3 000 chocs sur cette période de garantie soit inférieure à 3 %.
Déterminer le plus grand p possible pour que ce soit le cas. Arrondir à 10^{-3}.

Tests d'hypothèses

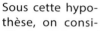

109 La directrice d'une société de location de véhicules affirme que 80 % des clients demandent un contrat de courte durée.
Sous cette hypothèse, on consi-

dère les 600 premiers contrats signés l'année précédente et on appelle C le nombre de contrats de courte durée parmi tous ces contrats, supposés indépendants.
1. Décrire la loi de la variable aléatoire C.
2. En déduire un intervalle de fluctuation centré au seuil de 95 % associé à C.
3. 550 des 600 contrats étaient de courte durée.
a) Faire le lien avec la réponse à la question **2**.
b) Que peut-on penser de l'affirmation de la directrice ?

D'après bac.

110 On fait l'hypothèse qu'un médicament contre une maladie est efficace à 90 %. C'est-à-dire qu'un patient recevant ce médicament a 90 % de chances de guérir.
Pour tester cette hypothèse, on prélève un échantillon de 400 patients ayant reçu ce médicament et on regarde s'ils sont guéris ou non.
1. Décrire la loi de la variable aléatoire G donnant le nombre de patients guéris dans l'échantillon si l'on suppose que ce médicament est bien efficace à 90 %.
2. En déduire un intervalle de fluctuation centré au seuil de 95 % associé à $\dfrac{G}{400}$, la variable aléatoire donnant la fréquence de patients guéris dans l'échantillon.
3. Dans l'échantillon, 87,5 % des patients ont guéri. Peut-on remettre en cause l'hypothèse faite en début de question, au seuil de 95 % ?

111 Une entreprise *high tech* annonce un taux de défaut de 3 % de ses appareils.
Un grossiste commande 1 000 appareils à cette entreprise et on appelle X le nombre d'appareils défectueux sur les 1 000, que l'on suppose indépendants.
1. D'après l'entreprise *high tech*, donner le plus petit intervalle de fluctuation au seuil de 99 % associé à X de la forme $[0 \,; a]$.
2. 39 des 1 000 appareils sont retournés au grossiste pour cause de défaut.
Que peut-on penser du taux de défaut de 3 % annoncé ?

112 Histoire des sciences

Le botaniste Gregor Mendel est considéré comme le père de la génétique. Lors d'une de ses expériences fondatrices sur les pois, il a testé 600 plants indépendants. Si sa théorie est exacte, la probabilité d'être homozy-

gote pour chacun de ces plants est $\dfrac{1}{3}$.
On appelle X le nombre de plants homozygotes parmi ces 600 plants.
1. On se place dans la situation où la théorie de Mendel est correcte : la probabilité qu'un plant soit homozygote est $\dfrac{1}{3}$.
a) Quel nombre de plants homozygotes Mendel peut-il espérer obtenir ?
b) Déterminer un intervalle de fluctuation centré au seuil de 95 % associé à X.
c) Mendel a trouvé 201 plants homozygotes. Que peut-on en penser ?
2. En réalité, sa méthode de détermination des plants homozygotes n'étant pas totalement fiable, il aurait dû trouver 37 % d'homozygotes.
Reprendre les questions précédentes avec cette donnée.
3. Il existe une controverse au sujet des résultats de Mendel. En utilisant les questions précédentes, expliquer pourquoi on a pu penser qu'ils étaient « trop beaux pour être vrais ».

Travailler le Grand Oral

113 Histoire des maths

Dans une lettre de Pascal à Fermat, on trouve le problème suivant : deux joueurs misent chacun 32 pistoles (de sorte que le vainqueur gagne 64 pistoles) sur un jeu de type « pile ou face » en trois manches.
Pour une raison quelconque, la partie s'arrête après la première manche (gagnée par un des deux joueurs) : comment répartir équitablement les gains ?
En groupe, vous réfléchirez à la question.
Vous confronterez vos réponses entre-elles puis à celle proposée par Pascal.

114 Une expérimentation est lancée lors du championnat de basketball *G-league* 2019-2020. Lorsqu'un joueur subira une faute durant un tir à 2 points, il ne tirera plus deux lancers-francs rapportant 1 point chacun mais un seul lancer-franc rapportant 2 points.
Mener un débat sur cette mesure.

115 La pêche à la ligne

A ▶ Épreuves non indépendantes

Le week-end, Michel va souvent à la pêche.
La probabilité qu'il y aille le samedi est 0,7 et la probabilité qu'il y aille le dimanche est :
• 0,3 s'il y est allé le samedi ;
• 0,9 s'il n'y est pas allé le samedi.
1. Expliquer pourquoi les deux épreuves consistant à regarder si Michel va à la pêche le samedi et le dimanche ne sont pas indépendantes.
2. Représenter la situation par un arbre pondéré puis déterminer la probabilité qu'il aille au moins une fois à la pêche le week-end.

B ▶ Épreuves indépendantes

Lorsqu'il va pêcher, la probabilité qu'il aille pêcher :
• le sandre est de 0,4 ;
• la truite est de 0,35 ;
• le brochet est de 0,25.
Pour 10 parties de pêche successives supposées indépendantes, on s'intéresse au type de poisson (sandre S, truite T ou brochet B) que Michel est allé pêcher.
1. Donner l'univers Ω associé à cette succession de 10 épreuves indépendantes.
2. Quelle est la probabilité qu'il soit allé pêcher le sandre les cinq premières fois, la truite les deux suivantes et le brochet les trois dernières ?

C ▶ Loi binomiale

Michel a remarqué que 20 % des poissons qu'il pêche ne font pas la taille réglementaire et, dans ce cas, il doit les remettre à l'eau.
On considère la variable X donnant le nombre de poissons remis à l'eau quand il en pêche 50.
1. Sous quelle condition peut-on affirmer que X suit une loi binomiale ? En donner alors les paramètres.
Dans la suite on suppose que cette condition est vérifiée.
2. Soit $m = E(X)$.
Quelle est la probabilité qu'il doive remettre plus de m poissons à l'eau du fait d'une taille non réglementaire ?
3. Peut-il être sûr au seuil de 99 % qu'il devra remettre moins de 20 poissons à l'eau du fait d'une taille non réglementaire ?
4. Donner un intervalle de fluctuation centré au seuil de 95 % du nombre de poissons qu'il devra remettre à l'eau du fait d'une taille non réglementaire ?

116 Taux de satisfaction

Une agence de voyages annonce un taux de satisfaction de 98 %. Un organisme indépendant interroge 1 000 clients de cette société. On suppose tous ces clients indépendants et on appelle X le nombre de clients satisfaits dans l'échantillon.
1. Dans l'hypothèse où le taux de satisfaction donné par l'agence de voyage est correct, donner le plus petit intervalle de fluctuation de X au seuil de 95 % de la forme [a ; 1 000] avec a entier.
2. Sur les 1 000 personnes interrogées, 974 ont déclaré être satisfaites. Peut-on douter du taux de satisfaction annoncé par l'agence, au seuil de 95 % ?

117 Gestion des réservations

Dans un magasin, 90 % des personnes ayant réservé un article en ligne viennent effectivement le chercher.
Ce magasin a reçu un stock de 500 *smartphones* qu'il permet de réserver sur son site Internet.
Combien de réservations supplémentaires peut-on accepter au maximum tout en restant sûr au seuil de 95 % de ne pas avoir plus de 500 personnes ayant réservé qui viennent effectivement chercher un *smartphone* ?

118 Choisir son podcast

Zoé écoute deux podcasts musicaux mensuels différents :
• dans le podcast 1, la probabilité qu'un titre joué lui plaise est 0,9 et le podcast est constitué de 10 titres (que l'on suppose indépendants) ;
• dans le podcast 2, la probabilité qu'un titre joué lui plaise est 0,75 et le podcast est constitué de 12 titres (que l'on suppose indépendants).
On appelle P_1 (respectivement P_2) la variable aléatoire donnant le nombre de titres joués lui plaisant dans le podcast 1 (respectivement podcast 2).
1. Justifier que dans les deux podcasts il y a en moyenne autant de titres qui plaisent à Zoé.
2. Calculer $p(7 \leqslant P_1 \leqslant 9)$ et $p(8 \leqslant P_2 \leqslant 11)$.
3. Lequel des deux podcasts doit-elle privilégier si elle souhaite entendre au moins 8 titres qui lui plaisent ?

119 Probabililité de gagner

1. Combien de fois faut-il jouer à « pile ou face » avec une pièce équilibrée pour que la probabilité de n'obtenir aucune fois PILE soit inférieure à 10^{-9} ?
2. Même question pour une pièce non équilibrée dont la probabilité d'obtenir FACE est le quadruple de celle d'obtenir PILE.

Succession d'épreuves non indépendantes

Tracer et utiliser un arbre.

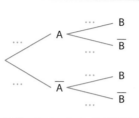

Ou

Succession d'épreuves indépendantes

Lors de la répétition de n épreuves indépendantes, la probabilité de $(x_1 ; x_2 ; \ldots ; x_n)$ est : $p((x_1 ; x_2 ; \ldots ; x_n)) = p(x_1) \times p(x_2) \times \ldots \times p(x_n)$.

Épreuve de Bernoulli

Une épreuve est dite de Bernoulli si elle a deux issues : succès et échec.

Loi de Bernoulli $\mathscr{B}(p)$

X suit une loi $\mathscr{B}(p)$ si $p(X = 1) = p$ et $p(X = 0) = 1 - p$.

Schéma de Bernoulli

Succession indépendante de la même épreuve de Bernoulli.

Loi binomiale $\mathscr{B}(n ; p)$

Le nombre de succès dans un schéma de Bernoulli est donné par une variable aléatoire X qui suit une loi binomiale.

Intervalle de fluctuation

I est un intervalle de fluctuation au seuil de $1 - \alpha$ si $p(X \in I) \geqslant 1 - \alpha$.

Intervalle de fluctuation centré

$[a ; b]$ où a et b sont les plus petits entiers tels que :

$p(X \leqslant a) > \dfrac{\alpha}{2}$ et $p(X \leqslant b) \geqslant 1 - \dfrac{\alpha}{2}$ est

un intervalle de fluctuation centré au seuil de $1 - \alpha$.

Propriétés de X suivant une loi binomiale $\mathscr{B}(n ; p)$

- $E(X) = np$, $V(X) = np(1 - p)$ et $\sigma(X) = \sqrt{np(1 - p)}$

- $P(X = k) = \dbinom{n}{k} \times p^k \times (1 - p)^{n-k}$

- Représentation graphique

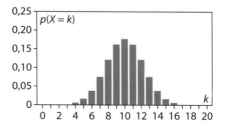

Je dois être capable de...

		Parcours d'exercices
▶ Modéliser une succession d'épreuves	Méthode 1 →	1, 33, 35, 78, 80
▶ Travailler avec un schéma de Bernoulli ou la loi binomiale	Méthode 2 Méthode 3 Méthode 4 →	3, 49, 5, 7, 54, 55, 57, 61, 63, 86
▶ Utiliser l'espérance et l'écart-type de la loi binomiale	Méthode 5 →	9, 70, 71
▶ Vérifier si un événement sera réalisé à un seuil donné	Méthode 6 Méthode 7 →	11, 72, 73, 13, 75, 76
▶ Déterminer et utiliser un intervalle de fluctuation	Méthode 8 Méthode 9 Méthode 10 →	15, 93, 17, 97, 99, 19, 100, 103, 109

▶ EXOS
QCM interactifs
lienmini.fr/maths-s12-06

QCM — Choisir la (les) bonne(s) réponse(s).

Pour les exercices 120 à 126 : Une urne contient 200 boules dont 50 sont roses.
On tire successivement et avec remise 10 fois dans cette urne et on considère la variable aléatoire X donnant le nombre de boules roses obtenues.

	A	B	C	D
120 Cette succession de 10 épreuves indépendantes est :	un schéma binomial.	un schéma de Bernoulli.	une loi binomiale.	une loi de Bernoulli.
121 X suit une loi :	de Bernoulli.	indépendante.	binomiale.	conditionnelle.
122 X suit la loi $\mathcal{B}(n\,;\,p)$ avec :	$n = 200$ et $p = 50$.	$n = 50$ et $p = 200$.	$n = 10$ et $p = 0,2$.	$n = 10$ et $p = 0,25$.
123 À 10^{-3} près, $p(X = 3)$ vaut :	0,474	0,25.	0,776.	0,251.
124 La probabilité d'obtenir entre 1 et 4 boules roses (inclus) est environ :	0,678	0,532.	0,866.	0,72.
125 La représentation graphique associée à X est en forme de :	cloche centrée sur 2,5.	cloche centrée sur 10.	cloche centrée sur 50.	cloche inversée.
126 Un intervalle de fluctuation de X au seuil de 95 % est :	[0 ; 4]	[0 ; 5]	[1 ; 5]	[1 ; 6]
127 L'univers associé à une expérience aléatoire est {A ; B ; C} avec $p(A) = 0,1$, $p(B) = 0,3$ et $p(C) = 0,6$. Lorsqu'on répète 4 fois indépendamment cette expérience, $p((C\,;\,B\,;\,A\,;\,C))$ vaut	0,18	0,0108	0,018	0,00108
128 Dans une entreprise, il y a 20 employés *juniors* et 30 employés *seniors*. On en tire au sort 3 sans remise pour participer à une commission, quelle est la probabilité qu'il y ait 1 *junior* et 2 *seniors* à 10^{-4} près ?	0,4438	0,4439	0,432	Cela dépend du tirage.

129 Épreuves indépendantes ou non Algo

Dans son téléphone, Naïma a 457 titres classés en deux catégories : 261 « métal » et 196 « électro ».
La lecture est aléatoire. On considère l'épreuve consistant à jouer un titre et à regarder s'il est « métal » (M) ou « électro » (E). On donnera les probabilités arrondies au millième.

A ▶ Le mode aléatoire joue les titres aléatoirement sans rejouer deux fois de suite le même titre.
1. La succession de trois de ces titres joués est-elle une succession d'épreuves indépendantes ?
2. Représenter cette succession d'épreuves par un arbre.
3. a) Calculer la probabilité que le téléphone joue exactement deux titres électro.
b) Calculer la probabilité que le téléphone joue un titre métal ou moins.

B ▶ Le mode aléatoire joue les titres totalement aléatoirement (donc il peut jouer un titre deux fois de suite).
1. La succession de cinq de ces épreuves selon que le titre joué est « métal » ou « électro » est-elle une succession d'épreuves indépendantes ?
2. Donner l'univers associé à cette succession de cinq épreuves.
3. Quelle est la probabilité que le téléphone joue, dans cet ordre, un titre « métal » puis trois titres « électro » puis un titre « métal » ?
4. Quelle est la probabilité que le téléphone ne joue que des titres électro, sauf le premier ? Sauf le deuxième ?
5. Quelle est la probabilité que le téléphone joue exactement un titre « métal » sur les 5 ? Entre deux et quatre titres « métal » inclus ?

👍 **Coup de pouce** Introduire une variable aléatoire suivant une loi binomiale.

6. Compléter la fonction **Python** 🐍 ci-dessous afin qu'elle simule cette succession de cinq épreuves et mettre les catégories des titres simulés dans une liste qu'elle renvoie.

```
def cinq_titres() :
    L=[]
    for i in range(…) :
        if random.randint(1,457)<=…:
            L.append("Métal")
        else:
            L.append("…")
    return L
```

👍 **Coup de pouce** Se demander combien de fois on ajoute un titre à la liste et sous quel critère sur l'instruction `random.randint(1,457)`, on peut considérer que le titre simulé est « métal ».

 **1** p. 369 **3** et **4** p. 373

130 Une urne

Soit n un entier naturel supérieur ou égal à 1.
Une urne contient quatre boules rouges et n boules noires indiscernables au toucher. On prélève successivement et au hasard quatre boules de l'urne en remettant dans l'urne la boule tirée après chaque tirage.
1. Justifier que cette succession de tirages est un schéma de Bernoulli et le représenter par un arbre
2. Démontrer que la probabilité q_n que l'une au moins des quatre boules tirées soit noire est telle que

$$q_n = 1 - \left(\frac{4}{n+4}\right)^4.$$

3. Quel est le plus petit entier naturel n pour lequel $q_n \geq 0{,}999\,9$? **2** p. 371 **3** p. 373

D'après Bac Métropole, septembre 2019

131 Seuil et intervalle de fluctuation centré

Un grossiste en appareils électroniques assure que seulement 2 % des appareils qu'il vend ont des défauts.
Pour tester son affirmation, la responsable d'une grande surface tire au sort 1500 appareils parmi ceux livrés par ce grossiste, ce tirage étant assimilable à un tirage avec remise. On appelle D la variable aléatoire donnant le nombre d'appareils avec défaut.
1. Dans l'hypothèse où l'affirmation du grossiste est correcte, la responsable de la grande surface peut-elle être sûre, au seuil de 90 %, d'avoir moins de 45 appareils avec défaut ?
2. a) Donner un intervalle de fluctuation centré au seuil de 95 % associé à D dans l'hypothèse où l'affirmation du grossiste est correcte.
b) Il y a 40 appareils avec défaut parmi les 1500. Cela remet-il en cause l'affirmation du grossiste ?

👍 **Coup de pouce** Confronter le nombre d'appareils avec défaut obtenus et le nombre attendu.

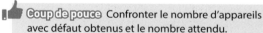 **6** p. 377 **10** p. 379

132 Problème de seuil

D'après des études marketing, un certain livre n'est pas apprécié par 15 % de ses lecteurs.
Un club de lecture commande 236 exemplaires de ce livre pour ses membres auprès d'un libraire qui lui propose que si plus de k membres n'apprécient pas le livre, alors il fera une réduction de 5 % sur la commande.
Comment fixer la valeur minimale possible de k afin que le libraire soit sûr de ne pas avoir à faire la réduction, au risque d'erreur de 1 % ?

👍 **Coup de pouce** Introduire une variable aléatoire X donnant le nombre de membres n'appréciant pas le livre puis traduire la contrainte par une probabilité sur X et k.

 9 p. 379

133 La bonne martingale ?

Au casino, Jamila joue à un jeu à quitte ou double c'est-à-dire que si elle joue x €, son gain algébrique est de $-x$ € si elle perd, et de $2 \times x - x = x$ € si elle gagne.

La probabilité de gagner à ce jeu est 0,49.

Elle adopte alors la stratégie consistant à miser et :
- si elle gagne, elle quitte le casino ;
- si elle perd, elle rejoue en misant le double de ce qu'elle avait misé la fois précédente.

Jamila joue avec une 1re mise de 1 000 €.

A ▶ Loi géométrique

1. a) Quelle est la probabilité que Jamila quitte le casino après une partie ?
b) Même question pour deux parties, pour trois parties puis pour k parties avec $k \in \mathbb{N}^*$.
c) En déduire, pour $k \in \mathbb{N}^*$, la probabilité $p(X = k)$ où X est la variable aléatoire donnant le nombre de parties jouées avant de gagner.

▶ **Remarque** Cette variable aléatoire X suit la **loi géométrique** de paramètre $p = 0,49$.

2. a) Quel sera son gain algébrique si elle gagne à la première partie ?
b) Même question pour les deuxième puis troisième parties.
c) Que peut-on conjecturer sur le gain algébrique quand on gagne à la k-ième partie ?
3. On considère la suite (u_n) donnant la somme d'argent misée à la n-ième partie pour $n \in \mathbb{N}^*$.
a) Exprimer u_n en fonction de n.
b) En déduire le total des sommes misées entre la 1re et la n-ième partie. Démontrer la conjecture faite en 2. c).
4. On considère la variable aléatoire G donnant le gain algébrique réalisé à ce jeu.
a) Donner la loi de probabilité de G.
b) En quoi cela paraît-il paradoxal ? Expliquer pourquoi ça ne l'est pas réellement (on pourra se demander combien d'argent Jamila aura dépensé au bout de 10 parties).

B ▶ Loi géométrique tronquée

1. Jamila dispose de 15 000 € pour jouer. Après combien de parties perdues sera-t-elle contrainte d'arrêter de jouer ?
2. a) Recopier et compléter l'arbre pondéré représentant la situation (où G désigne l'événement « Gagner la partie »).

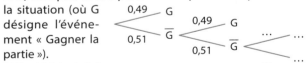

b) En déduire la loi de la variable aléatoire Y donnant le nombre de parties jouées avant de gagner et où l'on décide par convention de considérer que $Y = 0$ si Jamila ne gagne pas.

▶ **Remarque** Cette variable aléatoire Y suit la **loi géométrique tronquée** de paramètres $n = 4$ et $p = 0,49$.

c) Déterminer la loi de la variable aléatoire G' donnant le gain algébrique réalisé à ce jeu puis calculer $E(G')$.
3. Reprendre les questions 1., 2. b) c) dans le cas où Jamila mise 100 € plutôt que 1 000 € au départ.
4. Discuter des deux stratégies (mise de départ de 1 000 ou 100 €).

134 Intervalle de fluctuation centré · Démo

On considère une variable aléatoire X qui suit une loi binomiale de paramètres n et p et $\alpha \in {]0 \, ; 1[}$.

1. Montrer que si deux nombres a' et b' vérifient
$$p(X < a') \leqslant \frac{\alpha}{2} \text{ et } p(X > b') \leqslant \frac{\alpha}{2} \text{ alors}$$
$$p(X \in [a' \, ; b']) \geqslant 1 - \alpha.$$

2. On considère l'intervalle $[a \, ; b]$ où :
- a est le plus petit entier tel que $p(X \leqslant a) > \frac{\alpha}{2}$;
- b est le plus petit entier tel que $p(X \leqslant b) \geqslant 1 - \frac{\alpha}{2}$.

a) Montrer que $p(X < a) \leqslant \frac{\alpha}{2}$.

b) Montrer que $p(X > b) \leqslant \frac{\alpha}{2}$.

3. En déduire que l'intervalle $[a \, ; b]$ défini à la question 2. est un intervalle de fluctuation centré au seuil de $1 - \alpha$.

135 Influence de p sur l'écart-type

1. Étudier la fonction $p \mapsto \sqrt{p(1-p)}$ sur $[0 \, ; 1]$.

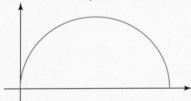

2. Montrer que la courbe de cette fonction est symétrique par rapport à la droite d'équation $x = 0,5$.
3. En déduire que pour deux variables aléatoires X et X' suivant des lois binomiales de paramètres respectifs n et p et n et p' tels que $|0,5 - p| < |0,5 - p'|$, on a $\sigma(X) > \sigma(X')$.

136 Test d'hypothèse · Médical

On fait l'hypothèse qu'une maladie touche 15 % de la population.

Afin de tester cette hypothèse, on évalue le cas de 200 personnes dans la population et on trouve que 25 de ces personnes sont touchées par la maladie.

Doit-on rejeter l'hypothèse que 15 % de la population est malade, au risque d'erreur de 5 % ?

137 Probabilité et loi binomiale
<small>PCSI · MPSI · Démo</small>

On considère une variable aléatoire X_n suivant la loi binomiale de paramètres $n \in \mathbb{N}^*$ et $p \in \,]0\,;1[$ et k entier entre 0 et n. Le but de l'exercice est de démontrer la formule

$$p(X_n = k) = \binom{n}{k} \times p^k \times (1-p)^{n-k}.$$

1. Soit la variable aléatoire X_{n+1} suivant la loi binomiale de paramètres $n + 1$ et $p \in \,]0\,;1[$.
Justifier que $p(X_{n+1} = k) = p(X_n = k-1) \times p + p(X_n = k) \times (1-p)$.

2. a. Soit k entier entre 0 et n. Montrer que :

$$p(X_n = k) = \binom{n}{k} \times p^k \times (1-p)^{n-k} \text{ si } k = 0 \text{ ou } k = n.$$

b. Montrer par récurrence sur n que, pour tout $n \in \mathbb{N}^*$, on a :

$$p(X_n = k) = \binom{n}{k} \times p^k \times (1-p)^{n-k} \text{ pour tout } 0 \leqslant k \leqslant n.$$

138 Espérance de la loi binomiale
<small>PCSI · MPSI</small>

Soit k et n deux entiers avec $n \geqslant 2$ et $0 \leqslant k \leqslant n, p \in \,]0\,;1[$ et la variable aléatoire X qui suit la loi binomiale de paramètres n et p.

1. Montrer que $\binom{n}{k} = \dfrac{n}{k} \times \binom{n-1}{k-1}$ pour $k \geqslant 1$.

2. En déduire qu'on a : $p(X = k) \times k = np \times p(Y = k-1)$ pour $k \geqslant 1$, où Y suit la loi binomiale de paramètres $n-1$ et p.

3. On considère $E(X) = \displaystyle\sum_{k=0}^{n} p(X = k) \times k$

$= p(X = 0) \times 0 + p(X = 1) \times 1 + \ldots + p(X = n) \times n$.

a) Montrer que :

$$E(X) = np(p(Y = 0) + p(Y = 1) + \ldots + p(Y = n-1)).$$

b) En déduire $E(X)$.

139 Relation de Panjer
<small>Économie</small>

On dit qu'une variable aléatoire N à valeurs dans $\mathbb{N}$ vérifie une relation de Panjer s'il existe un réel $a < 1$ et un réel b tels que :
- $p(N = 0) \neq 1$
- pour tout $k \in \mathbb{N}^*$, on a : $p(N = k) = \left(a + \dfrac{b}{k}\right) p(N = k-1)$.

A ▶ On suppose dans cette partie que $a < 0$ et $b = -2a$.
1. Montrer que pour tout entier $k \geqslant 2$, on a $p(N = k) = 0$.
2. En déduire que dans ce cas N suit une loi de Bernoulli et préciser le paramètre a en fonction de $p(N = 0)$.

B ▶ On suppose dans cette partie que Z suit une loi binomiale de paramètres $n \in \mathbb{N}^*$ et $p \in \,]0\,;1[$.
1. Montrer que pour tout k entier dans $[1\,;n]$, on a :

$$p(Z = k) = \frac{p}{1-p} \times \frac{n-k+1}{k} \times p(Z = k-1).$$

2. En déduire que Z vérifie une relation de Panjer. Préciser les valeurs de a et b correspondantes en fonction de n et p.

<small>D'après sujet ECRICOME 2018</small>

140 Loi de Poisson
<small>TICE</small>

On dit qu'une variable aléatoire suit la loi de Poisson (du nom du mathématicien Siméon Denis Poisson) de paramètre $\lambda > 0$ si, pour tout $k \in \mathbb{N}$, on a

$$p(X = k) = \frac{\lambda^k}{k!} e^{-\lambda}.$$

1. On considère une variable aléatoire X suivant la loi de Poisson de paramètre $\lambda = 2$.
a) Tabuler $p(X = k)$ (arrondir à 0,01 près) et dire à partir de quelle valeur de k, on a $p(X = k) < 0,01$.
b) Représenter graphiquement cette variable aléatoire X à l'aide d'un diagramme en barres.
c) En négligeant les valeurs de k supérieures à celles trouvées en **1. a)**, conjecturer une valeur possible de $E(X)$.

▶ **Remarque** L'espérance d'une variable aléatoire suivant une loi de Poisson de paramètre λ est λ.

2. On considère une variable aléatoire Y suivant la loi binomiale de paramètres $n = 1\,000$ et $p = 0,002$.
a) Représenter graphiquement cette variable aléatoire Y à l'aide d'un diagramme en barres sur le même graphique que le diagramme en barres de la variable aléatoire X.
b) Une propriété mathématique dit que :
« Pour un grand nombre n de répétitions indépendantes d'une même expérience aléatoire, si l'on considère un événement assez rare de probabilité p, la probabilité qu'il se réalise k fois est proche de $p(X = k)$ où X suit une loi de Poisson de paramètre $\lambda = np$. »
Expliquer en quoi les variables aléatoires X et Y illustrent bien cette propriété.

3. On considère la variable aléatoire B donnant le nombre de faux billets qu'un individu aura en sa possession dans sa vie (3 en moyenne d'après une étude statistique) que l'on modélise par la loi de Poisson de paramètre 3.
a) Expliquer pourquoi une modélisation par cette loi de Poisson semble pertinente.
b) Calculer la probabilité qu'un individu ait plus de 4 faux billets en sa possession dans sa vie.

141 Dénombrer avec les probabilités
<small>Démo</small>

1. Montrer que $0,5^n \left(\binom{n}{0} + \binom{n}{1} + \ldots + \binom{n}{n} \right) = 1$ pour tout $n \in \mathbb{N}$.

2. En déduire que $\binom{n}{0} + \binom{n}{1} + \ldots + \binom{n}{n} = 2^n$ pour tout $n \in \mathbb{N}$.

Travaux pratiques

1 Calculatrice et loi binomiale

Il s'agit de calculer directement des probabilités de la forme $p(X = k)$ ou $p(X \leqslant k)$ où X suit une loi binomiale à l'aide d'une calculatrice.

A ▸ Probabilité $p(X = k)$

On souhaite calculer la probabilité $p(X = 3)$ où X suit la loi $\mathscr{B}(11 ; 0{,}4)$.

TI-83 Premium CE

Étape ① On accède au menu **distrib** en appuyant successivement sur les touches `2nde` puis `var` (distrib).

Étape ② On sélectionne **A:binomFdp(** dans le menu ci-dessous :

```
DISTR DESSIN
9↑FFdp(
0:FFRép(
A:binomFdp(
B:binomFRép(
```

Étape ③ On obtient le menu ci-dessous :

```
                binomFdp
nbreEssais:11
p:0.4
valeur de x:3
Coller
```

dans lequel, on rentre dans l'ordre n (ici 11), p (ici 0.4) et k (ici 3) puis on valide en sélectionnant **Coller**.

Étape ④ **binomFdp(11,0.4,3)** est affiché à l'écran, on le valide avec la touche `entrer` pour afficher la probabilité $p(X = 3) \approx 0{,}177$ cherchée.

CASIO GRAPH 90+

Étape ① Dans le menu de base **Exe-Mat**, on appuie sur la touche `OPTN` puis on sélectionne **STAT** avec **F5** puis **DIST** avec **F3** puis **BINOMIAL** avec **F5**.

Étape ② On sélectionne alors **Bpd** ce qui engendre l'affichage de **BinomialPD(** à l'écran.

Étape ③ On complète cette ligne avec dans l'ordre k (ici 3), n (ici 11) et p (ici 0.4) séparés par des virgules (obtenues avec la touche `,`) puis on ferme la parenthèse de sorte que l'on obtienne `BinomialPD(3,11,0.4)` puis on valide avec la touche `EXE` pour afficher la probabilité $p(X = 3) \approx 0{,}177$ cherchée.

NUMWORKS

Étape ① On appuie sur  et on choisit **Probabilités**.

Étape ② On sélectionne ensuite **Binomiale** :

Étape ③ On règle les valeurs de n (ici 11) et p (ici 0.4) puis on valide **Suivant** :

n	11
p	0.4
Suivant	

Étape ④ Avec les flèches, on se déplace sur la courbe à gauche et on fait apparaître le menu déroulant avec `EXE` :

P(X≤ 0   )=

puis on sélectionne le dernier pictogramme  et on valide.

Étape ⑤ On saisit k (ici 3) après le = et on valide de sorte d'obtenir :

P(X= 3   )= 0.1773674

B ▸ Probabilité $p(X \leqslant k)$

On souhaite calculer $p(X \leqslant 5)$ avec la variable aléatoire X de la partie **A**.

Pour cela, on procède exactement de la même manière, à ceci près que :

• TI : À l'étape ②, on choisit **B:binomFRép** plutôt que **A:binomFdp**, on obtient donc **binomFRép(11,0.4,5)** à l'étape ④ qui donne environ 0,753.

• CASIO : À l'étape ②, on choisit **Bcd** plutôt que **Bpd**, on obtient donc **BinomialCD(5,11,0.4)** à l'étape ③ qui donne environ 0,753.

• NUMWORKS : À l'étape ④, on choisit ◩ plutôt que ◪, on obtient donc ◩ P(X≤ 5   )= 0.7534981

2 Choisir le bon nombre

1. On considère la fonction f donnée dans le script **Python** ci-dessous.

```python
def f(n):
    fact=1
    if n!= 0:
        for i in range(1,n+1):
            fact=fact*i
    return fact
```

a) Déterminer `f(3)` et `f(6)`.

b) Concrètement, quelle est la valeur de `f(n)` ?

c) Recopier le script de la fonction `f` sur un ordinateur.

2. Écrire une fonction **parmi** de paramètres **k** et **n** telle que **parmi(k,n)** renvoie $\binom{n}{k}$.

3. Écrire une fonction **proba_binom** de paramètres **n, p** et **k** telle que **proba_binom(n,p,k)** renvoie $p(X=k)$ où X suit la loi binomiale de paramètres n et p.

4. On souhaite écrire une fonction **seuil** telle que **seuil(n,p,alpha)** renvoie le plus petit entier **k** tel que $p(X > k) \leqslant$ alpha .

a) Montrer que **k** est également le plus petit entier tel que $p(X \leqslant k) \geqslant 1 -$ alpha .

b) Recopier la fonction ci-dessous en complétant les pointillés de sorte qu'elle réponde au problème posé.

```python
def seuil(n,p,alpha):
    proba=proba_binom(n,p,0)
    k=0
    while proba < …:
        k = k+1
        proba=proba+proba_binom(…, …, …)
    return k
```

5. Dans la console, saisir **seuil(10,0.3,0.05)** et vérifier avec la calculatrice que la valeur renvoyée est bien celle souhaitée.

6. Une artiste a vendu 543 tickets pour un de ses concerts mais elle sait d'expérience que chaque spectateur (indépendamment des autres) a une probabilité de 3 % de ne pas venir (à cause d'un empêchement, un oubli, ou autre).

La salle qu'elle a réservée pour son concert doit faire la mise en place et lui demande combien de fauteuils il faut installer.

a) Justifier que la variable aléatoire N donnant le nombre de personnes se rendant effectivement au concert suit une loi binomiale, et préciser ses paramètres.

b) Calculer $p(N > 530)$ puis dire, si l'artiste prévoit 530 fauteuils, la probabilité que des spectateurs n'aient pas de place ?

c) Si l'artiste prévoit 540 fauteuils, y a-t-il moins de 1 % de risque que des spectateurs n'aient pas de place ?

d) Comme l'installation de chaque fauteuil lui est facturée, l'artiste souhaite en demander le moins possible.

En utilisant le programme écrit dans les questions **1.** à **5.**, dire combien l'artiste doit en demander au minimum tout en restant sûre, au risque de 1 %, que tous les spectateurs auront une place.

TICE ___ Algo ___ 40 min

3 Un train bien rempli

Sur son site de réservation en ligne, une agence de voyage met en vente des billets de train Paris-Vierzon selon 4 tarifs.
- Le tarif 1 est de 45 € pour les billets de seconde classe non échangeables ni remboursables.
- Le tarif 2 est de 60 € pour les billets de seconde classe échangeables et remboursables.
- Le tarif 3 est de 70 € pour les billets de première classe non échangeables ni remboursables.
- Le tarif 4 est de 85 € pour les billets de première classe échangeables et remboursables.

Des études de marché ont montré que lorsqu'une personne se connecte pour acheter un billet, la probabilité qu'elle choisisse :
- le tarif 1 est 0,37 ;
- le tarif 2 est 0,31 ;
- le tarif 3 est 0,22 ;
- le tarif 4 est 0,1.

Le but de ce TP est de simuler le remplissage de ce train sur les 100 premiers billets achetés.

👍 **Coup de pouce** Penser à importer le module `random`.

1. On considère la variable aléatoire X qui donne le prix d'un billet choisi c'est-à-dire prenant les valeurs 45, 60, 70 et 85 avec les probabilités données plus haut.
Écrire une fonction `simul_tarif` sans paramètre qui simule la variable aléatoire X et renvoie sa valeur (45, 60, 70 ou 85).

2. Écrire, en le retrouvant en ligne ou en le recopiant, le script ci-contre à la suite de la fonction `simul_tarif` sans l'exécuter pour l'instant.

▶ **PYTHON**
Fonction remplissage
lienmini.fr/maths-s12-07

3. a) Quelles valeurs contient la liste `numero_client` ?
b) Décrire les valeurs présentes dans la liste `echantillon` en faisant le lien avec l'énoncé de départ.

4. On rappelle que, pour deux listes `x` et `y`, la commande `plt.plot(x,y,'r.')` permet de placer en rouge (ou en bleu si l'on remplace `'r.'` par `'b.'`) dans un repère les points dont les abscisses sont dans la liste `x` et les ordonnées sont dans la liste `y`.

```
import matplotlib.pyplot as plt
def remplissage() :
    plt.close()
    numero_client=[i+1 for i in range(100)]
    echantillon=[]
    for k in range(100) :
        echantillon.append(simul_tarif())
        plt.plot([k+1],[sum(echantillon)/(k+1)],'b.')
    plt.plot(numero_client,echantillon,'r.')
    plt.show()
```

En particulier, pour des listes `[a]` et `[b]` ne contenant respectivement qu'un seul élément, `plt.plot([a],[b],'b.')` place le point de coordonnées $(a ; b)$.

a) Dans un repère, tracer les cinq premiers points placés par la commande `plt.plot(numero_client, echantillon,'r.')` si `echantillon` est `[60,60,45,70,60,etc.]` (attention à prendre la bonne couleur).

b) Même question pour les cinqs premiers points placés par la commande `plt.plot([k+1],[sum(echantillon)/(k+1)],'b.')` lors des cinq premiers passages dans la boucle (pour k = 0 jusqu'à k = 4) si `echantillon` est `[60,60,45,70,60,etc.]`. On fera le tracé sur le même graphique que celui de la question **4. a)**.

👍 **Coup de pouce** Pour une liste `x`, la commande `sum(x)` renvoie la somme des valeurs de `x`.

5. Exécuter le script une fois puis exécuter plusieurs fois `remplissage()` depuis la console.
6. a) De quelle valeur e semble toujours « se rapprocher » le nuage de points bleus ?
b) Dire à quoi correspond cette valeur pour la variable aléatoire X puis calculer la valeur exacte de e.

4 La planche de Galton

A ▶ Avec 3 étages

Dans un jeu télévisé, on fait glisser un palet le long d'une planche cloutée comme ci-contre (le palet est en bleu et les clous en rouge).

À chaque étage, le palet rencontre un clou et va à gauche sur le dessin ou à droite puis, après 3 étages, il arrive dans un des quatre réceptacles et indique le gain de la joueuse ou du joueur.

1. a) Quel serait le gain de la joueuse ou du joueur si le palet allait à gauche puis à droite puis à gauche ? À droite puis à droite puis à gauche ?

b) Quel serait le gain de la joueuse ou du joueur si le palet allait une fois à gauche et deux fois à droite (indépendamment de l'étage) ?

2. On considère la variable aléatoire X donnant le nombre de fois où le palet va à gauche sur le dessin.

a) Expliquer pourquoi X suit une loi binomiale et en donner les paramètres n et p.

b) Calculer $p(X = 0)$, $p(X = 1)$, $p(X = 2)$ et $p(X = 3)$.

3. Écrire et compléter le programme **Python** ci-contre afin qu'il simule le lancer d'un palet et affiche le gain correspondant.

4. Recopier et compléter le tableau ci-dessous donnant la loi de probabilité de la variable aléatoire G donnant le gain à ce jeu.

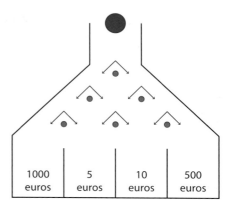

| 1000 euros | 5 euros | 10 euros | 500 euros |

g_i	1 000	5	10	500
$p(G = g_i)$	…	…	…	…

```python
import random
gauche=0
for i in range(3):
    if random.random() <= 0.5:
        gauche=gauche+1
if gauche == 0:
    print("… euros")
…
```

B ▶ Avec 11 étages

On considère le même dispositif appelé « planche de Galton » mais cette fois-ci avec 11 étages : c'est le dispositif utilisé par le présentateur dans l'extrait suivant.

1. Expliquer pourquoi il y aura 12 réceptacles en bas de la planche.

2. a) Le programme loi binomiale permet de simuler les lancers de m billes où m est choisi par l'utilisateur en début de programme et de visualiser l'évolution des effectifs des billes arrivées dans chacun des réceptacles (numérotés de 0 pour le plus à gauche à 11 pour le plus à droite).

Aller chercher ce programme en ligne et le lancer plusieurs fois pour un nombre de billes compris entre 100 et 250.

b) De quelle loi les graphiques obtenus sont-ils caractéristiques ?

3. a) Quand on lance une bille, expliquer pourquoi la variable aléatoire R donnant le numéro du réceptacle dans lequel il finit suit une loi binomiale puis donner les paramètres n et p de cette loi binomiale.

b) Tracer le diagramme en barres associé à cette loi binomiale c'est-à-dire le diagramme en barres pour lequel les barres sont centrées sur les valeurs entières k entre 0 et n et dont la hauteur des barres est donnée par $p(R = k)$.

c) Faire le lien avec la vidéo de début de chapitre.

4. Quel phénomène permet d'expliquer que pour un même nombre de billes au départ, quand on reproduit l'expérience, on n'obtient pas toujours le même nombre de billes dans des réceptacles identiques ?

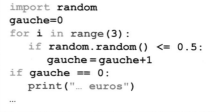

▶ VIDÉO
La planche de Galton
lienmini.fr/maths-s12-01

▶ PYTHON
Loi binomiale
lienmini.fr/maths-s12-08

13

Variables aléatoires, concentration et loi des grands nombres

Les sondages sont omniprésents dans notre actualité quotidienne.

Dans cet extrait, il nous est expliqué que lorsque l'on réalise un sondage, la taille de l'échantillon étudié a de l'influence sur la précision du résultat... et sur le coût du sondage !

Quelle est cette influence et pourquoi ne réalise-t-on pas des sondages sur de plus grands échantillons ?

⇨ TP 4 p. 437

▶ VIDÉO

Échantillon
lienmini.fr/maths-s13-01

Pour prendre un bon départ

 EXOS
Prérequis
lienmini.fr/maths-s13-02

Les rendez-vous
Sésamath

1 Connaître et utiliser la loi de Bernoulli

X suit une loi de Bernoulli de paramètre $p = 0,32$.
Donner :

a) $p(X = 1)$. **b)** $p(X = 0)$. **c)** $E(X)$. **d)** $V(X)$.

2 Connaître et utiliser la loi binomiale

On lance 30 fois de suite un dé tétraédrique équilibré.
X est la variable aléatoire donnant le nombre de 4 obtenus sur les 30 lancers.

a) Quelle loi suit X ?

b) Calculer $p(X = 6)$ et $p(X \leqslant 9)$.

c) Calculer la probabilité de faire au moins dix 4 sur les 30 lancers.

3 Calculer l'espérance, la variance et l'écart-type d'une variable aléatoire

X est une variable aléatoire dont la loi de probabilité est donnée dans le tableau suivant.

x_i	-4	7	12	20
$p(X = x_i)$	$\dfrac{1}{2}$	$\dfrac{1}{3}$	$\dfrac{1}{12}$	$\dfrac{1}{12}$

Calculer l'espérance $E(X)$, la variance $V(X)$ et l'écart-type $\sigma(X)$ de X.

4 Faire une simulation avec Python

Un jeu consiste à miser 5 euros puis à gagner 50 euros avec une probabilité égale à 0,01 ou gagner 10 euros avec une probabilité égale à 0,04. Dans les autres cas on ne gagne rien.

Recopier et compléter la fonction **Python** suivante pour qu'elle simule le jeu et renvoie le gain algébrique obtenu.

```python
import random
def jeu() :
    a = random.random()
    if a<=0.01 :
        k=45
    if a>0.01 and a<=0.05:
        k=…
    if … :
        k=…
    return k
```

5 Utiliser une valeur absolue

1. x est un nombre réel quelconque. Compléter les phrases suivantes.

a) $|x - 4| \geqslant 3$ traduit le fait que la distance entre x et … est supérieure ou égale à 3.

b) $|x - 5| \leqslant 0,5$ traduit le fait que la distance entre x et … est ….

2. Compléter les équivalences suivantes.

a) $2 \leqslant X \leqslant 5 \Leftrightarrow |X - 3,5| \leqslant …$

b) $X < 1\,000$ ou $X > 1\,500 \Leftrightarrow |X - …| > 250$

Activités

1 Découvrir la linéarité de l'espérance

On lance un dé équilibré à 6 faces numérotées de 1 à 6.

Un premier jeu permet de gagner 10 euros si le nombre est pair et 5 euros sinon.

Un deuxième jeu permet de gagner 5 euros si le nombre est 1 ou 2 ; de gagner 2 euros si le nombre est 3 et de ne rien gagner sinon.

X est la variable aléatoire donnant le gain au premier jeu et Y est la variable aléatoire donnant le gain au deuxième jeu.

1. Déterminer les lois de probabilité de X et Y.

2. Calculer $E(X)$ et $E(Y)$.

3. On note Z la variable aléatoire donnant la somme des gains des deux jeux : on écrit que $Z = X + Y$.

a) Que gagne-t-on au total si on fait 1 avec le dé ?

b) En considérant les différentes issues du dé, déterminer toutes les valeurs z_i que peut prendre Z et donner la loi de probabilité de Z en recopiant et complétant le tableau ci-dessous.

z_i	5	...	...	...
$p(Z = z_i)$	$\frac{1}{6}$	...	...	...

c) Calculer $E(Z)$ puis comparer $E(Z)$ avec $E(X) + E(Y)$.

4. On double les gains du deuxième jeu (modélisé par la variable aléatoire Y) et on note D la variable aléatoire donnant les gains à ce nouveau jeu.

a) Calculer $E(D)$ après avoir déterminé la loi de probabilité de D.

b) Comparer $E(D)$ et $E(Y)$.

↳ Cours 1 p. 406

2 Décomposer une variable aléatoire suivant une loi binomiale

On considère la fonction **binomiale** suivante permettant de simuler une variable aléatoire X en langage **Python** .

```python
def binomiale(n,p) :
    s = 0
    for i in range(n) :
        s = s + bernoulli(p)
    return s
```

1. Écrire une fonction **bernoulli(p)** permettant de simuler une loi de Bernoulli de paramètre p.

👍 **Coup de pouce** Ne pas oublier d'importer le module **random**.

2. En la lançant depuis la console, tester cette fonction **Python** pour simuler une variable aléatoire suivant une loi binomiale de paramètres $n = 50$ et $p = 0,21$.

3. Expliquer pourquoi la variable aléatoire X suit une loi binomiale de paramètres n et p.

↳ Cours 2 p. 408

3 Découvrir l'inégalité de Bienaymé-Tchebychev

A ▶ S'éloigner de l'espérance

On considère la variable aléatoire X donnant le gain à un jeu de grattage dont la loi de probabilité est donnée ci-dessous.

x_i	0	2	4	6	10	20	100	1 000	25 000
$p(X = x_i)$	0,682	0,1435	0,103	0,0363	0,0225	0,0126	$9,73 \times 10^{-5}$	2×10^{-6}	7×10^{-7}

1. Déterminer $E(X)$.
Pour la suite, on prendra $E(X) = 1,423$.

2. Déterminer les probabilités suivantes.
a) $p(|X - E(X)| \geqslant 15)$　　　**b)** $p(|X - E(X)| \geqslant 100)$　　　**c)** $p(|X - E(X)| \geqslant 10000)$

3. Que semble-t-on pouvoir dire de la probabilité $p(|X - E(X)| \geqslant \delta)$ quand δ devient grand ?

B ▶ Comparer $p(|X - E(X)| \geqslant \delta)$ et $\dfrac{V(X)}{\delta^2}$

On admet que la variance de X est $V(X) = 450$ (en réalité, 450 est un arrondi à l'entier).

1. Calculer $\dfrac{V(X)}{\delta^2}$ pour $\delta = 15$, pour $\delta = 100$, puis pour $\delta = 10\ 000$.

2. Comparer $p(|X - E(X)| \geqslant \delta)$ et $\dfrac{V(X)}{\delta^2}$ dans ces trois cas.

3. Quelle conjecture peut-on faire sur $p(|X - E(X)| \geqslant \delta)$ et sur $\dfrac{V(X)}{\delta^2}$?

↪ Cours 3a p. 410

30 min

4 Découvrir la loi des grands nombres

On considère une pièce de monnaie équilibrée que l'on lance n fois.
Pour tout entier i entre 1 et n, on appelle X_i la variable aléatoire égale à 1 si le résultat du i-ème lancer est PILE et 0 sinon.

1. Déterminer $E(X_i)$ et $V(X_i)$ pour i entier entre 1 et n.

2. Soit $M_n = \dfrac{X_1 + X_2 + \dots + X_n}{n}$.
Donner une majoration de $p(|M_n - 0,5| \geqslant \delta)$ pour δ un réel positif fixé.

3. Soit $\delta = 0,1$.
a) Déterminer un entier n_1 à partir duquel on a nécessairement $p(|M_n - 0,5| \geqslant \delta) \leqslant 0,01$.
b) Déterminer un entier n_2 à partir duquel on a nécessairement $p(|M_n - 0,5| \geqslant \delta) \leqslant 0,001$.
c) Montrer que $\displaystyle\lim_{n \to +\infty} p(|M_n - 0,5| \geqslant \delta) = 0$.

d) Que peut-on en déduire pour la valeur de M_n quand n devient grand ?

4. Reprendre la question **3. c)** avec δ un réel strictement positif quelconque fixé.

5. a) Concrètement, à quoi correspond la variable M_n pour l'échantillon associé aux n lancers de cette pièce de monnaie ?
b) Quelle propriété vue en seconde vient-on d'illustrer dans le cas de cette pièce de monnaie ?

↪ Cours 3c p. 412

1 Somme de deux variables aléatoires : espérance et variance

Soit X et Y deux variables aléatoires réelles associées à une même expérience aléatoire sur un univers fini Ω.

Définition Variables aléatoires et opérations

On note :
• $X + Y$ la variable aléatoire définie sur Ω par $(X + Y)(\omega) = X(\omega) + Y(\omega)$, pour tout $\omega \in \Omega$.
• aX la variable aléatoire définie sur Ω par $(aX)(\omega) = a \times X(\omega)$, pour tout $\omega \in \Omega$.

● Exemples
① On tire au sort une adresse dans une ville (l'univers Ω est donc l'ensemble des adresses de cette ville) et on considère les variables aléatoires A et I donnant respectivement le nombre de personnes mAjeures et mIneures habitant à cette adresse.
$A + I$ est donc la variable aléatoire qui, à une adresse, associe la somme des nombres de personnes mAjeures et mIneures y habitant, c'est-à-dire le nombre total de personnes y habitant.

② On lance un dé jaune et un dé vert équilibrés et comportant chacun six faces numérotées de 1 à 6. On note X et Y les variables aléatoires donnant respectivement les résultats affichés par le dé jaune et le dé vert. Très intuitivement, on comprend que $X + Y$ est la variable aléatoire donnant la somme des résultats des deux dés.

▶ **Remarque** Dans le cadre d'un lancer de trois dés, on peut additionner trois variables aléatoires X, Y et Z, chacune donnant le résultat de chaque dé et obtenir la variable aléatoire $X + Y + Z$.

Propriété Linéarité de l'espérance

Si X et Y sont deux variables aléatoires sur un même univers fini Ω et a est un nombre réel alors
$$E(X + Y) = E(X) + E(Y) \text{ et } E(aX) = aE(X).$$

● Exemple
Dans l'exemple ② précédent, on a $E(X) = 1 \times \dfrac{1}{6} + 2 \times \dfrac{1}{6} + \ldots + 6 \times \dfrac{1}{6} = 3,5$ et de même $E(Y) = 3,5$.
Donc $E(X + Y) = E(X) + E(Y) = 3,5 + 3,5 = 7$.
Lorsque l'on lance deux dés, la somme obtenue est en moyenne 7 sur un très grand nombre de lancers.

▶ **Remarques**
• Si Y est constante égale à b (b un nombre réel), alors $E(X + b) = E(X) + b$.
• Plus généralement on a $E(aX + bY) = aE(X) + bE(Y)$ et en particulier $E(X - Y) = E(X) - E(Y)$.
• Si Z est aussi une variable aléatoire sur Ω, alors $E(X + Y + Z) = E(X) + E(Y) + E(Z)$.

Propriété Variance

Si X et Y sont deux variables aléatoires sur un même univers fini Ω et a est un nombre réel, alors :
• $V(X + Y) = V(X) + V(Y)$ si X et Y sont deux variables aléatoires **indépendantes** (relation d'additivité).
• $V(aX) = a^2 V(X)$.
• $\sigma(aX) = |a|\sigma(X)$.

▶ **Remarque** De manière intuitive, deux variables aléatoires sont indépendantes si les résultats de l'une n'ont pas d'influence sur les résultats de l'autre. Pour une définition mathématique, voir l'exercice **149** p. 433.

● Exemple
Si X et Y sont deux variables aléatoires sur un même univers fini et indépendantes telles que $V(X) = 3$ et $V(Y) = 7,2$, alors $V(X + Y) = V(X) + V(Y) = 3 + 7,2 = 10,2$ et $\sigma(X + Y) = \sqrt{10,2} \approx 3,19$.
On a également $V(2X) = 4V(X) = 12$.

EXOS
Méthodes
lienmini.fr/maths-s13-03

Les rendez-vous
Sésamath

Exercices résolus

Méthode 1 — Calculer une espérance et une variance

Énoncé

X et Y sont deux variables aléatoires indépendantes sur un même univers fini.
La loi de probabilité de X est donnée ci-contre et on a $E(Y) = 2{,}6$ et $V(Y) = 1{,}44$.
Calculer :
a) $E(X + Y)$.
b) $E(2Y)$.
c) $V(X + Y)$.

x_i	0	2
$p(X = x_i)$	0,3	0,7

Solution

a) On a $E(X) = 0 \times 0{,}3 + 2 \times 0{,}7 = 1{,}4$.
Donc $E(X + Y) = E(X) + E(Y) = 1{,}4 + 2{,}6 = 4$.
b) $E(2Y) = 2E(Y) = 2 \times 2{,}6 = 5{,}2$.
c) X et Y sont indépendantes donc $V(X + Y) = V(X) + V(Y)$. **2**
Or $V(X) = 0{,}3(0 - 1{,}4)^2 + 0{,}7(2 - 1{,}4)^2 = 0{,}84$. **3**
Donc $V(X+Y) = 0{,}84 + 1{,}44 = 2{,}28$.

Conseils & Méthodes

1 Si on ne les connaît pas, déterminer d'abord $E(X)$ et $E(Y)$.

2 X et Y doivent être indépendantes pour utiliser la formule $V(X + Y) = V(X) + V(Y)$.

3 Si on ne les connaît pas, déterminer d'abord $V(X)$ et $V(Y)$.

À vous de jouer !

1 X et Y sont deux variables aléatoires telles que $E(X) = 3$, $V(X) = 0{,}5$ et $E(Y) = 5$. Calculer :
a) $E(X + Y)$.
b) $E(2{,}5X)$.
c) $V(2X)$.

2 X et Y sont deux variables aléatoires et indépendantes telles que $E(X) = 15$; $V(X) = 1{,}2$; $E(Y) = 15$ et $V(Y) = 0{,}3$.
Calculer $E(X + Y)$ et $V(X + Y)$.

➥ Exercices 35 à 43 p. 418

Méthode 2 — Modéliser avec une somme de variables aléatoires

Énoncé

Une première urne contient trois boules : deux avec le nombre 10 et une avec le nombre – 3.
Une deuxième urne contient sept boules : cinq avec le nombre 3 et deux avec le nombre 0.

On tire une boule dans chaque urne et on regarde la somme des nombres indiqués.

Définir deux variables aléatoires X et Y pour que la somme $X + Y$ modélise la situation.

Solution

On pose X la variable aléatoire qui donne le résultat lors du tirage dans la première urne et Y celle donnant le résultat lors du tirage dans la deuxième urne. Alors le résultat final est donné par $X + Y$.

Conseils & Méthodes

1 Définir des variables aléatoires donnant les résultats à chacune des étapes de l'expérience aléatoire.

À vous de jouer !

3 Au basket, Jean fait dix lancers-francs et Sophie en fait vingt. On s'intéresse au nombre total de lancers-francs réussis par Jean et Sophie. Définir deux variables aléatoires X et Y telles que $X + Y$ modélise la situation.

4 Numa a acheté trois tickets de jeux à gratter différents. On s'intéresse au gain total de Numa.
Proposer une modélisation de cette situation à l'aide d'une somme de plusieurs variables aléatoires.

➥ Exercices 44 à 48 p. 418

2 Somme de variables aléatoires identiques et indépendantes

Propriété Somme de variables indépendantes suivant une même loi de Bernoulli

Si $X_1, X_2, ..., X_n$ sont des variables aléatoires indépendantes suivant toutes une même loi de Bernoulli de paramètre p, alors $X_1 + X_2 + ... + X_n$ suit une loi binomiale de paramètres n et p.

● Démonstration

Pour tout X_i, si l'on considère l'événement « obtenir 1 » de probabilité p comme un succès alors $X_1 + X_2 + ... + X_n$ donne le nombre de succès lorsque l'on réalise n fois de manière indépendante une même expérience de Bernoulli. Donc $X_1 + X_2 + ... + X_n$ suit une loi binomiale de paramètres n et p.

● Exemple

Si X_i suit une loi de Bernoulli de paramètre $p = 0{,}17$ pour tout entier i tel que $1 \leqslant i \leqslant 12$ alors $X = X_1 + X_2 + ... + X_{12}$ suit la loi binomiale de paramètres $n = 12$ et $p = 0{,}17$.

Propriété Décomposition d'une variable aléatoire suivant une loi binomiale

Pour X suivant la loi $\mathscr{B}(n\,;p)$, on a $X = X_1 + X_2 + ... + X_n$ où les variables aléatoires $X_1, X_2, ..., X_n$ sont des variables aléatoires indépendantes suivant la loi $\mathscr{B}(p)$.

● Exemple

Si X suit la loi binomiale de paramètres $n = 3$ et $p = 0{,}4$ alors $X = X_1 + X_2 + X_3$ où X_1, X_2 et X_3 sont indépendantes et suivent la loi de Bernoulli de paramètre $p = 0{,}4$.

▶ **Remarque** Cette propriété permet de montrer que si X est une variable aléatoire suivant une loi binomiale de paramètres n et p, alors : $E(X) = np$ et $V(X) = np(1 - p)$.

Définition Échantillon d'une variable aléatoire

Une liste $(X_1\,;X_2\,; ...\,;X_n)$ de variables aléatoires indépendantes suivant toutes la même loi est appelée échantillon de taille n associé à cette loi (ou à une variable aléatoire X suivant cette loi).

● Exemple

On lance un dé équilibré à six faces : une face porte le nombre 1, deux faces portent le nombre 2 et trois faces portent le nombre 3. Soit X la variable aléatoire donnant le nombre obtenu dont la loi est donnée par le tableau ci-contre.

x_i	1	2	3
$p(X = x_i)$	$\dfrac{1}{6}$	$\dfrac{1}{3}$	$\dfrac{1}{2}$

Un échantillon de taille 4 de la loi suivie par X est la liste $(X_1\,;X_2\,;X_3\,;X_4)$ où chacun des X_i suit la loi de X : cela correspond concrètement à la liste de quatre résultats de quatre lancers du dé.

Propriété Espérance et variance de la somme et de la moyenne d'un échantillon

En considérant un échantillon de taille n $(X_1\,;X_2\,; ...\,;X_n)$ d'une variable aléatoire X, et en posant $S_n = X_1 + X_2 + ... + X_n$ et $M_n = \dfrac{S_n}{n}$, on a :

$$E(S_n) = nE(X) \quad \text{et} \quad V(S_n) = nV(X)$$

$$E(M_n) = E(X) \quad \text{et} \quad V(M_n) = \dfrac{V(X)}{n}.$$

▶ **Remarque** M_n (respectivement S_n) est la variable aléatoire correspondant à la moyenne (respectivement la somme) des X_i.

● EXOS
Méthodes
lienmini.fr/maths-s13-03

Les rendez-vous
Sésamath

Exercices (résolus)

Méthode 3 — Sommer des variables aléatoires indépendantes suivant une même loi $\mathcal{B}(p)$

Énoncé

$X_1, X_2, ..., X_{300}$ sont 300 variables aléatoires indépendantes suivant une même loi de Bernoulli de paramètre $p = 0{,}23$.

Quelle loi suit $X = X_1 + X_2 + ... + X_{300}$? En déduire $E(X)$.

Solution

Les X_i étant toutes indépendantes et suivant une loi de Bernoulli de paramètre $p = 0{,}23$, on peut dire que X suit une loi binomiale de paramètres $n = 300$ et $p = 0{,}23$. **1**

Donc $E(X) = n \times p = 300 \times 0{,}23 = 69$. **2**

Conseils & Méthodes

1 S'assurer que toutes les variables sont indépendantes en fonction du contexte.

2 Utiliser la formule du cours directement.

À vous de jouer !

5 On effectue 40 lancers d'une pièce équilibrée. Pour tout entier i entre 1 et 40, X_i est la variable aléatoire donnant 1 si la pièce tombe sur PILE et 0 sinon, au i-ème lancer. Quelle est la loi suivie par $X_1 + X_2 + ... + X_{40}$? À quoi correspond-elle concrètement ?

6 Pour tout entier i tel que $1 \leqslant i \leqslant 8$, X_i suit une loi de Bernoulli de paramètre $p = 0{,}34$. On suppose que toutes les variables aléatoires sont indépendantes. On pose $X = X_1 + X_2 + .. + X_8$. Déterminer $E(X)$.

➙ Exercices 49 à 55 p. 419

Méthode 4 — Sommer des variables aléatoires indépendantes suivant une même loi

Énoncé

Une roue de loterie comporte cinq secteurs angulaires égaux. Les deux premiers secteurs valent 300 points, le troisième vaut 100 points et les deux derniers secteurs valent –400 points. On fait tourner 4 fois de suite cette roue et on gagne la somme de points obtenus lors des 4 lancers de roues.

Z est la variable aléatoire donnant le gain algébrique en points à la fin du jeu.

Décomposer Z en une somme de variables aléatoires identiques et indépendantes puis calculer $E(Z)$.

Solution

1. $Z = X_1 + X_2 + X_3 + X_4$ où X_i est la variable aléatoire donnant le gain algébrique au i-ème lancer de roue pour i entre 1 et 4. **1** Les lancers de roue étant indépendants, les X_i le sont aussi. **2**

X_1, X_2, X_3 et X_4 ont la même loi que la variable aléatoire X donnée ci-contre.

x_i	300	100	–400
$p(X = x_i)$	0,4	0,2	0,4

2. Tout d'abord $E(X) = 300 \times 0{,}4 + 100 \times 0{,}2 + (-400) \times 0{,}4 = -20$.

On calcule $E(Z) = E(X_1 + X_2 + X_3 + X_4) = 4E(X) = 4 \times (-20) = -80$. **3**

Conseils & Méthodes

1 Repérer la situation qui est répétée.

2 Intuitivement, les actions étant indépendantes, les résultats obtenus le sont aussi.

À vous de jouer !

7 X_1, X_2 et X_3 sont des variables aléatoires indépendantes suivant une même loi binomiale de paramètres $n = 12$ et $p = 0{,}48$. On pose $S = X_1 + X_2 + X_3$.

Calculer $E(S)$.

8 On mise 2 euros puis on lance un dé équilibré à quatre faces. On gagne 3 euros si on fait un 3, et 6 euros si on fait un 4. Sinon on ne gagne rien.

On joue 15 fois à ce jeu. Z est la variable aléatoire donnant le gain algébrique total. Calculer $E(Z)$.

➙ Exercices 56 à 61 p. 419

3 Concentration et loi des grands nombres

a) Inégalité de Bienaymé-Tchebychev

Propriété Inégalité de Bienaymé-Tchebychev

Soit X une variable aléatoire d'espérance $E(X) = \mu$ et de variance $V(X) = V$.

Pour tout réel strictement positif δ, on a :

$$p(|X - \mu| \geqslant \delta) \leqslant \frac{V}{\delta^2} \text{ c'est-à-dire } p(X \notin\,]\mu - \delta\,;\mu + \delta[) \leqslant \frac{V}{\delta^2}.$$

▶ **Remarque** De manière équivalente, on a $p(|X - \mu| < \delta) = p(X \in\,]\mu - \delta\,;\mu + \delta[) \geqslant 1 - \frac{V}{\delta^2}$.

• **Exemple** Dans une usine, la variable aléatoire L donnant la largeur en millimètres d'une puce électronique prise au hasard a pour espérance $E(L) = 12$ et pour variance $V(L) = 0,01$.

Si la largeur d'une puce n'appartient pas à $]11\,;13[$, c'est-à-dire si $|L - 12| \geqslant 1$, la puce n'est pas commercialisable. La probabilité qu'une puce ne soit pas commercialisable est donc :

$p(|L - 12| \geqslant 1)$ c'est-à-dire $p(|L - \mu| \geqslant \delta)$ avec $\mu = E(L)$ et $\delta = 1$. Comme $V(L) = 0,01$, on a $p(|L - 12| \geqslant 1) \leqslant \frac{0,01}{1^2}$

d'après l'inégalité de Bienaymé-Tchebychev, or $\frac{0,01}{1^2} = 0,01$ donc $p(|L - 12| \geqslant 1) \leqslant 0,01$.

Propriété Application à $\delta = k\sigma$

Soit X une variable aléatoire d'espérance $E(X) = \mu$, de variance $V(X) = V$ et d'écart-type $\sigma(X) = \sigma$ et $k \in \mathbb{N}^*$.

Les inégalités $p(|X - \mu| \geqslant k\sigma) \leqslant \frac{1}{k^2}$ et $p(|X - \mu| < k\sigma) \geqslant 1 - \frac{1}{k^2}$ sont vérifiées.

• **Démonstration**

On applique l'inégalité de Bienaymé-Tchebychev avec $\delta = k\sigma > 0$ et on obtient :

$p(|X - \mu| \geqslant k\sigma) \leqslant \frac{V}{(k\sigma)^2}$ or $\frac{V}{(k\sigma)^2} = \frac{V}{k^2\sigma^2} = \frac{V}{k^2 V} = \frac{1}{k^2}$ donc $p(|X - \mu| \geqslant k\sigma) \leqslant \frac{1}{k^2}$.

• **Exemple** Dans l'exemple précédent, $\sigma(L) = \sqrt{V} = \sqrt{0,01} = 0,1$. Ainsi, la probabilité que la largeur de la puce soit éloignée d'au moins $k = 5$ écarts-types, c'est-à-dire $5 \times 0,1 = 0,5$ de son espérance 12 est inférieure

ou égale à $\frac{1}{5^2} = 0,04$: il y a au maximum « 4 % de chance » que la largeur d'une puce soit inférieure ou égale

à $12 - 0,5 = 11,5$ mm ou supérieure ou égale à $12 + 0,5 = 12,5$ mm.

▶ **Remarque** On mesure donc la dispersion d'une variable aléatoire autour de son espérance en nombre d'écarts-types.

• **Exemple** Pour X qui suit la loi $\mathscr{B}(20\,;0,45)$, on a :

$E(X) = 20 \times 0,45 = 9$

et $\sigma(X) = \sqrt{20 \times 0,45 \times 0,55} \approx 2,22$.

Donc, d'après la propriété précédente, on a :

$p(|X - 9| \geqslant 2\sigma(X)) \leqslant \frac{1}{2^2}$ or $\frac{1}{2^2} = 0,25$

donc $p(|X - 9| \geqslant 2\sigma(X)) \leqslant 0,25$.

D'autre part $p(|X - 9| \geqslant 2\sigma(X)) = p(X \leqslant 9 - 2\sigma(X)) + p(X \geqslant 9 + 2\sigma(X)) = p(X \leqslant 4) + p(X \geqslant 14)$ (puisque X ne prend que des valeurs entières) et on observe ci-dessus que $p(X \leqslant 4) + p(X \geqslant 14)$ semble très inférieur à 0,25. Après calculs, on trouve que $p(X \leqslant 4) + p(X \geqslant 14) \approx 0,04$: l'inégalité de Bienaymé-Tchebychev donne une **majoration** de $p(|X - \mu| \geqslant \delta)$ par 0,25 qui est **toujours vraie** mais qui est **loin d'être optimale**.

● EXOS
Méthodes
lienmini.fr/maths-s13-03

Les rendez-vous
Sésamath

Exercices résolus

Méthode 5 Utiliser l'inégalité de Bienaymé-Tchebychev

Énoncé

On considère la variable aléatoire D donnant le débit de la Loire en $m^3 \cdot s^{-1}$ à Tours à un instant t.
Une étude statistique permet de considérer que $E(D) = 350$ et $V(D) = 28\,000$.

1. Donner une majoration de $p(|D - 350| \geqslant 200)$ puis interpréter cette majoration dans les termes de l'énoncé.

2. Donner une minoration de la probabilité que le débit de la Loire à Tours à l'instant t soit strictement compris entre 50 et 650 $m^3 \cdot s^{-1}$.

Solution

1. D'après l'inégalité de Bienaymé-Tchebychev, on a :

$p(|D - 350| \geqslant 200) \leqslant \dfrac{28\,000}{200^2} = 0{,}7$. **1**

La probabilité que le débit de la Loire à l'instant t soit inférieur ou égal à $350 - 200 = 150$ $m^3 \cdot s^{-1}$ ou supérieur ou égal à $350 + 200 = 550$ $m^3 \cdot s^{-1}$ est inférieure à 0,7 (ce qui ne donne pas une information très précise). **2**

2. $50 = 350 - 300$ et $650 = 350 + 300$ **3**

On cherche donc :

$p(D \in \,]50\,;650[) = p(|D - 350| < 300)$

$\qquad\qquad = p(\overline{|D - 350| \geqslant 300})$

$\qquad\qquad = 1 - p(|D - 350| \geqslant 300)$. **4**

De plus :

$p(|D - 350| \geqslant 300) \leqslant \dfrac{28\,000}{300^2} = \dfrac{14}{45}$

$\Leftrightarrow -p(|D - 350| \geqslant 300) \geqslant -\dfrac{14}{45}$

$\Leftrightarrow 1 - p(|D - 350| \geqslant 300) \geqslant 1 - \dfrac{14}{45}$

$\Leftrightarrow p(D \in \,]50\,;650[) \geqslant \dfrac{31}{45}$ avec $\dfrac{31}{45} \approx 0{,}69$.

⊙ **Remarque** On peut aussi retenir directement que
$p(|X - \mu| < \delta) \geqslant 1 - \dfrac{V}{\delta^2}$.

Conseils & Méthodes

1 Quand on demande une majoration sur une probabilité de la forme $p(|X - \mu| \geqslant \delta)$, on applique l'inégalité de Bienaymé-Tchebychev.

Ici, on a $\mu = 350$ (l'espérance de D), $\delta = 200$ et $V = 28\,000$ (la variance de D).

2 Pour interpréter concrètement, on traduit en langage courant $|D - \mu| \geqslant \delta$.

Ici, D est le débit et $|D - 350| \geqslant 200$ veut dire $D \leqslant 350 - 200 = 150$ ou $D \geqslant 350 + 200 = 550$.

On peut représenter la situation sur un axe si nécessaire (ensemble en rouge).

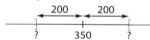

3 Lorsque l'on demande une minoration de la probabilité que la variable aléatoire appartienne à un intervalle contenant μ, on trouve l'écart entre μ et les bornes de cet intervalle et on traduit la probabilité avec la valeur absolue.

On peut représenter la situation sur un axe si nécessaire (ensemble en rouge).

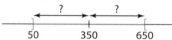

4 On pense ensuite à l'événement contraire.

À vous de jouer !

9 Dans un cabinet médical, le nombre de patient(e)s vu(e)s chaque jour par un médecin est donné par une variable aléatoire P d'espérance $E(P) = 32$ et de variance $V(P) = 9$.

1. a) En appliquant l'inégalité de Bienaymé-Tchebychev, que peut-on dire de $p(|P - 32| < 6)$?
b) Interpréter le résultat dans les termes de l'énoncé.

2. Déterminer une majoration de la probabilité que ce médecin voie soit 21 patient(e)s ou moins soit 41 patient(e)s ou plus en une journée.

10 On considère que le temps passé quotidiennement sur Internet par Luna (en heures) est donné par une variable aléatoire I d'espérance $E(I) = 2$ et de variance $V(I) = 0{,}25$.

Minorer la probabilité que Luna passe entre 1 et 3 heures (exclues) sur Internet aujourd'hui.

↪ Exercices 72 à 78 p. 420

Cours

ⓑ Inégalité de concentration

Propriété Inégalité de concentration

Soit $(X_1 ; X_2 ; \ldots ; X_n)$ un échantillon de variables aléatoires d'espérance μ et de variance V et $M_n = \dfrac{X_1 + X_2 + \ldots + X_n}{n}$ la variable aléatoire moyenne de cet échantillon.

Pour tout réel strictement positif δ, l'inégalité $p(|M_n - \mu| \geqslant \delta) \leqslant \dfrac{V}{n\delta^2}$ est vérifiée.

▶ **Remarque** De manière équivalente, on a $p(|M_n - \mu| < \delta) = p(M_n \in]\mu - \delta ; \mu + \delta[) \geqslant 1 - \dfrac{V}{n\delta^2}$.

● **Démonstration**

D'après les propriétés sur l'espérance et la variance de la variable aléatoire moyenne d'un échantillon, on a $E(M_n) = \mu$ et $V(M_n) = \dfrac{V}{n}$. En appliquant l'inégalité de Bienaymé-Tchebychev à M_n, on obtient

$p(|M_n - \mu| \geqslant \delta) \leqslant \dfrac{V(M_n)}{\delta^2}$ où $\dfrac{V(M_n)}{\delta^2} = \dfrac{\frac{V}{n}}{\delta^2} = \dfrac{V}{n} \times \dfrac{1}{\delta^2} = \dfrac{V}{n\delta^2}$ c'est-à-dire $p(|M_n - \mu| \geqslant \delta) \leqslant \dfrac{V}{n\delta^2}$.

● **Exemple** On lance n fois un dé équilibré à 8 faces et on nomme X_i la variable aléatoire donnant le résultat du i-ème lancer. On admet que $E(X_i) = 4,5$ et $V(X_i) = 5,25$ pour tout entier i entre 1 et n.

Les lancers étant indépendants, $(X_1 ; X_2 ; \ldots ; X_n)$ est un échantillon de variables aléatoires d'espérance $\mu = 4,5$, de variance $V = 5,25$ et de moyenne $M_n = \dfrac{X_1 + X_2 + \ldots + X_n}{n}$.

D'après l'inégalité de concentration pour $n = 100$ et $\delta = 0,5$, on a $p(|M_{100} - 4,5| \geqslant 0,5) \leqslant \dfrac{5,25}{100 \times 0,5^2}$

or $\dfrac{5,25}{100 \times 0,5^2} = 0,21$ donc $p(|M_{100} - 4,5| \geqslant 0,5)$, la probabilité que l'écart entre M_{100} (la moyenne des 100 premiers résultats) et 4,5 soit supérieur ou égal 0,5, est inférieure ou égale à 0,21.

ⓒ Loi des grands nombres

Propriété Loi (faible) des grands nombres

Soit $(X_1 ; X_2 ; \ldots ; X_n)$ un échantillon de variables aléatoires d'espérance μ et $M_n = \dfrac{X_1 + X_2 + \ldots + X_n}{n}$ la variable aléatoire moyenne de cet échantillon.

Pour tout réel strictement positif δ fixé, $\displaystyle\lim_{n \to +\infty} p(|M_n - \mu| \geqslant \delta) = 0$.

● **Démonstration**

Pour un cas particulier ↪ **Activité 4** p. 405

● **Exemple** On reprend l'exemple précédent et on considère $\delta = 0,1$.

D'après la loi des grands nombres, $p(|M_n - 4,5| \geqslant 0,1)$, que l'on peut également écrire $p(M_n \notin]4,4 ; 4,6[)$, tend vers 0 lorsque la taille de l'échantillon tend vers $+\infty$.

On en déduit que $p(M_n \in]4,4 ; 4,6[)$ tend vers 1 lorsque la taille de l'échantillon tend vers $+\infty$. Autrement dit, si l'on fait un nombre suffisamment grand de lancers, on peut rendre l'événement « la moyenne de l'échantillon est dans $]4,4 ; 4,6[$ » aussi probable qu'on le souhaite en prenant n suffisamment grand.

▶ **Remarque** Dans l'exemple, on aurait pu prendre $\delta = 0,01$ ou $0,001$, etc. : la loi des grands nombres illustre le fait que la moyenne de l'échantillon se rapproche de l'espérance des variables aléatoires quand la taille de l'échantillon « devient grande » comme cela a été vu en Première.

Exercices résolus

Méthode 6 Utiliser l'inégalité de concentration

Énoncé

On considère un échantillon $(X_1 ; X_2 ; \dots ; X_{40})$ de variables aléatoires suivant la loi $\mathscr{B}(10 ; 0,9)$ et $M = \dfrac{X_1 + X_2 + \dots + X_{40}}{40}$ la variable aléatoire moyenne de cet échantillon. Donner une majoration de $p(|M - 9| \geqslant 3)$.

Solution

Les $n = 40$ variables aléatoires X_i ont toutes pour espérance $\mu = 10 \times 0,9 = 9$ et pour variance $V = 10 \times 0,9 \times 0,1 = 0,9$.

D'après l'inégalité de concentration on a $p(|M - 9| \geqslant 3) \leqslant \dfrac{0,9}{40 \times 3^2}$

or $\dfrac{0,9}{40 \times 3^2} = \dfrac{0,9}{360} = 0,0025$ donc $p(|M - 9| \geqslant 3) \leqslant 0,0025$.

Conseils & Méthodes

1 Dans ce contexte d'un échantillon de variables aléatoires, on utilise l'inégalité de concentration en identifiant $\mu = 9$, $\delta = 3$, $n = 40$ et $V = 0,9$.

À vous de jouer !

11 100 personnes jouent indépendamment à un même jeu dont la variable aléatoire associée au gain (en euros) a pour espérance 10 et pour variance 2.

Donner une minoration de la probabilité que la moyenne des gains de ces 100 personnes soit comprise strictement entre 7 euros et 13 euros.

12 On considère un échantillon $(X_1 ; X_2 ; \dots ; X_{30})$ de 30 variables aléatoires suivant la loi $\mathscr{B}(20 ; 0,6)$ et $M = \dfrac{X_1 + X_2 + \dots + X_{30}}{30}$ la variable aléatoire moyenne de l'échantillon.

Justifier que $p(|M - 12| \geqslant 4) \leqslant 0,01$.

➥ Exercices 82 à 88 p. 422

Méthode 7 Utiliser la loi des grands nombres

Énoncé

On considère un échantillon $(X_1 ; X_2 ; \dots ; X_{200})$ de variables aléatoires d'espérance μ et $M_k = \dfrac{X_1 + X_2 + \dots + X_k}{k}$ la variable aléatoire moyenne de l'échantillon $(X_1 ; X_2 ; \dots ; X_k)$ pour k entier entre 1 et 200.

On donne ci-contre le nuage de points $(k ; M_k)$.

Estimer μ.

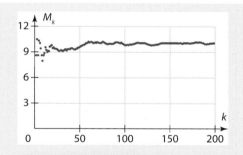

Solution

On observe que le nuage de points semble « se stabiliser » vers la valeur 10 donc on peut penser que $\mu = 10$.

Conseils & Méthodes

1 D'après la loi des grands nombres, M_k se rapproche de $E(X_i) = \mu$ quand k devient grand.

À vous de jouer !

13 On considère un échantillon de variables aléatoires de même loi donnée ci-dessous.

x_i	1	10	30
$p(X = x_i)$	0,4	0,5	0,1

De quelle valeur va se rapprocher la moyenne de cet échantillon quand sa taille augmente ?

14 Reprendre l'énoncé de la **7** avec le nuage de points suivant (pour un échantillon de taille 400). Estimer μ.

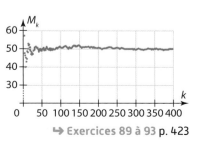

➥ Exercices 89 à 93 p. 423

Exercices résolus

EXOS
Méthodes
lienmini.fr/maths-s13-03

Les rendez-vous
Sésamath

Méthode 8 — Utiliser un échantillon dans le cadre d'un prélèvement

↪ Cours 2 p. 408

Énoncé

En France en 2018, selon l'INSEE, 75,4 % des individus de 15 à 29 ans ont réalisé un achat sur Internet au cours des 12 derniers mois.

On interroge 500 personnes de la population française, âgées d'entre 15 et 29 ans, pour savoir si elles ont réalisé un achat sur Internet au cours des 12 derniers mois.

Au vu de la taille de la population en France, on suppose que les tirages au sort successifs ne changent pas les probabilités que la réponse soit positive ou non, et donc que ce prélèvement de 500 personnes par tirage au sort peut être assimilé à un tirage avec remise.

On considère la liste de variables aléatoires $(X_1 ; X_2 ; \ldots ; X_{500})$ où X_i vaut 1 si la i-ème personne a réalisé un achat sur Internet au cours de 12 derniers mois et 0 sinon, afin de modéliser l'enquête auprès des 500 personnes.

1. Expliquer pourquoi la liste $(X_1 ; X_2 ; \ldots ; X_{500})$ peut être considérée comme un échantillon de variables aléatoires en précisant la loi suivie par les X_i.

2. Soit $S = X_1 + X_2 + \ldots + X_{500}$. Calculer $E(S)$ et $V(S)$.

Solution

1. On a supposé que le prélèvement effectué peut être assimilé à un tirage avec remise donc que les X_i sont indépendantes. **1**

D'après l'énoncé, et comme on a précisé que les tirages au sort successifs ne changent pas les probabilités des réponses, les X_i suivent toutes une loi de Bernoulli de même paramètre $p = 0{,}754$.
Ainsi la liste $(X_1 ; X_2 ; \ldots ; X_{500})$ peut être considérée un échantillon de variables aléatoires indépendantes et de même loi.

2. Deux méthodes sont possibles.
- $S = X_1 + X_2 + \ldots + X_{500}$ donc $E(S) = 500\,E(X_i)$. Or X_i suit la loi $\mathcal{B}(0{,}754)$ donc $E(S) = 500 \times 0{,}754 = 377$. De plus $V(S) = n\,V(X_i)$ or X_i suit la loi $\mathcal{B}(p)$ donc $V(S) = 500 \times 0{,}754 \times (1 - 0{,}754) = 92{,}742$. **2**

- Avec la loi binomiale : comme les X_i sont indépendantes et suivent toutes une même loi $\mathcal{B}(0{,}754)$, alors S suit une loi binomiale de paramètres $n = 500$ et $p = 0{,}754$.

$E(S) = np = 500 \times 0{,}754 = 377$ et
$V(S) = np(1 - p) = 500 \times 0{,}754 \times (1 - 0{,}754) = 92{,}742$. **3**

Conseils & Méthodes

1 Comme il a lieu dans une grande population, le tirage, ou le prélèvement, est assimilable à un tirage avec remise donc :
- les variables aléatoires X_i sont indépendantes,
- les variables aléatoires X_i suivent la même loi de Bernoulli.

2 Pour une somme de variables aléatoires X_i identiques et indépendantes, $E(S) = n\,E(X_i)$ et $V(S) = n\,V(X_i)$.

3 Comme S suit une loi binomiale de paramètres n et p alors $E(S) = np$ et $V(S) = np(1 - p)$ (voir le chapitre 12).

À vous de jouer !

15 Une urne contient 20 000 billes dont 70 % portent le nombre 1, 25 % le nombre 2 et les autres portent le nombre 9. On effectue un prélèvement de 3 billes. On appelle S la variable aléatoire donnant la somme des trois nombres obtenus.

On suppose que le prélèvement de 3 billes est assimilable à un tirage avec remise.

1. Expliquer pourquoi on peut assimiler ce prélèvement à un tirage avec remise.

2. On décompose S sous forme $S = X_1 + X_2 + X_3$ où X_i donne le nombre porté par la boule lue en i-ème position pour tout entier i entre 1 et 3.
a) Déterminer la loi suivie par $X_1 ; X_2$ et X_3.
b) Calculer $E(S)$ et $V(S)$.

16 Une entreprise fabrique des vis. On estime que 2 % des vis présente un seul défaut et 1 % présente deux défauts. Les autres ne présentent aucun défaut.
Le service qualité souhaite étudier un échantillon de 200 vis. On pose S la variable aléatoire donnant le nombre de défauts observés sur l'ensemble de l'échantillon.

1. Quel argument peut-on avancer pour justifier que le prélèvement de 200 vis est assimilable à un tirage avec remise dans l'ensemble de la production ?

2. Dans ces conditions, calculer $E(S)$.

↪ Exercices 104 à 106 p. 425

● DIAPORAMA
Calculs et automatismes
lienmini.fr/maths-s13-05

Exercices [calculs et automatismes]

19 Espérance d'une somme (1)
Méthode Existe-il des conditions particulières pour utiliser la formule $E(X + Y) = E(X) + E(Y)$?

20 Espérance d'une somme (2)
Si $E(X) = 3$ et $E(X + Y) = 0,45$, calculer $E(Y)$.

21 Espérance d'une somme (3)
Choisir la (les) bonne(s) réponse(s).
Si X suit une loi de Bernoulli de paramètre 0,2 et Y suit une loi binomiale de paramètres $n = 10$ et $p = 0,1$ alors $E(X + Y) =$
[a] 0,3.   [b] 1,2.   [c] 1.   [d] 0,02.

22 Linéarité d'une espérance
X et Y étant deux variables aléatoires, exprimer $E(2X + 3Y)$ en fonction de $E(X)$ et $E(Y)$.

23 Variance d'une somme (1)
Méthode Existe-il des conditions particulières pour utiliser la formule $V(X + Y) = V(X) + V(Y)$?

24 Variance d'une somme (2)
Choisir la (les) bonne(s) réponse(s).
X et Y étant deux variables aléatoires telles que $V(X) = 0,4$ et $\sigma(Y) = 12,44$. Alors $V(X + Y) =$
[a] 12,84.   [b] 155,1536.
[c] $\approx 12,46$.   [d] on ne peut savoir.

25 Variance d'une somme (3)
X et Y étant deux variables aléatoires indépendantes telles que $V(X) = 12,23$ et $V(X + Y) = 15,26$, calculer $V(Y)$.

26 Écart-type d'une somme
Choisir la (les) bonne(s) réponse(s).
X et Y étant deux variables aléatoires indépendantes telles que $V(X) = 1$ et $V(Y) = 1$. Alors $\sigma(X + Y) =$
[a] $\sigma(X) + \sigma(Y)$.   [b] 2.   [c] 1,4 environ.   [d] 1.

27 Somme de variables aléatoires (1)
L'affirmation suivante est-elle vraie ou fausse ?   V   F

La somme de 10 variables aléatoires indépendantes suivant une même loi de Bernoulli de paramètre 0,6 suit une loi binomiale et a une espérance égale à 0,6.   ☐   ☐

28 Somme de variables aléatoires (2)
L'affirmation suivante est-elle vraie ou fausse ?   V   F

La somme de 5 variables aléatoires indépendantes d'écart-type 2 a pour écart-type 10.   ☐   ☐

29 Échantillon
Choisir la (les) bonne(s) réponse(s).
X est une variable aléatoire d'espérance 6,78 et de variance 1,25.
Soit $(X_1 ; X_2 ; ... ; X_n)$ un échantillon de taille n de la loi suivie par X et $M_n = \dfrac{X_1 + X_2 + ... + X_n}{n}$. Alors $\lim\limits_{n \to +\infty} V(M_n) =$
[a] 0.   [b] 1,25.   [c] 6,78.   [d] $\dfrac{1,25}{n}$.

30 Loi des grands nombres
Choisir la (les) bonne(s) réponse(s).
Soit $(X_1 ; X_2 ; ... ; X_n)$ un échantillon de n variables aléatoires d'espérance μ et d'écart-type σ.
Lorsque n est élevé, la variable aléatoire
$M_n = \dfrac{X_1 + X_2 + ... + X_n}{n}$ se rapproche de :
[a] μ.   [b] σ.   [c] μ^2.   [d] σ^2.

31 Inégalité de Bienaymé-Tchebychev et écart-type
Choisir la (les) bonne(s) réponse(s).
Soit X une variable aléatoire d'espérance 30 et d'écart-type 5. L'inégalité de Bienaymé-Tchebychev permet d'affirmer que $p(|X - 30| \geqslant 10)$ est inférieure ou égale à :
[a] $\dfrac{1}{10}$.   [b] $\dfrac{1}{25}$.   [c] $\dfrac{1}{4}$.   [d] $\dfrac{1}{30}$.

32 Loi des grands nombres

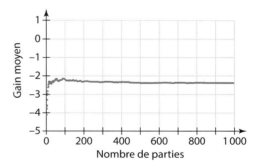

L'évolution du gain moyen d'un ou une joueuse à une table de jeu est donnée par ce graphique.
Estimer l'espérance de la variable aléatoire donnant le gain algébrique à ce jeu.

33 Inégalité de Bienaymé-Tchebychev
Soit X une variable aléatoire d'espérance 20 et de variance 9.
Donner une minoration de $p(X \in \,]14 ; 26[)$.

34 Inégalité de concentration
Soit $(X_1 ; X_2 ; ... ; X_{100})$ un échantillon de 100 variables aléatoires d'espérance 34 et de variance 4 et M la variable aléatoire moyenne associée à cet échantillon.
Donner une majoration de $p(|M - 34| \geqslant 5)$.

Exercices d'application

Calculer l'espérance et la variance de $X + Y$ ou aX

 p. 407

35 X et Y sont deux variables aléatoires telles que $E(X) = 2$ et $E(Y) = 5$. Calculer :
a) $E(X + Y)$. **b)** $E(3X)$. **c)** $E(-2Y)$.

36 X et Y sont deux variables aléatoires telles que $E(X) = 1\,500$ et $E(Y) = 60$.
1. Calculer :
a) $E(X + Y)$. **b)** $E(4X)$. **c)** $E(3Y)$.
2. En déduire $E(4X + 3Y)$.

37 X et Y sont deux variables aléatoires indépendantes telles que $E(X) = -1$, $V(X) = 2$, $E(Y) = 0$ et $V(Y) = 0{,}5$.
Calculer :
a) $E(X + Y)$. **b)** $E(2X + 5Y)$. **c)** $E(2X + 10)$.
d) $V(X + Y)$. **e)** $V(3X)$. **f)** $V(nY)$ avec n entier positif.

38 X et Y sont deux variables aléatoires indépendantes dont les lois de probabilités sont données dans les tableaux ci-dessous.

x_i	-2	0	3	4
$p(X = x_i)$	$0{,}5$	$0{,}2$	$0{,}2$	$0{,}1$

y_i	-10	0	20
$p(Y = y_i)$	$0{,}33$	$0{,}48$	$0{,}19$

1. Calculer $E(X + Y)$.
2. Calculer $V(X + Y)$.
3. En déduire une valeur approchée de $\sigma(X + Y)$ à $0{,}01$ près.

39 X suit une loi de Bernoulli de paramètre $0{,}6$ et Y suit une loi de Bernoulli de paramètre $0{,}33$.
On suppose que les variables aléatoires X et Y sont indépendantes.
Calculer :
a) $E(X + Y)$. **b)** $V(X + Y)$. **c)** $E(X - Y)$.

40 X suit une loi binomiale de paramètres $n = 10$ et $p = 0{,}5$ et Y suit une loi binomiale de paramètres $n = 10$ et $p = 0{,}42$.
On suppose que les variables aléatoires X et Y sont indépendantes.
Calculer $E(X + Y)$, $V(X + Y)$ et $\sigma(X + Y)$.

41 X est une variable aléatoire sur un univers fini Ω telle que $E(X) = 3$ et $V(X) = 0{,}5$ et Y est une variable aléatoire sur Ω constante égale 6 que l'on admettra indépendante de X.
1. a) Déterminer la loi de Y.
b) Que valent $E(Y)$ et $V(Y)$?
2. Calculer $E(X + Y)$ et $V(X + Y)$.

⬤ **Remarque** Plus généralement, on peut noter que pour toute constante b et toute variable aléatoire X, on a $V(X + b) = V(X)$.

42 X est une variable aléatoire qui peut prendre les valeurs -5 ; 0 ; 20 et 50. Son espérance est égale à $-3{,}91$ et son écart-type vaut $2{,}83$.
On considère les variables Y et Z telles que $Y = 3X$ et $Z = X + 2$.
1. Déterminer les valeurs que peut prendre Y.
2. Déterminer $E(Y)$.
3. Déterminer $\sigma(Y)$.
4. Reprendre les questions **1.**, **2.** et **3.** pour la variable aléatoire Z.

43 On lance un dé tétraédrique équilibré dont les 4 faces portent les montants en euros 10 ; 1 ; -2 et -4.
X est la variable aléatoire donnant le gain algébrique affiché.
1. Calculer $E(X)$, interpréter ce résultat et calculer $V(X)$.
2. On décide de doubler chacun des montants (par exemple 10 devient 20 ; -4 devient -8). Z est la variable aléatoire donnant le gain algébrique à ce deuxième jeu.
a) Exprimer Z en fonction de X.
b) En déduire $E(Z)$ et $V(Z)$.
3. On décide finalement d'ajouter 1 à chacun des montants (par exemple 10 devient 11 ; -4 devient -3).
Y est la variable aléatoire donnant le gain algébrique à ce troisième jeu.
a) Exprimer Y en fonction de X.
b) En déduire $E(Y)$ et $\sigma(Y)$.

Modéliser avec une somme de variables aléatoires

 p. 407

44 Un jeu consiste à lancer un dé tétraédrique équilibré dont les 4 faces sont numérotées de 1 à 4 et un dé cubique équilibré dont les 6 faces sont numérotées de 1 à 6.
On souhaite étudier la somme des résultats des deux dés.
Proposer deux variables aléatoires X et Y dont la somme $X + Y$ permet de modéliser la situation.

45 Une urne contient 100 boules numérotées de 0 à 99. On tire au hasard une boule de l'urne puis on lance une pièce équilibrée. On a écrit -50 sur une face de la pièce et 20 sur l'autre face.
On souhaite étudier la somme des deux nombres obtenus au final.
Proposer deux variables aléatoires X et Y dont la somme $X + Y$ permet de modéliser la situation.

46 On tire au hasard et avec remise 3 cartes dans un jeu de 52 cartes.
On gagne 7 euros par as obtenu, 4 euros par valet, dame ou roi obtenu et on perd 1 euro pour n'importe quelle autre carte obtenue.
Par exemple si on tire as de pique, 7 de trèfle et 2 de carreau, on gagne : $7 - 1 - 1 = 5$ euros.
On note Z la variable aléatoire donnant le gain algébrique total à ce jeu.
Décomposer Z sous la forme d'une somme de trois variables aléatoires que l'on définira puis calculer $E(Z)$.

47 Le trajet de Myriam en bus pour aller au lycée lui impose un changement dans le centre-ville. Le temps de ces trajets peut varier suivant les heures, les lignes de transport et les embouteillages. Le temps de trajet entre sa maison et le centre-ville peut être de 5, 8 ou 10 min avec des

probabilités respectives de $\dfrac{1}{3}$, $\dfrac{5}{12}$ et $\dfrac{1}{4}$.

Indépendamment, le temps de trajet entre le centre-ville et le lycée peut être de 3, 6 ou 9 min avec des probabilités respectives de $\dfrac{1}{3}$, $\dfrac{1}{3}$ et $\dfrac{1}{3}$.

X est la variable aléatoire donnant le temps de trajet en minutes de Myriam entre sa maison et le centre-ville et Y est la variable aléatoire donnant son temps de trajet en minutes entre le centre-ville et le lycée.

1. Que représente la variable aléatoire $X + Y$?

2. Calculer l'espérance de la variable aléatoire X puis celle de la variable aléatoire Y.

3. En déduire la valeur de $E(X + Y)$ puis interpréter ce nombre.

48 Les jours où elle s'entraîne au jet de 7 mètres au handball, Elia fait 30 tirs le matin et 50 l'après-midi. Elle marque avec une probabilité égale à 0,46 le matin et une probabilité égale à 0,78 l'après-midi. Tous les tirs sont supposés indépendants.

Soit X (respectivement Y) la variable aléatoire donnant le nombre de tirs réussis par Elia le matin (respectivement l'après-midi).

1. Donner la loi suivie par X et celle suivie par Y.

2. Que représente $X + Y$?

3. Calculer $E(X + Y)$ et en donner une interprétation.

Sommer des variables aléatoires indépendantes suivant une même loi $\mathcal{B}(p)$
Méthode 3 p. 409

49 Dans chacun des cas suivants, préciser les paramètres de la loi binomiale suivie par une variable aléatoire somme de n variables aléatoires indépendantes suivant une loi de Bernoulli de paramètre p.

a) $n = 15$ et $p = 0,6$. **b)** $n = 25$ et $p = 0,12$.
c) $n = 150$ et $p = 0,999$. **d)** $n = 1\,000$ et $p = 0,2$.

50 Quelle est la loi de Bernoulli utilisée pour décomposer sous forme de somme :

a) une variable aléatoire suivant $\mathcal{B}(500\,;\,0,23)$?

b) une variable aléatoire suivant $\mathcal{B}(20\,;\,0,7)$?

51 X est une variable aléatoire suivant une loi binomiale d'espérance 60. Elle se décompose en la somme de n variables aléatoires suivant $\mathcal{B}\left(\dfrac{3}{4}\right)$. Déterminer la valeur de n.

52 Quand il joue au bowling, Matéo a une probabilité égale à 0,1 de faire un strike.

Il lance 10 fois la boule de manière indépendante.

Pour tout entier i entre 1 et 10, X_i est la variable aléatoire prenant 1 s'il fait un strike et 0 sinon, au i-ème lancer.

1. Que peut-on dire de la variable aléatoire X définie par $X = X_1 + X_2 + \dots + X_{10}$?

2. Calculer $E(X)$ et $V(X)$.

53 On lance 30 dés équilibrés à 6 faces numérotées de 1 à 6. On considère la variable aléatoire Z donnant le nombre de 4 obtenu sur les 30 dés.

1. Déterminer une loi de probabilité associée à 30 variables aléatoires indépendantes Z_1, Z_2, ..., Z_{30} telle que $Z = Z_1 + Z_2 + \dots + Z_{30}$.

2. Calculer $E(Z)$ et en donner une interprétation.

54 Un test de solidité sur un prototype d'une nouvelle pièce automobile montre que dans 95 % des cas la pièce testée résiste.

On effectue 30 tests de manière indépendante et on note Y la variable aléatoire donnant le nombre de tests pour lesquels la pièce n'a pas résisté.

1. Déterminer une loi de probabilité permettant d'écrire Y sous la forme d'une somme de variables aléatoires indépendantes suivant toutes cette loi.

2. Calculer $E(Y)$.

55 X est une variable aléatoire qui suit une loi binomiale de paramètres $n = 1\,000$ et $p = 0,452$.

1. On décompose la variable aléatoire X en une somme de variables aléatoires indépendantes suivant une même loi de Bernoulli. Préciser cette loi.

2. Calculer $E\left(\dfrac{X}{1\,000}\right)$ et $V\left(\dfrac{X}{1\,000}\right)$.

Sommer des variables aléatoires indépendantes suivant une même loi
Méthode 4 p. 409

56 On lance 100 dés cubiques équilibrés dont les faces sont numérotées de 1 à 6.

X est la variable aléatoire donnant la somme des résultats de tous les dés.

1. Décomposer X en une somme de variables aléatoires indépendantes suivant toutes une même loi de probabilité que l'on précisera.

2. Calculer $E(X)$ et interpréter ce résultat.

57 Pour tout nombre entier i tel que $1 \leqslant i \leqslant 20$, la variable aléatoire X_i suit une loi binomiale de paramètres $n = 12$ et $p = 0,3$. Les variables aléatoires X_i sont supposées indépendantes.

Calculer l'espérance et la variance de $S = X_1 + \dots + X_{20}$.

58 La variable aléatoire X donnant le nombre de baguettes ayant eu une mauvaise cuisson dans un échantillon de 50 baguettes d'une même boulangerie suit une loi binomiale de paramètres $n = 50$ et $p = 0,03$.
On recueille les résultats (indépendants) du prélèvement de 50 baguettes dans 10 boulangeries (ce qui donne 500 baguettes en tout) et on note Z la variable aléatoire donnant le nombre de baguettes ayant eu une mauvaise cuisson sur l'ensemble des 10 boulangeries.
Déterminer $E(Z)$, $V(Z)$ et $\sigma(Z)$.

59 Le matin, suivant le temps dont elle dispose et selon sa faim, Carmen mange une, deux ou trois tartines au beurre avec des probabilités respectives 0,25 ; 0,62 et 0,13.

On note S la variable aléatoire donnant le nombre de tartines mangées par Carmen au cours d'une semaine.
1. Décomposer S en une somme de variables aléatoires indépendantes suivant toutes une même loi que l'on précisera.
2. Calculer $E(S)$ et $\sigma(S)$.

60 X est une variable aléatoire suivant une loi binomiale de paramètres $n = 6$ et $p = 0,579$. On considère un échantillon $(X_1 ; ... ; X_{50})$ de la loi suivie par X ainsi que les variables aléatoires $S_{50} = X_1 + X_2 + ... + X_{50}$ et $M_{50} = \dfrac{X_1 + X_2 + ... + X_{50}}{50}$.
Déterminer les espérances et les variances de S_{50} et M_{50} au centième près.

61 X est une variable aléatoire d'espérance 5,6 et d'écart-type $\dfrac{1}{4}$. On considère un échantillon de taille n $(X_1 ; ... ; X_n)$ de variables aléatoires suivant la loi de X ainsi que les variables aléatoires $S_n = X_1 + X_2 + ... + X_n$ et $M_n = \dfrac{X_1 + X_2 + ... + X_n}{n}$.
Déterminer les expressions des espérances et écarts-type de S_n et M_n en fonction de n.

Manipulations de variables aléatoires et d'inégalités

62 Soit X une variable aléatoire.
1. Déterminer l'intervalle I tel que $|X - 12| < 5 \Leftrightarrow X \in I$.
2. Déterminer des intervalles J et K tels que $|X - 3| \geqslant 5 \Leftrightarrow X \in J \cup K$.

63 Soit Y une variable aléatoire.
Recopier et compléter les pointillés.
a) $Y \in]0 ; 10[\Leftrightarrow |Y - ...| < ...$
b) $Y \in [45 ; 51] \Leftrightarrow |Y - ...| \leqslant ...$
c) $Y \in]-\infty ; 12[\cup]14 ; +\infty[\Leftrightarrow |Y - ...| > ...$
d) $Y \in]-\infty ; 2] \cup [16 ; +\infty[\Leftrightarrow |Y - ...| \geqslant ...$

64 Soit Z une variable aléatoire telle que $p(Z \in]-\infty ; 5[\cup]7 ; +\infty[) = 0,2$. Déterminer $p(Z \in [5 ; 7])$.

65 Soit Y' une variable aléatoire telle que $p(Y' \in]-\infty ; 10[\cup]20 ; +\infty[) = 0,35$.
Déterminer $p(|Y' - 15| \leqslant 5)$.

66 Soit A une variable aléatoire telle que $p(A \in]-4 ; 12[) = 0,72$. Déterminer $p(|A - 4| \geqslant 8)$.

67 Soit B une variable aléatoire telle que $p(|B - 8| \geqslant 3) \leqslant 0,36$. Donner une minoration de $p(|B - 8| < 3)$.

68 Soit C une variable aléatoire telle que $p(|C - 4| < 3) > 0,98$. Donner une majoration de $p(|C - 4| \geqslant 3)$.

69 Soit B une variable aléatoire telle que $p(|B + 12| \geqslant 2) \leqslant 0,11$. Donner une minoration de $p(|B + 12| < 2)$.

70 Soit Z une variable aléatoire tel que $p(Z \in [7 ; 8]) = 0,25$ et $p(Z \in]8 ; 13]) = 0,3$.
1. Déterminer $p(|Z - 10| \leqslant 3)$.
2. En déduire $p(|Z - 10| > 3)$.

71 Soit A une variable aléatoire vérifiant $p(|A - 10| < 3) = 0,4$, $p(|A - 8| < 1) = 0,15$ et $p(A = 9) = 0$.
Déterminer $p(|A - 11| < 2)$.

Utiliser l'inégalité de Bienaymé-Tchebychev
Méthode 5 p. 411

72 Dans une population, la taille en cm d'une personne adulte prise au hasard est donnée par une variable aléatoire :
• F, d'espérance 165 et de variance 25 pour une femme ;
• H, d'espérance 180 et de variance 36 pour un homme.
1. a) Majorer la probabilité $p(|F - 165| \geqslant 8)$.
b) Majorer la probabilité que la taille d'une femme de cette population soit inférieure ou égale à 155 cm, ou supérieure ou égale à 175 cm.
2. Appliquer l'inégalité de Bienaymé-Tchebychev à l'événement $|H - 180| \geqslant 10$ et l'interpréter dans les termes de l'énoncé.

73 La consommation d'eau quotidienne en litres d'une ou un français pris au hasard dans la population est donnée par une variable aléatoire C d'espérance $E(C) = 150$ et de variance $V(C) = 900$.

1. a) Justifier que $p(|C - 150| \geqslant 60) \leqslant 0,25$.
b) Interpréter ce résultat dans les termes de l'énoncé.
2. Justifier que la probabilité que l'écart entre C et 150 soit strictement inférieur à 90 litres est supérieure à 0,85.

74 Le nombre de messages envoyés quotidiennement par Kian via son smartphone est donné par une variable aléatoire M d'espérance $E(M) = 50$ et d'écart-type $\sigma(M) = 10$.
1. Minorer la probabilité que l'écart entre M et $E(M)$ soit inférieur à deux écarts-type.
2. a) Majorer la probabilité que Kian envoie soit 10 messages ou moins, soit 90 messages ou plus, par jour.
b) Sachant que $p(M \leqslant 10) = 0,01$, majorer la probabilité qu'il envoie 90 messages ou plus par jour.

75 Lycia est en 1re année de classe préparatoire. Les étudiants de 2e année ont dit que le nombre de feuilles utilisées pour les cours de maths dans l'année suit une loi F d'espérance 1 250 et d'écart-type 80. À la rentrée, Lycia a acheté deux paquets de feuilles :
• un paquet de 1 000 feuilles qu'elle ouvrira en premier ;
• un deuxième paquet de 500 feuilles.
D'après l'inégalité de Bienaymé-Tchebychev, peut-elle être sûre « à au moins 90 % » d'utiliser au moins toutes les feuilles du plus gros paquet mais qu'elle n'ait pas besoin d'acheter un troisième paquet de feuilles pour cette année ?

76 Yolaine vient d'emménager dans son immeuble et a invité ses 45 voisins à un goûter. Elle a lu sur des forums qu'il y a une chance sur cinq qu'un ou une voisine se présente à ce genre d'événement. On suppose par ailleurs l'indépendance des venues des différents voisins.
1. Quelle loi suit la variable aléatoire X donnant le nombre de voisins qui se présenteront effectivement pour le goûter ?
2. Yolaine estime que la quantité de nourriture qu'elle a achetée pour le goûter conviendra si entre 7 et 11 voisins se présentent.
a) Écrire la phrase en remplaçant k par le plus grand entier possible : « la quantité de nourriture sera trop ou pas assez importante si $|X - 9| \geqslant k$. »
b) Appliquer l'inégalité de Bienaymé-Tchebychev à cet événement puis l'interpréter dans les termes de l'énoncé.
c) Calculer $p(\overline{7 \leqslant X \leqslant 11})$ avec la loi binomiale puis discuter la majoration obtenue à la question **2. b)**.

77 Une lanceuse de fléchettes met dans « le mille » 60 % du temps et on suppose que tous ses lancers sont indépendants.
1. Quelle loi suit la variable M donnant le nombre de lancers dans « le mille » sur 20 tentatives ?

Fallon Sherrock

2. a) Quand on lui demande combien elle pense mettre de lancers dans le mille, elle répond « moins de 15 mais plus de 9 ».
En utilisant l'inégalité de Bienaymé-Tchebychev donner une minoration de la probabilité qu'elle ait raison.
b) Calculer $p(9 < M < 15)$ en utilisant la loi binomiale puis discuter la minoration obtenue à la question **2. a)**.

78 Lorsqu'il va à la piscine, la distance parcourue à la nage par Mathieu (en mètres) est donnée par une variable aléatoire D d'espérance 1 000 et d'écart-type 100.
1. Justifier le fait que l'inégalité de Bienaymé-Tchebychev ne donne aucune information sur la probabilité que Mathieu parcoure 900 m ou moins, ou 1 100 m ou plus.
2. Ben a parié avec Nat que Mathieu parcourrait entre 750 et 1 250 m exclu lors de sa prochaine séance de piscine. A-t-il pris un très gros risque ?

Somme de variables aléatoires et inégalité de Bienaymé-Tchebychev

79 À la fête foraine, toutes les attractions se payent en jetons et certains stands de jeux permettent de gagner des jetons.

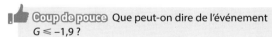

On considère deux stands :
• le premier propose un jeu dont le gain en jetons est positif et est donné par une variable aléatoire G_1 d'espérance 0,3 et de variance 0,41 ;
• le deuxième propose un jeu dont le gain en jetons est positif et est donné par une variable aléatoire G_2 d'espérance 0,25 et de variance 0,587 5.
On joue successivement à ces deux jeux que l'on suppose indépendants et on note G le nombre de jetons obtenus au total.
1. Donner l'espérance et la variance de G.
2. a) Majorer $p(|G - 0,55| \geqslant 2,45)$.
b) Interpréter concrètement cette majoration.

👍 **Coup de pouce** Que peut-on dire de l'événement $G \leqslant -1,9$?

80 Isshane participe à une course de régularité pour les sélections dans un club de handball : il doit faire deux fois le tour du lac et on estime qu'il est au niveau s'il met entre 4 min 30 et 5 min 30 (exclu) pour boucler les deux tours.
On appelle T_1 et T_2 les temps, en secondes, réalisés au premier et second tour du lac et on suppose que ces variables aléatoires sont indépendantes.
D'après les statistiques relevées après plusieurs mois d'entraînement, on considère que ces deux variables aléatoires ont 150 pour espérance et 8 pour écart-type.
1. Donner l'espérance et la variance de $T = T_1 + T_2$.
2. a) Quelle inégalité doit vérifier $|T - 300|$ pour que l'objectif fixé soit réalisé ?
b) D'après l'inégalité de Bienaymé-Tchebychev, que peut-on dire de la probabilité qu'Isshane réalise l'objectif fixé ?

81 On considère une usine fabriquant des montres à aiguilles, sans trotteuse. Les deux aiguilles sont fabriquées indépendamment. La variable aléatoire donnant la masse de l'aiguille en grammes est :
• H pour les heures, et a pour espérance 3 et pour écart-type 0,15 ;
• M pour les minutes, et a pour espérance 2 et pour écart-type 0,1.
1. Donner l'espérance et la variance de la variable aléatoire A donnant la masse totale des deux aiguilles.
2. Pour que la montre soit bien équilibrée, la masse des deux aiguilles doit être comprise entre 4,4 g et 5,6 g (exclus). Que peut-on dire de la probabilité que ce soit le cas ?

Utiliser l'inégalité de concentration

 Méthode 6 p. 413

82 Un objet a été fabriqué dans une usine de précision de sorte qu'il mesure très exactement 9,5 cm.
Lorsqu'une personne mesure cet objet, on considère que la variable aléatoire X donnant le résultat de la mesure en cm a pour espérance $E(X) = 9,5$ et pour variance $V(X) = 0,04$.
On fait mesurer indépendamment cet objet à 35 élèves d'une même classe.
1. Majorer la probabilité que la moyenne M des mesures effectuées diffère de 9,5 de 0,5 cm ou plus.

 Coup de pouce On introduira les variables aléatoires $X_1, ..., X_{35}$ donnant les résultats des 35 mesures et M leur variable aléatoire moyenne.

2. a) Minorer $p(|M - 9,5| < 0,2)$.
b) Interpréter concrètement cette minoration.

83 En se basant sur les statistiques des dernières années, on considère que la loi de la variable aléatoire B donnant le nombre de buts marqués par le joueur de football Lionel Messi lors d'un match est donnée ci-dessous.

b_i	0	1	2	3	4
$p(B = b_i)$	0,41	0,35	0,17	0,06	0,01

1. Calculer l'espérance et la variance de B.
2. Sur une saison de 50 matchs, on considère B_i le nombre de buts marqués lors du i-ème match (on suppose que tous les B_i sont indépendants) et $M = \dfrac{B_1 + ... + B_{50}}{50}$.

a) Majorer $p(|M - 0,91| \geqslant 1,09)$.
b) Interpréter ce résultat dans les termes de l'énoncé.

84 Nicolette est factrice et distribue le courrier de 2 500 logements. Elle a constaté que le nombre de logements ayant du courrier lors d'une tournée suit la loi binomiale de paramètres $n = 2\,500$ et $p = 0,6$.
Pour les besoins d'une enquête, Nicolette relève pendant 200 tournées supposées indépendantes le nombre de logements pour lesquels elle dépose du courrier.
1. Soit X_i le nombre de logements ayant du courrier lors de la tournée n° i. Calculer $E(X_i)$ et $V(X_i)$ pour tout i entre 1 et 200.
2. a) Soit $M = \dfrac{X_1 + ... + X_{200}}{200}$. Majorer la probabilité que M ne soit pas dans $]1\,400 ; 1\,600[$.
b) Interpréter concrètement cette majoration.

85 Lorsqu'il tire en match (hors lancers francs), le nombre de points marqués par le basketteur Kawhi Leonard est donné par une variable aléatoire X dont la loi est donnée ci-contre.

x_i	0	2	3
$p(X = x_i)$	0,508	0,388	0,104

1. Calculer l'espérance et la variance de X.
2. a) Sur 1 700 tirs effectués, majorer la probabilité que la moyenne des points marqués par tir soit dans $[0 ; 1] \cup [1,176 ; 3]$.
b) Interpréter cette probabilité en termes de nombre total de points marqués sur 1 700 tirs effectués.

86 On considère un jeu dont le gain algébrique en euros est donné par une variable aléatoire G de loi suivante.

g_i	– 2	– 1	5
$p(G = g_i)$	0,8	0,15	0,05

1. Calculer l'espérance et la variance de G.
2. On considère les 1 000 premières personnes ayant joué à ce jeu durant une semaine. Minorer la probabilité que le gain algébrique moyen sur ces 1 000 personnes soit dans $]-1,7 ; -1,3[$.
3. L'organisateur de ce jeu affirme que, pour 1 000 parties jouées, il est sûr au seuil de 90 % de gagner entre 1 300 et 1 700 € (exclus). Que peut-on en penser ?

87 Par hypothèse, lors d'une naissance la probabilité que l'enfant soit une fille ou un garçon est la même. On considère 2 180 000 naissances supposées indépendantes et on note E_i la variable aléatoire égale à 1 si le i-ème enfant est une fille et 0 sinon.
1. Déterminer $E(E_i)$ et $V(E_i)$.
2. Que représente concrètement la variable aléatoire $M = \dfrac{E_1 + E_2 + ... + E_{2180000}}{2180000}$?
3. Déterminer une minoration de la probabilité de l'événement $M \in]0,49 ; 0,51[$.
4. En France, de 2016 à 2018, il y a eu 2,18 millions de naissances et la proportion de filles dans ces naissances est inférieure à 0,49 (Source : INSEE). Commenter ce résultat à partir de la réponse à la question **3.** et de l'hypothèse d'équiprobabilité de l'énoncé.

88 Dans un avion, chaque personne est autorisée à mettre en soute un bagage de 23 kg ou moins, sans pénalité.

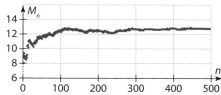

Une compagnie aérienne a compilé la masse de tous les bagages enregistrés sur une année et a constaté que la masse d'un bagage est donnée en kg par une variable aléatoire B d'espérance $E(B) = 22$ et d'écart-type $\sigma(B) = 0,4$.

1. Sur un avion de 500 passagers supposés indépendants, on appelle B_i la masse de bagage du passager n° i et M la variable aléatoire donnant la moyenne des masses des bagages des 500 passagers.

a) Exprimer M en fonction des B_i.

b) Minorer la probabilité que $M \in \,]21,5\,;\,22,5[$

2. Si la masse totale de bagages est inférieure ou égale à 10,5 tonnes alors l'avion embarque des bagages d'un autre vol et si la masse totale de bagages est supérieure ou égale à 11,5 tonnes alors une partie des bagages de l'avion est envoyée sur un autre vol.

Majorer la probabilité que cet avion contienne des bagages d'un autre vol ou ne contienne pas les bagages de tous ses passagers.

Utiliser la loi des grands nombres

 p. 413

89 On considère un jeu dont le gain algébrique en euros est donné par une variable aléatoire G de loi suivante.

g_i	– 2	– 1	0	10
$p(G = g_i)$	0,33	0,44	0,22	0,01

De quelle valeur va se rapprocher la moyenne des gains d'un nombre important de joueurs jouant de manière indépendante ?

90 Au guichet d'une administration, on doit remplir un questionnaire sur lequel figure le nombre d'enfants de moins de 18 ans dans le foyer.

On appelle $X_1, \ldots, X_{1000}$ les variables aléatoires donnant les réponses des 1 000 premiers usagers et on suppose que ces variables aléatoires sont indépendantes et de même loi.

En utilisant le graphique donnant l'évolution de la moyenne d'enfants de moins de 18 ans par usager, estimer $E(X_i)$.

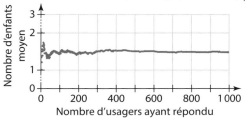

91 On considère un échantillon de variables aléatoires X_i et $M_n = \dfrac{X_1 + X_2 + \ldots + X_n}{n}$ la moyenne des n premières variables aléatoires dont l'évolution est donnée par le graphique.

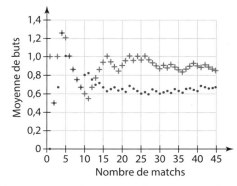

Parmi les deux lois suivantes, laquelle est celle des variables aléatoires X_i ?

a_i	8	12	24
$p(A = a_i)$	0,5	0,25	0,25

b_i	5	7,5	15
$p(B = b_i)$	0,1	0,7	0,2

92 En se basant sur les statistiques des dernières années, on considère que la loi de la variable aléatoire B donnant le nombre de buts marqués par la joueuse de football Megan Rapinoe lors d'un match suit une loi d'espérance 0,64 et d'écart-type 0,84.

On donne ci-dessous deux nuages de points dont l'un est une simulation de l'évolution de la moyenne de buts marqués par match par Megan Rapinoe lors d'une saison de 45 matchs à partir de la loi de B.

Est-ce le nuage en croix rouges ou le nuage en points bleus ?

93 On considère une variable aléatoire X simulée par une fonction **va_X** sans paramètre. **Algo**

1. Que renvoie la fonction **Python** 🐍 **ech** ci-dessous ?

```
def ech(n) :
    return [va_X() for i in range(n)]
```

2. Les instructions **sum(ech(1000))/1000** et **sum(ech(10000))/10000** renvoient respectivement 2,11 et 2,093.

Que peut-on conjecturer pour la variable aléatoire X ?

Problèmes et variables aléatoires

94 Lors d'un test de culture générale, un QCM propose 25 questions indépendantes et Tess y répond au hasard. Chaque question présente 5 réponses dont une seule est correcte.

Une bonne réponse rapporte 2 points et une mauvaise en fait perdre 0,5.

Soit X la variable aléatoire donnant le nombre de bonnes réponses et Y celle donnant le nombre de mauvaises réponses.

1. Quelle est la loi suivie par X ? Justifier.

2. a) Exprimer Y en fonction de X.

b) Calculer $E(Y)$.

3. Soit Z la variable aléatoire donnant le nombre de points à la fin du QCM.

a) Exprimer Z en fonction de X et Y.

b) Quelle est la moyenne de points obtenus que pourrait espérer Tess si elle répétait un grand nombre de tels QCM ?

95 Les parents de Lubin lui ont donné 200 euros d'argent de poche pour l'année.

De plus, tous les mois, son père lance une pièce et s'il fait PILE, il lui donne 10 euros en plus.

Sinon il ne lui donne rien de plus.

1. Quel montant annuel maximal peut-il obtenir ?

2. X est la variable aléatoire donnant le nombre de PILE que son père obtient sur l'année et Y celle donnant la somme d'argent de poche de Lubin sur l'année.

a) Sans justifier, préciser la loi suivie par X.

b) Exprimer Y en fonction de X.

c) En déduire $E(Y)$.

3. Calculer la probabilité que Lubin ait touché au moins 250 euros l'an dernier.

96 Un jeu en ligne a été programmé   **Algo**
avec **Python** 🐍.

Pour une mise de 5 euros, on peut gagner :

• 60 euros (sans prendre en compte la mise) avec une probabilité égale à 0,028 ;

• 10 euros avec une probabilité égale à 0,142 ;

• 6 euros avec une probabilité égale à 0,2 ;

• dans les autres cas, on perd.

X est la variable aléatoire donnant le gain algébrique à ce jeu.

1. Écrire une fonction `jeu()` en **Python** simulant X.

2. Lorsque Thomas joue, il fait 5 parties.

Quelle commande peut-on écrire avec **Python** pour qu'il fournisse directement une liste de 5 gains ?

3. On note $(X_1 ; X_2 ; ... ; X_5)$ un échantillon de taille 5 de la loi suivie par X et $S = X_1 + X_2 + ... + X_5$.

a) Calculer $E(S)$.

b) En donner une interprétation.

c) Calculer une valeur approchée $\sigma(S)$ à 0,01 près.

97 X est une variable aléatoire dont la loi de probabilité est donnée par le tableau suivant.

x_i	-2	1	5
$p(X = x_i)$	$\dfrac{1}{4}$	$\dfrac{13}{20}$	$\dfrac{1}{10}$

On considère un échantillon $(X_1 ; X_2 ; ... ; X_n)$ de taille n de la loi suivie par X ainsi que la variable aléatoire moyenne $M_n = \dfrac{X_1 + X_2 + ... + X_n}{n}$.

1. Calculer $E(M_n)$ et $V(M_n)$ en fonction de n.

2. Déterminer la valeur de n à partir de laquelle la variance de M_n devient inférieure à 0,05.

98 Une urne contient 15 boules : 5 boules sont rouges, 7 boules sont bleues, les autres sont blanches.

On tire au hasard une boule : si elle est bleue on gagne 2 euros, si elle est rouge on gagne 3 euros, sinon on ne gagne rien.

On la remet dans l'urne puis on en tire une deuxième : si elle est blanche on perd 2 euros, si elle est rouge on perd 5 euros, sinon on ne perd rien.

On la remet dans l'urne et on enlève 5 boules bleues de l'urne. Puis on tire au hasard une troisième boule : si elle est bleue on gagne 10 euros, sinon on ne gagne rien.

Z est la variable aléatoire donnant le gain algébrique final à ce jeu.

1. Proposer une décomposition de Z en somme de variables aléatoires dont on précisera les lois.

2. Calculer $E(Z)$ et interpréter ce résultat.

3. On crée un échantillon $(Z_1 ; Z_2 ; ... ; Z_n)$ de taille n de la variable Z et on considère la variable aléatoire $S_n = Z_1 + Z_2 + ... + Z_n$.

a) Que représente concrètement S_n ?

b) Exprimer $E(S_n)$ en fonction de n.

c) Combien de fois faut-il jouer à ce jeu pour espérer remporter plus de 100 euros ?

99 X est une variable aléatoire sur un univers   **Démo**
fini dont la loi de probabilité est donnée dans le tableau ci-dessous.

x_i	x_1	x_2	...	x_n
$p(X = x_i)$	p_1	p_2	...	p_n

On se propose de démontrer que si a est un nombre réel, alors $E(aX) = aE(X)$ et $V(aX) = a^2 V(X)$.

On pose $Z = aX$.

1. Donner, dans un tableau, la loi de Z.

2. Calculer $E(Z)$ puis démontrer que $E(aX) = aE(X)$.

3. Sachant que la formule de la variance est donnée par $V(X) = p_1 (x_1 - E(X))^2 + p_2 (x_2 - E(X))^2 + ... + p_n (x_n - E(X))^2$, démontrer que $V(Z) = a^2 V(X)$.

100 Écrire un programme **Python** 🐍 qui : Algo ✍

• demande l'espérance et l'écart-type d'une variable aléatoire X ainsi qu'un nombre entier naturel n supérieur ou égal à 1,

• affiche l'espérance et l'écart-type de la variable aléatoire moyenne M_n d'un échantillon de taille n de la loi suivie par X.

101 X est une variable aléatoire d'espérance $\mu = 1236$ et d'écart-type $\sigma = 21{,}25$.

$(X_1 ; X_2 ; ... ; X_n)$ est un échantillon de taille n de la loi suivie par X.

Comment faut-il choisir n pour que l'écart-type de la variable aléatoire moyenne $M_n = \dfrac{X_1 + X_2 + ... + X_n}{n}$ soit inférieur ou égal à 1 ?

102 Les gains de deux jeux sont modélisés par des variables aléatoires indépendantes X et Y dont les lois sont données par les tableaux suivants, où m et t sont des réels.

x_i	0	1	m
$p(X = x_i)$	$\dfrac{1}{2}$	$\dfrac{1}{4}$	$\dfrac{1}{4}$

y_i	-3	2	t
$p(Y = y_i)$	$\dfrac{3}{5}$	$\dfrac{3}{10}$	$\dfrac{1}{10}$

On joue consécutivement aux deux jeux.

1. On pose $m = 2$ et $t = 3$.

a) Calculer $E(X + Y)$ et $\sigma(X + Y)$ à 0,01 près.

b) Est-il avantageux de jouer dans ces conditions ?

2. a) À quelle condition sur m et t est-il avantageux de jouer ?

b) Proposer quatre couples de nombres $(m ; t)$ avec m et t positifs pour lesquels il n'est pas avantageux de jouer.

103 La numération binaire ne comporte NSI que deux chiffres : 0 ou 1 (que l'on appelle bit). C'est la numération utilisée en informatique où un octet est un nombre formé de 8 bits : par exemple 10001011 est un octet.

Lors de la transmission de données, des erreurs peuvent se produire et on suppose dans l'exercice que la probabilité d'un changement de 0 en 1 ou de 1 en 0 est égale à 0,002. X est la variable aléatoire donnant le nombre d'erreurs lors de la transmission d'un octet.

On suppose que les transmissions de chaque bit dans un octet sont indépendantes.

1. a) Quelle est la loi suivie par X ?

b) En déduire $E(X)$ et $\sigma(X)$.

2. On considère $(X_1 ; X_2 ; ... ; X_{1\,000\,000})$ un échantillon de taille 1 000 000 de la variable aléatoire X.

On pose $S = X_1 + X_2 + ... + X_{1\,000\,000}$ et $M = \dfrac{S}{1\,000\,000}$ la variable aléatoire moyenne associée.

a) Interpréter S dans le contexte de l'exercice.

b) Calculer le nombre de bits incorrects que l'on peut espérer lors d'une transmission de 1Mo.

c) Calculer $E(M)$ et $\sigma(M)$.

Utiliser un échantillon dans le cadre d'un prélèvement
Méthode **8** p. 414

104 Dans une entreprise comportant 1 500 salariés, on prélève un échantillon de 10 personnes.

Le salaire moyen mensuel dans l'entreprise est de 1 870 euros et l'écart-type est de 223 euros.

On note S la somme des salaires de ces 10 personnes.

1. Expliquer pourquoi ce prélèvement peut être assimilé à un tirage avec remise de 10 personnes dans l'entreprise ?

2. Dans ces conditions, déterminer $E(S)$ et $\sigma(S)$.

105 En France en 2018, 66 % des personnes de plus de 15 ans ont pratiqué une activité sportive dans l'année. (Source : injep.fr)

On interroge 200 personnes en France. On note X_i la variable aléatoire donnant 1 si la i-ème personne répond qu'elle a fait du sport dans l'année et 0 sinon. Au vu de la taille de la population française, on peut considérer que la liste $(X_1 ; X_2 ; ... ; X_{200})$ est assimilable à un échantillon de variables aléatoires.

1. Quelle est la loi suivie par $S = X_1 + X_2 + ... + X_{200}$?

2. Déterminer $E(S)$ et $\sigma(S)$.

3. Donner un intervalle de fluctuation centré au seuil de 95 % du nombre de personnes pratiquant une activité physique dans cet échantillon.

106 Une loterie comporte un très grand nombre de billets valant chacun 1 euro. Sans prendre en compte la mise, 0,1 % des billets permettent de gagner 100 euros, 1 % permettent de gagner 50 euros, 2 % permettent de gagner 10 euros et les autres sont perdants.

Manon, qui est la première à choisir ses billets, en prend 3 au hasard.

X est la variable aléatoire donnant le gain algébrique d'un ticket.

S est la variable aléatoire donnant le gain algébrique de Manon.

1. Donner un argument permettant de considérer que les 3 billets de Manon sont le résultat d'un tirage avec remise.

2. Sous cette condition, donner la loi de X et calculer $E(X)$ et $\sigma(X)$.

3. En déduire le gain que pourrait espérer en moyenne Manon en tirant 3 billets et l'écart-type de S.

Exercices d'entraînement

Inégalités de Bienaymé-Tchebychev

107 Sur l'emballage d'une lampe de type LED, on peut lire que sa durée de vie moyenne est de 30 000 heures.
Par ailleurs, les études ont montré que la variance de la variable aléatoire D donnant sa durée de vie est 4 000 000.
1. Majorer $p(|D - 30\,000| \geqslant 5\,000)$.
2. On admet que pour tout réel $t < 30\,000$, on a $p(D \leqslant 30\,000 - t) = p(D \geqslant 30\,000 + t)$.

a) Montrer l'égalité $p(D \geqslant 35\,000) = \dfrac{p(|D - 30\,000| \geqslant 5\,000)}{2}$.

b) Peut-on dire qu'il y a au moins 10 % de chance que cette ampoule dure 35 000 heures ou plus ?

108 La probabilité qu'un atome
se désintègre pendant sa période de demi-vie est 0,5.
On considère 4×10^{24} atomes du même isotope et on appelle X le nombre de ces atomes qui sont désintégrés après une période de demi-vie.
1. a) Quelle loi suit la variable aléatoire X ? On supposera que les désintégrations d'atomes sont indépendantes les unes des autres.
b) Déterminer l'espérance, la variance et l'écart-type de X.
2. On s'intéresse à la probabilité que le nombre d'atomes désintégrés soit égal à 2×10^{24} à $\pm 10^{13}$ atomes près.
a) Essayer de déterminer la probabilité $p(2 \times 10^{24} - 10^{13} \leqslant X \leqslant 2 \times 10^{24} + 10^{13})$ à l'aide de la calculatrice en utilisant la loi binomiale. Que remarque-t-on ?
b) Minorer $p(|X - 2 \times 10^{24}| < 10^{13} + 1)$.
c) Conclure.

Inégalités de Bienaymé-Tchebychev et de concentration « sans symétrie »

109 Soit X une variable aléatoire suivant une loi d'espérance $E(X) = 8$ et de variance $V(X) = 1$.
1. a) Expliquer pourquoi l'inégalité de Bienaymé-Tchebychev ne permet pas de majorer directement $p(X \in]-\infty\,; 6] \cup [12\,; +\infty[)$.
b) Montrer que $p(X \in]-\infty\,; 6] \cup [12\,; +\infty[) \leqslant p(|X - 8| \geqslant 2)$.
c) En déduire une majoration de $p(X \in]-\infty\,; 6] \cup [12\,; +\infty[)$.
2. a) Expliquer pourquoi l'inégalité de Bienaymé-Tchebychev ne permet pas de minorer directement $p(X \in]5\,; 13[)$.
b) Montrer que $p(X \in]5\,; 13[) \geqslant p(|X - 8| < 3)$.
c) En déduire une minoration de $p(X \in]5\,; 13[)$.

110 Lorsque la batterie d'un certain modèle de téléphone est entièrement chargée, son autonomie est donnée en heures par une variable aléatoire A d'espérance $E(A) = 11,2$ et de variance $V(A) = 4$.
Déterminer une minoration de la probabilité que le smartphone puisse être utilisé plus de 7 heures après une charge.

111 Bogdan boit généralement 10 verres d'eau par jour. Compte tenu de la capacité du verre, on considère que la quantité bue au i-ème verre en ml est donnée par une variable aléatoire X_i d'espérance $E(X_i) = 95$ et d'écart-type $\sigma(X_i) = 5$ et on admet que ces variables aléatoires sont indépendantes.

1. On appelle $S = X_1 + X_2 + \ldots + X_{10}$ et $M = \dfrac{S}{10}$.

Justifier $p(S \geqslant 1000) \leqslant p(|M - 95| \geqslant 5)$.
2. En déduire une majoration de la probabilité que Bogdan boive au moins un litre d'eau par jour à l'aide de l'inégalité de concentration.

112 Un groupe musical va sortir un nouvel album en trois formats :
• téléchargement à 10 € ;
• CD à 15 € ;
• vinyl à 25 €.
Lors d'un achat, les probabilités d'achat des différents formats sont consignées dans le tableau ci-dessous, d'après une étude marketing.

Format	Téléchargement	CD	Vinyl
Probabilité	0,78	0,19	0,03

1. On appelle X la variable aléatoire donnant le prix payé par un acheteur. Calculer $E(X)$ et $V(X)$.
2. Majorer la probabilité que la moyenne des 2 000 premières ventes soit inférieure à 11 €.

Déterminer la taille d'un échantillon
Méthode 9 p. 415

113 Amir distribue tous les jours des prospectus à la sortie du métro.
Les variables aléatoires X_i donnant le nombre de prospectus distribués le i-ème jour sont indépendantes et de même loi d'espérance 250 et de variance 100.
Au bout de combien de jours peut-il être sûr au risque de 5 % d'avoir distribué en moyenne entre 245 et 255 prospectus (exclus) par jour ?

114 Au casino, quand quelqu'un parie un euro sur ROUGE ou NOIR, la variable aléatoire donnant son gain algébrique présente la loi suivante.

g_i	-1	1
$p(G = g_i)$	$\dfrac{19}{37}$	$\dfrac{18}{37}$

1. Déterminer $E(G)$ et $V(G)$.
2. On admet que les joueurs ne peuvent miser qu'un euro. Au bout de combien de joueurs ayant misé, le casino peut-il être sûr au seuil de 95 % que le gain moyen par joueur est dans $\left]E(G) - \dfrac{1}{37}\,; E(G) + \dfrac{1}{37}\right[$?

115 Pour se rendre au travail, Audrey prend le métro. La variable aléatoire T donnant son temps de trajet en minutes a pour espérance $E(T) = 6$ et pour écart-type $\sigma(T) = 0,25$. Au bout de combien de trajets  de métro peut-elle être sûre au risque d'erreur de 2 % d'avoir mis en moyenne entre 5 minutes 45 et 6 minutes 15 pour se rendre au travail ?

116 Compte tenu de l'âge, de la corpulence et de l'activité physique d'Adem, son médecin lui a dit qu'il avait besoin de 2 900 à 3 100 calories par jour en moyenne.
L'apport calorique journalier d'Adem suit une loi d'espérance 3 000 et d'écart-type 50, au bout de combien de jours peut-il être sûr, au seuil de 99 %, de respecter les préconisations de son médecin ?

117 On lance une pièce truquée de sorte que la probabilité d'obtenir PILE est 0,6.
1. On lance n fois cette pièce et on appelle X_i la variable aléatoire donnant le nombre de PILE obtenus au i-ème lancer.
a) Justifier que X_i suit une loi de Bernoulli.
b) Déterminer $E(X_i)$ et $V(X_i)$.
2. On cherche à déterminer un nombre de lancers à partir duquel on est sûr au seuil de 95 % qu'il y a plus de PILE que de FACE.
a) On appelle M_n la variable aléatoire donnant la moyenne des n premiers X_i. Quel est le plus grand intervalle I de la forme $]0,6 - \delta\,;\,0,6 + \delta[$ tel que $M_n \in I$ implique qu'il y ait eu plus de PILE que de FACE ?
b) À l'aide de l'inégalité de concentration, déterminer à partir de combien de lancers on peut être sûr au seuil de 95 % que $M_n \in I$. On appellera n_0 ce nombre de lancers.
c) En utilisant la loi binomiale, calculer la probabilité qu'il y ait plus de PILE que de FACE quand on lance n_0 fois cette pièce. Commenter.

Déterminer δ ou V

118 On considère une variable aléatoire X d'espérance 10 et de variance 4.
1. Trouver $\delta > 0$ tel que $\dfrac{V(X)}{\delta^2} \leqslant 0,02$.

2. En déduire sans calcul que pour ces valeurs de δ, on a $p(|X - 10| \geqslant \delta) \leqslant 0,02$.

119 On considère une variable aléatoire Y. Déterminer les valeurs de δ en fonction de $V(Y)$ assurant que :
a) $p(|Y - E(Y)| \geqslant \delta) \leqslant 0,01$.
b) $p\left(|Y - E(Y)| < \delta\right) > \dfrac{8}{9}$.

120 Un joueur de rugby s'entraîne à tirer des pénalités. On considère que la variable aléatoire X donnant le nombre de pénalités réussies sur les 100 tentées suit une loi d'espérance 70 et de variance inconnue.
Sachant que la probabilité qu'il réussisse entre 0 et 60 ou entre 80 et 100 pénalités est supérieure à 0,1, déterminer une minoration de $V(X)$.

121 Le nombre de jours ensoleillés par an dans une destination touristique est donné par une variable aléatoire S d'espérance $E(S) = 300$ et d'écart-type $\sigma(S) = 10$.
Une agence de voyage crée une publicité promettant plus de a jours de soleil cette année au risque d'erreur de 1 %.
1. Trouver un nombre δ assurant que $p(|S - 300| < \delta) \geqslant 0,99$.
2. En déduire un nombre a qui convient pour la publicité.

Travailler le Grand Oral

122 **1.** L'inégalité **Histoire des sciences** de Bienaymé-Tchebychev porte le nom de deux mathématiciens : Irénée-Jules Bienaymé et Pafnouti Tchebychev. Quelle est la contribution de chacun de ces deux mathématiciens à cette inégalité ?
2. Beaucoup de propriétés ou théorèmes ont été conjecturés et démontrés par des personnes différentes, parfois avec un grand intervalle de temps entre les deux.
En trouver quelques exemples célèbres et les présenter lors d'un exposé de quelques minutes.

123 Le 4 novembre 2019, le site arretsurimages.net titre un de ces articles « Présidentielles : de l'absurdité du sondage précoce ».
1. En étudiant les sondages publiés plusieurs mois (voire années) avant une élection présidentielle ayant eu lieu (par exemple celle de 2017), discuter du titre de cet article.
2. Quelles autres raisons que le temps avant l'élection peuvent influencer le résultat d'un sondage ?
3. Organiser les réponses aux deux questions précédentes afin d'en faire un exposé de quelques minutes durant lequel vous projetterez au moins un graphique que vous commenterez.

124 Somme de variables aléatoires

Quand il lance une impression d'une page, l'imprimante de Bob prend une, deux ou trois feuilles de manière aléatoire avec pour probabilités respectives 0,90 ; 0,08 et 0,02.
Bob lance 10 impressions d'une page sur l'imprimante.
X est la variable aléatoire donnant le nombre de feuilles prises par l'imprimante lors d'une impression et S la variable aléatoire donnant le nombre total de feuilles prises par l'imprimante pour les 10 impressions indépendantes.
1. Donner la loi de X et proposer une décomposition de S sous la forme d'une somme de variables aléatoires indépendantes suivant toutes une même loi.
2. Déterminer le nombre moyen de feuilles que l'imprimante prend lorsque Bob lance 10 impressions.
3. Calculer $\sigma(S)$ à 0,01 près.

125 Inégalité de Bienaymé-Tchebychev (1)

Une entreprise vend des packs d'eau de 6 bouteilles. La loi de la variable aléatoire X donnant le volume d'eau en mL d'une bouteille a une espérance de 1 000 et une variance de 15. Les volumes d'eau de chaque bouteille sont supposés indépendants. Z est la variable aléatoire donnant le volume d'eau en mL dans un pack de 6 bouteilles.
1. Déterminer $E(Z)$ et $V(Z)$.
2. En utilisant l'inégalité de Bienaymé-Tchebychev, donner une minoration de la probabilité que le pack d'eau contienne entre 5,950 L et 6,050 L (exclus).
3. On suppose que la probabilité qu'un pack d'eau contienne entre 5,950 L et 6,050 L est égale à 0,98.
On prélève 200 packs d'eau sur l'ensemble de la production.
On assimile ce prélèvement à un tirage avec remise.
N est la variable aléatoire donnant le nombre de packs qui contiennent entre 5,950 L et 6,050 L dans le prélèvement.
a) Donner la loi suivie par N. Justifier.
b) Calculer $p(N \geq 194)$ au millième près.
c) Calculer $E(N)$ et interpréter ce résultat.

126 Inégalité de Bienaymé-Tchebychev (2)

Albane et Thomas vont participer à un quiz télévisé de 100 questions portant sur l'économie et la géographie.
Albane répondra aux 50 questions d'économie et Thomas aux 50 questions de géographie. Après plusieurs semaines d'entraînement, on constate que le score obtenu aux questions est donné par une variable aléatoire :
• A, d'espérance 44 et d'écart-type 3 pour celles d'économie ;
• T, d'espérance 42 et d'écart-type 4 pour celles de géographie.
1. D'Albane ou de Thomas, qui fait preuve du plus de régularité ? Justifier.
2. a) Donner un argument permettant de penser que les variables aléatoires A et T sont indépendantes.
b) Donner l'espérance et l'écart-type de la variable aléatoire $S = A + T$.
3. a) Minorer $p(|S - 86| < 15)$.
b) Pour gagner un lot, il faut répondre correctement à au moins 72 questions. Que peut-on penser de la probabilité qu'Albane et Thomas gagnent un lot ?

127 Inégalité de concentration, loi des grands nombres et simulation

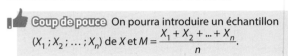

1. a) Donner $E(X)$ et $V(X)$ pour la variable aléatoire X donnant le résultat du lancer d'un dé équilibré à 4 faces numérotées de 1 à 4.
b) En utilisant l'inégalité de concentration, déterminer combien de lancers d'un dé équilibré à 4 faces on peut faire pour s'assurer au seuil de 95 % que la moyenne des résultats des lancers est dans l'intervalle]2,45 ; 2,55[.

> **Coup de pouce** On pourra introduire un échantillon
> $(X_1 ; X_2 ; \dots ; X_n)$ de X et $M = \dfrac{X_1 + X_2 + \dots + X_n}{n}$.

2. En « fouillant » dans le code d'un jeu en ligne devant simuler le lancer d'un dé à 4 faces, Ed a constaté que cette simulation était effectuée par la fonction **Python** 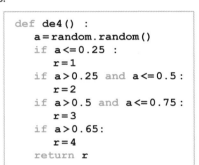 **de4** ci-dessous.

```python
def de4() :
    a = random.random()
    if a <= 0.25 :
        r = 1
    if a > 0.25 and a <= 0.5 :
        r = 2
    if a > 0.5 and a <= 0.75 :
        r = 3
    if a > 0.65 :
        r = 4
    return r
```

a) Expliquer pourquoi cette fonction ne simule pas correctement le lancer d'un dé équilibré à 4 faces numérotées de 1 à 4.
b) Donner la loi de la variable aléatoire Y donnant la valeur de retour de cette fonction.
c) Calculer $E(Y)$ et $V(Y)$.
3. On considère la liste **L** définie par :
`L = [de4() for i in range(n)]`.
Sous quelle condition peut-on considérer que cette liste **L** donne un échantillon de taille n de la variable aléatoire Y ? Dans la suite, on considère que cette condition est vérifiée.
4. On considère la variable **moyenne** définie par :
`moyenne = sum(L)/n`.

> **Coup de pouce** `sum(L)` donne la somme des éléments de la liste **L**.

a) De quelle valeur doit être proche **moyenne** si **n** est grand ?
b) Pour 10 000 lancers, est-il « relativement probable » que la valeur de la variable **moyenne** soit dans l'intervalle]2,55 ; 2,65[?
c) En déduire une méthode permettant de mettre en évidence le fait que la fonction ne fonctionne pas correctement sans visualiser son code.

Variables aléatoires

$X + Y$ et aX

Linéarité de l'espérance

$E(X + Y) = E(X) + E(Y)$

$E(aX) = aE(X)$

Loi binomiale

Une variable aléatoire suivant une loi binomiale peut être décomposée comme somme de variables aléatoires indépendantes suivant une même loi de Bernoulli.

Échantillon

- C'est la liste $(X_1 ; X_2 ; .. ; X_n)$ de variables aléatoires indépendantes et de même loi.
- $S_n = X_1 + X_2 + ... + X_n$ est la variable aléatoire somme.
- $M_n = \dfrac{S_n}{n}$ est la variable aléatoire moyenne.

Propriété de la variance

- Si X et Y sont indépendantes $V(X + Y) = V(X) + V(Y)$
- $V(aX) = a^2 V(X)$

Inégalité de Bienaymé-Tchebychev

Avec $E(X) = \mu$, $V(X) = V$ et $\sigma(X) = \sigma$, on a :

- $p(|X - \mu| \geqslant \delta) \leqslant \dfrac{V}{\delta^2}$ et $p(|X - \mu| < \delta) \geqslant 1 - \dfrac{V}{\delta^2}$
- $p(|X - \mu| \geqslant k\sigma) \leqslant \dfrac{1}{k^2}$ et $p(|X - \mu| < k\sigma) \geqslant 1 - \dfrac{1}{k^2}$

Caractéristiques d'un échantillon de X

$E(S_n) = nE(X)$ et $V(S_n) = nV(X)$

$E(M_n) = E(X)$ et $V(M_n) = \dfrac{V(X)}{n}$

Inégalité de concentration

Avec $E(X_i) = \mu$ et $V(X_i) = V$, on a :

- $p(|M_n - \mu| \geqslant \delta) \leqslant \dfrac{V}{n\delta^2}$
- $p(|M_n - \mu| < \delta) \geqslant 1 - \dfrac{V}{n\delta^2}$

Loi (faible) des grands nombres

La moyenne d'un échantillon d'une variable aléatoire se rapproche de son espérance quand n devient grand.

Je dois être capable de...

▶ Travailler avec $X+Y$ ou aX

▶ Travailler avec un échantillon

▶ Appliquer l'inégalité de Bienaymé-Tchebychev

▶ Utiliser l'inégalité de concentration

▶ Comprendre et visualiser la loi des grands nombres

Parcours d'exercices

→ 35, 38, 43, 44, 47, 94

→ 49, 53, 56, 58, 60, 104, 105

→ 72, 76, 79, 107, 112, 118

→ 82, 87, 111, 113, 114, 120

→ 89, 90, 92

EXOS
QCM interactifs
lienmini.fr/maths-s13-06

QCM Pour les exercices suivants, choisir la (les) bonne(s) réponse(s).

Pour les exercices 128 à 132, X est une variable aléatoire d'espérance 5,62 et d'écart-type 0,04 et Y est une variable aléatoire d'espérance – 1,59 et d'écart-type 0,12. X et Y sont indépendantes.

	A	B	C	D
128 $E(5X) =$	5,62	28,1	0,62	140,5
129 $E(X + Y) =$	0,16	4,03	5,62	– 1,59
130 $V(X + Y) =$	0,16	0,016	7,21	4,03
131 Si $X_1, X_2, \ldots X_{10}$ suivent la même loi que X alors $E\left(\dfrac{X_1 + X_2 + \ldots + X_{10}}{10}\right) =$	10	56,2	5,62	0,562
132 Pour quelle valeur de b a-t-on $E(X + bY) = 0$?	3,53	0	3	$\dfrac{562}{159}$
133 Si $X_1 ; X_2 ; \ldots ; X_{35}$ sont des variables aléatoires indépendantes suivant une loi $\mathscr{B}(0,02)$ alors $X_1 + X_2 + \ldots + X_{35}$ suit la loi :	$\mathscr{B}(0,7)$	$\mathscr{B}(35 ; 0,70)$	$\mathscr{B}(0,02)$	$\mathscr{B}(35 ; 0,02)$

Pour les exercices 134 à 136 X est une variable aléatoire d'espérance 10 et de variance 2. $(X_1 ; X_2 ; \ldots ; X_n)$ est un échantillon de taille n de la loi suivie par X et $M = \dfrac{X_1 + X_2 + \ldots + X_n}{n}$ la variable aléatoire moyenne de cet échantillon.

	A	B	C	D
134 $p(|X – 10| \geqslant 2)$ est majorée par :	0,5	0,6	0,2	0,8
135 $p(|M – 10| < 0,2)$ est nécessairement supérieure à 0,95 pour $n =$	10	150	1 200	1 500
136 Quand n tend vers $+\infty$, la moyenne de l'échantillon est proche de :	0	10	2	20

137 Problème ouvert

Au tir à l'arc, il y a deux cibles, l'une est située à 30 mètres et l'autre à 50 mètres.

Anna a une probabilité égale à 0,4 de toucher la première cible et 0,1 de toucher la deuxième.

Lorsqu'elle s'entraîne, elle tire 20 flèches pour la première cible et 10 pour la deuxième.

Les tirs sont supposés indépendants.

Toucher la première cible rapporte 5 points et toucher la deuxième cible rapporte 20 points.

Quel nombre de points peut-elle espérer obtenir en moyenne sur un grand nombre d'entraînement ?

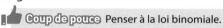 **Coup de pouce** Penser à la loi binomiale.

 **2** p. 407 et **3** p. 409

138 Avec un programme `Algo`

Le programme **Python** 🐍 suivant simule l'obtention du gain algébrique d'un jeu.

```python
import random
def partie() :
    c=random.random()
    if c<=0.78 :
        gain=-4
    if c>0.78 and c<=0.96 :
        gain=5
    if c>0.96 :
        gain=100
    return gain
l=[partie() for i in range(10)]
gainfinal=sum(l)
print(gainfinal)
```

La commande **sum** permet de faire la somme de tous les éléments d'une liste.

1. La fonction **partie()** permet d'obtenir un nombre aléatoire. Soit X la variable aléatoire donnant le résultat obtenu à la fin de son exécution.
Donner la loi de X.

2. Combien de fois est utilisée la fonction **partie()** pour obtenir par somme le gain final ?

3. Quelle est la probabilité que l'affichage du programme soit – 40 ?

4. On note S la variable aléatoire donnant le résultat final (affiché) de ce jeu.

a) Ecrire S sous la forme d'une somme de variable aléatoire suivant toutes la loi de X.

b) Quel gain moyen peut-on espérer à ce jeu lorsque l'on lance un grand nombre de fois ce programme ?

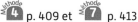 **4** p. 409 et **7** p. 413

139 Espérance et concentration

Le temps d'attente avant de recevoir sa commande dans un restaurant est donné (en secondes) par une variable aléatoire T d'espérance 600 et de variance 2 000.

1. Mia s'est rendue à ce restaurant une fois par semaine l'an dernier. Donner une minoration de la probabilité qu'elle ait attendu en moyenne entre 9 et 11 minutes (exclus) sur ses 52 visites (supposées indépendantes) ?

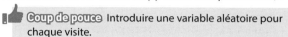 **Coup de pouce** Introduire une variable aléatoire pour chaque visite.

2. Le restaurant a embauché du personnel et chaque client attend maintenant une minute de moins qu'avant.

a) Déterminer l'espérance et la variance de la variable aléatoire T' donnant le nouveau temps d'attente.

b) Au bout de combien de clients supposés indépendants peut-on être sûr au seuil de 99 % que le temps d'attente moyen est compris entre 8 minutes 30 et 9 minutes 30 exclus ?

 **1** p. 407, **6** p. 413 et **8** p. 414

140 Inégalité de Bienaymé-Tchebychev

On considère un QCM de 50 questions et la variable aléatoire X donnant le nombre de réponses correctes à ce QCM pour quelqu'un répondant totalement au hasard.

1. Donner la loi de la variable aléatoire X sachant que, pour chaque question, il y a quatre propositions dont une seule est correcte.

 **Coup de pouce** Penser à une loi binomiale.

2. Une réponse correcte rapporte 2 points.

a) Exprimer la variable G donnant le nombre total de points gagnés en fonction de X.

b) Déterminer $E(G)$ et $V(G)$.

3. Une réponse incorrecte faisant perdre 0,5 point, on considère S la variable aléatoire donnant le score final quand on répond au hasard à ce QCM.

a) Justifier que $S = 2{,}5X – 25$.

b) En déduire $E(S)$ et $V(S)$.

c) Appliquer l'inégalité de Bienaymé-Tchebychev à $p(|S – 6{,}25| \geqslant 31{,}75)$.

d) Justifier que $|S – 6{,}25| \geqslant 31{,}75 \Leftrightarrow S \geqslant 38$ puis interpréter l'inégalité obtenue dans la question précédente dans les termes de l'énoncé.

e) Déterminer la probabilité que le score soit supérieur ou égal à 38 à l'aide de la loi binomiale.

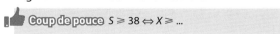 **Coup de pouce** $S \geqslant 38 \Leftrightarrow X \geqslant ...$

f) Commenter la majoration de $p(|S – 6{,}25| \geqslant 31{,}75)$ obtenue à la question **3. c)** à l'aide du résultat de la question **3. e)**.

1 p. 407 et **5** p. 411

Exercices vers le supérieur

Les exercices **141** à **146** se suivent et ont pour ambition d'amener à la démonstration de l'inégalité de Bienaymé-Tchebychev.

141 Variables aléatoires en tant que fonctions

1. On considère l'expérience aléatoire consistant à tirer une boule dans une urne qui contient 2 boules rouges, 3 boules vertes, 4 boules noires et 1 boule blanche, et à noter sa couleur.

a) Donner l'univers Ω associé à cette expérience aléatoire.

b) On considère le jeu consistant à tirer une boule dans cette urne et :

• on gagne 1 € si la boule est rouge ;
• on perd 2 € si la boule est blanche ;
• on ne gagne ou ne perd rien si la boule est d'une autre couleur.

On appelle G la fonction de Ω dans $\mathbb{R}$ qui, à un élément ω de Ω, associe le gain au jeu énoncé.

Donner $G(\omega)$ pour tout $\omega \in \Omega$.

c) Comment appelle-t-on les fonctions du type de G dans le cadre des probabilités ? Donner sa loi.

2. On considère l'expérience aléatoire consistant à tirer une carte dans un jeu de 32 cartes et à noter son rang.

Par exemple, si on tire le valet de carreau, on note **valet**.

Rappel : dans un jeu de 32 cartes, il n'y a pas les cartes 2-3-4-5 et 6.

a) Donner l'univers Ω' associée à cette expérience aléatoire.

b) On considère le jeu consistant à tirer une carte dans un jeu de 32 cartes et où un habillé (valet, dame ou roi) rapporte 10 points, un as 20 points et les autres cartes 0 point. Donner $V(\omega')$ pour tout $\omega' \in \Omega'$ où V est la variable aléatoire donnant la valeur de la carte obtenue.

142 Variables aléatoires, univers et espérance [MPSI]

Soit X une variable aléatoire définie sur un univers Ω fini et dont la loi est donnée dans le tableau ci-dessous.

x_i	x_1	...	x_n
$p(X = x_i)$	p_1		p_n

1. a) On considère A_i l'événement de Ω contenant tous les antécédents de x_i.

Que peut-on dire des événements A_i et $X = x_i$?

b) En déduire que $p_i = \sum\limits_{\omega \in A_i} p(\omega)$ où $\sum\limits_{\omega \in A_i} p(\omega)$ se lit « somme des p de ω pour tous les ω appartenant à A_i ».

2. Montrer que $E(X) = \sum\limits_{\omega \in \Omega} (p(\omega) \times X(\omega))$.

143 Linéarité de l'espérance [MPSI]

X et Y sont des variables aléatoires sur un univers Ω fini. On admettra le résultat démontré dans l'exercice précédent :

$$E(X) = \sum_{\omega \in \Omega} (p(\omega) \times X(\omega)).$$

1. Écrire une égalité similaire pour $E(Y)$.

2. Écrire une égalité similaire pour $E(X + Y)$.

3. En déduire que $E(X + Y) = E(X) + E(Y)$.

144 Variables comparables et espérance [MPSI]

Soit X et Y deux variables aléatoires définies sur un même univers Ω fini. On dit que $X \leqslant Y$ si, pour tout $\omega \in \Omega$, $X(\omega) \leqslant Y(\omega)$.

Montrer que si $X \leqslant Y$ alors $E(X) \leqslant E(Y)$.

145 Inégalité de Markov [MPSI]

Soit Ω un univers fini, X une variable aléatoire positive définie sur Ω (c'est-à-dire que $X(\omega) \geqslant 0$ pour tout $\omega \in \Omega$) et $\delta > 0$.

1. On considère Y la variable aléatoire définie par :

Andreï Markov

$$\begin{cases} Y(\omega) = \delta \text{ si } X(\omega) \geqslant \delta \\ Y(\omega) = 0 \text{ sinon} \end{cases}$$

Montrer que $E(X) \geqslant E(Y)$.

2. a) Donner la loi de probabilité de Y en fonction de $p(X \geqslant \delta)$.

b) En déduire $E(Y)$.

3. En déduire l'inégalité de Markov selon laquelle $p(X \geqslant \delta) \leqslant \dfrac{E(X)}{\delta}$.

146 Inégalité de Bienaymé-Tchebychev [MPSI]

Soit Ω un univers fini, X une variable aléatoire définie sur Ω et $\delta > 0$.

On rappelle que la variance de X est donnée par $V(X) = E((X - E(X))^2)$.

1. Justifier que l'on peut appliquer l'inégalité de Markov à la variable aléatoire $Z = (X - E(X))^2$.

2. En déduire l'inégalité de Bienaymé-Tchebychev.

147 Écritures équivalentes

On se propose dans cet exercice de montrer que si X suit la loi $\mathcal{B}(n \, ; p)$ alors X peut s'écrire sous la forme d'une somme de variables aléatoires indépendantes et de même loi $\mathcal{B}(p)$.

Soit X une variable aléatoire suivant une loi binomiale de paramètres n et p.

Pour tout entier i entre 1 et n, on pose X_i la variable aléatoire donnant 1 si on obtient un succès à la i-ème répétition dans le schéma de Bernoulli associé et 0 sinon.

1. Quelle loi suivent les X_i ?

2. Expliquer pourquoi les variables aléatoires X_i sont indépendantes.

3. Proposer une écriture de X à partir de X_1, X_2, ... et X_n permettant de prouver la propriété.

148 Jeu de couleurs

On considère un jeu consistant à tirer au hasard une boule dans une urne opaque : si la boule est noire, on perd 1 €, si elle est rouge, on gagne 2 €.

Le propriétaire du jeu tient secrète la composition de l'urne, tout juste sait-on qu'il y a 30 boules en tout et qu'il remet la boule tirée dans l'urne après chaque tirage.

Un « spectateur » observe les 1 000 premiers joueurs et dresse le graphique ci-dessous donnant l'évolution du gain algébrique moyen des joueurs à ce jeu.

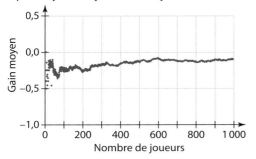

Déterminer le nombre de boules de chaque couleur dans l'urne.

Pour les exercices 149 à 153 on utilisera la définition suivante.

Soit X et Y deux variables aléatoires sur un même univers Ω fini, X prend les valeurs x_1, x_2, ... et x_n et Y prend les valeurs y_1, y_2, ... et y_m (n et m entiers naturels).

On dit que les variables aléatoires X et Y sont indépendantes si et seulement si pour tout entier i ($1 \leqslant i \leqslant n$) et pour tout entier j ($1 \leqslant j \leqslant m$) les événements $(X = x_i)$ et $(Y = y_j)$ sont indépendants.

Autrement dit X et Y sont indépendantes si et seulement si pour tout entier i ($1 \leqslant i \leqslant n$) et pour tout entier j ($1 \leqslant j \leqslant m$) on a :

$$p((X = x_i) \cap (Y = y_j)) = p(X = x_i) \times p(Y = y_j).$$

149 Variables aléatoires indépendantes (1)

Une urne contient 8 tickets numérotés de 1 à 8.

On tire au hasard et avec remise deux tickets de l'urne.

S est la variable aléatoire donnant la somme des deux tickets et R est la variable aléatoire prenant la valeur 1 si le résultat du premier ticket est supérieur ou égal à 5 et 0 sinon.

1. Calculer $p(S = 7)$ et $p(R = 1)$.

2. Calculer $p((S = 7) \cap (R = 1))$.

3. S et R sont-elles indépendantes ?

150 Variables aléatoires indépendantes (2)

On lance un dé équilibré à 6 faces numérotées de 1 à 6.

X est la variable aléatoire prenant la valeur 2 si le résultat est pair et 0 sinon.

Y est la variable aléatoire prenant la valeur 5 si le nombre est 5 ou 6 et 0 sinon.

1. Déterminer les lois de X et Y.

2. X et Y sont-elles indépendantes ?

151 Variables aléatoires indépendantes (3)

Un jeu comporte 4 cartes et sur chacune d'elle est écrit A, B, U ou W.

On tire au hasard les 4 cartes sans remise de sorte à former un mot (qui peut ne pas avoir de sens).

X est la variable aléatoire donnant le rang de la première voyelle tirée et Y est la variable aléatoire prenant la valeur 10 si on a tiré les deux voyelles en premier et 0 sinon.

X et Y sont-elles indépendantes ?

152 Variance et indépendance

On lance un dé équilibré à 12 faces numérotées de 1 à 12 et on appelle U (respectivement D) la variable aléatoire donnant le chiffre des unités (respectivement dizaines) du résultat obtenu.

1. U et D sont-elles indépendantes ?

2. Calculer $V(U + D)$ et la comparer à $V(U) + V(D)$.

153 Espérance et indépendance (MPSI)

On lance deux dés équilibrés tétraédriques dont les 4 sommets sont numérotés de 1 à 4.

X est la variable aléatoire donnant le résultat du premier dé et Y celle donnant le résultat du deuxième.

On souhaite observer le produit des deux nombres obtenus : il s'agit donc du produit des deux variables aléatoires : XY.

Les résultats des deux dés étant indépendants, on admet que les variables aléatoires X et Y sont indépendantes.

1. Donner la loi de probabilité de XY.

2. Déterminer $E(XY)$.

3. Comparer $E(XY)$ et $E(X) \times E(Y)$.

Information Plus généralement, on peut montrer que si X et Y sont deux variables aléatoires indépendantes alors $E(XY) = E(X) \times E(Y)$.

(Démo) (MPSI)

154 Variance et Konig-Huygens

On considère les prérequis suivants.

• la formule de Konig-Huygens pour calculer la variance d'une variable aléatoire Z :

$V(Z) = E(Z^2) - (E(Z))^2$.

• la propriété :

Si X et Y sont indépendantes alors $E(XY) = E(X) \times E(Y)$.

Soit X et Y des variables aléatoires finies et indépendantes.

Démontrer que $V(X + Y) = V(X) + V(Y)$.

Travaux pratiques

1 Inégalité de Bienaymé-Tchebychev et loi binomiale

Ouvrir l'interface **Python** à l'aide du lien ci-contre et exécuter le programme une première fois.

▶ PYTHON
Script
lienmini.fr/maths-s13-07

Ce script contient notamment la fonction `proba_binom(n,p,k)` renvoyant $p(X = k)$ pour X suivant la loi $\mathcal{B}(n\,;p)$.

Dans la suite du TP, écrire les différentes fonctions et programmes demandés à la suite dans ce fichier.

A ▶ Premier exemple

Soit X suivant la loi binomiale de paramètres $n = 10$ et $p = 0{,}55$.

1. Recopier et compléter par deux nombres entiers :

« Pour $n = 10$ et $p = 0{,}55$, on a $|X - np| \geqslant \sqrt{n} \Leftrightarrow 0 \leqslant X \leqslant \dots$ ou $\dots \leqslant X \leqslant 10$ »

2. Écrire l'instruction suivante dans la console de python en complétant les pointillés afin d'obtenir $p(|X - np| \geqslant \sqrt{n})$ pour $n = 10$ et $p = 0{,}55$:

```
sum([proba_binom(10,0.55,i) for i in […,…,…,…,…]])
```

puis noter le résultat affiché dans la console.

> 👍 **Coup de pouce** Pour une liste `L`, `sum(L)` renvoie la somme des éléments de `L`.

B ▶ Calcul de $p(|S_n - np| \geqslant \sqrt{n})$ et inégalité de Bienaymé-Tchebychev

Soit S_n suivant la loi $\mathcal{B}(n\,;p)$.

1. a) Écrire et compléter la fonction `p1` ci-dessous afin qu'elle renvoie $p(|S_n - np| \geqslant \sqrt{n})$.

```
def p1(n,p):
    return sum([proba_binom(n,p,i) for i in range(…) if abs(i-n*p)…])
```

> 👍 **Coup de pouce** abs(x) renvoie la valeur absolue de x et math.sqrt(x) renvoie $\sqrt{x}$.

b) Exécuter le fichier binomiale.py et lancer `p1(10,0.55)` depuis la console puis contrôler le bon fonctionnement de la fonction `p1` en comparant le résultat obtenu à celui obtenu à la question **A 2.**.

2. Justifier que $p(|S_n - np| \geqslant \sqrt{n}) \leqslant p(1 - p)$.

3. a) Calculer $p(1 - p)$ pour $p = 0{,}55$.

b) Comparer la valeur ainsi obtenue à celle obtenue aux questions **A 2.** et **B 1. b)**.

L'inégalité de Bienaymé-Tchebychev donne-t-elle une bonne majoration de $p(|S_n - np| \geqslant \sqrt{n})$ dans ce cas où $n = 10$ et $p = 0{,}55$?

C ▶ Comparaison de $p(|S_n - np| \geqslant \sqrt{n})$ et $p(1 - p)$

1. Écrire une fonction `p2` de paramètres `k` et `p` et renvoyant la liste des `p1(n,p)` pour tous les n entiers entre 10 et k.

2. La fonction `graph` est telle que `graph(k,p)` trace en rouge le nuage de points de coordonnées $(n\,;p(|S_n - np| \geqslant \sqrt{n}))$ pour tous les n entiers entre 10 et k et en bleu la droite d'équation $y = p(1 - p)$.

a) Lancer `graph(100,0.25)` depuis la console.

Que peut-on dire de la majoration donnée par l'inégalité de Bienaymé-Tchebychev dans ce cas ?

b) Utiliser la fonction `graph` avec d'autres valeurs de $k \geqslant 50$ et p.

Cela semble-t-il confirmer la situation observée à la question précédente ?

c) Pour quelle(s) valeur(s) de p les probabilités de la forme $p(|S_n - np| \geqslant \sqrt{n})$ semblent-elles les plus grandes ?

2 | Marche aléatoire

On considère un robot aspirateur circulaire qui, à chaque seconde, se déplace aléatoirement de 25 cm dans une des quatre directions : avant de la pièce, fond de la pièce, gauche ou droite.

Le sol (vu de dessus) sur lequel est posé le robot est assimilé au plan muni d'un repère et on considère que :
- le centre du robot est à l'origine au départ ;
- le robot va vers la droite quand son abscisse augmente de 0,25 ;
- le robot va vers la gauche quand son abscisse diminue de 0,25 ;
- le robot va vers le fond de la pièce quand son ordonnée augmente de 0,25 ;
- le robot va vers l'avant de la pièce quand son ordonnée diminue de 0,25.

Soit les listes `X= [0]` et `Y= [0]` (au départ) qui vont contenir respectivement les abscisses et ordonnées successives du centre du robot.

1. a) Dans un repère, tracer la trajectoire du centre du robot si après 5 déplacements, on a $X = [0, 0.25, 0.25, 0.25, 0.5, 0.75]$ et $Y = [0, 0, -0.25, -0.5, -0.5, -0.5]$ (prendre 2 cm pour 0,25).

b) Quelles sont les listes `X` et `Y` correspondant au déplacement ci-dessous ?

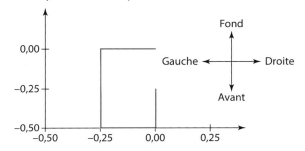

2. a) Écrire une fonction **Python** 🐍 `modif1` telle que, pour une liste `L`, `modif1(L)` renvoie la liste `L` à laquelle on a ajouté l'élément $a + 0{,}25$ où a est le dernier élément de `L`.

b) Écrire une fonction **Python** `modif2` telle que, pour une liste `L`, `modif2(L)` renvoie la liste `L` à laquelle on a ajouté l'élément $a - 0{,}25$ où a est le dernier élément de `L`.

c) Écrire une fonction **Python** `modif3` telle que, pour une liste `L`, `modif3(L)` renvoie la liste `L` à laquelle on a ajouté le dernier élément de `L`.

3. On propose de simuler le déplacement du robot à l'aide des instructions ci-contre.

a) Lorsque `random.randint(1,4)` donne un résultat égal à 1, cela correspond-il à un déplacement du robot vers l'avant, le fond, la gauche ou la droite ?

b) Associer de la même manière chaque valeur possible renvoyée par `random.randint(1,4)` à un déplacement du robot.

```
a = random.randint(1,4)
if a==1 :
    X = modif1(X)
    Y = modif3(Y)
if a==2 :
    X = modif2(X)
    Y = modif3(Y)
if a==3 :
    X = modif3(X)
    Y = modif1(Y)
if a==4 :
    X = modif3(X)
    Y = modif2(Y)
```

4. a) Ouvrir l'espace Python à l'aide du lien ci-contre.

▶ **PYTHON**
Script
lienmini.fr/maths-s13-08

b) Exécuter le programme et le tester avec différentes valeurs (éventuellement assez élevées) pour le nombre de déplacements.

c) La croix rouge sur le graphique donne la dernière position du robot. S'éloigne-t-il beaucoup de son point de départ comparativement au nombre de déplacements ? Argumenter.

👍 **Coup de pouce** On pourra considérer les variables aléatoires X_i (respectivement Y_i) prenant les valeurs 0,25 ; −0,25 et 0 à ajouter à l'abscisse (respectivement l'ordonnée) du centre du robot au i-ème déplacement.

Travaux pratiques

3 Échantillons et écarts-types

A ▶ Observations

1. Ouvrir un tableur et y compléter les cellules A1, A2, B1 et B2 afin d'obtenir la feuille de calcul ci-contre.

	A	B
1	Espérance	2
2	Ecart-type	3

2. Écrire `=LOI.NORMALE.INVERSE(ALEA();$B$1;$B$2)` dans la cellule D1 : cette formule permet de simuler une variable aléatoire dont l'espérance est dans la cellule B1 et l'écart-type dans la cellule B2.

3. Recopier le contenu de la cellule D1jusqu'à la cellule D100 : on vient de simuler un échantillon de $n = 100$ variables aléatoires d'espérance $\mu = 2$ et d'écart-type $\sigma = 3$.

4. Écrire « Moyenne » dans la cellule C101 et compléter le contenu de la cellule D101 afin d'y afficher automatiquement la moyenne des valeurs de l'échantillon de la plage D1:D100.

5. Sélectionner la plage D1:D101 et la recopier jusqu'à la colonne GU incluse afin de simuler 200 échantillons de $n = 100$ variables aléatoires.

6. a) Saisir « Ecart-type » dans la cellule C102.

b) Dans la cellule D102, écrire une formule calculant l'écart-type s des moyennes des 200 échantillons.

👍 **Coup de pouce** L'écart-type de valeurs présentes dans une plage de valeurs s'obtient avec ECARTYPEP(*plage*).

7. a) Comparer s et $\dfrac{\sigma}{\sqrt{n}}$. Que remarque-t-on ?

b) Modifier la valeur de σ dans la cellule B2.
L'observation faite à la question précédente semble-t-elle encore valable ?

c) Effacer le contenu des lignes 101 et 102 et étendre la plage D100:GU100 jusqu'à la ligne 400 puis reprendre les questions **4.**, **5.** (On pourra se contenter de la cellule D401 plutôt que la plage D1:D401) et **6.** avec la ligne 401 au lieu de la ligne 101.
L'observation faite à la question **7. a)** semble-t-elle se confirmer pour ces échantillons de taille $n = 400$?

8. a) Dans la cellule C403, écrire k et dans la cellule D403, écrire 1.

b) Dans la cellule D404, écrire `=NB.SI(D401:GU401;"<"&B1-D403*D402)` : cette formule donne le nombre de valeurs de la plage D401:GU401 qui sont strictement inférieures à $\mu - k \times s$ (c'est-à-dire inférieures à `B1-D403*D402`).

c) Dans la cellule D405, écrire une formule donnant le nombre de valeurs de la plage D401:GU401 qui sont strictement supérieures à $\mu + k \times s$.

d) Dans la cellule D406 écrire une formule donnant la proportion des 200 valeurs de la plage D401:GU401 qui sont dans l'intervalle $[\mu - k \times s \,; \mu + k \times s]$.

e) Relancer plusieurs fois la simulation avec F9 : quelle proportion des échantillons semble avoir leur moyenne dans $[\mu - s \,; \mu + s]$?

f) En modifiant la valeur de k dans la cellule D403, reprendre la question précédente avec les intervalles $[\mu - 2s \,; \mu + 2s]$ et $[\mu - 3s \,; \mu + 3s]$.

B ▶ Simulation

1. Dans un tableur, on saisit `=600*ALEA()+300` dans la cellule A1 et on admet que la variable aléatoire simulée par la commande `ALEA()` a pour espérance 0,5 et pour écart-type $\dfrac{\sqrt{3}}{6}$.

Donner l'espérance μ et l'écart-type σ de la variable aléatoire simulée par `600*ALEA()+300`.

2. Si on recopiait la formule en A1 jusqu'à A300 et si on saisissait `=MOYENNE(A1:A300)` dans la cellule A301, de quelle valeur va être proche la valeur en A301 ? Vérifier avec le tableur.

3. On recopie la plage A1:A301 jusqu'à la colonne OJ incluse de sorte d'avoir 400 échantillons de $n = 300$ valeurs.

a) D'après la partie **A** de quelle valeur l'écart-type des moyennes de la plage A301:OJ301 est-il proche ?

b) Vérifier sur le tableur.
(on pourra se contenter de la cellule D401 plutôt que la plage D1:D401)

4 | Étude de sondages

Dans la vidéo le présentateur affirme que :
• lorsque l'on réalise un sondage, son résultat est donné avec une certaine marge d'erreur ;
• cette marge d'erreur devient plus petite lorsque le nombre de personnes interrogées augmente mais pas dans la même mesure.

▶ **VIDÉO**
Échantillon
lienmini.fr/maths-s13-01

A ▶ Premier tour des élections présidentielles 2017 en France

Lors des élections présidentielles de 2017, le candidat F. Fillon a obtenu 20 % des voix au premier tour, ce qui l'a placé en 3e position.

1. On considère un sondage sur 1 000 personnes prises au hasard dans la population française avant cette élection.

a) On appelle X_i pour i entier entre 1 et 1 000 la variable aléatoire prenant la valeur 1 si la i-ème personne interrogée déclare être favorable à F. Fillon et 0 sinon.

Sous quelle(s) hypothèse(s) peut-on dire que les variables aléatoires X_1 ; … ; $X_{1\,000}$ forment un échantillon ? En considérant son résultat à l'élection, quelle est alors la loi suivie par S, la somme de ces variables aléatoires X_i ?

b) Déterminer un intervalle de fluctuation centré au seuil de 95 % associé à S.

c) En déduire la marge d'erreur associée à ce sondage en pourcentages.

d) Quelques mois avant l'élection, la plupart des sondages donnaient plus de 25 % d'intentions de votes à F. Fillon. Que penser de ces sondages ?

2. Reprendre les questions **1. b)** et **1. c)** dans le cas d'un sondage portant sur 10 000 personnes ?

B ▶ Deuxième tour des élections présidentielles 2017

E. Macron a remporté les élections présidentielles de 2017 avec 66,1 % des suffrages exprimés au second tour.

On s'intéresse à l'évolution de la marge d'erreur et du coût d'un sondage portant sur cette élection en fonction du nombre de sondés.

On donne le graphique ci-contre avec :
• en abscisse le nombre de sondés ;
• en ordonnées, le coût du sondage en € (à gauche) et la marge d'erreur en % (à droite).

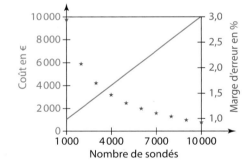

1. a) D'après ce graphique, combien coûte un sondage par personne interrogée ?

b) En utilisant le graphique, justifier l'affirmation du présentateur de l'émission de la vidéo : « je multiplie par 2 la taille de l'échantillon mais je ne divise pas par 2 la marge d'erreur […] Ce n'est pas suffisant pour justifier le coût d'une étude sur un échantillon 2 fois plus grand. »

2. On donne ci-dessous les marges d'erreurs en % en fonction du nombre de sondés :

Nombre de sondés : x	1 000	2 000	3 000	4 000	5 000	6 000	7 000	8 000	9 000	10 000
Marge d'erreur : y	2,9	2,1	1,7	1,5	1,3	1,2	1,1	1	1	0,9
$\dfrac{1}{\text{Marge d'erreur}^2}$: y'										

a) Compléter la dernière ligne du tableau puis placer les points de coordonnées $(x\,;\,y')$ dans un repère (choisir une échelle adaptée). Que remarque-t-on ?

b) Quelle conjecture peut-on faire sur la fonction f donnant l'**inverse du carré de la marge d'erreur** en fonction du nombre de sondés x ? Donner une estimation de $f(x)$ à l'aide du graphique.

c) En déduire une estimation de la marge d'erreur en % d'un sondage portant sur cette élection en fonction du nombre de sondés x. Quelle est la marge d'erreur pour 1 000 000 personnes sondées ?

Dossier Bac

Les Maths en T^{le}

www.education.gouv.fr, 2020

LES MATHS, UN ENSEIGNEMENT DE SPÉCIALITÉ EN 1RE ET EN T^{LE}

LES ENSEIGNEMENTS DE TRONC COMMUN	LES ENSEIGNEMENTS DE SPÉCIALITÉ (4 h en 1re, 6 h en T^{le}) 3 à choisir en 1re, 2 sont conservés en T^{le}
• Éducation physique et sportive • Enseignement moral et civique • Enseignement scientifique • Histoire-Géographie - 3 h par semaine • Langue vivante A et Langue vivante B • Français en 1re • Philosophie en T^{le}	• Arts • Histoire-géographie, géopolitique et sciences politiques • Humanités, littérature et philosophie • Langues, littératures et cultures étrangères • Littérature et langues et cultures de l'Antiquité • Mathématiques • Numérique et sciences informatiques • Physique-Chimie • Sciences de la vie et de la Terre • Sciences de l'ingénieur • Sciences économiques et sociales

▷ Les épreuves communes de contrôle contenu (E3C)

• Elles concernent les disciplines non évaluées lors des épreuves finales et la discipline de spécialité non poursuivie en T^{le}.

• Pour garantir l'égalité entre tous, les copies sont anonymes et corrigées par d'autres professeurs que ceux des élèves.

• Les sujets sont issus d'une banque nationale numérique.

▷ L'évaluation de la spécialité Mathématiques au Bac

Les maths seront évaluées :

• dans le cadre du contrôle continu en 1re si l'enseignement n'est pas poursuivi en T^{le} ;

• en épreuve terminale si elle fait partie des deux spécialités conservées.

Le contrôle continu

• **10 % de la note finale** Bulletins scolaires de 1re et T^{le}

• **30 % de la note finale des épreuves communes**
• 2 sessions d'E3C en 1re
• 1 session d'E3C en T^{le}

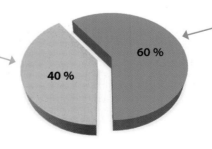

Les **épreuves terminales**

• **1 épreuve anticipée en 1re** Français (écrit et oral) (coefficient 5 et 5)

• **4 épreuves terminales**
• 2 sur les 2 enseignements de spécialité choisis (écrit) (coefficient 16 chacun)
• Philosophie (écrit) (coefficient 8)
• Grand Oral (coefficient 10)

Le Grand Oral

D'après le BO du 12 février 2020

PRÉSENTATION DE L'ÉPREUVE

Une des 5 épreuves terminales
Coefficient 10 • 20 pts • 20 min (+ 20 min de préparation)

Les objectifs de l'épreuve
✓ Prendre **la parole en public sans note.**

✓ **Argumenter** en utilisant les savoirs acquis dans les enseignements de spécialité.

✓ Montrer comment vos savoirs éclairent votre **projet de poursuite d'études**, et éventuellement votre projet professionnel.

Le déroulement en 3 temps
1 Présentation d'une question (debout, sans notes, 5 mn)

→ Vous présentez au jury les 2 questions préparées à l'avance, éventuellement avec d'autres élèves. Ces questions portant sur l'un de vos enseignements de spécialité ou les deux même temps.

→ Le jury choisit une des 2 questions.

---

20 minutes pour vous préparer ! | Mettez en ordres vos idées.

Réalisez, si vous le souhaitez, un support à donner au jury : plan, schémas, données importantes… *La feuille est fournie. Le support ne fait pas l'objet d'une évaluation.*

→ Vous expliquez au jury pourquoi vous avez choisi cette question.

→ Vous présentez votre réponse à la question.

2 Questions du jury (debout ou assis selon votre choix, 10 mn)

→ Vous répondez aux questions du jury.

→ Le jury vous amène à préciser ou approfondir votre pensée. Il peut vous interroger sur le programme des enseignements de spécialité.

3 Échange sur le projet d'orientation (debout ou assis selon votre choix, 5 mn)

→ Vous expliquez en quoi la question traitée est utile pour votre projet de poursuite d'études, et même pour votre projet professionnel.

→ Vous présentez ce qui vous a permis d'avancer dans votre projet (rencontres, engagements, stages, mobilité internationale, intérêt pour les enseignements communs, choix des spécialités, etc.) et ce que vous en ferez après le bac.

Un jury de 2 professeurs
✓ 1 professeur de l'un des deux enseignements de spécialité.

✓ 1 professeur de l'autre enseignement de spécialité OU de l'un des enseignements du tronc commun OU le professeur-documentaliste.

L'évaluation
✓ Solidité des connaissances.

✓ Capacité à argumenter, à faire preuve d'esprit critique.

✓ Précision et clarté de l'expression.

✓ Force de conviction et engagement.

BIEN RESPIRER, MAÎTRISER SA VOIX ET GÉRER SON STRESS

○ Tutoriels

○ Exercices

○ Conclusion

L'épreuve de l'enseignement de spécialité de Mathématiques de la classe de terminale comporte de trois à cinq exercices indépendants les uns des autres, qui permettent d'évaluer les connaissances et compétences des candidat(e)s.

Le sujet précise si l'usage de la calculatrice est autorisé.

L'épreuve de 4 heures est notée sur 20 points. Chaque exercice est noté sur 4 à 8 points.

La note finale est composée de la somme des points obtenus à chaque exercice.

Exercice commenté

60 min — 5 POINTS

Énoncé

A ▶ On considère la fonction f définie sur $[0 \, ; +\infty[$ par :
$$f(x) = \ln(e^x + x) - x.$$

1. a) Montrer que $f(x) = \ln\left(1 + \dfrac{x}{e^x}\right)$ pour tout $x \in [0 \, ; +\infty[$.

b) En déduire $\displaystyle\lim_{x \to +\infty} f(x)$ puis interpréter cette limite en termes d'asymptote.

2. a) Montrer que $f'(x)$ est du signe de $1 - x$ pour tout $x \in [0 \, ; +\infty[$.

b) Dresser le tableau de variation complet de f.

B ▶ On considère la suite (u_n) définie par $u_0 = 0{,}5$ et, pour tout $n \in \mathbb{N}$, par $u_{n+1} = f(u_n)$. On admet que cette suite est bien définie.

1. Justifier que $0 \leqslant u_{n+1} \leqslant u_n \leqslant 0{,}5$ pour tout $n \in \mathbb{N}$.

2. a) Que peut-on en déduire pour les variations de la suite (u_n) ?

b) Justifier que (u_n) est convergente.

3. a) Montrer que l'équation $f(x) = x$ est équivalente à $-e^{2x} + e^x + x = 0$.

b) Montrer que $f(x) = x$ admet une unique solution α sur $[0 \, ; 0{,}5]$. *Dans cette question, le ou la candidate est invitée à faire figurer sur la copie toute trace de recherche, même incomplète ou non fructueuse, qu'il ou elle aura développée.*

c) À quoi correspond α pour la suite (u_n) ?

Solution

A ▶ 1. a) Pour tout $x \in [0 \, ; +\infty[$, $f(x) = \ln(e^x + x) - x$
$$= \ln(e^x + x) - \ln(e^x). \ \blacksquare\mathbf{1}$$
$$= \ln\left(\frac{e^x + x}{e^x}\right) \blacksquare\mathbf{2}$$
$$= \ln\left(\frac{e^x}{e^x} + \frac{x}{e^x}\right)$$
$$= \ln\left(1 + \frac{x}{e^x}\right)$$

b) $\blacksquare\mathbf{3}$ $\dfrac{x}{e^x} = \dfrac{1}{\dfrac{e^x}{x}}$ $\blacksquare\mathbf{4}$ et $\displaystyle\lim_{x \to +\infty} \dfrac{e^x}{x} = +\infty$ d'après le cours (croissance comparée) donc $\displaystyle\lim_{x \to +\infty} \dfrac{x}{e^x} = 0$ par quotient puis

$$\lim_{x \to +\infty} 1 + \frac{x}{e^x} = 1 \, \blacksquare\mathbf{5}$$

Conseils pour répondre aux questions

1 On observe que l'expression à obtenir est de la forme $\ln(X)$ donc on essaie de faire apparaître ln.

2 On applique les propriétés algébriques de ln.

3 C'est la question **1. b** donc on peut penser que l'on va utiliser la forme de $f(x)$ obtenue à la question **1. a**.

4 La limite de $\dfrac{x}{e^x}$ en $+\infty$ ne relève pas du cours mais la limite de son inverse $\dfrac{e^x}{x}$ en $+\infty$ si donc on fait apparaître $\dfrac{e^x}{x}$.

5 On a une expression de la forme $\ln(X)$ avec $X = 1 + \dfrac{x}{e^x}$ donc on commence à regarder la limite de $1 + \dfrac{x}{e^x}$ en $+\infty$.

Solution

De plus, $\lim\limits_{X \to 1} \ln(X) = \ln(1) = 0$ (par continuité de $\ln$ en 1) donc, par composition,

$\lim\limits_{x \to +\infty} \ln\left(1 + \dfrac{x}{e^x}\right) = 0$ **6** c'est-à-dire $\lim\limits_{x \to +\infty} f(x) = 0$.

La courbe de la fonction f admet donc une asymptote horizontale d'équation $y = 0$ en $+\infty$.

2. a) **7** $x \mapsto \ln(e^x + x)$ est de la forme $\ln(u)$ avec $u(x) = e^x + x$ et $u'(x) = e^x + 1$ donc f est dérivable sur $[0 \; ; +\infty[$ et :

$f'(x) = \dfrac{e^x + 1}{e^x + x} - 1 = \dfrac{e^x + 1}{e^x + x} - \dfrac{e^x + x}{e^x + x} = \dfrac{e^x + 1 - e^x - x}{e^x + x} = \dfrac{1 - x}{e^x + x}$.

Comme $e^x + x > 0$ sur $[0 \; ; +\infty[$, on en déduit que $f'(x)$ est du signe de $1 - x$ pour tout $x \in [0 \; ; +\infty[$. **8**

b) **9** Le tableau de variations complet de f est le suivant.

x	0		1		$+\infty$
$f'(x)$		$+$	0	$-$	
f					

$\ln(e + 1) - 1$, f croît de 0 jusqu'à $\ln(e+1)-1$ puis décroît vers $+\infty$

Avec $f(1) = \ln(e^1 + 1) - 1 = \ln(e + 1) - 1$ et $f(0) = \ln(e^0 + 0) - 0 = \ln(1) = 0$ **10**

B ▶ 1. **11** • On considère la proposition $P(n)$: « $0 \leqslant u_{n+1} \leqslant u_n \leqslant 0{,}5$ » dont on veut montrer qu'elle est vraie pour tout $n \in \mathbb{N}$.

• **Initialisation :** $u_0 = 0{,}5$ et $u_1 = f(u_0) = f(0{,}5) \approx 0{,}26$ d'après la calculatrice donc $0 \leqslant u_1 \leqslant u_0 \leqslant 0{,}5$.
$P(0)$ est donc vérifiée.

• **Hérédité :** Supposons $P(n)$ vraie à un rang $n \geqslant 0$, c'est-à-dire $0 \leqslant u_{n+1} \leqslant u_n \leqslant 0{,}5$. La fonction f étant croissante sur $[0 \; ; 1]$, on a $f(0) \leqslant f(u_{n+1}) \leqslant f(u_n) \leqslant f(0{,}5)$ **12** avec $f(0) = 0$ et $f(0{,}5) \approx 0{,}26$ donc on a $0 \leqslant u_{n+2} \leqslant u_{n+1} \leqslant 0{,}5$ **13** c'est-à-dire que $P(n+1)$ est vérifiée.

• **Conclusion** : $P(0)$ est vraie et $P(n)$ est héréditaire donc $P(n)$ est vraie pour tout $n \in \mathbb{N}$, c'est-à-dire que $0 \leqslant u_{n+1} \leqslant u_n \leqslant 0{,}5$ pour tout $n \in \mathbb{N}$.

2. a) $u_{n+1} \leqslant u_n$ pour tout $n \in \mathbb{N}$ donc (u_n) est décroissante.

b) (u_n) est décroissante et minorée par 0 d'après **B 1.** donc elle est convergente.

3. a) Pour tout $x \in [0 \; ; +\infty[$, $f(x) = x \Leftrightarrow \ln(e^x + x) - x = x \Leftrightarrow \ln(e^x + x) = 2x$
$\Leftrightarrow e^x + x = e^{2x} \Leftrightarrow -e^{2x} + e^x + x = 0$.

b) **14** On considère la fonction g définie sur $[0 \; ; 0{,}5]$ par $g(x) = -e^{2x} + e^x + x$.
La fonction g est dérivable et $g'(x) = -2e^{2x} + e^x + 1 = -2(e^x)^2 + e^x + 1$ **15**
On pose $X = e^x$ et on étudie le signe de $-2e^{2x} + e^x + 1 = -2X^2 + X + 1$ de discriminant $\Delta = 9 > 0$ donc de racines réelles $\dfrac{-1-3}{-4} = 1$ et $\dfrac{-1+3}{-4} = -0{,}5$.

On a $g'(x) = -2X^2 + X + 1 > 0 \Leftrightarrow -0{,}5 < X < 1$ car $-2 < 0$ **16**
donc $g'(x) > 0 \Leftrightarrow -0{,}5 < e^x < 1 \Leftrightarrow x < 0$. **17**
Ainsi, $g'(x) < 0$ sur $[0 \; ; 0{,}5[$ sauf en 0 où elle s'annule donc g est strictement décroissante sur $[0 \; ; 0{,}5]$.
De plus, $g(0) = 0$ et $g(0{,}5) \approx -0{,}57$ donc, sur $[0 \; ; 0{,}5]$:
• g est continue,
• g est strictement décroissante,
• $0 \in [g(0{,}5) \; ; g(0)]$.
donc $g(x) = 0$ admet une unique solution qui est 0.
Comme $g(x) = 0 \Leftrightarrow f(x) = x$, la seule solution de $f(x) = x$ sur $[0 \; ; 0{,}5]$ est $\alpha = 0$. **18**

c) **19** On sait que (u_n) est convergente vers une valeur ℓ de $[0 \; ; 0{,}5]$ et que $u_{n+1} = f(u_n)$ où f est continue en ℓ (car f est continue sur $[0 \; ; 0{,}5]$ et $\ell \in [0 \; ; 0{,}5]$) donc ℓ est solution de $f(x) = x$ dans $[0 \; ; 0{,}5]$ donc $\ell = 0 : \alpha = 0$ est la limite de la suite (u_n).

Conseils pour répondre aux questions

6 Utiliser la composition de limites.

7 On dispose de deux formes pour $f(x)$: on utilise la plus simple pour dériver et pas forcément la dernière obtenue ! Ici, a priori, c'est celle de départ (la forme $\ln\left(1 + \dfrac{x}{e^x}\right)$ n'est utile que pour le calcul de limite précédent).

8 Le signe du dénominateur est strictement positif.

9 **Astuce** : même si l'on n'a pas réussi à faire la question précédente, on en utilise le résultat.

10 La fonction est définie en 0 donc on regarde $f(0)$ et non pas la limite de $f(x)$ en 0.

11 Pour montrer des inégalités sur une suite définie par récurrence, on pense à un raisonnement par récurrence.

12 Comme l'étude de la fonction f a été faite et que l'on sait qu'elle est croissante, on peut directement appliquer f aux différents membres des inégalités.

13 $f(u_n) = u_{n+1}$ pour tout n donc $f(u_{n+1}) = u_{n+2}$

14 L'énoncé laisse entendre que la question est ouverte, il va donc y avoir du travail non guidé. Ici, le fait qu'il n'y ait qu'une seule solution laisse penser que l'on va utiliser le théorème de bijection sur la fonction $x \mapsto -e^{2x} + e^x + x$ d'après la question **3. a.**

15 En posant $X = e^x$, on fera apparaître une expression du second degré.

16 Signe de a sauf entre les racines.

17 $-0{,}5 < e^x$ est toujours vraie donc on ne s'intéresse qu'à $e^x < 1$

18 Ici, on aurait aussi pu dire que $g(0) = 0$ et que g est strictement décroissante donc $g(x) < g(0) = 0$ pour $x \in \,]0 \; ; 0{,}5]$ puis conclure.

19 On fait le lien entre les questions : on a parlé de la convergence de la suite et de l'équation $f(x) = x$. Le lien entre les deux est que la limite ℓ est une solution de $f(x) = x$.

Sujet type A

Exercice 1 — Suite arithmético-géométrique et limite

Afin de conserver au fil des années un parc en bon état, un loueur de vélos se sépare chaque hiver de 20 % de son stock et achète ensuite 35 nouveaux vélos.

On modélise la situation par une suite (u_n) où, pour tout entier naturel n, u_n représente le nombre de vélos présents dans le stock de ce loueur au 1er juillet de l'année $(2020+n)$.

Au 1er juillet 2020, le loueur possédait 150 vélos, ainsi $u_0 = 150$.

1. a) Déterminer le nombre de vélos dans le stock du loueur au 1er juillet 2021.

   b) Justifier que, pour tout entier naturel n, on a : $u_{n+1} = 0{,}8u_n + 35$.

2. On a calculé les premiers termes de cette suite à l'aide d'un tableur.

	A	B
1	rang n	Terme u_n
2	0	150
3	1	155
4	2	159
5	3	162,2

   a) Quelle formule peut-on saisir dans la cellule B3 pour obtenir, par copie vers le bas, les termes successifs de la suite (u_n) ?

   b) Pour les termes de rang 36, 37, 38, 39 et 40, on obtient les résultats suivants (arrondis au millième).

38	36	174,992
39	*37*	174,994
40	38	174,995
41	39	174,996
42	40	174,997

Conjecturer la limite de la suite (u_n).

3. Dans cette question, on cherche à démontrer la conjecture émise à la question précédente. Pour cela, on pose pour tout entier naturel n : $v_n = u_n - 175$.

   a) Démontrer que la suite (v_n) est une suite géométrique dont on précisera la raison et le premier terme.

   b) En déduire que, pour tout entier naturel n, on a $u_n = -25 \times 0{,}8^n + 175$.

   c) Déterminer alors la limite de la suite (u_n).

4. Justifier que la suite (u_n) est croissante.

5. On souhaite déterminer le plus petit entier n tel que $u_n \geqslant 170$.

   a) Compléter le programme en **Python** ci-dessous pour qu'il affiche la valeur n cherchée.

```
n = …
u = …
while …:
    n = …
    u = …
print(…)
```

   b) Déterminer la valeur de cet entier et interpréter le résultat dans le contexte de l'exercice.

Exercice 2 Variable aléatoire

Rayane et Gabriel ont commandé chacun sur Internet un lot de bonbons surprises sur deux sites différents.

Sur le site A, quand on choisit un bonbon surprise, il peut être indépendamment bleu ou rouge et la probabilité qu'il soit rouge est 0,2 (d'après les informations du site). Rayane a commandé 200 bonbons surprises sur le site A.

Sur le site B, quand on choisit un bonbon surprise, il peut être indépendamment vert ou rouge et la probabilité qu'il soit vert est 0,75 (d'après les informations du site). Gabriel a commandé 300 bonbons surprises sur le site B.

R est la variable aléatoire donnant le nombre de bonbons rouges obtenus par Rayane et G est la variable aléatoire donnant le nombre de bonbons rouges obtenus par Gabriel.

1. a) Donner en justifiant la loi suivie par R.

b) Calculer $p(R = 35)$ à 0,001 près.

c) Calculer la probabilité que Rayane obtienne entre 40 et 50 bonbons rouges (inclus) lors de la réception de sa commande.

d) Calculer $E(R)$.

2. a) Donner la loi de G sans justifier.

b) Donner un intervalle de fluctuation centré au seuil de 95 % associé à G dans l'hypothèse où les probabilités données par le site B sont correctes.

c) Lors de la réception de sa commande, Gabriel a trouvé 63 bonbons rouges. Cela remet-il en cause l'affirmation du site B ?

3. On considère la variable aléatoire S définie par $S = R + G$.

a) Que représente concrètement S ?

b) Calculer $E(S)$.

c) On suppose que les commandes sont indépendantes. Calculer $V(S)$ puis $\sigma(S)$.

Exercice 3 Géométrie dans l'espace

On se place dans l'espace muni d'un repère orthonormé dont l'origine est le point A.

On considère les points B(10 ; −8 ; 2), C(−1 ; −8 ; 5) et D(14 ; 4 ; 8).

1. a) Déterminer un système d'équations paramétriques de chacune des droites (AB) et (CD).

b) Vérifier que les droites (AB) et (CD) ne sont pas coplanaires.

2. On considère le point I de la droite (AB) d'abscisse 5 et le point J de la droite (CD) d'abscisse 4.

a) Déterminer les coordonnées des points I et J et en déduire la distance IJ.

b) Démontrer que la droite (IJ) est perpendiculaire aux droites (AB) et (CD). La droite (IJ) est appelée perpendiculaire commune aux droites (AB) et (CD).

3. Cette question a pour but de vérifier que la distance IJ est la distance minimale entre les droites (AB) et (CD). Sur le schéma ci-dessous on a représenté les droites (AB) et (CD), les points I et J, et la droite Δ parallèle à la droite (CD) passant par I. On considère un point M de la droite (AB) distinct du point I. On considère un point M' de la droite (CD) distinct du point J.

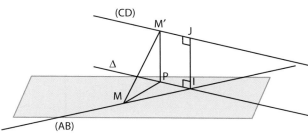

a) Justifier que la parallèle à la droite (IJ) passant par le point M' coupe Δ en un point P.

b) Démontrer que le triangle MPM' est rectangle en P.

c) Justifier que MM' > IJ et conclure.

Exercice 4 — Équation différentielle en sciences physiques

Dans cet exercice, les résultats seront arrondis à 10^{-2} près.

Une fibre optique est un fil très fin, en verre ou en plastique, qui a la propriété d'être un conducteur de la lumière et sert dans la transmission d'un signal véhiculant des données.

La puissance du signal, exprimée en milliwatts (mW), s'atténue au cours de la propagation.

On note P_E et P_S les puissances respectives du signal à l'entrée et à la sortie d'une fibre.

Pour une fibre de longueur L exprimée en kilomètres (km), la relation liant P_E et P_S et L est donnée par :

$$P_S = P_E \times e^{-aL}$$

Où a est le coefficient d'atténuation linéaire dépendant de la fibre.

Une entreprise utilise deux types de fibre optique de coefficients d'atténuation différents.

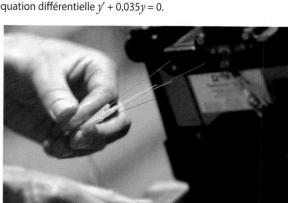

Dans tout l'exercice :
- la puissance du signal à l'entrée de la fibre est 7 mW ;
- à la sortie, un signal est détectable si sa puissance est d'au moins 0,08 mW ;
- pour rester détectable, un signal doit être amplifié dès que sa puissance devient strictement inférieure à 0,08 mW.

A ▶ Le premier type de fibre de longueur 100 km utilisé par l'entreprise a un coefficient d'atténuation linéaire $a = 0,046$. Pour ce type de fibre, sera-t-il nécessaire de placer au moins un amplificateur sur la ligne pour que le signal soit détectable en sortie ?

B ▶ La puissance du signal le long du second type de fibre est modélisée par une fonction g de la variable x, où x est la distance en kilomètres parcourue par le signal depuis l'entrée de la fibre. On admet que cette fonction g est définie et dérivable sur l'intervalle $[0 ; +\infty[$ et qu'elle est solution sur cet intervalle de l'équation différentielle $y' + 0,035y = 0$.

1. Résoudre l'équation différentielle $y' + 0,035y = 0$.

2. a) Sachant que $g(0) = 7$, vérifier que la fonction g est définie sur l'intervalle $[0 ; +\infty[$ par :

$$g(x) = 7e^{-0,035x}.$$

b) En déduire le coefficient d'atténuation de cette fibre.

3. a) Étudier le sens de variation de la fonction g.

b) Déterminer la limite de la fonction g en $+\infty$.

4. a) Le signal sera-t-il encore détecté au bout de 100 km de propagation ?

b) Déterminer la longueur maximale de la fibre permettant une détection du signal à la sortie sans amplification.

D'après Bac STI2D/STL Métropole – Juin 2015

7 POINTS

Exercice 1 — Équation différentielle et économie

80 min

A ▶ Étude d'une fonction

Soit f la fonction définie sur l'intervalle $[0 ; +\infty[$ par :

$$f(x) = 0,5x + e^{-0,5x+0,4}.$$

1. Calculer $f'(x)$ où f' désigne la fonction dérivée de f sur l'intervalle $[0 ; +\infty[$.

2. Étudier les variations de f sur l'intervalle $[0 ; +\infty[$ et vérifier que f admet un minimum en 0,8.

B ▶ Application économique

Une entreprise fabrique des objets.

On note $g(x)$ le coût total de fabrication, en milliers d'euros, de x centaines d'objets. On suppose que cette fonction g est solution de l'équation différentielle (E) : $y' = 0,5 + 0,25x - 0,5y$.

1. Montrer que la fonction linéaire $h(x) = 0,5x$ est solution particulière de (E).

2. a) Montrer qu'une fonction g est solution de (E) si et seulement si $g - h$ est solution de l'équation (E') :

$$y' = -0,5y.$$

b) En déduire les solutions de (E).

c) Montrer que la fonction f de la partie **A** est une de ces solutions. Préciser quelle est la condition initiale (pour $x = 0$) qui la caractérise.

C ▶ Dans cette partie on reprend la fonction $f(x) = 0,5x + e^{-0,5x+0,4}$ comme coût de fabrication, en milliers d'euros, de x centaines d'objets. Chaque objet fabriqué est vendu 6 euros.

1. Quel nombre d'objets faut-il produire pour que le coût total de fabrication soit minimum ?

2. Justifier que le résultat (recette moins coûts), en milliers d'euros, obtenu par la vente de x centaines d'objet est :

$$R(x) = 0,1x - e^{-0,5x+0,4}.$$

a) Étudier les variations de R sur l'intervalle $[0 ; +\infty[$.

b) Montrer que l'équation $R(x) = 0$ a une unique solution α dans l'intervalle $[0 ; +\infty[$. Déterminer un encadrement de α à 10^{-2} près.

c) En déduire la quantité minimale d'objets à produire afin que cette entreprise réalise un bénéfice sur la vente des objets.

D'après Bac ES Nouvelle – Calédonie-mars 2009

Exercice 2 — Suites et probabilités

Un jeu de hasard sur ordinateur est paramétré de la façon suivante :

- si le joueur gagne une partie, la probabilité qu'il gagne la partie suivante est $\frac{1}{4}$;
- si le joueur perd une partie, la probabilité qu'il perde la partie suivante est $\frac{1}{2}$;
- la probabilité de gagner la première partie est $\frac{1}{4}$.

Pour tout $n \in \mathbb{N}$ et non nul, on note G_n l'événement « la n-ième partie est gagnée », et p_n la probabilité de G_n. Donc $p_1 = \frac{1}{4}$.

1. Montrer que $p_2 = \frac{7}{16}$.

2. Justifier que pour tout entier naturel n non nul, $p_{n+1} = -\frac{1}{4}p_n + \frac{1}{2}$.

3. On obtient ainsi les premières valeurs de p_n.
Quelle conjecture peut-on émettre ?

n	1	2	3	4	5	6	7
p_n	0,25	0,437 5	0,390 6	0,402 3	0,399 4	0,400 1	0,399 9

4. On définit pour tout entier naturel n non nul, la suite (u_n) définie par $u_n = p_n - \frac{2}{5}$.

  a) Démontrer que la suite (u_n) est une suite géométrique dont on précisera la raison.

  b) En déduire que pour tout entier naturel n non nul, $p_n = \frac{2}{5} - \frac{3}{20}\left(-\frac{1}{4}\right)^{n-1}$.

  c) La suite (p_n) converge-t-elle ? Interpréter ce résultat.

Exercice 3 — Problème de géometrie repèrée

La figure ci-contre représente un cube ABCDEFGH. Les trois points I, J, K sont définis par les conditions suivantes : • I est le milieu du segment [AD] ; • J est tel que $\vec{AJ} = \frac{3}{4}\vec{AE}$; • K est le milieu du segment [FG].

A ▶ 1. Reproduire la figure et construire sans justifier le point d'intersection P du plan (IJK) et de la droite (EH). On laissera les traits de construction sur la figure.

2. En déduire, en justifiant, l'intersection du plan (IJK) et du plan (EFG).

B ▶ On se place désormais dans le repère orthonormé $(A ; \vec{AB}, \vec{AD}, \vec{AE})$.

1. a) Donner sans justification les coordonnées des points I, J et K.

  b) Déterminer les réels a et b tels que le vecteur $\vec{n}$ soit orthogonal aux vecteurs $\vec{IJ}$ et $\vec{IK}$, avec $\vec{n}\begin{pmatrix}4\\a\\b\end{pmatrix}$.

  c) En déduire qu'une équation cartésienne du plan (IJK) est : $4x - 6y - 4z + 3 = 0$.

2. a) Donner une représentation paramétrique de la droite (CG).

  b) Calculer les coordonnées du point N, intersection du plan (IJK) et de la droite (CG).

  c) En déduire qu'une équation cartésienne du plan (IJK) est : $4x - 6y - 4z + 3 = 0$.

3. a) Donner une représentation paramétrique de la droite (CG).

  b) Calculer les coordonnées du point N, intersection du plan (IJK) et de la droite (CG).

  c) Placer le point N sur la figure et construire en couleur la section du cube par le plan (IJK).

C ▶ On note R le projeté orthogonal du point F sur le plan (IJK). Le point R est donc l'unique point du plan (IJK) tel que : la droite (FR) est orthogonale au plan (IJK).

On définit l'intérieur du cube comme l'ensemble des points $M(x ; y ; z)$ tels que $\begin{cases} 0 < x < 1 \\ 0 < y < 1 \\ 0 < z < 1 \end{cases}$.

Le point R est-il à l'intérieur du cube ?

Exercice 4 — Probabilités

QCM Pour chacune des questions suivantes, choisir la (les) bonnes(s) réponse(s).

On appelle X la variable aléatoire donnant le nombre de boules roses obtenues lorsque l'on tire 200 fois au hasard et avec remise dans une urne contenant 10 boules roses, 5 boules noires, 20 cubes roses et 15 cubes noirs.

1. X suit une loi :

[a] binomiale de paramètres $n = 200$ et $p = 0,25$.

[b] binomiale de paramètres $n = 50$ et $p = 0,2$.

[c] binomiale de paramètres $n = 200$ et $p = 0,2$.

[d] binomiale de paramètres $n = 50$ et $p = 0,25$.

2. $p(X = 36)$ est égal à :

[a] 0,272 à 10^{-3} près

[b] 0,057 à 10^{-3} près

[c] 0,728 à 10^{-3} près

[d] $p(X \leqslant 36) - p(X \leqslant 35)$

3. $p(X < 40)$ est égal à :

[a] 0,542 à 10^{-3} près

[b] 0,472 à 10^{-3} près

[c] 0,07 à 10^{-3} près

[d] 0,528 à 10^{-3} près

4. On considère une fonction **Python** telle que `parmi(k,n)` renvoie $\binom{n}{k}$ pour tout entier naturel n et tout entier naturel k entre 0 et n. On obtient $p(X = 50)$ avec :

[a] `parmi(50,200)*(0.2**50)*(0.8**150)`

[b] `parmi(200,50)*(0.2**50)*(0.8**150)`

[c] `parmi(50,200)*(0.8**50)*(0.2**150)`

[d] `parmi(200,50)*(0.8**50)*(0.2**150)`

On tire successivement quatre fois avec remise dans cette urne et, à chaque tirage, on note la couleur de l'objet obtenu.

5. L'univers associé à cette expérience aléatoire est :

[a] {rose ; noir}.

[b] {rose ; noir } $\times$ {rose ; noir} $\times$ {rose ; noir} $\times$ {rose ; noir}.

[c] {rose ; noir}^{4}.

[b] {cube rose ; cube noir ; boule rose ; boule noire}^{4}.

6. La probabilité d'obtenir l'issue (rose ; rose ; noir ; rose) est :

[a] 0,086 4   [b] $0,6^3 \times 0,4$ [c] 0,062 5   [d] 0,25

7. Alexis lance 40 dés équilibrés à 8 faces numérotées de 1 à 8. Il fait la somme des résultats des dés. Quel résultat moyen peut-il envisager sur un grand nombre de lancers de ces 40 dés ?

[a] 180   [b] 4,5

[c] 0,2   [d] 320

8. On considère un échantillon de 400 variables aléatoires $(X_1 ; X_2 ; ... ; X_{400})$ d'espérance égale à 5 et d'écart-type 0,2. Alors on peut dire que la variable aléatoire moyenne M_{400} de ces 400 variables aléatoires a :

[a] pour espérance 2 000.

[b] pour espérance 0,012 5.

[c] pour variance 1×10^{-4}.

[d] pour variance 0,04.

6 POINTS

60 min

Exercice 1 — Équations différentielles

QCM Pour chacune des questions suivantes, choisir la (les) bonnes(s) réponse(s).

1. On considère l'équation différentielle $y' - 3y = 2$, où y désigne une fonction dérivable sur l'ensemble des réels. Une solution f de cette équation est la fonction de la variable x vérifiant pour tout réel x :

a $f(x) = 2e^{-3x}$

b $f(x) = e^{3x} + \dfrac{2}{3}$

c $f(x) = e^{\frac{2}{3}x}$

d $f(x) = e^{3x} - \dfrac{2}{3}$

2. Soit f la fonction définie sur $\mathbb{R}$ par $f(x) = 2\cos\left(\dfrac{4}{3}x - \dfrac{\pi}{6}\right)$. La fonction f est une solution de l'équation différentielle :

a $y'' + y = 0$

b $16y'' - 9y = 0$

c $9y'' + 16y = 0$

d $9y'' - 16y = 0$

3. La fonction f est solution de l'équation différentielle $y' + 2y = 6$ qui vérifie la condition initiale $f(0) = 1$. Sa courbe représentative admet pour tangente au point d'abscisse 0 la droite d'équation :

a $y = -4x + 1$

b $y = -x + 1$

c $y = 4x + 1$

d $y = 4x - 3$

D'après Bac STI2D Polynésie juin 2014- Antilles-Guyane 2014

4 POINTS

50 min

Exercice 2 — Problème ouvert en probabilités

Un casino vient de recevoir une nouvelle roulette constituée de 18 cases rouges, 18 cases noires et 1 case verte. Afin de la tester, la responsable du casino lance 100 fois de suite une bille dans cette roulette et tombe 55 fois sur une case noire.

Que peut-on penser de la fiabilité de cette roulette ? Plusieurs réponses sont possibles mais dans tous les cas, elles doivent être justifiées par un raisonnement mathématique structuré.

Exercice 3   Géométrie et modélisation

Deux espèces de tortues endémiques d'une petite île de l'océan pacifique, les tortues vertes et les tortues imbriquées, se retrouvent lors de différents épisodes reproducteurs sur deux des plages de l'île pour pondre.

Cette île est le point de convergence de nombreuses tortues. Des spécialistes ont décidé d'en profiter pour recueillir différentes données sur celles-ci.

Ils ont dans un premier temps constaté que les couloirs empruntés dans l'océan par chacune des deux espèces pour arriver sur l'île pouvaient être assimilés à des trajectoires rectilignes.

Dans la suite, l'espace est rapporté à un repère orthonormé $(O ; \vec{i}, \vec{j}, \vec{k})$ d'unité 100 mètres.

Le plan $(O ; \vec{i}, \vec{j})$ représente le niveau de l'eau et on admet qu'un point $M(x; y; z)$ avec $z < 0$ se situe dans l'océan. La modélisation des spécialistes établit que :

• la trajectoire empruntée dans l'océan par les tortues vertes a pour support la droite D_1 dont une représentation paramétrique est : $\begin{cases} x = 3 + t \\ y = 6t \\ z = -3t \end{cases}$ avec t réel ;

• la trajectoire empruntée dans l'océan par les tortues imbriquées a pour support la droite D_2 dont une représentation paramétrique est : $\begin{cases} x = 10k \\ y = 2 + 6k \\ z = -4k \end{cases}$ avec k réel.

1. Démontrer que les deux espèces ne sont jamais amenées à se croiser avant d'arriver sur l'île.

2. L'objectif de cette question est d'estimer la distance minimale séparant ces deux trajectoires.

   a) Vérifier que le vecteur $\vec{n} \begin{pmatrix} 3 \\ 13 \\ 27 \end{pmatrix}$ est normal aux droites D_1 et D_2.

   b) On admet que la distance minimale entre les droites D_1 et D_2 est la distance HH' où $\overrightarrow{HH'}$ est un vecteur colinéaire à $\vec{n}$ avec H appartenant à la droite D_1 et H' appartenant à la droite D_2.

   Déterminer une valeur arrondie en mètre de cette distance minimale.

   On pourra utiliser les résultats ci-après fournis par un logiciel de calcul formel.

```
◁ Calcul formel 1
Résoudre ({10*k-3-t = 3*m,2+6*k-6*t = 13*m,-4*k+3*t = 27*m}, {k,m,t})
→ {{k = 675/1814, m = 17/907, t = 603/907}}
```

3. Les scientifiques décident d'installer une balise en mer.

Elle est repérée par le point B de coordonnées (2 ; 4 ; 0).

   a) Soit M un point de la droite D_1.
   Déterminer les coordonnées du point M tel que la distance BM soit minimale.

   b) En déduire la distance minimale, arrondie au mètre, entre la balise et les tortues vertes.

Exercice 4 — Suite et limite

A ▶ Soit f la fonction définie sur $\mathbb{R}$ par $f(x) = x - \ln(x^2 + 1)$.

1. Résoudre dans $\mathbb{R}$ l'équation : $f(x) = x$.

2. Justifier tous les éléments du tableau de variations ci-dessous à l'exception de la limite de la fonction f en $+\infty$ que l'on admet.

x	$-\infty$		1		$+\infty$
f'		$+$	0	$+$	
f	$-\infty$				$+\infty$

3. Montrer que, pour tout réel x appartenant à $[0 ; 1]$, $f(x)$ appartient à $[0 ; 1]$.

4. On considère l'algorithme suivant.

Variables	`N et A des entiers naturels;`
Entrée	`Saisir la valeur de A`

Traitement	`N prend la valeur 0`
	`Tant que N - ln(N² + 1) < A`
	`N prend la valeur N + 1`
	`Fin Tant que`

Sortie	`Afficher N`

a) Que fait cet algorithme ?

b) Déterminer la valeur N fournie par l'algorithme lorsque la valeur saisie pour A est 100.

B ▶ Soit (u_n) la suite définie par $u_0 = 1$ et, pour tout entier naturel n, $u_{n+1} = u_n - \ln(u_n^2 + 1)$.

1. Montrer par récurrence que, pour tout entier naturel n, u_n appartient à $[0 ; 1]$.

2. Étudier les variations de la suite (u_n).

3. Montrer que la suite (u_n) est convergente.

4. On note ℓ sa limite, et on admet que ℓ vérifie l'égalité $f(\ell) = \ell$. En déduire la valeur de ℓ.

D'après Bac Métropole juin 2016

Sujet type D

TICE 60 min · **5 POINTS**

Exercice 1   Suite récurrente d'ordre 2

Soit (u_n) la suite définie par $u_0 = 3$, $u_1 = 6$ et pour tout entier naturel n : $u_{n+2} = \dfrac{5}{4}u_{n+1} - \dfrac{1}{4}u_n$.

Nous voulons étudier la limite éventuelle de la suite (u_n).

	A	B
1	n	u_n
2	0	3
3	1	6
4	2	
5	3	
6	4	
7	5	

A ▶ On souhaite calculer la valeur des premiers termes de la suite (u_n) à l'aide d'un tableur.

On a reproduit ci-dessous une partie d'une feuille de calcul, où figurent les valeurs de u_0 et de u_1.

1. Quelle formule faut-il saisir dans la cellule B4, pour obtenir par recopie vers le bas, les valeurs de la suite (u_n) dans la colonne B ?

2. Recopier et compléter le tableau ci-dessus. On arrondira à 10^{-3} près.

3. Que peut-on conjecturer à propos de la convergence de la suite (u_n) ?

B ▶ Soit (v_n) et (w_n) les suites définies pour tout entier naturel n par : $v_n = u_{n+1} - \dfrac{1}{4}u_n$ et $w_n = u_n - 7$.

1. a) Démontrer que (v_n) est une suite constante.

   b) En déduire que pour tout entier naturel n, $u_{n+1} = \dfrac{1}{4}u_n + \dfrac{21}{4}$.

2. a) Démontrer par récurrence que, pour tout entier naturel n, $u_n < u_{n+1} < 15$.

   b) En déduire que la suite (u_n) est convergente.

3. a) Démontrer que (w_n) est une suite géométrique dont on précisera le premier terme et la raison.

   b) En déduire que pour tout entier naturel n, $u_n = 7 - \left(\dfrac{1}{4}\right)^{n-1}$.

   c) Déterminer la limite de la suite (u_n).

D'après Bac S 2017

 30 min · **3 POINTS**

Exercice 2   Succession d'épreuves, loi binomiale

Alma apprend à lire. Quand elle rencontre un mot, soit elle le lit correctement avec une probabilité 0,8, soit elle ne le lit pas correctement avec une probabilité 0,15, soit elle ne le lit pas du tout avec une probabilité 0,05.

On considère l'expérience aléatoire consistant pour Alma à lire un mot. Les issues sont C pour un mot lu correctement, P pour un mot pas lu correctement et N pour un mot pas lu du tout.

On répète 5 fois indépendamment cette expérience.

1. Donner l'univers associé à cette succession indépendante de 5 épreuves identiques.

2. Déterminer la probabilité qu'Alma ne lise pas correctement le premier mot puis lise correctement les 3 suivants puis ne lise pas du tout le dernier.

Exercice 3 — Géométrie

QCM Pour chacune des questions suivantes, choisir la (les) bonnes(s) réponse(s).

A ▶ PQRS est un tétraèdre régulier d'arête a. On appelle I, J, K, L et M les milieux respectifs des arêtes [PQ], [PR], [PS], [QR] et [RS].

1. $\vec{PQ} \cdot \vec{PS} =$ [a] $\dfrac{a^2}{2}$ [b] $-\dfrac{a^2}{2}$ [c] 0 [d] a^2

2. $\vec{IJ} \cdot \vec{LS} =$ [a] $\dfrac{a^2}{2}$ [b] $-\dfrac{a^2}{2}$ [c] 0 [d] a^2

B ▶ Dans l'espace muni d'un repère orthonormé, on considère la droite d dont une représentation paramétrique est : $\begin{cases} x = -2 + k \\ y = 1 + 2k \\ z = -5 + 5k \end{cases}$ avec k réel.

1. Un vecteur directeur de la droite est : [a] $\begin{pmatrix} -2 \\ 1 \\ -5 \end{pmatrix}$ [b] $\begin{pmatrix} -1 \\ -2 \\ -5 \end{pmatrix}$ [c] $\begin{pmatrix} -2 \\ 2 \\ 5 \end{pmatrix}$ [d] $\begin{pmatrix} 1 \\ 2 \\ -5 \end{pmatrix}$

2. La droite est incluse dans le plan :

[a] $x + y + z = 0$ [b] $x + 2y + 5z = 0$ [c] $x + 2y - z - 5 = 0$ [d] $-2x + y - 5z + 1 = 0$

C ▶ L'espace est muni d'un repère orthonormé $(O ; \vec{i}, \vec{j}, \vec{k})$. On considère la droite d passant par le point A(0 ; 0 ; 1) et de vecteur directeur $\vec{j}$. Un point quelconque M de l'espace a pour coordonnées $(x ; y ; z)$.

1. Le projeté orthogonal de M sur la droite d a pour coordonnées :

[a] $(x ; 0 ; 1)$ [b] $(0 ; y ; 1)$ [c] $(x ; 0 ; -1)$ [d] $(0 ; y ; z)$

2. La distance du point M à la droite d est donnée par :

[a] $\sqrt{x^2 + (z+1)^2}$ [b] $\sqrt{y^2 + (z+1)^2}$ [c] $\sqrt{x^2 + (z-1)^2}$ [d] $\sqrt{y^2 + (z-1)^2}$

Exercice 4 — Logarithme et géométrie

Le plan est muni d'un repère orthogonal $(O ; \vec{i}, \vec{j})$.

1. On considère la fonction f définie sur l'intervalle $]0 ; 1]$ par $f(x) = x(1 - \ln(x))^2$.

a) Déterminer une expression de la fonction dérivée de f et vérifier que pour tout $x \in]0 ; 1]$:

$$f'(x) = (\ln x + 1)(\ln x - 1).$$

b) Étudier les variations de la fonction f et dresser son tableau de variations sur l'intervalle $]0 ; 1]$ (on admettra que la limite de la fonction f en 0 est nulle).

On note Γ la courbe représentative de la fonction g définie sur l'intervalle $]0 ; 1]$ par $g(x) = \ln(x)$. Soit a un réel de l'intervalle $]0 ; 1]$. On note M_a le point de la courbe Γ d'abscisse a et d_a la tangente à la courbe Γ au point M_a. Cette droite d_a coupe l'axe des abscisses au point N_a et l'axe des ordonnées au point P_a.

On s'intéresse à l'aire du triangle ON_aP_a quand le réel a varie dans l'intervalle $]0 ; 1]$.

2. Dans cette question, on étudie le cas particulier où $a = 0,2$ et on donne la figure ci-dessous.

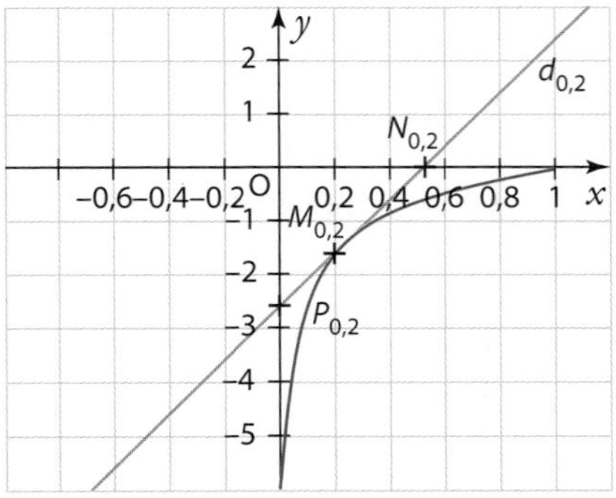

a) Déterminer graphiquement une estimation de l'aire du triangle $ON_{0,2}P_{0,2}$ en unités d'aire.

b) Déterminer une équation de la tangente $d_{0,2}$.

c) Calculer la valeur exacte de l'aire du triangle $ON_{0,2}\,P_{0,2}$.

Dans ce qui suit, on admet que, pour tout réel a de l'intervalle $]0 ; 1]$, l'aire du triangle ON_aP_a en unités d'aire est donnée par $\mathcal{A}(a) = \dfrac{1}{2}a(1 - \ln(a))^2$.

3. À l'aide des questions précédentes, déterminer pour quelle valeur de a l'aire $\mathcal{A}(a)$ est maximale. Déterminer cette aire maximale.

D'après Bac Liban mai 2019

Exercice 5 — Équations différentielles, résistance et condensateur

On étudie la charge d'un condensateur et l'on dispose pour cela du circuit électrique composé de :

• une source de tension continue E de 10 V ;

• une résistance R de 10^5 Ω ;

• un condensateur de capacité C de 10^{-6} F.

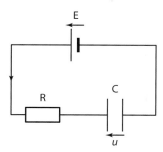

On note u la tension exprimée en volts aux bornes du condensateur. Cette tension u est une fonction du temps t exprimé en secondes. La fonction u est définie et dérivable sur $[0 \, ; + \infty[$; elle vérifie l'équation différentielle suivante : $RCu' + u = E$ où u' est la fonction dérivée de u.

1. Justifier que l'équation différentielle est équivalente à : $u' + 10u = 100$

2. a) Déterminer la forme générale $u(t)$ des solutions de cette équation différentielle.

b) On considère qu'à l'instant $t = 0$, le condensateur est déchargé. Parmi les solutions, déterminer l'unique fonction u telle que $u(0) = 0$.

c) Déterminer en justifiant la réponse, la limite en $+\infty$ de la fonction u ainsi obtenue. En donner une interprétation.

3. On donne ci-dessous la représentation graphique de la fonction u qui vient d'être obtenue à la question 2. b) avec les unités suivantes : 1 unité pour 1 seconde sur l'axe des abscisses et 1 unité pour 1 volt sur l'axe des ordonnées. On appelle T le temps de charge en seconde pour que $u(T)$ soit égal à 95 % de E.

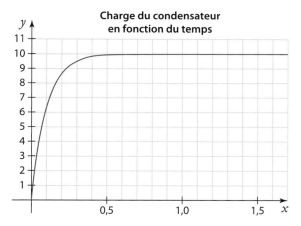

Charge du condensateur en fonction du temps

a) Déterminer graphiquement le temps de charge T.

b) Retrouver, par le calcul, le résultat précédent.

4. Sans modifier les valeurs respectives de E et de C, déterminer la valeur de R afin que le temps de charge T soit multiplié par 2.

D'après Bac STI 2D/STL -Antilles-Guyane- Juin 2015

Sujet type E

Exercice 1 — Suite

1. Déterminer la limite des suites suivantes définies par :

a) $u_n = n^2 - \dfrac{1}{n}$

b) $v_n = (n + \sqrt{n})\left(\dfrac{1}{n} - 3\right)$

c) $w_n = n^2 - n^3$

d) $a_n = \dfrac{n + 3}{2n + 4}$

2. Soit (b_n) la suite définie par $b_0 = 0$ et pour tout $n \in \mathbb{N}$, $b_{n+1} = \sqrt{b_n^2 + 2}$.

a) Démontrer par récurrence que pour tout entier naturel n, $b_n \geqslant \sqrt{n}$.

b) Déterminer la limite de la suite (b_n).

c) Calculer les cinq premiers termes de la suite (b_n) et conjecturer l'expression de b_n en fonction de n.

d) Démontrer la conjecture de la question **c)**.

Exercice 2 — Loi binomiale et variable aléatoire

Une urne contient 20 tickets numérotés de 1 à 20. On tire au hasard un ticket et :

- si on obtient un nombre supérieur à 18, on gagne 10 euros ;
- si on obtient un nombre compris entre 14 et 18 inclus, on gagne 2 euros ;
- dans les autres cas on perd 2,50 euros.

1. X est la variable aléatoire donnant le gain algébrique à ce jeu.

a) Donner la loi de X.

b) Calculer $E(X)$ et $V(X)$.

2. Recopier et compléter la fonction **Python** suivante pour qu'elle simule ce jeu.

```
def jeu():
    a=random.random()
    if a<0.1:
        r=10
    if a>0.1 and a<…:
        r=…
    if …
        r=…
    return r
```

3. Lorsqu'elle joue, Léonie fait n parties de ce jeu.

On note X_i la variable aléatoire donnant le gain algébrique de sa i-ième partie (i entre 1 et n).

a) À quoi correspond concrètement la variable aléatoire S définie par $S = X_1 + X_2 + … + X_n$?

b) Exprimer $E(S)$ en fonction de n.

c) Pour quelle(s) valeur(s) de n Léonie perd-elle en moyenne plus de 10 euros lorsqu'elle joue un grand nombre de fois ces n parties ?

4. Oscar, l'organisateur du jeu, décide de multiplier les gains algébriques par 3.

On note Y la variable aléatoire donnant le gain algébrique d'un joueur du nouveau jeu.

2 000 personnes jouent à son jeu. Que pouvez-vous dire à Oscar concernant ses gains ?

Exercice 3 — **Géométrie repérée**

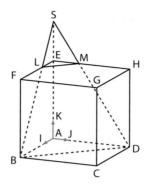

Une artiste souhaite réaliser une sculpture composée d'un tétraèdre posé sur un cube de 6 mètres d'arête. Ces deux solides sont représentés par le cube ABCDEFGH et par le tétraèdre SELM ci-contre.

On munit l'espace du repère orthonormé (A ; $\vec{AI}$, $\vec{AJ}$, $\vec{AK}$) tel que :

I ∈ [AB], J ∈ [AD], K ∈ [AE] et AI = A J = AK = 1, l'unité graphique représentant 1 mètre.

Les points L, M et S sont définis de la façon suivante :

- L est le point tel que : $\vec{FL} = \dfrac{2}{3}\vec{FE}$;

- M est le point d'intersection du plan (BDL) et de la droite (EH) ;

- S est le point d'intersection des droites (BL) et (AK).

1. Démontrer, sans calcul de coordonnées, que les droites (LM) et (BD) sont parallèles.

2. Démontrer que les coordonnées du point L sont (2 ; 0 ; 6).

3. a) Donner une représentation paramétrique de la droite (BL).

   b) Vérifier que les coordonnées du point S sont (0 ; 0 ; 9).

4. Soit $\vec{n}$ le vecteur de coordonnées $\begin{pmatrix} 3 \\ 3 \\ 2 \end{pmatrix}$.

   a) Vérifier que $\vec{n}$ est normal au plan (BDL).

   b) Démontrer qu'une équation cartésienne du plan (BDL) est : $3x + 3y + 2z - 18 = 0$.

   c) On admet que la droite (E H) a pour représentation paramétrique : $\begin{cases} x = 0 \\ y = s \ (s \in \mathbb{R}). \\ z = 6 \end{cases}$

   Calculer les coordonnées du point M.

5. Calculer le volume du tétraèdre SELM. On rappelle que le volume V d'un tétraèdre est donné par la formule suivante :

$V = \dfrac{1}{3} \times$ Aire de la base $\times$ Hauteur.

6. L'artiste souhaite que la mesure de l'angle $\widehat{SLE}$ soit comprise entre 55° et 60°.

Cette contrainte d'angle est-elle respectée ?

Exercice 4   Logarithme et suite

On considère la fonction f définie sur $[0 \; ; +\infty[$ par $f(x) = \ln\left(\dfrac{3x+1}{x+1}\right)$.

On admet que la fonction f est dérivable sur $[0 \; ; +\infty[$ et on note f' sa fonction dérivée. On note $\mathscr{C}_f$ la courbe représentative de la fonction f dans un repère orthogonal.

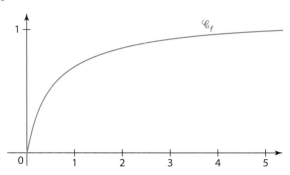

A ▶ 1. Déterminer $\lim\limits_{x \to +\infty} f(x)$ et en donner une interprétation graphique.

2. a) Démontrer que, pour tout nombre réel x positif ou nul, $f'(x) = \dfrac{2}{(x+1)(3x+1)}$.

b) En déduire que la fonction f est strictement croissante sur $[0 \; ; +\infty[$.

B ▶ Soit (u_n) la suite définie par $u_0 = 3$ et, pour tout entier naturel n, $u_{n+1} = f(u_n)$.

1. Démontrer par récurrence que, pour tout entier naturel n, $\dfrac{1}{2} \leqslant u_{n+1} \leqslant u_n$.

2. Démontrer que la suite (u_n) converge vers une limite strictement positive.

C ▶ On note ℓ la limite de la suite (u_n). On admet que $f(\ell) = \ell$.

L'objectif de cette partie est de déterminer une valeur approchée de ℓ.

On introduit ci-dessous le tableau de variations de la fonction g sur $[0 \; ; +\infty[$ où $x_0 = \dfrac{-2+\sqrt{7}}{3} \approx 0{,}215$ et $g(x_0) \approx 0{,}088$, en arrondissant à 10^{-3} près. On donne : $g(x) = f(x) - x$.

x	0		x_0		$+\infty$
Variation de la fonction g			$g(x_0)$		
	0				$-\infty$

1. Démontrer que l'équation $g(x) = 0$ admet une unique solution strictement positive. On la note α.

2. a) Recopier et compléter l'algorithme ci-contre afin que la dernière valeur prise par la variable x soit une valeur approchée de α par excès à $0{,}001$ près.

b) Donner alors la dernière valeur prise par la variable x lors de l'exécution de l'algorithme.

```
x ← 0,22
Tant que …faire
      x ← x+0,001
Fin de Tant que
```

3. En déduire une valeur approchée à $0{,}01$ près de la limite ℓ de la suite (u_n).

D'après Bac Nouvelle Calédonie novembre 2019

Dicomaths

Lexique

A

Algorithme

Une séquence finie d'instructions qui permet de résoudre un problème.

Asymptote horizontale   p. 52

Asymptote verticale   p. 54

Archimède (de Syracuse) (287-212 av. J.-C.)

Physicien, mathématicien et ingénieur grec de Sicile (Grande Grèce), ses travaux portent particulièrement sur la géométrie, la numération et la notion d'infini. Il détermine un encadrement de π en utilisant des polygones inscrits et exinscrits.

B

Base (espace)   p. 284

Bénéfice

Différence entre la recette et les coûts

Bernoulli (Jacques) (1654-1705)

Mathématicien et physicien suisse. Dans son œuvre la plus originale, il définit la notion de probabilité et introduit les notations encore utilisées au XXIe siècle. Ses neveux Nicolas et Daniel poursuivent par la suite son œuvre.

Bernoulli (Jean) (1667-1748)

Mathématicien et physicien suisse, petit frère de Jacques. Il est l'un des premiers à étudier le calcul infinitésimal. Il donne une première définition de la notion de fonction d'une grandeur variable.

Bernoulli (épreuve, loi, schéma)   p. 370

Bijection (Théorème)   p. 116

Bienaymé (Irénée-Jules) (1796-1878)

Mathématicien français, spécialisé en probabilités et en statistiques, il perpétue les travaux de Laplace en généralisant la méthode des moindres carrés. Il énonce l'inégalité de Bienaymé-Tchebychev, laquelle est utilisée afin de prouver la loi faible des grands nombres.

Binomiale (loi)   p. 372

Bornée (suite)   p. 24

Briggs (Henri) (1556-1630)

Mathématicien anglais, il établit les premières tables de logarithmes décimaux, approfondissant ainsi l'invention de John Napier.

C

Consignes (vocabulaire des)

Associer   Unir des éléments dans lesquels on voit des points communs.

Balayer   Observer des tableaux de valeurs successifs en réduisant au fur et à mesure le pas pour avoir un encadrement de plus en plus précis de la valeur cherchée.

Calculer   Fournir une valeur numérique à l'aide des règles de calculs.

Chercher   Tester plusieurs possibilités à partir des informations données dans l'énoncé, essayer de faire le lien avec des propriétés connues, utiliser la calculatrice ou un logiciel.

Communiquer   Expliquer un raisonnement à l'écrit ou à l'oral, expliquer une démarche même si celle-ci n'aboutit pas à l'aide de phrases, de formule, de schémas…

Comparer   Comparer deux nombres signifie déterminer s'ils sont égaux ou lequel est plus grand que l'autre.

Conjecturer   Émettre une supposition à partir d'observations.

Démontrer   À partir des éléments connus, effectuer un raisonnement ou un calcul pour obtenir le résultat ou la propriété cherchée.

Développer   Écrire un produit sous forme d'une somme équivalente.

Encadrer   Encadrer un nombre c'est donner un couple de valeurs $(a\,;b)$ entre lesquelles on est sûr que ce nombre se trouve.
On écrit une double inégalité : $a \leqslant x \leqslant b$.

Expliquer   Rendre compréhensible un raisonnement, une idée.

Interpréter   Faire une phrase situant le résultat obtenu dans le contexte (souvent concret) de l'exercice.

Modéliser   Décrire une situation concrète en utilisant les connaissances mathématiques, par exemple : écrire une équation ou une fonction permettant d'étudier la situation proposée.

Optimiser   Résoudre un problème consistant à trouver le maximum ou le minimum d'une fonction sur un ensemble.

Représenter   Fournir une information sous forme graphique : figures codées en géométrie, courbe d'une fonction, arbre ou schéma en probabilités…

Résoudre   Trouver toutes les solutions possibles.

Raisonner   ↳ Démontrer

Simplifier (une fraction)   Opération qui consiste à diviser le numérateur et le dénominateur par un même nombre non nul afin d'obtenir le numérateur et le dénominateur les plus petits possibles.

Cauchy (Augustin Louis) (1789-1857)

Mathématicien français et professeur à l'École Polytechnique, il est connu pour son *Cours d'Analyse* où, entre autres, il définit de manière rigoureuse la convergence de séries et où il énonce (et démontre) le théorème des valeurs intermédiaires.

Cavalieri (Bonaventure) (1598-1647)

Mathématicien et astronome italien, il est connu notamment pour le principe de Cavalieri, précurseur du calcul intégral et pour la géométrie des indivisibles. Galilée, avec lequel il entretient une correspondance prolifique, dit de lui que « peu ou nul, depuis Archimède, a vu aussi profondément dans la science de la géométrie ».

Chasles (Michel) (1793-1880)

Mathématicien français, ses travaux portent surtout sur la géométrie projective et sur l'analyse harmonique. Une relation vectorielle porte son nom mais existait déjà avant lui.
Il est l'inventeur du terme « homothétie ».

Coût

Somme dépensée pour créer et fabriquer un produit.

D

Dérivable (fonction)

Une fonction f est dérivable en un point a si $\lim\limits_{x \to a} \dfrac{f(x) - f(a)}{x - a}$ est finie .

Dénombrer

Action de compter

Delannoy (Henri Auguste) (1833-1915)

Mathématicien et historien , il s'intéresse de près aux travaux d'Edouard Lucas. Ses travaux portent, entre autres, sur la combinatoire, les probabilités discrètes et les carrés magiques.

Deparcieux (Antoine) (1703-1768)

Mathématicien français, il publie des traités concernant la trigonométrie et les probabilités.
Son *Essai sur les probabilités de la durée de la vie humaine*, dans lequel on trouve les « tables de mortalité » est considéré comme l'œuvre fondatrice de la science dite actuarielle c'est-à-dire de l'application des mathématiques à la finance et aux assurances.

Dioclès (240 – 180 av. J.-C.)   p. 76

Mathématicien grec, une courbe porte son nom : la Cissoïde de Dioclès. Il serait le premier à mettre en évidence le foyer d'une parabole.

E

Euclide (vers 300 av. J.-C.)

Mathématicien grec, il démontre dans ses *Eléments* de nombreux résultats en géométrie ou en arithmétique, d'où les notions de géométrie euclidienne, de division euclidienne ou encore d'algorithme d'Euclide.

Euler (Leonhard) (1707-1783)

Mathématicien et physicien suisse. Il introduit une grande partie des notations des mathématiques modernes : fonctions trigonométriques, notation $f(x)$, lettre e pour le nombre d'Euler, lettre i pour l'unité imaginaire etc.

F

Fourier (Joseph) (1768-1830)

Mathématicien et physicien français, il utilise les fonctions trigonométriques afin de déterminer l'équation de la chaleur.
L'évolution de la température est modélisée par des séries trigonométriques dites séries de Fourier.

G

Galton (Francis) (1822-1911)

Statisticien anglais, ses travaux portent sur le concept de corrélation.

La planche de Galton est connue pour expliciter la convergence d'une loi binomiale par une loi normale.

Gibbs (Josiah Willard) (1839-1903)

Physicien et chimiste américain, ses travaux portent sur la thermodynamique. Il crée la mécanique statistique en collaboration avec Maxwell et Boltzmann ainsi que l'analyse vectorielle en collaboration avec Heaviside.

H

Hamilton (William Rowan) (1805-1865)

Mathématicien, physicien et astronome irlandais, il est à l'origine des quaternions.

Ses travaux portent autant sur la géométrie (optique, vectorielle) que sur l'algèbre (résolution d'équations polynomiales).

Heaviside (Oliver) (1850-1925)

Physicien anglais, il crée l'analyse vectorielle en collaboration avec Gibbs et simplifie les équations de Maxwell grâce à cet outil.

La fonction indicatrice des réels positifs s'appelle fonction de Heaviside.

Huygens (Christian) (1629-1695)

Mathématicien, physicien et astronome néerlandais. Après avoir entendu parler de la correspondance entre Blaise Pascal et Pierre de Fermat, il publie le premier livre sur le calcul des probabilités dans les jeux de hasard.

I

Une fonction f, définie sur un ensemble de définition D symétrique par rapport à 0, est dite impaire si, pour tout réel x de D, on a $f(-x) = -f(x)$.

La courbe représentative d'une fonction impaire est symétrique par rapport à l'origine du repère.

J

Johnson (Katherine) (1918-2020)

Physicienne, mathématicienne et ingénieure spatiale américaine, ses calculs de trajectoires ont contribué au bon déroulement de plusieurs programmes de la NASA.

K

Koenig (Johan Samuel) (1712-1757)

Mathématicien allemand, élève de Jean Bernoulli, il est également professeur de philosophie.

Son nom est associé au théorème probabiliste de König-Huygens.

L

Lagrange (Joseph-Louis) (1736-1813)

Mathématicien et astronome italien naturalisé français, il élabore le système métrique avec Lavoisier pendant la Révolution. On lui doit la notation indicielle pour les suites numériques et il est à l'origine de la notation $f'(x)$.

Legendre (Adrien-Marie) (1752-1833)

Mathématicien français, ses travaux portent entre autres sur la théorie des nombres, les statistiques et les probabilités. Il introduit le symbole dit de Legendre au cours de ses recherches pour démontrer la loi de réciprocité quadratique.

Leibniz (Gottfried Wilhelm) (1646-1716)

Philosophe, mathématicien et diplomate allemand. Il introduit le terme de fonction et invente le calcul infinitésimal.

Lucas (Edouard) (1842-1891)

Mathématicien français, il est l'inventeur de nombreux jeux mathématiques comme par exemple les tours de Hanoï. De plus il étudie la suite de Fibonacci ainsi que la suite dite de Lucas. Il invente le test de primalité de Lucas-Lehmer que Lehmer optimise par la suite en 1927. À l'aide de ce test, il démontre en 1876 que le nombre de Mersenne M_{127} est premier.

M

Majorée (suite)
p. 24

Malthus (Thomas Robert) (1766-1834)

Économiste anglais, il étudie la démographie et notamment le contrôle de la natalité. Il utilise les mathématiques pour montrer que l'évolution de la population augmente de manière exponentielle tandis que les ressources augmentent de manière arithmétique, ce qui conduirait à un déséquilibre.

Markov (Andreï) (1856-1922)

Mathématicien russe, il soutient sa thèse en théorie des nombres sur les formes quadratiques binaires avec déterminant positif. En théorie des probabilités, ses chaînes de Markov marquent le début du calcul stochastique.

Maxwell (James Clerk) (1831-1879)

Mathématicien et physicien écossais, ses travaux portent notamment sur l'électromagnétisme. On lui doit une méthode statistique décrivant la cinétique des gaz : la distribution de Maxwell. Il est également à l'origine de la première photographie en couleur.

Mendel (Gregor) (1822-1884)

Botaniste autrichien, il est reconnu comme étant le fondateur de la génétique. On lui doit les lois de Mendel qui constituent les principes de base de l'hérédité.

Minorée (suite)
p. 24

Mouraille (Jean-Raymond) (1721-1808)

Auteur du Traité de la résolution des équations paru en 1768, il y étudie les conditions de convergence de la méthode de Newton et y souligne l'importance de la concavité de la fonction étudiée au sein de cette méthode.

N

Napier (John) ou Neper (Jean) (1550-1617)

Mathématicien, physicien et astronome écossais, il invente les logarithmes afin de simplifier les calculs utilisés en astronomie.

Newton (Isaac) (1642-1727)

Philosophe, mathématicien et physicien britannique. Il est l'un des fondateurs du calcul infinitésimal avec Leibniz et est à l'origine de la formule du binôme qui porte son nom.

P

Paire

Une fonction f, définie sur un ensemble de définition D symétrique par rapport à 0, est dite paire si, pour tout réel x de D, on a $f(-x) = f(x)$.
La courbe représentative d'une fonction paire est symétrique par rapport à l'axe des ordonnées.

Partie d'un ensemble
p. 338

Pascal (Blaise) (1623-1662)

Mathématicien, physicien et théologien français, il conçoit et fabrique une machine arithmétique : la *Pascaline*. Il entretient une correspondance avec Pierre de Fermat avec lequel il développe un nouveau champ de recherche en mathématiques : les calculs de probabilités.

Peano (Giuseppe) (1858-1932)

Mathématicien et linguiste italien, il est à l'origine d'une formalisation de l'arithmétique à travers des axiomes et d'une construction des nombres rationnels. Auteur du *Calcul différentiel et principes du calcul intégral* (1870) et du *Formulaire de Mathématiques* (1908), il est le premier à utiliser le terme de « logique mathématique » et de nombreuses notations qu'il emploie le sont encore à l'heure actuelle.

Période (d'une fonction)

Une fonction f est périodique de période T si pour tout x appartenant à son ensemble de définition, $f(x + T) = f(x)$

Permutation d'un ensemble
p. 340

p-liste (ou p-uplet)
p. 340

Plan médiateur
p. 319

Point d'inflexion
p. 148

Poisson (Siméon Denis) (1781-1840)

Mathématicien et physicien français, ses travaux concernent entres autres la géométrie et l'astronomie. En théorie des probabilités, il introduit dans ses Recherches sur la probabilité des jugements, la loi de probabilité discrète qui porte son nom : la loi de Poisson.

Pythagore (de Samos) (569-475 av. J.-C.)

Astronome, philosophe et mathématicien grec. Disciple de Thalès, il ne laisse aucun écrit mais est connu par ses disciples et successeurs.

On lui attribue l'origine du mot « mathématiques », celui qui veut apprendre.

Q

Quételet (Adolphe) (1796-1874)

Astronome, poète et mathématicien belge, il met en évidence le rôle primordial que joue la courbe de Gauss dans de nombreux domaines.

R

Raphson (Joseph) (env 1648-1715)

Mathématicien anglais, il publie en 1690 *Analysis Aequationum Universalis* où il présente la méthode connue actuellement comme étant la méthode de Newton-Raphson.

Recette

Somme d'argent encaissée

S

Saint-Vincent (Grégoire) (1584-1667)

Mathématicien flamand, ses travaux portent sur les calculs d'aires notamment dans ses recherches concernant la quadrature du cercle. Ses écrits, même si perfectibles, influencent grandement Leibniz lors de l'invention du calcul infinitésimal.

Scalaire

Un scalaire est un nombre réel dans les cas étudiés dans ce manuel.

Suite arithmétique

Une suite (u_n), avec $n \in \mathbb{N}$ est arithmétique s'il existe un réel r tel que pour tout $n \in \mathbb{N}$ on ait $u_n + 1 = u_n + r$

Suite géométrique

Une suite (u_n) avec $n \in \mathbb{N}$ est géométrique s'il existe un réel q tel que pour tout $n \in \mathbb{N}$ on ait $u_n + 1 = q \, u_n$

T

Tchebychev (Pafnouti Lvovitch) (1821-1894)

Mathématicien russe, ses domaines d'études sont la théorie des nombres, les probabilités et les statistiques. Il poursuit l'œuvre de ses prédécesseurs en démontrant de manière rigoureuse des théorèmes limites. Il démontre notamment l'inégalité énoncée par Bienaymé, devenant l'inégalité de Bienaymé-Tchebychev, laquelle est utilisée afin de prouver la loi faible des grands nombres.

U

V

Verhulst (Pierre François) (1804-1849)

Mathématicien belge, il est l'élève de Quételet et établit le modèle de Verhulst, modélisant la croissance exponentielle d'une population.

Z

Zenon (d'Elée) (490-430 av. J.-C.)

Philosophe grec, il est à l'origine de plusieurs paradoxes dont celui d'Achille et de la Tortue.

Puissances

- Pour tout nombre entier n positif non nul, pour tout nombre relatif a : $a^n = \underbrace{a \times a \times \ldots \times a}_{n \text{ facteurs}}$

Et, si a est non nul : $a^{-n} = \dfrac{1}{a^n} = \dfrac{1}{\underbrace{a \times a \times \ldots \times a}_{n \text{ facteurs}}}$

- Par convention, $a^0 = 1$.
- On considère deux nombres entiers relatifs n et m et un nombre a.

$$\cdot\ a^n \times a^m = a^{n+m} \qquad \cdot\ a^n \times b^n = (a \times b)^n \qquad \cdot\ \frac{a^n}{a^m} = a^{n-m} \ (a \neq 0) \qquad \cdot\ (a^m)^p = a^{m \times p}$$

Racine carrée

- La racine carrée d'un nombre positif a est le nombre positif, noté $\sqrt{a}$, dont le carré est a : $\sqrt{a} \times \sqrt{a} = (\sqrt{a})^2 = a$
- Un carré parfait est le carré d'un nombre entier.
- Pour tout nombre a : $\qquad \sqrt{a^2} = a \text{ si } a > 0 \quad$ et $\quad \sqrt{a^2} = -a \text{ si } a < 0$
- Pour tous nombres positifs a et b : $\qquad \sqrt{a \times b} = \sqrt{a} \times \sqrt{b}$
- Pour tous nombres positifs a et b (avec $b \neq 0$) : $\qquad \sqrt{\dfrac{a}{b}} = \dfrac{\sqrt{a}}{\sqrt{b}}$

Calcul algébrique

Distributivité

- Pour tous nombres réels a, b, c, d et k, on a : $\quad k(a+b) = ka + kb \quad$ et $\quad (a+b)(c+d) = ac + ad + bc + bd$

Identités remarquables

Pour tous nombres réels a et b, on a :

$$\cdot\ (a+b)^2 = a^2 + 2ab + b^2 \qquad \cdot\ (a-b)^2 = a^2 - 2ab + b^2 \qquad \cdot\ (a+b)(a-b) = a^2 - b^2$$

Équations

- Un produit de facteurs est nul si et seulement si au moins l'un de ses facteurs est égal à 0.
- Un quotient est nul si et seulement si son numérateur est égal à 0 et son dénominateur est non nul.
- On considère l'équation $x^2 = k$ avec k appartenant à $\mathbb{R}$:
  - si $k < 0$, l'équation $x^2 = k$ n'a **aucune solution réelle**.
  - si $k = 0$, l'équation $x^2 = k$ a **une seule solution réelle** $x = 0$.
  - si $k > 0$, l'équation $x^2 = k$ a **deux solutions réelles** $x = \sqrt{k}$ et $x = -\sqrt{k}$.
- On considère l'équation $\sqrt{x} = k$ avec k appartenant à $\mathbb{R}$:
  - si $k < 0$, l'équation $\sqrt{x} = k$ n'a **aucune solution réelle**.
  - si $k \geqslant 0$, l'équation $\sqrt{x} = k$ a **une seule solution réelle** $x = k^2$.
- On considère l'équation $\dfrac{1}{x} = k$ avec k appartenant à $\mathbb{R}$:
  - si $k = 0$, l'équation $\dfrac{1}{x} = k$ n'a **aucune solution réelle**.
  - si $k \neq 0$, l'équation $\dfrac{1}{x} = k$ a une **seule solution réelle** $x = \dfrac{1}{k}$.

Proportions et évolutions

Proportions d'ensembles emboîtés

● On considère trois ensembles A, B et C emboîtés tels que $C \subset B \subset A$.

On note p la proportion de la population de B dans la population de A.

On note p' la proportion de la population de C dans la population de B.

Alors la proportion de la population de C dans la population A est égale à $p \times p'$.

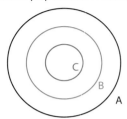

Variations absolue et relative

● On suppose qu'une quantité passe d'une valeur de départ V_D à une valeur d'arrivée V_A.

  • la variation absolue est : $\boxed{V_A - V_D}$

  • la variation relative, ou taux d'évolution, est : $\dfrac{V_A - V_D}{V_D}$

Évolutions successives

● Lorsque l'on a une évolution d'une valeur V_1 à une valeur V_2 suivie d'une autre évolution de la valeur V_2 à une valeur V_3, le taux d'évolution global associé à ces deux évolutions est le taux d'évolution entre V_1 et V_3. Son coefficient multiplicateur est appelé coefficient multiplicateur global et est égal à $c \times c'$ où c (respectivement c') est le coefficient multiplicateur de la première (respectivement de la seconde) évolution.

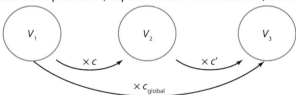

Évolution réciproque

● Lorsque l'on a une évolution d'une valeur V_D à une valeur V_A, le taux réciproque est le taux permettant de revenir de V_A à V_D. Son coefficient multiplicateur est appelé coefficient multiplicateur réciproque et est égal à $\dfrac{1}{c}$ où c est le coefficient multiplicateur de l'évolution de départ.

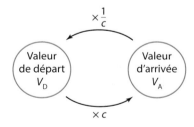

Statistiques descriptives

Moyenne

● On considère une série statistique de p valeurs distinctes $x_1, x_2, …, x_p$ d'effectifs respectifs $n_1, n_2, …, n_p$ donnée dans le tableau ci-contre.

Valeur	x_1	x_2	$…$	x_p
Effectif	n_1	n_2	$…$	n_p

La **moyenne** de cette série est : $m = \dfrac{n_1 \times x_1 + n_2 \times x_2 + … + n_p \times x_p}{n_1 + n_2 + … + n_p}$

Moyenne pondérée

● On considère une série statistique constituée de p valeurs $x_1, x_2, …, x_p$ affectées de p coefficients (ou poids) $c_1, c_2, …, c_p$.

La **moyenne pondérée** de cette série est : $m = \dfrac{c_1 \times x_1 + c_2 \times x_2 + … + c_p \times x_p}{c_1 + c_2 + … + c_p}$

Probabilités

Équiprobabilité

• Une loi de probabilité est dite **équirépartie** lorsque chaque issue a la même probabilité de se réaliser, qui est :

$$\frac{1}{\text{nombre total d'issues}} = \frac{1}{n}$$

On est alors dans une situation d'**équiprobabilité.**

• La probabilité d'un évènement A est égale à la somme des probabilités des issues qui réalisent cet évènement.

Dans une situation d'**équiprobabilité**, où il y a n issues, la probabilité d'un événement A réalisé par k issues est :

$$p(A) = \frac{\text{nombre d'issues qui réalisent A}}{\text{nombre total d'issues}} = \frac{k}{n}$$

Probabilité de l'évènement contraire

• Soit A un événement. On a :

$$p(A) = 1 - p(\overline{A})$$

Relation entre union et intersection

• Soit A et B deux événements. On a :

$$p(A \cup B) = p(A) + p(B) - p(A \cap B).$$

Vecteurs

Définitions

• Le vecteur $\overrightarrow{AB}$ est défini par :

    • sa **direction** (celle de la droite (AB),

    • son **sens** (de A vers B),

    • sa **norme** (la longueur du segment AB).

• ABDC est un parallélogramme (éventuellement aplati) si et seulement si :

$$\overrightarrow{AB} = \overrightarrow{CD}$$

• Deux vecteurs $\vec{u}$ et $\vec{v}$ non nuls sont **colinéaires** s'il existe un réel non nul k tel que :

$$\vec{v} = k\vec{u}$$

• Deux droites (AB) et (MN) sont **parallèles** si et seulement si les vecteurs $\overrightarrow{AB}$ et $\overrightarrow{MN}$ sont **colinéaires.**

• Trois points distincts A, B et C sont **alignés** si et seulement si les vecteurs $\overrightarrow{AB}$ et $\overrightarrow{AC}$ sont colinéaires.

• Soient A et B deux points distincts d'une droite d alors tout vecteur $\vec{u}$ colinéaire au vecteur $\overrightarrow{AB}$ est appelé **vecteur directeur** de la droite d.

Relation de Chasles

• A, B, C trois points.

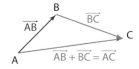

On a :

$$\overrightarrow{AB} + \overrightarrow{BC} = \overrightarrow{AC}$$

Géométrie repérée

• On considère les vecteurs $\vec{u}\begin{pmatrix} x \\ y \end{pmatrix}$ et $\vec{v}\begin{pmatrix} x' \\ y' \end{pmatrix}$ et les points $A(x_A \, ; y_A)$ et $B(x_B \, ; y_B)$ dans le plan muni d'un repère orthonormé $(O \, ; \vec{i}, \, \vec{j})$.

  • Distance :
  $$AB = \sqrt{(x_B - x_A)^2 + (y_B - y_A)^2}$$

  • Le milieu d'un segment [AB] a pour coordonnées :
  $$\left(\frac{x_A + x_B}{2} \, ; \frac{y_A + y_B}{2} \right)$$

  • Coordonnées du vecteur :
  $$\overrightarrow{AB}\begin{pmatrix} x_B - x_A \\ y_B - y_A \end{pmatrix}$$

  • Égalité de vecteurs :
  $$\vec{u} = \vec{v} \Leftrightarrow \begin{cases} x = x' \\ y = y' \end{cases}$$

  • Somme de deux vecteurs :
  $$\vec{u} + \vec{v}\begin{pmatrix} x + x' \\ y + y' \end{pmatrix}$$

  • Multiplication par un réel k :
  $$k\vec{u}\begin{pmatrix} kx \\ ky \end{pmatrix}$$

  • Norme d'un vecteur :
  $$\|\vec{u}\| = \sqrt{x^2 + y^2}$$

  • Déterminant de deux vecteurs :
  $$\det(\vec{u}, \vec{v}) = xy' - x'y$$

• Deux vecteurs sont **colinéaires** si et seulement si leur **déterminant est nul**.

• Une **équation cartésienne** de la droite passant par le point A et de **vecteur directeur** $\vec{u}\begin{pmatrix} -b \\ a \end{pmatrix}$ est de la forme :
$$ax + by + c = 0$$

• Toute droite non verticale a une **équation réduite** de la forme : $y = mx + p$

où m s'appelle le **coefficient directeur** et p l'**ordonnée à l'origine**. Le vecteur de coordonnées $\begin{pmatrix} 1 \\ m \end{pmatrix}$ est un **vecteur directeur** de cette droite.

• Le **coefficient directeur** ou pente d'une droite (AB) est :
$$m = \frac{\Delta y}{\Delta x} = \frac{y_B - y_A}{x_B - x_A} \quad \text{si } x_A \neq x_B$$

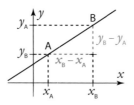

• Toute droite **verticale** a une équation réduite de la forme : $x = k$

• Deux droites d'équations réduites $y = mx + p$ et $y = m'x + p'$ sont **parallèles** si et seulement si $m = m'$.

Si, de plus, $p = p'$ alors elles sont **confondues**.

• Deux droites d'équations cartésiennes $ax + by + c = 0$ et $a'x + b'y + c' = 0$ sont **parallèles** si et seulement si
$$ab' - ba' = 0$$

Fonctions

Fonction affine

• Une **fonction affine** est une fonction définie sur $\mathbb{R}$ par $f(x) = ax + b$ (avec m et p réels) :

  • si $a > 0$, alors f est **croissante** sur $\mathbb{R}$.

  • si $a < 0$, alors f est **décroissante** sur $\mathbb{R}$.

  • si $a = 0$, alors f est **constante** sur $\mathbb{R}$.

• La fonction affine f s'annule et change de signe une fois dans son ensemble de définition en $x = -\dfrac{b}{a}$.

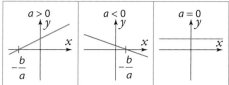

	$a > 0$		$a < 0$	
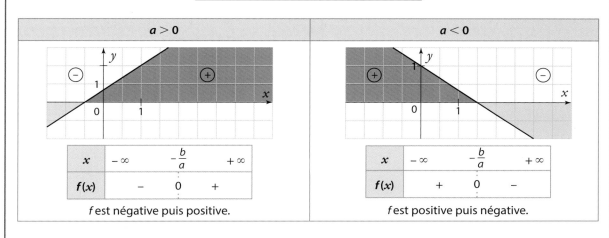				

x	$-\infty$	$-\dfrac{b}{a}$	$+\infty$
$f(x)$	$-$	0	$+$

f est négative puis positive.

x	$-\infty$	$-\dfrac{b}{a}$	$+\infty$
$f(x)$	$+$	0	$-$

f est positive puis négative.

Fonctions de référence

Fonction carré	**Fonction inverse**	**Fonction racine carrée**	**Fonction cube**
$x \mapsto x^2$	$x \mapsto \dfrac{1}{x}$	$x \mapsto \sqrt{x}$	$x \mapsto x^3$
La fonction carré est décroissante sur $\mathbb{R}-$ et croissante sur $\mathbb{R}+$.	La fonction inverse est décroissante sur $\mathbb{R}^{*}-$ et décroissante sur $\mathbb{R}^{*}+$.	La fonction racine carrée est croissante sur $\mathbb{R}+$.	La fonction cube est croissante sur $\mathbb{R}$.
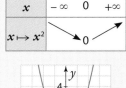	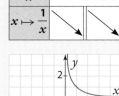	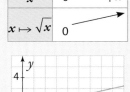	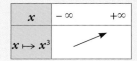
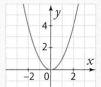	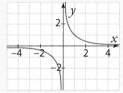	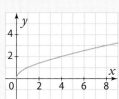	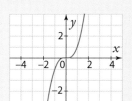

Second degré

Fonction polynôme de degré 2

$f(x) = ax^2 + bx + c$ avec a, b et c réels, $a \neq 0$

Forme canonique

$f(x) = a(x - \alpha)^2 + \beta$ avec α et β réels.

Coordonnées du sommet

$S(\alpha ; \beta)$ avec $\alpha = -\dfrac{b}{2a}$ et $\beta = f(\alpha)$.

Discriminant

$\Delta = b^2 - 4ac$

Courbes représentatives

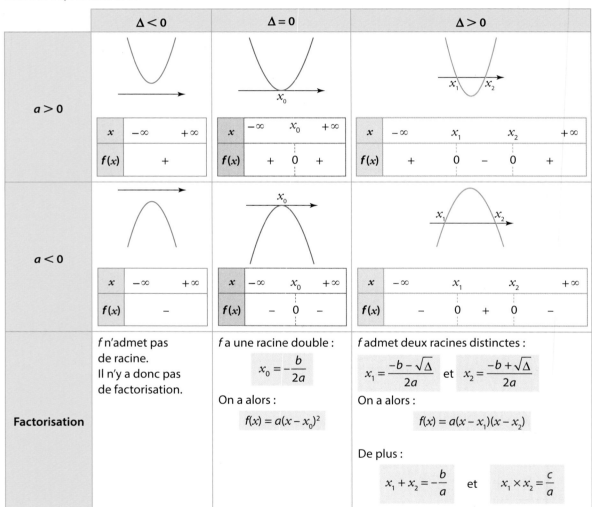

	$\Delta < 0$	$\Delta = 0$	$\Delta > 0$
$a > 0$	x: $-\infty$ ... $+\infty$; $f(x)$: $+$	x: $-\infty$ ... x_0 ... $+\infty$; $f(x)$: $+$ ... 0 ... $+$	x: $-\infty$ ... x_1 ... x_2 ... $+\infty$; $f(x)$: $+$ ... 0 ... $-$ ... 0 ... $+$
$a < 0$	x: $-\infty$ ... $+\infty$; $f(x)$: $-$	x: $-\infty$ ... x_0 ... $+\infty$; $f(x)$: $-$ ... 0 ... $-$	x: $-\infty$ ... x_1 ... x_2 ... $+\infty$; $f(x)$: $-$ ... 0 ... $+$ ... 0 ... $-$

Factorisation

$\Delta < 0$: f n'admet pas de racine. Il n'y a donc pas de factorisation.

$\Delta = 0$: f a une racine double :
$$x_0 = -\frac{b}{2a}$$
On a alors :
$$f(x) = a(x - x_0)^2$$

$\Delta > 0$: f admet deux racines distinctes :
$$x_1 = \frac{-b - \sqrt{\Delta}}{2a} \quad \text{et} \quad x_2 = \frac{-b + \sqrt{\Delta}}{2a}$$
On a alors :
$$f(x) = a(x - x_1)(x - x_2)$$
De plus :
$$x_1 + x_2 = -\frac{b}{a} \quad \text{et} \quad x_1 \times x_2 = \frac{c}{a}$$

Pour tout $n \in \mathbb{N}, p \in \mathbb{N}, r \in \mathbb{R}, q \in \mathbb{R}$	(u_n) est une suite arithmétique de raison r	(u_n) est une suite géométrique de raison q et $u_0 \neq 0$
Relation de récurrence	$u_{n+1} = u_n + r$	$u_{n+1} = q \times u_n$
Terme général	$u_n = u_0 + nr = u_1 + (n-1)r = u_p + (n-p)r$	$u_n = u_0 \times q^n = u_1 \times q^{n-1} = u_p \times q^{n-p}$

Variation	• Si $r > 0$: (u_n) est strictement croissante.
	• Si $r < 0$: (u_n) est strictement décroissante.
	• Si $r = 0$, (u_n) est constante.
		• Si $q > 1$ et :
		  • si u_0 positif : (u_n) est strictement croissante.
		  • si u_0 négatif : (u_n) est strictement décroissante.
		• Si $0 < q < 1$ et :
		  • si u_0 positif : (u_n) est strictement décroissante.
		  • si u_0 négatif : (u_n) est strictement croissante.
		• Si $q = 0$ ou $q = 1$: (u_n) est constante.
		• Si $q < 0$: (u_n) n'est pas monotone.

Somme, $n \geqslant 1, q \neq 1$	$1 + 2 + \ldots + n = \dfrac{n(n+1)}{2}$	$1 + q + q^2 + \ldots + q^n = \dfrac{1 - q^{n+1}}{1 - q}$

Dérivation

Dérivées des fonctions de référence

f est définie sur	Fonction f	Dérivée f'	f est dérivable sur
$\mathbb{R}$	c	0	$\mathbb{R}$
$\mathbb{R}$	x	1	$\mathbb{R}$
$\mathbb{R}$	x^2	$2x$	$\mathbb{R}$
$\mathbb{R}$	x^3	$3x^2$	$\mathbb{R}$
$\mathbb{R}, \mathbb{R}^*$ si $n < 0$	$x^n, n \in \mathbb{Z}$	nx^{n-1}	$\mathbb{R}, \mathbb{R}^*$ si $n < 0$
$\mathbb{R}^*$	$\dfrac{1}{x}$	$-\dfrac{1}{x^2}$	$\mathbb{R}^*$
$[0 \,;+\infty[$	$\sqrt{x}$	$\dfrac{1}{2\sqrt{x}}$	$]0 \,;+\infty[$
$\mathbb{R}$	e^x	e^x	$\mathbb{R}$

Opérations et dérivation

u et v sont deux fonctions définies et dérivables sur un intervalle I.

Fonctions u et v	Dérivée
$u + v$	$u' + v'$
$u \times v$	$u'v + v'u$
Pour k constante réelle, $k \times u$	$k \times u'$
Si pour tout x de I, $v(x) \neq 0$: $\dfrac{1}{v}$	$\dfrac{-v'}{v^2}$
Si pour tout x de I, $v(x) \neq 0$: $\dfrac{u}{v}$	$\dfrac{u'v - v'u}{v^2}$
Pour a et b réels : $u(ax + b)$	$a \times u'(ax + b)$
e^{ax+b}	$a \times e^{ax+b}$

Équation réduite de la tangente à la courbe représentative de f en un point d'abscisse a $\quad y = f'(a)(x - a) + f(a)$

Fonction exponentielle

• La fonction exponentielle est définie et strictement croissante sur $\mathbb{R}$.

$$\cdot\ e^0 = 1 \qquad \cdot\ e^1 = e \qquad \cdot\ \sqrt{e} = e^{\frac{1}{2}}$$

• Pour tout $x \in \mathbb{R}$, on a $\qquad e^x > 0$

• Pour tous réels a et b, $n \in \mathbb{Z}$:

$$\cdot\ e^{a+b} = e^a \times e^b \qquad \cdot\ e^{-a} = \frac{1}{e^a} \qquad \cdot\ e^{a-b} = \frac{e^a}{e^b} \qquad \cdot\ (e^a)^n = e^{an}$$

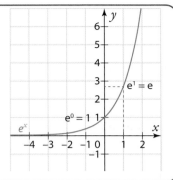

Produit scalaire

$\vec{u} \begin{pmatrix} x \\ y \end{pmatrix}$ et $\vec{v} \begin{pmatrix} x' \\ y' \end{pmatrix}$ sont deux vecteurs non nuls dans un repère orthonormé

Formule analytique $\qquad \vec{u} \cdot \vec{v} = xx' + yy'$

Formule géométrique $\qquad \vec{u} \cdot \vec{v} = \|\vec{u}\| \times \|\vec{v}\| \times \cos(\vec{u}, \vec{v})$

Formule avec les normes $\qquad \vec{u} \cdot \vec{v} = \frac{1}{2}\left(\|\vec{u}\|^2 + \|\vec{v}\|^2 - \|\vec{u} - \vec{v}\|^2\right)$

Projeté orthogonal

• Soit A, B et C trois points et H le projeté orthogonal de C sur la droite (AB) alors :

$\overrightarrow{AB} \cdot \overrightarrow{AC} = +AB \times AH$ si les vecteurs $\overrightarrow{AB}$ et $\overrightarrow{AH}$ sont de même sens.	$\overrightarrow{AB} \cdot \overrightarrow{AC} = -AB \times AH$ si les vecteurs $\overrightarrow{AB}$ et $\overrightarrow{AH}$ sont de sens contraires.

• Si $\vec{u} = \vec{0}$ ou si $\vec{v} = \vec{0}$ alors $\qquad \vec{u} \cdot \vec{v} = 0$

• $\vec{u}$ et $\vec{v}$ sont orthogonaux si et seulement si leur produit scalaire est nul, ce qui se traduit par :

$$xx' + yy' = 0$$

Propriétés du produit scalaire

$$\cdot\ \vec{u} \cdot \vec{v} = \vec{v} \cdot \vec{u}$$
$$\cdot\ \vec{u} \cdot (\vec{v} \cdot \vec{w}) = \vec{u} \cdot \vec{v} + \vec{u} \cdot \vec{w}$$
$$\cdot\ \vec{u} \cdot (k\vec{v}) = k(\vec{u} \cdot \vec{v})$$
$$\cdot\ \vec{u} \cdot \vec{u} = (\vec{u})^2 = \|\vec{u}\|^2$$
$$\cdot\ \|\vec{u} + \vec{v}\|^2 = \|\vec{u}\|^2 + \|\vec{v}\|^2 + 2\vec{u} \cdot \vec{v}$$

Fonctions sinus et cosinus

• Les fonctions **sinus** et **cosinus** sont définies sur $\mathbb{R}$. Ce sont des fonctions périodiques de période 2π.

$$\cdot \sin(x + 2\pi) = \sin(x) \quad \cdot \cos(x + 2\pi) = \cos(x)$$

• Pour tout nombre réel x

$$\cdot (\cos(x))^2 + (\sin(x))^2 = 1 \quad \cdot -1 \leq \cos(x) \leq 1$$
$$\cdot -1 \leq \sin(x) \leq 1$$

Valeurs remarquables

x	0	$\dfrac{\pi}{6}$	$\dfrac{\pi}{4}$	$\dfrac{\pi}{3}$	$\dfrac{\pi}{2}$	π	$\dfrac{3\pi}{2}$	2π
$\cos x$	1	$\dfrac{\sqrt{3}}{2}$	$\dfrac{\sqrt{2}}{2}$	$\dfrac{1}{2}$	0	-1	0	1
$\sin x$	0	$\dfrac{1}{2}$	$\dfrac{\sqrt{2}}{2}$	$\dfrac{\sqrt{3}}{2}$	1	0	-1	0

Angles associés

• $\cos(-x) = \cos(x)$ • $\sin(-x) = -\sin(x)$

• $\cos(\pi - x) = -\cos(x)$ • $\sin(\pi - x) = \sin(x)$

• $\cos(\pi + x) = -\cos(x)$ • $\sin(\pi + x) = -\sin(x)$

• $\cos\left(\dfrac{\pi}{2} - x\right) = \sin(x)$ • $\sin\left(\dfrac{\pi}{2} - x\right) = \cos(x)$

• $\cos\left(\dfrac{\pi}{2} + x\right) = -\sin(x)$ • $\sin\left(\dfrac{\pi}{2} + x\right) = \cos(x)$

Cercle trigonométrique

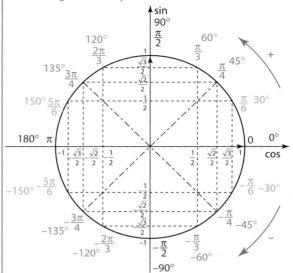

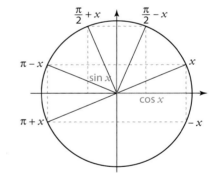

Fonctions sinus et cosinus

Elles sont définies sur $\mathbb{R}$, ce sont des fonctions périodiques de **période 2π**, dites « **2π-périodiques** ».

$$\sin(x + 2\pi) = \sin(x) \text{ et } \cos(x + 2\pi) = \cos(x)$$

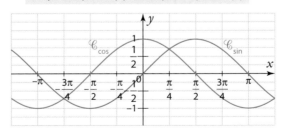

La fonction sinus est impaire

Sa courbe représentative est alors **symétrique par rapport à l'origine** du repère.

La fonction cosinus est paire

Sa courbe représentative est alors **symétrique par rapport à l'axe des ordonnées** du repère.

Formulaire de Terminale

Suite convergente

Soit (u_n) une suite et ℓ un réel. On dit que la suite (u_n) converge vers ℓ lorsque n tend vers $+\infty$ si tout intervalle ouvert J (aussi petit qu'il soit) contenant ℓ contient toutes les valeurs de la suite (u_n) à partir d'un certain rang N.

Suite qui tend vers $+\infty$

Soit (u_n) une suite. On dit que la suite (u_n) diverge vers $+\infty$ lorsque n tend vers $+\infty$ si pour tout réel A (aussi grand que l'on veut) il existe un entier naturel N tel que pour tout $n \geqslant N : u_n > A$.

Suite qui tend vers $-\infty$

Soit (u_n) une suite. On dit que la suite (u_n) diverge vers $-\infty$ lorsque n tend vers $+\infty$ si pour tout réel A (aussi petit que l'on veut) il existe un entier naturel N tel que pour tout $n \geqslant N : u_n < A$.

Théorème

Toute suite croissante et majorée (respectivement décroissante et minorée) est convergente.

Opérations sur les limites

Soient (u_n) et (v_n) deux suites et ℓ et ℓ' deux nombres réels.

- **Limite d'une somme**

$\lim\limits_{n\to+\infty} (u_n)$	ℓ	ℓ	ℓ	$+\infty$	$+\infty$	$-\infty$
$\lim\limits_{n\to+\infty} (v_n)$	ℓ'	$+\infty$	$-\infty$	$+\infty$	$-\infty$	$-\infty$
$\lim\limits_{n\to+\infty} (u_n + v_n)$	$\ell + \ell'$	$+\infty$	$-\infty$	$+\infty$	**indéterminée**	$-\infty$

- **Limite d'un produit**

$\lim\limits_{n\to+\infty} (u_n)$	ℓ	$\ell > 0$	$\ell > 0$	$\ell < 0$	$\ell < 0$	$+\infty$	$-\infty$	$-\infty$	$+\infty$	0
$\lim\limits_{n\to+\infty} (v_n)$	ℓ'	$+\infty$	$-\infty$	$+\infty$	$-\infty$	$+\infty$	$-\infty$	$+\infty$	$-\infty$	$\pm\infty$
$\lim\limits_{n\to+\infty} (u_n \times v_n)$	$\ell \times \ell'$	$+\infty$	$-\infty$	$-\infty$	$+\infty$	$+\infty$	$+\infty$	$-\infty$	$-\infty$	**indéterminée**

- **Limite d'un quotient**

$\lim\limits_{n\to+\infty} (u_n)$	ℓ	ℓ	$\pm\infty$	$\pm\infty$	$\ell \neq 0$	$\pm\infty$	0
$\lim\limits_{n\to+\infty} (v_n)$	$\ell' \neq 0$	0	$\ell' \neq 0$	$\pm\infty$	0	0	0
$\lim\limits_{n\to+\infty} \left(\dfrac{u_n}{v_n}\right)$	$\dfrac{\ell}{\ell'}$	$\pm\infty$	$\pm\infty$	**indéterminée**	$\pm\infty$	$\pm\infty$	**indéterminée**

Théorème de comparaison

- Si à partir d'un certain rang N, on a $u_n \leqslant v_n$ et si $\lim\limits_{n\to+\infty} u_n = +\infty$ alors $\lim\limits_{n\to+\infty} v_n = +\infty$.

- Si à partir d'un certain rang N, on a $u_n \geqslant v_n$ et si $\lim\limits_{n\to+\infty} u_n = -\infty$ alors $\lim\limits_{n\to+\infty} v_n = -\infty$.

Théorème des gendarmes

Si à partir d'un certain rang N, $u_n \leqslant v_n \leqslant$ et si les suites (u_n) et (w_n) convergent vers un même nombre ℓ, alors la suite (v_n) converge aussi vers ℓ.

Convergence des suites géométriques

- Si $q > 1$ alors $\lim\limits_{n \to +\infty} q^n = +\infty$.

- Si $-1 < q < 1$ alors $\lim\limits_{n \to +\infty} q^n = 0$.

- Si $q \leqslant -1$ alors la suite (q^n) n'a pas de limite.

Théorème

Soit une suite (u_n) définie par un premier terme et $u_{n+1} = f(u_n)$ convergente vers une limite finie ℓ.

Si la fonction f est continue en ℓ alors ℓ est solution de l'équation $f(x) = x$.

Fonctions

Théorèmes

- Si une fonction est dérivable sur un intervalle I alors elle est continue sur cet intervalle.

- Si une fonction f est continue et strictement monotone sur un intervalle $[a\,;b]$ alors
pour tout réel k compris entre $f(a)$ et $f(b)$, l'équation $f(x) = k$ admet une unique solution α dans l'intervalle $[a\,;b]$.

Asymptote horizontale

- La droite d'équation $y = \ell$ est asymptote horizontale à la courbe représentative de f en $+\infty$ lorsque $\lim\limits_{x \to +\infty} f(x) = \ell$

- La droite d'équation $y = \ell$ est asymptote horizontale à la courbe représentative de f en $-\infty$ lorsque $\lim\limits_{x \to -\infty} f(x) = \ell$

Propriétés

Soit n un entier naturel non nul.

- $\lim\limits_{x \to +\infty} \dfrac{1}{\sqrt{x}} = \lim\limits_{x \to +\infty} \dfrac{1}{x^n} = \lim\limits_{x \to -\infty} \dfrac{1}{x^n} = 0$

- $\lim\limits_{x \to +\infty} \sqrt{x} = \lim\limits_{x \to +\infty} x^n = +\infty$ • $\lim\limits_{x \to -\infty} x^n = \begin{cases} +\infty & \text{si } n \text{ pair} \\ -\infty & \text{si } n \text{ impair} \end{cases}$

Asymptote verticale

La droite d'équation $x = x_0$ est asymptote verticale à la courbe représentative de f lorsque $\lim\limits_{x \to x_0} f(x) = +\infty$
(ou lorsque $\lim\limits_{x \to x_0} f(x) = -\infty$).

Propriétés

Soit n un entier naturel non nul.

- $\lim\limits_{\substack{x \to 0 \\ x > 0}} \dfrac{1}{\sqrt{x}} = \lim\limits_{\substack{x \to 0 \\ x > 0}} \dfrac{1}{x^n} = +\infty$ • $\lim\limits_{\substack{x \to 0 \\ x < 0}} \dfrac{1}{x^n} = \begin{cases} +\infty & \text{si } n \text{ pair} \\ -\infty & \text{si } n \text{ impair} \end{cases}$

Théorème de comparaison

Soit f et g deux fonctions telles que $f(x) < g(x)$ sur un intervalle du type $]a\,;+\infty[$.

- Si $\lim\limits_{x \to +\infty} f(x) = +\infty$ alors $\lim\limits_{x \to +\infty} g(x) = +\infty$.

- Si $\lim\limits_{x \to +\infty} g(x) = -\infty$ alors $\lim\limits_{x \to -\infty} f(x) = -\infty$.

Fonctions

Théorème des gendarmes

Soit f, g et h trois fonctions telles que $f(x) < g(x) < h(x)$ sur un intervalle du type $]a\,;+\infty[$.

Si $\lim\limits_{x\to+\infty} f(x) = \lim\limits_{x\to+\infty} h(x) = \ell$ alors $\lim\limits_{x\to+\infty} g(x) = \ell$.

Propriétés

• Soit u une fonction définie sur un intervalle I de $\mathbb{R}$ et v une fonction définie sur un intervalle J de $\mathbb{R}$ et à valeurs dans un intervalle K de $\mathbb{R}$.

Si pour tout $x \in I$, $u(x) \in J$ alors $(v \circ u)'(x) = (v' \circ u)(x) \times u'(x)$.

• Si une fonction f est deux fois dérivable sur un intervalle I de $\mathbb{R}$:

• f est **convexe** si et seulement si sa dérivée seconde f'' est **positive** sur I

• f est **concave** si et seulement si sa dérivée seconde f'' est **négative** sur I.

• Soit f une fonction deux fois dérivable sur un intervalle I de $\mathbb{R}$.

Si f'' s'annule en changeant de signe en $x_0 \in I$ alors $M(x_0\,;f(x_0))$ est un point d'inflexion de la courbe représentative de f.

Fonctions trigonométriques

Propriétés

• Les fonctions cosinus et sinus sont dérivables sur $\mathbb{R}$ et, pour tout $x \in \mathbb{R}$: $\sin'(x) = \cos(x)$ et $\cos'(x) = -\sin(x)$.

• Soit une fonction u dérivable sur un intervalle I de $\mathbb{R}$.

Les fonctions f et g définies sur I par $f(t) = \cos(u(t))$ et $g(t) = \sin(u(t))$ sont dérivables sur I et pour tout nombre t de I, $f'(t) = -u'(t)\sin(u(t))$ et $g'(t) = u'(t)\cos(u(t))$.

Valeurs remarquables

x	0	$\dfrac{\pi}{3}$	$\dfrac{\pi}{6}$	$\dfrac{\pi}{4}$	$\dfrac{\pi}{2}$	π
$\cos(x)$	1	$\dfrac{1}{2}$	$\dfrac{\sqrt{3}}{2}$	$\dfrac{\sqrt{2}}{2}$	0	-1
$\sin(x)$	0	$\dfrac{\sqrt{3}}{2}$	$\dfrac{1}{2}$	$\dfrac{\sqrt{2}}{2}$	1	0

Équations

$$• \cos(x) = \cos(a) \Leftrightarrow x = a + 2k\pi \text{ ou } x = -a + 2k\pi, k \in \mathbb{Z}$$
$$• \sin(x) = \sin(a) \Leftrightarrow x = a + 2k\pi \text{ ou } x = \pi - a + 2k\pi, k \in \mathbb{Z}$$

Inéquations

Soit a un nombre réel.

• Les solutions de l'inéquation $\cos(x) \leqslant \cos(a)$ sont les nombres vérifiant :

$$a + 2k\pi \leqslant x \leqslant 2\pi - a + 2k\pi, k \in \mathbb{Z}$$

• Les solutions de l'inéquation $\sin(x) \leqslant \sin(a)$ sont les nombres vérifiant :

$$-\pi - a + 2k\pi \leqslant x \leqslant a + 2k\pi, k \in \mathbb{Z}$$

Dénombrement

Propriétés

- Le nombre de permutations d'un ensemble à n éléments s'écrit $n!$

Il est égal à :
$$n! = n \times (n-1) \times \ldots \times 3 \times 2 \times 1$$

- Le nombre de p-uplets d'éléments distincts d'un ensemble à n éléments est : $\dfrac{n!}{(n-p)!}$

- Le nombre de combinaisons de p éléments parmi n éléments est égal à : $\dbinom{n}{p} = \dfrac{n!}{(n-p)! \times p!}$

- Pour tous nombres entiers naturels n et p tels que $0 \leqslant p \leqslant n$:

$$\cdot \dbinom{n}{0} = \dbinom{n}{n} = 1 \qquad \cdot \dbinom{n}{1} = \dbinom{n}{n-1} = n \qquad \cdot \dbinom{n}{p} = \dbinom{n}{n-p} \qquad \cdot \dbinom{n}{p} + \dbinom{n}{p+1} = \dbinom{n+1}{p+1} \qquad \cdot \sum_{p=0}^{n} \dbinom{n}{p} = 2^n$$

Probabilités

Formule des probabilités totales

Soit $\{A_1, A_2, \ldots, A_n\}$ une partition d'un univers Ω, B un événement de Ω. Alors :
$$p(\Omega) = p(A_1 \cap B) + p(A_2 \cap B) + \ldots + p(A_n \cap B)$$

Événements indépendants

On dit que deux évènements A et B sont indépendants :
- si $p(A \cap B) = p(A) \times p(B)$.
- si $p_A(B) = p(B)$.

Loi de Bernoulli

Soit X une variable aléatoire suivant une loi de Bernoulli de paramètre p.

On a alors :
- $E(X) = p$
- $V(X) = p(1-p)$
- $\sigma(X) = \sqrt{p(1-p)}$

Loi binomiale

Si X est une variable aléatoire suivant la loi binomiale $\mathcal{B}(n \,; p)$ alors, pour tout entier k compris dans $[0\,;n]$, on a :
- $p(X = k) = \dbinom{n}{k} \times p^k \times (1-p)^{n-k}$
- $E(X) = np$
- $V(X) = np(1-p)$
- $\sigma(X) = \sqrt{np(1-p)}$

Intervalle de fluctuation

Soit X une variable aléatoire suivant une loi binomiale, $\alpha \in \,]0\,;1[$ et a et b réels.

Un intervalle $[a\,;b]$ tel que $p(a \leqslant X \leqslant b) \geqslant 1 - \alpha$ est appelé **intervalle de fluctuation** au seuil de $1 - \alpha$ (ou au risque α) associé à X.

Espérance et variance

Soient X et Y deux variables aléatoires sur un même univers fini Ω et a un nombre réel.

- $E(X + Y) = E(X) + E(Y)$
- $E(aX) = aE(X)$
- $V(X + Y) = V(X) + V(Y)$ si X et Y sont deux variables aléatoires indépendantes
- $V(aX) = a^2 V(X)$
- $\sigma(aX) = |a|\sigma(X)$

Inégalité de Bienaymé–Tchebychev

Soit X une variable aléatoire d'espérance $E(X) = \mu$ et de variance $V(X) = V$.

Pour tout réel strictement positif δ , $p(|X - \mu| \geqslant \delta) \leqslant \dfrac{V}{\delta^2}$ c'est-à-dire $p(X \notin \,]\mu - \delta \,;\, \mu + \delta[) \leqslant \dfrac{V}{\delta^2}$

Inégalité de concentration

Soit $(X_1 \,; X_2 \,; \ldots; X_n)$ un échantillon de variables aléatoires d'espérance μ et de variance V et $M_n = \dfrac{X_1 + X_2 + \ldots + X_n}{n}$ la variable aléatoire moyenne de cet échantillon.

Pour tout réel strictement positif δ, l'inégalité, $p(|M_n - \mu| \geqslant \delta) \leqslant \dfrac{V}{n\delta^2}$ est vérifiée.

Loi (faible) des grands nombres

Soit $(X_1 \,; X_2 \,; \ldots; X_n)$ un échantillon de variables aléatoires d'espérance μ et $M_n = \dfrac{X_1 + X_2 + \ldots + X_n}{n}$ la variable aléatoire moyenne de cet échantillon.

Pour tout réel strictement positif δ fixé, $\displaystyle\lim_{n \to +\infty} p(|M_n - \mu| \geqslant \delta) = 0$

Propriétés

- Pour tout réel $x > 0$:

  - $e^{\ln(x)} = x$
  - $\ln(e^x) = x$
  - $\ln(1) = 0$
  - $\ln(e) = 1$
  - $\ln\left(\dfrac{1}{e}\right) = \ln(e^{-1}) = -1$

- La fonction ln est **strictement croissante** sur $]0 \,; +\infty[$.
- Pour tous réels $a > 0$ et $b > 0$:

  - $\ln(a) = \ln(b) \Leftrightarrow a = b$
  - $\ln(a) < \ln(b) \Leftrightarrow a < b$

- Pour tout réels $a > 0$ et $b > 0$:

  - $\ln(ab) = \ln(a) + \ln(b)$
  - $\ln\left(\dfrac{a}{b}\right) = \ln(a) - \ln(b)$
  - $\ln(a^n) = n\ln(a)$
  - $\ln\left(\sqrt{a}\right) = \dfrac{1}{2}\ln(a)$

- La fonction ln est dérivable sur $]0 \,; +\infty[$.et, pour tout réel $x > 0$, $\ln'(x) = \dfrac{1}{x}$
- Soit u une fonction dérivable et strictement positive sur un intervalle I.

La fonction $\ln(u)$ est alors **dérivable** sur I et $(\ln u)' = \dfrac{u'}{u}$.

Limites

- $\displaystyle\lim_{x \to +\infty} \ln(x) = +\infty$
- $\displaystyle\lim_{\substack{x \to 0 \\ x > 0}} \ln(x) = -\infty$
- $\displaystyle\lim_{x \to +\infty} \dfrac{\ln(x)}{x} = 0$
- $\displaystyle\lim_{\substack{x \to 0 \\ x > 0}} x\ln(x) = 0$
- $\displaystyle\lim_{x \to +\infty} \dfrac{\ln(x)}{x^n} = 0, n \in \mathbb{N}$
- $\displaystyle\lim_{\substack{x \to 0 \\ x > 0}} x^n \ln(x) = 0, n \in \mathbb{N}^*$

Positions relatives de deux droites

Deux droites de l'espace sont soit coplanaires (c'est-à-dire contenues dans un même plan) et alors elles sont sécantes ou parallèles soit non coplanaires.

d et d' sont coplanaires et sécantes en M ou strictement parallèles ou confondues	d et d' sont non coplanaires
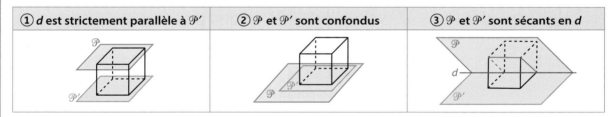	

Positions relatives d'une droite et d'un plan

Une droite et un plan de l'espace sont soit sécants, et dans ce cas leur intersection est un point, soit parallèles.

① d est strictement parallèle à $\mathcal{P}$	② d est incluse dans $\mathcal{P}$	③ d est est sécante à $\mathcal{P}$

Positions relatives de deux plans

Deux plans de l'espace sont soit sécants, et dans ce cas leur intersection est une droite, soit parallèles.

① d est strictement parallèle à $\mathcal{P}'$	② $\mathcal{P}$ et $\mathcal{P}'$ sont confondus	③ $\mathcal{P}$ et $\mathcal{P}'$ sont sécants en d

Théorème « du toit »

Soient $\mathcal{P}_1$ et $\mathcal{P}_2$ deux plans sécants selon une droite Δ.
Si une droite d_1 de $\mathcal{P}_1$ est strictement parallèle à une droite d_2 de $\mathcal{P}_2$ alors Δ est parallèle à d_1 et d_2

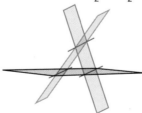

Théorème

Soit A, B et C trois points distincts non alignés de l'espace.
Le plan (ABC) est l'ensemble des points M de l'espace pour lesquels il existe deux réels α et β tels que :

$$\overrightarrow{AM} = \alpha\overrightarrow{AB} + \beta\overrightarrow{AC}$$

Corollaire

Soient $\vec{u}$, $\vec{v}$ et $\vec{w}$ trois vecteurs non nuls de l'espace avec $\vec{u}$ et $\vec{v}$ non colinéaires.
$\vec{u}$ et $\vec{v}$ et $\vec{w}$ sont coplanaires si et seulement si il existe deux réels α et β tels que :

$$\vec{w} = \alpha\vec{u} + \beta\vec{v}$$

Espace

Produit scalaire

Soit $\vec{u}\begin{pmatrix} x \\ y \\ z \end{pmatrix}$ et $\vec{v}\begin{pmatrix} x' \\ y' \\ z' \end{pmatrix}$ deux vecteurs non nuls de l'espace dans un repère orthonormé.

- Formule analytique : $\vec{u}\cdot\vec{v} = xx' + yy' + zz'$
- Formule géométrique : $\vec{u}\cdot\vec{v} = \|\vec{u}\| \times \|\vec{v}\| \times \cos(\vec{u}, \vec{v})$
- Formule avec les normes : $\vec{u}\cdot\vec{v} = \dfrac{1}{2}(\|\vec{u}\|^2 + \|\vec{v}\|^2 - \|\vec{u} - \vec{v}\|^2)$
- $\vec{u}$ et $\vec{v}$ sont orthogonaux si et seulement si leur produit scalaire est nul.

Représentation paramétrique d'une droite

Le système d'équations $\begin{cases} x = x_A + ka \\ y = y_A + kb \\ z = z_A + kc \end{cases}$ où $t \in \mathbb{R}$ est une représentation paramétrique de la droite d passant

par le point $A(x_A ; y_A ; z_A)$ et dirigée par $\vec{u}\begin{pmatrix} a \\ b \\ c \end{pmatrix}$ et telle que k est le **paramètre** de cette représentation.

Propriété

Le plan passant par le point $A(x_A ; y_A ; z_A)$ et dont un vecteur normal est le vecteur $\vec{n}\begin{pmatrix} a \\ b \\ c \end{pmatrix}$ a pour **équation cartésienne** :

$$ax + by + cz + d = 0$$

Équations différentielles

Théorèmes

- Les équations différentielles de la forme $y' = ay$ où a est un réel non nul ont pour solutions les fonctions de la forme : $f(x) = Ke^{ax}$ avec K réel

Pour tous x_0 et y_0 deux réels donnés, il existe une unique fonction f solution telle que $f(x_0) = y_0$.

- Les équations différentielles de la forme $y' = ay + b$ où a est un réel non nul et b un réel ont pour solutions

les fonctions de la forme : $f(x) = Ke^{ax} - \dfrac{b}{a}$ avec K réel

Pour tous x_0 et y_0 deux réels donnés, il existe une unique fonction f solution telle que $f(x_0) = y_0$

Primitives de fonctions usuelles

Fonction f	Intervalle	Primitive F	
$f(x) = a$	$\mathbb{R}$	$F(x) = ax + k$	avec k réel
$f(x) = x^n$ avec $n \in \mathbb{Z}$ sauf -1	$\mathbb{R}$ si n est un entier naturel $]0 ; +\infty[$ ou $]-\infty ; 0[$ si n est un entier négatif non nul sauf -1.	$F(x) = \dfrac{1}{n+1}x^{n+1} + k$	avec k réel
$f(x) = \dfrac{1}{\sqrt{x}}$	$]0 ; +\infty[$	$F(x) = 2\sqrt{x} + k$	avec k réel
$f(x) = e^x$	$\mathbb{R}$	$F(x) = e^x + k$	avec k réel
$f(x) = \dfrac{1}{x}$	$]0 ; +\infty[$ ou $]-\infty ; 0[$	$F(x) = \ln(x) + k$	avec k réel

Primitives de fonctions composées

u désigne une fonction dérivable sur I.

Formes de la fonction	Primitive	Conditions
$u'u$ avec $n \in \mathbb{Z}$ sauf 0 et -1	$\dfrac{u^{n+1}}{n+1}$	Si $n < 0$ alors $u(x) \neq 0$ pour tout x de I
$\dfrac{u'}{u^2}$	$-\dfrac{1}{u}$	$u(x) \neq 0$ pour tout x de I
$\dfrac{u'}{2\sqrt{u}}$	$\sqrt{u}$	$u(x) > 0$ pour tout x de I
$\dfrac{u'}{u}$	$\ln(u)$	$u(x) > 0$ pour tout x de I
u'	e^u	
$(v' \circ u) \times u'$	$v \circ u$	v dérivable sur un intervalle J et pour tout x de I, $u(x)$ appartient à J.

Calcul intégral

Propriétés

- Soit f une fonction continue et positive sur $[a\,;b]$ et F une primitive de f sur $[a\,;b]$. Alors :

$\int_a^b f(x)dx = F(b) - F(a)$ que l'on note aussi $[F(x)]_b^a$.

- Soit f et g deux fonctions continues sur un intervalle $[a\,;b]$ et λ un réel.

Alors :

$$\cdot \int_a^b (f+g)(t)\mathrm{d}t = \int_a^b f(t)\mathrm{d}t + \int_a^b g(t)\mathrm{d}t$$

$$\cdot \int_a^b (\lambda f)(t)\mathrm{d}t = \lambda \int_a^b f(t)\mathrm{d}t$$

Relation de Chasles

Soit f une fonction continue sur un intervalle I et a, b, c trois réels appartenant à I.

$$\int_a^c f(t)\mathrm{d}t = \int_a^b f(t)\mathrm{d}t + \int_b^c f(t)\mathrm{d}t$$

Propriétés

- Soit f et g deux fonctions continues sur un intervalle $[a\,;b]$. Alors :

Si f est positive sur $[a\,;b]$, alors $\int_a^b f(t)dt \geqslant 0$.

- Si pour tout $t \in [a\,;b]$, $f(t) \leqslant g(t)$ alors $\int_a^b f(t)dt \leqslant \int_a^b g(t)dt$.

Valeur moyenne

Soit f une fonction continue sur un intervalle $[a\,;b]$.

La valeur moyenne de f sur $[a\,;b]$ est le nombre μ définie par : $\mu = \dfrac{1}{b-a}\int_a^b f(t)dt$.

Intégration par parties

Soit u et v deux fonctions dérivables sur $[a\,;b]$ et admettant des dérivées u' et v' continues. Alors :

$$\int_a^b u(t)v'(t)\mathrm{d}t = [u(t)v(t)]_b^a - \int_a^b u'(t)v(t)\mathrm{d}t$$

Formulaire de géométrie

Aires et périmètres

Carré

$$\mathcal{A} = c^2$$
$$p = 4 \times c$$

Rectangle

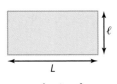

$$\mathcal{A} = L \times \ell$$
$$p = 2 \times (L + \ell)$$

Parallélogramme

$$\mathcal{A} = b \times h$$
$$p = 2 \times (L + \ell)$$

Trapèze

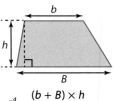

$$\mathcal{A} = \frac{(b + B) \times h}{2}$$

Triangle rectangle

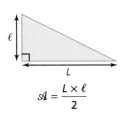

$$\mathcal{A} = \frac{L \times \ell}{2}$$

Triangle quelconque

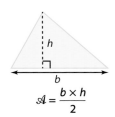

$$\mathcal{A} = \frac{b \times h}{2}$$

Disque

$$\mathcal{A} = \pi \times r^2$$
$$p = 2\pi r$$

Sphère

$$\mathcal{A} = 4\pi \times r^2$$

Volumes

Cube

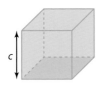

$$\mathcal{V} = \mathcal{A}_{\text{base}} \times h = c^3$$

Parallélépipède rectangle ou pavé

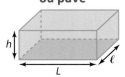

$$\mathcal{V} = \mathcal{A}_{\text{base}} \times h = L \times \ell \times h$$

Prisme droit

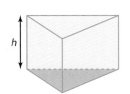

$$\mathcal{V} = \mathcal{A}_{\text{base}} \times h$$

Cylindre

$$\mathcal{V} = \mathcal{A}_{\text{base}} \times h = \pi \times r^2 \times h$$

Pyramide

$$\mathcal{V} = \frac{\mathcal{A}_{\text{base}} \times h}{3}$$

Cône de révolution

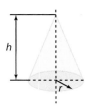

$$\mathcal{V} = \frac{\mathcal{A}_{\text{base}} \times h}{3} = \frac{\pi r^2 \times h}{3}$$

Sphère

$$\mathcal{V} = \frac{4 \times \pi \times r^3}{3}$$

1 ET et OU en mathématiques

Définition Et

En mathématiques, lorsque l'on dit qu'une proposition 1 ET une proposition 2 sont vérifiées, cela veut dire qu'elles sont vérifiées à **la fois**.
Ce "ET" mathématique est très lié au symbole ∩.

● **Exemples**

① On cherche le nombre n tel que n soit un entier pair ET appartienne à l'intervalle [3,5 ; 5,9].

Il s'agit de trouver un nombre n (s'ils existe(nt)) qui vérifie les deux conditions à la fois c'est-à-dire qui est un entier pair ET qui appartient à [3,5 ; 5,9].

Le seul nombre vérifiant ces deux conditions est 4 donc $n = 4$.

② On considère le programme **PYTHON** :

```python
import random
x = random.randint(1,10)
if x > 3 and x <= 7.3:
    print("Dans l'intervalle !")
else:
    print("Pas dans l'intervalle...")
```

Le programme affiche **"Dans l'intervalle!"** si le nombre **x** vérifie à la fois **x > 3** et **x ⩽ 7,3** c'est-à-dire si **3 < x ⩽ 7,3**.

Définition Ou

En mathématiques, lorsque l'on dit qu'une proposition 1 OU une proposition 2 est vérifiée, cela veut dire qu'**au moins** l'une des deux est vérifiée.
Ce "OU" mathématique est très lié au symbole ∪.

● **Exemple**

On lance un dé équilibré à 6 faces numérotées de 1 à 6.
Quelles sont les issues qui sont paires OU strictement supérieures à 2 ?
Les nombres entiers entre 1 et 6 qui vérifient la proposition :

• « être pair » sont 2 ; 4 ; 6.
• « être strictement supérieur à 2 » sont 3 ; 4 ; 5 ; 6.
Les issues qui sont paires OU strictement supérieures à 2 sont donc 2 ; 3 ; 4 ; 5 ; 6 qui sont tous les entiers entre 1 et 6 qui vérifient au moins l'une des deux conditions (éventuellement les deux pour 4 et 6).

◖ **Remarques**
● Dans le langage courant, le OU est **exclusif**. Par exemple, quand sur un menu au restaurant il est écrit « fromage ou dessert » cela veut dire que l'on peut prendre soit du fromage, soit un dessert, mais pas les deux.
● Dans le langage mathématique, le OU est **inclusif**. Dans l'exemple précédent du dé à 6 faces, les nombres 4 et 6 vérifient les deux conditions à la fois cela veut dire que si on les obtient, le résultat est bien pair OU strictement supérieur à 2.

● **Exemple**
L'algorithme suivant illustre l'exemple précédent du dé à 6 faces.

```
x ← Entier aléatoire entre 1 et 6
Si x est pair ou x>2
    Afficher "Pair ou strictement supérieur à 2"
Fin si
```

Il affiche « **Pair ou strictement supérieur à 2** » si l'entier aléatoire **x** a pour valeur 2 ; 3 ; 4 ; 5 ou 6.

2 Implication, contraposée, réciproque et équivalence

Définition Implication

Une implication est une proposition de la forme : **SI énoncé 1 ALORS énoncé 2**

Symboliquement, cela se note : **énoncé 1 ⇒ énoncé 2**

Cela veut dire que si l'énoncé 1 est vérifié alors l'énoncé 2 l'est forcément (ou nécessairement) également.

On dit que l'énoncé 1 est une **condition suffisante** et que l'énoncé 2 est une **condition nécessaire**.

Exemples

① La proposition suivante est VRAIE : SI la prise est débranchée ALORS la lampe est éteinte.

On peut la traduire par : la prise est débranchée ⇒ la lampe est éteinte (se lit également « la prise est débranchée entraîne la lampe est éteinte »).

② En revanche, la proposition suivante est FAUSSE : SI la lampe est éteinte ALORS la prise est débranchée.

En effet, si la lampe est éteinte, la prise peut être branchée mais l'interrupteur sur OFF.

Définition Contraposée

Si une implication **énoncé 1 ⇒ énoncé 2** est vraie alors sa **contraposée :**

   contraire de l'énoncé 2 ⇒ contraire de l'énoncé 1 est également vraie.

Exemple

La proposition suivante est vraie : SI je viens de manger ALORS je n'ai pas faim.

Sa contraposée : SI j'ai faim (le contraire de « je n'ai pas faim ») ALORS je ne viens pas de manger (le contraire de « je viens de manger ») est également vraie.

Définition Réciproque

Si l'on considère une implication **énoncé 1 ⇒ énoncé 2**, on dit que :

   énoncé 2 ⇒ énoncé 1 est sa **réciproque.**

Cette réciproque peut être vraie ou non.

Exemple

La proposition suivante est VRAIE : SI $x = 3$ ALORS $x^2 = 9$.

En revanche, sa réciproque : SI $x^2 = 9$ ALORS $x = 3$ est FAUSSE.

En effet, si $x^2 = 9$, x peut être égal à 3 ou à –3.

Définition Équivalence

Si une implication **énoncé 1 ⇒ énoncé 2** et sa réciproque **énoncé 2 ⇒ énoncé 1** sont vraies, on dit que les énoncés 1 et 2 sont équivalents.

À l'aide d'un symbole mathématique, cela se note :

   énoncé 1 ⇔ énoncé 2.

Exemple

Soit 3 points A, B et M. M est le milieu de [AB] ⇔ $\overrightarrow{AM} = \overrightarrow{MB}$ car l'implication « Si M est le milieu de [AB] alors $\overrightarrow{AM} = \overrightarrow{MB}$. » et sa réciproque « Si $\overrightarrow{AM} = \overrightarrow{MB}$ alors M est le milieu de [AB] » sont vraies.

▸ **Remarque** On pourra également écrire « M est le milieu de [AB] si et seulement si $\overrightarrow{AM} = \overrightarrow{MB}$. »

A   M   B

3 Inégalités et inéquations

Définition Inégalité

a, *b*, *c* et *k* sont des nombres réels.

• Ajouter ou soustraire un même nombre aux deux membres d'une inégalité conserve l'ordre de l'inégalité :

$$\text{si } a < b \text{ alors } a + c < b + c \text{ et } a - c < b - c.$$

• Multiplier ou diviser par un même nombre strictement positif conserve l'ordre de l'inégalité :

$$\text{si } k > 0 \text{ et } a < b \text{ alors } ka < kb \text{ et } \frac{a}{k} < \frac{b}{k}.$$

• Multiplier ou diviser par un nombre **strictement négatif change l'ordre de l'inégalité** :

$$\text{si } k < 0 \text{ et } a < b \text{ alors } ka > kb \text{ et } \frac{a}{k} > \frac{b}{k}.$$

Définition Inéquation

Une inéquation est une inégalité dans laquelle une inconnue (ou des inconnues) est présente.

⊳ **Remarques**

• Résoudre une inéquation revient à déterminer l'ensemble de toutes les valeurs de l'inconnue qui vérifient l'inégalité.
• Si on applique une des règles de manipulation des inégalités aux deux membres d'une inéquation, on obtient une inéquation qui lui est équivalente c'est-à-dire qui a le même ensemble des solutions.

Exemple

Résolvons l'inéquation $-2x - 8 < 4$.

$$-2x - 8 < 4$$
$$\Leftrightarrow \quad -2x < 12$$
$$\Leftrightarrow \quad x > -6 \quad \text{(on divise par } -2 \text{ qui est négatif)}.$$

Les trois égalités $-2x - 8 < 4$; $-2x < 12$ et $x > -6$ sont équivalentes puisqu'elles sont obtenues successivement en ajoutant 8 aux deux membres de l'inégalité puis en les divisant par -2 et en changeant le sens de l'inégalité.

Cela veut dire que x est solution de $-2x - 8 < 4$ si et seulement si x est solution de $x > -6$ (que l'on peut voir comme une inéquation d'ensemble des solutions immédiat), autrement dit que l'ensemble des solutions de $-2x - 8 < 4$ est $]-6 ; +\infty[$.

4 Quantificateurs universels

Définition Il existe

Quand on veut démontrer, par exemple, qu'il existe un réel x (ou un entier n etc.) qui vérifie une certaine propriété, il s'agit simplement de trouver un exemple pour lequel la propriété est vérifiée.

Exemple

Montrons qu'il existe un réel pour lequel $2x^2 - 2 = 0$.

On constate que, pour $x = 1$, on a $2x^2 - 2 = 2 \times 1^2 - 2 = 2 \times 1 - 2 = 2 - 2 = 0$ donc il existe bien un réel pour lequel $2x^2 - 2 = 0$, en l'occurrence 1.

⊳ **Remarques**

• Si on ne voit pas $x = 1$ directement, on peut aussi résoudre l'équation $2x^2 - 2 = 0$ avec les méthodes classiques pour le retrouver : $2x^2 - 2 = 0 \Leftrightarrow 2x^2 = 2 \Leftrightarrow x^2 = 1 \Leftrightarrow x = 1$ ou $x = -1$.
• Notons que la résolution de $2x^2 - 2 = 0$ fait plus que montrer qu'il existe une valeur de x pour laquelle $2x^2 - 2 = 0$, elle prouve que 1 et -1 sont les deux seules valeurs.

Quand on veut démontrer, par exemple, qu'une propriété est vraie « pour tout réel x » ou « quel que soit le réel x », il faut montrer qu'elle est vraie en tout généralité et non pas uniquement sur quelques exemples.

● **Exemple**

Montrons que la différence des carrés de deux entiers consécutifs est impaire.

On peut commencer, au brouillon, par se convaincre que c'est vrai en calculant $1^2 - 0^2 = 1 - 0 = 1$, $2^2 - 1^2 = 4 - 1 = 3$; $3^2 - 2^2 = 9 - 4 = 5$; $12^2 - 11^2 = 144 - 121 = 23$; etc.

Ceci dit, nous n'avons rien démontré pour l'instant, puisqu'il faut montrer que cette propriété est vraie pour tous les entiers (c'est implicite dans l'énoncé).

Soit donc n un entier (en toute généralité) et $n + 1$ celui qui le suit, il s'agit de montrer que $(n + 1)^2 - n^2$ est impair.

On calcule donc $(n + 1)^2 - n^2 = n^2 + 2n + 1 - n^2 = 2n + 1$ qui est impair quel que soit n (puisque $2n$ est un multiple de 2, donc pair, $2n + 1$ est impair).

On vient de montrer que $(n + 1)^2 - n^2$ est impair pour tout entier n (ou quel que soit l'entier n) donc la différence des carrés de deux entiers consécutifs est bien impair.

⑤ Type de raisonnement

Lorsque l'on connaît une propriété, on peut utiliser sa contraposée (qui est également vraie) dans une démonstration.

● **Exemple**

On sait que la propriété suivante est vraie : « Si n est un entier impair alors n^2 est impair. »

La contraposée de cette propriété est : « Si n^2 n'est pas impair alors n n'est pas impair. »

Ce qui est équivalent à : « Si n^2 est pair alors n est pair ». On a démontré cette nouvelle propriété par contraposée.

L'utilisation de la contraposée est assez proche d'un autre type de raisonnement, le raisonnement par l'absurde.

Un raisonnement par l'absurde consiste à supposer vrai le contraire de ce que l'on veut montrer, puis à mener un calcul ou un raisonnement mettant en lumière une contradiction (quelque chose de faux).

On dira alors que notre supposition de départ n'est pas correcte, donc que la propriété voulue est vraie.

● **Exemple**

On veut démontrer que $\sqrt{2}$ n'est pas un nombre rationnel (ne peut s'écrire sous forme d'une fraction).

On suppose que $\sqrt{2}$ est un rationnel.

Si $\sqrt{2}$ est un rationnel, alors il s'écrit sous la forme d'une fraction irréductible $\dfrac{p}{q}$ où p et q sont des entiers relatifs non nuls.

$\sqrt{2} = \dfrac{p}{q}$ donc, en élevant au carré on a $2 = \dfrac{p^2}{q^2}$ d'où $p^2 = 2q^2$. On en déduit que p^2 est pair.

De plus on sait que p est pair si et seulement si p^2 est pair. On en déduit alors que p est pair, donc il existe p' tel que $p = 2p'$.

On a alors $q^2 = \dfrac{p^2}{2} = \dfrac{(2p')^2}{2} = \dfrac{4p'^2}{2} = 2p'^2$, ce qui signifie que q^2 est pair, ce qui est équivalent à q pair.

On a montré que q et p sont pairs, ce qui est contradictoire avec notre hypothèse de départ car dans ce cas-là, on peut simplifier la fraction $\dfrac{p}{q}$ par 2, elle n'est donc pas irréductible comme annoncé.

Notre hypothèse de départ est donc fausse, autrement dit, $\sqrt{2}$ n'est pas rationnel.

Contre-exemple

Pour infirmer une proposition (c'est-à-dire montrer qu'elle est fausse), il suffit d'en donner un contre-exemple.

● **Exemple**

Considérons la proposition suivante : Tous les nombres entiers impairs supérieurs à 2 sont premiers.

Pour montrer que cette proposition est fausse, il suffit de trouver un nombre entier impair supérieur à 2 qui ne soit pas premier.

C'est le cas de 9, qui est divisible par 3.

La proposition est donc fausse.

▶ **Remarque** On dit que l'on a nié la proposition « tous les nombres entiers impairs supérieurs à 2 sont premiers ».

Règle **Raisonnement par disjonction des cas**

Lorsque qu'on démontre une propriété, il peut arriver que l'on doive traiter différents cas.
S'il en est ainsi, on peut procéder par disjonction des cas en faisant attention à bien traiter tous les cas possibles.

● **Exemple**

Annie a souscrit un forfait téléphonique qui s'ajuste automatiquement à son nombre d'heures :
• si elle téléphone moins de 3 heures, elle sera facturée 6 euros au total quel que soit le nombre d'heures ;
• si elle téléphone entre 3 heures et 5 heures, elle sera facturée 2 euros l'heure de communication ;
• si elle téléphone plus de 5 heures, elle sera facturée 10 euros au total, quel que soit le nombre d'heures.

On souhaite montrer qu'Annie ne pourra pas avoir plus de 10 euros à payer.

Pour cela, on appelle x son nombre d'heures de communication et on va traiter les trois cas suivants :
• si $x < 3$ alors elle paie 6 euros.
• si $3 \leq x \leq 5$ alors $6 \leq 2x \leq 10$ (or $2x$ est le montant de sa facture qui est donc inférieur ou égal à 10).
• si $x > 5$ alors elle paie 10 euros.

On voit que dans les 3 cas possibles, le montant de la facture est inférieur ou égal à 10 donc on peut affirmer qu'Annie ne pourra pas avoir plus de 10 euros à payer.

6 Notations

Définition Intervalle

L'ensemble des nombres réels compris entre *a* (inclus) et *b* (inclus) est appelé intervalle et se note [*a* ; *b*]

Ensemble des réels *x* tels que	Signification	Notation	Représentation
$a \leqslant x \leqslant b$	*x* est compris entre *a* inclus et *b* inclus	$x \in [a\,;b]$	
$a < x \leqslant b$	*x* est compris entre *a* exclu et *b* inclus	$x \in \,]a\,;b]$	
$a \leqslant x < b$	*x* est compris entre *a* inclus et *b* exclu	$x \in [a\,;b[$	
$a < x < b$	*x* est compris entre *a* exclu et *b* exclu	$x \in \,]a\,;b[$	
$x \geqslant a$ (ou $a \leqslant x$)	*x* est supérieur ou égal à *a*	$x \in [a\,;+\infty[$	
$x > a$ (ou $a < x$)	*x* est (strictement) supérieur à *a*	$x \in \,]a\,;+\infty[$	
$x \leqslant b$ (ou $b \geqslant x$)	*x* est inférieur ou égal à *b*	$x \in \,]-\infty\,;b]$	
$x < b$ (ou $b > x$)	*x* est (strictement) inférieur à *b*	$x \in \,]-\infty\,;b[$	

▶ **Remarques**

- $-\infty$ et $+\infty$ se disent respectivement « moins l'infini » et « plus l'infini ». Le crochet est toujours vers l'extérieur en $+\infty$ et $-\infty$.
- L'ensemble des nombres réels $\mathbb{R}$ est $]-\infty\,;+\infty[$. L'ensemble des nombres réels positifs s'écrit $\mathbb{R}+$ ou $[0\,;+\infty[$ et l'ensemble des nombres réels négatifs s'écrit $\mathbb{R}-$ ou $]-\infty\,;0]$.

Définition Ensemble de nombres

- $\mathbb{N} = \{0\,;1\,;2\,;3\,;4\,;...\}$: ensemble des entiers naturels, ensemble des nombres qui peuvent s'écrire sous forme d'un entier positif.
- $\mathbb{N}*$ est l'ensemble des entiers naturels non nuls (privé de 0).
- $\mathbb{Z} = \{...\,;-3\,;-2\,;-1\,;0\,;1\,;2\,;3\,;...\}$: ensemble des entiers relatifs, ensemble des nombres qui peuvent s'écrire sous forme d'un entier positif ou négatif.
- $\mathbb{Z}*$ est l'ensemble des entiers relatifs non nuls (privé de 0).
- $\mathbb{D}$ est l'ensemble des nombres décimaux, ensemble des quotients qui peuvent s'écrire sous la forme $\dfrac{a}{10^n}$ avec *a* un entier relatif et *n* un entier positif.
- $\mathbb{Q}$ est l'ensemble des nombres rationnels, ensemble des nombres qui peuvent s'écrire sous la forme d'un quotient $\dfrac{a}{b}$ avec *a* un entier relatif, *b* un entier relatif non nul.
- $\mathbb{R}$ est l'ensemble des nombres réels.
- $\mathbb{R}*$ est l'ensemble des nombres réels non nuls (privé de 0).
- $\mathbb{N} \subset \mathbb{Z} \in \mathbb{D} \in \mathbb{Q}$.

Définition Ensembles discrets

Lorsqu'un ensemble de nombres est constitué de valeurs isolées (on dit alors que c'est un ensemble discret), on le note en écrivant tous ses éléments entre accolades, séparés par un point-virgule.

● **Exemple**

L'ensemble des nombres impairs compris entre 0 et 12 est $\{1\,;3\,;5\,;7\,;9\,;11\}$.

> **Notations** Il ne faut pas confondre les accolades, les crochets et les parenthèses :
- {2 ; 5} désigne l'ensemble constitué des deux éléments 2 et 5.
- [2 ; 5] désigne l'intervalle constitué de tous les nombres réels compris entre 2 et 5 (inclus dans ce cas).
- (2 ; 5) désigne un couple dont la première coordonnée est 2 et la deuxième est 5.

Définition Appartenance et inclusion

- Le symbole ∈ (resp. ∉) désigne le fait qu'un élément **appartienne** (resp. **n'appartienne pas**) à un ensemble.
- Le symbole ⊂ (resp. ⊄) désigne le fait qu'un ensemble soit **inclus** (resp. **non inclus**) dans un autre ensemble.

Exemples
- 5 ∈ {2 ; 3 ; 5 ; 7 ; 22} car 5 est bien un élément de l'ensemble {2 ; 3 ; 5 ; 7 ; 22}.
- 2,3 ∉]5 ; 7 [car le nombre 2,3 n'est pas strictement compris entre 5 et 7.
- [4 ; 5] ⊂ [0 ; 12] car l'ensemble [4 ; 5] est inclus dans l'ensemble [0 ; 12], c'est-à-dire que tous les nombres de [4 ; 5] sont également dans [0 ; 12].
- {1 ; 2 ; 3} ⊄ {2 ; 3 ; 5 ; 7 ; 22} car {1 ; 2 ; 3} n'est pas inclus dans {2 ; 3 ; 5 ; 7 ; 22} c'est-à-dire qu'au moins un élément de {1 ; 2 ; 3}, en l'occurrence 1, n'est pas dans {2 ; 3 ; 5 ; 7 ; 22}.

Définition Intersection et réunion

Soit A et B deux ensembles.
- A ∩ B est l'ensemble des éléments appartenant à A ET à B, c'est-à-dire aux deux ensembles à la fois.
- A ∪ B est l'ensemble des éléments appartenant à A OU à B, c'est-à-dire à au moins l'un des deux ensembles.

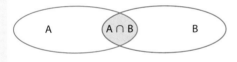
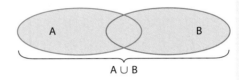

Exemples
- [4 ; 7] ∩ [1 ; 6[= [4 ; 6[En effet, les nombres réels appartenant à la fois aux deux intervalles [4 ; 7] et [1 ; 6[sont les réels de l'intervalle [4 ; 6[:

- {1 ; 3 ; 5 ; 8 ; 9} ∪ {2 ; 3 ; 9 ; 11} = {1 ; 2 ; 3 ; 5 ; 8 ; 9 ; 11} car ce sont tous les nombres qui appartiennent à au moins l'un des deux ensembles (attention : on n'écrit qu'une seule fois les éléments qui appartiennent aux deux ensembles à la fois, ici 3 et 9).

Règle Complémentaire

Soit A un ensemble (inclus dans un ensemble B).
Le complémentaire de A (dans B), noté $\overline{A}$ ou B\A est l'ensemble des valeurs (de B) qui n'appartiennent pas à A.

Exemple
Dans ℝ, on a $\overline{[5 ; 6[}$ =]−∞ ; 5[∪[6 ; +∞[c'est à dire tous les réels sauf ceux qui appartiennent à [5 ; 6[.

> **Remarque** La notation du complémentaire est la même que celle de l'évènement contraire en probabilités.
Cela est normal puisque dans ce contexte, $\overline{A}$ l'évènement contraire de A, est le complémentaire de A dans l'univers Ω.

Corrigés

1 Suites et récurrence

À vous de jouer !

1 Pour tout $n \in \mathbb{N}^*$, on considère la propriété
$P(n) : \ll S_n = \dfrac{n(n+1)(2n+1)}{6} \gg$

Étape 1 Initialisation Pour $n = 1$, $S_1 = 1^2 = 1$ et
$\dfrac{1 \times (1+1) \times (2 \times 1 + 1)}{6} = 1$

Donc $S_1 = \dfrac{1 \times (1+1) \times (2 \times 1 + 1)}{6}$

Donc la propriété est vraie pour $n = 1$.
Étape 2 Hérédité Soit $n \in \mathbb{N}^*$. Supposons que
$P(n)$ est vraie et montrons que $P(n+1)$ est vraie.
$S_{n+1} = S_n + (n+1)^2$
$\quad = \dfrac{n(n+1)(2n+1)}{6} + (n+1)^2$
$\quad = \dfrac{n(n+1)(2n+1) + 6(n+1)^2}{6}$
$\quad = \dfrac{(n+1)\left[n(2n+1) + 6(n+1)\right]}{6}$
$\quad = \dfrac{(n+1)(2n^2 + 7n + 6)}{6}$
Or $\dfrac{(n+1)(n+2)(2(n+1)+1)}{6}$
$\quad = \dfrac{(n+1)(n+2)(2n+3)}{6}$
$\quad = \dfrac{(n+1)(2n^2 + 7n + 6)}{6}$
Donc $S_{n+1} = \dfrac{(n+1)(n+2)(2(n+1)+1)}{6}$.
Donc $P(n+1)$ est vraie.
Étape 3 Conclusion Pour tout $n \in \mathbb{N}^*$, $P(n)$
est vraie.
Donc pour tout $n \in \mathbb{N}^*$, $S_n = \dfrac{n(n+1)(2n+1)}{6}$.

3 Pour tout $n \in \mathbb{N}$, on considère la propriété
$P(n) : \ll u_n < u_{n+1} \gg$

Étape 1 Initialisation Pour $n = 0$, $u_0 = -3$ et
$u_1 = 2u_0 + 7 = 2 \times (-3) + 7 = 1$
Donc $u_0 < u_1$.
Donc la propriété est vraie pour $n = 0$.
Étape 2 Hérédité Soit $n \in \mathbb{N}$. Supposons que
$P(n)$ est vraie et montrons que $P(n+1)$ est vraie.
On a $u_n < u_{n+1}$.
Donc $2u_n < 2u_{n+1}$.
Donc $2u_n + 7 < 2u_{n+1} + 7$.
Donc $u_{n+1} < u_{n+2}$.
Donc $P(n+1)$ est vraie.
Étape 3 Conclusion Pour tout $n \in \mathbb{N}$, $P(n)$ est
vraie.
Donc pour tout $n \in \mathbb{N}$, $u_n < u_{n+1}$.
Donc la suite (u_n) est strictement croissante.

5 **a)** $u_n > A \Leftrightarrow n^2 - 4 > A$
$\qquad \Leftrightarrow n > \sqrt{A+4}$
Posons $n_0 = E\left(\sqrt{A+4}\right) + 1$.
Pour tout entier $n \geqslant n_0$, $u_n > A$.
b) Donc $\lim\limits_{n \to +\infty} u_n = +\infty$.

9 **a)** $\lim\limits_{n \to +\infty} n^2 = +\infty$; $\lim\limits_{n \to +\infty} n = +\infty$
et $\lim\limits_{n \to +\infty} -5 = -5$.
Donc $\lim\limits_{n \to +\infty} u_n = +\infty$ (par somme).
b) $\lim\limits_{n \to +\infty} n^2 = +\infty$; $\lim\limits_{n \to +\infty} \sqrt{n} = +\infty$ et $\lim\limits_{n \to +\infty} 2 = 2$.
Donc $\lim\limits_{n \to +\infty} v_n = +\infty$ (par produit et somme).
c) $\lim\limits_{n \to +\infty} n = +\infty$; $\lim\limits_{n \to +\infty} 2 = 2$ et $\lim\limits_{n \to +\infty} -5 = -5$.
Donc $\lim\limits_{n \to +\infty} 2n + 5 = +\infty$ (par produit et somme)
Donc $\lim\limits_{n \to +\infty} \dfrac{1}{2n+5} = 0$ (par quotient).
Donc $\lim\limits_{n \to +\infty} w_n = 0$ (par produit)

11 **a)** $\lim\limits_{n \to +\infty} -n^3 = -\infty$ et $\lim\limits_{n \to +\infty} 2n^2 = +\infty$.
Donc on a une forme indéterminée du type
$\ll -\infty + \infty \gg$.
Pour tout $n \in \mathbb{N}$, $u_n = n^2(-n+2)$
Or $\lim\limits_{n \to +\infty} n^2 = +\infty$, $\lim\limits_{n \to +\infty} -n + 2 = -\infty$
Donc $\lim\limits_{n \to +\infty} u_n = -\infty$ (par produit).

b) $\lim\limits_{n \to +\infty} n^2 = +\infty$ et $\lim\limits_{n \to +\infty} 3n = +\infty$ et $\lim\limits_{n \to +\infty} 1 = 1$
Donc on a une forme indéterminée du type
$\ll +\infty - \infty \gg$.
Pour tout $n \in \mathbb{N}^*$, $v_n = n^2\left(1 - \dfrac{3}{n} + \dfrac{1}{n^2}\right)$.
Or $\lim\limits_{n \to +\infty} n^2 = +\infty$, $\lim\limits_{n \to +\infty} \dfrac{3}{n} = 0$ et $\lim\limits_{n \to +\infty} \dfrac{1}{n^2} = 0$.
Donc $\lim\limits_{n \to +\infty} \left(1 - \dfrac{3}{n} + \dfrac{1}{n^2}\right) = 1$.
Donc $\lim\limits_{n \to +\infty} v_n = +\infty$ (par produit).

13 **1.** Pour tout $n \in \mathbb{N}$, $-1 \leqslant (-1)^n \leqslant 1$.
Donc $n^2 - 5 \leqslant u_n \leqslant n^2 + 5$. Donc $u_n \geqslant n^2 - 5$.
2. Donc $\lim\limits_{n \to +\infty} n^2 - 5 = +\infty$.

D'après le théorème de comparaison,
$\lim\limits_{n \to +\infty} u_n = +\infty$.

15 Pour tout $n \in \mathbb{N}^*$, $-1 \leqslant \sin(n) \leqslant 1$.
Donc $-5 - \dfrac{1}{n} \leqslant u_n \leqslant -5 + \dfrac{1}{n}$.

Or $\lim\limits_{n \to +\infty} \dfrac{1}{n} = 0$.

Donc $\lim\limits_{n \to +\infty} -5 - \dfrac{1}{n} = \lim\limits_{n \to +\infty} -5 + \dfrac{1}{n} = -5$.

D'après le théorème des gendarmes,
$\lim\limits_{n \to +\infty} u_n = -5$.

17 **a)** $4 > 1$, donc $\lim\limits_{n \to +\infty} 4^n = +\infty$.

Donc $\lim\limits_{n \to +\infty} u_n = 0$

b) $7 > 1$, donc $\lim\limits_{n \to +\infty} 7^n = +\infty$.

Donc $\lim\limits_{n \to +\infty} u_n = -\infty$.

19 **1.** Pour tout $n \in \mathbb{N}$,
$u_n - 2 = \dfrac{2n-2}{n+4} - 2$
$\quad = \dfrac{2n - 2 - 2(n+4)}{n+4}$
$\quad = \dfrac{-10}{n+4}$

Donc $u_n - 2 < 0$. Donc $u_n < 2$. Donc (u_n) est
majorée par 2.
2. Pour tout $n \in \mathbb{N}$,
$u_{n+1} - u_n = \dfrac{2(n+1) - 2}{n+1+4} - \dfrac{2n-2}{n+4}$
$\quad = \dfrac{2n}{n+5} - \dfrac{2n-2}{n+4}$
$\quad = \dfrac{2n \times (n+4) - (2n-2)(n+5)}{(n+5)(n+4)}$
$\quad = \dfrac{10}{(n+5)(n+4)}$
Donc $u_{n+1} - u_n > 0$. Donc la suite (u_n) est strictement croissante.
3. La suite (u_n) est croissante majorée. Donc elle
converge.

21 **1.** Pour tout $n \in \mathbb{N}$, $u_{n+1} - u_n = 2n + 5 > 0$.
Donc la suite (u_n) est strictement croissante.
2. Pour tout $n \in \mathbb{N}$, on considère la propriété
$P(n) : \ll u_n \geqslant n + 1 \gg$
Étape 1 Initialisation Pour $n = 0$, $u_0 = 4$, donc
$u_0 \geqslant 0 + 1$.
Donc la propriété est vraie pour $n = 0$.
Étape 2 Hérédité Soit $n \in \mathbb{N}$. Supposons que
$P(n)$ est vraie et montrons que $P(n+1)$ est vraie.
On a $u_{n+1} = u_n + 2n + 5$.
Donc $u_{n+1} \geqslant n + 1 + 2n + 5$
Donc $u_{n+1} \geqslant n + 2$ car $2n + 4 > 0$
Donc $P(n+1)$ est vraie.
Étape 3 Conclusion Pour tout $n \in \mathbb{N}$, $P(n)$ est
vraie.
Donc pour tout $n \in \mathbb{N}$, $u_n \geqslant n + 1$.

3. $\lim\limits_{n \to +\infty} n + 1 = +\infty$.

D'après le théorème de comparaison,
$\lim\limits_{n \to +\infty} u_n = +\infty$.

4. $u_0 = 4$; $u_1 = u_0 + 2 \times 0 + 5 = 9$;
$u_2 = u_1 + 2 \times 1 + 5 = 16$.
On conjecture que $u_n = (n+2)^2$.
5. Pour tout $n \in \mathbb{N}$, on considère la propriété
$P(n) : \ll u_n = (n+2)^2 \gg$
Étape 1 Initialisation Pour $n = 0$, $u_0 = 4$, donc
$u_0 = (0+2)^2$.
Donc la propriété est vraie pour $n = 0$.
Étape 2 Hérédité Soit $n \in \mathbb{N}$. Supposons
que $P(n)$ est vraie et montrons que $P(n+1)$
est vraie.
On a $u_{n+1} = u_n + 2n + 5$.
Donc $u_{n+1} = (n+2)^2 + 2n + 5$.
Donc $u_{n+1} = n^2 + 6n + 9$.
Donc $u_{n+1} = (n+3)^2 = (n+1+2)^2$
Donc $P(n+1)$ est vraie.
Étape 3 Conclusion Pour tout $n \in \mathbb{N}$, $P(n)$ est
vraie.
Donc pour tout $n \in \mathbb{N}$, $u_n = (n+2)^2$.

23 1. $u_0 = 500$
$u_1 = 500 \times 0,8 + 200 = 600$.
2. On prévoit que chaque année, 80 % des abonnés renouvelleront leur abonnement et 200 nouvelles personnes s'abonneront.
Donc pour tout $n \in \mathbb{N}$, $u_{n+1} = 0,8u_n + 200$.
3. Pour tout $n \in \mathbb{N}$, on considère la propriété $P(n)$: « $u_n \leq u_{n+1} \leq 1\,000$ »
Étape 1 Initialisation Pour $n = 0$, $u_0 = 500$ et $u_1 = 600$.
Donc $u_0 \leq u_1 \leq 1\,000$.
Donc la propriété est vraie pour $n = 0$.
Étape 2 Hérédité Soit $n \in \mathbb{N}$. Supposons que $P(n)$ est vraie et montrons que $P(n + 1)$ est vraie.
On a $u_n \leq u_{n+1} \leq 1\,000$
$0,8u_n + 200 \leq 0,8u_{n+1} + 200 \leq 0,8 \times 1\,000 + 200$
Donc $u_{n+1} \leq u_{n+2} \leq 1\,000$.
Donc $P(n + 1)$ est vraie.
Étape 3 Conclusion Pour tout $n \in \mathbb{N}$, $P(n)$ est vraie.
Donc pour tout $n \in \mathbb{N}$, $u_n \leq u_{n+1} \leq 1\,000$.
4. La suite (u_n) est croissante et majorée, donc elle est convergente.
Soit ℓ sa limite.
$\ell = 0,8\ell + 200 \Leftrightarrow 0,2\ell = 200 \Leftrightarrow \ell = 1\,000$
Donc $\lim\limits_{n \to +\infty} u_n = 1000$.

Exercices **d'application**

37 Soit x un réel quelconque.
Pour tout $n \in \mathbb{N}$, on considère la propriété $P(n)$: « $|x^n| = |x|^n$ »
Étape 1 Initialisation Pour $n = 0$, $|x^0| = |1| = 1$ et $|x|^0 = 1$
Donc $|x^0| = |x|^0$. Donc la propriété est vraie pour $n = 0$.
Étape 2 Hérédité Soit $n \in \mathbb{N}$. Supposons que $P(n)$ est vraie et montrons que $P(n + 1)$ est vraie.
On a $|x^{n+1}| = |x^n \times x| = |x^n| \times |x| = |x|^n \times |x|$
$= |x|^{n+1}$.
Donc $P(n + 1)$ est vraie.
Étape 3 Conclusion Pour tout $n \in \mathbb{N}$, $P(n)$ est vraie.
Donc pour tout $n \in \mathbb{N}$, $|x^n| = |x|^n$.

46 1. $u_n < -A \Leftrightarrow -n^2 + 5 < -A$
$\Leftrightarrow n^2 > A + 5$
$\Leftrightarrow n > \sqrt{A + 5}$
Donc $n_0 = E(\sqrt{A + 5}) + 1$
2. $\lim\limits_{n \to +\infty} u_n = -\infty$.

54 **a)** $\lim\limits_{n \to +\infty} u_n = +\infty$.
b) $\lim\limits_{n \to +\infty} v_n = -\infty$.
c) $\lim\limits_{n \to +\infty} w_n = 0$.
d) $\lim\limits_{n \to +\infty} a_n = +\infty$.

63 1. Pour tout $n \in \mathbb{N}$, $3n + 1 = n + 2n + 1$.
Donc $3n + 1 > n$.
Donc $\sqrt{3n + 1} > \sqrt{n}$ car la fonction racine carrée est strictement croissante sur $[0 ; +\infty[$.
Donc $u_n > \sqrt{n}$.
2. $\lim\limits_{n \to +\infty} \sqrt{n} = +\infty$.
Donc d'après le théorème de comparaison, $\lim\limits_{n \to +\infty} u_n = +\infty$

71 **a)** $\lim\limits_{n \to +\infty} u_n = +\infty$.
b) $\lim\limits_{n \to +\infty} v_n = -\infty$.
c) $\lim\limits_{n \to +\infty} w_n = 0$.

79 1. Pour tout $n \in \mathbb{N}^*$,
$$u_{n+1} - u_n = 1 + \frac{1}{n+1} - \left(1 + \frac{1}{n}\right) = \frac{(n - (n+1))}{n \times (n+1)}$$
$$= -\frac{1}{n(n+1)}$$
Donc $u_{n+1} - u_n < 0$. Donc la suite (u_n) est strictement décroissante.
2. Pour tout $n \in \mathbb{N}$, $u_n - 1 = \left(1 + \frac{1}{n}\right) - 1 = \frac{1}{n} > 0$.
Donc $u_n > 1$. Donc (u_n) est minorée par 1.
3. La suite (u_n) est strictement décroissante et minorée. Donc elle converge.

Exercices  **d'entrainement**

86 Pour tout $n \in \mathbb{N}^*$, on considère la propriété $P(n)$: « Soit f la fonction définie par $f(x) = x^n$. Alors pour tout réel x, $f'(x) = n \times x^{n-1}$ »
Étape 1 Initialisation Pour $n = 1$.
Pour tout réel x, $f(x) = x^1 = x$ et $f'(x) = 1$
Or $1 \times x^{1-1} = 1$.
Donc la propriété est vraie pour $n = 1$.
Étape 2 Hérédité Soit $n \in \mathbb{N}^*$. Supposons que $P(n)$ est vraie et montrons que $P(n + 1)$ est vraie.
Soit f la fonction définie par $f(x) = x^{n+1} = x^n \times x$.
f est dérivable sur $\mathbb{R}$ et pour tout réel x,
$f'(x) = n \times x^{n-1} \times x + x^n \times 1$ d'après l'hypothèse de récurrence.
$f'(x) = (n + 1) \times x^n$. Donc $P(n + 1)$ est vraie.
Étape 3 Conclusion Pour tout $n \in \mathbb{N}^*$, $P(n)$ est vraie.
Donc si f est la fonction définie par $f(x) = x^n$, alors pour tout réel x, $f'(x) = n \times x^{n-1}$.

95 1. $100 \times 1,1 = 110$. Donc en 2020, il y aura 110 habitants.
$110 \times 1,1 = 121$. Donc en 2021, il y aura 121 habitants.
2. **a)** $v_0 = 100$; $v_1 = 110$ et $v_2 = 121$.
b) $v_{20} \approx 673$; $v_{30} \approx 1745$; $v_{40} \approx 4526$
c) On conjecture que $\lim\limits_{n \to +\infty} v_n = +\infty$.
3. Une telle évolution est impossible. La population sera confrontée à des problèmes de place et de ressources.

103 1. et 2.

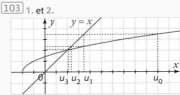

3. On conjecture que la suite (u_n) est décroissante et a pour limite 2.

106 1. Pour tout $n \in \mathbb{N}$, on considère la propriété $P(n)$: « $1 \leq u_{n+1} \leq u_n$ »
Étape 1 Initialisation Pour $n = 0$, $u_0 = 2$ et $u_1 = \sqrt{2 + 1} = \sqrt{3}$. Donc $1 \leq u_1 \leq u_0$.
Donc la propriété est vraie pour $n = 0$.
Étape 2 Hérédité Soit $n \in \mathbb{N}$. Supposons que $P(n)$ est vraie et montrons que $P(n + 1)$ est vraie. On a $1 \leq u_{n+1} \leq u_n$
Donc $\sqrt{1 + 1} \leq \sqrt{u_{n+1} + 1} \leq \sqrt{u_n + 1}$ car la fonction racine carrée est strictement croissante sur $[0 ; +\infty[$.
Donc $1 \leq \sqrt{2} \leq u_{n+2} \leq u_{n+1}$.
Donc $P(n + 1)$ est vraie.
Étape 3 Conclusion Pour tout $n \in \mathbb{N}$, $P(n)$ est vraie.
Donc pour tout $n \in \mathbb{N}$, $1 \leq u_{n+1} \leq u_n$
2. La suite (u_n) est décroissante et minorée par 1. Donc elle converge.

114 **a)** $u_n = 5^n\left(1 - \left(\frac{0,2}{5}\right)^n\right) = 5^n(1 - 0,04^n)$.
Donc $\lim\limits_{n \to +\infty} u_n = +\infty$.
b) $v_n = 6^n\left(1 - \left(\frac{7}{6}\right)^n\right)$. Donc $\lim\limits_{n \to +\infty} v_n = -\infty$.
c) $w_n = 9^n\left(1 - \left(\frac{8}{9}\right)^n\right)$. Donc $\lim\limits_{n \to +\infty} w_n = +\infty$.

121 1. $15\,000 \times \left(1 - \frac{10}{100}\right) + 1\,000 = 14\,50$.
Il y aura 14 500 habitants en 2020.
2. On note u_n le nombre d'habitants en 2019 $+ n$.
En 2019, il y a 15 000 habitants, donc $u_0 = 15\,000$.
Chaque année, le maire prévoit que 10 % des habitants quitteront la ville, et 1 000 nouveaux habitants s'installeront.
Donc pour tout $n \in \mathbb{N}$,
$$u_{n+1} = u_n \times \left(1 - \frac{10}{100}\right) + 1\,000 = 0,9u_n + 1\,000.$$
3. Pour tout $n \in \mathbb{N}$, on considère la propriété $P(n)$: « $u_n = 5\,000 \times 0,9^n + 10\,000$ »
Étape 1 Initialisation Pour $n = 0$, $u_0 = 15\,000$ et $5\,000 \times 0,9^0 + 10\,000 = 15\,000$.
Donc $u_0 = 5\,000 \times 0,9^0 + 10\,000$.
Donc la propriété est vraie pour $n = 0$.
Étape 2 Hérédité Soit $n \in \mathbb{N}$. Supposons que $P(n)$ est vraie et montrons que $P(n + 1)$ est vraie.
On a $u_{n+1} = 0,9u_n + 1\,000$
Donc $u_{n+1} = 0,9 \times (5\,000 \times 0,9^n + 10\,000) + 1\,000$
$= 5\,000 \times 0,9^{n+1} + 9\,000 + 1\,000$
$= 5\,000 \times 0,9^{n+1} + 10\,000$
Donc $P(n + 1)$ est vraie.
Étape 3 Conclusion Pour tout $n \in \mathbb{N}$, $P(n)$ est vraie.
Donc pour tout $n \in \mathbb{N}$, $u_n = 5\,000 \times 0,9^n + 10\,000$.
4. $-1 < 0,9 < 1$, donc $\lim\limits_{n \to +\infty} 0,9^n = 0$.
Donc $\lim\limits_{n \to +\infty} u_n = 10000$.
Le nombre d'habitants de la ville tend vers 10 000.

Préparer le BAC

135 **C** et **D**   **136** **A**   **137** **C**
138 **A**   **139** **B**   **140** **B**
141 **C**   **142** **A** et **C**

143 1. Pour tout $n \in \mathbb{N}$, on considère la propriété $P(n)$: « 2 divise $3^n - 1$ ».
Étape 1 Initialisation Pour $n = 0$, $3^0 - 1 = 0$, donc 2 divise $3^0 - 1$.
Donc la propriété est vraie pour $n = 0$.
Étape 2 Hérédité Soit $n \in \mathbb{N}$. Supposons que $P(n)$ est vraie et montrons que $P(n + 1)$ est vraie.
On a $3^{n+1} - 1 = 3 \times 3^n - 1$
Or 2 divise $3^n - 1$, donc $3^n - 1 = 2k, k \in \mathbb{Z}$.
Donc $3^n = 1 + 2k$.
Donc $3^{n+1} = 3 \times (1 + 2k) - 1 = 3 \times 2k + 2$
$= 2 \times (3k + 1)$.
Donc 2 divise 3^{n+1}. Donc $P(n + 1)$ est vraie.
Étape 3 Conclusion Pour tout $n \in \mathbb{N}$, $P(n)$ est vraie.
Donc pour tout $n \in \mathbb{N}$, 2 divise $3^n - 1$.
2. Pour tout $n \in \mathbb{N}$, on considère la propriété $P(n)$: « $u_n = 3 \times 2^n + 1$ »
Étape 1 Initialisation Pour $n = 0$, $u_0 = 4$ et $3 \times 2^0 + 1 = 4$. Donc $u_0 = 3 \times 2^0 + 1$.
Donc la propriété est vraie pour $n = 0$.
Étape 2 Hérédit é Soit $n \in \mathbb{N}$. Supposons que $P(n)$ est vraie et montrons que $P(n + 1)$ est vraie.
On a $u_{n+1} = 2u_n - 1$
Donc $u_{n+1} = 2 \times (3 \times 2^n + 1) - 1$
$= 3 \times 2^{n+1} + 1$
Donc $P(n + 1)$ est vraie.
Étape 3 Conclusion Pour tout $n \in \mathbb{N}$, $P(n)$ est vraie.
Donc pour tout $n \in \mathbb{N}$, $u_n = 3 \times 2^n + 1$.

144 a) $\lim\limits_{n\to+\infty} u_n = +\infty$. **b)** $\lim\limits_{n\to+\infty} v_n = \dfrac{3}{2}$.

c) $\lim\limits_{n\to+\infty} w_n = +\infty$. **d)** $\lim\limits_{n\to+\infty} a_n = 3$.

e) $\lim\limits_{n\to+\infty} b_n = 0$. **f)** $\lim\limits_{n\to+\infty} c_n = -\infty$.

145 1. $u_1 = 5\,750$ et $u_2 = 6312,5$.

2. Chaque mois, elle dépense le quart de ce qu'elle a sur son compte. De plus elle dépose $2\,000$ € le dernier jour de chaque mois. Donc pour tout $n \in \mathbb{N}$,

$u_{n+1} = u_n \times \left(1 - \dfrac{25}{100}\right) + 2\,000 = 0,75u_n + 2\,000$

3. a)
```
u=5000
for i in range(1,13)
    u=0.75*u+2000
print(u)
```

b) Elle a 7 904,97 € sur son compte le 1er janvier 2020.
4. a) Pour tout $n \in \mathbb{N}$, on considère la propriété
$P(n)$: « $u_n \leqslant u_{n+1} \leqslant 8\,000$ »
Étape 1 Initialisation Pour $n = 0$, $u_0 = 5750$ et $u_1 = 6312,5$. Donc $u_0 \leqslant u_1 \leqslant 8\,000$.
Donc la propriété est vraie pour $n = 0$.
Étape 2 Hérédité Soit $n \in \mathbb{N}$. Supposons que $P(n)$ est vraie et montrons que $P(n + 1)$ est vraie.
On a $u_n \leqslant u_{n+1} \leqslant 8\,000$
$0,75u_n + 2\,000 \leqslant 0,75u_{n+1} + 2\,000 \leqslant 0,75 \times 8\,000 + 2\,000$.
Donc $u_{n+1} \leqslant u_{n+2} \leqslant 8\,000$.
Donc $P(n+1)$ est vraie.
Conclusion Pour tout $n \in \mathbb{N}$, $P(n)$ est vraie.
Donc pour tout $n \in \mathbb{N}$, $u_n \leqslant u_{n+1} \leqslant 8\,000$.
b) La suite (u_n) est croissante et majorée, donc elle est convergente.
5. a) Pour tout $n \in \mathbb{N}$,
$v_{n+1} = u_{n+1} - 8\,000 = 0,75u_n + 2\,000 - 8\,000$
$= 0,75(u_n - 8\,000) = 0,75v_n$
Donc (v_n) est une suite géométrique de raison $0,75$, de premier terme
$v_0 = u_0 - 8\,000 = -3\,000$
b) Pour tout $n \in \mathbb{N}$, $v_n = -3\,000 \times 0,75^n$.
$v_n = u_n - 8\,000$, donc $u_n = v_n + 8\,000$.
Donc $u_n = 8\,000 - 3\,000 \times 0,75^n$.
6. $-1 < 0,75 < 1$, donc $\lim\limits_{n\to+\infty} 0,75^n = 0$

Donc $\lim\limits_{n\to+\infty} u_n = 8\,000$.

La somme sur le compte tendra vers $8\,000$ €.

146 A ▶ 1. $u_1 = 0,9 \times 0,3 \times (1 - 0,3) = 0,189$ et $u_2 \approx 0,138$.
Il y a 189 tortues en 2001 et environ 138 en 2002.
2. a) Pour tout $n \in \mathbb{N}$, $0 \leqslant 1 - u_n \leqslant 1$.
Donc $0 \leqslant 0,9u_n(1 - u_n) \leqslant 0,9u_n$ car $u_n \geqslant 0$.
Donc $0 \leqslant u_{n+1} \leqslant 0,9u_n$.
b) Pour tout $n \in \mathbb{N}$, on considère la propriété
$P(n)$: « $0 \leqslant u_n \leqslant 0,3 \times 0,9^n$ »
Étape 1 Initialisation Pour $n = 0$, $u_0 = 0,3$ et $0,3 \times 0,9^0 = 0,3$.
Donc $0 \leqslant u_0 \leqslant 0,3$.
Donc la propriété est vraie pour $n = 0$.
Étape 2 Hérédité Soit $n \in \mathbb{N}$. Supposons que $P(n)$ est vraie et montrons que $P(n + 1)$ est vraie.
On a $0 \leqslant u_{n+1} \leqslant 0,9u_n$.
Donc $0 \leqslant u_{n+1} \leqslant 0,9 \times 0,3 \times 0,9^n$.
Donc $0 \leqslant u_{n+1} \leqslant 0,3 \times 0,9^{n+1}$.
Donc $P(n + 1)$ est vraie.
Étape 3 Conclusion Pour tout $n \in \mathbb{N}$, $P(n)$ est vraie.
Donc pour tout $n \in \mathbb{N}$, $0 \leqslant u_n \leqslant 0,3 \times 0,9^n$

c) $-1 < 0,9 < 1$, donc $\lim\limits_{n\to+\infty} 0,9^n = 0$

Donc $\lim\limits_{n\to+\infty} 0,3 \times 0,9^n = 0$
D'après le théorème des gendarmes,
$\lim\limits_{n\to+\infty} u_n = 0$.
Cette population de tortues est donc en voie d'extinction.
3.
```
u = 0.3
n = 0
while u >= 30 :
    u = 0.9*u*(1-u)
    n = n+1
print (2000+n-1)
```

B ▶ 1. $v_{11} = 1,06 \times 0,032 \times (1 - 0,032) \approx 0,033$
$v_{12} \approx 0,034$
Il y a environ 33 tortues en 2011 et environ 34 en 2012.
2. $\lim\limits_{n\to+\infty} v_{n+1} = \lim\limits_{n\to+\infty} 1,06v_n(1 - v_n)$
Or $\lim\limits_{n\to+\infty} v_n = \lim\limits_{n\to+\infty} v_{n+1} = \ell$
Donc $\ell = 1,06 \times \ell \times (1 - \ell)$.
3. La suite (v_n) est croissante.
Donc pour tout $n \geqslant 10$, $v_n \geqslant v_{10}$
Donc $v_n \geqslant 0,032$.
Donc la population de tortues n'est plus en voie d'extinction.

2 Limites de fonctions

À vous de jouer !

1 **1.** On obtient les courbes suivantes.

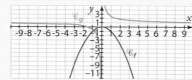

2. a) À partir de 4 et avant -4.
b) À partir de 3 et avant -3.
3. On conjecture $\lim\limits_{x\to-\infty} f(x) = -\infty = \lim\limits_{x\to+\infty} f(x)$ et
$\lim\limits_{x\to-\infty} g(x) = 1 = \lim\limits_{x\to+\infty} g(x)$

3 $\lim\limits_{x\to 0} f(x) = -\infty$ et $\lim\limits_{x\to-1} g(x) = +\infty$

5 On conjecture une asymptote horizontale et une asymptote verticale.

7 a) $\lim\limits_{x\to-\infty} x^2 - 3x + 1 = +\infty$

b) $\lim\limits_{x\to+\infty} \dfrac{\dfrac{-3}{x} + 1}{\sqrt{x}} = 0$ **c)** $\lim\limits_{\substack{x\to 0 \\ x>0}} \dfrac{1+x}{2x} = +\infty$

d) $\lim\limits_{x\to+\infty} \sqrt{x - 1} + x^2 = +\infty$

e) $\lim\limits_{x\to 1} \dfrac{-2}{(x-1)^2} = -\infty$

f) $\lim\limits_{x\to-\infty} -x^2 + 5x - \dfrac{2}{x} = -\infty$

12 a) $\lim\limits_{x\to+\infty} e^x + 2\sin(x) = +\infty$
b) $\lim\limits_{x\to-\infty} e^x \cos(x) = 0$
c) $\lim\limits_{x\to+\infty} \dfrac{1 + 3\cos(x)}{(x+1)^2} = 0$
d) $\lim\limits_{x\to-\infty} \dfrac{\sin(x)}{x} = 0$

14 a) $\lim\limits_{x\to-\infty} \sqrt{2 - x} = +\infty$
b) $\lim\limits_{\substack{x\to-1 \\ x>-1}} e^{\sqrt{x+1}} = 1$

16 a) $2x^5 + x^2 = 2x^5\left(1 + \dfrac{1}{2x^3}\right)$ et
$\lim\limits_{x\to-\infty} (2x^5 + x^2) = -\infty$
b) $\dfrac{2x - 1}{3x + 2} = \dfrac{2 - \dfrac{1}{x}}{3 + \dfrac{2}{x}}$ et $\lim\limits_{x\to+\infty} \dfrac{2x - 1}{3x + 2} = \dfrac{2}{3}$
c) $-3x^2 + 5x = -3x^2\left(1 - \dfrac{5}{3x}\right)$ et
$\lim\limits_{x\to+\infty} -3x^2 + 5x = -\infty$
d) $\dfrac{x - 1}{x^2 + 3} = \dfrac{1 - \dfrac{1}{x}}{x\left(1 + \dfrac{3}{x^2}\right)}$ et $\lim\limits_{x\to-\infty} \dfrac{x - 1}{x^2 + 3} = 0$

20 a) $\sqrt{x + 1} - \sqrt{x} = \dfrac{1}{\sqrt{x + 1} + \sqrt{x}}$ et
$\lim\limits_{x\to+\infty} \left(\sqrt{x + 1} - \sqrt{x}\right) = 0$
b) $\sqrt{x^2 - 1} - \sqrt{x^2 - 6} = \dfrac{5}{\sqrt{x^2 - 1} + \sqrt{x^2 - 6}}$ et
$\lim\limits_{x\to+\infty} \left(\sqrt{x^2 - 1} - \sqrt{x^2 - 6}\right) = 0$
c) $\sqrt{1 - x} - \sqrt{x^2 + 1} = \dfrac{-x - x^2}{\sqrt{1 - x} + \sqrt{x^2 + 1}}$
$= \dfrac{x\left(\dfrac{1}{x} + 1\right)}{\sqrt{\dfrac{1}{x^2} - \dfrac{1}{x}} + \sqrt{1 + \dfrac{1}{x^2}}}$
et $\lim\limits_{x\to-\infty} \left(\sqrt{1 - x} - \sqrt{x^2 + 1}\right) = -\infty$
d) $\sqrt{-3 - x} - \sqrt{4 - x} = \dfrac{-7}{\sqrt{-3 - x} + \sqrt{4 - x}}$ et
$\lim\limits_{x\to-\infty} \left(\sqrt{-3 - x} - \sqrt{4 - x}\right) = 0$

Exercices **d'application**

31 On trace à la main en plaçant les extremums et l'asymptote verticale :

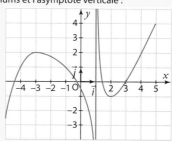

33 $\lim\limits_{x\to-\infty} f(x) = +\infty = \lim\limits_{x\to+\infty} f(x)$

36 $\lim\limits_{x\to-2} f(x) = +\infty$

39 La courbe $\mathscr{C}_f$ semble avoir une asymptote horizontale d'équation $y = 1$ et une asymptote verticale d'équation $x = 0$.
La courbe $\mathscr{C}_g$ semble ne pas avoir d'asymptote.
La courbe $\mathscr{C}_h$ semble avoir une asymptote verticale d'équation $x = 1$.
La courbe $\mathscr{C}_k$ semble ne pas avoir d'asymptote.

42 a) $\lim\limits_{x \to -\infty} \dfrac{2}{x} + 1 = 1$

b) $\lim\limits_{x \to +\infty} x^2 + 2x + 1 = +\infty$

c) $\lim\limits_{x \to +\infty} 2x\sqrt{x} + 1 = +\infty$

d) $\lim\limits_{x \to +\infty} \dfrac{-2}{1 - \sqrt{x}} = 0$

45 a) $\lim\limits_{x \to 0^+} \dfrac{1}{x} + \dfrac{1}{x^2} - 1 = +\infty$

b) $\lim\limits_{x \to 1^-} \dfrac{2x - 1}{x + 3} = \dfrac{1}{4}$

c) $\lim\limits_{x \to 2} x^3 e^2 = 8e^2$

d) $\lim\limits_{x \to 2^-} \dfrac{x^2 + 3}{x - 2} = -\infty$

47 a) $\lim\limits_{x \to +\infty} f(x) = +\infty$

b) $\lim\limits_{x \to +\infty} f(x) = 0$

c) Impossible.

d) $\lim\limits_{x \to 0^+} f(x) = 1$

51 a) $\lim\limits_{x \to +\infty} x^4 e^{-x} = 0$

b) $\lim\limits_{x \to +\infty} \dfrac{2x^5}{e^x} = 0$

c) $\lim\limits_{x \to +\infty} e^{-x}(x^2 + 2x - 5) = 0$

d) $\lim\limits_{x \to +\infty} \dfrac{x^3 - 2}{e^x} = 0$

52 1. a) $u(x) = 2x^2 + 3$ et $v(x) = \sqrt{x}$
b) $u(x) = -2x - 1$ et $v(x) = e^x$
c) $u(x) = \dfrac{1}{x}$ et $v(x) = \cos(x)$
d) $u(x) = e^{-x}$ et $v(x) = \sqrt{x}$
2. a) $\lim\limits_{x \to -\infty} f(x) = +\infty$ et $\lim\limits_{x \to +\infty} f(x) = +\infty$
b) $\lim\limits_{x \to -\infty} f(x) = +\infty$ et $\lim\limits_{x \to +\infty} f(x) = 0$
c) $\lim\limits_{x \to -\infty} f(x) = 1$ et $\lim\limits_{x \to +\infty} f(x) = 1$
d) $\lim\limits_{x \to -\infty} f(x) = +\infty$ et $\lim\limits_{x \to +\infty} f(x) = 0$

57 1. Forme « $\dfrac{0}{0}$ »

2. $f(x) = \dfrac{(x - 1)(x - 2)}{(1 - x)^2} = \dfrac{x - 2}{x - 1}$

3. $\lim\limits_{x \to 1^-} f(x) = +\infty$ et $\lim\limits_{x \to 1^+} f(x) = -\infty$

Préparer le BAC

107 **D**   **108** **D**

109 **B**   **110** **A** et **D**

111 **D**   **112** **C**

113 **B**   **114** **B**

115 **C**

116 1. c 2. b 3. b

117 1. b 2. d

---

118 a) $\lim\limits_{x \to +\infty} \left(e^x + x + \dfrac{1}{x}\right) = +\infty$

b) $\lim\limits_{x \to -\infty} (x^3 + 2x - 3) = -\infty$

c) $\lim\limits_{x \to +\infty} \dfrac{1}{2x + 1} = 0$

d) $\lim\limits_{x \to +\infty} \dfrac{5 - 2x}{2x + 1} = -1$

119 a) $\lim\limits_{x \to +\infty} (x + \sin x) = +\infty$

b) $\lim\limits_{x \to 0} x \cos x = 0$

120 1. b 2. c 3. c

121 1. b 2. b 3. c

3 Fonctions cosinus et sinus

À vous de jouer !

1 a) $f'(x) = \dfrac{-\cos(x)}{\sin^2(x)}$

b) $f'(x) = -2\sin^2(x) + 2\cos^2(x)$
$f'(x) = 2(1 - 2\sin^2(x))$

3 a) $f'(x) = 15\cos(3x + 12)$
b) $g'(x) = 40\sin(-5x + 4)$
c) $h'(x) = -14\sin(-2x - 3)$

5 a) $\left\{-\dfrac{\pi}{18} ; \dfrac{\pi}{18} ; \dfrac{11\pi}{18} ; \dfrac{13\pi}{18}\right\}$

b) $\left\{-\dfrac{\pi}{4} ; \dfrac{3\pi}{4}\right\}$

7 $x \in \left[\dfrac{2\pi}{3} ; \pi\right[$

9 a) $f(x + 2\pi) = 3\cos^2(x + 2\pi) - 6\cos(x + 2\pi)$
$f(x + 2\pi) = f(x)$ car la fonction cosinus est 2π-périodique.
b) On peut étudier f sur $[0 ; 2\pi]$.
c) $f'(x) = -6\cos(x)\sin(x) + 6\sin(x)$
$f'(x) = 6\sin(x)(1 - \cos(x))$

x	0		π		2π
$6\sin(x)$	0	+	0	−	
$1 - \cos(x)$		+		+	
$f'(x)$	0	+	0	−	
Variations de f	−3	↗	9	↘	−3

11 On effectue un changement de variable en posant $X = \sin(x)$ puis on résout l'inéquation $2X^2 - X - 1 > 0$.
$\Delta = 9$; $X_1 = -\dfrac{1}{2}$ et $X_2 = 1$

Donc $X > 0$ pour $X < -\dfrac{1}{2}$.

Ainsi, $\sin(x) < -\dfrac{1}{2}$

$x \in \left]-\dfrac{5\pi}{6} ; -\dfrac{\pi}{6}\right[$

---

27 $f\left(\dfrac{\pi}{6}\right) = -\dfrac{7}{2}$; $f\left(\dfrac{\pi}{3}\right) = \dfrac{\sqrt{3} - 8}{2}$;

$f\left(\dfrac{\pi}{2}\right) = -3$; $f(\pi) = -4$

30 1. a) $f(x + 2\pi) = \dfrac{1 - \cos(x + 2\pi)}{2 + \cos(x + 2\pi)} = f(x)$

b) $f(-x) = \dfrac{1 - \cos(-x)}{2 + \cos(-x)} = f(x)$

2. $g(x + 2\pi) = 1 + 5\cos^2(x + 2\pi) = g(x)$
$g(-x) = 1 + 5\cos^2(-x) = g(x)$

34 a) Ni l'une ni l'autre
b) Impaire
c) Paire
d) Paire
e) Ni l'une ni l'autre

38

x	$-\pi$	0	π
Variations de la fonction cosinus	−1	↗ 1	↘ −1

x	0	π	2π
Variations de la fonction cosinus	1	↘ −1	↗ 1

40 a) $f'(x) = 3\cos(x) + 2x\cos(x) - x^2\sin(x)$
$= \cos(x)(3 + 2x) - x^2\sin(x)$

b) $f'(x) = -2\sin(x) + 1$

c) $f'(x) = \dfrac{\cos(x)x - \sin(x)}{x^2}$

d) $f'(x) = 10x\sin(x) - 5x^2\cos(x) + \cos(x) - x\sin(x)$
$f'(x) = 9x\sin(x) + \cos(x)(1 - 5x^2)$

44

a) $S = \left\{-\dfrac{\pi}{30} + \dfrac{2}{5}k\pi, k \in \mathbb{Z}\right\} \cup \left\{\dfrac{\pi}{30} + \dfrac{2}{5}k\pi, k \in \mathbb{Z}\right\}$

b) $S = \left\{\dfrac{\pi}{24} + \dfrac{1}{3}k\pi, k \in \mathbb{Z}\right\} \cup \left\{\dfrac{\pi}{8} + \dfrac{1}{3}k\pi, k \in \mathbb{Z}\right\}$

c) $S = \left\{\dfrac{3\pi}{4} + 2k\pi, k \in \mathbb{Z}\right\} \cup \left\{\dfrac{5\pi}{4} + 2k\pi, k \in \mathbb{Z}\right\}$

d) $S = \left\{\dfrac{\pi}{8} + k\pi, k \in \mathbb{Z}\right\} \cup \left\{\dfrac{3\pi}{8} + k\pi, k \in \mathbb{Z}\right\}$

47 a) $x \in \left[0 ; \dfrac{\pi}{4}\right[\cup \left]\dfrac{3\pi}{4} ; \pi\right[$

b) $x \in \left[\pi ; \dfrac{5\pi}{3}\right]$

c) $x \in \left[0 ; \dfrac{4\pi}{3}\right]$

d) $x \in \left[0 ; \dfrac{7\pi}{12}\right]$

Préparer le BAC

83 **B**   **84** **B**

85 **D**   **86** **C**

87 **B**   **88** **C**

89 **C**

90 1. $AD = \dfrac{AB}{\cos(\theta)} = \dfrac{4}{\cos(\theta)}$; $CD = 7 + 4\dfrac{\sin(\theta)}{\cos(\theta)}$

$\dfrac{60\ km}{h} = 1\,000\ m/min$ et $\dfrac{30\ km}{h} = \dfrac{500\ m}{min}$

$t_1 = \dfrac{1}{125\cos(\theta)}$; $t_2 = \dfrac{7 + 4\dfrac{\sin(\theta)}{\cos(\theta)}}{1\,000}$

2. $t_1 < t_2 \Leftrightarrow \dfrac{8}{\cos(\theta)} < 7 + 4\dfrac{\sin(\theta)}{\cos(\theta)} \Leftrightarrow f(\theta) > 0$

3. $f'(\theta) = \dfrac{2}{\cos^2(\theta)} - 4\dfrac{\sin(\theta)}{\cos^2(\theta)} = \dfrac{2(1 - 2\sin(\theta))}{\cos^2(\theta)}$

sur $\left[0 ; \dfrac{\pi}{2}\right[$.

f' est du signe de $1 - 2\sin(\theta)$ donc f' est strictement positive sur $\left[0 ; \dfrac{\pi}{6}\right[$ et strictement négative sur $\left]\dfrac{\pi}{6} ; \dfrac{\pi}{2}\right[$ et s'annule en $\dfrac{\pi}{6}$.

$f\left(\dfrac{\pi}{6}\right) > 0$

Le lapin s'en sort si $0 \leqslant \theta \leqslant \dfrac{\pi}{6}$.

91 1. Voir le logiciel de géométrie dynamique.

2. **a)** $\theta \in \left[0 ; \dfrac{\pi}{2}\right]$

b) $\mathcal{A}(\theta) = \dfrac{(1 + AD) \times h}{2} = \dfrac{(1 + 1 + 2\cos(\theta)) \times \sin(\theta)}{2}$

$= (1 + \cos(\theta))\sin(\theta)$

c) $\mathcal{A}'(\theta) = -\sin^2(\theta) + (1 + \cos(\theta))\cos(\theta)$

$\mathcal{A}'(\theta) = -\sin^2(\theta) + \cos(\theta) + \cos^2(\theta)$

$\mathcal{A}'(\theta) = 2\cos^2(\theta) + \cos(\theta) - 1$

On effectue un changement de variable en posant $X = \cos(\theta)$.

On étudie alors le signe du polynôme $2X^2 + X - 1$ sur $[0 ; 1]$.

On obtient alors :

x	0		$\dfrac{\pi}{3}$		$\dfrac{\pi}{2}$
$\mathcal{A}'(\theta)$			0		
Variations de $\mathcal{A}$	0	↗	$\dfrac{3\sqrt{3}}{4}$	↘	1

d) On en déduit que pour $\theta = \dfrac{\pi}{3}$, l'aire du trapèze est maximale.

92 1. $f'(x) = -\sin(x) - \sin(2x)$

2. $f'(x) = -\sin(x) - 2\sin(x)\cos(x)$

$= -\sin(x)(1 + 2\cos(x))$

3. $\sin(x) = 0$ ou $1 + 2\cos(x) = 0$

$x = 0$ ou $x = \pi$ ou $x = \dfrac{2\pi}{3}$ ou $x = \dfrac{4\pi}{3}$

4.

x	0		$\dfrac{2\pi}{3}$		π		$\dfrac{4\pi}{3}$		2π
$-\sin(x)$	0	−		−	0	+		+	
$1 + 2\cos(x)$		+	0	−		−	0	+	
$f'(x)$	0	−	0	+	0	−	0	+	

5.

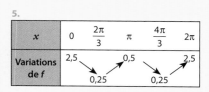

x	0		$\dfrac{2\pi}{3}$		π		$\dfrac{4\pi}{3}$		2π
Variations de f	2,5	↘	0,25	↗	0,5	↘	0,25	↗	2,5

---

93 A ▶ 1. $f'(x) = \dfrac{9x^4 - 18x^2 + 9}{(3x^2 + 1)^2}$

2. On effectue un changement de variable en posant $X = x^2$ et on étudie le signe de $9X^2 - 18X + 9$.

Comme $\Delta = 0$, ce polynôme est toujours positif.

x	$-\infty$		$+\infty$
$f'(x)$		+	
Variations de f	$-\infty$	↗	$+\infty$

3. $y = f'(0)x + f(0)$

$y = 9x - 3$

B ▶ 1. $g(x + 2\pi) = g(x)$

2. **a)** $g(x) = f(\sin(x))$

b) $g'(x) = \cos(x) \times \dfrac{9\sin(x)^4 - 18\sin(x)^2 + 9}{(3\sin(x)^2 + 1)^2}$

3. La fonction cosinus est positive sur $\left[-\dfrac{\pi}{2} ; \dfrac{\pi}{2}\right]$ et négative sur $\left[-\pi ; -\dfrac{\pi}{2}\right]$ et sur $\left[\dfrac{\pi}{2} ; \pi\right]$.

x	$-\pi$		$-\dfrac{\pi}{2}$		$\dfrac{\pi}{2}$		π
$g'(x)$	0	−	0	+	0	−	
Variations de g	-3	↘	-6	↗	0	↘	-3

---

4 Continuité

À vous de jouer !

1 1. On obtient :

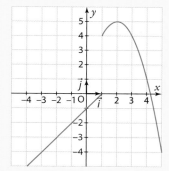

On peut conjecturer que la fonction est continue sur $\mathbb{R}\backslash\{1\}$.

2. Si $x \neq 1$, la fonction f est continue car un polynôme est continue sur son ensemble de définition.

Si $x = 1$, la fonction f est discontinue car :

$\left.\begin{array}{l} \lim\limits_{x \to 1^-} x - 1 = 0 \\ \lim\limits_{x \to 1^+} -x^2 + 4x + 1 = 4 \end{array}\right\}$ Pas de limite en 1.

---

3 1. La fonction en continue en 0 car :

$\lim\limits_{x \to 0^+} x^2 = 0$

2. On obtient

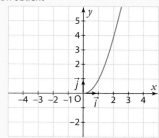

La fonction f est dérivable en 0 car la courbe $\mathscr{C}_f$ admet une tangente en 0 d'équation $y = 0$.

5 La fonction associée à la suite est :

$f(x) = \dfrac{1}{3}\sqrt{x^2 + 8}$.

La fonction f est continue sur $\mathbb{R}_+$ comme composition de fonctions contiunues, d'après le théorème du point fixe, ℓ vérifie :

$\dfrac{1}{3}\sqrt{x^2 + 8} = x \Leftrightarrow \sqrt{x^2 + 8} = 3x \overset{x \geqslant 0}{\Leftrightarrow}$

$x^2 + 8 = 9x^2 \Leftrightarrow 8x^2 = 8 \Leftrightarrow x^2 = 1$

$\Leftrightarrow x = \pm 1$

La suite (u_n) étant de termes positifs : $\ell = 1$.

7 1. La fonction est dérivable sur $[0 ; +\infty[$

$f'(x) = 3x^2 - 18x + 24 = 3(x^2 - 6x + 8)$

• $f'(x) = 0 \Leftrightarrow x_1 = 4$ ou $x_2 = 2$.

• le signe de $f'(x)$ est du signe du trinôme.

On obtient le tableau de variations suivant.

x	0		2		4		$+\infty$
$f'(x)$		+	0	−	0	+	
f	-12	↗	8	↘	4	↗	$+\infty$

2. **a)** • Sur $[0 ; 2]$, la fonction f est continue (dérivable), strictement croissante et change de signe car $f(0) = -12$ et $f(2) = 8$, d'après le théorème de la bijection, l'équation $f(x) = 0$ admet une unique solution α.

• Sur $]2 ; +\infty[$, $f(x)$ est minorée par 4, donc ne peut s'annuler.

Conclusion : l'équation $f(x) = 0$ admet une unique solution sur $[0 ; +\infty[$.

b) On constate que la courbe $\mathscr{C}_f$ ne coupe qu'une fois l'axe des abscisses.

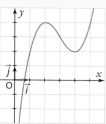

9 **1.** On peut proposer le programme :

```
def u(n):
    u=1
    for i in range(1,n+1):
        u=9/(6-u)
    return u
```

On peut remplir le tableau de valeurs suivant.

n	10	50	100	1 000
$u(n)$	2,739	2,942	2,970	2,997

On peut conjecturer que la suite (u_n) converge vers 3.

2. a) $f(x) = \dfrac{9}{6-x}$.

La fonction f est continue sur $\mathbb{R}\backslash\{6\}$ donc continue sur $[1 ; 3]$.
b) D'après le théorème du point fixe, la limite ℓ vérifie l'équation :
$$\frac{9}{6-x} = x \Leftrightarrow x^2 - 6x + 9 = 0$$
$$\Leftrightarrow (x-3)^2 = 0 \Leftrightarrow x = 3$$
Donc $\ell = 3$.

11 **1.** On obtient : $f'(x) = 12g(x)$
avec : $g(x) = x^3 + x^2 + 2x + 1$.
2. a) On étudie les variations de g.
$$g'(x) = 3x^2 + 2x + 2$$
$\Delta = 4 - 24 = -20$ donc $g'(x)$ ne s'annule pas.
La fonction g est alors strictement croissante, continue et change de signe car $g(-1) = -0$ et $g(0) = 1$, d'après le théorème de la bijection, l'équation $g(x) = 0$ admet une unique solution α sur $\mathbb{R}$ et $\alpha \in [-1 ; 0]$.
b) À l'aide d'un balayage sur la calculatrice on obtient :
$-0,57 < \alpha < -0,57$.
c) Si $x < \alpha$ alors $g(x) < 0$
et si $x > \alpha$ alors $g(x) > 0$.

3. Le signe de $f'(x)$ est celui de $g(x)$.

x	$-\infty$		α		$+\infty$
$f'(x)$		$-$	0	$+$	
f	$+\infty$		$f(\alpha)$		$+\infty$

Exercices d'application

20 **1.** On obtient la courbe suivante.

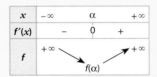

On peut donc conjecturer que la fonction f est continue sur $\mathbb{R}$.
2. Sur $\mathbb{R}\backslash\{-2 ; 2\}$ la fonction f est continue car composées de fonctions élémentaires.

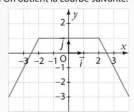

La fonction f est donc continue sur $\mathbb{R}$.

25 **1.** La continuité du volume vient du fait que l'ajout de liquide étant continue, son volume aussi.
La fonction volume ne sera pas dérivable en 60, car le volume étant proportionnel à la hauteur, le coefficient de proportionnalité change en 60.

2. a) $1 \ell = 1$ dm^3, pour avoir le volume en litres, il faut exprimer toutes le mesure en dm^3.
$$\begin{cases} V(x) = 3,6x & si\ x \leqslant 60 \\ V(x) = 6,4x - 168 & si\ 60 < x \leqslant 140 \end{cases}$$
b) On a :
$$\left. \begin{array}{l} \lim\limits_{x \to 60^-} 3,6x = 216 \\ \lim\limits_{x \to 60^+} 6,4x - 168 = 216 \end{array} \right\} V \text{ est continue en 60}$$
Si l'on trace la fonction V sur la calculatrice, on observe que la courbe n'a pas de tangente en 60 (unités 10 sur (Ox) et 50 sur (Oy)).

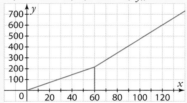

29 La fonction f associée à la suite (u_n) est :
$$f(x) = \frac{1}{2}\left(x + \frac{2}{x}\right).$$
La fonction f est continue sur $\mathbb{R}\backslash\{0\}$, d'après le théorème du point fixe, la limite ℓ de la suite (u_n) vérifie :
$$\frac{1}{2}\left(x + \frac{2}{x}\right) = x \overset{\times 2x}{\Leftrightarrow} x^2 + 2 = 2x^2 \Leftrightarrow x^2 = 2$$
On obtient $= \pm\sqrt{2}$, comme la suite (u_n) est minorée par 0, on a alors $\ell = \sqrt{2}$.

33 • Sur $[0 ; 3]$, $f(x) \leqslant -2$, donc $f(x)$ ne peut s'annuler.
• Sur $[3 ; +\infty[$, la fonction f est continue, strictement croissante et change de signe car $f(3) < 0$ et $\lim\limits_{x \to +\infty} f(x) = +\infty$; d'après le théorème de la bijection, l'équation $f(x) = 0$ admet une unique solution α.
Conclusion : l'équation $f(x) = 0$ admet une unique solution sur $[0 ; +\infty[$.

Exercices d'entrainement

40 **1. a)** f est continue sur $I = \mathbb{R}\backslash\{-2\}$ car f est une fonction rationnelle.
b) $\dfrac{2x+1}{x+2} = x \Leftrightarrow 2x + 1 = x^2 + 2x \Leftrightarrow x^2 = 1$
On obtient alors $x = \pm 1$.
c) $f'(x) = \dfrac{2(x+2) * 1 2(2x+1)}{(x+2)^2} = \dfrac{3}{(x+2)^2}$
Pour tout, $f'(x) > 0$, la fonction f est croissante.
2. a) Initialisation $n = 0$, on a $u_0 = 0$ et $u_1 = \dfrac{1}{2}$.
On a donc : $0 \leqslant u_0 \leqslant u_1 < 1$. La proposition est initialisée.

Hérédité Soit $n \in \mathbb{N}$, supposons que $0 \leqslant u_n \leqslant u_{n+1} < 1$ et montrons que $0 \leqslant u_{n+1} \leqslant u_{n+2} < 1$:
$0 \leqslant u_n \leqslant u_{n+1} < 1 \overset{f \nearrow}{\Rightarrow} f(0) \leqslant f(u_n) \leqslant f(u_{n+1}) < f(1)$.
$\Rightarrow \dfrac{1}{2} \leqslant u_{n+1} \leqslant u_{n+2} < 1 \Rightarrow 0 \leqslant u_{n+1} \leqslant u_{n+2} < 1$
La proposition est héréditaire.

Conclusion Par initialisation et hérédité, pour tout $n \in \mathbb{N}$:
$$0 \leqslant u_n \leqslant u_{n+1} < 1$$

b) La suite (u_n) est croissante et majorée par 1 donc, d'après le théorème des suites monotones, la suite (u_n) est convergente.
La fonction f est continue sur ℓ et la suite (u_n) est convergente ; d'après le théorème du point fixe, la limite ℓ vérifie $f(x) = 0$, comme $\ell \geqslant 0$, on en déduit d'après la question **1. b)** que $\ell = 1$.

44 **A ▶ 1.** $g'(x) = 3x^2 - 3 = 3(x^2 - 1)$
• $g'(x) = 0 \Leftrightarrow x = \pm 1$
• signe de $g'(x)$ est le signe du trinôme.

x	$-\infty$		-1		1		$+\infty$
$f'(x)$		$+$	0	$-$	0	$+$	
f	$-\infty$		2		-6		$+\infty$

2. Sur $[1 ; 3]$, g est continue car dérivable, strictement croissante et change de signe car $g(1) = -6$ et $g(3) = 14$, d'après le théorème de la bijection, l'équation $g(x) = 0$ admet une unique solution α.
3. Si $x < \alpha$, $g(x) < 0$ et si $x > \alpha$, $g(x) > 0$.

B ▶ 1. $f'(x) = \dfrac{(3x^2 + 4x)(x^2 - 1) - 2x(x^3 + 2x^2)}{(x^2 - 1)^2}$
$f'(x) = \dfrac{x(3x^3 - 3x + 4x^2 - 4 - 2x^3 - 4x^2)}{(x^2 - 1)^2}$
$f'(x) = \dfrac{xg(x)}{(x^2 - 1)^2}$

2. Limites en $\pm\infty$: $f(x) = \dfrac{x^2(x+2)}{x^2\left(1 - \dfrac{1}{x}\right)} = \dfrac{x+2}{1 - \dfrac{1}{x}}$

Par quotient, on trouve :
$$\lim\limits_{x \to +\infty} f(x) = +\infty \quad \text{et} \quad \lim\limits_{x \to -\infty} f(x) = -\infty$$
Limite en ± 1 : on détermine le signe de $x^2 - 1$.

x	$-\infty$		-1		1		$+\infty$
$x^2 - 1$		$+$	0	$-$	0	$+$	

On obtient alors les limites :
$$\lim\limits_{x \to -1^-} f(x) = +\infty \qquad \lim\limits_{x \to -1^+} f(x) = -\infty$$
$$\lim\limits_{x \to 1^-} f(x) = -\infty \quad \text{et} \quad \lim\limits_{x \to 1^+} f(x) = +\infty$$

3. Le signe de $f'(x)$ est du signe de $xg(x)$.
On obtient le tableau de variations suivant.

x	$-\infty$		-1		0		1		α		$+\infty$
$f'(x)$		$+$		$+$	0	$-$		$-$	0	$+$	
f	$-\infty$		$+\infty$	$-\infty$		0	$+\infty$		$-\infty$		$+\infty$
									$f(\alpha)$		

Préparer le BAC

64 **A** et **D**   **65** **A**

66 **B**   **67** **B**

68 **C**   **69** **C**

70 **B**

71 1. On obtient :

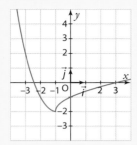

On peut conjecturer que la fonction f est continue sur $\mathbb{R}$.

2. Sur $x \neq -1$, la fonction est continue car composée de fonctions continues.

$$\left.\begin{array}{l} \lim_{x \to -1^-} x^2 + 2x - 1 = -2 \\ \lim_{x \to -1^+} \sqrt{x+1} - 2 = -2 \end{array}\right\} f \text{ est continue en } -1$$

72 1. On a :

$$\left.\begin{array}{l} \lim_{x \to -0^-} e^{-x} = 1 \\ \lim_{x \to -0^+} x^2 + 1 = 1 \end{array}\right\} \begin{array}{l} f \text{ est continue} \\ \text{en } 0 \end{array}$$

2. On obtient :

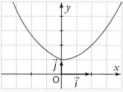

La non dérivabilité en 0 s'explique par l'absence de tangente en 0.

73 1. f est une fonction rationnelle donc continue sur son ensemble de définition et donc sur $[0 ; 9]$.

2. a) On montre facilement par récurrence l'encadrement.

b) La suite (u_n) est croissante et majorée par 9, donc d'après le théorème des suites monotones, la suite (u_n) converge vers $\ell \leq 9$.

c) La fonction f est continue sur $[0 ; 9]$ et la suite (u_n) est convergente vers ℓ, donc d'après le théorème du point fixe, ℓ vérifie l'équation

$$f(x) = x \Leftrightarrow x = \frac{5 + \sqrt{29}}{2} \approx 5{,}19$$

$$\text{ou } x = \frac{5 - \sqrt{29}}{2} \approx -0{,}19 .$$

On en déduit alors que $\ell = \dfrac{5 + \sqrt{29}}{2}$.

74 1. On a :

$$f'(x) = 1 + \frac{2x}{(x^2+1)^2} - \frac{x^4 + 2x^2 + 1}{(x^2+1)^2}$$

$$(x+1)(x^3 - x^2 + 3x + 1) = x^4 + 2x^2 + 2x + 1$$

On en déduit alors que :

$$f'(x) = \frac{(x+1)g(x)}{(x^2+1)^2} .$$

2. a) Pour $x \neq 0$, on a :

$$g(x) = x^3 \left(1 - \frac{1}{x} + \frac{3}{x^2} + \frac{1}{x^3} \right)$$

Par produit, on déduit :

$$\lim_{x \to \infty} 1 - \frac{1}{x} + \frac{3}{x^2} + \frac{1}{x^3} = 1 \Rightarrow \begin{cases} \lim_{x \to +\infty} g(x) = +\infty \\ \lim_{x \to -\infty} g(x) = -\infty \end{cases}$$

---

b) $g'(x) = 3x^2 - 2x + 3$
$\Delta = -32 < 0$ donc $g'(x)$ n'a pas de racine.
Pour tout $x \in \mathbb{R}$, $g'(x) > 0$ donc la fonction g est croissante.

x	$-\infty$		-1		0		$+\infty$
$g'(x)$				$+$			
g	$-\infty$		-4		1		$+\infty$

c) Sur $\mathbb{R}$, la fonction g est continue, strictement croissante et change de signe car $g(-1) = -4$ et $g(0) = 1$ donc d'après le théorème de la bijection, l'équation $g(x) = 0$ admet une unique solution α et $\alpha \in [-1 ; 0]$.

d) On trouve $-0{,}296 \leq \alpha \leq -0{,}295$.

3. a) si $x < \alpha$, $g(x) < 0$ et si $x > \alpha$, $g(x) > 0$.

b) $f'(x)$ est du signe de $(x+1)g(x)$.

x	$-\infty$		-1		α		$+\infty$
$x+1$		$-$	0	$+$		$+$	
$g(x)$		$-$		$-$	0	$+$	
$f'(x)$		$+$	0	$-$	0	$+$	

On obtient le tableau de variations suivant.

x	$-\infty$		-1		α		$+\infty$
$f'(x)$		$+$	0	$-$	0	$+$	
f	$-\infty$		-2		$f(\alpha)$		$+\infty$

75 1. a) $\lim_{x \to -\infty} f(x) = \lim_{x \to -\infty} -x + 3 = +\infty$

b) $f'(x) = e^x - 1$.
$f'(x) = 0 \Leftrightarrow x = 0$ et comme exp est croissante sur $\mathbb{R}$, $x < 0$, $f'(x) < 0$ et $x > 0$, $f'(x) > 0$.

x	$-\infty$		α		$+\infty$
$f'(x)$		-0		$+$	
f	$+\infty$		-2		$+\infty$

2. a) Sur $]-\infty ; 0]$ et sur $[0 ; +\infty[$ la fonction f est continue, strictement monotone et change de signe donc sur chacun de ces intervalles l'équation $f(x) = 0$ admet une unique solution.

b) $f(1) \approx -1{,}28$ et $f(2) \approx 2{,}38$ donc $\beta \in [1 ; 2]$.
Par balayage, on trouve : $\beta \approx 1{,}5$ au dixième.

76 A ▶ 1. On a les équivalences pour $x \neq 0$:

$$e^x = \frac{1}{x} \overset{\times x}{\Leftrightarrow} xe^x - 1 = 0 \overset{\div e^x}{\Leftrightarrow} x - e^{-x} \Leftrightarrow f(x) = 0$$

2. a) Par somme, on obtient $\lim_{x \to +\infty} f(x) = +\infty$.

b) $f'(x) = 1 + e^{-x} > 0$ pour tout $x \in \mathbb{R}$.

La fonction f est croissante sur $\mathbb{R}$.

c) Sur $\mathbb{R}$, la fonction f est continue, strictement croissante et change de signe car $\lim_{x \to -\infty} f(x) = -\infty$ et $\lim_{x \to +\infty} f(x) = +\infty$ donc d'après le théorème de la bijection, l'équation

$f(x) = 0$ admet une unique solution α. De plus $f(0{,}5) \approx -0{,}11$ et $f(1) \approx 0{,}63$ donc $\alpha \in \left[\dfrac{1}{2} ; 1 \right]$.

d) Comme f est croissante si $x \in [0 ; \alpha]$, $f(x) < 0$.

B ▶ 1. a) On a les équivalences pour $x \neq 0$

$$e^x = \frac{1}{x} \overset{\times x}{\Leftrightarrow} xe^x = 1 \overset{+x}{\Leftrightarrow} xe^x + x = x + 1$$

$$\Leftrightarrow x(e^x + 1) = x + 1 \overset{\div (e^x+1)}{\Leftrightarrow} \frac{x+1}{e^x+1} = x \Leftrightarrow g(x) = x$$

b) g est dérivable sur $\mathbb{R}$:

$$g'(x) = \frac{1(1 + e^x) - e^x(1+x)}{(1+e^x)^2} = \frac{1 - xe^x}{(1+e^x)^2}$$

$$g'(x) = \frac{e^x(e^{-x} - x)}{(1+e^x)^2} = -\frac{e^x f(x)}{(1+e^x)^2}$$

Pour tout $x \in \mathbb{R}$, $\dfrac{e^x}{(1+e^x)^2} > 0$, on en déduit

que le signe de $g'(x)$ est celui de $-f(x)$.
Comme sur $\in [0 ; \alpha]$, $f(x) < 0$ alors $g'(x) > 0$.
La fonction g est croissante sur $[0 ; \alpha]$.

2. a) **Initialisation** $n = 0$, on a $u_0 = 0$ et $u_1 = \dfrac{1}{2}$.

On a donc : $0 \leq u_0 \leq u_1 < \alpha$. La proposition est initialisée.

Hérédité Soit $n \in \mathbb{N}$, supposons que $0 \leq u_n \leq u_{n+1} < \alpha$, montrons que $0 \leq u_{n+1} \leq u_{n+2} < \alpha$:

$$0 \leq u_n \leq u_{n+1} < \alpha \overset{g \nearrow}{\Rightarrow} g(0) \leq g(u_n) \leq g(u_{n+1})$$
$$< g(\alpha) \Rightarrow \frac{1}{2} \leq u_{n+1} \leq u_{n+2} < \alpha$$

La proposition est héréditaire.

Conclusion Par initialisation et hérédité, pour tout $n \in \mathbb{N}$: $0 \leq u_n \leq u_{n+1} < \alpha$.

b) La suite (u_n) est croissante et majorée par α, d'après le théorème des suites monotones, la suite (u_n) converge vers ℓ.
De plus, la fonction g est continue sur $[0 ; \alpha]$, d'après le théorème du point fixe, $\ell = \alpha$.

c) On peut proposer le programme suivant.

```
from math import*
def u(n):
    u=0
    for i in range(1,n+1):
        u=(1+u)/(1+exp(u))
    return u
```

Pour $n = 4$, on trouve alors $u_4 \approx 0{,}567 \, 143$.
Corrections exercices :

5 Dérivation et convexité

À vous de jouer !

1 Le schéma de composition de la fonction f est $\begin{array}{ccc} \mathbb{R} & \overset{u}{\longmapsto} & \mathbb{R} & \overset{v}{\longmapsto} & \mathbb{R} \\ x & \longmapsto & x+2 & \longmapsto & (x+2)^3 \end{array}$.

3 $f \circ g(6) = f(g(6)) = f\left(\dfrac{1}{6} \right) = 3\left(\dfrac{1}{6} \right) + 1 = \dfrac{1}{2} + 1 = 1{,}5$

5 $f'(x) = (-1)e^{3x} + (-x+1)3e^{3x}$
$\quad = e^{3x}(-1 - x + 1) = -xe^{3x}.$

7 La fonction peut être étudiée seulement sur une période.

$$f(x) = \sqrt{2 + \cos(x)}$$

$$f'(x) = \frac{-\sin(x)}{2\sqrt{2 + \cos(x)}}$$

Or $2\sqrt{2 + \cos(x)} > 0$ et $-\sin(x) \geq 0$ si et seulement si $\sin(x) \leq 0$ si et seulement si $x \in [-\pi + 2k\pi ; 0 + 2k\pi]$, $k \in \mathbb{Z}$.
Donc f est croissante sur $[-\pi + 2k\pi ; 0 + 2k\pi]$ et décroissante sur $[0 + 2k\pi ; \pi + 2k\pi]$.
Le tableau de variations est donc, pour $k = 0$:

x	0		π		2π
Variations de f	$\sqrt{3}$	↘	1	↗	$\sqrt{3}$

9 D'après le graphique, la courbe de f est en dessous de ses sécantes sur $[-1 ; 0,5]$ et est au-dessus de ses sécantes sur $[0,5 ; 1,5]$. Donc f est convexe sur $[-1 ; 0,5]$ et concave sur $[0,5 ; 1,5]$.

11 $f\left(\dfrac{a+b}{2}\right) \geq \dfrac{f(a) + f(b)}{2}$ si et seulement si

$\sqrt{\dfrac{a+b}{2}} \geq \dfrac{\left(\sqrt{a} + \sqrt{b}\right)}{2}$ si et seulement si

$\sqrt{a+b} \geq \dfrac{\sqrt{2}}{2}\left(\sqrt{a} + \sqrt{b}\right)$.

13 f'est décroissante sur $]-\infty ; 0] \cup [1 ; +\infty[$ donc f est concave sur cet intervalle.
f' est croissante sur $[0 ; 1]$ donc f est convexe sur cet intervalle.

15 $f(x) = xe^{-x}$
donc $f'(x) = e^{-x} + x(-e^{-x}) = (1-x)e^{-x}$
et $f''(x) = -e^{-x} + (1-x)(-e^{-x}) = (x-2)e^{-x}$
Or $e^{-x} > 0$ pour tout réel x et $x - 2 \geq 0$ si et seulement si $x \geq 2$.
Donc $f''(x) \geq 0$ si et seulement si $x \geq 2$ et $f''(x) \leq 0$ si et seulement si $x \leq 2$. Donc f est convexe sur $[2 ; +\infty[$ et f est concave sur $]-\infty ; 2]$.

17 Graphiquement, la courbe présente un point d'inflexion au point d'abscisse $x = 0,7$.

19 $f(x) = (x+1)e^{-x}$ donc
$f'(x) = e^{-x} + (x+1)(-e^{-x}) = (1 - x - 1)e^{-x} = -xe^{-x}$.
$f''(x) = -1e^{-x} + (xe^{-x}) = e^{-x}(x - 1)$
Or $e^{-x} > 0$ pour tout réel x donc f'' change de signe pour $x = 1$. Donc le point d'inflexion de $\mathscr{C}_f$ a pour coordonnées $(1 ; f(1))$ c'est-à-dire $(1 ; 2e^{-1})$.

21 $f'(x) = \dfrac{3}{2\sqrt{x}}e^{3\sqrt{x}} > 0$
Le tableau de variation est donc :

x	0		$+\infty$
Signe $f'(x)$		$+$	
Variations de f	1	↗	$+\infty$

23 $f(x) = \dfrac{x}{x^2 - 1}$; $f'(x) = \dfrac{-x^2 - 1}{(x^2 - 1)^2}$ et

$f''(x) = \dfrac{2x(x^2 + 3)}{(x^2 - 1)^3}$. f'' change de signe pour

$x = 1$ donc la croissance commence à ralentir au bout du 1er mois c'est-à-dire à partir du 1er février 2020.

Exercices **d'application**

40 1. Le schéma de composition de la fonction
$$\begin{array}{ccccc} \mathbb{R} & \xrightarrow{u} & \mathbb{R} & \xrightarrow{v} & \mathbb{R} \end{array}$$
f est $x \mapsto x^2 + 1 \mapsto \sqrt{x^2 + 1}$.

2. Comme $x^2 + 1 > 0$ et que la fonction racine est définie sur $\mathbb{R}_+$, alors $\mathscr{D}_f = \mathbb{R}$.

46 $g \circ f(1) = g(f(1)) = g\left(\sqrt{2}\right) = \dfrac{1}{\sqrt{2}} = \dfrac{\sqrt{2}}{2}$ et

$f \circ g(3) = f(g(3)) = f\left(\dfrac{1}{3}\right) = \sqrt{\dfrac{1}{3} + 1} = \sqrt{\dfrac{4}{3}}$.

53 $f'(x) = -e^{-x+2}$

61 1. Le schéma de composition de la fonction
$$\begin{array}{ccccc} \mathbb{R} & \xrightarrow{u} & \mathbb{R} & \xrightarrow{v} & \mathbb{R} \end{array}$$
f est $x \mapsto x^3 - 1 \mapsto \sqrt{x^3 - 1}$.

2. f existe si et seulement si $x^3 - 1 \geq 0$ si et seulement si $x^3 \geq 1$ si et seulement si $x \geq 1$. Donc $\mathscr{D}_f = [1 ; +\infty[$.

3. $g'(x) = 3x^2 > 0$ donc g est strictement croissante sur $\mathbb{R}$. Voici son tableau de variation.

x	1		$+\infty$
Signe $g'(x)$		$+$	
Variations de g	0	↗	$+\infty$

4. On en déduit le tableau de variation de f :

x	1		$+\infty$
Variations de f	0	↗	$+\infty$

65 f est concave sur $[-2 ; -1]$ et convexe sur $[-1 ; +\infty[$.

69 $x \mapsto e^x$ est convexe donc sa courbe est au-dessus de ses tangentes. La tangente à sa courbe au point d'abscisse 0 est $T_0 : y = f'(0)(x - 0) + f(0) = 1x + 1 = x + 1$.
Donc $e^x \geq 1 + x$ pour tout réel x.

72 f' est croissante sur $]-\infty ; 6]$ et f' est décroissante sur $[6 ; +\infty[$ donc f est convexe sur $]-\infty ; 6]$ et f est concave sur $[6 ; +\infty[$.

76 1. $f'(x) = 3x^2 + 12x$ et $f''(x) = 6x + 12$.
2. $f''(x) \geq 0$ si et seulement si $6x + 12 \geq 0$ si et seulement si $x \geq -\dfrac{12}{6}$ si et seulement si $x \geq -2$.
Donc f est convexe sur $[-2 ; +\infty[$.

81 Graphiquement, les points d'inflexion sont ceux d'abscisses -2 et 2.

83 1. Tableau de signes de $f''(x)$:

x	$-\infty$		4		$+\infty$
Signe $f''(x)$		$+$	0	$-$	

2. Le point d'inflexion de la courbe représentative de f a pour abscisse 4 et pour ordonnée $6 + (6 - 4)e^{4-5} = 6 + 2e^{-1}$.

Exercices **d'entrainement**

87 1. **a)** $x^2 - 7x + 10 \geq 0$ si et seulement si $x \in]-\infty ; 2] \cup [5 ; +\infty[$. (Calculer le discriminant Δ pour trouver les racines puis le signe du polynôme en fonction de a).

b) La fonction racine carrée est définie sur $\mathbb{R}_+$ donc : $D_g =]-\infty ; 2] \cup [5 ; +\infty[$.

2. **a)** Comme $\lim\limits_{x \to \pm\infty} x^2 - 7x + 10 = +\infty$ et

$\lim\limits_{X \to +\infty} \sqrt{X} = +\infty$ donc $\lim\limits_{x \to \pm\infty} g(x) = +\infty$.

b) $g'(x) = \dfrac{2x - 7}{2\sqrt{x^2 - 7x + 10}}$. Donc $g'(x) \geq 0$ si et

seulement si $x \geq \dfrac{7}{2}$ donc g est croissante sur

$\left[\dfrac{7}{2} ; +\infty\right[$ et décroissante sur $\left]-\infty ; \dfrac{7}{2}\right]$.

c) Tableau de variations de f et g :

x	$-\infty$		2		5		$+\infty$
Variations de f	$+\infty$	↘	0			↗	$+\infty$

x	$-\infty$		2		5		$+\infty$
Variations de g	$+\infty$	↘	0			↗	$+\infty$

Exercices **bilan**

Préparer le BAC

117	**B**		118	**B**
119	**D**		120	**A**
121	**C**		122	**A**
123	**D**		124	**D**
125	**A** **D**		126	**D**

127 1. $g \circ u(-1) = g(u(-1)) = g(2) = -1$
et $u \circ g(2) = u(g(2)) = u(-1) = 2$.
2. Sur $]-\infty ; -1]$, la fonction u est décroissante et cet intervalle a pour image l'intervalle $[2 ; 4]$. Or sur $[2 ; 4]$, la fonction g est croissante. Donc la fonction $g \circ u$ est décroissante sur $]-\infty ; -1]$.
3. $\lim\limits_{x \to +\infty} g(u(x)) = +\infty$ car $\lim\limits_{x \to +\infty} u(x) = +\infty$ et
$\lim\limits_{X \to +\infty} g(X) = +\infty$ et on conclut par théorème sur les limites de composée.

1. Les fonctions $x \mapsto mx$ et $x \mapsto \cos(x) + x$ sont définies sur $\mathbb{R}$ à valeurs dans $\mathbb{R}$. Donc $D_{g_m} = \mathbb{R}$.

2. $g_m(1) = \cos(m) + m$ et $g_m(-1) = \cos(-m) - m = \cos(m) - m$.
Donc, pour $m > 0$; $g_m(-1) \neq g_m(1)$ et, pour $m \neq \frac{\pi}{2} + k\pi$ ($k \in \mathbb{Z}$), $g_m(-1) \neq -g_m(1)$. Donc la fonction g_m n'est ni paire ni impaire.

La fonction $x \mapsto \cos(mx)$ est périodique de période $\frac{2\pi}{m}$ mais la fonction $x \mapsto mx$ n'est pas périodique. Donc g_m n'est pas périodique. On ne peut pas restreindre l'intervalle d'étude de cette fonction.

3. $\lim_{x \to 0} \cos(mx) + mx = \cos(0) + 0 = 1$ et
$\lim_{x \to \frac{2\pi}{m}} \cos(mx) + mx = \cos(2\pi) + 2\pi = 1 + 2\pi$.
$g'_m(x) = -m\sin(mx) + m = m(1 - \sin(mx)) \geq 0$
Donc g_m est croissante sur $\left[0 ; \frac{2\pi}{m}\right]$.

4. Voici le tableau de variation de g_m sur $\left[0 ; \frac{2\pi}{m}\right]$:

x	0	$\frac{2\pi}{m}$
Variations de g_m	1 ↗	$1 + 2\pi$

129 1. $f(x) = (-5x^2 + 5)e^x$
donc $f'(x) = (-10x)e^x + (-5x^2 + 5)e^x = (-5x^2 - 10x + 5)e^x$.
Par suite, $f''(x) = (-10x - 10)e^x + (-5x^2 - 10x + 5)e^x = -(5x^2 + 20x + 5)e^x$.

2. $\Delta = b^2 - 4ac = 20^2 - 4 \times 5 \times 5 = 400 - 100 = 300 > 0$ d'où $x_1 = -2 - \sqrt{3}$ et $x_2 = -2 + \sqrt{3}$.
Donc $5x^2 + 20x + 5 \geq 0$ si et seulement si $x \in]-\infty ; -2 - \sqrt{3}] \cup [-2 + \sqrt{3} ; +\infty[$.
Or $-e^x < 0$ pour tout réel x.
Donc $f''(x) \leq 0$ si et seulement si $x \in]-\infty ; -2 - \sqrt{3}] \cup [-2 + \sqrt{3} ; +\infty[$
et $f''(x) \geq 0$ si et seulement si $x \in [-2 - \sqrt{3} ; -2 + \sqrt{3}]$.

3. Les abscisses des points d'inflexion de $\mathscr{C}_f$ sont donc : $-2 - \sqrt{3}$ et $-2 + \sqrt{3}$.

4. f est concave sur $]-\infty ; -2 - \sqrt{3}] \cup [-2 + \sqrt{3} ; +\infty[$ et convexe sur $[-2 - \sqrt{3} ; -2 + \sqrt{3}]$.

130 1. $-x + 1 \neq 0$ si et seulement si $x \neq 1$ et la fonction $x \mapsto xe^x$ est définie sur $\mathbb{R}$ donc la fonction f est définie sur $\mathbb{R}\setminus\{1\}$.

2. $\begin{cases} \lim_{x \to +\infty} (-x + 1) = -\infty \\ \lim_{x \to +\infty} \dfrac{1}{-x + 1} = 0 \\ \lim_{x \to +\infty} e^{\frac{1}{-x+1}} = e^0 = 1 \end{cases}$ donc $\lim_{x \to +\infty} f(x) = -\infty$.

Un raisonnement analogue en $-\infty$ conduit à $\lim_{x \to -\infty} f(x) = +\infty$.

3. $f'(x) = -\frac{x}{x-1}e^{\frac{1}{-x+1}}$. Or $-e^{\frac{1}{-x+1}} < 0$ pour tout réel de $\mathbb{R}\setminus\{1\}$. Donc le signe de $f'(x)$ dépend de

celui de $\frac{x}{x-1}$. Or $\frac{x}{x-1} > 0$ si et seulement si $x \in]-\infty ; 0[\cup]1 ; +\infty[$ et négatif sinon. Donc f est décroissante sur $]-\infty ; 0] \cup]1 ; +\infty[$ et croissante sur $[0 ; 1]$.
La fonction possède deux extrema :
• un minimum local pour $x = 0$: A(0 ; e),
• un maximum local pour $x = 1$: B(1 ; 0).

4. On obtient le tableau de variations suivant :

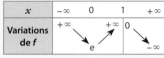

x	$-\infty$	0	1	$+\infty$
Variations de f	$+\infty$ ↘ e	↗ $+\infty$	0	↘ $-\infty$

5.

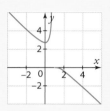

131 1.
$f'(x) = 0 + 14e^{-\frac{x}{5}} + (14x + 42)\left(-\frac{1}{5}\right)e^{-\frac{x}{5}}$
$= \left(14 - 14x - \frac{42}{5}\right)e^{-\frac{x}{5}} = \frac{1}{5}(-14x + 28)e^{-\frac{x}{5}}$

2. $\frac{1}{5}e^{-\frac{x}{5}} > 0$ donc le signe de $f'(x)$ dépend seulement de celui de $-14x + 28$. $-14x + 28 \geq 0$ si et seulement si $28 \geq 14x$ si et seulement si $\frac{28}{14} \geq x$ si et seulement si $2 \geq x$. D'où le tableau de variations :

x	0	2	60
Variations de f	112 ↗	$70 + 70e^{-0,4}$ ↘	$70 + 882e^{-12}$

3. a) $f''(7) = 0$. Le <point A est un point d'inflexion pour $\mathscr{C}_f$

b) $\frac{14}{25}e^{-\frac{x}{5}} > 0$ pour tout réel x donc $f''(x) \geq 0$ si et seulement si $x - 7 \geq 0$ si et seulement si $x \geq 7$. Donc f est convexe sur $[7 ; 60]$ et concave sur $[0 ; 7]$.

c) L'abscisse pour laquelle la dérivée admet un extremum est 7 et correspond au point d'inflexion précédemment cité.

6 Fonction logarithme népérien

À vous de jouer !

01 a) $\ln(x) = -1 \Leftrightarrow x = e^{-1}$
b) $e^{2x} = -1$; $S = \{\varnothing\}$
c) Conditions d'existence : il faut que $4 - 2x > 0 \Leftrightarrow x \in I =]-\infty ; 2[$.
$\ln(4 - 2x) > 1 \Leftrightarrow 4 - 2x > e^1$ et $x \in I$
$\Leftrightarrow x \in \left]-\infty ; 2 - \frac{e}{2}\right[$.
d) $e^{x+1} \geq 2 \Leftrightarrow x + 1 \geq \ln 2 \Leftrightarrow x \in [\ln(2) - 1 ; +\infty[$.

03 a) Conditions d'existence : $x \in]-1 ; +\infty[$ et $x \in]-\infty ; 0[$ d'où $x \in I =]-1 ; 0[$.
$\ln(x + 1) = \ln(-x) \Leftrightarrow x + 1 = -x$ et $x \in I$
$\Leftrightarrow x = -\frac{1}{2}$

b) Conditions d'existence :
$x \in I =]-\infty ; -1[\cup]1 ; +\infty[$
$\ln(x^2 - 1) \leq \ln(5) \Leftrightarrow x^2 - 1 \leq (5)$ et $x \in I$
$\Leftrightarrow x \in [-\sqrt{6} ; \sqrt{6}] \cap I$
$\Leftrightarrow x \in [-\sqrt{6} ; -1[\cup]1 ; \sqrt{6}]$.

05 a) $2\ln 5 + \frac{1}{2}\ln(125) = 2\ln 5 + \frac{3}{2}\ln 5 = \frac{7}{2}\ln 5$
b) $-\ln 5$
c) $4 - 2\ln 5$
d) $-\frac{4}{5} - \ln 5$

07 a) $n\ln\left(\frac{5}{9}\right) \leq \ln(0,01) \Leftrightarrow n \geq \frac{\ln(0,01)}{\ln\left(\frac{5}{9}\right)}$ soit $n \geq 8$

b)
$2^{n-1}(2 - 7) > -3 \Leftrightarrow 2^{n-1} < \frac{3}{5} \Leftrightarrow n < \frac{\ln\left(\frac{3}{5}\right)}{\ln(2)} + 1$
soit $n = 0$

09 $T_e : y = f'(e)(x - e) + f(e)$ soit $y = \frac{x}{e}$.

Étude du signe de $h(x) = \ln x - \frac{1}{e}$; $h'(x) = \frac{e - x}{x}$

x	0	e	$+\infty$
Signe de $h'(x)$		+ 0 −	
Variations de h		↗ 0 ↘	
Signe de h		−	

Puisque $h(x) \leq 0$ pour tout $x \in \mathbb{R}_+^*$, cela signifie que la courbe est toujours en dessous de sa tangente T_e.

11 $f'(x) = -\frac{1}{x^2} - \frac{1}{x} = \frac{-1 - x}{x^2}$, sur $]0 ; +\infty[$; $-1 - x < 0$ et $x^2 > 0$, donc $f'(x) < 0$, d'où f est décroissante sur $]0 ; +\infty[$.

13 $x^2\ln x - x^2 = x^2(\ln x - 1)$ Or $\lim_{x \to +\infty} x^2 = +\infty$ et $\lim_{x \to +\infty} \ln x - 1 = +\infty$, donc, par produit des limites, $\lim_{x \to +\infty} x^2 \ln x - x^2 = +\infty$.

15 $f'(x) = \dfrac{\frac{1 \times x^2 - (1+x) \times 2x}{x^4}}{\frac{1+x}{x^2}} = \frac{-x^2 - 2x}{x^2(1+x)}$

17 1. $f'(x) = \frac{1}{x^2}(\ln(x) - 2) + \left(1 - \frac{1}{x}\right) \times \frac{1}{x}$

$= \frac{\ln(x) - 2}{x^2} + \frac{\frac{x-1}{x}}{x} = \frac{\ln(x) - 2 + x - 1}{x^2}$

$= \frac{\ln(x) + x - 3}{x^2} = \frac{u(x)}{x^2}$

2. $u'(x) = \dfrac{1}{x} + 1 = \dfrac{1+x}{x}$ pour $x \in [e\,;\,+\infty[$,

$u'(x) > 0$; par conséquent, u est croissante sur $[e\,;\,+\infty[$, or $u(e) = e - 2 > 0$, donc u est positive sur $[e\,;\,+\infty[$.

3. f' est donc positive sur $[e\,;\,+\infty[$ donc f est croissante sur $[e\,;\,+\infty[$.

$\boxed{19}$ **1. et 2.** $f'(x) = \dfrac{-4x}{-2x^2 + 13{,}5}$

x	$-2{,}5$		0		$2{,}5$
$-4x$		$+$	0	$-$	
$-2x^2 + 13{,}5$		$+$		$+$	
Signe de $f'(x)$		$+$	0	$-$	
Variations de f	1	$\nearrow$	$\ln(13{,}5)$	$\searrow$	1

3. Puisque f admet un minimum positif sur $[e\,;\,+\infty[$, on en déduit que f est positive sur $[-2{,}5\,;\,2{,}5]$.

Exercices d'application

$\boxed{29}$ **1. a)** Conditions d'existence :

$x \in\, = \left]\dfrac{1}{2}\,;\,+\infty\right[\,$; $2x - 1 = 1 \Leftrightarrow x = 1 \in I$

b) Conditions d'existence : $x \in I = \,]e\,;\,+\infty[$; $x - e = e \Leftrightarrow x = 2e \in I$
c) $\ln x = -2 \Leftrightarrow x = e^{-2}$
d) $5 - 2x = \ln 2 \Leftrightarrow x = \dfrac{5}{2} - \dfrac{\ln 2}{2}$

2. a) Conditions d'existence : $x \in I = \,]-\infty\,;\,1[$; $1 - x > 1$ et $x \in I \Leftrightarrow x < 0$ et $x \in I \Leftrightarrow x \in\,]-\infty\,;\,0[$.

b) Conditions d'existence : $x \in I = \left]-\infty\,;\,\dfrac{3}{2}\right[$;

$3 - 2x \leqslant e$ et $x \in I \Leftrightarrow x \in \left[\dfrac{3 - e}{2}\,;\,+\infty\right[$

et $x \in I \Leftrightarrow x \in \left[\dfrac{3 - e}{2}\,;\,\dfrac{3}{2}\right[$.

c) $e^x < 3 \Leftrightarrow x < \ln 3 \Leftrightarrow x \in\,]-\infty\,;\,\ln 3[$
d) $e^x(e^x - 3) \geqslant 0$ or $e^x > 0$ pout tout x, cela revient donc à résoudre $e^x - 3 \geqslant 0 \Leftrightarrow x \geqslant \ln 3$.

$\boxed{36}$ **1. a)** Conditions d'existence : $x > 2$ et $x < 4$ donc $x \in I = \,]2\,;\,4[$.

$3x - 6 = 4 - x$ et $x \in I \Leftrightarrow x = \dfrac{5}{2}$.

b) Conditions d'existence : $x \in I = \,]5\,;\,+\infty[$;

$\ln\left(\dfrac{2x}{x+1}\right) = \ln(x - 5)$ et $x \in I \Leftrightarrow \dfrac{2x}{x+1} = x - 5$

et $x \in I \Leftrightarrow x^2 - 6x - 5 = 0$ et $x \in I$
$\Leftrightarrow x = 3 + \sqrt{14}$.

2. a) Conditions d'existence : $x \in I = \left]\dfrac{1}{2}\,;\,+\infty\right[$

$\ln(4x - 2) \leqslant \ln\left(\dfrac{e}{10}\right) \Leftrightarrow x \leqslant \dfrac{e}{40} + \dfrac{1}{2}$ et $x \in I$

$\Leftrightarrow x \in \left]\dfrac{1}{2}\,;\,\dfrac{1}{2} + \dfrac{e}{40}\right[$

b) Conditions d'existence : $x \in I = \,]1\,;\,5[$;
$5 - x \geqslant x - 1$ et $x \in I \Leftrightarrow x \leqslant 3$ et $x \in I$
$\Leftrightarrow x \in\,]1\,;\,3]$

$\boxed{39}$ **1. a)** $\ln 25 - \ln 15 = \ln\left(\dfrac{25}{15}\right) = \ln\left(\dfrac{5}{3}\right)$

b) $\ln\left(\dfrac{1}{3}\right) + \ln 16 - \ln 5 = \ln\left(\dfrac{16}{15}\right)$

2. a) $4\ln 5 + 2\ln 5 + 3\ln 5 = 9\ln 5$
b) $3\ln 5 - \ln 5 - 2\ln 5 - 2\ln 5 = -2\ln 5$

$\boxed{46}$ **a)** $n\ln\left(\dfrac{2}{3}\right) < \ln(10^{-4}) \Leftrightarrow n > \dfrac{\ln(10^{-4})}{\ln\left(\dfrac{2}{3}\right)}$ soit $n \geqslant 23$

b) $n\ln\left(\dfrac{9}{7}\right) \geqslant \ln(10^6) \Leftrightarrow n \geqslant \dfrac{\ln(10^6)}{\ln\left(\dfrac{9}{7}\right)}$ soit $n \geqslant 55$

c) $\left(\dfrac{3}{5}\right)^n \leqslant 0{,}001 \Leftrightarrow n\ln\left(\dfrac{3}{5}\right) \leqslant \ln(0{,}001)$

$\Leftrightarrow n \geqslant \dfrac{\ln(0{,}001)}{\ln\left(\dfrac{3}{5}\right)}$

soit $n \geqslant 14$

d) $\ln(0{,}004) > 2n\ln\left(\dfrac{8}{9}\right) \Leftrightarrow n \geqslant \dfrac{\ln(0{,}004)}{2\ln\left(\dfrac{8}{9}\right)}$

soit $n \geqslant 24$

$\boxed{49}$ **1.** $T_1 : y = f'(1)(x - 1) + f(1)$; $y = 2x - 1$

2. a) Étudier la position relative de $\mathscr{C}_f$ et de T_1 revient à étudier le signe de
$2\ln x + 1 - (2x - 1) = 2\ln x - 2x + 2$
$\qquad\qquad\qquad\qquad = 2(\ln x - x + 1)$.

b) $g'(x) = \dfrac{1}{x} - 1 = \dfrac{1 - x}{x}$; sur $]0\,;\,+\infty[$, $x > 0$

$g'(x)$ est du signe de $1 - x$ qui est positif sur $]0\,;\,1[$ et négatif sur $]1\,;\,+\infty[$; d'où g croissante sur $]0\,;\,1[$ et décroissante sur $]1\,;\,+\infty[$.
c) $g(1) = 0$, g admet un maximum nul, ce qui signifie que, pour tout $x \in\,]0\,;\,+\infty[$, $g(x) \leqslant 0$.
d) La courbe $\mathscr{C}_f$ est alors en dessous de sa tangente T_1.

$\boxed{53}$ **a)**
$f'(x) = \dfrac{1}{x}(x - 2) + (\ln x + 3) \times 1 = 1 - \dfrac{2}{x} + \ln x + 3$

$\qquad = -\dfrac{2}{x} + \ln x + 4$

b) $f'(x) = \dfrac{\left(1 - \dfrac{1}{x}\right)(3\ln x + 1) - (x - \ln x)\left(\dfrac{3}{x}\right)}{(3\ln x + 1)^2}$

$\qquad = \dfrac{3\ln x - 2 - \dfrac{1}{x}}{(3\ln x + 1)^2} = \dfrac{3x\ln x - 2x - 1}{x(3\ln x + 1)^2}$

c) $f'(x) = 3(\ln(x) - 2x + 1)^2 \times \left(\dfrac{1}{x} - 2\right)$

$\qquad = \dfrac{3(1 - 2x)(\ln(x) - 2x + 1)^2}{x}$

d) $f'(x) = \dfrac{3 - 1 \times \ln x - x \times \dfrac{1}{x}}{2\sqrt{3x - x\ln(x)}}$

$\qquad = \dfrac{2 - \ln x}{2\sqrt{3x - x\ln(x)}}$

$\boxed{58}$ **a)** $\lim\limits_{x \to +\infty} x = +\infty$ et $\lim\limits_{x \to +\infty} \ln x = +\infty$ donc, par produit des limites, $\lim\limits_{x \to +\infty} 2x\ln(x) = +\infty$, donc $\lim\limits_{x \to +\infty} 2x\ln(x) - 4 = +\infty$.

b) $\lim\limits_{x \to 0} x\ln x = 0$ par croissance comparée et $\lim\limits_{x \to 0} \dfrac{3}{x} = +\infty$ donc, par somme des limites,

$\lim\limits_{x \to 0} x\ln(x) + \dfrac{3}{x} = +\infty$.

c) $5x^2\ln(x) - 4x^2 = x^2(5\ln(x) - 4)$ or $\lim\limits_{x \to +\infty} x^2 = +\infty$

et $\lim\limits_{x \to +\infty} 5\ln(x) - 4 = +\infty$ donc, par produit des limites, $\lim\limits_{x \to +\infty} x^2(5\ln(x) - 4) = +\infty$, d'où

$\lim\limits_{x \to +\infty} 5x^2\ln(x) - 4x^2 + 1 = +\infty$.

d) $\lim\limits_{\substack{x \to 3 \\ x > 3}} x - 3 = 0^+$ d'où

$\lim\limits_{\substack{x \to 3 \\ x > 3}} \dfrac{\ln(x - 3)}{x - 3} = \lim\limits_{X \to 0} \dfrac{\ln(X)}{X} = -\infty$ et $\lim\limits_{x \to 3} 3x = 9$

donc, par somme des limites, on a
$\lim\limits_{\substack{x \to 3 \\ x > 3}} \dfrac{\ln(x - 3)}{x - 3} + 3x = -\infty$.

$\boxed{61}$ **a)** $\left]\dfrac{1}{2}\,;\,+\infty\right[$　　**b)** $\mathbb{R}$

c) $]-\infty\,;\,-2[\cup]1\,;\,+\infty[$　　**d)** $]0\,;\,+\infty[$

Préparer le BAC

99	C	100	C
101	C	102	D
103	B	104	D
105	C		

$\boxed{106}$ **1.** $A(0\,;\,1) \in \mathscr{C} \Leftrightarrow f(0) = 1 \Leftrightarrow c = 1$; graphiquement on voit que $f'(0) = -1$ or

$f'(x) = 2ax + b - \dfrac{1}{x + 1}$ d'où $f'(0) = -1$

$\Leftrightarrow b - 1 = -1 \Leftrightarrow b = 0$;

$f'(1) = \dfrac{3}{2} \Leftrightarrow 2a - \dfrac{1}{2} = \dfrac{3}{2} \Leftrightarrow a = 1$ d'où

$f(x) = x^2 + 1 - \ln(x + 1)$.

2. $f'(x) = 2x - \dfrac{1}{x + 1} = \dfrac{2x^2 + 2x - 1}{x + 1}$; sur

$]-1\,;\,\infty[$, $x + 1 > 0$ donc le signe de $f'(x)$ est le même que celui de $2x^2 + 2x - 1$.

x	-1		$\dfrac{-1 + \sqrt{3}}{2}$		$+\infty$
Signe de $f'(x)$		$-$	0	$+$	
Variations de f	$+\infty$	$\searrow$	$f\left(\dfrac{-1 + \sqrt{3}}{2}\right) \approx 0{,}82$	$\nearrow$	$+\infty$

$\lim\limits_{x \to -1} x + 1 = 0$ et $\lim\limits_{X \to 0} -\ln(X) = +\infty$, de plus $\lim\limits_{x \to -1} x^2 + 1 = 2$ donc, par somme des limites,

on a $\lim\limits_{x \to -1} f(x) = +\infty$.

$f(x) = x^2\left(1 - \dfrac{\ln(x + 1)}{x^2}\right) + 1$ pour $x \neq 0$;

$f(x) = x^2 \left(1 - \dfrac{\ln(x+1)}{(x+1)^2} \times \dfrac{(x+1)^2}{x^2} \right) + 1$;

or $\lim\limits_{x \to +\infty} x + 1 = +\infty$ et $\lim\limits_{X \to +\infty} \dfrac{\ln(X)}{X^2} = 0$

par croissance comparée et

$\lim\limits_{x \to +\infty} \left(\dfrac{x+1}{x} \right)^2 = \lim\limits_{x \to +\infty} \left(1 + \dfrac{1}{x} \right)^2 = 1$,

$\lim\limits_{x \to +\infty} x^2 = +\infty$

et donc, par produit des limites, on a
$\lim\limits_{x \to +\infty} f(x) = +\infty$.

3. Cela revient à résoudre

$f'(x) \times f'(0) = -1 \Leftrightarrow \left(2x - \dfrac{1}{x+1} \right) \times (-1) = -1$

$\Leftrightarrow 2x^2 + x - 2 = 0$

avec $x \in \,]-1\,;+\infty[\Leftrightarrow x = \dfrac{-1+\sqrt{17}}{4}$, il existe

donc une tangente à $\mathscr{C}_f$ perpendiculaire à T_0.

4. $f(x) - g(x) = -4 - \ln(x+1) < 0$

$\Leftrightarrow x \in \,]e^{-4} - 1\,;+\infty[$ donc $\mathscr{C}_f$ est en dessous de $\mathscr{C}_g$ sur $]e^{-4} - 1\,;+\infty[$ et au-dessus sur $]-1\,; e^{-4} - 1[$.

$f(x) - h(x) = -\ln(x+1) + \ln(x^2 + 6x + 5) > 0$

$\Leftrightarrow \dfrac{x^2 + 5x + 4}{x+1} > 0$ avec $x \in \,]-1\,;+\infty[$ ce qui

est toujours le cas sur $]-1\,;+\infty[$.
Par conséquent la courbe $\mathscr{C}_f$ est toujours au-dessus de $\mathscr{C}_h$ sur $]-1\,;+\infty[$.

$h(x) - g(x) = -4 - \ln(x^2 + 6x + 5) < 0$ avec

$x \in \,]-1\,;+\infty[\Leftrightarrow x \in \,]-1\,;-3+\sqrt{4+e^{-4}}[$,

donc la courbe $\mathscr{C}_h$ est en dessous de la courbe $\mathscr{C}_g$ sur $\left]-1\,;-3+\sqrt{4+e^{-4}}\right[$ et au-dessus sur $\left]-3+\sqrt{4+e^{-4}}\,;+\infty\right[$.

107 **a)** $\lim\limits_{x \to 0} 5x^2 - 2 + 2\ln x = -\infty$ et

$\lim\limits_{x \to 0} 2x^2 = 0^+$ donc, par quotient de limites,

on a $\lim\limits_{x \to 0} g(x) = -\infty$.

$g(x) = \dfrac{x^2\left(5 - \dfrac{2}{x^2} + \dfrac{2\ln x}{x^2}\right)}{2x^2} = \dfrac{5 - \dfrac{2}{x^2} + \dfrac{2\ln x}{x^2}}{2}$

or $\lim\limits_{x \to +\infty} \dfrac{\ln x}{x^2} = 0$ par croissance comparée et par

somme des limites $\lim\limits_{x \to +\infty} \dfrac{5 - \dfrac{2}{x^2} + \dfrac{2\ln x}{x^2}}{2} = \dfrac{5}{2}$

soit $\lim\limits_{x \to +\infty} g(x) = \dfrac{5}{2}$.

b)

$g'(x) = \dfrac{\left(10x + \dfrac{2}{x}\right)(2x^2) - (5x^2 - 2 + 2\ln x) \times 4x}{4x^4}$

$= \dfrac{3 - 2\ln x}{x^3}$

x	0		α		$\left(\sqrt{e}\right)^3$		$+\infty$
Signe de $g'(x)$		+	0		–		
Variations de g	$-\infty$			$\dfrac{5e^3 + 1}{2e^3}$			$\dfrac{5}{2}$
Signe de g		–	0		+		

c) Sur l'intervalle $]0,5\,;1[$, g est une fonction continue, strictement croissante telle que $g(0,5) < 0$ et $g(1) > 0$, donc, d'après le théorème des valeurs intermédiaires, l'équation $g(x) = 0$ admet une unique solution α sur $]0,5\,;1[$. Sur $]0\,;0,5[$, la fonction g est négative donc l'équation $g(x) = 0$ n'a pas de solution et, sur $]1\,;+\infty[$, la fonction g est positive donc l'équation $g(x) = 0$ n'admet pas de solution.

d) Voir le tableau précédent.

2. a) $\lim\limits_{x \to 0} 5x^2 - 2\ln x = +\infty$ et $\lim\limits_{x \to 0} 2x = 0^+$ donc,

par quotient de limites, $\lim\limits_{x \to 0} f(x) = +\infty$.

$f(x) = \dfrac{x^2\left(5 - \dfrac{2\ln x}{x^2}\right)}{2x} = \dfrac{x\left(5 - \dfrac{2\ln x}{x^2}\right)}{2}$

or $\lim\limits_{x \to +\infty} \dfrac{\ln x}{x^2} = 0$ par croissance comparée,

donc $\lim\limits_{x \to +\infty} \dfrac{x\left(5 - \dfrac{2\ln x}{x^2}\right)}{2} = +\infty$, par produit

et quotient des limites, soit $\lim\limits_{x \to +\infty} f(x) = +\infty$

b) $f'(x) = \dfrac{\left(10x - \dfrac{2}{x}\right) \times 2x - (5x^2 - 2\ln x) \times 2}{4x^2}$

$= \dfrac{g(x)}{2x^2}$

Le signe de $f'(x)$ est donc du signe de $g(x)$.

x	0		α		$+\infty$
Signe de $f'(x)$ = signe de g		–	0	+	
Variations de f	$+\infty$		$f(\alpha)$		$+\infty$

c) D'après le tableau de variations, on en déduit que f admet un minimum en α

valant $f(\alpha) = \dfrac{5\alpha^2 - 2\ln\alpha}{2\alpha}$; or on a

$g(\alpha) = 0 \Leftrightarrow 2\ln\alpha = 2 - 5\alpha^2$ d'où

$f(\alpha) = \dfrac{5\alpha^2 - 2 + 5\alpha^2}{2\alpha} = \dfrac{5\alpha^2 - 1}{\alpha}$.

d) $\alpha > 0,5$ donc $5\alpha^2 - 1 > 0$ d'où $\dfrac{5\alpha^2 - 1}{\alpha} > 0$.

Le minimum de f étant positif, f est donc toujours positive sur $]0\,;+\infty[$.

108 $P(R_{n+1}) = r_{n+1} = 0,95r_n + 0,2\,(1 - r_n)$
d'après la loi des probabilités totale, d'où
$r_{n+1} = 0,75r_n + 0,2$.

2. Soit (H_n) l'hypothèse de récurrence :
$\{r_n = 0,1 \times 0,75^{n-1} + 0,8\}$.

Hérédité : $r_1 = 0,9$ or $0,1 \times 0,75^0 + 0,8 = 0,9$.
L'hypothèse est donc bien vérifiée pour $n = 1$.
On suppose qu'il existe un entier k tel que (H_k) est vraie et on cherche à montrer que (H_{k+1}) est encore vraie.
$r_{k+1} = 0,75r_k + 0,2$
$R_{k+1} = 0,75 \times (0,1 \times 0,75^{k-1} + 0,8) + 0,2$
$R_{k+1} = 0,1 \times 0,75^k + 0,8$

(H_{k+1}) est donc vraie. En vertu du principe de récurrence, on a donc bien $r_n = 0,1 \times 0,75^{n-1} + 0,8$.

3. a)
```
R ← 0,9
N ← 1
Tant que R > 0,80001
        N ← N+1
        R ← 0,75*R + 0,2
Fin tant que
```

b) $0,1 \times 0,75^{n-1} + 0,8 \leqslant 0,80001$

$\Leftrightarrow 0,7^{n-1} \leqslant 0,0001$

$\Leftrightarrow n \geqslant \dfrac{\ln(0,0001)}{\ln(0,7)} + 1$

Donc c'est vérifié à partir de $n = 27$.

109 **1.** Pour tout $x \in \mathbb{R}^*$, $\dfrac{1}{x^2} > 0$ et $e^{-\frac{1}{x}} > 0$

donc $g(x) > 0$ d'où $\ln(g(x))$ est toujours bien définie pour tout $x \in \mathbb{R}^*$.

2. $h(x) = \ln\left(\dfrac{1}{x^2}\,e^{-\frac{1}{x}}\right) = \ln\left(\dfrac{1}{x^2}\right) + \ln\left(e^{-\frac{1}{x}}\right)$

$= -2\ln x - \dfrac{1}{x} = \dfrac{-2x\ln x - 1}{x}$.

3. a) $\lim\limits_{x \to 0} x\ln x = 0$ par croissance comparée,

donc $\lim\limits_{x \to 0} h(x) = -\infty$, par somme et quotient de limites.

b) $\lim\limits_{x \to 0} \ln(g(x)) = -\infty$ or $\lim\limits_{X \to 0} \ln(X) = -\infty$, donc

$\lim\limits_{x \to 0} g(x) = 0$.

7 Primitives et équations différentielles

À vous de jouer !

1 **a)** $y'(x) = 5x^2 + 3x = f(x)$

b) $y'(x) = -\dfrac{3}{3x^4} = -\dfrac{1}{x^4} = f(x)$

4 **a)** $F(x) = \dfrac{5}{12}x^4$

b) $F(x) = \dfrac{1}{4x^4}$

6 **1.** $F'(x) = 1 \times \ln(x) + x \times \dfrac{1}{x} - 1 = \ln(x)$

2. L'ensemble des primitives sont les fonctions $x \mapsto x\ln(x) - x + K$, avec K réel.
3. La primitive F qui s'annule en 1 est telle que $F(1) = 0$ soit $1 \times \ln(1) - 1 + K = 0 \Leftrightarrow K = 1$.
$F(x) = x\ln(x) - x + 1$.

8 **a)** $F(x) = e^{-x}$

b) $F(x) = \dfrac{1}{3}\ln(x^3 + 5)$

c) $F(x) = \dfrac{1}{6}(x^2 + x - 7)^6$

10 **1.** **a)** L'ensemble des solutions sont les fonctions $y_K : x \mapsto Ke^{2x}$, avec K réel.
b) L'ensemble des solutions sont les fonctions $y_K \mapsto Ke^{-5x}$, avec K réel.
2. Si K est positif, alors la courbe est au-dessus de l'axe des abscisses ; si K est négatif, la courbe est en dessous de cet axe.

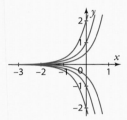

12 **a)** Une solution particulière est la fonction constante $-\dfrac{1}{2}$.

L'ensemble des solutions sont les fonctions $y_K : x \mapsto -\dfrac{1}{2} + Ke^{2x}$, avec K réel.

b) Une solution particulière est la fonction constante $\dfrac{2}{5}$.

L'ensemble des solutions sont les fonctions $y_K : x \mapsto \dfrac{2}{5} + Ke^{-5x}$, avec K réel.

c) $y' + y = 3 \Leftrightarrow y' = -y + 3$
Une solution particulière est la fonction constante 3.
L'ensemble des solutions sont les fonctions $y_K : x \mapsto 3 + Ke^{-x}$, avec K réel.

d) $4y' + y - 5 = 0 \Leftrightarrow y' = -\dfrac{1}{4}y + \dfrac{5}{4}$

Une solution particulière est la fonction constante 5.
L'ensemble des solutions sont les fonctions

$y_K : x \mapsto 5 + Ke^{-\frac{1}{4}x}$, avec K réel.

14 **1.** Avec $u(x) = \sin(x)$, on reconnaît la forme $u'u$: une primitive sera $x \mapsto \dfrac{1}{2}(\sin(x))^2$.

2. Avec $u(x) = e^{x^2 + 2x}$, on reconnaît la forme $2u'u$: une primitive sera $x \mapsto e^{x^2 + 2x}$.

---

18 **1.** $3y' + 2y = 0 \Leftrightarrow y' = -\dfrac{2}{3}y$

Les solutions sont $y_k : x \mapsto Ke^{-\frac{2}{3}x}$, avec K réel.

2. $y_k(0) = e \Leftrightarrow Ke^{-\frac{2}{3} \times 0} = e \Leftrightarrow K = e$.

Donc $f : x \mapsto e \times e^{-\frac{2}{3}x} = e^{1 - \frac{2}{3}x}$.

3. $f'(x) = -\dfrac{2}{3}e^{1 - \frac{2}{3}x} < 0$ pour tout réel x.

Donc f est strictement décroissante sur $\mathbb{R}$.

4. $\displaystyle\lim_{x \to -\infty} f(x) = +\infty$ et $\displaystyle\lim_{x \to +\infty} f(x) = 0$.

5. $f(x) = 5 \Leftrightarrow e^{1 - \frac{2}{3}x} = 5 \Leftrightarrow x = \dfrac{3 - 3\ln(5)}{2}$

20 **1.** L'équation différentielle est $f' = \alpha f$, où α est une constante réelle. Les solutions sont de la forme $x \mapsto f(t) = Ke^{\alpha t}$, avec $f(0) = 25$, on obtient $f(t) = 25e^{\alpha t}$.
2. Avec la condition $f(10) = 15$, soit $25e^{\alpha \times 10} = 15$,

on arrive à $f : x \mapsto 25e^{\frac{\ln\left(\frac{3}{5}\right)}{10}x}$.

3. $f(4) = 25e^{\frac{\ln\left(\frac{3}{5}\right)}{10} \times 4} = 25e^{\frac{2\ln\left(\frac{3}{5}\right)}{5}} \approx 20,4$.
Il reste environ 20,4 kg de sel.

4. $f(x) = 0,5 \Leftrightarrow 25e^{\frac{\ln\left(\frac{3}{5}\right)}{10}x} = 0,5$

$\Leftrightarrow x = \dfrac{-10\ln(50)}{\ln\left(\dfrac{3}{5}\right)} \approx 76,6$

Il ne reste plus que 0,5 kg de sel au bout d'environ 76,6 h.

22 **1.** $g'(x) - 3g(x) = \dfrac{1}{2}e^{1-x} - 3\left(-\dfrac{1}{2}e^{1-x}\right)$
$= 2e^{1-x}$

Donc g est bien solution de (E).
2. $f'(x) - 3f(x) = 2e^{1-x} \Leftrightarrow f' - 3f = g' - 3g$
$\Leftrightarrow (f - g)' - 3((f - g) = 0$

3. $y' + 3y - 0 \Leftrightarrow y' = 3y$
Les solutions de (E') sont de la forme $x \mapsto Ke^{3x}$, avec K réel.
Donc les solutions de (E) sont les fonctions

$f_K : x \mapsto -\dfrac{1}{2}e^{1-x} + Ke^{3x}$, avec K réel.

Exercices **d'application**

37 **1.** **a)** $F'(x) = 3x + 1 = f(x)$
b) $F'(x) = -x^2 + e^x = f(x)$
c) $F'(x) = x^4 + x^3 + x = f(x)$

2. **a)** $F'(x) = -2x + 1 - \dfrac{8}{x - 4} = f(x)$

sur $I = {]}4\,;+\infty{[}$

b) $F'(x) = \dfrac{1}{\sqrt{x}} + 1 = f(x)$ sur $I = {]}0\,;+\infty{[}$

---

42 **a)** $F(x) = e^x$

b) $F(x) = 2\sqrt{x}$

c) $F(x) = \ln(x)$

d) $F(x) = \dfrac{1}{x}$

44 **a)** Sur $I = \mathbb{R}$, $F(x) = e^x + k$, avec k réel.
b) Sur $I = {]}0\,;+\infty{[}$, $F(x) = 2\sqrt{x} + k$, avec k réel.
c) Sur $I = {]}0\,;+\infty{[}$, $F(x) = \ln(x) + k$, avec k réel.
d) Sur $I = \mathbb{R}$, $F(x) = \dfrac{1}{8}x^8 + k$, avec k réel.

48 **a)** $F(x) = x^4 + x^3 + \dfrac{1}{2}x^2 + x$

b) $F(x) = \dfrac{1}{5}x^5 + \dfrac{1}{3}x^3 + 5x$

c) $F(x) = e^x + \dfrac{1}{4}x^4$

d) $F(x) = 2e^x + x^3 + 5x$

e) $F(x) = -\dfrac{1}{2}e^{-2x} + \dfrac{1}{2}x^2 + 5x$

55 **a)** $F(x) = \dfrac{1}{6}(x + 1)^6 - \dfrac{1}{6}$

b) $F(x) = -\dfrac{1}{7}e^{-7x} + \dfrac{1}{2}x^2$

c) $F(x) = \dfrac{1}{2}e^{x^2 - 2x + 2} + 1 - \dfrac{1}{2}e^{4 - 2\sqrt{2}}$

d) $F(x) = \dfrac{1}{3}(x^2 + x - 1)^3 - \dfrac{2}{3}$

58 **1.** **b)** e^{3x}

2. **d)** e^{-5x}

3. **a)** Une fonction solution de l'équation $y' = -y$.

66 **a)** Les solutions sont $y_k : x \mapsto \dfrac{1}{2} + Ke^{2x}$, avec K réel.

b) Les solutions sont $y_k : x \mapsto 4 + Ke^{-\frac{1}{4}x}$, avec K réel.

c) Les solutions sont $y_k : x \mapsto \dfrac{3}{2} + Ke^{-2x}$, avec K réel.

d) Les solutions sont $y_k : x \mapsto -\dfrac{1}{5} + Ke^{\frac{5}{2}x}$, avec K réel.

71 **1.** **a)** Les solutions sont $y_K \mapsto Ke^{-0,12x}$, où K réel.
b) $y_K(0) = 1\,013,25 \Leftrightarrow K = 7$
donc $f(x) = 1\,013,25e^{-0,12x}$.
2. **a)** $f(0,150) = 1\,013,25e^{-0,12 \times 0,150} \approx 995,17$ hPa.
b) $f(x) = 1\,013,25e^{-0,12x} = 900$

$\Leftrightarrow x = \dfrac{\ln\left(\dfrac{900}{1\,013,25}\right)}{0,12} \Leftrightarrow x \approx 988$ m.

Préparer le BAC

108	D	109	A
110	B	111	B
112	C	113	A
114	D	115	A

116 1. $G' = ae^{x-1} + (ax+b)e^{x-1} + 1$
$\quad = (ax+a+b)e^{x-1} + 1$
Par identification avec g, $a = 1$ et $b = -1$.

2. $1 - \dfrac{e^x}{e^x+1} = \dfrac{e^x+1-e^x}{e^x+1} = \dfrac{1}{e^x+1} = h(x)$

Une primitive de h est $H : x \mapsto x - \ln(e^x + 1)$.

117 1. Les solutions de l'équation sont de la forme Ce^{kt}, avec C réel.
$y(0) = N \Leftrightarrow Ce^{k \times 0} = N \Leftrightarrow C = N$

Donc $y(t) = Ne^{kt}$.

2. $y(2) = 4N \Leftrightarrow Ne^{2k} = 4N \Leftrightarrow k = \ln(2)$

Donc $y(t) = Ne^{\ln(2)t} = 2^t N$.
$y(3) = 2^3 N = 8N$.
Au bout de 3 heures, il y a $8N$ microbes.

3. $y(5) = 6\,400 \Leftrightarrow 2^5 N = 6\,400 \Leftrightarrow N = 200$.

118 1. Les solutions de (1) sont les fonctions $y_k : x \mapsto e^{2x}$, avec K réel.
Les solutions de (2) sont les fonctions $y_k : x \mapsto Ke^x$, avec K réel.

2. a) Graphiquement, $f(0) = 1$.
Le coefficient directeur de T est $\dfrac{-2-1}{-1-0} = 3$ et son ordonnée à l'origine est 1, donc T a pour équation $y = 3x + 1$.
$f'(0)$ est le coefficient directeur de T, soit $f'(0) = 3$.
b) $f(x) = f_1(x) - f_2(x)$ donc f est de la forme $Ae^{2x} - Be^x$, avec A et B réels.
$f(0) = 1 \Leftrightarrow Ae^{2 \times 0} - Be^0 = 1 \Leftrightarrow A = 1 + B$
f' est de la forme $2Ae^{2x} - Be^x$.
$f'(0) = 3 \Leftrightarrow 2Ae^{2 \times 0} - Be^0 = 3$
$\qquad\qquad \Leftrightarrow 2A - B = 3$
$\qquad\qquad \Leftrightarrow 2(1+B) - B = 3$
$\qquad\qquad \Leftrightarrow B = 1$
Donc $A = 1 + B = 2$
Donc $f_1(x) = 2e^{2x}$ et $f_2(x) = e^x$
Donc $f(x) = 2e^{2x} - e^x$
c) $\lim\limits_{x \to -\infty} f(x) = 0$
$f(x) = e^x(2e^x - 1)$ donc $\lim\limits_{x \to +\infty} f(x) = +\infty$.
d) $f(x) = 0 \Leftrightarrow 2e^{2x} - e^x = 0$
$\qquad\qquad \Leftrightarrow 2e^x - 1 = 0$
$\qquad\qquad \Leftrightarrow x = -\ln(2)$

119 1. a) $2(u'(x)v(x) + u(x)v'(x))$

$= 2\left(1 \times e^{\frac{1}{2}x} + x \times \dfrac{1}{2}e^{\frac{1}{2}x}\right)$

$= (x+2)e^{\frac{1}{2}x} = f(x)$

b) Une primitive de f est :
$F : x \mapsto 2u(x)v(x) = 2xe^{\frac{1}{2}x}$.

2. a) Pour $n = 3$, l'algorithme renvoie $s = \dfrac{1}{3}f(0) + \dfrac{1}{3}f\left(\dfrac{1}{3}\right) + \dfrac{1}{3}f\left(\dfrac{2}{3}\right)$, soit la somme des aires des trois rectangles verts du graphique.
b) Lorsque n devient grand, la valeur de S_n proposée se rapproche de l'aire du domaine situé entre la courbe $\mathscr{C}$, l'axe des abscisses et les droites d'équations $x = 0$ et $x = 1$.

120 Pour $x \leq 2$, on résout $y'(x) + y(x) = 1$.
$f : x \mapsto 1$ est une solution particulière de cette équation.
y est solution de cette équation si et seulement si $y - f$ est solution de $y' = -y$.
Les solutions de cette équation sont de la forme Ke^{-x}, avec K réel.
Donc les solutions de $y'(x) + y(x) = 1$ sont $y_K : x \mapsto 1 + Ke^{-x}$, avec K réel.
$y(0) = 0 \Leftrightarrow 1 + Ke^{-0} = 0 \Leftrightarrow K = -1$.
Donc la solution de $y'(x) + y(x) = 1$ est $f_1 : x \mapsto 1 - e^{-x}$.
Pour $x > 2$, on résout $y'(x) + y(x) = 0$
$y'(x) + y(x) = 0 \Leftrightarrow y'(x) = -y(x)$
Les solutions de cette équation sont de la forme Ke^{-x}, avec K réel.
Ainsi la solution de $y'(x) + y(x) = g(x)$ est
$$y(x) = \begin{cases} 1 - e^{-x} & \text{si } x \leq 2 \\ Ke^{-x} & \text{si } x > 2 \end{cases}$$
y doit être dérivable donc continue sur $\mathbb{R}$.
Ainsi on doit avoir $1 - e^{-2} = Ke^{-2} \Leftrightarrow K = e^2 - 1$

Donc $y(x) = \begin{cases} 1 - e^{-x} & \text{si } x \leq 2 \\ (e^2 - 1)e^{-x} & \text{si } x > 2 \end{cases}$

121 $y'(x) = 2C_1e^{2x} + C_2e^x = 2y(x) - C_2e^x$
Une équation différentielle est :
$y'(x) = 2y(x) - C_2e^x$.

8 Calcul intégral

À vous de jouer !

1 On trace la courbe représentative de f définie par $f(x) = 2x$. L'intégrale est l'aire d'un trapèze de hauteur 3 et de bases 4 et 10.
$\displaystyle\int_2^5 2x \, dx = \dfrac{(4+10) \times 3}{2} = 21 \text{ u.a.}$

3 $\mathscr{A}_i = \dfrac{5}{10}\left(\ln(1) + \ln\left(1 + \dfrac{5}{10}\right) + \ln\left(1 + 2 \times \dfrac{5}{10}\right)\right.$
$\qquad\qquad \left. + \dots + \ln\left(1 + 9 \times \dfrac{5}{10}\right)\right)$

$\mathscr{A}_i = \dfrac{5}{10}(\ln(1 \times 1,5 \times 2 \times 2,5 \times \dots 5,5)$
$\quad \approx 5,28 \text{ u.a.}$

$\mathscr{A}_s = \dfrac{5}{10}\left(\ln\left(1 + \dfrac{5}{10}\right) + \ln\left(1 + 2 \times \dfrac{5}{10}\right)\right.$
$\qquad\qquad \left. + \dots + \ln\left(1 + 9 \times \dfrac{5}{10}\right) + \ln(6)\right)$

$\mathscr{A}_s = \dfrac{5}{10}(\ln(1,5 \times 2 \times 2,5 \times \dots \times 5,5 \times 6)$
$\quad \approx 6,18 \text{ u.a.}$

5 a) $\displaystyle\int_{-1}^4 (x-1)^2 \, dx = \left[\dfrac{(x-1)^3}{3}\right]_{-1}^4$
$\qquad\qquad\qquad = 9 - \left(\dfrac{-8}{3}\right) = \dfrac{35}{3}$

b) $\displaystyle\int_2^3 \dfrac{3x^2 - 1}{x^3 - x}\, dx = \left[\ln(x^3 - x)\right]_2^3$
$\qquad\qquad\qquad = \ln(24) - \ln(6) = \ln(4)$

7 a)
$\displaystyle\int_0^\pi x \cos(x)\, dx = \left[x \sin(x)\right]_0^\pi - \int_0^\pi \sin(x)\, dx$
$\qquad\qquad = -\left[-\cos(x)\right]_0^\pi$
$\qquad\qquad = \cos(\pi) - \cos(0) = -2$

b) $\displaystyle\int_1^e \dfrac{\ln(x)}{x^2}\, dx = \left[-\dfrac{\ln(x)}{x}\right]_1^e - \int_1^e \dfrac{1}{x^2}\, dx = \dfrac{-2+e}{e}$

9
$\displaystyle\int_0^1 2f(t) - g(t)\, dt = 2\int_0^1 f(t)\, dt - \int_0^1 g(t)\, dt = 11$

11 $\dfrac{1}{2}x - \dfrac{1}{2} \leq f(x) \leq \dfrac{1}{2}x - \dfrac{1}{4}$ donc
$\displaystyle\int_2^4\left(\dfrac{1}{2}x - \dfrac{1}{2}\right)dx \leq \int_2^4 f(x)\, dx \leq \int_2^4\left(\dfrac{1}{2}x - \dfrac{1}{4}\right)dx$
Donc $2 \leq \displaystyle\int_2^4 f(x)\, dx \leq 2,5$.

13 f est négative sur $[-5 ; -3]$ donc
$\mathscr{A} = \displaystyle\int_{-5}^{-3} -\dfrac{1}{x}\, dx = \ln\left(\dfrac{5}{3}\right)$

15 $f(x) - g(x) = x^2 - x - 2$. Le polynôme a deux racines -1 et 2. Il est négatif sur $[-1 ; 2]$ donc la courbe $\mathscr{C}_f$ est au-dessous de $\mathscr{C}_g$.
$\mathscr{A} = \displaystyle\int_{-1}^2 -(x^2 - x - 2)\, dx = 4,5$

17 $u_{n+1} - u_n = \displaystyle\int_0^{\frac{\pi}{4}} t^n \cos(t)(t - 1)\, dt$
Or, sur $\left[0 ; \dfrac{\pi}{4}\right]$: $t^n\cos(t) \geq 0$ et $t - 1 \leq 0$ donc
$t^n\cos(t)(t - 1) \leq 0$ donc $u_{n+1} - u_n \leq 0$.
La suite (u_n) est décroissante.
sur $\left[0 ; \dfrac{\pi}{4}\right]$: $t^n\cos(t) \geq 0$ donc $\displaystyle\int_0^{\frac{\pi}{4}} t^n \cos(t)\, dt \geq 0$
donc (u_n) est minorée par 0.
(u_n) est décroissante et minorée, elle converge.

19 1. $F'(t) = f(t)$

2. $\displaystyle\int_0^{10} f(t)\, dt = -220e^{-10} + 20 < 20$. Il respecte le cahier des charges (de justesse).

Exercices d'application

32 1. 6
2. 12

40 1. 0,2
2. Aire colorée = 0,2 ;
Aire hachurée $= 0,2 \times \dfrac{1}{1,2} = \dfrac{1}{6}$.

3. Aire des 5 rectangles hachurés.
$0,2\left(\dfrac{1}{1,2} + \dfrac{1}{1,4} + \dfrac{1}{1,6} + \dfrac{1}{1,8} + \dfrac{1}{2}\right) = \dfrac{1\,627}{2\,520}$.
Aire des 5 rectangles colorés :
$0,2\left(1 + \dfrac{1}{1,2} + \dfrac{1}{1,4} + \dfrac{1}{1,6} + \dfrac{1}{1,8}\right) = \dfrac{1\,879}{2\,520}$.
La fonction inverse est décroissante donc
$\dfrac{1\,627}{2\,520} \leq \displaystyle\int_0^1 \dfrac{1}{x}\, dx \leq \dfrac{1\,879}{2\,520}$.
ou encore $0,64 \leq \displaystyle\int_1^2 f(t)\, dt \leq 0,74$.

43 1. $F'(x) = 3x^2 - 6x - 4 = f(x)$ donc F est une primitive de f.

2. $\int_{-1}^{2} f(x)\,dx = [x^3 - 3x^2 - 4x]_{-1}^{2} = -12$

53 $\int_{0}^{1} xe^x\,dx = [xe^x]_0^1 - \int_0^1 e^x\,dx = e - (e - 1) = 1$

60 $I + J = \int_0^{\pi} x(\cos^2(x) + \sin^2(x))\,dx = \dfrac{\pi^2}{2}$

66 a) La fonction est négative sur $[-2\,;-1]$ donc $\int_{-2}^{-1} \dfrac{1}{x}\,dx \leqslant 0$.

b) La fonction est positive sur $[-3\,;-1]$ donc $\int_{-3}^{-1} (2x^2 + 1)\,dx \geqslant 0$.

c) La fonction est positive sur $[0\,;11]$ donc $\int_0^1 2xe^x\,dx \geqslant 0$.

d) La fonction est négative sur $[0,5\,;1]$ donc $\int_{0,5}^{1} \ln(x)\,dx \leqslant 0$.

68 $\int_{-1}^{4} f(t)\,dt = \int_{-1}^{2} dt + \int_2^3 (-t+3)\,dt + \int_3^4 (t-3)\,dt$
$= 4$

71 a) $\dfrac{1}{2-(-2)} \int_{-2}^{2} (x^2 + 3)\,dx = \dfrac{52}{12}$

b) $\dfrac{1}{8 - 2e} \ln\left(\dfrac{13}{e^2 - 3}\right)$

72 1.

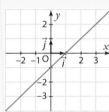

2. a) $-4,5$
b) 2
3. $f \leqslant 0$ sur $[-2\,;1]$ et $f \geqslant 0$ sur $[1\,;3]$.
4. $\mathcal{A} = \int_{-2}^{1} -f(x)\,dx = 4,5$
5. $\mathcal{A}' = \int_{-2}^{1} -f(x)\,dx + \int_1^3 f(x)\,dx = 4,5 + 2$
$= 6,5$ u.a.

79 1. $f(x) > g(x)$ si $x \in\ ]2\,;+\infty[$
2. $\int_{-4}^{2} (g(x) - f(x))\,dx = 18$ u.a.
3. $\mathcal{A} = \int_2^7 (f(x) - g(x))\,dx = 12,5$ u.a.

Préparer le BAC

132 B D		**133** A	
134 B D		**135** A C	
136 A		**137** B D	
138 C		**139** C	
140 C			

---

141 1. $F(x) = -e^{-kx}$

2. $\mathcal{A}_{OCB} = \dfrac{1 \times ke^{-k}}{2}$

$\mathcal{A}_D = \int_0^1 f(x)\,dx - \mathcal{A}_{OCB} = -e^{-k} + 1 - \dfrac{ke^{-k}}{2}$

3. $-e^{-k} + 1 - \dfrac{ke^{-k}}{2} = ke^{-k}$ équivaut à

$\left(-\dfrac{3}{2}k - 1\right)e^{-k} + 1 = 0.$

On étudie la fonction g définie sur $\mathbb{R}$ par

$g(k) = \left(-\dfrac{3}{2}k - 1\right)e^{-k} + 1.$

$g'(k) = \left(-\dfrac{1}{2} + \dfrac{3}{2}k\right)e^{-k}.$ g admet un minimum

en $k = \dfrac{1}{3}$ et elle est continue et strictement

croissante de $\left]\dfrac{1}{3}\,;+\infty\right[$ dans $\left[g\left(\dfrac{1}{3}\right);1\right[$.

$0 \in\ ]-1\,;1[$ donc il admet un unique antécédent

dans $\left]\dfrac{1}{3}\,;+\infty\right[$.

Sur $\left]0\,;\dfrac{1}{3}\right[$, la fonction g est strictement décrois-

sante et continue de $\left]0\,;\dfrac{1}{3}\right[$ dans $\left]g\left(\dfrac{1}{3}\right);0\right[$.

O n'appartient pas à ce dernier intervalle, il n'a

pas d'antécédent par la fonction g sur $\left]0\,;\dfrac{1}{3}\right[$.

Ainsi, il existe une unique valeur de k strictement positive qui annule g et donc telle que
l'aire de la surface D soit le double de celle du
triangle OCB.

142 1. $f(1) = f(e^2) = 0$.
2. F est la primitive de f donc $F' = f$. f est positive
sur $[1\,;7,2]$, négative sinon donc F est croissante
sur $[1\,;7,2]$, décroissante sinon. C'est la courbe
2 qui correspond.
3. L'aire correspond à $F(7,2) - F(1)$ soit 12,5.

4. a) $(x\ln(x) - x)' = \ln(x) + x \times \dfrac{1}{x} - 1 = \ln(x)$

b) $F(x) = -x^2 + (e^2 - 1)(x\ln(x) - x) + 2x$

c) $\dfrac{1}{e^2 - 1} \int_1^{e^2} f(x)\,dx = \dfrac{F(e^2) - F(1)}{e^2 - 1}$

$= \dfrac{(e^2 - 2)(e^2 + 1)}{e^2 - 1}$

143 1. $f(x) - g(x) = e^x(\sin(x) + 1)$ donc $f - g$ est
positive sur $\mathbb{R}$ et la courbe de f est au-dessous
de la courbe de g.

2. a) $H'(x) = \left(\dfrac{\sin(x)}{2} - \dfrac{\cos(x)}{2}\right)e^{-x}$

$- \left(-\dfrac{\cos(x)}{2} - \dfrac{\sin(x)}{2} - 1\right)e^{-x}$

$= (\sin(x) + 1)e^{-x}$

b) $D = \int_{-\frac{\pi}{2}}^{\frac{3\pi}{2}} (f(x) - g(x))\,dx = H\left(\dfrac{3\pi}{2}\right) - H\left(-\dfrac{\pi}{2}\right)$

$= -0,5\left(e^{\frac{3\pi}{2}} - e^{-\frac{\pi}{2}}\right)$ u.a.

$\approx 55,55$ u.a.

1 u.a. $= 4$ cm^2 donc $D \approx 222$ cm^2

---

144 1. a) $f_1(x) = \ln(1 + x)$ donc
$\lim\limits_{x \to +\infty} f_1(x) = +\infty$.

b) f est croissante sur $\mathbb{R}_+$.
c) $I_1 = \int_0^1 \ln(1 + x)\,dx$

$= [x\ln(1 + x)]_0^1 - \int_0^1 \dfrac{x}{x + 1}\,dx$

$= 2\ln(2) - 1$

2. a) $0 \leqslant x \leqslant 1$ donc $0 \leqslant \ln(1 + x^n) \leqslant \ln(2)$ et
$0 \leqslant I_n \leqslant \ln(2)$.

b) $I_{n+1} - I_n = \int_0^1 \ln\left(\dfrac{1 + x^{n+1}}{1 + x^n}\right)\,dx.$ $0 \leqslant x^{n+1} \leqslant x^n$

donc $0 < \dfrac{1 + x^{n+1}}{1 + x^n} < 1$ donc $\ln\left(\dfrac{1 + x^{n+1}}{1 + x^n}\right) < 0$ et

$I_{n+1} - I_n < 0$. La suite (I_n) est décroissante.
c) La suite (I_n) est décroissante et minorée donc
elle est convergente.

3. a) $g'(x) = \dfrac{-x}{1 + x}.$ g' est négative sur $\mathbb{R}_+$ donc
g est décroissante sur $\mathbb{R}_+$.
b) $g(0) = 0$ et g est décroissante donc g est
négative sur $\mathbb{R}_+$.
$x > 0$ donc $x^n > 0$. On en déduit $g(x^n) < 0$ et
donc $\ln(1 + x^n) \leqslant x^n$.
c) $0 \leqslant I_n \leqslant \int_0^1 x^n\,dx$ donc $0 \leqslant I_n \leqslant \dfrac{1}{n + 1}$.

Par le théorème des gendarmes, on en déduit
$\lim\limits_{n \to +\infty} I_n = 0$.

9 Vecteurs, droites et plans de l'espace

À vous de jouer !

1 La construction donne :

3 1. Le plan (SAC) est caractérisé par les
vecteurs $\vec{SA}$ et $\vec{SC}$.
2. $\vec{SO} = \dfrac{1}{2}(\vec{SA} + \vec{SC})$ donc O appartient au plan
(SAC) par conséquent I aussi.

5 a) (AB) et (FH) sont non coplanaires.
b) (AF) et (SH) non coplanaires.
c) (CFH) et (AB) sont sécants.

7 a) (SB)
b) (SO)
c) $\varnothing$
d) Une droite parallèle à (AB) passant par S.

9 $\vec{MN} = \vec{MA} + \vec{AB} + \vec{BN}$
$= -2\vec{BC} + \vec{AB} - 3\vec{BA}$
$= 6\vec{AB} - 2\vec{AC}$

12 $\vec{DF} = \vec{DA} + \vec{DC} + \vec{DH}$
$= -\vec{AD} + \vec{AB} + \vec{AE}$

14 ABGH est un rectangle donc les points sont coplanaires mais le point E n'est pas dans le même plan donc le triplet est bien une base de l'espace.

16 (DK) $\begin{cases} x = 2 + 3t \\ y = 3 + 3t \\ z = t \end{cases}$

20 1. a) $\overrightarrow{MN} = \overrightarrow{MA} + \overrightarrow{AE} + \overrightarrow{EN} = \frac{1}{4}\overrightarrow{DB} + \overrightarrow{DH}$

b) Le vecteur $\overrightarrow{MN}$ est une combinaison linéaire de deux vecteurs du plan (DBH) donc il est parallèle à ce plan.

2. a) $\overrightarrow{MN} \begin{pmatrix} \frac{1}{4} \\ -\frac{1}{4} \\ 1 \end{pmatrix}$, $\overrightarrow{DB} \begin{pmatrix} 1 \\ -1 \\ 0 \end{pmatrix}$ et $\overrightarrow{DH} \begin{pmatrix} 0 \\ 0 \\ 1 \end{pmatrix}$

b) $\overrightarrow{MN} = \frac{1}{4}\overrightarrow{DB} + \overrightarrow{DH}$

c) (MN) est parallèle à (BDH).

23 1. Les vecteurs directeurs de d et d' sont :

$\begin{pmatrix} -2 \\ 1 \\ 3 \end{pmatrix}$ et $\begin{pmatrix} -4 \\ -2 \\ 1 \end{pmatrix}$ qui ne sont pas colinéaires donc

les droites d et d' ne sont pas parallèles.

2. On a $\begin{cases} 1 - 2k = 2 - 4t \\ 2 + k = -2t \\ 3k = -1 + t \end{cases}$ avec les deux premières

équations on obtient $k = -\frac{5}{4}$ et $t = -\frac{3}{8}$ mais ces

valeurs ne vérifient pas la troisième équation donc les droites ne sont pas coplanaires

Exercices d'application

34 La construction donne :

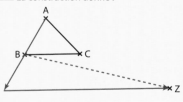

38 1. Le plan (CMN) est défini par le point C et les vecteurs $\overrightarrow{CM}$ et $\overrightarrow{CN}$.
2. Le vecteur $\overrightarrow{CA}$ n'est pas une combinaison linéaire des vecteurs $\overrightarrow{CM}$ et $\overrightarrow{CN}$ donc le point A n'appartient pas au plan (CMN).

41 a) (CF) et (AE) sont non coplanaires.
b) (AC) et (DH) sont non coplanaires.
c) (BF) et (AC) sont non coplanaires.
d) (AH) et (CD) sont non coplanaires.

44 La section donne :

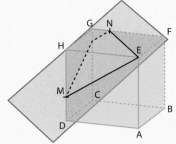

46 1. $\overrightarrow{CM} = \overrightarrow{CA} + \overrightarrow{AM} = -\overrightarrow{AC} + \frac{1}{2}\overrightarrow{AB}$ et

$\overrightarrow{CN} = \overrightarrow{CA} + \overrightarrow{AB} + \overrightarrow{BN} = 2\overrightarrow{AC} - \overrightarrow{AB}$

2. On en déduit que $\overrightarrow{CN} = -2\overrightarrow{CM}$ donc que les points sont alignés.

53 1. $\overrightarrow{EG} = \overrightarrow{AC}$ et les points A, B, C et D sont dans le même plan donc les vecteurs $\overrightarrow{AB}$, $\overrightarrow{BD}$ et $\overrightarrow{EG}$ ne forment pas une base de l'espace.
2. $\overrightarrow{BG} = \overrightarrow{AH}$ et la droite (FH) n'est pas incluse dans le plan (AEH) donc les vecteurs $\overrightarrow{AE}$, $\overrightarrow{BG}$ et $\overrightarrow{FH}$ forment une base de l'espace.

59 a) $\overrightarrow{AF} \begin{pmatrix} 1 \\ 0 \\ 1 \end{pmatrix}$ b) $\overrightarrow{AQ} \begin{pmatrix} \frac{1}{2} \\ 1 \\ 1 \end{pmatrix}$

c) $\overrightarrow{MP} \begin{pmatrix} \frac{1}{2} \\ -1 \\ \frac{1}{2} \end{pmatrix}$ d) $\overrightarrow{CN} \begin{pmatrix} -1 \\ -\frac{1}{2} \\ 1 \end{pmatrix}$

e) $\overrightarrow{EM} \begin{pmatrix} \frac{1}{2} \\ 1 \\ -1 \end{pmatrix}$ f) $\overrightarrow{NQ} \begin{pmatrix} \frac{1}{2} \\ \frac{1}{2} \\ 0 \end{pmatrix}$

65 $\overrightarrow{AB} \begin{pmatrix} 8 \\ 1 \\ 0 \end{pmatrix}$ et $\overrightarrow{CD} \begin{pmatrix} -2 \\ 2 \\ -3 \end{pmatrix}$ ne sont pas

colinéaires donc les droites ne sont pas parallèles. Par ailleurs $\overrightarrow{AB} = 2\overrightarrow{CD} + 3\overrightarrow{AC}$ donc les points sont coplanaires et donc les droites sont sécantes.

71 1. On a : $\begin{cases} x = 1 - k \\ y = -2 + k \\ z = -1 + 2k \end{cases}$

2. Pour $k = 1$ on obtient B.
3. Non pas de k possible.

Préparer le BAC

110 Ⓐ et Ⓓ   **111** Ⓐ
112 Ⓑ et Ⓒ   **113** Ⓐ et Ⓑ
114 Ⓓ   **115** Ⓐ
116 Ⓑ

117 1. C appartient à la droite pour $k = 0$.
2. D appartient à la droite pour $k = 1$.
3. On a le système : $\begin{cases} 0 = b \\ 1 = -a - b \\ 1 = -a + 2b \end{cases}$

qui donne $a = -1$ et $b = 0$.

4. Les points A, B, C et D sont coplanaires et donc d est incluse dans la plan (ABC).

118 1. $I\left(0 ; 0 ; \frac{1}{2}\right)$ et $J\left(\frac{1}{2} ; 1 ; \frac{1}{2}\right)$

2. (IJ) $\begin{cases} x = \frac{1}{2}k \\ y = k \\ z = \frac{1}{2} \end{cases}$

3. $M\left(0 ; \frac{1}{3} ; 1\right)$, $N\left(\frac{1}{3} ; \frac{1}{3} ; 0\right)$ et $K\left(\frac{1}{6} ; \frac{1}{3} ; \frac{1}{2}\right)$

4. Pour $k = \frac{1}{3}$ le point K appartient à la droite (IJ) donc les point I, J et K sont alignés.

119 1. (AD) $\begin{cases} x = 0 \\ y = k \\ z = 0 \end{cases}$ et (MN) $\begin{cases} x = 1 - \frac{2}{3}k \\ y = \frac{1}{2} + \frac{1}{3}k \\ z = 0 \end{cases}$

2. $L\left(0 ; \frac{5}{4} ; 0\right)$

3. (PL) $\begin{cases} x = 0 \\ y = \frac{5}{4} + t \\ z = -t \end{cases}$

4. $K\left(0 ; 1 ; \frac{1}{4}\right)$

5. La droite est incluse dans les deux plans.

6. (KL) $\begin{cases} x = 0 \\ y = \frac{5}{4} + \frac{1}{4}s \\ z = s \end{cases}$

120 1. $\overrightarrow{EG} = \overrightarrow{AB} + \overrightarrow{AD}$

$\overrightarrow{EQ} = \frac{2}{3}\overrightarrow{AD} - \overrightarrow{AE}$

$\overrightarrow{PF} = \frac{2}{3}\overrightarrow{AB} + \overrightarrow{AE}$

2. $\overrightarrow{EQ} = \frac{2}{3}\overrightarrow{EG} - \overrightarrow{PF}$ combinaison linéaire donc ils ne forment pas une base.
3. donc (PF) est parallèle au plan (EGQ).

121 1. Faux
2. Faux
3. Faux
4. Vrai

10 Produit scalaire et plan de l'espace

À vous de jouer !

1 $\vec{u} \cdot \vec{v} = -6 + 0 - 3 = -9$

3 $\overrightarrow{AB} \cdot \overrightarrow{AC} = 3\sqrt{2} \times AC \times \cos 60$

$\Leftrightarrow -6 = 3\sqrt{2} \times AC \times \frac{\sqrt{3}}{2}$

d'où $AC = \frac{2\sqrt{6}}{3}$.

5 L'équation du plan est de la forme $2x - 3y - 4z + d = 0$ et passe par C donc : $-4 - 3 + 12 + d = 0$ donc : $2x - 3y - 4z - 5 = 0$.

7 La droite perpendiculaire passant par C a

pour représentation : $\begin{cases} x = 1 + 2k \\ y = 2 - 3k \\ z = -1 + k \end{cases}$

L'intersection avec le plan donne :

$2(1 + 2k) - 3(2 - 3k) + (-1 + k) - 1 = 0$ d'où : $k = \dfrac{3}{7}$
et le projeté de C est donc le point :

$H\left(\dfrac{13}{7} ; \dfrac{5}{7} ; -\dfrac{4}{7}\right)$ et la distance est : $CH = \dfrac{3\sqrt{14}}{7}$.

9 1. On a : $\vec{IJ}\begin{pmatrix}0\\0\\4\end{pmatrix}$, $\vec{IK}\begin{pmatrix}0\\4\\0\end{pmatrix}$ et $\vec{IL}\begin{pmatrix}4\\0\\0\end{pmatrix}$.

2. $V = \dfrac{1}{3} \times \dfrac{IJ \times IK}{2} \times IL = \dfrac{4^3}{6} = \dfrac{32}{3}$

11 1. On a : $\vec{n}\begin{pmatrix}1\\1\\-2\end{pmatrix}$ et $\vec{u}\begin{pmatrix}2\\-1\\1\end{pmatrix}$ qui ne sont pas

orthogonaux donc la droite et le plan ne sont pas parallèles donc ils sont sécants.
2. On a : $(2 + 2k) + (1 - k) - 2k = 0$ d'où $k = 3$ et le point d'intersection est le point : $(8 ; -2 ; 3)$

13 $\vec{BH} \cdot \vec{EG} = \vec{BH} \cdot \vec{AC} = \vec{BD} \cdot \vec{AC} + \vec{DH} \cdot \vec{AC}$

$= 0 + \vec{AE} \cdot \vec{AC} = 0$

Exercices   d'application

22 **a)** $\vec{BD} \cdot \vec{HF} = -a^2$ **b)** $\vec{AG} \cdot \vec{BD} = 0$
c) $\vec{DG} \cdot \vec{AC} = a^2\sqrt{3}$ **d)** $\vec{AB} \cdot \vec{AN} = a^2$
e) $\vec{BM} \cdot \vec{BH} = \dfrac{a^2}{2}$ **f)** $\vec{BG} \cdot \vec{AM} = \dfrac{a^2}{2}$

28 $\vec{u_1}$ et $\vec{u_2}$

36 1. $\vec{n}\begin{pmatrix}-1\\2\\1\end{pmatrix}$ et $\vec{n'}\begin{pmatrix}2\\3\\-4\end{pmatrix}$

2. $\vec{n} \cdot \vec{n'} = 0$ donc les plans sont perpendiculaires.

44 1. $\vec{HA} = \vec{n}$ et H appartient au plan.

2. $AH = 3\sqrt{3}$

49 1. $\vec{EM} \cdot \vec{EN} = (\vec{EF} + \vec{FM}) \cdot (\vec{EF} + \vec{FN}) = EF^2 = a^2$
2. $\vec{EM} \cdot \vec{EN} = EM \times EN \times \cos(\widehat{MEN})$

$a^2 = \dfrac{a\sqrt{5}}{2} + \dfrac{a\sqrt{5}}{2} + \cos(\widehat{MEN})$

d'où : $\cos(\widehat{MEN}) = \dfrac{4}{5}$ et MEN $\approx 36{,}87°$.

52 $\vec{u}$ est un vecteur directeur de d et $\vec{n}$ un vecteur normal à $\mathscr{P}$.
a) $\vec{u} \cdot \vec{n} = 0$ donc la droite est parallèle au plan.
b) $\vec{u} \cdot \vec{n} \neq 0$ donc la droite n'est pas parallèle au plan et on remplace, ce qui donne :
$1 + k - 3(-3k) + 1 + k - 1 = 0$
d'où $k = -\dfrac{1}{11}$ et le point est : $\left(\dfrac{10}{11} ; \dfrac{3}{11} ; \dfrac{10}{11}\right)$.
c) $\vec{u} \cdot \vec{n} = 0$ donc la droite est parallèle au plan, on prend un point de la droite et il est aussi dans le plan donc la droite est incluse dans le plan.
d) $\vec{u} \cdot \vec{n} = 0$ donc la droite est parallèle au plan, on prend un point de la droite et il est aussi dans le plan donc la droite est incluse dans le plan.

60 1. $\vec{DF} \cdot \vec{IP} = (\vec{DA} + \vec{AB} + \vec{BF}) \cdot \vec{IP} = 0 - 1 + 1 = 0$
2. $\vec{DF} \cdot \vec{LP} = (\vec{DH} + \vec{HG} + \vec{GF}) \cdot \vec{LP} = 0 - 1 + 1 = 0$
3. La droite est perpendiculaire au plan.

Préparer le BAC

84 **C**   **85** **B**
86 **D**   **87** **C**
88 **A** et **B**   **89** **D**
90 **A**   **91** **A**
92 **D**   **93** **A**

94 1. **a)** $\vec{AB} + \vec{AD} + \vec{AE} = \vec{AG}$
b) $\vec{AG} \cdot \vec{BD} = -1 + 1 + 0 = 0$
c) $\vec{AG} \cdot \vec{BE} = -1 + 0 + 1 = 0$
d) La droite est perpendiculaire au plan.

2. Dans le plan AEGC, K est aux 2/3 à partir de E jusqu'au milieu de [AC].

3. **a)** (BDE) $x + y + z - 1 = 0$
b) $d\begin{cases} x = k \\ y = 1 + k \\ z = 1 + k \end{cases}$
c) $L\left(-\dfrac{2}{3} ; \dfrac{2}{3} ; \dfrac{2}{3}\right)$
d) $HL = \dfrac{\sqrt{3}}{3}$

95 1. $V = \dfrac{1}{3} \times \dfrac{1}{2} \times \dfrac{1}{a} = \dfrac{1}{6a}$

2. **a)** $\vec{BK} = \dfrac{1}{a^2 + 2}(a^2\vec{BM} + \vec{BD})$

b) $\vec{BK} \cdot \vec{AM} = \dfrac{1}{a^2 + 2}$ et $\vec{BK} \cdot \vec{AD} = \dfrac{1}{a^2 + 2}$

par soustraction on déduit : $\vec{BK} \cdot \vec{MD} = 0$.
c) De même $\vec{DK} \cdot \vec{MB} = 0$
d) K est l'intersection des hauteurs.

3. **a)** $\vec{AK} \cdot \vec{MB} = \vec{AD} \cdot \vec{MB} = 0$ et
$\vec{AK} \cdot \vec{MD} = \vec{AB} \cdot \vec{MD} = 0$.
b) La droite est perpendiculaire au plan (MBD).

4. $BD = \sqrt{2}$ et $BM = MD = \dfrac{\sqrt{a^2 + 1}}{a}$.

Sa hauteur vaut : $\sqrt{\dfrac{a^2 + 1}{a^2} - \dfrac{1}{2}} = \dfrac{\sqrt{a^2 + 2}}{a\sqrt{2}}$.

Et l'aire vaut : $\dfrac{1}{2} \times \sqrt{2} \times \dfrac{\sqrt{a^2 + 2}}{a\sqrt{2}}$.

96 1. $\vec{AB}\begin{pmatrix}-1\\4\\-2\end{pmatrix}$ et $\vec{AD}\begin{pmatrix}1\\2\\0\end{pmatrix}$ non colinéaires.

2. $\vec{CE}\begin{pmatrix}-2\\1\\3\end{pmatrix}$ est orthogonal aux deux vecteurs

précédents donc la droite est perpendiculaire au plan.

3. (ABD) $-2x + y + 3z - 6 = 0$
4. (CE) $\begin{cases} x = 6 - 2k \\ y = -7 + k \\ z = -1 + 3k \end{cases}$

5. On remplace pour obtenir $k = 2$ et donc $F(2 ; -5 ; 5)$.

97 1. $\vec{MN}\begin{pmatrix}-1\\-\dfrac{1}{2}\\\dfrac{1}{4}\end{pmatrix}$ et $\vec{MP}\begin{pmatrix}0\\-1\\-2\end{pmatrix}$ non colinéaires.

2. Leur produit scalaire est nul.

3. **a)** Le vecteur $\vec{n}\begin{pmatrix}a\\b\\c\end{pmatrix}$ vérifie le système :

$\begin{cases} -a - \dfrac{1}{2}b + \dfrac{1}{4}c = 0 \\ -b - 2c = 0 \end{cases}$ dont une solution est $\begin{pmatrix}\dfrac{5}{4}\\-2\\1\end{pmatrix}$.

b) (MNP) $\dfrac{5}{4}x - 2y + z = 0$

4. $d\begin{cases} x = 1 + \dfrac{5}{4}k \\ y = -2k \\ z = 1 + k \end{cases}$

5. On trouve bien K.

6. $V = \dfrac{1}{3} \times \dfrac{MN \times MP}{2} \times FK$

$= \dfrac{1}{6} \times \dfrac{\sqrt{21}}{4} \times \sqrt{5} \times \dfrac{3\sqrt{3}}{\sqrt{35}} = \dfrac{3}{8}$

98 1. (SB) $\begin{cases} x = 0 \\ y = 1 + k \text{ pour } k = -\dfrac{1}{3} \\ z = -3k \end{cases}$

2. **a)** C'est le théorème du toit.
b) $V\left(-\dfrac{2}{3} ; 0 ; 1\right)$

3. **a)** (AE) $\begin{cases} x = 1 - k \\ y = -k \text{ pour } k = \dfrac{1}{6} \text{ donne K.} \\ z = 0 \end{cases}$

Et $\vec{UK} \cdot \vec{AE} = 0$

b) L'aire vaut :
$\dfrac{1}{2} \times (UV + AE) \times UK$

$= \dfrac{1}{2} \times \left(\sqrt{2} + \dfrac{2\sqrt{2}}{3}\right) \times \dfrac{\sqrt{86}}{6} = \dfrac{5\sqrt{43}}{18}$

11 Dénombrement

À vous de jouer !

1 1. $A \cup B = \{n ; a ; t ; h ; y ; g ; l ; v\}$
$A \cap B = \{n ; a\}$
$A \times B = \{(n, y) ; (n, a) ; (n, g) ; (n, l) ; (n, v) ; (n, n) ;$
$(a, y) ; (a, a) ; (a, g) ; (a, l) ; (a, v) ; (a, n) ; (t, y) ;$
$(t, a) ; (t, g) ; (t, l) ; (t, v) ; (t, n) ; (h, y) ; (h, a) ; (h, g) ;$
$(h, l) ; (h, v) ; (h, n)\}$
2. $(n, a, t), (n, a, h), (n, t, h), (n, t, a), (n, h, a),$
$(n, h, t), (a, n, t), (a, t, h), (a, h, n), (a, h, t),$
$(t, a, n), (t, a, h), (t, n, h), (t, n, a), (t, h, a),$
$(t, h, n), (h, n, a), (h, n, t), (h, a, t), (h, a, n),$
$(h, t, n), (h, t, a)$

3 Il y en a 17.

5 Il y en a 2^{20}.

7 Le nombre de podiums est de
$8 \times 7 \times 6 = 336$.

9 Le nombre de tirages possibles est de $\binom{102}{7}$.

11 Le nombre de façons de choisir est de $\binom{10}{3} \times \binom{5}{2} = 120 \times 10 = 1\,200$.

13 1.

	Oui	Non	Total
Question 1	10	2	12
Question 2	3	3	6
Total	13	5	18

2. Il y a 13 personnes qui ont répondu oui aux deux questions.

15 1. $\binom{16}{4} = 1\,820$

2. $\binom{20}{4} - \binom{16}{4} = 4\,845 - 1\,820 = 3\,025$

3. $\binom{20}{4} - \binom{16}{4} - \binom{4}{1} \times \binom{16}{3} = 3\,025 - 4 \times 560 = 785$

Exercices d'application

26 Il y a 20 sous-ensembles qui sont : {a ; b ; c}, {a ; b ; d}, {a ; b ; e}, {a ; b ; f}, {b ; c ; d}, {b ; c ; e}, {b ; c ; f}, {c ; d ; e}, {c ; d ; f}, {d ; e ; f}, {a ; c ; d}, {a ; c ; e}, {a ; c ; f}, {a ; d ; e}, {a ; d ; f}, {a ; e ; f}, {b ; d ; e}, {b ; d ; f}, {b ; e ; f}, {c ; e ; f}.

29 1. Le diagramme donne :

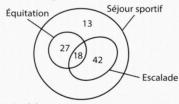

2. 42 adolescents.
3. 27 adolescents.

33 $15 \times 12 = 180$ poignées de mains.

38 $38 \times 37 \times 36 = 50\,616$ distributions possibles.

49 1.

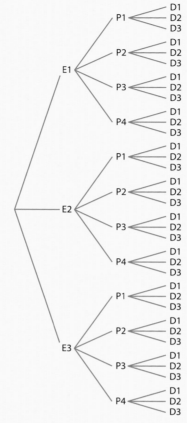

2. Le nombre de menus est de $3 \times 4 \times 3 = 36$.

53 Le nombre de grilles possibles est de : $\binom{49}{6} = 13\,983\,816$.

61 1. Le nombre de résultats possibles est de 6^5.
2. Avec trois faces numérotées 1, le nombre de résultats possibles est : 6^3.
3. Aucune face numérotée 1 : 5^5.
4. Au moins une face numérotée 1 : $6^5 - 5^5$.
5. Exactement une face numérotée 1 : 1×5^4.

Préparer le BAC

93 C **94** C
95 B **96** A
97 A **98** D
99 A

100 a) 5 joueurs b) 15 joueurs c) 10 joueurs

101 Le nombre de rangements possibles est de : $4 \times 3 = 12$.

102 Le nombre de mots est de : $5! = 120$.

103 Le nombre de tiercés est de : $20 \times 19 \times 18 = 6\,840$.

104 1. Le nombre de choix possibles est de : $\binom{10}{7} = 120$.

2. Le nombre de choix devient : $\binom{3}{3} \times \binom{7}{4} = 35$.

3. Le nombre de choix devient : $\binom{4}{3} \times \binom{6}{4} = 4 \times 15 = 60$.

105 1. Le nombre de mains est de : $\binom{4}{4} \times \binom{48}{9}$.

2. Le nombre de mains est de : $\binom{52}{13} - \binom{48}{9}$.

3. Le nombre de mains est de :
$$\binom{52}{13} - \binom{1}{1}\binom{13}{0}\binom{38}{12} - \binom{1}{1}\binom{13}{1}\binom{38}{11}$$
$$- \binom{1}{1}\binom{13}{2}\binom{38}{10} - \binom{1}{1}\binom{13}{3}\binom{38}{9}.$$

4. $4 \times \binom{13}{5} \times 3 \times \binom{13}{4} \times 2 \times \binom{13}{3} \times 1 \times \binom{13}{1}$.

106 a) $\dfrac{n(n+1)}{2} + \dfrac{(n+1)n(n-1)}{6} = \dfrac{5}{3}n^2 - \dfrac{4}{3}n$
Soit $3n(n+1) + n(n^2-1) = 10n^2 - 8n$
$\Leftrightarrow n^3 - 7n^2 + 10n = 0 \Leftrightarrow n(n^2 - 7n + 10) = 0$, qui a pour solution 0 ; 2 et 5. On retire la première qui est impossible, il en reste 2.

b) $5n = n + \dfrac{n(n-1)}{2} + \dfrac{n(n-1)(n-2)}{6}$
$\Leftrightarrow 24n = 3n(n-1) + n(n-1)(n-2)$
$\Leftrightarrow n^2 - 25 = 0$
car n est non nul, donc une seule solution $n = 5$.

107 1. On peut former $2^3 = 8$ nombres.
2. Leur somme est 1 776.

108 1. On peut former $3^3 = 27$ nombres.
2. Leur somme est 10 989.

109 Le nombre de répartitions est :
$5 \times 4 \times 3 \times \binom{3}{2} = 180$.

110 1. Il y a $6^3 = 216$ résultats.
2. Il y en a $3^2 \times 3 = 27$.
3. Il y en a $6 \times 5 \times 4 = 120$.
4. Il y en a $6 \times 1 \times 5 = 30$.

111 1. On peut en former $9 \times 10 \times 10 = 900$.
2. Pour cela, il faut que $c = 0$, donc il y en a $9 \times 10 \times 1 = 90$.

12 Succession d'épreuves indépendantes et loi binomiale

À vous de jouer !

1 1. a) Oui : on remet la boule tirée dans l'urne donc sa composition est identique à chaque tirage.
b) Les tirages sont indépendants donc
$p((R \; ; \; N \; ; \; N)) = \dfrac{5}{11} \times \dfrac{6}{11} \times \dfrac{6}{11} = \dfrac{180}{1331} \approx 0{,}135.$

2.

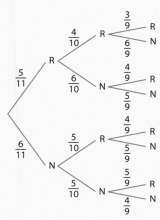

$$p = \frac{5}{11} \times \frac{6}{10} \times \frac{5}{9} = \frac{5}{33} \approx 0{,}152.$$

3 **1.** On considère une succession de 3 expériences de Bernoulli (en considérant qu'un succès est obtenir PILE par exemple) identiques et indépendantes avec la probabilité d'un succès qui est 0,75 donc cette succession d'épreuves est bien un schéma de Bernoulli avec $n = 3$ et $p = 0{,}75$.

2.

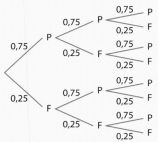

3. La probabilité d'obtenir exactement un succès est $3 \times 0{,}75 \times 0{,}25^2 = 0{,}140\ 625$ (4e, 6e et 7e chemins en partant du haut).

5 **1.** X donne le nombre de succès lorsque l'on réalise $n = 20$ fois de manière indépendante la même épreuve de Bernoulli (un succès correspond à « obtenir FACE ») de paramètre $p = 0{,}5$ donc X suit la loi binomiale de paramètres $n = 20$ et $p = 0{,}5$.

2. $p(X = 11) = \binom{20}{11} \times 0{,}5^{11} \times 0{,}5^{20-11}$

$$= \binom{20}{11} \times 0{,}5^{20} \approx 0{,}16$$

7 **1.** $p(X > 6) = 1 - p(X \leqslant 6) \approx 0{,}62$
2. $p(3 \leqslant X < 12) = p(X \leqslant 11) - p(X \leqslant 2) \approx 0{,}97$

9 • L'espérance associée à $\mathcal{B}_1$ est environ 22 et celle associée à $\mathcal{B}_2$ est environ 4 donc $\mathcal{B}_1$ a la plus grande espérance.
• Le diagramme associé à $\mathcal{B}_2$ est plus haut et moins large que celui associé à $\mathcal{B}_1$ donc c'est la loi à $\mathcal{B}_1$ qui a le plus grand écart-type.

11 La probabilité qu'il puisse accueillir tous les clients se présentant est $p(C \leqslant 43) \approx 0{,}98$ donc oui.

13 Ici, $\alpha = 0{,}1$ et $\frac{\alpha}{2} = 0{,}05$.
$p(Y < 3) = p(Y \leqslant 2) \approx 0{,}099\ 6 > 0{,}05$
donc [3 ; 9] n'est pas centré.

15 On tabule $p(Y \leqslant k)$:

NORMAL FLOTT AUTO RÉEL DEGRÉ MP				
APP SUR + POUR △Tb1				
X	Y1			
24	0.7316			
25	0.8028			
26	0.8607			
27	0.9055			
28	0.9384			
29	0.9614			
30	0.9768			
31	0.9866			
32	0.9926			
33	0.9961			
34	0.998			
X=34				

donc $k = 32$.

17 $p(Y \geqslant k) = 1 - p(Y < k) = 1 - p(Y \leqslant k - 1)$
donc $p(Y \geqslant k) > 0{,}8 \Leftrightarrow 1 - p(Y \leqslant k - 1) > 0{,}8$
$\Leftrightarrow p(Y \leqslant k - 1) < 0{,}2$.
On tabule $p(Y \leqslant x)$:

NORMAL FLOTT AUTO RÉEL DEGRÉ MP				
APP SUR + POUR △Tb1				
X	Y1			
0	0.0114			
1	0.0658			
2	0.1919			
3	0.3811			
4	0.5875			
5	0.762			
6	0.881			
7	0.9482			
8	0.9803			
9	0.9934			
10	0.998			
X=0				

donc $k - 1 = 2$ puis $k = 3$.

19 Ici $\frac{\alpha}{2} = 0{,}05$ et $1 - \frac{\alpha}{2} = 0{,}95$ donc on cherche les plus petits entiers a et b tels que $p(Y \leqslant a) > 0{,}05$ et $p(Y \leqslant b) \geqslant 0{,}95$
On tabule $p(Y \leqslant x)$:

NORMAL FLOTT AUTO RÉEL DEGRÉ MP				
APP SUR + POUR △Tb1				
X	Y1			
5	0.0406			
6	0.0955			
7	0.188			
8	0.318			
9	0.4725			
10	0.6289			
11	0.7649			
12	0.8668			
13	0.933			
14	0.9702			
15	0.9884			
X=15				

L'intervalle cherché est [6 ; 14].

32 **1.** Non car chaque tirage change la composition de l'urne donc a de l'influence sur les suivants.
2. Dans l'arbre ci-dessous, R désigne l'obtention d'une boule rouge, V d'un boule verte, J d'une boule jaune et B d'une boule bleue.

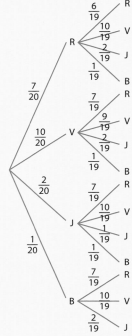

3. a) $\frac{7}{20} \times \frac{6}{19} = \frac{21}{190} \approx 0{,}111$

b) $\frac{10}{20} \times \frac{2}{19} + \frac{2}{20} \times \frac{10}{19} = \frac{2}{19} \approx 0{,}105$

c) Appelons J_1 l'événement « la première boule est jaune » et R_2 l'événement « la deuxième boule est rouge ».

On cherche $p_{R_2}(J_1) = \frac{p(J_1 \cap R_2)}{p(R_2)}$ avec :

• $p(J_1 \cap R_2) = \frac{2}{20} \times \frac{7}{19} = \frac{7}{190}$

• $p(R_2) = \frac{7}{20} \times \frac{6}{19} + \frac{10}{20} \times \frac{7}{19} + \frac{2}{20} \times \frac{7}{19}$
$\quad + \frac{1}{20} \times \frac{7}{19} = \frac{133}{380} = \frac{7}{20}$

donc $p_{R_2}(J_1) = \dfrac{\frac{7}{190}}{\frac{7}{20}} = \frac{7}{190} \times \frac{20}{7} = \frac{2}{19} \approx 0{,}105.$

d) Appelons V_1 l'événement « la première boule est verte » et B_2 l'événement « la deuxième boule est bleue ».
On cherche $p_{B_2}(V_1) = \frac{p(V_1 \cap B_2)}{p(B_2)}$ avec :

• $p(V_1 \cap B_2) = \frac{10}{20} \times \frac{1}{19} = \frac{1}{38}$

• $p(B_2) = \frac{7}{20} \times \frac{1}{19} + \frac{10}{20} \times \frac{1}{19} + \frac{2}{20} \times \frac{1}{19}$
$\quad = \frac{1}{20}$

donc $p_{B_2}(V_1) = \dfrac{\frac{1}{38}}{\frac{1}{20}} = \frac{1}{38} \times \frac{20}{1} = \frac{10}{19} \approx 0{,}526.$

35 **1.** C'est un tirage avec remise donc la composition de l'urne reste la même à chaque tirage : les différents tirages n'ont pas d'influence sur les autres.
2. En notant *B*, *G*, *N*, *O* et *V* les différentes couleurs, l'univers associé à cette succession de trois épreuves est $\{B ; G ; N ; O ; V\}^3$.
3. $p((B ; G ; V)) = p(B) \times p(G) \times p(V)$
$= 0,23 \times 0,12 \times 0,11 \approx 0,003$

39 En considérant qu'un succès est « L'élève a choisi la spécialité mathématiques » alors c'est une expérience à deux issues, donc une épreuve de Bernoulli, avec la probabilité d'un succès $p = 0,71$.

49 **1.** On doit supposer que les lancers sont indépendants.
2. On considère qu'un succès (S) désigne le fait de planter la boule sur le socle.

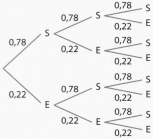

3. a) $0,78 \times 0,22 \times 0,22 + 0,22 \times 0,78 \times 0,22 + 0,22 \times 0,22 \times 0,78 \approx 0,113$.
b) $0,78^3 + 3 \times 0,78^2 \times 0,22 \approx 0,876$.

54 **1.** En considérant qu'un succès pour chacun des lancers est « obtenir rouge », *X* donne le nombre de succès lorsque l'on réalise $n = 20$ fois de manière indépendante la même expérience de Bernoulli dont la probabilité de succès (« obtenir rouge ») est $p = \dfrac{18}{37}$ donc *X* suit la loi binomiale de paramètres $n = 20$ et $p = \dfrac{18}{37}$.
2. On cherche
$p(X = 9) = \dbinom{20}{9} \times \left(\dfrac{18}{37}\right)^9 \times \left(\dfrac{19}{37}\right)^{11} \approx 0,168$.

57 a) Environ 0,197.
b) Environ 0,366.　　**c)** Environ 0,861.
d) Environ 0,66.

64 **1.** • $E(X) = 20 \times 0,83 = 16,6$
• $V(X) = 20 \times 0,83 \times 0,17 = 2,822$
• $\sigma(X) = \sqrt{V(X)} = \sqrt{2,822} \approx 1,680$
2. • $E(Y) = 100 \times 0,79 = 79$
• $V(Y) = 100 \times 0,79 \times 0,21 = 16,59$
• $\sigma(Y) = \sqrt{V(Y)} = \sqrt{16,59} \approx 4,073$

70 **1. a)** $E(X) = 10$
b) $np = 10 \Leftrightarrow n = \dfrac{10}{0,4} = 25$.
2. Le diagramme en barres associé à $\mathcal{B}'$ est plus haut et moins large que celui associé à $\mathcal{B}$ donc l'écart-type associé à $\mathcal{B}$ est plus grand que celui associé à $\mathcal{B}'$.

72 La variable aléatoire *X* donnant le nombre d'articles qu'il a trouvé suit la loi binomiale de paramètres $n = 30$ et $p = 0,9$.
a) $p(X < 28) \approx 0,589$ donc $p(X < 28) < 0,99$ donc non.
b) $p(X \geqslant 23) \approx 0,992$ donc $p(X \geqslant 23) \geqslant 0,99$ donc oui.
c) $p(21 \leqslant X \leqslant 29) \approx 0,957$ donc $p(21 \leqslant X \leqslant 29) < 0,99$ donc non.

75 **1.** Ici, α = 0,05 donc $\dfrac{\alpha}{2} = 0,025$.
$p(X < 18) \approx 0,022$ et $p(X > 35) \approx 0,021$ donc $p(X < 18) \leqslant 0,025$ et $p(X > 35) \leqslant 0,025$: $[18 ; 35]$ est bien un intervalle de fluctuation centré au seuil de 95 %.
2. Ici, α = 0,01 donc $\dfrac{\alpha}{2} = 0,005$.
$p(X < 15) \approx 0,003$ et $p(X > 38) \approx 0,004$ donc $p(X < 15) \leqslant 0,005$ et $p(X > 38) \leqslant 0,005$: $[15 ; 38]$ est bien un intervalle de fluctuation centré au risque de 1 %.

Exercices　**d'entrainement**

93 a) 15　　　　　**b)** 34

97 a) $p(X \geqslant k) > 0,9 \Leftrightarrow p(X \leqslant k - 1) < 0,1$
On trouve $k - 1 = 30$ puis $k = 31$.
b) $p(X \geqslant k) \geqslant 0,05 \Leftrightarrow p(X \leqslant k - 1) \leqslant 0,95$
On trouve $k - 1 = 38$ puis $k = 39$.

100 On tabule $k \mapsto p(X \leqslant k)$:

```
NORMAL FLOTT AUTO RÉEL DEGRÉ MP
APP SUR + POUR ⊿Tb1
   X        Y1
   1      0.0131
   2      0.0513
   3      0.1345
   4      0.268
   5      0.4353
   6      0.6065
   7      0.7533
   8      0.8608
   9      0.9292
  10      0.9675
  11      0.9865
X=1
```

donc $[2 ; 11]$ est un intervalle de fluctuation centré au seuil de 95 % (car $p(X \leqslant 2) > 0,025$ et $p(X \leqslant 11) \geqslant 0,975$).

Préparer le BAC

120 **B**　　　**121** **C**
122 **D**　　　**123** **B**
124 **C**　　　**125** **A**
126 **B**　　　**127** **B**
128 **B**

129 **A ▸ 1.** Non car le titre joué ne peut pas être rejoué à l'étape d'après : le résultat d'une épreuve a donc de l'influence sur la suivante.
2.

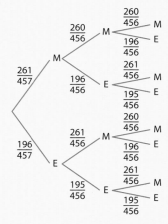

3. a) $\dfrac{261}{457} \times \dfrac{196}{456} \times \dfrac{195}{456} + \dfrac{196}{457} \times \dfrac{261}{456} \times \dfrac{196}{456}$
$+ \dfrac{196}{457} \times \dfrac{195}{456} \times \dfrac{261}{456} \approx 0,315$
(4e, 6e et 7e chemins).
b) On peut faire le calcul direct ou remarquer que c'est la probabilité que le téléphone joue 2 ou 3 titres électro, soit :
$\dfrac{261}{457} \times \dfrac{196}{456} \times \dfrac{195}{456} + \dfrac{196}{457} \times \dfrac{261}{456} \times \dfrac{196}{456} + \dfrac{196}{457}$
$\times \dfrac{195}{456} \times \dfrac{261}{456} + \dfrac{196}{457} \times \dfrac{195}{456} \times \dfrac{195}{456} \approx 0,394$.

B ▸ 1. Oui.
2. $\{M ; E\}^5$
3. $p((M ; E ; E ; E ; M)) = p(M)^2 \times p(E)^3$
$= \left(\dfrac{261}{457}\right)^2 \times \left(\dfrac{196}{457}\right)^3$
$\approx 0,026$
4. $p((M ; E ; E ; E ; E)) = p((E ; M ; E ; E ; E))$
$= p(M)^1 \times p(E)^4$
$= \left(\dfrac{261}{457}\right) \times \left(\dfrac{196}{457}\right)^4$
$\approx 0,019$
5. Introduisons la variable aléatoire *X* donnant le nombre de titres « métal » joués.
X suit la binomiale de paramètres $n = 5$ et $p = \dfrac{261}{457}$. On cherche donc :
• $p(X = 1) \approx 0,097$;　• $p(2 \leqslant X \leqslant 4) \approx 0,828$.
6.

```
def cinq_titres():
    L=[]
    for i in range(5):
        if random.randint(1,457)<=261:
            L.append("Metal")
        else:
            L.append("Electro")
    return L
```

130 **1.** Le tirage est avec remise donc, en considérant que l'obtention d'une boule rouge est un succès (par exemple), on répète 4 fois de manière indépendante une même expérience de Bernoulli donc cette succession d'épreuves est bien un schéma de Bernoulli.
En notant R l'événement : « la boule tirée est rouge », on a :

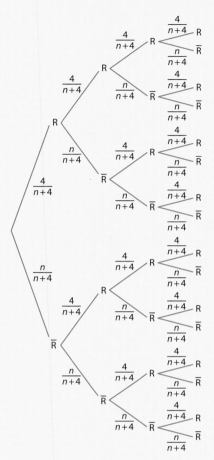

2. q_n est la probabilité de l'événement contraire de « aucune boule n'est noire » donc

$$q_n = 1 - \left(\frac{4}{n+4}\right)^4.$$

3. $1 - \left(\frac{4}{n+4}\right)^4 \geqslant 0{,}999\,9 \Leftrightarrow 0{,}000\,1 \geqslant \left(\frac{4}{n+4}\right)^4$

donc $n \geqslant 36$.

131 1. D suit la loi binomiale de paramètres $n = 1\,500$ et $p = 0{,}02$.
$p(D \leqslant 44) \approx 0{,}994$ donc oui.
2. a) $[20 \,;\, 41]$
b) Non car $40 \in [20 \,;\, 41]$.

132 Soit X la variable aléatoire donnant le nombre de personnes (supposées indépendantes) n'aimant pas le livre dans le club. X suit la loi binomiale de paramètres $n = 236$ et $p = 0{,}15$.
On cherche le plus petit entier k tel que $p(X > k) \leqslant 0{,}01 \Leftrightarrow p(X \leqslant k) \geqslant 0{,}99$ donc $k = 49$.

---

13 Variables aléatoires, concentration et loi des grands nombres

À vous de jouer !

1 a) $E(X + Y) = 3 + 5 = 8$
b) $E(2{,}5X) = 2{,}5 \times 3 = 7{,}5$
c) $V(2X) = 2^2 \times 0{,}5 = 2$

3 X est la variable aléatoire donnant le nombre de lancers réussis par Jean sur ses 10 lancers et Y est la variable aléatoire donnant le nombre de lancers réussis par Sophie sur ses 20 lancers.

5 Les variables aléatoires X_i sont indépendantes et suivent toutes une même loi de $\mathcal{B}(0{,}5)$ car la probabilité de faire PILE est $0{,}5$.
$X_1 + X_2 + \dots + X_{40}$ suit une loi binomiale de paramètres $n = 40$ et $p = 0{,}5$. Elle correspond au nombre de PILE obtenue sur les 40 lancers.

7 $E(X_1) = 12 \times 0{,}48 = 5{,}76$
Donc $E(S) = 3E(X_1) = 17{,}28$

9 1. a) $p(|P - 32| < 6) = p(\overline{|P - 32| \geqslant 6})$
$$= 1 - p(|P - 32| \geqslant 6)$$
or $p(|P - 32| \geqslant 6) \leqslant \dfrac{9}{6^2} = 0{,}25$
donc $-p(|P - 32| \geqslant 6) \geqslant -0{,}25$
puis $1 - p(|P - 32| \geqslant 6) \geqslant 0{,}75$
c'est-à-dire $p(|P - 32| < 6) \geqslant 0{,}75$.
b) La probabilité que ce médecin voie entre 26 et 38 patients (exclus), c'est-à-dire entre 27 et 37 patients, est supérieure ou égale à $0{,}75$.
2. $21 = 32 - 9$ et $41 = 32 + 9$ donc on cherche $p(|P - 32| \geqslant 9)$ or $p(|P - 32| \geqslant 9) \leqslant \dfrac{9}{9^2} = \dfrac{1}{9}$.

11 On appelle X_i pour i entier entre 1 et 100 le gain du i-ème joueur. On a alors $(X_1 \,;\, X_2 \,;\, \dots \,;\, X_{100})$ qui est un échantillon associé à une loi d'espérance 10 et de variance 2 et $M = \dfrac{X_1 + X_2 + \dots + X_{100}}{100}$ sa moyenne.

On cherche $p(|M - 10| < 3) \geqslant 1 - \dfrac{2}{100 \times 3^2}$ avec

$1 - \dfrac{2}{100 \times 3^2} \approx 0{,}998$.

13 La moyenne d'un échantillon associé à une loi se rapproche de l'espérance associée à cette loi donc, ici, de $0{,}4 \times 1 + 0{,}5 \times 10 + 0{,}1 \times 30 = 8{,}4$.

15 1. Comme il y a 20 000 billes, ce qui est grand, on peut considérer que le prélèvement de 3 billes ne changera pas les probabilités et donc que le prélèvement peut être considéré comme un tirage avec remise de 3 billes.
2. a) La loi de X_1 est donnée par : $p(X_1 = 1) = 0{,}7$, $p(X_1 = 2) = 0{,}25$ et $p(X_1 = 9) = 0{,}05$.
Les lois de X_2 et X_3 sont considérées identiques.
b) $E(X_1) = 1{,}65$ donc $E(S) = 3E(X_1) = 4{,}95$.
$V(X_1) = 3{,}0275$ donc $V(S) = 3V(X_1) = 9{,}082\,5$.

---

17 1. $E(R) = 2{,}5$ et $V(R) = 1{,}25$.
2. Les lancers étant identiques et indépendants, les variables aléatoires $(X_1 \,;\, \dots \,;\, X_n)$ donnant les résultats de n lancers successifs forment un échantillon de variables aléatoires d'espérance $2{,}5$ et de variance $1{,}25$.
Appelons M la variable aléatoire moyenne de cet échantillon.
On cherche à trouver n tel que $p(|M - 2{,}5| \geqslant 0{,}5) \leqslant 0{,}01$
or $p(|M - 2{,}5| \geqslant 0{,}5) \leqslant \dfrac{1{,}25}{n \times 0{,}5^2} = \dfrac{5}{n}$ donc une condition suffisante est :
$\dfrac{5}{n} \leqslant 0{,}01 \Leftrightarrow \dfrac{5}{0{,}01} \leqslant n$ c'est-à-dire $n \geqslant 500$.

Exercices d'application

35 a) $E(X + Y) = 7$
b) $E(3X) = 6$
c) $E(-2Y) = -10$

44 X est la variable aléatoire donnant le résultat du dé tétraédrique et Y est la variable aléatoire donnant le résultat du dé cubique.

49 a) $n = 15$ et $p = 0{,}6$
b) $n = 25$ et $p = 0{,}12$
c) $n = 150$ et $p = 0{,}999$
d) $n = 1\,000$ et $p = 0{,}2$

56 1. En posant X_i la variable aléatoire donnant le résultat du dé lu en i-ième position, on a $X = X_1 + \dots + X_{100}$.
La loi des X_i est donnée dans le tableau ci-dessous.

y_i	1	2	3	4	5	6
$p(Y = y_i)$	$\dfrac{1}{6}$	$\dfrac{1}{6}$	$\dfrac{1}{6}$	$\dfrac{1}{6}$	$\dfrac{1}{6}$	$\dfrac{1}{6}$

2. On a $E(X) = E(X_1) + \dots + E(X_{100}) = 100E(X_1)$.
Or $E(X_1) = 1 \times \dfrac{1}{6} + \dots + 6 \times \dfrac{1}{6} = 3{,}5$.
Donc $E(X) = 350$.
Cela signifie que sur un très grand nombre de lancers de 100 dés, on obtient en moyenne une somme proche de 350.

62 1. $I = \,]7 \,;\, 17[$
2. $J = \,]-\infty \,;\, -2]$ et $K = [8 \,;\, +\infty[$

72 1. a) $p(|F - 165| \geqslant 8) \leqslant \dfrac{25}{8^2}$ avec $\dfrac{25}{8^2} \approx 0{,}39$.

b) $p(|F - 165| \geqslant 10) \leqslant \dfrac{25}{10^2}$ avec $\dfrac{25}{10^2} = 0{,}25$.

2. $p(|H - 180| \geqslant 10) \leqslant \dfrac{36}{10^2}$ avec $\dfrac{36}{10^2} = 0{,}36$:

la probabilité qu'un homme pris au hasard dans cette population mesure 1,70 m ou moins ou 1,90 m ou plus en inférieure à 0,36.

79 1. $E(G) = 0{,}55$ et $V(G) = 0{,}997\,5$.

2. a) $p(|G - 0{,}55| \geqslant 2{,}45) \leqslant \dfrac{0{,}997\,5}{2{,}45^2}$ avec

$\dfrac{0{,}997\,5}{2{,}45^2} \approx 0{,}17$.

b) L'événement $|G - 0{,}55| \geqslant 2{,}45$ est l'événement $G \in \,]-\infty \,;\, -1{,}9] \cup [3 \,;\, +\infty[= [3 \,;\, +\infty[$ puisque le gain est positif.
La probabilité de gagner plus de 3 jetons est donc inférieure à 0,17 environ.

1. Soit $X_1, X_2, ..., X_{35}$ les variables aléatoires donnant les résultats des 35 mesures de même loi que X et $M = \dfrac{X_1 + X_2 + ... + X_{35}}{35}$.

$p(|M - 9,5| \geqslant 0,5) \leqslant \dfrac{0,04}{35 \times 0,5^2}$ avec

$\dfrac{0,04}{35 \times 0,5^2} \approx 0,005$.

2. a) $p(|M - 9,5| < 0,2) \geqslant 1 - \dfrac{0,04}{35 \times 0,2^2}$ avec

$1 - \dfrac{0,04}{35 \times 0,2^2} \approx 0,97$.

b) On est sûr au seuil de 97 % que la moyenne des mesures réalisées sera comprise strictement entre 9,3 et 9,7 cm.

b) Il y a donc moins de 10 % de chance qu'il marque 1 700 points ou moins ou 2 000 (1 700 × 1,176 = 1999,2) points ou plus sur ces 1 700 tirs.

89 La moyenne va se rapprocher de $E(G) = -1$.

Exercices d'entrainement

104 1. Comme l'effectif de l'entreprise est relativement grand par rapport au prélèvement (1 500 par rapport à 10), on peut considérer que c'est un tirage avec remise.

2. $E(S) = 10 \times 1\,870 = 18\,700$.
$V(S) = 10V(X) = 10 \times 223^2$

donc $\sigma(S) = \sqrt{10 \times 223^2}$.
$\approx 705,2$

113 On considère $M_n = \dfrac{X_1 + X_2 + ... + X_n}{n}$ et on cherche n tel que $p(|M_n - 250| < 5) \geqslant 0,95$.

Comme $p(|M_n - 250| < 5) \geqslant 1 - \dfrac{100}{n \times 5^2} = 1 - \dfrac{4}{n}$,

une condition suffisante est

$1 - \dfrac{4}{n} \geqslant 0,95 \Leftrightarrow n \geqslant 80$.

118 1. Pour $\delta \geqslant \sqrt{200}$ l'inégalité est vérifiée.

2. $p(|X - 10| \geqslant \delta) \leqslant \dfrac{4}{\delta^2} \leqslant 0,02$.

Préparer le BAC

128	B		129	B
130	B		131	C
132	D		133	D
134	A		135	C et D
136	B			

137 Soit X la variable aléatoire donnant le nombre de fois où elle touche la cible 1 et Y celle pour la cible 2.
Les tirs étant indépendants, on peut dire que X suit $B(20 ; 0,4)$ et Y suit $B(10 ; 0,1)$.
On a donc $E(X) = 8$ et $E(Y) = 1$.
Soit Z la variable aléatoire donnant le nombre de points : on a $Z = 5X + 20Y$.
Sur un grand nombre d'entrainements, elle peut espérer en moyenne $E(Z)$ points avec :
$E(Z) = E(5X + 20Y) = 5E(X) + 20E(Y) = 40 + 20 = 60$
c'est-à-dire 60 points.

138 1. La loi de X est donnée par :

x_i	–4	5	100
$p(X = x_i)$	0,78	0,18	0,04

2. D'après la ligne 11, elle est utilisée 10 fois.
3. – 40 signifie que l'on a obtenu –4 dix fois (soit 10 parties perdues).
Cette probabilité vaut $0,78^{10} \approx 0,083$.
4. a) On peut écrire $S = X_1 + ... + X_{10}$ où X_i est le gain à la i-ème des 10 parties.
b) On a $E(S) = 10\, E(X) = 17,8$ car $E(X) = 1,78$.
On peut espérer gagner en moyenne 17,8.

139 1. On considère $T_1, T_2, ..., T_{52}$ les variables aléatoires donnant les temps d'attente successifs : elles sont toutes indépendantes et suivent la même loi que T.

On pose alors $M = \dfrac{T_1 + T_2 + ... + T_{52}}{52}$

et $p(|M - 600| < 60) \geqslant 1 - \dfrac{2\,000}{52 \times 60^2}$ avec

$1 - \dfrac{2\,000}{52 \times 60^2} \approx 0,989$.

2. a) $T' = T - 60$ donc $E(T') = 540$ et $V(T') = 2\,000$.
b) On considère $T'_1, T'_2, ..., T'_n$ les variables aléatoires donnant les temps d'attente successifs : elles sont toutes indépendantes et suivent la même loi que T'.

On pose alors $M'_n = \dfrac{T'_1 + T'_2 + ... + T'_n}{n}$ et on cherche n tel que $p(|M'_n - 540| < 30) \geqslant 0,99$.

Comme

$p(|M'_n - 540| < 30) \geqslant 1 - \dfrac{2000}{n \times 30^2} = 1 - \dfrac{20}{9n}$,

une condition suffisante est

$1 - \dfrac{20}{9n} \geqslant 0,99 \Leftrightarrow n \geqslant \dfrac{2000}{9}$ donc à partir de 223 clients.

140 1. X suit la loi binomiale de paramètres $n = 50$ et $p = 0,25$.
2. a) $G = 2X$
b) $E(X) = 12,5$ et $V(X) = 9,375$ donc $E(G) = 25$ et $V(G) = 37,5$.
3. a) $S = 2X - 0,5(50 - X) = 2X - 25 + 0,5X = 2,5X - 25$.
b) $E(S) = 2,5E(X) - 25 = 6,25$ et $V(S) = V(2,5X) = 2,5^2\, V(X) = 58,593\,75$.

c) $p(|S - 6,25| \geqslant 31,75) \leqslant \dfrac{58,593\,75}{31,75^2}$ avec

$\dfrac{58,593\,75}{31,75^2} \approx 0,058$.

d) $|S - 6,25| \geqslant 31,75$
$\Leftrightarrow S \in\ ]-\infty\,;\,-25,5] \cup [38\,;\,+\infty[$ or le score minimal est –25 donc $|S - 6,25| \geqslant 31,75 \Leftrightarrow S \geqslant 38$.
La probabilité que l'on obtienne 38 points ou plus à ce jeu est inférieure à 0,058 environ.
e) $S \geqslant 38 \Leftrightarrow 2,5X - 25 \geqslant 38 \Leftrightarrow 2,5X \geqslant 63$
$\Leftrightarrow X \geqslant 25,2$ c'est-à-dire $X \geqslant 26$.
Ainsi, $p(S \geqslant 38) = p(X \geqslant 26) \approx 0,000\,04$.
f) La majoration (de l'ordre de 0,06) n'est pas très bonne puisque la « vraie » probabilité est bien plus faible (de l'ordre de 0,000 04).

Responsable éditorial : Adrien FUCHS
Coordination éditoriale : Aurore BALDUZZI, Julie DRAPPIER, Stéphanie HERBAUT, Marilyn MAISONGROSSE.
Maquette de couverture : Primo & Primo
Maquette intérieure : Primo & Primo et Delphine d'INGUIMBERT
Mise en pages et schémas : Nord Compo
Iconographie : Candice RENAULT
Numérique : Dominique GARRIGUES et Audrey BILLARD

Crédits

Certifié PEFC
Ce produit est
issu de forêt gérées
durablement et
de sources contrôlées
www.pefc.it

ISBN : 978-2-210-11405-0

© MAGNARD 2020, 5 allée de la 2e D.B. 75015 Paris